Monteiro Lobato

Obra completa

BIBLIOTECA
LUSO-BRASILEIRA
SÉRIE BRASILEIRA

**MONTEIRO LOBATO
Obra completa em
três volumes**

VOLUME 1
Livros infantis e juvenis
Caderno iconográfico

VOLUME 2
Livros infantis e juvenis

VOLUME 3
Livros adultos
Álbum de memórias

Monteiro Lobato. [Foto: arquivo familiar.
Cedida por Cedae /IEL /Unicamp.]

Monteiro Lobato

Obra completa

VOLUME 2
Livros infantis e juvenis

Editora
Nova
Aguilar

Sumário

Recontos

11 Peter Pan

51 Fábulas

113 Histórias de Tia Nastácia

193 Histórias diversas

Paradidáticos

241 Emília no País da Gramática

313 Aritmética da Emília

389 Geografia de Dona Benta

515 História das invenções

583 História do mundo para crianças

763 O Minotauro

871 O poço do Visconde

973 Serões de Dona Benta

RECONTOS

PETER PAN

A HISTÓRIA DO MENINO QUE NÃO QUERIA CRESCER, CONTADA POR DONA BENTA

Capítulo I
PETER PAN

Quem já leu as *Reinações de Narizinho* deve estar lembrado daquela noite de circo, no Picapau Amarelo, em que o palhaço havia desaparecido misteriosamente. Com certeza fora raptado. Mas raptado por quem? Todos ficaram na dúvida, sem saber o que pensar do estranho acontecimento. Todos, menos o Gato Félix. Esse figurão afirmava que o autor do rapto só poderia ter sido uma criatura – Peter Pan.

– Foi ele! – dizia o Gato Félix. – Juro como foi Peter Pan.

Mas quem era Peter Pan? Ninguém sabia, nem a própria Dona Benta, a velha mais sabida de quantas há. Quando Emília a ouviu declarar que não sabia, botou as mãos na cinturinha e:

– Pois se não sabe trate de saber. Não podemos ficar assim na ignorância. Onde já se viu uma velha de óculos de ouro ignorar o que um gato sabe?

Dona Benta calou-se, achando que era mesmo uma vergonha que o Gato Félix soubesse quem era Peter Pan e ela não – e escreveu a uma livraria de São Paulo pedindo que lhe mandasse a história do tal Peter Pan. Dias depois recebeu um lindo livro em inglês, cheio de gravuras coloridas, do grande escritor inglês J. M. Barrie. O título dessa obra era *Peter Pan and Wendy*.

Dona Benta leu o livro inteirinho e depois disse:

– Pronto! Já sei quem é o senhor Peter Pan, e sei melhor do que o Gato Félix, pois duvido que ele haja lido este livro.

– Está claro que não leu – observou Emília. – Ele só lê ratos – com os dentes...

– Se leu, conte, vovó! – gritou Narizinho. – Andamos ansiosos por ouvir a história desse famoso menino.

– Muito bem – disse Dona Benta. – Como hoje já é muito tarde, começarei a história amanhã às sete horas. Fiquem todos avisados.

No dia seguinte, de tardinha, a curiosidade dos meninos começou a crescer. Às seis e meia já estavam todos na sala, em redor da mesa, à espera da contadeira. Emília olhava para o relógio pensativamente. Quem entrasse em sua cabeça havia de encontrar lá essa asneirinha: "Que pena os relógios não andarem de galope, como os cavalos! Nada me enjoa tanto como esta maçada de esperar que chegue a hora das coisas – a hora de brincar, a hora de dormir, a hora de ouvir histórias...".

Pedrinho matava o tempo arrepiando xises no veludo de uma velha almofada – com o dedo. E Narizinho, no seu vestido novo de rosinhas cor-de-rosa, fazia exercício de "parar de pensar" – uma coisa que parece fácil, mas não é. A gente, por mais que faça, pensa sem querer.

Faltava o Visconde. O velho sábio, depois que se meteu a estudar matemáticas, fazia tudo com "precisão matemática", que é como se diz das pessoas que não fazem as coisas mais ou menos, e sim certinho. Quando bateu sete horas ele entrou, em sete passadas, cada uma correspondendo a uma pancada do relógio. Logo depois surgiu Dona Benta.

– Viva vovó! – gritaram os meninos.

– Viva a história que ela vai contar! – berrou Emília.

Dona Benta sentou-se na sua cadeira de pernas serradas, subiu para a testa os óculos de aro de ouro e começou:

— Era uma vez uma família inglesa...

— Espere, Sinhá! Não comece ainda – gritou lá da copa Tia Nastácia. — Eu também faço questão de conhecer a história desse pestinha. Estou acabando de lavar as panelas e já vou.

Dona Benta esperou que a negra chegasse, apesar do protesto da Emília, que disse: "Bobagem! Para que uma cozinheira precisa saber a história de Peter Pan?".

Tia Nastácia veio e escarrapachou-se no assoalho, entre o Visconde e a menina. Só então Dona Benta começou de verdade.

— Havia na Inglaterra uma família inglesa composta de pai, mãe e três filhos – uma menina de nome Wendy (pronuncia-se Uêndi), que era a mais velha; um menino de nome João Napoleão, que era o do meio; é outro, de nome Miguel, que era o caçulinha. Os três tinham o sobrenome de Darling, porque o pai se chamava não sei quê Darling. Esses meninos ocupavam a mesma *nursery* numa linda casa de Londres.

— *Nursery*? – repetiu Pedrinho. – Que vem a ser isso?

— *Nursery* (pronuncia-se nãrseri) quer dizer, em inglês, quarto de crianças. Aqui no Brasil, quarto de criança é um quarto como outro qualquer e por isso não tem o nome especial. Mas na Inglaterra é diferente. São uma beleza os quartos das crianças lá, com pinturas engraçadas rodeando as paredes, todos cheios de móveis especiais, e de quanto brinquedo existe.

— Boi de chuchu, tem? – indagou Emília.

— Talvez não tenha, porque boi de chuchu é brinquedo de meninos da roça e Londres é uma grande cidade, a maior do mundo. As crianças inglesas são muito mimadas e têm os brinquedos que querem. Os brinquedos ingleses são dos melhores.

— E os brinquedos alemães, vovó? Ouvi dizer que há na Alemanha uma cidade que é o centro da fabricação de brinquedos.

— É é verdade, meu filho. Nurembergue: eis o nome da capital dos brinquedos. Fabricam-nos lá de todos os feitios e de todos os preços, e exportam-nos para todos os países do mundo.

— E aqui, vovó?

— Aqui essa indústria está começando. Já temos algumas fábricas de bonecas e outras de carrinhos, cavalinhos de pau, trenzinhos de folha, patinhos de celuloide, gaitas de assoprar etc., etc.

Pedrinho declarou que quando crescesse ia montar uma grande fábrica de brinquedos da maior variedade possível, e que lançaria no mercado bonecos representando o Visconde de Sabugosa, a Emília, o Rabicó etc. Todos gostaram muito da ideia e Dona Benta voltou ao assunto.

— Pois é isso. Aquela *nursery* era um encanto. Imaginem que quem tomava conta das crianças era a Naná.

— Alguma criada?

— Não. Uma cachorra muito inteligente. Era Naná quem dava banho nas crianças, quem as vestia para dormir e tudo mais – e muito direitinho.

Na noite em que a nossa história começa, Naná estava cochilando perto da lareira, com a cabeça entre as patas, enquanto no cômodo pegado o Senhor e a

Senhora Darling se preparavam para uma visita a uns parentes. Quando o casal saía de noite quem ficava tomando conta dos meninos era sempre a cachorra. Nisto o relógio bateu oito horas – *bem, bem, bem, bem, bem, bem*...

– A senhora errou, Dona Benta! – berrou logo Emília, que não deixava escapar coisa nenhuma. – A senhora só bateu seis *bens*.

Dona Benta riu-se.

– Não faz mal – disse ela. – Os dois que faltam ficam *subentendidos*. Mas o relógio bateu oito horas e Naná ergueu-se e espreguiçou-se, porque a ordem da Senhora Darling era fazer a criançada ir para a cama a essa hora justa. Depois Naná acendeu a luz elétrica.

– Como?

– Ela sabia agarrar com a boca a chave da luz e torcer. Estava acostumada a fazer isso. Acendeu a luz e foi ver os pijamas de cada um. E foi ao banheiro abrir a torneira de água quente e fria, experimentando a água com a pata para ver se estava no ponto.

– Que danada! Por que a senhora não nos arranja uma cachorra assim, vovó?

– Porque vocês só querem saber de onças e rinocerontes e bichos esquisitos. Mas deixem estar que ainda ponho um cachorrinho aqui em casa.

– E há de chamar-se Japi! – gritou Emília, que sempre fora a botadeira de nomes. – Mas continue, Dona Benta. A Naná encheu a banheira e que mais?

– Preparou a água do banho e foi buscar o Miguel, que era o menorzinho, e Miguel veio montado nela, dando esporadas. Naná fê-lo apear-se e entrar na água, e foi fechar a porta para que não houvesse corrente de ar. Depois de acabado o banho, deu o pijaminha para Miguel vestir e levou-o para a cama.

Nesse momento a mãe dos meninos entrou no quarto para ver se estava tudo em ordem. Amimou a todos, um por um, prometeu um passeio ao jardim zoológico, para que vissem a enorme goela vermelha do hipopótamo e o pescoço que não acaba mais da girafa. Depois contou uma história linda.

– Que histórias ela contava? – quis saber Emília.

– Quantas existem. As mesmas que já contei a vocês e muitas outras. Depois distribuiu beijos, dizendo: "Agora tratem de dormir". Acendeu uma lamparina de luz muito fraca, apagou a luz elétrica e ia saindo na ponta dos pés, quando notou uma sombra esquisita na parede – uma sombra que vinha da rua. Voltou-se de repente e viu do lado de fora o vulto dum menino.

Assustou-se, está claro, porque as boas mães se assustam por qualquer coisinha, e correu a fechar a vidraça. Fez isso tão depressa que a sombra não teve tempo de retirar-se e foi *guilhotinada*. Por essa e outras é que as tais vidraças de subir e descer, como as nossas aqui do sítio, são chamadas "vidraças de guilhotina".

– E que é guilhotina? – perguntou Emília, que pela primeira vez ouvia essa palavra.

Dona Benta explicou que era uma certa máquina de cortar cabeça de gente, inventada por um médico francês de nome Guillotin. Isso durante o terrível período da Revolução Francesa, um tempo em que cortar cabeça de gente se tornou a preocupação mais séria do governo. E Pedrinho, já lido na *História do Mundo*, lembrou que o próprio Doutor Guillotin teve a sua cabeça cortada por essa máquina.

– Bem feito! – exclamou Emília. – Quem manda...

— Bom, chega de guilhotina – gritou Narizinho. –Continue, vovó. A Senhora Darling guilhotinou a cabeça da sombra e o que fez depois?

— Ao ver cair no chão a cabeça da sombra, como se fosse um pedaço de gaze negra, ela murmurou: "Que fato estranho!" – Depois abaixou-se, pegou a cabeça, da sombra e examinou-a à luz da lamparina, com cara de quem diz: "Nunca ouvi contar dum fato semelhante! São dessas coisas que até parecem invenção". Em seguida dobrou a sombra, bem dobradinha, guardou-a na gaveta de Wendy e retirou-se do quarto, pensativa.

— E os meninos? – indagou Narizinho. –Nada viram?

— Os meninos nada perceberam. Quando a Senhora Darling deu com a sombra na parede, eles já estavam caindo no sono.

O quarto ficou mergulhado em silêncio profundo. Todos dormiam, e até a chama da lamparina parecia cochilar, de tão quietinha. Mas de repente essa luz tremeu três vezes e apagou-se.

— Por quê? –indagou Narizinho.

— Algum besouro – sugeriu Emília.

— Não – disse Dona Benta. –É que havia entrado pela janela uma pequena bola de fogo.

— Como havia entrado pela janela, se a janela estava fechada? – berrou Emília.

— Isso não sei – disse Dona Benta. –O livro nada conta. Mas como fosse uma bola de fogo mágica, o caso se torna possível. Para as bolas de fogo mágicas, tanto faz uma janela estar aberta como fechada. Ela acha sempre jeito de entrar. Do contrário não valia a pena ser bola mágica. Entrou e começou a esvoaçar em todas as direções, muito aflitazinha, como quem anda atrás dalguma coisa

— Já sei – interrompeu Narizinho. – Estava procurando a cabeça da sombra.

— Talvez fosse isso – concordou Dona Benta – porque depois de várias voltas pelo ar a bola parou defronte do armário de Wendy e entrou na gaveta pelo buraco da fechadura.

— E houve um incêndio, já sei! – gritou Emília. –Bola de fogo em gaveta de armário é incêndio certo. A cidade de Londres vai ser destruída...

— Credo! – exclamou Tia Nastácia, que estivera cochilando e acordara naquele ponto. –Não fale assim, Emília, que é mau agouro.

— Não houve incêndio nenhum – disse Dona Benta. –Bola de fogo mágica não pega fogo nas coisas.

— Então que aconteceu?

— Nada. A bola ficou na gaveta, e nesse mesmo instante a janela foi erguida, pelo lado de fora. A cabeça dum menino apareceu. Apareceu, espiou de todos os lados e pulou para dentro do quarto sem fazer o menor barulho.

— "Sininho, Sininho! Onde está você, Sininho?" – indagou ele em voz baixa.

— "*Tlin, tlin, tlin*" – foi a resposta da bola de fogo lá dentro da gaveta.

O menino dirigiu-se pé ante pé na direção dos *tlins*, abriu a gaveta e remexeu-a toda, até encontrar a cabeça da sombra. Pela cara alegre que fez via-se que era o dono dela.

— Que engraçado! – exclamou Emília. –Só agora noto que todos nós temos a nossa sombra, que é só nossa, mas não de gaze, como a desse menino. É de ar preto.

— E que fez ele, vovó, depois de achar a sombra? – perguntou a menina.

– Que fez? Tirou-a da gaveta, desdobrou-a e tratou de emendá-la no resto, porque desde que a Senhora Darling desceu a janela ele ficou com a sombra sem cabeça – ou *decapitada*. Mas isso de emendar sombra não é coisa fácil. Exige prática. O menino tentou primeiro grudá-la com cuspo. Não grudou. Lembrou-se de a colar com sabão. Também não colou. O menino sentiu-se atrapalhado.

– Se fosse eu – disse Emília – experimentava uma bisnaga de Cola-Tudo. O que cola tudo, deve colar sombra também.

– E onde achar a tal bisnaga de Cola-Tudo?

– Todas as *nurserys* devem ter uma bisnaga de Cola-Tudo para colar os brinquedos. Eu, se fosse a Senhora Darling...

– Está bem, Emília, mas pare de falar. Não atrapalhe mais. Continue vovó.

Dona Benta continuou:

– A cabeça não colava de jeito nenhum, de modo que o menino foi tomado de grande desespero. Isso de ter sombra sem cabeça parece ser uma coisa terrível; pelo menos o era para aquele menino, pois escondeu a cara nas mãos e pôs-se a chorar tão alto que Wendy acordou e sentou-se na cama, muito admirada.

– "Por que está chorando?" – indagou ela.

Em vez de responder, o menino enxugou depressa os olhos com as costas da mão e fez um bonito cumprimento com o gorro vermelho. Depois disse:

– "Há muito tempo que eu ando querendo saber qual é o seu nome."

– "Meu nome é Wendy Darling" – respondeu a menina. – "E o seu?"

– "Peter Pan."

– "E onde mora o Senhor Peter Pan?"

– "Moro na rua das casas, número das portas."

Wendy riu-se daquela molecagem e puxou prosa. Conversa vai, conversa vem, ficou sabendo que Peter Pan era um menino sem pai nem mãe, que vivia solto pelo mundo e agora estava muito atrapalhado por ter perdido a cabeça de sua sombra.

– "Não gruda nem com sabão" – disse ele fazendo bico.

– "Bobo!" – exclamou Wendy rindo-se. – Com sabão está claro que não gruda. Sabão só gruda nota velha. Sombra tem que ser costurada com retrós, quer ver?" – e sem esperar pela resposta saltou da cama, foi à sua mesinha de costura e trouxe de lá uma agulha já enfiada. Ajeitou a cabeça da sombra no resto da sombra e num instante alinhavou-a com retrós preto. Ficou que ninguém percebia a emenda.

– "Pronto! Vê como está bem agora?"

Peter Pan pulou de contentamento. Deu várias voltas pela *nursery*, num verdadeiro namoro com a sua sombra consertada.

"Eu sou mesmo um danadinho!" – exclamou por fim, todo cheio de si.

Tamanha gabolice espantou Wendy. Ela havia consertado a sombra e o prosa chamava para si as honras! Já se viu uma coisa assim?

– "Danado, você?" – disse a menina com ironia. – "Se fui eu quem costurou a sombra, como o danado pode ser você?"

– "Sim" – disse o menino; – "você ajudou um pouco, não nego."

– "Ajudou!..." – repetiu Wendy imitando-lhe o tom de voz. – "Pois nesse caso, passe muito bem! Não gosto de gente gabola."

Disse e pulou para a cama, deitando-se e cobrindo a cabeça com a colcha.

Peter Pan desapontou e fez cara de arrependido

– "Oh, não se ofenda, Wendy! Eu tenho este defeito. Sou gabola de nascença. Quando qualquer coisa de bom me acontece, ponho-me sem querer a contar prosa. Seja boa. Perdoe-me. Reconheço que uma menina vale mais do que vinte meninos."

– Isso também não! – protestou Pedrinho. – Só se é lá na Inglaterra. Aqui no Brasil um menino vale pelo menos duas meninas.

– Olhem o outro gabola! – exclamou Narizinho. – Vovó já disse que *louvor em boca própria é vitupério*.

– Wendy – continuou Dona Benta – enterneceu-se com o tom daquelas palavras e sentou-se de novo na cama, descobrindo a cabeça. Estava risonha e contente.

– "Peter Pan" – disse ela – "você bem que merece um beijo. Quer?"

O menino ficou no ar, sem compreender. Menino sem mãe é assim, nem beijo sabe o que é. Beijo! pensou consigo. Que seria isso de beijo? Com certeza era aquele copinho de prata que Wendy tinha posto no dedo quando tomou a agulha para coser a sua sombra. Não podia ser outra coisa.

– "Quero" – respondeu ele, e foi logo tirando o dedal do dedo de Wendy e colocando-o no seu, certo de que beijo queria dizer dedal. Depois, para retribuir a gentileza, perguntou à menina se ela aceitava um beijo dele.

– "Aceito, sim" – respondeu Wendy, que estava achando muito curioso aquilo.

– "Pois tome este" – disse Peter Pan arrancando um dos botões do seu casaco e apresentando-o com toda a seriedade.

– Já sei – gritou Emília. – Beijo para ele significava presente, um presente qualquer. Que bobíssimo!

– Wendy – continuou Dona Benta – recebeu o botão e ficou de olhos postos em Peter Pan. Súbito, perguntou:

– "Que idade você tem, Peter Pan?"

– "Não sei. Só sei que sou bastante criança. Fugi de casa no mesmo dia em que nasci."

– "No mesmo dia em que nasceu? Que ideia! E por quê, meu caro?"

– "Porque ouvi uma conversa entre meu pai e minha mãe sobre o que eu havia de ser quando crescesse. Ora, eu não queria crescer. Não queria, nem quero nunca virar homem grande, de bigodeira na cara feito taturana. Muito melhor ficar sempre menino, não acha? Por isso fugi e fui viver com as fadas."

Wendy quase perdeu a fala de tanto gosto, ao saber que estava diante dum menino conhecedor de fadas. Ela ouvia sua mãe contar histórias de fadas, mas não havia nunca falado com alguém que as conhecesse pessoalmente.

– "É verdade isso, Peter? Há mesmo fadas ou você está a mangar comigo?"

– "Verdade, sim, Wendy. Não muitas, mas há."

– "E de onde vêm elas?"

– "Então não sabe, Wendy? Parece incrível! Não há quem não saiba disso..."

– "Pois eu não sei. Conte."

– "Foi assim. A primeira fada apareceu no mundo no dia em que a primeira criança nascida deu a primeira risadinha."

– "Oh, nesse caso deve haver uma fada para cada criança no mundo, porque todas as crianças dão uma primeira risadinha" – observou Wendy.

– "Assim devia ser" – confirmou Peter Pan, se as fadas não fossem as criaturas mais fáceis de morrer que existem. Morrem como passarinhos. Cada vez, por exemplo, que uma criança diz que não acredita em fadas, morre uma."

Aqui Tia Anastácia interrompeu a narrativa para, dizer:

– Para mim esse menino estava empulhando Dona Wendy. Estou velha e só vi fada nas histórias.

– Cale a boca! – berrou Emília. –Você só entende de cebolas e alhos e vinagres e toicinhos. Está claro que não poderia nunca ter visto fada porque elas não aparecem para gente preta. Eu, se fosse Peter Pan, enganava Wendy dizendo que uma fada morre sempre que vê uma negra beiçuda...

– Mais respeito com os velhos, Emília! – advertiu Dona Benta. –Não quero que trate Nastácia desse modo. Todos aqui sabem que ela é preta só por fora.

– É o pigmento – disse o Visconde. –Isso de brancuras e preturas não passa de maior ou menor quantidade de pigmentos nas células da pele.

Emília, que não sabia o significado de pigmento, veio logo com a sua célebre respostinha: – "Pigmento é o seu nariz" – mas Dona Benta apoiou o Visconde, dizendo que era aquilo mesmo, que os pretos são pretos porque têm muitos pigmentos na pele.

– Mas que é esse tal pigmento, vovó?

– Pigmento é como os sábios chamam qualquer substância colorida que tinge os tecidos duma planta ou dum organismo animal. A rosa vermelha é vermelha por causa dos pigmentos vermelhos que tem nas pétalas e os negros são negros por causa dos pigmentos negros que possuem na pele.

– Quer dizer – observou Emília– que se os pigmentos de Tia Nastácia fossem cor de burro quando foge ela não seria negra e sim uma burra fugida...

– Chi, meu Deus do Céu! – exclamou Narizinho. –Como a Emília está asneirenta hoje...

– É a lua – disse Tia Nastácia. –Já reparei que em tempo de lua cheia Emília dá para espirrar bobagem que nem torneira aberta que a gente quer tapar com a mão.

Emília botou-lhe a língua e Dona Benta prosseguiu:

– Mas vamos ao caso. Vocês me interrompem tanto que a história não pode chegar ao fim. Peter Pan contou a Wendy como as fadas nascem, e ao falar em fada lembrou-se da bola de fogo que havia entrado na gaveta. Era uma fada, essa bolinha, e muito sua amiga. Uma fada que fazia tudo que as outras fadas fazem, menos falar. Sua fala não passava daquele *tlin, tlin, tlin* de campainha de prata.

Assim que Peter Pan se lembrou da bola de fogo, ou Sininho, como era o seu nome, um *tlin, tlin* zangado se fez ouvir dentro da gaveta.

– "A pobre!" – exclamou Peter Pan. – "Deve estar furiosa comigo por ter-me distraído com você e esquecido dela. Sininho é ciumentíssima."

De fato. Sininho saiu da gaveta furiosa. Esvoaçou pelo quarto por uns instantes, indo afinal esconder-se num canto, emburrada. Eram ciúmes de Wendy. Mas a menina não deu nenhuma importância àqueles maus modos; continuou a conversar com Peter Pan como se não houvesse visto nada.

– "Vamos, Peter Pan!" – disse ela. – "Conte-me mais alguma coisa da sua vida. Conte onde mora, mas de verdade."

– "Moro com os meninos perdidos."

– "Fiquei na mesma. Quem é essa gentinha? Nunca ouvi falar em meninos perdidos."

– "Meninos perdidos são os meninos que caem dos carrinhos nos jardins públicos quando as amas se distraem a namorar os soldados. Se as mães deles não conseguem encontrá-los no prazo de quinze dias, eles são remetidos para a Terra-do-Nunca, onde quem manda sou eu."

– "Que engraçado!"– exclamou Wendy. – "Terra-do-Nunca! Está aí uma terra que eu não sabia que existisse. As geografias não falam dela. E depois? Que ideia a sua, de aparecer por cá esta noite?"

– "Eu costumo vir sempre"– respondeu Peter Pan –"para escutar do lado de fora da janela as histórias tão lindas que sua mãe conta. Tantas vezes vim que sou capaz de repetir uma por uma todas as histórias que vocês já ouviram."

– "Mas como é lá na Terra-do-Nunca?"

– "Oh, uma terra linda, Wendy! Temos piratas terríveis num grande lago, temos alcateias de lobos famintos que percorrem a floresta e temos uma tribo de índios ferozes, os Peles-Vermelhas, como são chamados. E temos ainda as sereias."

– "Sereias?"– repetiu Wendy batendo palmas. – "Com cauda?"

– "Com cauda, escamas e tudo. Sereias iguaizinhas a essas que você vê pintadas nos livros. Uma lindeza, Wendy!"

Wendy não cabia em si de encantamento ante as maravilhas contadas por Peter Pan. Ele, porém, alegou que era tarde e tinha de ir-se embora.

– "Os meninos perdidos já devem estar inquietos com a minha ausência, e ansiosíssimos por ouvir o fim da história que a Senhora Darling contou hoje. Já sabem a primeira parte. Eu venho cá, ouço as histórias ali da janela e depois conto-as a eles direitinho."

– "Não vá ainda!"– pediu Wendy. – "Eu sei mais de cem histórias, cada qual mais bonita, e se você ficar eu as contarei todas. Fique."

– "Mais de cem histórias? Oh, que mina!"– exclamou Peter Pan, batendo palmas. –"Nesse caso o melhor seria ir você comigo para a Terra-do-Nunca. Poderá contar todas essas histórias aos meninos perdidos, poderá ainda remendar a roupa deles, pregar botões e de noite fazê-los dormir – tudo como a Senhora Darling faz aqui. Oh, Wendy, venha comigo..."

A tentação era enorme. Visitar um país daqueles, com feras e piratas e índios e sereias, e ter ainda toda aquela meninada para brincar! Que bom não seria...Mas a menina vacilava.

– "Não posso, Peter Pan. Mamãe não o consentiria nunca. E além disso deve ser muito longe essa terra."

– "Que importa que seja longe? Iremos voando, e para quem voa não há distâncias."

– "Voando? Mas eu não sei voar, Peter Pan! Que ideia..."

– "Eu ensino, não seja essa a dúvida. Em dois minutos deixo você voando que nem uma andorinha."

Aquilo era demais. Era ainda melhor do que ver sereias. Voar, voar...Wendy não pôde resistir à tentação: resolveu que iria. Em todo caso, duvidou um pouco.

– "Já disse que ensino"– assegurou Peter Pan com firmeza. – "Eu, quando digo, faço."

– "E ensina também ao Joãozinho e ao Miguel? Se formos para lá temos de ir todos."

– "Ensino, sim, claro que ensino. Está resolvida? Vai mesmo?"

– "Estou resolvida, vou!"– respondeu Wendy com firmeza. E pulando da cama foi acordar os irmãozinhos.

João Napoleão e Miguel sentaram-se na cama, esfregando os olhos, e logo que souberam do caso, deram pulos de contentamento. Gostavam de piratas e sereias ainda mais que Wendy e portanto ficaram ainda mais assanhados. Queriam partir incontinente.

– "Isso, não!"– disse Peter Pan. – "Antes de mais nada vocês precisam tomar umas lições de voo."

– "É fácil voar?" – indagou Miguel.

– "É assim"– e Peter Pan deu uma demonstração, esvoaçando pelo quarto como se fosse uma borboleta.

Vendo a facilidade, os meninos tentaram fazer o mesmo. Subiram às camas, ergueram os braços e atiraram-se. Mas foi só tombo. Esborracharam-se no tapete.

Peter Pan riu-se.

– "Não é assim, meninos. Eu tenho de soprar em vocês um pó mágico que certa fada me deu" – e dizendo isto sacou do bolso uma caixinha do pó mágico e soprou uma pitada no nariz de cada um; depois mandou que experimentassem, que subissem às camas, erguessem os braços e dessem outro pulo para o ar.

Os meninos experimentaram e com grande assombro viram que estavam leves como plumas e que podiam equilibrar-se no ar com a maior facilidade.

– "Estou que nem esses balõezinhos de borracha que mamãe enche de gás"– disse Miguel. – "Estou sem peso nenhum!"– e voou quase tão bem como Peter Pan. Por falta de experiência os três voadores deram algumas cabeçadas no forro, mas alguns minutos depois estavam que nem uma andorinha que havia ficado presa no quarto dois dias antes.

Vendo-os nesse ponto, Peter Pan achou que não era preciso mais. Podiam partir.

– "Muito bem"– disse ele. – "Podemos partir. Sininho seguirá na frente, para indicar o caminho. Em segundo lugar vou eu com Wendy. Depois vai João Napoleão e por último, Miguel. Aprontem-se para partir."

Foi uma correria. João Napoleão quis levar uma porção de coisas, mas teve que desistir porque ficaria muito pesado. Miguel correu ao vestíbulo da casa em busca dum gorro e como não o encontrasse veio com uma cartola do Senhor Darling na cabeça. Wendy resolveu ir como estava, de camisola mesmo.

– "Pronto?" – perguntou Peter Pan.

– "Pronto" – responderam todos.

– "Então vamos lá. Um, dois e...três!"

Ouviu-se um *prrrrr*...e ergueram-se nos ares os quatro meninos, na ordem marcada pelo chefe e com a bola de fogo voando à frente para indicar o caminho. E lá se foram para a maravilhosa Terra-do-Nunca...

Justamente naquela hora a Senhora Darling estava na sala de jantar contando ao marido a história da sombra. O Senhor Darling sorria.

– "Impossível, querida. Isso há de ser sonho. É um absurdo."

Nisto soou o *prrrrr*...Julgando que fosse alguma coruja que houvesse entrado na *nursery*, a Senhora Darling correu para lá. Ao ver a janela aberta e as três camas vazias, deu um grito e desmaiou.

Neste ponto Dona Benta interrompeu a história, deixando o resto para o dia seguinte. Todos gostaram muito daquele começo e Narizinho observou que as histórias modernas são mais interessantes que as antigas.

– Estou notando isso, vovó – disse ela. – Nas histórias antigas, de Grimm, Andersen, Perrault e outros, a coisa é sempre a mesma: um rei, uma rainha, um filho de rei, uma princesa, um urso que vira príncipe, uma fada. As histórias modernas variam mais. Esta promete ser muito boa. Peter Pan está com jeito de ser um diabinho levado da breca.

Dona Benta concordou que sim.

– Eu só não entendo uma coisa – disse Tia Nastácia. – Como é que a tal senhora... como é mesmo?

– Darling.

– Isso. Não entendo como é que a Senhora Darling foi deixar a janela aberta. Quarto de criança a gente não deixa de janela aberta nunca. Entra morcego, entra coruja – e entram até esses diabinhos, como o tal Peter Pan.

– Boba! – exclamou Emília. – Se ela não deixasse a janela aberta não podia haver essa história. Se você fosse a mãe dos meninos deixava a janela fechada, não é? E que aconteceria? Cortava a cabeça da história logo no começo.

– Estou desconfiado – disse Pedrinho – que o tal pó mágico de Peter Pan era o nosso pó de pirlimpimpim.

– E quem nos garante que o tal Peninha, que deu a você o pó de Pirlimpimpim, não seja esse mesmo Peter Pan? Aquela história do Peninha ser invisível está me parecendo arteirice de Peter Pan para nos empulhar.

– Pode ser. Tudo pode ser – concordou Pedrinho, pensativo.

Houve um silêncio. Cada qual pensava numa coisa. Tia Nastácia pensava na franga que tinha de matar para o almoço do dia seguinte. Dona Benta pensava num remendo a fazer no paletó de Pedrinho. Pedrinho pensava num jeito de arranjar mais pó de pirlimpimpim. Narizinho pensava num meio de fazer Peter Pan vir visitá-la no sítio. O Visconde não pensava em coisa nenhuma. E Emília?

Emília saíra da sala pé ante pé sem que ninguém percebesse, e logo depois voltou com a tesoura de Dona Benta na mão. E deu jeito de cortar a cabeça da sombra de Tia Nastácia, que enrolou e foi guardar no fundo de uma gaveta.

Ninguém percebeu a manobra, mas quando chegou a hora de se recolherem e Tia Nastácia foi apagar o lampião:

– Ué! – exclamou ela espantadíssima, vendo projetar-se na parede a sua sombra sem cabeça. – Que coisa Santo Deus! Será que perdi minha cabeça?

E apalpou-se para verificar se estava mesmo sem cabeça. Só então se lembrou da passagem contada por Dona Benta, e viu que alguém lhe havia cortado a cabeça da sombra.

– Isso também é demais! – gritou ela. – É judiação. Cortar a cabeça da sombra duma pobre negra velha que nunca fez mal a um mosquito...Mas quem foi o malvado?

Olhou para a cara de Pedrinho, de Narizinho, do Visconde e da Emília e não viu em nenhum deles o menor ar de criminoso. Emília, sobretudo, estava com uma carinha que era só botar num quadro e virava Santa Emília – de tão inocente.

Dona Benta foi de opinião que aquilo só podia ser arteirice do Peninha, ou talvez do próprio Peter Pan, que houvesse entrado na sala às escondidas, no momento em que todos estavam mais distraídos com a história.

A boa negra arrenegou, e lá se foi para a cozinha com a sua sombra sem cabeça, a coisa mais esquisita e feia que se possa imaginar.

– A gente não tem sossego neste sítio – resmungava ela. – Estes meninos endiabrados não param com as reinações. Uma sombra que me acompanhava desde criança, tão direitinha, com a cabeça e tudo – e está agora essa coisa esquisita, que nem aquela rainha Dona Maria Antonieta que Sinhá Benta contou que perdeu a cabeça na tal janela da guilhotina...Credo!...

Capítulo II
A TERRA-DO-NUNCA

No outro dia, antes de Dona, Benta continuar a história de Peter Pan, Tia Nastácia apareceu com a sua sombra diminuída de mais um pedaço no ombro.

– Parece que é um rato que anda roendo a minha sombra – disse ela colocando-se entre o lampião de cima da mesa e a parede branquinha. – Veja, Sinhá – acrescentou apontando para a sombra projetada na parede. – Está faltando mais um pedaço, bem no ombro. Neste andar eu acabo sem sombra nenhuma. Isto é uma desgraça.

– Não acho – disse Narizinho. –Tanto faz você ter sombra como não ter. De que vale sombra?

– Parece, menina, parece que não vale nada – respondeu a negra. – Mas o mundo é malvado, e se sabem que eu não tenho sombra são capazes até de me queimarem viva, como fizeram com a coitadinha da Joana do Arco.

– Joana D'Arc.

– Ou isso. O mundo dá cabo de toda gente que não é igual a todos os outros. Dona Joana tinha olhos melhores que os do resto das gentes e por isso via mais coisas, tinha visões. eles foram e queimaram a coitada. Se me enxergarem sem sombra são capazes de dizer que sou feiticeira. O mundo é mau, menina. Credo...

– Isso não – gritou Emília. –O mundo persegue os que são mais que os outros, como essa Joana D'Arc que enxergava mais; mas você é menos, porque tem menos sombra. Logo...

– Deixem de bobagem – disse Dona Benta – e vamos continuar a história do menino que não queria crescer.

Todos sentaram-se em redor dela e Dona Benta começou:

– Essa Terra-do-Nunca, onde Peter Pan vivia com os meninos perdidos, era bem longe – e muito linda terra. Na frente havia uma grande floresta, que naquela estação do ano estava despida de todas as suas folhas e recoberta de neve branquinha. Nem para remédio era possível encontrar lá uma só folha verde. Do lado direito havia um enorme lago, no qual boiavam pedaços de gelo, como ilhinhas flutuantes. Era nesse lago que navegavam os navios dos piratas. Do lado esquerdo ficava uma aldeia de Peles-Vermelhas, isto é, índios norte-americanos de nariz recurvo, cocar de penas na cabeça, cachimbo da paz na boca. Viviam em silêncio e em descanso, sempre de cócoras, como nossos caboclos do mato.

As casas desses índios eram em forma de tenda árabe.

– Eu sei – interrompeu Pedrinho. –A tal tenda árabe tem a forma dum cartucho achatado, ou dum funil sem o bico.

– Pois é – confirmou dona Benta. –Viviam nesses funis sem bico e em vez de cacique eram governados por uma índia muito valente, de nome Pantera Branca.

– A senhora não disse o que havia nos fundos da Terra-do-Nunca – reclamou Pedrinho.

– Nos fundos ficava um deserto de neve que os lobos famintos percorriam em bandos uivantes. Pois bem: os meninos perdidos moravam perto dos índios, longe dos piratas e longíssimo dos lobos famintos.

– Moravam como?

– Numa caverna subterrânea, sem porta de entrada.

– E de que modo entravam na caverna, se não havia porta?

– De um modo muito interessante. Em cima da caverna o chão era como ali no terreiro – liso, sem sinal nenhum de caverna embaixo. Mas de longe em longe havia várias árvores – árvores ocas.Cada menino era dono de uma árvore e entrava na caverna pelo respectivo oco.

– Por que isso, vovó, de cada um ter a sua árvore? Acho asneira.

– Havia uma razão muito importante. Tendo cada qual a sua árvore, um não atrapalhava o outro, quando eram atacados pelos piratas ou pelos lobos famintos. Sumiam-se todos a um tempo, cada qual pela sua entrada. Se não fosse assim, na precipitação da fuga dois ou três eram capazes de se meterem pelo mesmo oco, ficando entalados lá dentro. Não há melhor defesa contra piratas e lobos do que árvores ocas, que vão dar em cavernas subterrâneas. Tomem nota disso.

Pedrinho tomou nota em seu caderno.

– Na noite do começo desta história – prosseguiu Dona Benta –estavam os meninos perdidos a brincar na floresta, vestidos de pele por causa do grande frio. Um deles dançava uma valsa com um avestruz. De longe mais pareciam ursinhos do que gente.

– E quantos eram?

– Seis. O mais velho chamava-se Levemente-Estragado. Os outros chamavam-se Bicudo, Cachimbo, Assobio e, finalmente, Gêmeo. Gêmeo era o nome dado a dois meninos realmente gêmeos e tão iguaizinhos que as mesmas roupas e o mesmo nome serviam para ambos.

– E como se distinguia um do outro?

– Não se distinguiam. Os demais lidavam com eles como se fossem um só.

– Eu sei – berrou Emília. –Com os livros é assim. Há montes de livros tão iguais que tanto faz a gente pegar num como pegar noutro. A obra é a mesma.

– Pois é – disse Dona Benta rindo-se da comparação da boneca. –Os seis meninos perdidos eram esses tais, e naquela noite estiveram brincando até tarde, à espera de Peter Pan, que fora à cidade ouvir o resto da história da Senhora Darling.

– Estiveram brincando de quê? – perguntou Pedrinho.

– De tudo – respondeu Dona Benta. – Os meninos ingleses são como vocês aqui: brincam de tudo. E um deles tinha um brinquedo muito original.

– Qual deles?

– Levemente-Estragado. Esse menino havia apanhado um avestruz fugido dum jardim zoológico, e o ensinara a pular e dançar ao som da flauta. Nada mais cômico do que essas danças do avestruz, porque os avestruzes são os bichos mais desajeitados e deselegantes que existem.

Ficaram brincando até tarde, visto que Peter Pan estava a demorar-se mais que do costume, e por fim começaram a ficar inquietos, com medo de que lhe houvesse acontecido qualquer coisa. Subitamente ouviram um rumor ao longe. Seria ele? Bicudo colou o ouvido ao chão, como fazem os índios.

– "Ouço um barulho surdo de vozes horrendas" – disse arregalando os olhos. – "Devem ser os piratas."

Foi água na fervura. Os seis meninos sumiram-se pelos ocos de suas árvores, como coelhos se somem nas tocas quando cachorro late perto.

Minutos depois apareceram os piratas, os terríveis piratas do lago. Que horrendas criaturas!

O crime estava estampado naquelas caras como números escritos a giz no quadro-negro. Vinham comandados pelo famoso Capitão Gancho, o pior pirata que jamais existiu, tão malvado que não havia quem não tremesse de medo dele. Tinha olhos vermelhos e sobrancelhas que nem certos bichos cabeludos. Barba arrepiada e suja de terra, andar de gorila, cabelos cacheados e lustrosos de banha rançosa. Marchava na frente do bando, a cantar uma cantiga das mais feias, marcando o compasso com o gancho de ferro que lhe servia, de mão.

– Como é isso, vovó? – indagou a menina. – Que história de gancho de ferro é essa?

– Muito simples. Esse famoso pirata havia perdido a mão direita numa guerra contra os meninos perdidos. Peter Pan dera-lhe tamanho golpe de espada que a mão peluda pulou longe, indo cair no lago, justamente dentro da boca dum crocodilo. O crocodilo, *nhoque!*, devorou o horrendo petisco; e gostou tanto, que desde essa época, não fez outra coisa senão andar peregrinando de terra em terra e de mar em mar para comer o resto da munheca, isto é, o Capitão Gancho inteirinho. Por esse motivo o pirata tinha ódio de morte a Peter Pan e aos meninos perdidos, havendo jurado matá-los a todos com a pior das mortes possíveis e imagináveis.

– Qual era essa morte? – indagou Emília.

– Não sei, nem quero saber. Não gosto de horrores. Quem sabia era o Capitão Gancho, um diabo malvadíssimo. Mas depois que perdeu a mão com a espada de Peter Pan, mandou fazer uma manopla de ferro com dois ganchos na ponta. Enfiava o toco do braço nessa manopla, atava-a bem atada com tiras de couro e manejava o gancho como se fosse mão.

– Credo! – exclamou Tia Nastácia. – Imagine uma ganchada desse garfo!...

– Devia ser terrível – confirmou Dona Benta – porque esse pirata passou a meter mais medo depois de perder a mão do que antes. Menos para o crocodilo. Este monstro não tinha medo nenhum do Capitão Gancho e começou a persegui-lo por toda parte. Tornou-se o azar da vida do pirata. O que valeu ao Capitão Gancho foi uma coisa que até parece mentira. Imaginem que o tal crocodilo também havia engolido um despertador que tinha corda por um ano e cujo tique-taque era muito forte. O tique-taque do despertador no estômago da fera fazia-se ouvir longe e servia de aviso ao Capitão, dando-lhe tempo de fugir com quantas pernas tinha.

Pois bem, assim que o bando de piratas chegou ao ponto da floresta onde, pouco antes, os meninos estavam brincando, o Capitão Gancho sentou-se num enorme chapéu-de-sapo que por ali crescia, bem por cima da morada subterrânea. Sentou-se para descansar e ao mesmo tempo meditar sobre o meio de descobrir o esconderijo de Peter Pan e seu bandinho.

– "Com seiscentos bilhões de demônios!"– urrou ele. – "Não descansarei enquanto não agarrar esse maldito menino."

O chefe dos piratas era especialista em pragas. Possuía a maior coleção de pragas da Inglaterra, e talvez da Europa inteira, na opinião de muitos. E todas as suas pragas começavam por seiscentos bilhões. Não fazia nenhuma por menos.

Nesse ponto Emília interrompeu Dona Benta.

– Por que é que os marinheiros gostam tanto de pragas? – perguntou ela. – Sempre que numa história aparece um cachorro do mar...

– Lobo-do-mar – corrigiu Dona Benta. – Os velhos marinheiros são chamados lobos-do-mar.

– Dá na mesma – objetou Emília. – Eu quero dizer cachorro do mar e tenho minhas razões. Mas sempre que aparece um desses *cachorros* do mar, vem logo praga, e de milhões. Com trezentos milhões de caravelas! Com seiscentos milhões de baleias! É milhão que não acaba mais.

– Sim – disse Dona Benta –, mas repare que é sempre praga de milhões apenas. Só esse Capitão Gancho usava as tais pragas de bilhões, e por isso ficou terrível. Um bilhão compõe-se de mil milhões. Ora, quando ele praguejava com seiscentos bilhões de demônios, como fez em relação a Peter Pan, esse número queria dizer seiscentos milhares de milhões, ou seiscentos montes de mil milhões cada um. Eu até creio que ele não era forte em aritmética, pois é impossível que haja tantos demônios assim...

– Credo! – exclamou Tia Nastácia persignando-se. – Um demônio já deixa a gente tonta, como aquele Lúcifer que fez a revolução dos anjos lá no céu e foi jogado no inferno. Imaginem agora seiscentos montes de não sei quantos cada um. Credo...

– Continue, vovó – pediu Narizinho. – O Capitão Gancho sentou-se no chapéu-de-sapo e depois?

– Sentou-se e logo deu um pulo, porque o tal chapéu-de-sapo estava quente como chapa de fogão.

Furioso da vida, pregou-lhe um tremendo pontapé, fazendo-o voar dali com um som metálico. Aquele som abriu os olhos do pirata.

– "Hum!"– exclamou ele, percebendo que não era chapéu-de-sapo natural e sim uma ponta de chaminé que saía de dentro da terra, e tinha a forma de chapéu-de-sapo. – "Oitocentos bilhões de diabos me assem vivo em todos os fogos do inferno, se isto não é arteirice do Senhor Peter Pan e mais os seus meninos perdidos! Descobri tudo! eles moram aqui embaixo, nalgum buraco subterrâneo."

Disse e pôs-se a examinar o terreno, dando pancadas no solo com a ponta dos dedos, como fazem os médicos para examinar o pulmão dos doentes. O som era de terra oca embaixo. O chefe dos piratas ficou radiante. Tinha descoberto o esconderijo dos meninos e agora iria caçá-los como se caçam ratos. Pôs-se a examinar o terreno. Viu que não havia entrada nenhuma afora os ocos das árvores. Tentou descer por um deles (justamente o oco de Bicudo) e entalou. Não cabia. Ficou danado, espirrou mais alguns bilhões de demônios e teve uma ideia sinistra.

— "Achei o meio!" — exclamou. — "Mando preparar um grande pão-de-ló bem bonito por fora e bem cheio de veneno por dentro. Ponho o pão-de-ló ali naquela pedra e vou ficar espiando de longe. Os meninos perdidos não têm mães para ensinar-lhes o que devem e o que não devem comer, de modo que logo saem da caverna e se lançam sobre o doce como lobos famintos — e eu terei o gosto de vê-los morrer a pior das mortes."

Em seguida deu uma ordem ao tenente do bando.

— "Olá, Capacete! Diga ao cozinheiro que prepare um pão-de-ló bem grande e bem bonito e que ponha dentro..."

Não pode terminar. Um *tique-taque* muito seu conhecido fez-se ouvir perto.

— "O crocodilo!" — berrou o chefe dos piratas, disparando na fuga a todo galope, seguido pelo bando inteiro — e logo se sumiram no horizonte dentro duma nuvem de pó. O crocodilo, *tique-taque*, os acompanhou sem pressa nenhuma, filosofando que se daquela vez não o havia apanhado, de outra o apanharia.

— A senhora falou em nuvem de poeira, vovó. Mas a floresta não estava coberta de neve? — indagou Narizinho.

— Sim, minha filha. Mas a neve logo que cai, acumula-se solta como farinha. Se dá o vento, voa como poeira. Ora, os piratas fugiram *ventando*, como Tia Nastácia diz quando a carreira é séria, e portanto levantavam nuvens de neve em pó.

— E que aconteceu depois? — quis saber Pedrinho.

— Pelo tropel, os meninos lá embaixo perceberam que os piratas haviam fugido e trataram de sair do subterrâneo. Foram subindo pelos ocos, e ao chegarem à superfície viram que os Peles-Vermelhas estavam na pista dos piratas.

— Que história é essa, vovó? Então os índios eram inimigos dos piratas?

— Eram aliados de Peter Pan e inimigos do Capitão Gancho, contra o qual andavam em guerra feroz.

O modo desses índios fazerem guerra merece ser contado. Eles trepavam às árvores para espiar ao longe, com a mão sobre os olhos em forma de viseira e aplicavam o ouvido sobre a terra, para ouvirem os rumores distantes. Caminhavam de rastos, como cobras, escondendo-se atrás de cada toco de pau ou moita. Levavam arcos e flechas e também um tantã, que entre os índios é o tambor da vitória. Infelizmente era muito raro ouvir-se o som do tantã, porque os Peles-Vermelhas sempre saíam derrotados e fugiam como lebres.

Mas os meninos, ao porem as cabecinhas fora dos ocos só viram o fim da correria. Em minutos a poeira levantada pelos piratas em fuga e pelos índios perseguidores desapareceu no horizonte.

— Que expressão bonita! — exclamou Emília. — *Desapareceu no horizonte!*... Acho uma beleza em tudo quanto desaparece no horizonte. Inda hei de escrever uma história cheia de desaparecimentos no horizonte, com três pontinhos no fim...

E a boneca ficou absorta, de olhos pendurados no horizonte, enquanto Dona Benta, a rir-se, continuava a história.

— Passaram os piratas — disse ela. — Depois passaram os índios. Só faltava passar o bando de lobos famintos, que habitualmente acompanham os guerreiros para comer os mortos.

– E vieram os lobos nesse dia?

– Como não? Logo depois surgiram os lobos no horizonte; mas farejando a gentinha de Peter Pan fora do subterrâneo, desistiram de seguir os guerreiros e vieram como flechas devorar os meninos.

Peter Pan, entretanto, já havia descoberto o melhor meio de assustar lobo faminto. Consiste em sair ao encontro deles de costas, com a cabeça, entre as pernas. Os lobos entreparam, desnorteados, não podendo compreender que espécie de animal é aquele, e depois fogem com velocidade maior ainda que a do Capitão Gancho ao ouvir o *tique-taque* do crocodilo.

Assim que os lobos famintos chegaram a uma certa distância, os seis meninos, guiados por Bicudo, correram-lhes ao encontro de costas, com a cabeça entre as pernas. Foi uma beleza! Os lobos entrepararam uns segundos e em seguida voltaram-se nos pés e sumiram-se dentro da floresta.

Ora graças! Os meninos perdidos podiam enfim brincar sossegadamente de pegador ou chicote-queimado à luz do lindo luar que fazia. Mas não brincaram, porque Cachimbo lhes chamou a atenção para qualquer coisa no céu.

– "Olhem! Lá vem voando para o nosso lado uma espécie de pássaro branco bem grande..."

Todos ergueram o nariz e arregalaram os olhos. Não podiam compreender que pássaro fosse aquele. Não parecia garça, nem outra qualquer ave conhecida. Súbito, uma bola de fogo riscou o ar, vindo descer bem no meio deles. Era a fada Sininho.

– "Peter Pan manda dizer"– declarou ela nervosamente na sua linguagem do *tlin, tlin, tlin* – "que é preciso matar quanto antes essa ave que vem vindo."

Cachimbo, o melhor atirador do grupo, desceu imediatamente ao subterrâneo, donde voltou com um arco e uma flecha. Ajustou a flecha ao arco, fez pontaria, esticou a corda e – *zuqt!* A flecha lá se foi assobiando e deu certinho no alvo. A ave branca vacilou no voo, cambaleou, descreveu um parafuso e veio cair junto ao grupo. Todos correram para apanhá-la.

– "Não é ave!"– exclamaram cheios de surpresa. – "É uma linda menina de camisola branca. Talvez seja a tal mãezinha que Peter Pan vive prometendo trazer-nos."

Era Wendy, que se tinha adiantado dos demais durante o voo. A fada Sininho havia cometido aquela traição porque estava a roer-se de ciúmes. Gostava de Peter Pan e não podia suportar as atenções e requebrados do menino para com a sua nova conhecida. Daí lhe veio a ideia de fazê-la flechar por um dos meninos.

Nisto chegou Peter Pan, seguido de João Napoleão e Miguel. Assim que pôs o pé em terra, foi logo indagando:

– "Onde está Wendy?"– Ao saber que Wendy havia sido flechada, teve um grande acesso de cólera e passou mão do arco para também flechar Cachimbo no coração. E flechava mesmo, se não fosse Wendy despertar do desmaio ainda a tempo de impedir tamanho crime.

Wendy não havia sido ferida, porque a flecha batera justamente no botão-beijo que Peter Pan lhe havia dado. Só sentiu o choque da flecha; e como já estivesse cansada e tonta de tanto voar, bastou isso para fazê-la perder os sentidos e cair.

Vendo que ela estava vivinha, os meninos a rodearam na maior alegria, embora sem saber o que fazer. Levar Wendy para a morada subterrânea não lhes parecia bem. Deixá-la por ali, ao relento, era pior. O único remédio seria construir-lhe uma casinha bem ajeitada. Estavam a discutir esse ponto quando Wendy começou a cantar uma cantiga em verso por ela, mesma inventada, assim:

> *Uma casinha quero ter,*
> *Que menor não haja, no mundo;*
> *Terreiro bem limpo na frente,*
> *Jardim de mil flores no fundo.*

– "Pronto! Já sabemos o que ela quer!"– exclamaram os meninos em coro. – "Vamos fazer a casinha de Wendy, com jardim de mil flores ao fundo."

E foi uma lufa-lufa. Bicudo correu a cortar paus na floresta; Cachimbo desceu ao subterrâneo em procura duma velha grade muito ajeitada para a armação do teto; Assobio foi em busca dum pedaço de tapete velho e dum rolo de encerado.

Num instante ficou pronta a casinha. Peter Pan observou que haviam esquecido a chaminé. Onde já se viu casa sem chaminé? Correu os olhos em torno, em procura, e deteve-os no Miguel, que tinha na cabeça a cartola de seu pai.

– "Ótimo!"– gritou Peter Pan tomando a cartola. – "Melhor chaminé do que esta não é possível" – e arrumou-a em cima do teto.

E tudo mais foi assim. O material de construção mais empregado era o "faz-de-conta". Não tem fechadura na porta? Faz de conta que esta fivela é fechadura. Não tem cadeira? Faz de conta que esta pedra é cadeira.

Wendy não precisou entrar na casinha, porque a casinha havia sido construída em redor dela – e foi a primeira vez no mundo que semelhante coisa aconteceu.

Pronta a casa, com a dona dentro, Peter Pan veio e bateu na porta – *toque, toque, toque*. Wendy surgiu à janela e perguntou quem era.

– "São os meninos perdidos que desejam saber se a menina está disposta a ser a mãezinha deles. Nunca tiveram mãe e querem experimentar se é bom."

– "Com muito gosto"– respondeu Wendy. – "Serei mãe de todos, contarei histórias à noite, remendarei as roupas de dia, agradarei aos que chorarem e ralharei com os que fizerem coisas inconvenientes – tudo igualzinho como mamãe faz lá em casa. Mas só serei mãe se Peter Pan quiser ser o pai."

Todos bateram palmas, numa grande alegria. Iam ter mãe afinal. Iam ter quem lhes contasse histórias – que maravilha!

– "História! História!"– exclamaram. – "Para começar, conte já uma linda história" – e os meninos foram entrando para a casinha, em atropelo. Era incrível que lá coubessem todos, mas couberam. Para isso foi preciso que se arrumassem com a habilidade e o jeito com que as sardinhas se arrumam dentro das latas.

Logo que todos se acomodaram, Wendy começou assim: – "Era uma vez uma pobre menina chamada Cinderela" –e foi por aí além até que o sono tomasse conta de toda a sua filharada.

Tudo dormiu. Dormiu a floresta o seu sono agitado de morcegos, pios de coruja e uivos de lobo. Dormiu o crocodilo, lá longe. Dormiram os piratas; e os índios, vendo o inimigo a dormir, deixaram a perseguição para o dia seguinte e dormiram também.

Só não dormiu Peter Pan. Passou toda a noite fora, de espada na mão, montando guarda à casinha da jovem mãe que havia arranjado para os meninos perdidos.

Dona Benta parou nesse ponto, achando que o melhor era também irem dormir.

— Chega por hoje. O resto fica para amanhã. Agora é cada um ir para sua cama sonhar com o Capitão Gancho e o crocodilo.

— Credo! — exclamou Tia Nastácia, erguendo-se. —Eu quero sonhar com Dona Wendy, que é tão galantinha. Mas com esse canhoto malvado, Deus me livre!

Pedrinho deu um suspiro. Estava lamentando não haver fugido para a Terra-do-Nunca no dia em que nasceu. Narizinho também suspirou. Quanto não daria para ser Wendy Darling?

Só Emília não suspirou, nem disse nada. Saiu dali muito quieta e foi mexer na caixa de ferramentas de Pedrinho. Dona Benta encontrou-a lá, lidando para entortar um prego.

— Que é que está fazendo, Emília?
— Estou vendo se faço uma munheca de gancho como a do Capitão.
— E para que, bobinha?
— Para assustar Tia Nastácia. Quero ganchar aquele beição dela...

Capítulo III
A Lagoa das Sereias.

Na terceira noite Tia Nastácia apareceu na sala ainda mais desapontada do que na véspera. O que estava acontecendo com a sua pobre sombra era simplesmente monstruoso.

— Veja, Sinhá — disse ela para Dona Benta, colocando-se entre a parede e o lampião de modo a tornar a sombra bem visível. —Veja, Sinhá, como está toda rendada a minha sombra. O ladrão, que ontem me cortou a cabeça dela e um pedaço do ombro, acaba hoje de cortar uma porção de outros pedacinhos.

Realmente assim era. O resto da sombra da pobre negra estava todo picado de buracos feitos a tesoura.

— É um mistério que não consigo decifrar — disse Dona Benta sacudindo a cabeça. —O Visconde, o nosso grande detetive, bem que podia tomar conta deste caso. Fale com ele.

Tia Nastácia, conferenciou com o Visconde, obtendo do grande detetive a promessa de "investigar".

— Deixe a coisa comigo — disse ele. — Já resolvi aquele célebre caso do falso Gato Félix e posso muito bem resolver este do ladrão de sombras. Deixe a coisa comigo.

Liquidado o incidente, Dona Benta retomou a história de Peter Pan no ponto em que a tinha deixado na véspera.

— Onde estávamos, mesmo? — perguntou ao sentar-se em sua cadeira de pernas serradas.

— Os meninos perdidos haviam construído a casinha de Wendy e todos dormiram dentro dela, menos Peter Pan, que ficou de guarda — lembrou Narizinho.

– Sim, é isso mesmo – confirmou Dona Benta. – Dormiram na casinha a primeira noite e depois outras. Durante toda uma semana os meninos não se afastaram dali. Estavam encantados com a mãezinha que Peter Pan lhes arranjara e Wendy estava igualmente encantada com os seus seis filhos. A felicidade naquele acampamento seria completa, se não fosse a tristeza em que havia caído a fada Sininho. Vivia sempre emburrada, escondida pelos cantos, sem coragem de falar com Peter Pan.

Mas tudo cansa. Ao fim da primeira semana Wendy mostrou vontade de sair a passeio pela floresta, ou algum outro lugar.

– "Podemos ir à Lagoa das Sereias" – propôs Peter Pan. – "A nossa Terra-do-Nunca não possui unicamente coisas terríveis, como os piratas e os lobos famintos. Esse Lago das Sereias é lindo, lindo!"

A ideia foi recebida com entusiasmo. Wendy e seus irmãozinhos só conheciam as sereias dos livros de figura. Sereias de verdade, com cauda de peixe e escamas, bem vivas e perigosas, nunca haviam visto nenhuma, por não serem criaturas encontráveis no jardim zoológico de Londres. Havia lá de tudo – hipopótamos, rinocerontes, leões, tigres, girafas, serpentes, ursos, focas – mas sereia, nenhuma.

– "Vamos, vamos ver as sereias!" – gritaram todos no maior assanhamento.

Num minuto fizeram-se os necessários preparativos e lá se foram todos. Depois de longa viagem avistaram o grande lago verde-mar, em cujo fundo se erguia o palácio encantado das sereias. Às vezes todas elas vinham à tona para se pentearem ao sol, espalhadas pelos rochedos. Outras vezes só se via por ali uma ou outra. Quando os meninos chegaram à beira d'água, só encontraram uma.

– "Que beleza!" – exclamou Wendy, enlevada. – "Tal qual uma que vem pintada no meu livro de capa azul. Vejam como as escamas brilham ao sol! Parecem de prata."

Era na verdade uma das mais lindas sereias do bando. Tinha os cabelos cor de ouro e bronze misturados, com reflexos verdes. Estava reclinada sobre um rochedo e enquanto cantava corria um pente de ouro pelos cabelos maravilhosos.

– E era lindo esse canto? – indagou Narizinho.

– Oh, nem queira saber! – disse Dona Benta. – Ninguém pode dar ideia da beleza do canto das sereias. Só ouvindo. Tão diferente do canto das criaturas humanas que é até perigoso para nós. Grandes desgraças têm acontecido no mar aos marinheiros que ouviram tais cantos.

– É verdade, vovó, que os marinheiros antigamente entupiam os ouvidos com chumaços de algodão sempre que avistavam uma sereia? – perguntou Pedrinho.

– Deve ser. Não fazendo isso, esse canto maravilhoso deixa os marinheiros embriagados e eles erram todas as manobras do navio, puxam esta corda em vez daquela, botam garrafas de vinho no anzol em vez de iscas – atrapalham tudo, tudo. Resultado: o navio perde o rumo, dá com o bico numa pedra e afunda.

Os meninos perdidos tinham muita vontade de apanhar uma sereia viva, coisa quase impossível por serem espertas demais. Não há lambari arisco que tenha a ligeireza duma sereia. eles já haviam tentado várias vezes e agora iam tentar novamente.

– Como?

– O meio era um só – meterem-se n'água de jeito que a sereia não os visse e fecharem o cerco. Assim fizeram. Meteram-se todos n'água e foram nadando sem fazer o menor barulhinho, até que...

– Pegaram? – indagou Narizinho, ansiosa.

– Pegaram nada! A sereia os percebeu e soltou um grito agudo: *Mortais!* mergulhando em seguida.

Ficaram todos desapontadíssimos e Miguel chegou a fazer cara de choro. Se não chorou de verdade foi porque Bicudo avistou outra sereia numa rocha mais distante.

– "Lá está uma sereia-menina, das fáceis de pegar!"– cochichou ele, apontando. – "Temos que ir com muitas cautelas."

Era uma sereiazinha das mais lindas que a gente possa imaginar. Teria aí seus sete anos de idade, já sabia pentear-se com o seu pentinho de ouro e já começava a cantar as primeiras cantigas. Tão distraída estava a seguir os movimentos dum caranguejo na pedra, que deixou os meninos se aproximarem até bem perto. Miguel, que vinha na frente, não se conteve e –*zás!*– deu um pulo em cima dela.

– Pegou? – quis saber Narizinho, ansiosíssima.

– Desta vez pegou – respondeu Dona Benta – mas não a segurou bem. As sereias são as criaturas mais lisas que existem, dez vezes mais que o sabão, de modo que a sereiazinha escorregou das unhas de Miguel e lá se foi para o fundo, tal qual a primeira.

– Que pena, vovó! – exclamou Narizinho. –Todas as histórias de sereias acabam sempre assim. Quando chega a hora de agarrar uma, acontece isto ou aquilo e elas escapam...

– Hei de fazer uma história diferente – declarou Emília. –Uma história onde todas as sereias sejam agarradas e amarradas e trazidas para a cidade dentro dum caminhão.

– Pois você errará, Emília, se escrever uma história assim – disse Dona Benta. –Além de ser uma judiação arrancar do seu elemento criaturas tão lindas, essa pesca e essa trazida para a cidade em caminhão viria destruir a beleza e o mistério das sereias. Sabe o que acontecia? Os jornais davam o retrato delas impresso em tinta preta (nos livros elas aparecem em lindas pinturas de cores macias); os sábios de óculos vinham estudá-las, isto é, abri-las com as suas facas chamadas bisturis para ver o que tinham dentro, e mil outros horrores. Não, Emília. É melhor que ninguém nunca pegue uma sereia – nem você tampouco. Na sua historinha, agarre a sereia, mas faça que ela escape no momento de entrar para o caminhão. Ficará muito mais poética a sua historinha, eu garanto.

– Credo! – disse Tia Nastácia. –Os homens são tão malvados que até eram capazes de picar as coitadas em pedaços, para vender nos açougues lombo de sereia, entrecosto de sereia, rabo de sereia, miolo de sereia...

– Continue, vovó – pediu Pedrinho. –A sereiazinha escapou e...

– E sumiu-se no fundo d'água, indo avisar às outras, de modo que naquele dia não houve mais sereias na superfície do lago.

– E os meninos voltaram para a casinha de Wendy...

– Não. Em vez de sereia apareceu ao longe um bote. Os piratas do Capitão Gancho, que haviam ancorado o seu navio a uns dez ou doze quilômetros daquele ponto, lá vinham vindo de bote para o lado dos pegadores de sereias.

Como fosse grande o perigo, a meninada tratou de voltar para a praia quanto antes. O meio era um só – nadar, e pois lançaram-se à água e nadaram para terra sem sequer volver os olhos para trás. Só Peter Pan se animou a fazer isso. Olhou e viu que Pantera Branca, a chefe dos índios Peles-Vermelhas, vinha de pé à proa do bote, amarrada com cordas.

Peter Pan franziu a testa. Fazia assim sempre que tinha de resolver um problema urgente. Parece que com o tal franzimento de testa ele espremia o cérebro para que espirrasse alguma boa ideia. "Já sei" – murmurou para si mesmo logo depois. "Os terríveis piratas derrotaram os índios e aprisionaram Pantera Branca, e agora, vão abandoná-la num rochedo para que morra afogada pela maré."

Peter Pan tinha adivinhado. O bote dirigia-se para o rochedo onde estivera a sereia grande, com ordem do Capitão Gancho para largar lá a índia, bem amarrada com grossas cordas.

– "Mas isso não pode ser!"– pensou consigo Peter Pan. – "Preciso salvar a pobre criatura, custe o que custar. Pantera Branca é nossa aliada e nossa amiga."–Franziu de novo a testa e imediatamente espirrou de dentro do seu cérebro outra ideia muito boa.

– Qual foi? – quis saber Pedrinho.

– Ele não disse, mas pelo que fez a gente adivinha. Peter Pan esperou atrás dum rochedo que o bote passasse perto, e em seguida mergulhou na água e foi nadando até ficar bem debaixo da popa. Botou então a cabeça fora d'água e gritou em voz que imitava perfeitamente a voz de bêbedo do Capitão Gancho:

– "Com seiscentos bilhões de caravelas, cortem já as cordas dessa índia e soltem-na!"

Os piratas estranharam semelhante ordem, pois era absurdo soltar, assim sem mais nem menos, uma inimiga que lhes custara tanto a prender. Mas ordens do Capitão Gancho eram ordens; ninguém as discutia, sob pena de levar terríveis ganchadas no nariz. Não estavam vendo o chefe, mas a voz era dele. Nada mais lhes restava senão obedecer e portanto cortaram as cordas da índia, dizendo-lhe: – "Está livre. Faça o que quiser."

– E que é que ela quis? – perguntou Emília.

– Pantera Branca só quis uma coisa: ver-se bem longe daquela gente, e por conseguinte lançou-se à água e foi nadando, melhor que um peixe, para onde estavam os meninos, lá na praia. Nisto Peter Pan notou que alguém vinha se dirigindo a nado para o bote dos piratas. Era o Capitão Gancho, que havia ficado sozinho no navio para contar um saco de moedas de ouro. Terminara o serviço e agora nadava a toda velocidade para ter o gosto de assistir à morte da pobre índia.

– Estou imaginando a cara dele ao dar com o bote vazio!

– Realmente. Quando chegou e soube do acontecimento, encheu-se da maior cólera da sua vida e avançou para os piratas para ganchá-los a todos sem dó nem piedade.Eles, porém, não estiveram por isso, e atirando-se à água fugiram ainda mais rápidos que a índia.

Sozinho no bote, o Capitão Gancho tomou os remos e virou a proa para terra, vogando na direção onde via os meninos e a índia. Sua ideia era recapturar Pantera Branca, aproveitando-se do extremo cansaço em que, depois de tantos padecimentos, ela devia estar.

Peter Pan, que já havia alcançado a praia, compreendeu o perigo. A índia exausta mal podia consigo e fatalmente iria de novo cair nas unhas do chefe dos piratas. O remédio era enfrentar o Capitão Gancho, atracando-se com ele em luta corpo-a-corpo.

– Gosto dum menino assim! – disse Narizinho entusiasmada. –Não tem medo de coisa nenhuma. Isso é que é.

Pedrinho olhou-a com o rabo dos olhos, como se tais palavras fossem alguma indireta para ele. Mas não eram.

Dona Benta prosseguiu:

– O pirata chegou àquela praia. Desembarcou, e imediatamente Peter Pan o atacou. A luta foi medonha. Se o Capitão tinha mais força que seis Peter Pans reunidos, em compensação Peter Pan tinha mais agilidade do que seis Ganchos.

Essa desigualdade tornava as forças bem equilibradas.

Lutaram, lutaram muito tempo, ora na praia, ora dentro d'água, e por fim sobre o rochedo mais próximo. Era luta a unhadas. Por fim o pirata, já de língua de fora de tão cansado, compreendeu que era impossível vencer o terrível menino, e sem a menor vergonha fugiu. Saltou para o bote e fugiu! Era a segunda vez que Peter Pan o derrotava em luta corpo-a-corpo. Ficou todo arranhadinho mas vitorioso e glorioso.

– "Viva Peter Pan!"– gritou uma voz no rochedo. O menino voltou-se. Era Wendy. Em vez de seguir os outros, que tinham corrido para longe dali, ela havia ficado para acompanhar de perto a luta.

– "Wendy, Wendy!"– gritou ele aflito. – "Sabe que está correndo o maior dos perigos? A maré já começa a crescer e como você não tem forças para nadar até à praia, corre o perigo de morrer afogada."

A situação era sem dúvida das mais graves. Peter Pan franziu de novo a testa. Precisava descobrir um meio de salvar a querida mãezinha dos meninos perdidos antes que a maré subisse a ponto de engolir o rochedo com ela e tudo. Bote não havia. Carregá-la às costas era perigoso. Que fazer? Olhou para a direita, olhou para a esquerda, olhou para baixo, olhou para cima. Acertou em olhar para cima. Viu um enorme papagaio de papel que voava lá bem em cima, com um rabo de tira de pano que tocava a superfície das águas.

Teve uma ideia. Agarrar o rabo do papagaio e amarrá-lo à cintura da menina. Deu jeito e assim fez. Amarrou o rabo do papagaio à cintura de Wendy e esperou. Instantes depois o vento cresceu; o papagaio subiu mais alto, esticou o rabo – e Wendy lá se foi pelos ares...

– "Adeus, Wendy! Adeus!"– gritava Peter Pan enquanto ela subia, subia...

Estava salva a menina. Peter Pan tinha agora de salvar-se a si próprio. Outro papagaio não havia. Ficar ali por mais tempo era perigoso, porque a maré já ia bem alta e breve engoliria o rochedo. Em nadar ele nem pensava, porque o cansaço da luta o tinha posto bambo. Que fazer? Olhou para todos os lados em procura de salvação. Súbito, viu ao longe um grande ninho de ave aquática, que fora arrancado pelo vento e lançado à água. Vinha boiando, como uma barquinha redonda. A ave estava dentro, aninhada sobre os ovos.

– "Viva!"– exclamou Peter Pan batendo palmas. – "Eu não poderia ter coisa melhor. Barco e almoço de ovos ao mesmo tempo!..."

Esperou mais um pouco; logo que o ninho chegou a algumas braçadas do rochedo, lançou-se à água e com esforço nadou até ele. Espantou a ave com três berros e lhe tomou o lugar em cima dos ovos.

– Que engraçado! – exclamou Emília. – Vão ver que em vez de comê-los Peter Pan chocou os ovos e chegou à casinha de Wendy com uma ninhada de pintos aquáticos!

– Ele não pensou nisso – declarou Dona Benta. –Tratou mas foi de tirar a camisa, e fazer uma vela muito boa. O vento deu na vela e impeliu a estranha embarcação para o ponto onde estavam os meninos e a índia. Meia hora depois Peter Pan lá chegava, são e salvo.

Foi recebido com uma gritaria infernal de entusiasmo, não só pela surra que dera no Capitão Gancho, como pela habilidade com que salvara Wendy e também a si próprio.

– "Viva! Viva Peter Pan!"– gritavam todos, pulando e batendo palmas. – "Viva o menino que não tem medo de nada!"

Todos abraçaram-se, beijaram-se e disseram-se mil coisas. Pantera Branca narrou a triste história do combate em que seus índios foram derrotados pelos piratas. Wendy contou a história do seu voo amarrada ao rabo do papagaio, e de como conseguira agarrar-se a uma árvore perto daquele ponto. Os outros nada contaram, porque nada haviam feito.

A grande aventura do Lago das Sereias tinha acabado muito bem. Só havia neste ou naquele um ou outro arranhão – isto sem contar os seis riscos de ganchadas que Wendy descobriu nas costas de Peter Pan.

– "Vamos depressa para casa"– disse a menina aflita. –"Preciso preparar um remédio para essas machucaduras."

Dona Benta interrompeu a história nesse ponto, deixando o resto para o dia seguinte.

Começaram os comentários.

– Só não gostei duma coisa – disse Emília. –Peter Pan não devia ter deixado os ovos no ninho. Se eu fosse ele, levava-os para chocar na casinha.

– Chocar omeleta? – disse Tia Nastácia. –Aposto que os ovos ficaram numa pasta! Onde já se viu um meninão como aquele viajar dentro dum ninho sem quebrar os ovos todos? O contador da história nunca foi cozinheiro e por isso não entende de ovos. Mas eu, que sou cozinheira, sei muito bem o que aconteceu. Virou tudo omeleta...

O Visconde nada disse. Andava de olhinho aceso, examinando as poeirinhas do chão e "deduzindo". O que ele queria saber era uma coisa só: qual o rato que roía a sombra da negra...

Capítulo IV
A MORADA SUBTERRÂNEA

No outro dia, assim que Tia Nastácia acendeu o lampião da sala de jantar, o caso da sombra veio novamente à berlinda. A negra colocou-se entre a luz e a parede e todos puderam ver que sua sombra havia diminuído de mais um bom pedaço.

– Veja, Sinhá – dizia ela, com o beiço pendurado. –Estou só com um toco de sombra. Neste andar acabo sem sombra nenhuma e vai ser uma grande desgraça...

Dona Benta pôs os óculos e viu que era isso mesmo.

– O Visconde ainda não descobriu coisa nenhuma?

– Estou na pista – respondeu o pequeno *sherlock*. –Já examinei cuidadosamente o corte e vi que foi feito com tesoura. Ando agora a examinar o fio de todas as tesouras existentes nesta casa. Pela comparação hei de descobrir com qual delas o "rato" anda cortando esta sombra – e depois...

– E depois o quê? – perguntou Emília com carinha de santa.

– Depois, veremos.

Emília fez um muxoxo e deu uma cuspidinha de desprezo.

– Vamos! Comece, vovó! – pediu Narizinho. – Estou ansiosa pelo resto da aventura.

Dona Benta sentou-se na sua cadeira de pernas serradas e começou:

– Pois muito que bem. Daquela grande aventura no Lago das Sereias os meninos voltaram com alguns arranhões, que Wendy tratou de curar como pôde, com um ótimo unguento faz-de-conta. Todos sararam e a vidinha continuou muito feliz na casa de Wendy e na caverna subterrânea que a menina arrumara na perfeição.

Essa caverna era uma gruta natural que as águas haviam escavado na pedra, isso há muitos milhares de anos. Tão velha, que tinha barbas brancas no teto – ou estalactites.

– Que vem a ser isso? – perguntou Pedrinho.

Dona Benta explicou que em muitas cavernas as águas das chuvas se coam através da terra que há em cima, e pingam do teto. Ao atravessarem a camada de terra essas águas dissolvem certos calcários e, ao pingarem, esses calcários dissolvidos endurecem outra vez. E com o andar do tempo formam-se compridas estalactites, que são penduricalhos que descem do teto das cavernas até o chão.

Acontece também se formarem no chão, nos pontos onde a água pinga, endurecimentos do mesmo gênero, que se chamam estalagmites. As estalactites descem do teto para o chão e as estalagmites sobem do chão para o teto, até se encontrarem.

Dada a explicação, Dona Benta continuou:

– Naquelas estalactites os meninos penduravam mil coisas – cestas de apanhar peixe, anzóis, varas, porungas e brinquedos construídos por eles próprios. Bem no centro da caverna existia uma lareira.

– Que é lareira, vovó? – perguntou Narizinho.

– Aqui no Brasil temos o clima quente ou temperado e por isso não se usam lareiras nas casas. Nos países frios, porém, não existe quem não saiba o que é lareira, porque não existe casa sem lareira. É o lugar de fazer fogo para o aquecimento da casa. Entre nós, e em todos os países quentes, fogo só há na cozinha, para cozinhar. Nos países frios, além desse fogo da cozinha há o fogo para aquecer a casa. Mas isso unicamente nos países atrasados. Nos países adiantados, em vez da velha lareira existe um sistema de canos de vapor quente que percorrem todos os quartos e salas por dentro das paredes e os mantêm na temperatura que se deseja.

– Basta, vovó – disse a menina. – Continue.

Dona Benta continuou:

– Pois é como eu ia dizendo. A gentilíssima Wendy deixou a caverna um brinco de asseio e ordem. Arranjou para os meninos uma cama larga onde todos se arrumavam muito bem. Também arranjou um berço para o Miguel. Miguel não estava mais em idade de berço, mas Wendy era de opinião que não pode existir casa sem berço, e como fosse ele o mais criança, teve de representar o papel de bebê. Esse berço não passava duma das cestas de apanhar peixe, arrumada entre duas estalactites.

Wendy não esqueceu nem sequer da sua terrível inimiga Sininho. Arranjou-lhe num canto um quarto de boneca, fechado de cortinas vermelhas e cheio de lindas coisas minúsculas, próprias para uma fada daquele tamanhinho.

Cadeiras não havia na gruta, mas havia bancos feitos de chapéus-de-sapo, um para cada menino. Wendy e Peter Pan usavam uma poltrona especial, feita de duas enormes cabaças recortadas com muito jeito. Ali se sentavam juntinhos, como fazem os papais e as mamães que se querem bem.

Certo sábado à noite estavam todos muito ansiosos à espera de Peter Pan, que saíra pela manhã numa expedição cinegética.

— Pare aí, vovó! —berrou Pedrinho. —Essa palavra esquisita me deixou tonto. Que vem a ser isso?

— Coisa das mais simples, meu filho. Cinegético quer dizer "relativo a caçada". Expedição cinegética significa o mesmo que caçada.

— Mas se é tão simples dizer caçada, por que vem a senhora com essa terrível complicação? – observou Pedrinho, que era inimigo de palavras difíceis.

— Para você perguntar e eu ter ocasião de ensinar uma palavra nova que ninguém aqui sabe. Neste mundo, Pedrinho, precisamos conhecer a linguagem das gentes simples e também a linguagem dos pedantes – se não os pedantes nos embrulham. Você já aprendeu o que é cinegético e se em qualquer tempo algum sábio da Grécia quiser tapear você com um cinegético, em vez de abrir a boca, como um bobo, você já pode dar uma risadinha de sabidão.

— Vou aplicar este cinegético já e já– disse o menino, entusiasmado.

Tia Nastácia, que saíra para ferver a água do chá, vinha entrando.

— Sabe, Tia Nastácia, que amanhã vou fazer uma expedição cinegética?

A palavra tonteou a negra, fazendo-a piscar três vezes.

— Cine, o quê?

— Gética. Ci-ne-gé-ti-ca!...

Tia Nastácia arregalou os olhos, sem perceber coisa nenhuma. Depois, voltando-se para Dona Benta:

— Não deixe ele ir, Sinhá. Não sei o que isso é, mas coisa boa não há de ser. Não deixe, Sinhá.

Todos riram-se da pobre preta.

— Vê, Pedrinho, como é bom saber? Essa mesma cara de espanto você faria, se ouvisse tal palavra antes da minha explicação. Já agora, em vez de ser bobeado, você bobeia os outros. Está compreendendo a grande vantagem de saber?

— Chega de gramática, vovó! – protestou a menina. –Vamos à história. Os meninos estavam à espera de Peter Pan. E depois?

— Pois é. Os meninos estavam à espera de Peter Pan, que saíra à caça, e em cima da morada subterrânea Pantera Branca e seus índios montavam guarda.

Súbito, soou um assobio agudo. Era o sinal de Peter Pan. De longe já ele anunciava a sua chegada com aquele assobio agudíssimo. Pantera Branca foi ao seu encontro, enquanto os meninos subiam às árvores para vê-lo chegar.

Cada vez que Peter Pan vinha duma das suas excursões, era uma festa para a meninada. Como bom pai, trazia sempre novidades gostosas nos bolsos – frutas do mato, doces, mil coisas. Os meninos o rodeavam como ratos rodeiam um saco de milho, e cada qual ia enfiando as mãos nos seus bolsos para pescar o que saísse.

Peter Pan entrou na caverna e dirigiu-se para o lado de Wendy, naquele momento ocupada em remendar as meias de Levemente-Estragado. Estava linda no seu vestido cor de outono, com um galhinho de amora-do-mato nos cabelos.

Narizinho estranhou aquela expressão "cor de outono."
– Que história é essa, vovó? O outono é uma das estações do ano, mas não me consta que tenha cor...
Dona Benta riu-se.
– Minha filha, a língua está cheia de expressões poéticas. São os poetas que inventam essas coisas tão lindinhas para enfeite da linguagem. O outono é a mais linda de todas as estações nos países frios onde cai neve. Aqui no Brasil ninguém percebe diferença grande entre o outono, o verão e o inverno. Na realidade só temos duas estações – a das águas e a da seca. A vegetação se mostra intensamente verde na estação das águas, e também verde, mas de um verde mais sujo, mais seco, na estação da seca– que vai de maio a outubro. Nos países frios não é assim. As quatro estações são perfeitamente definidas.
– Eu sei! – gritou Pedrinho. –Há a primavera, o verão, o outono e o inverno...
– Isso mesmo. Na primavera a vegetação desperta do sono do inverno e brota numa grande alegria de verdes-esmeraldinos. Sabe o que é o verde-esmeraldino?
Pedrinho sabia.
– É o verde cor de esmeralda.
– Sim – um verde de broto novo, delicado, lindo. Nas laranjeiras você vê muito bem o verde-esmeralda nos brotos novos e vê o verde carregado do verão nas folhas velhas. Pois bem: o verde-esmeraldino é o verde da primavera; de modo que se um poeta disser "cor de primavera" a gente já sabe que se trata do verde-esmeralda.
– Nesse caso, "cor de verão" deve ser o verde carregado das copas das laranjeiras –ajuntou Narizinho.
– Perfeitamente, minha filha. "Cor de verão" só pode ser verde carregado. "E cor de outono..."
Dona Benta parou. Tinha primeiro de dar uma ideia do que é o outono nos países frios. Pensou um bocado e disse:
– O outono é a mais linda, a mais poética estação do ano nos países frios. A vegetação inteirinha muda de cor. Tudo que é verde passa a amarelo ou vermelho.
– Então fica lindo...
– Sim, a natureza toda fica como um sonho de beleza. Tudo amarelo e vermelho. A gama inteira dos amarelos e vermelhos...No começo, amarelos e vermelhos muito vivos, novinhos ainda. Depois, mais murchos; e por fim, uns amarelos e vermelhos mortos, embaçados, sujos, porque toda a folharada das árvores vai caminhando para o tom pardo, que é o tom da morte das folhas diante do inverno que se aproxima. Estão entendendo?
– Estamos, vovó – responderam os dois meninos. –Apesar da sua linguagem elevada estamos entendendo muito bem. E já percebemos o que é "cor de outono"– acrescentou Narizinho. É o tom de palha, não é isso mesmo?
Dona Benta abraçou a sua neta.
– Isso mesmo. É o tom da palha, da folha murcha, já quase sem cor.
Emília meteu o bedelho:
– Já sei. É cor de burro quando foge...
Dona Benta riu-se.
– E qual a cor do burro quando foge, Emília?
A diabinha não se atrapalhou:
– É cor de outono...

Narizinho, ansiosa pela continuação da história de Peter Pan, pôs fim naquela dança das cores.

– Chega de cor, vovó. Continue...

Mas Pedrinho, que gostava muito de amora-do-mato tinha ficado com água na boca, e falou duma ideia que andava em sua cabeça: fazer uma plantação no pomar de amoras-do-mato de todas as qualidades. "E de framboesas também, vovó – não dessa framboesa selvagem que há aqui nos morros, mas da europeia. Que acha?" Dona Benta achou excelente a ideia, e ia começando a fazer uma preleção sobre a framboesa; Narizinho a interrompeu: "A framboesa agora, é a história. Continue." E Dona Benta continuou:

– Peter Pan contou as novidades de lá fora e pediu notícia de tudo quanto havia acontecido na caverna durante a sua ausência. Depois cantou uma cantiga que Wendy achava a coisa mais linda do mundo – mas só quando cantada por ele. Se outro qualquer a cantava, perdia completamente a graça.

Enquanto Peter Pan cantava, os meninos brincavam de guerra. As armas eram os travesseiros e o campo de batalha era a cama grande. O resultado da luta foi o mesmo de sempre: penas por toda parte (os travesseiros eram de pena) e um trabalhão para Wendy no dia seguinte.

O meio da menina interromper aquelas lutas destruidoras consistia em anunciar uma história nova. Todos sossegavam imediatamente, como por encanto. Vinham sentar-se em redor dela, guardando silêncio profundo, e assim ficavam até que o sono os derrubasse.

A história daquela noite foi inventada por Wendy, que já havia esgotado o sortimento das que tinha ouvido de sua mamãe. Era a história dum casal cujos três filhos resolveram fugir de casa durante certa noite de inverno. Os pobres pais haviam caído na mais profunda tristeza e nunca mais fecharam as janelas do quarto dos meninos fujões, na esperança de que por ali mesmo voltassem um dia.

– "Não, Wendy, não é assim" – disse Peter Pan com ar de certeza. – "A janela não está aberta à espera de que os três meninos voltem. Está fechada porque há um novo bebê lá no quarto."

Wendy levou um grande susto. Seria possível que fosse como Peter Pan estava dizendo?

– "Por que diz isso, Peter? Esteve lá? Viu alguma coisa?"

– "Não estive, nem vi, mas imagino, porque foi assim que se deu na casa dos meus pais. Depois que de lá fugi, fui um dia espiar o meu quarto pela janela. Encontrei-a fechadíssima, e dentro, talvez no meu próprio berço, chorava um novo bebê."

Por que foi ele dizer aquilo? Wendy e os irmãozinhos ficaram na maior inquietação, apavorados com a ideia de novos bebês dormindo nas suas camas, brincando com os seus brinquedos, ouvindo as histórias que eles costumavam ouvir e recebendo os beijos que eles costumavam receber. Oh, isso era horrível!

Wendy resolveu voltar para casa imediatamente.

Quando declarou essa resolução a tristeza foi geral. Os meninos perdidos rodearam-na com mil pedidos para que os não abandonasse. Tinham-se acostumado a ter mãe e não suportariam a antiga vida de órfãos.

– "Quem está falando em abandonar vocês?" – respondeu Wendy. – "Vão todos comigo, está claro, e toda a vida moraremos juntos lá em casa."

Os meninos perdidos, felizes como passarinhos, deram saltos de alegria. Que bom! Que bom! Que bom! Iam ter uma verdadeira mãe, grande e perfeita, como era a Senhora Darling. Iam viver numa casa linda e andar como todos os meninos da cidade andam.

"Viva! Viva Wendy!" – gritaram.

Só Peter Pan resistiu à tentação. Sentia imensamente perder Wendy e seus irmãozinhos, mas não podia admitir a ideia de voltar ao mundo donde fugira logo ao nascer – o horrível mundo onde os meninos crescem e viram homenzarrões bigodudos e feios. Jamais faria isso. Jamais desertaria a Terra-do-Nunca – a terra onde os meninos não crescem. Os outros que fossem. Ele ficaria sozinho.

Combinado assim, começaram todos a aprontar-se, na maior balbúrdia e gritaria. Cada qual fez a sua trouxinha, pondo nela os brinquedos e as lembranças mais queridas. Bicudo levou um morcego seco, que desejava mostrar para a Senhora Darling.

– Credo! – exclamou Tia Nastácia, fazendo cara de horror. – Essa ideia só mesmo dum Bicudo. Morcego seco, vejam só...

– Antes morcego seco do que morcego vivo – disse Emília. – Eu tenho medo das coisas vivas porque mordem; mas das secas, não. E Levemente-Estragado, que é que levou, Dona Benta?

– Não sei. O livro não diz. Mas com certeza levou uma bobagem do mesmo naipe – um rato seco, por exemplo. Todas as crianças se impressionam muito com bichos secos. Pedrinho, quando contava apenas quatro anos de idade, apareceu-me um dia na sala de jantar com um horrendo gato seco, que empestou a casa inteira. Lembra-se, Pedrinho?

Tia Nastácia lembrava-se muito bem, mas o menino não.

– Continue, vovó – pediu Narizinho.

– Depois de arranjados os presentes para a Senhora Darling, Wendy despediu-se de Peter Pan. Abraçou-o e disse, com os olhos úmidos de lágrimas:

– "Minha última recomendação é que você não deixe de tomar o seu remédio na hora certa. Veja lá, hein?"

Referia-se a um remédio que Peter Pan estava tomando para curar-se das terríveis ganchadas do Capitão Gancho.

Iam partir. Nisto lhes chegou aos ouvidos um barulho lá fora, bem em cima da caverna subterrânea. Que seria? Os meninos ficaram imóveis, à escuta. Barulho de guerra. Ouviam-se distintamente o choque das armas, o assobio das flechas, o rumor dos tombos, os gritos dos machucados. Peter Pan compreendeu logo que os piratas haviam assaltado os índios de surpresa.

– "Se os Peles-Vermelhas saírem vencedores, não deixarão de tocar o tantã" – disse ele – e ficaram todos atentos, à espera do toque do tantã, sinal de vitória entre os índios.

A batalha não durou muito tempo. Como de costume, os Peles-Vermelhas foram completamente derrotados e fugiram como lebres. Mas dentro do subterrâneo os meninos não podiam saber disso, de modo que continuaram muito atentos, à espera do tantã.

Afugentados os índios, o Capitão Gancho resolveu aproveitar-se da oportunidade para dar cabo dos meninos naquele mesmo dia. Ele tinha estado uma porção de tempo a escutar pelo chapéu-de-sapo que servia de chaminé (Peter Pan havia construído outro para substituir o que fora destruído pelo pontapé do pirata), e pôde ouvir uma boa parte da conversa dos meninos, inclusive o pedaço em que Peter Pan falou do tantã.

– "Muito bem" – disse consigo o chefe dos piratas. – "Eles estão à espera do toque do tantã, que é o sinal de triunfo dos índios. Ora, estes fugiram e deixaram o tantã aqui. Que faço eu? Toco o tantã. Os bobinhos lá dentro pensam que Pantera Branca venceu e saem pelos ocos – e eu os apanho todos um por um. Ótimo!"

O Capitão Gancho, assim pensou e assim fez. Tocou o tantã – *tantã, tantã...*

Assim que aquele amado som chegou aos ouvidos dos meninos, a alegria foi imensa. Puseram-se a pular e a dançar, porque era a primeira vez que os seus aliados índios venciam os terríveis piratas.

– "Hurra!" – gritaram todos. – "Os índios venceram, afinal! Podemos sair sem perigo nenhum", e cada qual tomou caminho do seu oco e foi marinhando por ele acima.

O Capitão Gancho havia postado três piratas na boca de cada oco, de modo que os meninos eram caçados um por um, logo que punham a cabeça de fora. Agarravam-nos e amordaçavam-nos, para que os gritos não avisassem os outros. Tão bem feito saiu aquele servicinho que Peter Pan, lá dentro, de nada desconfiou. Ficou certo de que a meninada já ia a caminho de Londres, muito em paz, conduzida pela bola de fogo.

Peter Pan estava profundamente triste. Súbito, lançou-se à cama, com a cara escondida nas mãos. Dizem que chorou, mas não há certeza disso.

– Ele então não chorava? – perguntou Narizinho.

– Não, nunca chorou, salvo, talvez, nesse dia – mas não há certeza. Peter Pan considerava o choro como coisa própria de mulher.

– Eu queria esfregar cebola nos olhos dele para ver se chorava, ou não – disse Emília. – Já notei que cebola "comove" mais as gentes do que a história mais triste que possa haver. E depois?

– Depois deixou-se ficar na cama, com a cara escondida no travesseiro. Enquanto isso o Capitão Gancho, lá em cima, impacientava-se com a demora dele. Havia apanhado todos os meninos, menos justamente o principal.

– "Querem ver que ainda desta vez o raio do tal menino me escapa?" – murmurou consigo.

Por fim, vendo que Peter Pan não saía mesmo, o chefe dos piratas pensou, pensou, para ver se lhe ocorria uma ideia que valesse a pena. Estudou a situação. Entrar pelo oco, impossível. As aberturas eram muito estreitas para um cavalão da sua marca. Porta para ser arrombada não existia. Que fazer? O Capitão Gancho coçava a cabeça, indeciso.

Lembrou-se de espiar pela chaminé. Dava jeito. Viu o menino estirado na cama e num caixão à sua cabeceira o vidro de remédio que Wendy pusera ali.

– "Já sei!" – exclamou o bandido, iluminado por uma ideia infernal. – "Derramo umas gotas de veneno naquele vidro e pronto! Ótima lembrança."

Assim fez. Por meio dum canudinho enfiado pela chaminé, achou jeito de pingar dentro do vidro de remédio (que estava desarrolhado) seis gotas do pior veneno que existe. Em seguida retirou-se, tomando caminho do seu navio, muito contente da vida, a esfregar as mãos.

– Como? – inquiriu Emília. – Se ele só tinha uma, como poderia esfregar as *mãos*?

– Isto é um modo de falar – explicou Dona Benta. – Quando queremos dizer que Fulano saiu muito contente, costumamos usar dessa expressão "esfregar as mãos", ainda que o tal Fulano nem mãos tenha. São modos de dizer.

– Continue, vovó. Não perca tempo com esta encrenqueira.

– Pois é. O Capitão Gancho envenenou o remédio de Peter Pan e lá se foi para o seu navio, muito contente da vida. Foi certo de que o menino tomaria o remédio e morreria a pior das mortes.

Peter Pan, sozinho na caverna subterrânea, não conseguia dormir. Pensamentos tristes esvoaçavam pela sua cabeça, como morcegos. Fechava os olhos com toda a força, contava até mil – e nada. Nada de o sono chegar. De repente, viu uma claridade. Era a fada Sininho que chegava, mas tão aflita que vinha atrapalhando os *tlins-tlins* todos.

– "Que há Sininho?" – perguntou ele, erguendo-se da cama.

A bola de fogo narrou a grande desgraça acontecida aos meninos, que estavam naquele momento encerrados no escuro e sujíssimo porão do navio dos piratas.

Peter Pan, num pulo de tigre, correu ao rebolo para amolar as suas armas. Deixou a espada que nem navalha e fez no seu punhal de guerra uma ponta fina como a das agulhas. Estava ocupado nisso quando notou que a bola de fogo principiava a empalidecer. Assustou-se.

– "Que é que você tem, Sininho?" – perguntou ele, inquieto – e quase nem pode ouvir a resposta, de tão fracos que soavam os *tlins-tlins* da pequenina fada.

Sininho estava morrendo. Percebera que o remédio de Peter Pan tinha sido envenenado e o bebera, com a ideia de o salvar. Sacrificara-se por ele, a coitadinha.

– Por quê? Não entendo – disse Narizinho.

– Sininho havia refletido que se o avisasse de que o remédio estava envenenado, Peter Pan não acreditaria, supondo que Sininho não queria que ele bebesse o remédio só por ter sido preparado por Wendy. E resolveu então beber o remédio antes que ele o tomasse.

Ao ver que a sua querida fada ia morrendo, Peter Pan sentiu uma dor infinita. Perder Sininho era-lhe pior do que perder a própria vida. Precisava salvá-la, custasse o que custasse. Mas como?

Peter Pan franziu a testa com toda a força e teve imediatamente uma grande ideia. Subiu pelo oco e lá fora trepou à árvore mais alta. E bem de cima gritou para o mundo, com toda a força dos pulmões:

– "Quem acreditar em fadas, que bata palmas até não poder mais! É esse o único meio de salvar a minha querida Sininho!..."

Tão sincero e sentido foi aquele grito, que todas as crianças da terra o ouviram – e milhões e milhões de palmas ressoaram pelo mundo afora. Uma barulhada de atordoar a gente...

– E o resultado? – perguntou Narizinho, ansiosa.

– Foi ótimo, um verdadeiro milagre. A luz de Sininho começou a brilhar de novo e os *tlins-tlins* tornaram-se ainda mais fortes do que antes. Sininho estava salva!

Assim que a viu completamente boa, Peter Pan deu o maior suspiro de alívio de toda a sua vida.

– "Agora, toca a salvar os outros!" – disse ele, e tomando as armas afiadíssimas lá se foi em companhia de Sininho ao encontro dos piratas raptores.

– E depois? – indagou Pedrinho.

– Depois, cama. Já são nove horas. Para a cama todos! Amanhã veremos o que aconteceu.

Pedrinho danou.

– É sempre assim. As histórias são sempre interrompidas nos pontos mais interessantes. Chega até a ser judiação...

Capítulo V
O NAVIO DOS PIRATAS

No outro dia, Tia Nastácia apareceu com beiço ainda mais caído, porque a sua sombra continuava a desaparecer. Colocou-se entre o lampião e a parede e disse para Dona Benta:

– Veja, Sinhá. Só resta um tiquinho...

– E o Visconde, que diz a isso?

– O Visconde promete pegar o ladrão de sombra como pegou o gato, mas ainda está "estudando", como ele diz.

Emília, que andava de ponta com o Visconde, meteu o bedelho.

– No caso do Gato Félix ele descobriu tudo porque eu ajudei. Se eu não tivesse arrancado aquele fio do bigode do gato ladrão, queria ver! Esses tais de detetives são uns grandes palermas...

– Sonso ele é – disse Tia Nastácia. – Mas a cabecinha dele pensa tão certo que até dá inveja na gente. Vocês vão ver como ele descobre o ladrão.

O Visconde, que estava escondido debaixo da mesa, tudo ouvindo e observando, notou o torcimento de nariz da Emília. E desde esse instante começou a desconfiar que a criminosa fosse ela.

Dona Benta, sentou-se e dispôs-se a continuar a história.

– Onde ficamos ontem? – perguntou.

– Peter Pan havia saído da caverna para salvar os outros – lembrou Pedrinho.

– Sim, é isso. Peter Pan encaminhou-se para o navio dos piratas. Oh, era horrendamente feio esse navio! Feio e velho, de velas sujas e cordas sebentas, com um mau cheiro horrível. Chamava-se a *Hiena dos Mares* – e era mesmo uma hiena em forma de navio. Hiena, vocês sabem o que é.

– Sei – disse Pedrinho. – É um animal da família das Hienídias, muito feio, cabeçudo, peludo, que só anda de noite e come carniça. Animal da África e da Ásia. O urubu das feras.

Dona Benta aprovou a ciência do menino e prosseguiu.

– Pois tinha esse nome o navio do Capitão Gancho. No mastro principal flutuava uma bandeira vermelha, com uma caveira negra sobre dois ossos cruzados em forma de x.

Para esse horrível navio tinham sido levados os pequenos prisioneiros, e chegados lá foram arremessados com toda a brutalidade ao porão, onde havia mais ratos nojentos do que há estrelas no céu. Enquanto os coitadinhos tremiam de pavor no porão escuro, o chefe dos piratas passeava pelo tombadilho, muito satisfeito consigo mesmo por haver derrotado os índios e aprisionado os garotos. De repente parou para perguntar a Capacete:

– "Estão os prisioneiros bem acorrentados, de modo que não possam fugir?"

– "Sim, Capitão."

– "Nesse caso, traga-os cá para cima" – ordenou ele, tomando assento numa velha cadeira de braços que lhe servia de trono.

Os meninos foram conduzidos à sua presença, acorrentados dois a dois. O Capitão Gancho encarou-os com ar feroz e declarou que seis deles iam ser lançados ao mar com uma pedra, ao pescoço, e que dois ficariam no navio como grumetes, a fim de virarem piratas.

— "Você aí do centro!" – disse referindo-se a João Napoleão. – "Você tem bom jeito para grumete. Que tal a ideia de ficar comigo neste navio?"

João, que havia lido muitas histórias de piratas e gostava de aventuras do mar ficou logo seduzido pela ideia. Adiantou-se e disse:

— "Se eu ficar você me dá o nome de Jack, o Mão-Peluda?"

O Capitão Gancho riu-se da lembrança e respondeu que sim.

— "Nesse caso, fico!" – declarou João Napoleão, com os olhos a faiscarem de entusiasmo.

O chefe dos piratas fez a mesma pergunta a Miguel, o qual, em vez de responder, aproximou-se dele e, sem medo nenhum, bateu-lhe no ombro, dizendo:

— "Depende do nome que você me der."

— "Joe, o Barba Negra! Gosta?"

Miguel gostou e declarou que ficava. Mas quando Miguel e João Napoleão souberam que para ser pirata a primeira coisa que tinham a fazer seria jurar guerra e ódio ao rei, gritando: – "Abaixo o rei da Inglaterra!" – ambos desistiram de tudo. Como bons inglesinhos, conservavam-se leais ao seu soberano.

O Capitão Gancho ficou furioso e declarou que nesse caso teriam de morrer como os demais, afogados com pedras ao pescoço. Em seguida ordenou que trouxessem à sua presença a mãe daqueles meninos.

Wendy foi trazida de rastos e deixada sozinha em frente do terrível chefe dos piratas. Apesar do terror que esse monstro lhe inspirava, a menina soube dominar-se e não fazer má figura. O Capitão Gancho perguntou-lhe se tinha alguma recomendação a fazer aos filhos, dos quais ia separar-se para sempre. Wendy voltou-se para os meninos e falou deste modo:

— "Já que vocês têm de morrer nas mãos destes bandidos, que morram como verdadeiros heróis. É isto que as suas verdadeiras mães diriam se estivessem no meu lugar. Viva o rei da Inglaterra!"

— "Viva! Viva!" – gritaram todos os meninos, como se fossem um só.

Dar vivas ao rei da Inglaterra nas fuças do Capitão Gancho era o maior atrevimento do século. O chefe dos piratas espumou de cólera, e ordenou que amarrassem Wendy ao mastro grande, donde teria de assistir à morte de todos os meninos, um por um. Assim foi feito e a corajosa menina lá ficou, que nem uma Joana D'Arc, no seu vestidinho cor de ouro velho e de xale ao pescoço.

Ia começar a matança. Os piratas trouxeram as pedras de afogar prisioneiros. O Capitão Gancho sorria deliciadamente. Para aquele monstro, o maior prazer da vida era ver afogar prisioneiros.

Súbito, o seu sorriso diabólico transformou-se em careta de terror. Um famoso *tique-taque*, muito seu conhecido, soara perto.

— "O crocodilo!" – exclamou ele, dando um pulo e indo esconder-se no fim do navio, atrás duma pilha de cordas. Os demais piratas para lá também correram, cercando o chefe com uma muralha de corpos. Os meninos, de respiração suspensa, ficaram à espera de ver o crocodilo surgir.

Mas não surgiu crocodilo nenhum. Em vez da fera apareceu na beira do navio a carinha de Peter Pan. Fez aos meninos sinal de bico calado e entrou à moda dos índios, agachado, de jeito que os piratas nada vissem. Trazia atravessado na boca o seu terrível punhal e na mão direita, um despertador. O tique-taque que tanto apavorava o Capitão Gancho não era do crocodilo...

Peter Pan esgueirou-se pelo chão feito cobra, e penetrou numa cabina, trancando-se lá dentro.

Tendo cessado de ouvir o *tique-taque*, o Capitão Gancho virou valente outra vez. Voltou ao trono e deu ordem para a matança dos prisioneiros.

– "Vamos, comecem!" – gritou.

A resposta foi um coricocó de galo dentro da cabina. O chefe dos piratas empalideceu. Não podia compreender o que fosse aquilo, pois nunca existira galo nenhum a bordo da *Hiena dos Mares*.

– "Capacete, vá ver o que há na cabina" – ordenou.

Capacete foi. Entrou na cabina e não saiu mais. Vendo que Capacete não reaparecia, o Capitão Gancho, muito pálido, ordenou que outro pirata fosse ver o que era. Esse segundo pirata, porém, tomou-se de tanto medo que em vez de obedecer lançou-se ao mar e foi nadando para terra.

– "Covardes!" – berrou o Capitão Gancho. – "Têm medo? Pois vou eu mesmo, para mostrar o que é coragem", e tomando uma lanterna dirigiu-se para a misteriosa cabina.

Entrou, mas incontinente voltou atrás, dum salto.

– "Uma coisa assoprou e apagou a minha lanterna! Deve ser uma abantesma, ou qualquer monstro dessa laia. O melhor é lançarmos contra ela os prisioneiros. Serão devorados e nós economizaremos as nossas pedras de afogar. Vamos! Empurrem a meninada para a cabina da abantesma!"

Era justamente o que os meninos queriam; mas não deram sinal disso, bem ao contrário – resistiram, fingindo grande medo, e só entraram na cabina à força.

Os piratas são em regra muito supersticiosos. Acreditam em quanta bobagem há. Uma das suas crendices é que mulher traz desgraça para navio. Por isso juntaram-se em conferência para resolver o que fariam de Wendy. Enquanto conferenciavam na popa, Peter Pan saiu da cabina sem ser visto, foi ao mastro, soltou a menina e colocou-se em seu lugar, bem disfarçado com o xalinho ao pescoço.

Depois de muito discutirem, os piratas resolveram lançar ao mar a mulherzinha que estava atrapalhando a vida de bordo.

– "Muito bem!" – exclamou o Capitão Gancho, fechando a discussão, – "Assim seja. Lancem-na ao mar! Acabem logo com a vida dessa criatura que nos está trazendo desgraças."

Vários piratas dirigiram-se para o mastro a fim de cumprir a ordem do chefe. E parando diante daquele vultinho meio embuçado no xale, disseram, com voz de escárnio:

– "Chegou sua hora, menina. Nada no mundo poderá salvá-la."

– "É o que parece!" – gritou Peter Pan, arrancando o xale e espetando a espada no peito do pirata mais próximo. Depois soltou um grito de guerra: – "Por Wendy e pelo Rei! Avança, meninada!"

Foi uma coisa espantosa. Os meninos saíram da cabina armados com as melhores armas existentes no navio, e caíram em cima dos piratas como um bando de vespas coléricas. Os pobres piratas não sabiam o que pensar, pois estavam certos de que a abantesma já os havia devorado a todos. Foram tomados de pânico. Uns jogavam-se ao mar, outros tapavam os olhos com a mão; outros, mais corajosos, resistiam.

– "Ninguém ataque o Capitão Gancho!" – berrava Peter Pan. – "Esse é meu só."

Travou-se medonha luta. Embora fossem mais fortes que os meninos, os piratas eram vencidos pela agilidade deles – e um a um foram sendo postos fora de combate, ou forçados a se jogarem ao mar. Ao cabo de alguns minutos só ficou em campo o Capitão Gancho, sempre atracado com Peter Pan.

Foi a luta mais bonita que ainda se viu no mundo. Peter Pan parecia um demônio. Saltava como gato selvagem e dançava na frente do pirata, fazendo-o errar todos os botes da sua mão de gancho. E enquanto isso, tome lá um pontapé na barriga, tome lá uma cutucada no nariz, tome lá mais um galo na testa!

A agilidade de Peter Pan fazia que ele não perdesse um só golpe e evitasse todos os golpes arremessados pelo pirata. O Capitão Gancho estava já de língua de fora, como cachorro cansado. Suava em bicas, um suor muito fedorento. Tinha mais arranhões pelo corpo e galos pela testa do que cabelos na cabeça. Em certo momento deteve-se, apavorado, e gritou:

– "Será que estou lutando contra um demônio? Peter Pan, diga-me quem é você?"

Peter Pan, como um galinho novo que sacode as asas ao nascer do sol – respondeu com um grito de atroar os ares:

– "Eu sou a Juventude! Sou a alegria da vida! Sou eterno e invencível!"

E *zás, zás, zás*, apertou o velho capitão numa tal roda de golpes que ele foi recuando, recuando, recuando até que chegou à beiradinha do navio e...

– *Tchibum*! Caiu n'água – completou Emília.

– Não. Caiu mas foi bem dentro da goela do crocodilo. O paciente animal tinha ouvido o barulho da luta e aproximara-se de mansinho, ficando rente ao navio, de boca aberta, à espera do resto da mão. E desse modo devorou o famoso chefe dos piratas, com gancho e tudo...

– Bravos! – exclamou Pedrinho. – Eu sabia que ia suceder isso. Menino protegido pelas fadas acaba sempre vencendo...

Tia Nastácia arregalou os olhos.

– Credo! Imaginem um menino desses aqui no sítio! Era capaz até de serrar o chifre do Quindim...

Capítulo VI
A VOLTA

No dia seguinte, à hora de acender o lampião, o Visconde apareceu todo cheio de si e disse:

– Descobri tudo. Descobri o ladrão da sombra de Tia Nastácia. Aposto que ela está hoje sem sombra nenhuma.

– Quem é? Quem foi? – indagaram todos.

O Visconde olhou para Emília, que estava de lábios apertados e olhinhos duros. Quis dizer que era ela, mas não teve coragem. Por fim, como Dona Benta insistisse, não teve remédio.

– É a senhora Dona Emília a ladrona da sombra! – declarou o Visconde corajosamente.

Foi um espanto geral. Todos se voltaram para a boneca, que apenas sorriu com superioridade e respondeu com uma pergunta.

– Dona Benta – disse ela – explique ao Visconde o que é roubar.

– Roubar é tirar uma coisa que pertence a outra pessoa sem autorização dessa pessoa – ensinou Dona Benta.

– Muito bem – exclamou Emília. –Mas se a coisa roubada continua no poder da dona, alguém pode afirmar que houve roubo?

– Não, está claro que não. Mas que tem isso com o caso?

– Muita coisa – replicou Emília – e voltando-se para Tia Nastácia: – Acenda o lampião e veja se está mesmo roubada.

Tia Nastácia acendeu o lampião e, com grande surpresa, viu que sua sombra se projetava inteirinha na parede, como antigamente.

Todos arregalaram os olhos.

– Vejam que *sherlock* das dúzias é o tal Senhor Visconde! – gritou Emília, dando uma risada irônica. –Acusou-me de ter furtado uma coisa que não foi furtada! A sombra de Tia Nastácia está direitinha como sempre foi.

Era a pura verdade. Todos se aproximaram da parede para examinar o estranho caso. Viram que de fato a sombra fora cortada em numerosos pedaços, mas que havia sido remendada de novo. As costuras estavam visíveis.

– Bom – disse Dona Benta. –Desde que a sombra voltou, não vale a pena insistirmos nisso, mas Emília que não repita a brincadeira. A sombra grudou muito bem. Mas se não grudasse? Se a pobre Tia Nastácia ficasse aleijada por toda a vida? Não e não. Basta de tais reinações. Com sombra a gente não brinca.

Em seguida tomou assento em sua cadeira de pernas serradas e anunciou o fim da história de Peter Pan e Wendy.

– Depois da derrota do Capitão Gancho – disse ela – os outros piratas levaram a breca, isto é, morreram afogados. Só se salvaram dois, um de nome Smee e outro de nome Starkey.

Smee era um pirata irlandês, não tão ruim como os outros; conseguiu nadar até à praia, salvou-se e acabou marinheiro muito bem-comportado, num navio de guerra inglês.

– E Starkey?

– Starkey nunca havia derramado sangue humano, apesar de ser um grande patife. A sorte o poupou. Foi aprisionado pelos Peles-Vermelhas e posto lá na tribo como ama-seca dos indiozinhos. Para pirata não podia haver castigo maior.

– E na casa dos pais dos meninos?

– Lá foi uma tristeza sem conta, como vocês podem imaginar. O Senhor Darling, como castigo de não ter posto mais tento nos meninos, resolveu viver na casinha da cachorra Naná, como se fosse cachorro. Todos os dias, depois de voltar do escritório, ia deitar-se lá e até fazia *au! au!* Era um homem muito esquisito – ou "excêntrico", como dizem os ingleses.

– Excêntrico quer dizer esquisito? – indagou Pedrinho.

– Excêntrico quer dizer fora do centro. Aplicado às pessoas quer dizer uma criatura um tanto fora do comum, um tanto diferente das outras. Os ingleses são muito diferentes de nós, por isso nós os consideramos excêntricos.

– E a Senhora Darling? – quis saber a menina.

– A Senhora Darling vivia no desespero. Já se haviam passado várias semanas sem que os meninos dessem sinal de si. Os jornais trouxeram artigos sobre o curioso acontecimento e publicaram o retrato dos três, com promessa duma boa recompensa para quem lhes indicasse o paradeiro. Tudo inútil.

Certa tarde a infeliz senhora estava ao pé da lareira, muito triste e desanimada, pensando nos filhos perdidos dum modo tão misterioso, quando ouviu um rumor de voo na rua – um rumor que não era de voo de coruja, nem de avião. Parecia voo humano. Mas não deu importância àquilo e continuou na sua tristeza. Logo depois ouviu uma voz no quarto das crianças, que dizia: – "Mamãe!".

– "Que será isto, Deus do céu?"– exclamou ela. – "Estarei sonhando?"

Levantou-se precipitadamente e correu ao quarto...e viu os três meninos nas suas caminhas, exatamente como outrora. Certa de que era sonho, esfregou os olhos com toda a força. Olhou outra vez. Lá continuavam eles. Não era sonho, não! Os seus três filhinhos em carne e osso ali estavam novamente...

Ninguém pode descrever a felicidade da boa mãe. Abraçava um, beijava outro, chorava, ria. Uma perfeita doida. Levou tempo assim e só sossegou quando Wendy pôs-se a contar tudo quanto havia acontecido na maravilhosa Terra-do-Nunca, e a feiura, a ruindade do Capitão Gancho, e a valentia de Peter Pan, e o amor que os meninos perdidos tinham por ela.

– "E onde estão esses meninos?"– perguntou a Senhora Darling.

– "Aí na rua, perto da janela."

A boa senhora os fez entrar e sabendo que não tinham mãe declarou que dali por diante ela seria a mãe de todos. A casa não era muito espaçosa, mas havia de dar jeito de acomodá-los muito bem.

A única dificuldade foi com Peter Pan. Embora tivesse gostado muito da Senhora Darling, o estranho menino de modo nenhum se resignou à ideia de ficar morando num mundo onde as crianças crescem e viram desenxabidíssimas gentes grandes.

– "Não posso ficar"– disse ele. – "Não acho graça em crescer. Vou voltar para minha querida Terra-do-Nunca, onde viverei sozinho com as fadas."

E depois:

– "Mas ficarei muito contente se Wendy e os meninos forem todos os anos passar comigo uma semana da primavera. A senhora consente?"

A Senhora Darling vacilou; mas como a meninada batesse palmas e fizesse uma enorme gritaria, exigindo o seu sim, ela não teve remédio – consentiu.

– "Muito bem," – disse. – "Fica assentado isso. Todos os anos, pela primavera, Wendy e os meninos irão passar uma semana inteira na Terra-do-Nunca. Está satisfeito?"

Começaram as despedidas. Peter Pan fez uma recomendação a cada qual dos seus antigos companheiros e beijou Wendy na testa. Depois, *prrrr*!...lá se foi pelos ares. Ia triste e alegre ao mesmo tempo. Triste por ter perdido a companhia de Wendy, e alegre por ter resistido à tentação de virar um menino como qualquer outro – dos que crescem, criam buço e depois bigode, e acabam "adultos", ou gente grande. Não, não e não. Havia de conservar-se menino sempre.

– E que aconteceu depois? – quis saber Narizinho.

– A Senhora Darling a primeira coisa que fez foi vestir decentemente os meninos perdidos. Estavam todos enfiados em roupas dos piratas e ainda com cheiro da *Hiena dos Mares*. Lavou-os, penteou-os, mandou cortar-lhes o cabelo e por fim os pôs na escola.

– Eles se acostumaram com a nova vida?

– Custou um pouco. No fim da primeira semana já estavam arrependidos e com saudades de Peter Pan. A Senhora Darling percebeu isso, e com medo que fugissem pôs a Naná no quarto, a tomar conta deles. Cada vez que faziam menção de voar, Naná latia. Por fim, como fossem perdendo aquele poder de voar, não pensaram mais em fugir. Certa vez em que Assobio trepou à cama, ergueu os braços e experimentou voar, esborrachou-se no tapete, tal qual Miguel no primeiro dia.

– Bem feito! – exclamou Emília. – Quem manda...

– Quem manda o quê, Emília? Você parece idiota...

– Quem manda trocar a mais linda das terras, terra de piratas, de lobos famintos, de índios que fogem como lebres, de sereias de casca de prata, por essa sem-gracice que deve ser Londres? Bem feito. Bem feitíssimo.

– Eu também penso assim – disse Pedrinho. –No dia em que me pilhar na Terra-do-Nunca, será para sempre. Ando enjoado deste mundo.

– E tinha coragem de deixar aqui a sua vovó? – perguntou Dona Benta.

– Isso, não. Levava a senhora também. Levava todos. Mudava o sítio para lá...

– Continue, vovó – pediu a menina. –Que aconteceu depois?

– Depois? Nada. Isto é, nada durante um ano. Quando no outro ano chegou a primavera, Peter Pan apareceu para levar Wendy e os meninos à Terra-do-Nunca. Encontrou-os já bastante crescidos, como era natural. Só ele se conservava do mesmo tamanhinho.

Wendy estava ansiosa de recordar as passadas aventuras, mas Peter Pan fingia não lembrar-se de nada e só falava de novas proezas, que a menina desconhecia. Quando ela se referiu ao Capitão Gancho, Peter Pan fez cara de ponto de interrogação.

– "Quem é esse Gancho?"– perguntou franzindo a testa.

– "Não se recorda?"– exclamou Wendy muito admirada. – "Aquele pirata que você mesmo matou a bordo da *Hiena dos Mares*..."

– "Eu esqueço sempre os meus inimigos, depois de vencê-los e matá-los. Não sei mais quem é esse tal Capitão Gancho."

Depois Wendy falou na fada Sininho e Peter Pan veio com a mesma coisa.

– "Fada Sininho? Que vem a ser isso? Não me lembro..."

– "Oh, Peter!"– murmurou Wendy, profundamente chocada. – "Então não se lembra daquela bola de fogo que nos servia de guia nos voos e que tinha tanto ciúme de mim? Será possível que você haja esquecido quem salvou sua vida, Peter?"

Peter Pan tentou lembrar-se mas não conseguiu.

– "Há tantas fadas na Terra-do-Nunca!" – disse ele. – "Com certeza essa tal já morreu. As fadas têm as vidinhas muito curtas. Umas vivem um minuto; outras vivem uma hora; outras, um ano. Não me lembro de nenhuma Sininho..."

– Era prosa dele– observou Tia Nastácia. –Lembrava, sim, mas estava fingindo, para atrapalhar Dona Wendy. Esses meninos mágicos são levadinhos da carepa.

– E depois, vovó?

– Wendy, muito desapontada, chegou à casinha e lá dormiu. No dia seguinte, porém, Peter Pan não apareceu, nem durante a semana inteira.

– Tinha esquecido dela, com certeza. É o cúmulo! – murmurou Narizinho, danada com a má memória de Peter Pan. –E depois?

– Wendy ficou sem saber o que pensar.

– "Quem sabe se ele está doente?" – advertiu Miguel.
– "Não pode ser"– disse a menina. – "Peter Pan nunca fica doente."
Miguel refletiu e disse:
– "Quem sabe se ele não existe, Wendy? Quem sabe se não é sonho nosso?"
Wendy quase chorou a essa ideia; por fim voltou para casa, muito triste.
Mais um ano se passou e ao chegar de novo a primavera, nada de Peter Pan aparecer. E assim durante vários anos.
– Por que seria que ele abandonou Wendy?
– Porque ela estava crescendo. Peter Pan só queria saber de gentinha da sua idade e tamanho, mas como as crianças crescem, ele vivia mudando de amigos – e esquecia completamente os velhos.
– E depois?
– Passaram-se anos. Wendy cresceu, ficou uma jovem encantadora e casou-se.
– Com quem? – berrou Emília.
– Não importa com quem. Casou-se com um homem e teve uma linda filhinha que recebeu o nome de Lillian. Certo dia de primavera, quando tinha seis anos de idade, estava Lillian em sua *nursery*, quando Peter Pan apareceu, do mesmo jeitinho que muitos anos atrás havia aparecido para Wendy, e do mesmo tamanhinho.
Foi um acontecimento. Lillian já sabia a história dele porque a senhora Wendy todas as noites lhe contava um pedaço. Por isso não se assustou. Ao contrário, ergueu-se da cama com muita naturalidade e teve com ele a mesma conversa que já contei no começo desta história. Por fim Peter Pan convidou Lillian para voar, e Lillian voou e foi parar na Terra-do-Nunca – e se eu fosse contar tudo o que aconteceu daria outra história ainda maior do que esta.
– E depois?
– Depois Lillian voltou e cresceu e casou-se e nunca mais soube de Peter Pan, até que teve uma filhinha que recebeu o nome de Jane. E um belo dia de primavera Jane viu Peter Pan aparecer em sua *nursery*, tudo igualzinho como havia acontecido com sua mãe e sua avó. Peter Pan levou-a para a Terra-do-Nunca e também lá tudo se repetiu como dantes. Depois...
– Já sei! – berrou Emília. –Depois Jane cresceu e casou com um homem e teve uma filha de nome Margaret, que etcetera e tal. Mas que significa isso, afinal de contas?
– Significa – disse Dona Benta – que Peter Pan é eterno, mas só existe num momento da vida de cada criatura.
– Em que momento?
– No momento em que batemos palmas quando alguém nos pergunta se existem fadas.
– E que momento é esse?
– É o momento em que somos do tamanhinho dele. Mas depois a idade vem e nos faz crescer...e Peter Pan, então, nunca mais nos procura.

RECONTOS

FÁBULAS

A cigarra e as formigas

I — A FORMIGA BOA

Houve uma jovem cigarra que tinha o costume de chiar ao pé dum formigueiro. Só parava quando cansadinha; e seu divertimento então era observar as formigas na eterna faina de abastecer as tulhas.

Mas o bom tempo afinal passou e vieram as chuvas. Os animais todos, arrepiados, passavam o dia cochilando nas tocas.

A pobre cigarra, sem abrigo em seu galhinho seco e metida em grandes apuros, deliberou socorrer-se de alguém.

Manquitolando, com uma asa a arrastar, lá se dirigiu para o formigueiro. Bateu — *tic, tic, tic*...

Aparece uma formiga friorenta, embrulhada num xalinho de paina.

— Que quer? – perguntou, examinando a triste mendiga suja de lama e a tossir.

— Venho em busca de agasalho. O mau tempo não cessa e eu...

A formiga olhou-a de alto a baixo.

— E que fez durante o bom tempo, que não construiu sua casa?

A pobre cigarra, toda tremendo, respondeu depois dum acesso de tosse:

— Eu cantava, bem sabe...

— Ah!... – exclamou a formiga recordando-se. – Era você então quem cantava nessa árvore enquanto nós labutávamos para encher as tulhas?

— Isso mesmo, era eu...

— Pois entre, amiguinha! Nunca poderemos esquecer as boas horas que sua cantoria nos proporcionou. Aquele chiado nos distraía e aliviava o trabalho. Dizíamos sempre: que felicidade ter como vizinha tão gentil cantora! Entre, amiga, que aqui terá cama e mesa durante todo o mau tempo.

A cigarra entrou, sarou da tosse e voltou a ser a alegre cantora dos dias de sol.

II — A FORMIGA MÁ

Já houve, entretanto, uma formiga má que não soube compreender a cigarra e com dureza a repeliu de sua porta.

Foi isso na Europa, em pleno inverno, quando a neve recobria o mundo com o seu cruel manto de gelo.

A cigarra, como de costume, havia cantado sem parar o estio inteiro, e o inverno veio encontrá-la desprovida de tudo, sem casa onde abrigar-se, nem folhinhas que comesse.

Desesperada, bateu à porta da formiga e implorou — emprestado, notem! — uns miseráveis restos de comida. Pagaria com juros altos aquela comida de empréstimo, logo que o tempo o permitisse.

Mas a formiga era uma usurária sem entranhas. Além disso, invejosa. Como não soubesse cantar, tinha ódio à cigarra por vê-la querida de todos os seres.

— Que fazia você durante o bom tempo?
— Eu... eu cantava!...
— Cantava? Pois dance agora, vagabunda! – e fechou-lhe a porta no nariz.
Resultado: a cigarra ali morreu entanguidinha; e quando voltou a primavera o mundo apresentava um aspecto mais triste. É que faltava na música do mundo o som estridente daquela cigarra morta por causa da avareza da formiga. Mas se a usurária morresse, quem daria pela falta dela?

Os artistas — poetas, pintores, músicos — são as cigarras da humanidade.

— Esta fábula está errada! – gritou Narizinho. – Vovó nos leu aquele livro do Maeterlinck sobre a vida das formigas — e lá a gente vê que as formigas são os únicos insetos caridosos que existem. Formiga má como essa nunca houve.

Dona Benta explicou que as fábulas não eram lições de História Natural, mas de Moral.

— E tanto é assim, — disse ela, — que nas fábulas os animais falam e na realidade eles não falam.

— Isso não! — protestou Emília. — Não há animalzinho, bicho, formiga ou pulga, que não fale. Nós é que não entendemos as linguinhas deles.

Dona Benta aceitou a objeção e disse:

— Sim, mas nas fábulas os animais falam a nossa língua e na realidade só falam as linguinhas deles. Está satisfeita?

— Agora, sim! — disse Emília muito ganjenta com o triunfo. — Conte outra.

A CORUJA E A ÁGUIA

Coruja e águia, depois de muita briga, resolveram fazer as pazes.

— Basta de guerra, — disse a coruja. — O mundo é grande, e tolice maior que o mundo é andarmos a comer os filhotes uma da outra.

— Perfeitamente, — respondeu a águia. — Também eu não quero outra coisa.

— Nesse caso combinemos isto: de ora em diante não comerás nunca os meus filhotes.

— Muito bem. Mas como posso distinguir os teus filhotes?

— Coisa fácil. Sempre que encontrares uns borrachos lindos, bem feitinhos de corpo, alegres, cheios duma graça especial que não existe em filhote de nenhuma outra ave, já sabes, são os meus.

— Está feito! — concluiu a águia.

Dias depois, andando à caça, a águia encontrou um ninho com três mostrengos dentro, que piavam de bico muito aberto.

— Horríveis bichos! — disse ela. — Vê-se logo que não são os filhos da coruja.
E comeu-os.

Mas eram os filhos da coruja. Ao regressar à toca a triste mãe chorou amargamente o desastre e foi justar contas com a rainha das aves.

— Quê! — disse esta, admirada. — Eram teus filhos aqueles mostrenguinhos? Pois, olha não se pareciam nada com o retrato que deles me fizeste...

Para retrato de filho ninguém acredite em pintor pai. Lá diz o ditado: quem o feio ama, bonito lhe parece.

— Para mim, vovó, — comentou Narizinho, — esta é a rainha das fábulas. Nada mais verdadeiro. Para os pais os filhos são sempre uma beleza, nem que sejam feios como os filhos da coruja.

— E essa fábula se aplica a muita coisa, minha filha. Aplica-se a tudo que é produto nosso. Os escritores acham ótimas todas as coisas que escrevem, por piores que sejam. Quando um pintor pinta um quadro, para ele o quadro é sempre bonitinho. Tudo quanto nós fazemos é "filho de coruja".

— Mostrengo ou monstrengo, vovó? — quis saber Pedrinho. — Vejo essa palavra escrita de dois jeitos.

— Os gramáticos querem que seja mostrengo — coisa de mostrar; mas o povo acha melhor monstrengo — coisa monstruosa, e vai mudando. Por mais que os gramáticos insistam na forma "mostrengo", o povo diz "monstrengo".

— E quem vai ganhar essa corrida, vovó?

— Está claro que o povo, meu filho. Os gramáticos acabarão se cansando de insistir no "mostrengo" e se resignarão ao "monstrengo".

— Pois eu vou adotar o "monstrengo", — resolveu Pedrinho. — Acho mais expressivo.

A RÃ E O BOI

Tomavam sol à beira dum brejo uma rã e uma saracura. Nisto chegou um boi, que vinha para o bebedouro.

— Quer ver, — disse a rã, — como fico do tamanho deste animal?

— Impossível, rãzinha. Cada qual como Deus o fez.

— Pois olhe lá! — retorquiu a rã estufando-se toda. — Não estou "quase" igual a ele?

— Capaz! Falta muito, amiga.

A rã estufou-se mais um bocado.

— E agora?

— Longe ainda!...

A rã fez novo esforço.

— E agora?

— Que esperança!...

A rã, concentrando todas as forças, engoliu mais ar e foi se estufando, estufando, até que, *plaf!* rebentou como um balãozinho de elástico.

O boi, que tinha acabado de beber, lançou um olhar de filósofo sobre a rã moribunda e disse:

— *Quem nasce para dez réis não chega a vintém.*

— Não concordo! — berrou Emília. — Eu nasci boneca de pano, muda e feia, e hoje sou até ex-Marquesa. Subi muito. Cheguei a muito mais que vintém. Cheguei a tostão...

— Isso não impede que a fábula esteja certa, Emília, porque os fabulistas escrevem as fábulas para as criaturas humanas e não para criaturas inumanas como você. Você é "gentinha", não é bem gente.

Emília fez um muxoxo de pouco caso.

— E "passo" isso de ser gente humana! Maior sengracismo não conheço...

— Cuidado, Emília! — disse Narizinho. — De repente você estufa demais e acontece como no caso da rã... E sabe o que sai de dentro de você, se arrebentar?
— Estrelas! — berrou Emília.
— Sai um chuveiro de asneirinhas...
Emília pôs-lhe a língua.

O REFORMADOR DO MUNDO

Américo Pisca-Pisca tinha o hábito de pôr defeito em todas as coisas. O mundo para ele estava errado e a natureza só fazia asneiras.
— Asneiras, Américo?
— Pois então?!... Aqui mesmo, neste pomar, você tem a prova disso. Ali está uma jabuticabeira enorme sustendo frutas pequeninas, e lá adiante vejo uma colossal abóbora presa ao caule duma planta rasteira. Não era lógico que fosse justamente o contrário? Se as coisas tivessem de ser reorganizadas por mim, eu trocaria as bolas, passando as jabuticabas para a aboboreira e as abóboras para a jabuticabeira. Não tenho razão?
Assim discorrendo, Américo provou que tudo estava errado e só ele era capaz de dispor com inteligência o mundo.
— Mas o melhor, — concluiu, — é não pensar nisto e tirar uma soneca à sombra destas árvores, não acha?
E Pisca-Pisca, pisca-piscando que não acabava mais, estirou-se de papo para cima à sombra da jabuticabeira.
Dormiu. Dormiu e sonhou. Sonhou com o mundo novo, reformado inteirinho pelas suas mãos. Uma beleza!
De repente, no melhor da festa, *plaf!* Uma jabuticaba cai do galho e lhe acerta em cheio no nariz. Américo desperta de um pulo; pisca, pisca; medita sobre o caso e reconhece, afinal, que o mundo não era tão mal feito assim.
E segue para casa refletindo
— Que espiga!... Pois não é que se o mundo fosse arrumado por mim a primeira vítima teria sido eu? Eu, Américo Pisca-Pisca, morto pela abóbora por mim posta no lugar da jabuticaba? Hum! Deixemo-nos de reformas. Fique tudo como está que está tudo muito bem.
E Pisca-Pisca continuou a piscar pela vida em fora, mas já sem a cisma de corrigir a natureza.

— Pois esse Américo era bem merecedor de que a abóbora lhe esmagasse a cabeça duma vez, — berrou Emília. — Eu, se fosse a abóbora, moía-lhe os miolos...
— Por quê?
— Porque a Natureza anda precisadíssima de reforma. Tudo torto, tudo errado... Um dia eu ainda agarro a Natureza e arrumo-a certinha, deixo-a como deve ser.
Todos se admiraram daquela audácia. Emília continuou:
— Querem ver um erro absurdo da Natureza? Essa coisa do tamanho... Para que tamanho? Para que quer um elefante um corpão enorme, se podia muito bem viver e ser feliz com um tamanhinho de pulga? Que adianta aquele beiço enorme de Tia Nastácia? Tudo errado — e o maior dos erros é o tal tamanho.
— E quando vai você reformar a Natureza, Emília?
— Um dia. No dia em que me pilhar aqui sozinha...

A GRALHA ENFEITADA COM PENAS DE PAVÃO

Como os pavões andassem em época de muda, uma gralha teve a ideia de aproveitar as penas caídas.

— Enfeito-me com estas penas e viro pavão!

Disse e fez. Ornamentou-se com as lindas penas de olhos azuis e saiu pavoneando por ali afora, rumo ao terreiro das gralhas, na certeza de produzir um maravilhoso efeito.

Mas o trunfo lhe saiu às avessas. As gralhas perceberam o embuste, riram-se dela e enxotaram-na à força de bicadas.

Corrida assim dali, dirigiu-se ao terreiro dos pavões pensando lá consigo:

— Fui tola. Desde que tenho penas de pavão, pavão sou e só entre pavões poderei viver.

Mau cálculo. No terreiro dos pavões coisa igual lhe aconteceu. Os pavões de verdade reconheceram o pavão de mentira e também a correram de lá sem dó.

E a pobre tola, bicada e esfolada, ficou sozinha no mundo. Deixou de ser gralha e não chegou a ser pavão, conseguindo apenas o ódio de umas e o desprezo de outros.

Amigos: lé com lé, cré com cré.

— Esta fábula é bem boazinha, — disse Dona Benta. — Quem pretende ser o que não é, acaba mal. O coronel Teodorico vendeu a fazenda, ficou milionário e pensou que era um homem da alta sociedade, dos finos, dos bem educados. E agora? Anda de novo por aqui, sem vintém, mais depenado que a tal gralha. Por quê? Porque quis ser o que não era.

— Isso não, vovó! — objetou Pedrinho. — Ele ficou rico e quis levar vida de rico. Só que não teve sorte.

— Não, meu filho. O meu compadre apenas se encheu de dinheiro — não ficou rico. Só enriquece quem adquire conhecimentos. A verdadeira riqueza não está no acúmulo de moedas — está no aperfeiçoamento do espírito e da alma. Qual o mais rico — aquele Sócrates que encontramos na casa de Péricles ou um milionário comum?

— Ah, Sócrates, vovó! Perto dele o milionário comum não passa dum mendigo.

— Isso mesmo. A verdadeira riqueza não é a do bolso, é a da cabeça. E só quem é rico de cabeça (ou de coração) sabe usar a riqueza material formada por bens ou dinheiro. O compadre pretendeu ser rico. Enfeitou-se com as penas de pavão do dinheiro e acabou mais depenado que a gralha. Aprenda isso...

— E que quer dizer esse "lé com lé, cré com cré"? — perguntou Narizinho.

— Isso é o que resta duma antiga expressão portuguesa que foi perdendo sílabas como a gralha perdeu penas: "Leigo com leigo, clérigo com clérigo". Em vez de clérigo o povo dizia "crérigo". Ficaram só as primeiras sílabas das duas palavras.

O RATO DA CIDADE E O RATO DO CAMPO

Certo ratinho da cidade resolveu banquetear um compadre que morava no mato. E convidou-o para um festim, marcando lugar e hora.

Veio o rato da roça, e logo de entrada muito se admirou do luxo de seu amigo. A mesa era um tapete oriental, e os manjares eram coisa papafina: queijo do reino, presunto, pão-de-ló, mãe-benta. Tudo isso dentro dum salão cheio de quadros, estatuetas e grandes espelhos de moldura dourada,

Puseram-se a comer.

No melhor da festa, porém, ouviu-se um rumor na porta. *Incontinenti* o rato da cidade fugiu para o seu buraco, deixando o convidado de boca aberta.

Não era nada, e o rato fujão logo voltou e prosseguiu no jantar. Mas ressabiado, de orelha em pé, atento aos mínimos rumores da casa.

Daí a pouco, novo barulhinho na porta e nova fugida do ratinho.

O compadre da roça franziu o nariz.

— Sabe do que mais? Vou-me embora. Isto por aqui é muito bom e bonito, mas não me serve. Muito melhor roer o meu grão de milho no sossego da minha toca do que me fartar de gulodices caras com o coração aos pinotes. Até logo.

E foi-se.

— Está certo! — disse Tia Nastácia que havia entrado e parado para ouvir. — Nunca me hei de esquecer do que passei lá na Lua quando estive cozinhando para São Jorge e ouvia os urros daquele dragão. Meu coração pulava no peito. Só sosseguei quando me vi outra vez aqui no meu cantinho...

O velho, o menino e a mulinha

O velho chamou o filho e disse:

— Vá ao pasto, pegue a bestinha ruana e apronte-se para irmos à cidade, que quero vendê-la.

O menino foi e trouxe a mula. Passou-lhe a raspadeira, escovou-a e partiram os dois a pé, puxando-a pelo cabresto. Queriam que ela chegasse descansada para melhor impressionar os compradores.

De repente:

— Esta é boa! — exclamou um viajante ao avistá-los. — O animal vazio e o pobre velho a pé! Que despropósito! Será promessa, penitência ou caduquice?...

E lá se foi, a rir.

O velho achou que o viajante tinha razão e ordenou ao menino:

— Puxa a mula, meu filho. Eu vou montado e assim tapo a boca do mundo.

Tapar a boca do mundo, que bobagem! O velho compreendeu isso logo adiante, ao passar por um bando de lavadeiras ocupadas em bater roupa num córrego.

— Que graça! — exclamaram elas. — O marmanjão montado com todo o sossego e o pobre menino a pé ... Há cada pai malvado por este mundo de Cristo... Credo!...

O velho danou e, sem dizer palavra, fez sinal ao filho para que subisse à garupa.

— Quero só ver o que dizem agora...

Viu logo. O Izé Biriba, estafeta do correio, cruzou com eles e exclamou:

— Que idiotas! Querem vender o animal e montam os dois de uma vez... Assim, meu velho, o que chega à cidade não é mais a mulinha é a sombra da mulinha...

— Ele tem razão, meu filho, precisamos não judiar do animal. Eu apeio e você, que é levezinho, vai montado.

Assim fizeram, e caminharam em paz um quilômetro, até o encontro dum sujeito que tirou o chapéu e saudou o pequeno respeitosamente.

— Bom dia, príncipe!

— Por que, príncipe? — indagou o menino.

— É boa! Porque só príncipes andam assim de lacaio à rédea...

— Lacaio, eu? — esbravejou o velho. — Que desaforo! Desce, desce, meu filho e carreguemos o burro às costas. Talvez isto contente o mundo...

Nem assim. Um grupo de rapazes, vendo a estranha cavalgada, acudiu em tumulto, com vaias:

— Hu! Hu! Olha a trempe de três burros, dois de dois pés e um de quatro! Resta saber qual dos três é o mais burro...

— Sou eu! — replicou o velho, arriando a carga. — Sou eu, porque venho há uma hora fazendo não o que quero mas o que quer o mundo. Daqui em diante, porém, farei o que me manda a consciência, pouco me importando que o mundo concorde ou não. Já vi que morre doido quem procura contentar toda gente...

— Isto é bem certo, — disse Dona Benta. — Quem quer contentar todo mundo, não contenta a ninguém. Sobre todas as coisas há sempre opiniões contrárias. Um acha que é assim, outro acha que é assado.

— E como então a gente deve fazer? — perguntou a menina.

— Devemos fazer o que nos parece mais certo, mais justo, mais conveniente. E para nos guiar temos a nossa razão e a nossa consciência. Aquela fita que vimos no cinema da cidade tem um título muito sábio.

— Qual vovó?

— E ISTO ACIMA DE TUDO...

— Não estou entendendo...

— Esse título é a primeira parte dum verso de Shakespeare: "E isto acima de tudo: sê fiel a ti mesmo". Bonito, não?

— Lindo, vovó! — Exclamou Pedrinho entusiasmado. — E vou adotar esse verso como lema da minha vida. Quero ser fiel a mim mesmo — e o mundo que se fomente...

O PASTOR E O LEÃO

Um pastorzinho, notando certa manhã a falta de várias ovelhas, enfureceu-se, tomou da espingarda e saiu para a floresta.

— Raios me partam se eu não trouxer, vivo ou morto, o miserável ladrão das minhas ovelhas! Hei de campear dia e noite, hei de encontrá-lo, hei de arrancar-lhe os fígados...

E assim, furioso, a resmungar as maiores pragas, consumiu longas horas em inúteis investigações.

Cansado já, lembrou-se de pedir socorro aos céus.

— Valei-me, Santo Antônio! Prometo-vos vinte rezas se me fizerdes dar de cara com o infame salteador.

Por estranha coincidência, assim que o pastorzinho disse aquilo apareceu diante dele um enorme leão, de dentes arreganhados.

O pastorzinho tremeu dos pés à cabeça; a espingarda caiu-lhe das mãos; e tudo quanto pôde fazer foi invocar de novo o santo.

— Valei-me, Santo Antônio! Prometi vinte rezas se me fizésseis aparecer o ladrão; prometo agora o rebanho inteiro para que o façais desaparecer.

No momento do perigo é que se conhecem os heróis.

— Pois eu escorava o leão! — disse Pedrinho. — Se estivesse com uma boa espingarda, escorava — ah, isso escorava! Levava a espingarda à cara, fazia pontaria e *pum*!...

— E se errasse? — interpelou a menina.

— Se errasse, pior para mim. Correr é que não corria, por que — que adianta correr de leão? Ele pega mesmo...

Dona Benta riu-se da valentia e falou:

— Por essa razão é que a "moralidade" da fábula diz que é no momento do perigo que se conhecem os heróis. Se você não fugia, então é que é mesmo um herói. Mas o tal pastorzinho não era...

— E foi bom que não fosse, — disse a menina.

— Por quê?

— Porque se ele fosse um herói como Pedrinho, não podia haver essa fábula.

Burrice

Caminhavam dois burros, um com carga de açúcar, outro com carga de esponjas. Dizia o primeiro:

— Caminhemos com cuidado, porque a estrada é perigosa.

O outro redarguiu:

— Onde está o perigo? Basta andarmos pelo rastro dos que hoje passaram por aqui.

— Nem sempre é assim. Onde passa um pode não passar outro.

— Que burrice! Eu sei viver, gabo-me disso, e minha ciência toda se resume em só imitar o que os outros fazem.

— Nem sempre é assim, nem sempre é assim... — continuou a filosofar o primeiro. Nisto alcançaram o rio, cuja ponte caíra na véspera.

— E agora?

— Agora é passar a vau.

O burro do açúcar meteu-se na correnteza e, como a carga se ia dissolvendo ao contato da água, conseguiu sem dificuldade pôr pé na margem oposta.

O burro da esponja, fiel às suas ideias, pensou consigo:

— Se ele passou, passarei também — e lançou-se ao rio.

Mas sua carga, em vez de esvair-se como a do primeiro, cresceu de peso a tal ponto que o pobre tolo foi ao fundo.

— Bem dizia eu! Não basta querer imitar, é preciso poder imitar, — comentou o outro.

— Que é passar a vau? — perguntou Pedrinho.

— É uma expressão antiga e muito boa. Quer dizer "vadear um rio", passar por dentro da água no lugar mais raso.

— E por que a senhora disse "redarguiu"? Não é pedantismo? — quis saber a menina.

— É e não é, — respondeu Dona Benta. — Redarguir é dar uma resposta que é também pergunta. Bonito, não?

— Por que é e não é? Como uma coisa pode ao mesmo tempo ser e não ser?

— É pedantismo para os que gostam da linguagem mais simplificada possível. E não é pedantismo para os que gostam de falar com grande propriedade de expressão.

— E que é propriedade de expressão? — quis saber Narizinho.

— Propriedade de expressão, — explicou Dona Benta, — é a mais bela qualidade dum estilo. É dizer as coisas com a maior exatidão. Ainda há pouco Emília falou no "ferrinho do trinco da porta". Temos aqui uma "impropriedade de expressão". Se ela dissesse "lingueta do trinco" estaria falando com mais propriedade.

— Mas é ou não é ferrinho? — redarguiu Emília.

— A lingueta do trinco é um ferrinho, mas um ferrinho não é lingueta — pode ser mil coisas.

O JULGAMENTO DA OVELHA

Um cachorro de maus bofes acusou uma pobre ovelhinha de lhe haver furtado um osso.

— Para que furtaria eu esse osso, — alegou ela, — se sou herbívora e um osso para mim vale tanto como um pedaço de pau?

— Não quero saber de nada. Você furtou o osso e vou já levá-la aos tribunais.

E assim fez.

Queixou-se ao gavião de penacho e pediu-lhe justiça. O gavião reuniu o tribunal para julgar a causa, sorteando para isso doze urubus de papo vazio.

Comparece a ovelha. Fala. Defende-se de forma cabal, com razões muito irmãs das do cordeirinho que o lobo em tempos comeu.

Mas o júri, composto de carnívoros gulosos, não quis saber de nada e deu a sentença:

— Ou entrega o osso já e já, ou condenamos você à morte!

A ré tremeu: não havia escapatória!... Osso não tinha e não podia, portanto, restituir; mas tinha vida e ia entregá-la em pagamento do que não furtara.

Assim aconteceu. O cachorro sangrou-a, espostejou-a, reservou para si um quarto e dividiu o restante com os juízes famintos, a título de custas...

Fiar-se na justiça dos poderosos, que tolice!... A justiça deles não vacila em tomar do branco e solenemente decretar que é preto.

— Esta fábula, — disse Dona Benta, — é muito dolorosa. É, um verdadeiro retrato da justiça humana; e se eu fosse explicar a lição que existe aqui, levaria um ano. Não vale a pena. Vocês vão viver, vão crescer, vão conhecer os homens — e irão percebendo a profunda e triste verdade desta fabulazinha...

— Que quer dizer "maus bofes", vovó?

— Quer dizer de má índole, de maus sentimentos, e foi por ser assim que o cachorro acusou a pobre ovelha.

— E os urubus juízes também eram de maus bofes?

— Não. Esses eram apenas maus juízes, dos que julgam de acordo com certos interesses, em vez de julgar de acordo com a justiça.

— Que interesse tinham eles no caso?

— Estavam com fome e queriam comer a ovelha.

Emília protestou. Achou que nesse ponto a fábula não tinha "propriedade gastronômica".

— Por quê?

— Por que urubu não come carne fresca, só come carne podre...

O BURRO JUIZ

A gralha começou a disputar com o sabiá afirmando que sua voz valia mais que a dele. Como as outras aves se rissem daquela pretensão a barulhenta matraca de penas gralhou furiosa:

— Nada de brincadeiras! Isto é uma questão muito séria, que deve ser decidida por um juiz. O sabiá canta, eu canto, e uma sentença decidirá quem é o melhor cantor. Topam?

— Topamos! — piaram as aves. — Mas quem servirá de juiz?

Estavam a debater este ponto quando zurrou ao longe um burro.

— Nem de encomenda! — exclamou a gralha. — Está lá um juiz de primeiríssima ordem para julgamento da música, porque nenhum animal possui orelhas daquele tamanho. Convidemo-lo para julgar a causa.

O burro aceitou o juizado e veio postar-se no centro da roda.

— Vamos lá, comecem! — ordenou ele.

O sabiá deu um pulinho, abriu o bico e cantou. Cantou como só cantam os sabiás, repinicando os trinos mais melodiosos e límpidos.

— Agora eu! — disse a gralha, dando um passo à frente. E abrindo a bicanca matraqueou um berreiro de romper os tímpanos aos próprios surdos.

Terminada a prova, o juiz abanou as orelhas e deu sentença:

— Dou ganho de causa a dona Gralha, que canta muito melhor que mestre sabiá.

Quem burro nasce, togado ou não, burro morre.

— Estou compreendendo, — disse Narizinho. — A gralha escolheu para juiz o burro justamente porque um burro não entende nada de música — apesar das orelhas que tem. Essa gralha era espertíssima...

— Pois se escolhesse o nosso Burro Falante, — disse Emília, — quem levava na cabeça era ela. Impossível que o Conselheiro não desse sentença a favor do sabiá! Já notei isso. Sempre que um passarinho canta num galho, ele espicha as orelhas e fica a ouvir, com um sorriso nos lábios...

Dona Benta riu-se e deixou passar a fábula sem nenhum comentário.

Os carneiros jurados

Certo pastor, revoltado com as depredações do lobo, reuniu a carneirada e disse:

— Amigos! É chegado o momento de reagir. Sois uma legião e o lobo é um só. Se vos reunirdes e resistirdes de pé firme, quem perderá a partida será ele, e nós nos veremos para sempre libertos da sua cruel voracidade.

Os carneiros aplaudiram-no com entusiasmo e, erguendo a pata dianteira, juraram resistir.

— Muito bem! — exclamou o pastor. — Resta agora combinarmos o meio prático de resistir. Proponho o seguinte: quando a fera aparecer, ninguém foge; ao contrário: firmam-se todos nos pés, retesam os músculos, armam a cabeça, investem contra ela, encurralam-na, imprensam-na, esmagam-na! ...

Uma salva de *bés* selou o pacto e o dia inteiro não se falou senão na tremenda réplica que dariam ao lobo.

Ao anoitecer, porém, quando a carneirada se recolhia ao curral, um berro ecoou de súbito:

— O lobo!...

Não foi preciso mais: sobreveio o pânico e os heróis jurados fugiram pelos campos afora, tontos de pavor.

Fora rebate falso. Não era lobo: era apenas sombra de lobo!...

Ao carneiro só peças lã.

— Por que só pedir lã aos carneiros? — disse Emília. — Podemos também pedir-lhes costeletas. Dos carneiros é só o que interessa Tia Nastácia, as costeletas...

Dona Benta explicou que o principal do carneiro não era a carne e sim a lã.

— Carne todos os animais têm, — disse ela, — e lã, só o carneiro. Lã em quantidade, que dá para vestir todos os homens da terra, só o carneiro. É por isso que o autor desta história fala em lã e não em carne. A moralidade da fábula é que não devemos exigir das criaturas coisas que elas não podem dar. Se pedimos lã a um carneiro, ele no-la dá muita e excelente. Mas se pedimos coragem, ah, isso ele não dá nem um pingo.

— Por quê?

— Porque não tem. Não há bichinho mais tímido, mais sem coragem que o carneiro. Quando queremos falar duma pessoa muito pacífica, dizemos, "É um carneiro!".

O touro e as rãs

Enquanto dois touros furiosamente lutavam pela posse exclusiva de certa campina, as rãs novas, à beira do brejo, divertiam-se com a cena.

Uma rã velha, porém, suspirou.

— Não se riam, que o fim da disputa vai ser doloroso para nós.

— Que tolice! — exclamaram as rãzinhas. — Você está caducando, rã velha!

A rã velha explicou-se:

— Brigam os touros. Um deles há de vencer e expulsar da pastagem o vencido. Que acontece? O animalão surrado vem meter-se aqui em nosso brejo e ai de nós!...

Assim foi. O touro mais forte, à força de marradas, encurralou no brejo o mais fraco, e as rãzinhas tiveram de dizer adeus ao sossego. Inquietas sempre, sempre atropeladas, raro era o dia em que não morria alguma sob os pés do bicharoco.

É sempre assim: brigam os grandes, pagam o pato os pequenos.

— Estou achando isto muito certo, — disse Narizinho. — Os fortes sempre se arrumam lá entre si — e os fracos pagam o pato.

— É a lei da vida, minha filha. A função do fraco é pagar o pato. Nas guerras, por exemplo, brigam os grandes estadistas — mas quem vai morrer nas batalhas são os pobres soldados que nada têm com a coisa.

— Pagar o pato! Donde viria essa expressão?

— Eu sei, — berrou Emília. — Veio duma fabulazinha que vou escrever. "Dois fortes e um fraco foram a um restaurante comer um pato assado. Os dois fortes comeram todo o pato e deram a conta para o fraco pagar..."

A ASSEMBLEIA DO RATOS

Um gato de nome Faro-Fino deu de fazer tal destroço na rataria duma casa velha que os sobreviventes, sem ânimo de sair das tocas, estavam a ponto de morrer de fome.

Tornando-se muito sério o caso, resolveram reunir-se em assembleia para o estudo da questão. Aguardaram para isso certa noite em que Faro-Fino andava aos mios pelo telhado, fazendo sonetos à lua.

— Acho, — disse um deles, — que o meio de nos defendermos de Faro-Fino é lhe atarmos um guizo ao pescoço. Assim que ele se aproxime, o guizo o denuncia e pomo-nos ao fresco a tempo.

Palmas e bravos saudaram a luminosa ideia. O projeto foi aprovado com delírio. Só votou contra um rato casmurro, que pediu a palavra e disse:

— Está tudo muito direito. Mas quem vai amarrar o guizo no pescoço de Faro-Fino?

Silêncio geral. Um desculpou-se por não saber dar nó. Outro, porque não era tolo. Todos, porque não tinham coragem. E a assembleia dissolveu-se no meio de geral consternação.

Dizer é fácil; fazer é que são elas!

— Que história essa de gato "fazendo sonetos à lua"? — interpelou a menina. — A senhora está ficando muito "literária" vovó...

Dona Benta riu-se.

— Sim, minha filha. Apesar do meu desamor pela "literatura", às vezes faço alguma. Isso aí é uma "imagem literária". A Lua é um astro poético, e quando um gatinho anda miando pelo telhado, um poeta pode dizer que ele está fazendo sonetos à Lua. É uma bobagenzinha poética.

— "Desamor pela literatura", vovó? — estranhou Pedrinho. — Então a senhora desama a literatura?

Dona Benta suspirou.

— Meu filho, há duas espécies de literatura, uma entre aspas e outra sem aspas. Eu gosto desta e detesto aquela. A literatura sem aspas é a dos grandes livros; e a com aspas é a dos livros que não valem nada. Se eu digo: "Estava uma linda manhã de céu azul", estou fazendo literatura sem aspas, da boa. Más se eu digo: "Estava uma gloriosa manhã de céu americanamente azul", eu faço "literatura" da aspada — da que merece pau.

— Compreendo vovó, — disse a menina, — e sei dum exemplo ainda melhor. No dia dos anos da Candoca o jornal da vila trouxe uma notícia assim: "Colhe hoje mais uma violeta no jardim da sua preciosa existência a gentil senhorita Candoca de Maura, ebúrneo ornamento da sociedade itaoquense". Isto me parece literatura com dez aspas.

— E é, minha filha. É da que pede pau...

O GALO QUE LOGROU A RAPOSA

Um velho galo matreiro, percebendo a aproximação da raposa, empoleirou-se numa árvore. A raposa, desapontada, murmurou consigo: "Deixe estar, seu malandro, que já te curo!...". E em voz alta:

— Amigo, venho contar uma grande novidade: acabou-se a guerra entre os animais. Lobo e cordeiro, gavião e pinto, onça e veado, raposa e galinhas, todos os bichos andam agora aos beijos, como namorados. Desça desse poleiro e venha receber o meu abraço de paz e amor.

— Muito bem! — exclamou o galo. — Não imagina como tal notícia me alegra! Que beleza vai ficar o mundo, limpo de guerras, crueldades e traições! Vou já descer para abraçar a amiga raposa, mas... como lá vêm vindo três cachorros, acho bom esperá-los, para que também eles tomem parte na confraternização.

Ao ouvir falar em cachorro dona Raposa não quis saber de histórias, e tratou de pôr-se ao fresco, dizendo:

— Infelizmente, amigo Có-ri-có-có, tenho pressa e não posso esperar pelos amigos cães. Fica para outra vez a festa, sim? Até logo.

E raspou-se.

Contra esperteza, esperteza e meia.

— Pilhei a senhora num erro! — gritou Narizinho. — A senhora disse: "deixe estar que já te curo!". Começou com o Você e acabou com o Tu, coisa que os gramáticos não admitem. O "te" é do "Tu" não é do "Você"...

— E como queria que eu dissesse minha filha?

— Para estar bem com a gramática, a senhora devia dizer: "Deixa estar que eu já te curo!".

— Muito bem. Gramaticalmente é assim, mas na prática não é. Quando falamos naturalmente, o que nos sai da boca é ora o você, ora o tu — e as frases ficam muito mais jeitosinhas quando há essa combinação do você e do tu. Não acha?

— Acho, sim, vovó, e é como falo. Mas a gramática.

— A gramática, minha filha, é uma criada da língua e não uma dona. O dono da língua somos nós, o povo — e a gramática o que tem a fazer é, humildemente, ir registrando o nosso modo de falar. Quem manda é o uso geral e não a gramática. Se todos nós começarmos a usar o tu e o você misturados, a gramática só tem uma coisa a fazer...

— Eu sei o que é que ela tem a fazer, vovó! — gritou Pedrinho. — É pôr o rabo entre as pernas e murchar as orelhas...

Dona Benta aprovou.

OS DOIS VIAJANTES NA MACACOLÂNDIA

Dois viajantes, transviados no sertão, depois de muito andar alcançam o reino dos macacos. Ai deles! Guardas surgem na fronteira, guardas ferozes que os prendem, que os amarram e os levam à presença de S. Majestade Simão III.

El-rei examina-os detidamente, com macacal curiosidade, e em seguida os interroga:

— Que tal acham isto por aqui?

Um dos viajantes, diplomata de profissão, responde sem vacilar:

— Acho que este reino é a oitava maravilha do mundo. Sou viajadíssimo, já andei por Ceca e Meca, mas, palavra de honra! nunca vi gente mais formosa, corte mais brilhante, nem rei de mais nobre porte do que Vossa Majestade.

Simão lambeu-se todo de contentamento e disse para os guardas:

— Soltem-no e deem-lhe um palácio para morar e a mais gentil donzela para esposa. E lavrem incontinenti o decreto de sua nomeação para cavaleiro da mui augusta Ordem da Banana de Ouro.

Assim se fez e, enquanto o faziam, El-rei Simão, risonho ainda, dirigiu a palavra ao segundo viajante:

— E você? Que acha do meu reino?

Este segundo viajante era um homem neurastênico, azedo, amigo da verdade a todo o transe. Tão amigo da verdade que replicou sem demora:

— O que acho? É Boa! Acho o que é!...

— E que é que é? — interpelou Simão, fechando o sobrecenho.

— Não é nada. Uma macacalha... Macaco p'r'aqui, macaco p'r'ali, macaco no trono, macaco no pau...

— Pau nele! — berra furioso o rei, gesticulando como um possesso. — Pau de rachar nesse miserável caluniador...

E o viajante neurastênico, arrastado dali por cem munhecas, entrou numa roda de lenha que o deixou moído por uma semana.

Quem for amigo da verdade, use couraça ao lombo.

— Também concordo, — disse Pedrinho. — A verdade a gente deve dizer com muitas cautelas e só nas ocasiões próprias. Aquela sova que o Quim da botica tomou outro dia, por que foi? Porque o bobo disse na cara do coronel Teodorico o que toda gente pensa dele pelas costas. O bobo do Quim disse o que pensava e levou um "pé-de-ouvido" que o deixou surdo por três dias. É o que ainda acaba acontecendo para a Emília. Vai dizendo as verdades mais duras na cara de toda gente e um dia estrepa-se. Lembra-se, vovó, do que ela disse para D. Quixote, naquela vez em que o herói montou no Conselheiro por engano e ao perceber isso pôs-se a insultar o nosso burro? E se D. Quixote a espetasse com a lança?

— Emília sabe o que faz, — observou Dona Benta. — A esperteza chegou ali e parou. Ela sabia muito bem que o cavaleiro da Mancha era incapaz de ofender uma "dama" e por isso abusou...

Emília rebolou-se toda ao ouvir-se classificada de dama...

A MENINA DO LEITE

Laurinha, no seu vestido novo de pintas vermelhas, chinelos de bezerro, *tréc, tréc, tréc,* lá ia para o mercado com uma lata de leite à cabeça — o primeiro leite da sua vaquinha mocha. Ia contente da vida, rindo-se e falando sozinha.

— Vendo o leite, — dizia, — e compro uma dúzia de ovos. Choco os ovos e antes de um mês já tenho uma dúzia de pintos. Morrem... dois, que sejam, e crescem dez — cinco frangas e cinco frangos. Vendo os frangos e crio as frangas, que crescem e viram ótimas botadeiras de duzentos ovos por ano cada uma. Cinco mil ovos! Choco tudo e lá me vem quinhentos galos e mais outro tanto de galinhas. Vendo os galos. A dois cruzeiros cada um — duas vezes cinco, dez... Mil cruzeiros!... Posso então comprar doze porcas de cria e mais uma cabrita. As porcas dão-me, cada uma, seis leitões. Seis vezes doze...

Estava a menina neste ponto quando tropeçou, perdeu o equilíbrio e, com lata e tudo, caiu um grande tombo no chão.

Pobre Laurinha!

Ergueu-se chorosa, com um ardor de esfoladura no joelho; e enquanto espanejava as roupas sujas de pó viu sumir-se, embebido pela terra seca, o primeiro leite da sua vaquinha mocha e com ele os doze ovos, as cinco botadeiras, os quinhentos galos, as doze porcas de cria, a cabritinha — todos os belos sonhos da sua ardente imaginação...

Emília bateu palmas.

— Viva! Viva a Laurinha!... No nosso passeio ao País das Fábulas tivemos ocasião de ver essa história formar-se — mas o fim foi diferente. Laurinha estava esperta e não derrubou o pote de leite, porque não carregava o leite em pote nenhum e sim numa lata de metal bem fechada. Lembra-se, Narizinho?

A menina lembrava-se.

— Sim, — disse ela. — Lembro-me muito bem. A Laurinha não derramou o leite e deixou a fábula errada. O certo é como vovó acaba de contar.

— Está claro, minha filha, — concordou Dona Benta. — É preciso que Laurinha derrame o leite, para que possamos extrair uma moralidade da história.

— Que é moralidade, vovó?

— É a lição moral da história. Nesta fábula da menina do leite a moralidade é que não devemos contar com uma coisa antes de a termos conseguido...

A RÃ SÁBIA

Como a onça estivesse para casar-se, os animais todos andavam aos pulos, radiantes, com olho na festa prometida. Só uma velha rã sabidona torcia o nariz àquilo.

O marreco observou-lhe o trejeito e disse:

— Grande enjoada! Que cara feia é essa, quando todos nós pinoteamos alegres no antegozo do festão?

— Por um motivo muito simples, — respondeu a rã. — Porque nós, como vivemos quietas, a filosofar, sabemos muito da vida e enxergamos mais longe do que vocês. Responda-me a isto: se o sol se casasse e em vez de torrar o mundo sozinho o fizesse ajudado por dona sol e por mais vários sóis filhotes? Que aconteceria?

— Secavam-se todas as águas, está claro.

— Isso mesmo. Secavam-se as águas e nós, rãs e peixes, levaríamos a breca. Pois calamidade semelhante vai cair sobre vocês. Casa-se a onça, e já de começo será ela e mais o marido a perseguirem os animais. Depois aparecem as oncinhas — e os animais terão que aguentar com a fome de toda a família. Ora, se um só apetite já nos faz tanto mal, que será quando forem três, quatro e cinco?

O marreco refletiu e concordou:

— É isso mesmo...

Pior que um inimigo, dois; pior que dois, três...

— Esta fábula nos mostra, — disse Dona Benta, — que quem só enxerga um palmo adiante do nariz está desgraçado. As criaturas verdadeiramente sábias olham longe. Antes de fazer uma coisa, refletem em todas as consequências futuras de seu ato.

— Eu enxergo cem metros adiante do meu nariz! — gabou-se Emília.

Narizinho fez um muxoxo.

— Gabola! Vovó já disse que louvor em boca própria é vitupério.

— Mas é verdade! — insistiu Emília. — Naquele caso da compra das fazendas para aumentar o sitio do Pica-Pau Amarelo, quem viu mais longe? Dona Benta, Pedrinho ou eu? Eu.

— Perfeitamente, não nego, — disse a menina. — Mas o feio é andar se gabando. Espere que os outros te gabem. Posso dizer assim, vovó — "espere que os outros te gabem"?

Dona Benta riu-se.

— Pode minha filha, porque não há nenhuma gramática por perto...

O VEADO E A MOITA

Perseguido pelos caçadores, um pobre veado escondeu-se bem quietinho dentro de cerrada moita. O abrigo era seguro, e tanto que por ele passaram os cães sem perceberem coisa nenhuma. Salvou-se o veado; mas, ingrato e imprudente, logo que ouviu latir ao longe o perigo esqueceu o benefício e pastou a benfeitora — comeu toda a folhagem que tão bem o escondera.

Fez e pagou.

Dias depois voltaram novamente os caçadores. O veado correu em procura da moita — mas a pobre moita, sem folhas, reduzida a varas, não pôde mais escondê-lo, e o triste animalzinho acabou estraçalhado pelos dentes dos cães impiedosos.

— Bravos, vovó! — aplaudiu Narizinho. — A senhora botou nessa fábula duas belezas bem lindinhas.

— Quais, minha filha?

— Aquele "ouviu latir ao longe o perigo", em vez de ouviu latir ao longe os cães; e aquele "pastou a benfeitora" em vez de pastou a moita. Se Tia Nastácia estivesse aqui, dava à senhora uma cocada.

Dona Benta riu-se.

— Pois essas "belezinhas" são uma figura de retórica que os gramáticos xingam de *sinédoque*...

— Eu sei o que é isso, — berrou Emília. — É "sem" com um pedaço de bodoque.

Ninguém entendeu. Emília explicou:

— *Sine* quer dizer "sem". Quando o Visconde quer dizer "sem dia marcado", ele diz "*sine die*". É um latim. E "doque" é um pedaço de bodoque...

— Parece que é assim, mas não é, Emília, — explicou Dona Benta. — Sinédoque é a *synedoche* dos gregos, e quer dizer compreensão.

— E que tem a compreensão com as duas belezinhas? — quis saber a menina.

— Tem que falando em "perigo" em vez de cães, e em "benfeitora" em vez de moita, toda gente compreende a troca das palavras — e fica a tal belezinha que você achou. A sinédoque troca a parte pelo todo, como quando dizemos "velas" em vez de "navios"; ou troca o gênero pela espécie, como quando dizemos "os mortais" em vez de "os homens"; ou troca uma coisa pela qualidade da coisa, como quando dizemos "perigo" em vez de "cães" e "benfeitora" em vez de "moita".

— E para que serve isso? — perguntou Narizinho.

— Para enfeitar o estilo.

— Mas a senhora mesma não disse que o estilo muito enfeitado, muito floreado, é feio?

— Sim. Quando é muito enfeitado fica feio e de mau gosto, mas se aparece discretamente enfeitado fica bem bonitinho. Se você vai à vila com uma flor no peito, fica linda como uma sinédoque. Mas se se enfeitar demais, fica apalhaçada e revela mau gosto. Tudo na vida depende da justa medida; nem mais, nem menos; antes menos do que mais.

— Então é o tal usar e não abusar, — lembrou a menina.

— Isso mesmo. Discrição é isso.

Narizinho, que era uma menina muito discreta, compreendeu perfeitamente.

O SABIÁ E O URUBU

Era à tardinha. Morria o sol no horizonte enquanto as sombras se alongavam na terra. Um sabiá cantava tão lindo que até as laranjeiras pareciam absortas à escuta.

Estorce-se de inveja o urubu e queixa-se:

— Mal abre o bico este passarinho e o mundo se enleva. Eu, entretanto, sou um espantalho de que todos fogem com repugnância... Se ele chega, tudo se alegra; se eu me aproximo, todos recuam... Ele, dizem, traz felicidade; eu mau agouro... A natureza foi injusta e cruel para comigo. Mas está em mim corrigir a natureza: mato-o, e desse modo me livro da raiva que seus gorjeios me provocam.

Pensando assim, aproximou-se do sabiá, que ao vê-lo armou as asas para a fuga.

— Não tenha medo, amigo! Venho para mais perto a fim de melhor gozar as delícias do canto. Julga que por ser urubu não dou valor às obras primas da arte? Vamos lá, cante! Cante ao pé de mim aquela melodia com que há pouco você extasiava a natureza.

O ingênuo sabiá deu crédito àqueles mentirosos grasnos e permitiu que dele se aproximasse o traiçoeiro urubu. Mas este, logo que o pilhou ao alcance, deu-lhe tamanha bicada que o fez cair moribundo.

Arquejante, com os olhos já envidrados, geme o passarinho:

— Que mal fiz eu para merecer tanta ferocidade?

— Que mal fez? É boa! Cantou!... Cantou divinamente bem, como nunca urubu nenhum há de cantar. Ter talento: eis o grande crime!...

A inveja não admite o mérito.

Dona Benta suspirou e disse:

— Está aqui outra fábula muito dolorosa, meus filhos. Põe em foco a inveja — o sentimento pior que existe. A maior parte das desgraças do mundo vem da inveja, e creio que não há sentimento mais generalizado. A inveja não admite o mérito — e difama, calunia, procura destruir a criatura invejada. Felizmente é coisa que não vejo aqui por casa.

— Engano seu, Dona Benta! — berrou Emília. — Às vezes bem que me invejam...

— Quem inveja você, bobinha?

— Gentes... — respondeu Emília fazendo um muxoxo de indireta.

A MORTE E O LENHADOR

Um velhinho, muito velho, vivia de tirar lenha na mata. Os feixes, porém, cada vez lhe pareciam mais pesados. Tropicava com eles, quase caía, e um dia, caiu de verdade, perdeu a paciência e lamentou-se amargamente:

— Antes morrer! De que me vale a vida, se nem com este miserável feixe posso? Vem, ó Morte, vem aliviar-me do peso desta vida inútil.

Tentou erguer a lenha. Não pôde e, desanimando, invocou pela segunda vez a Magra.

— Por que demoras tanto, Morte? Vem, já pedi, vem aliviar-me do fardo da vida. Andas pelo mundo a colher criancinhas e esqueces de mim que te chamo...

A Morte foi e apareceu — horrenda, escaveirada, com os ossos a chocalharem e a foice na mão. Ao vê-la de perto o homem estremeceu de pavor, e mais ainda quando a Magra lhe disse, batendo os ossos do queixo:

— Cha-mas-te-me; a-qui es-tou!

O velho tremia, suava... E para sair-se dos apuros só teve esta:

— Chamei-te, sim, mas para me ajudares a botar esta lenha às costas...

— Não gosto desta fábula, — disse a menina, — porque aparece uma Morte muito feia. Eu não queria que pintassem a morte assim, com o alfanje de cortar grama ao ombro, com a caveira em vez de cara e aquele lençol embrulhando o esqueleto...

— Você tem razão, minha filha. Essa imagem da morte é coisa da Idade Média, o tempo mais trágico e triste da História. A Morte não é nada disso. É um bem. É um remédio. É o Grande Remédio. Quando um doente está sofrendo na maior agonia, a Morte vem como o fim da dor.

— Morte de que eu gosto, — disse Pedrinho, — é aquela dos americanos...

Ninguém entendeu. Ele explicou.

— Lembram-se daquela fita que vimos no cinema, HORAS ROUBADAS? A Morte era Mister Ceifas, um moço muito elegante e delicado, mas de rosto impassível. Entrou naquele jardim e com um gesto muito amável convidou o velho entrevado a ir com ele. O velho não quis. Mister Ceifas não se aborreceu. Ficou por ali. De repente, o velho quis morrer e então Mister Ceifas aproximou-se, sempre com aquela gentileza, e estendeu-lhe a mão. E o velho ergueu-se da cadeira de rodas, leve como fosse um moço, e lá se foi pela mão de Mister Ceifas... Que beleza! Eu gostei tanto que perdi o medo da morte. Se ela é assim, que venha buscar-me. Sairei pela mão de Mister Ceifas tal qual aquele velho — feliz, sorrindo e gozando a beleza das paisagens do outro mundo...

O ÚTIL E O BELO

Parou um veado à beira do rio, mirando-se no espelho das águas. E refletiu:

— Bem mal feito de corpo que sou! A cabeça é linda, com estes formosos chifres que todos os animais invejam. Mas as pernas... Muito finas, muito compridas. A natureza foi injusta comigo. Antes me desse menos pernas e mais galharada na cabeça. Que lindo diadema seria! Com que orgulho eu passearia pelos bosques ostentando um enfeite único em toda animalidade!...

Neste ponto interrompe-o o latido dos veadeiros, valentes cães de caça que lhe vinham na pista, como relâmpagos.

O veado dispara, foge à toda e embrenha-se na floresta. E enquanto corria pôde verificar quão sábia fora a natureza dando-lhe mais pernas do que chifres, porque estes, com toda a sua formosura, só serviam para enroscar-se nos cipós e atrapalhar-lhe a fuga; e aquelas, apesar de toda feiura, constituíam a sua única segurança. E mudou de ideia, convencido de que antes mil vezes pernas finas, mas velocíssimas do que formosa, mas inútil galhaça.

— Se os chifres desse veado só serviam para enfeite, então a fábula está certa, — disse Emília. — Mas quando um chifre é como o do Quindim, ah, então vale ainda mais do que pernas. Quindim nem sabe correr, porque não precisa fugir. Em vez de fugir na volada, como as lebres e os veadinhos, ele faz *muuuu*!... e espeta o inimigo.

— E que é Emília, que você acha melhor, — perguntou Narizinho — o útil ou o belo?

— Acho melhor os dois encangados, assim como uma espécie de banana inconha. Útil e belo ao mesmo tempo. Por que é que uma coisa útil deve ser feia? Não há razão.

As aves de rapina e os pombos

A guerra dos rapinantes — quando isto foi? Há séculos. Há mil anos. Mas foi guerra tão terrível que até hoje se fala nela.

Brigaram as aves de rapina — águias, abutres, gaviões, milhafres, por causa de um veadinho novo. E separaram-se em campos contrários, rompidos em guerra franca. Durante meses o azul do céu virou arena de luta. Ora duelos singulares; ora ataques de um bandido contra outro; ora um grupo que agredia um inimigo escoteiro.

E adeus, paz do azul! Volta e meia era um corpo que caía, espedaçado a unhaços ou penas que desciam em espirais, ou gotas de sangue a pingar.

As aves pacíficas da terra, assustadas com aqueles horrores, deliberaram intervir. E escolheram como mensageira a pomba.

— Vá você, que é a sinaleira da paz, e reduza à razão aqueles loucos furiosos.

A pombinha foi conferenciar com os chefes, e com tanta eloquência falou que eles a ouviram e assinaram um tratado, comprometendo-se a nunca mais se devorarem uns aos outros.

Mas o que depois disso sucedeu degenerou em calamidade para os apaziguadores. Harmonizados entre si, os rapinantes pouparam-se uns aos outros, mas deram de empregar toda a força dos bicos e todo o fio das unhas contra as pobres pombas. E foi uma chacina sem tréguas que dura até hoje e durará eternamente.

E as pombinhas entraram a murmurar, num queixume triste:

— Que tolice a nossa, de restabelecer a harmonia entre os rapinantes! A boa política mandava fazer justamente o contrário — dividi-los ainda mais...

— Houve mesmo essa guerra, Dona Benta? — perguntou Tia Nastácia, que vinha entrando com um prato de pés-de-moleque ainda quentinhos. — Judiação, as malvadas matarem as pombinhas...

Emília pôs as mãos na cintura.

— Que graça, esta assassina achar judiação águia matar pombas! Quem é que ontem torceu o pescoço do frango carijó? Quem é que a semana passada matou aquele leitãozinho? Quem é que...

— Pare, Emília! — disse Dona Benta. — Você está se afastando muito da fábula. Quero saber qual é a moralidade do caso das aves de rapina e as pombas.

Pedrinho gritou:

— Eu sei vovó! Dividir é enfraquecer — não é isso mesmo?

O burro na pele do leão

Certo burro de ideias, cansado de ser burro, deliberou fazer-se leão.

— Mas como, estúpida criatura?

— Muito bem. Há ali uma pele de leão. Visto-a e pronto! Viro leão!

Assim fez. Vestiu-a e pôs-se a caminhar pela floresta, majestosamente, convencido de que era o rei dos animais.

Não demorou muito e apareceu o dono.

— Vou pregar-lhe o maior susto da vida, — pensou lá consigo o animalejo — e lançando-se à frente do homem desferiu um formidável urro. Em vez de urro, porém, saiu o que podia sair de um burro: um zurro.

O homem desconfiou.

— Leão que zurra!... Que história é esta?

Firmou a vista e logo notou que o tal leão tinha orelhas de asno.

— Leão que zurra e tem orelhas de asno há de ser na certa o raio do Cuitelo que me fugiu ontem do pasto. Grandessíssimo velhaco! Espera aí...

E agarrou-o. Tirou-lhe a pele de leão, dobrou-a, fez dela um pelego e, montando no pobre bicho, tocou-o para casa no trote.

— Toma leão duma figa! Toma... — e pregava-lhe valentes lambadas.

Quem vestir pele de leão, nem zurre nem deixe as orelhas de fora.

— Bravos! — gritou Pedrinho batendo palmas. — Está aí uma fábula que acho muito pitoresca. Gostei.

— Pois eu não gostei, — berrou Emília, — porque trata com desprezo um animal tão inteligente e bom como o burro. Por que é que esse fabulista fala em "estúpida criatura"? E por que chama o pobre burro de "animalejo"? Animalejo é a avó dele...

— Emília! — repreendeu Dona Benta. — Mais respeito com a avó dos outros.

— É que não suporto essa mania de insultar um ente tão sensato e precioso como é o burro. Quando um homem quer xingar outro, diz: "Burro! Você é um burro!" e no entanto há burros que são verdadeiros Sócrates de filosofia, como o Conselheiro. Quando um homem quiser xingar outro, o que deve dizer é uma coisa só: "Você é um homem, sabe? Um grandessíssimo homem!". Mas chamar de burro é, para mim, o maior dos elogios. É o mesmo que dizer: "Você é um Sócrates! Você é um grandessíssimo Sócrates...".

A RAPOSA SEM RABO

Certa raposa caiu numa armadilha. Debateu-se, gemeu, chorou e finalmente conseguiu fugir, embora deixando na ratoeira a sua linda cauda. Pobre raposa! Andava agora triste, sorumbática, sem coragem de aparecer diante das outras, com receio de vaia.

Mas de tanto pensar no seu caso teve a ideia de convocar o povo raposeiro para uma grande reunião.

— Assunto gravíssimo! — explicou ela. — Assunto que interessa a todos os animais.

Reuniram-se as raposas e a derrabada, tomando a palavra, disse:

— Amigas, respondam-me por obséquio: que serventia tem para nós a cauda? Bonita não é, útil não é, honrosa não é... Por que, então, continuarmos a trazer este grotesco apêndice às costas? Fora com ele! Derrabemo-nos todas e fiquemos graciosas como os preás.

As ouvintes estranharam aquelas ideias e, matreiras como são, suspeitaram qualquer coisa. Ergueram-se do seu lugar e, dirigindo-se à oradora, pediram:

— Muito bem. Mas cortaremos primeiro a sua. Vire-se para cá, faça o favor...

A pobre raposa, desapontada, teve de obedecer à intimação. Voltou de costas.

Foi uma gargalhada geral.

— Está explicado o empenho dela em nos fazer mais bonitas. Fora! Fora com a derrabada!...

E correram-na dali.

— Isso é bem certo, — disse Dona Benta. — Se uma pessoa que tem um defeito conseguisse que o mundo inteiro também tivesse o mesmo defeito, que acontecia, Pedrinho?

— Acontecia que quem não tivesse o tal defeito é que era o defeituoso.

— Exatamente. Há certos lugarejos aí pelo sertão em que todos os moradores ficam com uns enormes papos. Um dia um viajante entrou na casa duma família de papudos e viu na parede o retrato de um moço sem papo. "Quem é ele?" perguntou. E a dona da casa respondeu: "Ah, esse é o meu filho Totonho, no tempo em que era *defeituoso*". "E agora não é mais?" perguntou o viajante. "Felizmente sarou", respondeu a papuda. "Está já com o pescoço bem cheio, como o meu" — e alisou com a mão aquela papeira lustrosa...

O PERU MEDROSO

Gordo peru e lindo galo costumavam empoleirar-se na mesma árvore. A raposa os avistou certo dia e veio vindo contente, a lamber os beiços como quem diz: "Temos petisco hoje!".

Chegou. Ao avistá-la o peru leva tamanho susto que por um triz não cai da árvore. Já o galo o que fez foi rir-se; e como sabia que trepar à árvore a raposa não trepava, fechou os olhos e adormeceu.

O peru, coitado, medroso como era, tremia como varas verdes e não tirava do inimigo os olhos.

— O galo não apanho, mas este peru cai-me no papo já... — pensou consigo a raposa.

E começou a fazer caretas medonhas, a dar pinotes, a roncar, a trincar os dentes, dando a impressão duma raposa louca. Pobre peru! Cada vez mais apavorado, não perdia de vista um só daqueles movimentos. Por fim tonteou, caiu do galho e veio ter aos dentes da raposa faminta.

— Estúpido, animal! — exclamou o galo acordando. — Morreu por excesso de cautelas. Tanta atenção prestou aos arreganhos da raposa, tanto atendeu aos perigos, que lá se foi, *catrapus*...

A prudência manda não atentar demais nos perigos.

— Eu conheci um homem assim, — disse Dona Benta. — Tomava um milhão de precauções para evitar males. Só bebia água filtrada. Andava pelo meio da rua para evitar que lhe caíssem sobre a cabeça os vasos de flor das janelas. Desinfetava as mãos sempre que dizia adeus a alguém...

— E que fim levou esse homem, vovó?

— Morreu de um desastre de aviação.

— Mas se ele tinha tanto medo de tudo, como teve coragem de voar?

— Ele não estava voando, meu filho. O avião caiu em cima dele, na rua.

O LEÃO, O LOBO E A RAPOSA

Um leão muito velho e já caduco andava morre não morre.

Mas, apegado à vida e sempre esperançado, deu ordem aos animais para que o visitassem e lhe ensinassem remédios.

Assim aconteceu. A bicharia inteira desfilou diante dele, cada qual com um remédio ou um conselho.

Mas a raposa? Por que não vinha?

— Eu sei, — disse um lobo intrigante, inimigo pessoal da raposa. — Ela é uma finória, acha que Vossa Majestade morre logo e é bobagem andar a perder tempo com cacos de vida.

Enfureceu-se o leão e mandou buscar a raposa debaixo de vara.

— Então é assim que me trata, ó vilíssimo animal? Esquece de que eu sou o rei da floresta?

A raposa interrompeu-o:

— Perdão, Majestade! Se não vim até agora é que andava em peregrinação pelos oráculos, consultando-os a respeito da doença que abate o ânimo do meu querido rei. E não perdi a viagem, visto como trago a única receita capaz de produzir melhoras na real saúde de Vossa Majestade.

— Diga lá o que é, — ordenou o leão, já calmo.

— É combater a frialdade que entorpece os vossos membros com um "capote de lobo".

— Que é isso?

— Capote de lobo é uma pele ainda quente de lobo escorchado na horinha. E como está aqui mestre lobo, súdito fiel de Vossa Majestade, vai ele sentir um prazer imenso em emprestar a pele ao seu real senhor.

O leão gostou da receita, escorchou o lobo, embrulhou-se na pele fumegante e ainda por cima lhe comeu a carne.

A raposa, vingada, retirou-se, murmurando:

— Toma! Para intrigante, intrigante e meio...

— Bem feito! — exclamou Emília. — Essa raposa merece um doce. E com certeza o tal lobo era aquele que comeu a avó de Capinha Vermelha.

— Boba! Aquele foi morto a machadadas pelo lenhador, — disse Narizinho.

— Eu sei, — tornou Emília, — mas nas histórias a matança nunca é completa. Nunca o morto fica bem matado — e volta a si outra vez. Você bem viu no caso do Capitão Gancho. Quantas vezes Peter Pan deu cabo dele? E o Capitão Gancho continua cada vez mais gordo e ganchudo.

— Por que é, vovó, que em todas as histórias a raposa sai sempre ganhando? — quis saber Pedrinho.

— Porque a raposa é realmente astuta. Sabe defender-se, sabe enganar os inimigos. Por isso, quando um homem quer dizer que outro é muito hábil em manhas, diz: "Fulano de Tal é uma verdadeira raposa!". Aqui nesta fábula você viu com que arte ela virou contra o lobo o perigo que a ameaçava. Ninguém pode com os astutos.

O SABIÁ NA GAIOLA

Lamentava-se na gaiola um velho sabiá.

— Que triste destino o meu, nesta prisão toda a vida... E que saudades dos bons tempos de outrora, quando minha vida era um contínuo pular de galho em galho em procura das laranjas mais belas... Madrugador, quem primeiro saudava a luz da manhã era eu, como era eu o último a despedir-me do sol à tardinha. Cantava e era feliz...

Um dia, traiçoeiro visgo me ligou os pés. Esvoacei, debati-me em vão e vim acabar nesta gaiola horrível, onde saudoso choro o tempo da liberdade. Que triste destino o meu! Haverá no mundo maior desgraça?

Nisto abre-se a porta da sala e entra o caçador, de espingarda ao ombro e uma fieira de pássaros na mão.

Ante o espetáculo das míseras avezinhas estraçalhadas a tiro, gotejantes de sangue, algumas ainda em agonia, o sabiá estremeceu.

E horripilado verificou não ser dos mais infelizes, pois que vivia e ainda não perdera a esperança de recobrar a liberdade de outrora.

Refletiu sobre o caso e murmurou consigo:

— Antes penar que morrer...

— Será verdade isso, vovó? Será certo esse "antes penar que morrer?"

— Depende da ideia que a gente faz da morte, minha filha. Quem a considera um Mr. Ceifas, ah, esse prefere a amável visita de Mr. Ceifas ao tal penar.

— E que é penar?

— É sofrer dor prolongada, é sofrer um castigo, uma pena.

— Mas como é que pena é ao mesmo tempo dor e aquilo das aves? Isso atrapalha a gente. Emília, quando ainda era uma coitadinha que estava decorando as palavras, uma vez confundiu as duas penas — a pena dor e a pena pena, e veio da cozinha dizendo: "Tia Nastácia está contando para o Visconde que para pena de costas o melhor remédio é passar iodo com uma dor de galinha". Ela havia trocado as bolas...

— São coisas do latim, minha filha. Nessa língua havia duas palavras parecidas: *poena* e *penna*. A primeira virou em nossa língua "pena" — pena-dor; e a segunda ficou *penna* mesmo — a tal das aves.

— E depois a *penna* das aves perdeu uma peninha e virou pena com um n só, igual à pena-dor, — concluiu Emília, — e agora está aí, está aí, está aí...

— Está aí o quê, Emília?

— Está aí um grande embrulho...

Qualidade e quantidade

Meteu-se um mono a falar numa roda de sábios e tais asneiras disse que foi corrido a pontapés.

— Quê? — exclamou ele. — Enxotam-me daqui? Negam-me talento? Pois hei de provar que sou um grande figurão e vocês não passam duns idiotas.

Enterrou o chapéu na cabeça e dirigiu-se à praça pública onde se apinhava copiosa multidão de beócios. Lá trepou em cima duma pipa e pôs-se a declamar. Disse asneiras como nunca, tolices de duas arrobas, besteiras de dar com um pau. Mas como gesticulava e berrava furiosamente, o povo em delírio o aplaudiu com palmas e vivas — e acabou carregando-o em triunfo.

— Viram? — resmungou ele ao passar ao pé dos sábios. — Reconheceram a minha força? Respondam-me agora: que vale a opinião de vocês diante desta vitória popular?

Um dos sábios retrucou serenamente:

— *A opinião da qualidade despreza a opinião da quantidade.*

— Nada mais certo, meus filhos, — disse Dona Benta. — Logo que os homens se reúnem em multidão, o nível mental baixa muito. Quanto maior a multidão, mais baixo o nível mental. Por isso é que os sábios têm tanto medo às multidões.

— A senhora já nos contou aquele caso lá da Grécia, lembra-se?

— Sim, o caso do orador que estava fazendo um discurso para o povo. De repente rebentaram tremendos aplausos. O orador voltou-se para um amigo ao lado: "Será que eu disse alguma asneira?".

O CÃO E O LOBO

Um lobo muito magro e faminto, todo pele e ossos, pôs-se um dia a filosofar sobre as tristezas da vida. E nisso estava quando lhe surge pela frente um cão — mas um cão e tanto, gordo, forte, de pelo fino e lustroso.

Espicaçado pela fome, o lobo teve ímpetos de atirar-se a ele. A prudência, entretanto, cochichou-lhe ao ouvido: — "Cuidado! Quem se mete a lutar com um cão desses sai perdendo".

O lobo aproximou-se do cão com todas as cautelas e disse:

— Bravos! Palavra, de honra que nunca vi um cão mais gordo nem mais forte. Que pernas rijas, que pelo macio! Vê-se que o amigo se trata...

— É verdade! — respondeu o cão. — Confesso que tenho um tratamento de fidalgo. Mas, amigo lobo, suponho que você pode levar a mesma boa vida que levo...

— Como?

— Basta que abandone esse viver errante, esses hábitos selvagens e se civilize, como eu.

— Explique-me lá isso por miúdo, — pediu o lobo com um brilho de esperança nos olhos.

— É fácil. Eu apresento você ao meu senhor. Ele está claro, simpatiza-se e dá a você o mesmo tratamento que dá a mim: bons ossos de galinha, restos de carne, um canil com palha macia. Além disso, agrados, mimos a toda hora, palmadas amigas, um nome.

— Aceito! — respondeu o lobo. — Quem não deixará uma vida miserável como esta por uma de regalos assim?

— Em troca disso, — continuou o cão, — você guardará o terreiro, não deixando entrar ladrões nem vagabundos. Agradará ao senhor e à sua família, sacudindo a cauda e lambendo a mão de todos.

— Fechado! — resolveu o lobo — e emparelhando-se com o cachorro partiu à caminho da casa. Logo, porém notou que o cachorro estava de coleira.

— Que diabo é isso que você tem no pescoço?

— É a coleira.

— E para que serve?

— Para me prenderem à corrente.

— Então não é livre, não vai para onde quer, como eu?

— Nem sempre. Passo às vezes vários dias preso, conforme a veneta do meu senhor. Mas que tem isso, se a comida é boa e vem à hora certa?

O lobo entreparou, refletiu e disse:

— Sabe do que mais? Até logo! Prefiro viver magro e faminto, porém livre e dono

do meu focinho, a viver gordo e liso como você, mas de coleira ao pescoço. Fique-se lá com a sua gordura de escravo que eu me contento com a minha magreza de lobo livre.
E afundou no mato.

— Fez muito bem! — berrou Emília. — Isso de coleira, o diabo queira...
Narizinho bateu palmas.
— E não é que ela fez um versinho, vovó? "Isso de coleira, o diabo queira..." Bonito, hein?...
— Bonito e certo, — continuou Emília. — Eu sou como esse lobo. Ninguém me segura. Ninguém me bota coleira. Ninguém me governa. Ninguém me...
— Chega de "mes", Emília. Vovó está com cara de querer falar sobre a liberdade.
— Talvez não seja preciso, minha filha. Vocês sabem tão bem o que é liberdade que nunca me lembro de falar disso.
— Nada mais certo, vovó! — gritou Pedrinho. — Este seu sítio é o suco da liberdade; e se eu fosse refazer a natureza, igualava o mundo a isto aqui. Vida boa, vida certa, só no Pica-Pau Amarelo.
— Pois o segredo, meu filho, é um só: liberdade. Aqui não há coleiras. A grande desgraça do mundo é a coleira. E como há coleiras espalhadas pelo mundo!

O CORVO E O PAVÃO

O pavão, de roda aberta em forma de leque, dizia com desprezo ao corvo:
— Repare como sou belo! Que cauda, hein? Que cores, que maravilhosa plumagem! Sou das aves a mais formosa, a mais perfeita, não?
— Não há dúvida que você é um belo bicho, — disse o corvo. — Mas, perfeito? Alto lá!
— Quem quer criticar-me! Um bicho preto, capenga, desengraçado e, além disso, ave de mau agouro... Que falha você vê em mim, ó tição de penas?
O corvo respondeu:
— Noto que para abater o orgulho dos pavões a natureza lhes deu um par de patas que, faça-me o favor, envergonhariam até a um pobre diabo como eu...
O pavão, que nunca tinha reparado nos próprios pés, abaixou-se e contemplou-os longamente. E, desapontado, foi andando o seu caminho sem replicar coisa nenhuma.
Tinha razão o corvo: *não há beleza sem senão.*

— Que quer dizer "senão", vovó?
— Aqui nesta frase quer dizer defeito.
— E por que senão é defeito?
— Porque o modo de botar um defeito nalgum ou nalguma coisa era sempre por meio do "senão" — e por fim essa palavra ficou sinônima de defeito. "Fulana seria muito bonitinha, senão fosse aquele nariz de coruja." "Esse doce estaria ótimo, senão fosse estar doce demais" — e assim por diante.
— Mas é verdade, vovó, que não há mesmo beleza sem senão?
— A fábula diz que não há e as fábulas sabem...
— São sabidíssimas, sim! — confirmou Emília. — E a dos filhos da coruja é a mais sabida de todas. Quem é que andou inventando as fábulas, Dona Benta? Foram os animais mesmo?

Dona Benta riu-se.

— Não, Emília. Quem inventou a fábula foi o povo e os escritores as foram aperfeiçoando. A sabedoria que há nas fábulas é a mesma sabedoria do povo, adquirida à força de experiências.

— Mas não haverá mesmo beleza sem senão, vovó? — insistiu a menina.

— Há, sim, minha filha. Para mim; por exemplo, você é uma belezinha sem senão.

Emília torceu o nariz. Depois prometeu escrever uma fábula com o título: "Os Netos da Coruja".

OS ANIMAIS E A PESTE

Em certo ano terrível de peste entre os animais, o leão, mais apreensivo, consultou um mono de barbas brancas.

— Esta peste é um castigo do céu, — respondeu o mono, — e o remédio é aplacarmos a cólera divina sacrificando aos deuses um de nós.

— Qual? — perguntou o leão.

— O mais carregado de crimes.

O leão fechou os olhos, concentrou-se e, depois duma pausa, disse aos súditos reunidos em redor:

— Amigos! É fora de dúvida que quem deve sacrificar-se sou eu. Cometi grandes crimes, matei centenas de veados, devorei inúmeras ovelhas e até vários pastores. Ofereço-me, pois, para o sacrifício necessário ao bem comum.

A raposa adiantou-se e disse:

— Acho conveniente ouvir a confissão das outras feras. Porque, para mim, nada do que Vossa Majestade alegou constitui crime. Matar veados — desprezíveis criaturas; devorar ovelhas — mesquinhos bichos de nenhuma importância; trucidar pastores — raça vil merecedora de extermínio! Nada disso é crime. São coisas até que muito honram o nosso virtuosíssimo rei leão.

Grandes aplausos abafaram as últimas palavras da bajuladora — e o leão foi posto de lado como impróprio para o sacrifício.

Apresenta-se em seguida o tigre e repete-se a cena. Acusa-se ele de mil crimes, mas a raposa prova que também o tigre era um anjo de inocência.

E o mesmo aconteceu com todas as outras feras.

Nisto chega a vez do burro. Adianta-se o pobre animal e diz:

— A consciência só me acusa de haver comido uma folha de couve na horta do senhor vigário.

Os animais entreolhavam-se. Era muito sério aquilo. A raposa toma a palavra:

— Eis, amigos, o grande criminoso! Tão horrível o que ele nos conta, que é inútil prosseguirmos na investigação. A vítima a sacrificar-se aos deuses não pode ser outra, porque não pode haver crime maior do que furtar a sacratíssima couve do senhor vigário.

Toda a bicharia concordou e o triste burro foi unanimemente eleito para o sacrifício.

Aos poderosos tudo se desculpa; aos miseráveis nada se perdoa.

— Viva! Viva!... Esta é a fábula do Burro Falante — e Pedrinho recordou todos os incidentes daquele dia lá no País das Fábulas. — Essa história estava se desenvolvendo, e no instante em que as feras iam matar o pobre burro o Peninha derrubou do alto do morro uma enorme pedra sobre as fuças do leão.

— Salvamos o Conselheiro, — disse Emília, — mas o fabulista pegou um segundo burro para poder completar a fábula. Pobre segundo burro!... — e Emília suspirou.

— Esta fábula me parece muito boa, vovó, — opinou Narizinho.

— E é, minha filha. Retrata as injustiças da justiça humana. A tal justiça humana é implacável contra os fracos e pequeninos — mas não é capaz de pôr as mãos num grande, num poderoso.

— Falta um Peninha que dê com pedras do tamanho do Corcovado no focinho do Leão da injustiça...

O CARREIRO E O PAPAGAIO

Vinha um carreiro à frente dos bois, cantarolando pela estrada sem fim. Estrada de lama.

Em certo ponto o carro atolou.

O pobre homem aguilhoa os bois, dá pancadas, grita; nada consegue e põe-se a lamentar a sorte.

— Desgraçado que sou! Que fazer agora, sozinho neste deserto? Se ao menos São Benedito tivesse dó de mim e me ajudasse...

Um papagaio escondido entre as folhas condoeu-se dele e, imitando a voz de santo, começou a falar:

— Os céus te ouviram, amigo, e Benedito em pessoa aqui está para o ajutório que pedes.

O carreiro, num assombro, exclama:

— Obrigado, meu santo! Mas onde estás que não te vejo?

— Ao teu lado. Não me vês porque sou invisível. Mas, vamos, faze o que mando. Toma da enxada e cava aqui. Isso. Agora a mesma coisa do outro lado. Isso. Agora vais cortar uns ramos e estivar o sulco aberto. Isso. Agora vais aguilhoar os bois.

O carreiro fez tudo como o papagaio mandou e com grande alegria viu desatolar-se o carro.

— Obrigado, meu santo! — exclamou ele de mãos postas. — Nunca me hei de esquecer do grande socorro prestado, pois que sem ele eu ficaria aqui toda a vida.

O papagaio achou muita graça na ingenuidade do homem e papagueou, como despedida, um velho rifão popular:

Ajuda-te, que o céu te ajudará.

— Como são sabidinhos esses bichos das fábulas! Este papagaio, então, está um suco!

— Suco de que, minha filha? — perguntou Dona Benta.

— De sabedoria, vovó! O meio da gente se sair duma dificuldade é sempre esse — lutar, lutar...

— Eu sei de outro muito melhor, — disse Emília. — Dez vezes melhor...

A menina admirou-se.

— Qual é, Emília?

— É quando todos estão desesperados e tontos, sem saber o que fazer voltarem-se para mim e: "Emília, acuda!" e eu vou e aplico o faz-de-conta e resolvo o problema. Aqui nesta casa ninguém luta para resolver as dificuldades; todos apelam para mim...

— E você manda o Visconde. Sem o faz-de-conta e o Visconde ela não se arranja.

— Mas o caso é que os problemas se resolvem. É ou não?

Narizinho teve que concordar com ela.

O MACACO E O GATO

Simão, o macaco, e Bichano, o gato, moram juntos na mesma casa. E pintam o sete. Um furta coisas, remexe gavetas, esconde tesourinhas, atormenta o papagaio; outro arranha os tapetes, esfiapa as almofadas e bebe o leite das crianças.

Mas, apesar de amigos e sócios, o macaco sabe agir com tal maromba que é quem sai ganhando sempre.

Foi assim no caso das castanhas.

A cozinheira pusera a assar nas brasas umas castanhas e fora à horta colher temperos. Vendo a cozinha vazia, os dois malandros se aproximaram. Disse o macaco:

— Amigo Bichano, você, que tem uma pata jeitosa, tire as castanhas do fogo.

O gato não se fez insistir e com muita arte começou a tirar as castanhas.

— Pronto, uma...

— Agora aquela de lá... Isso. Agora aquela gorducha... Isso. E mais a da esquerda, que estalou...

O gato as tirava, mas quem as comia, gulosamente, piscando o olho, era o macaco...

De repente, eis que surge a cozinheira, furiosa, de vara na mão.

— Espere aí, diabada! ...

Os dois gatunos sumiram-se aos pinotes.

— Boa peça, hein? — disse o macaco lá longe.

O gato suspirou:

— Para você, que comeu as castanhas. Para mim foi péssima, pois arrisquei o pelo e fiquei em jejum, sem saber que gosto tem uma castanha assada...

O bom bocado não é para quem o faz, é para quem o come.

— Quem é bobo, peça a Deus que o mate e ao diabo que o carregue, — comentou Emília.

O Visconde vinha entrando. Ouviu a discussão e disse:

— Aqui está um que nunca jamais teve o gosto de comer o bom bocado. Quando chega a vez dele, aparece sempre alguém que o logra.

Todos compreenderam a indireta...

A MOSCA E A FORMIGUINHA

— Sou fidalga! — dizia a mosca à formiguinha que passava carregando uma folha de roseira. — Não trabalho, pouso em todas as mesas, lambisco de todos os manjares, passeio sobre o colo das donzelas — e até me sento no nariz. Que vidão regalado o meu!...

A formiguinha arreiou a carga, enxugou a testa e disse:

— Apesar de tudo, não invejo a sorte das moscas. São mal vistas. Ninguém as estima. Toda gente as enxota com asco. E o pior é que têm um berço degradante: nascem nas esterqueiras.

— Ora, ora! — exclamou a mosca. — Viva eu quente e ria-se a gente.

— E além de imundas são cínicas, — continuou a formiga. — Não passam dumas parasitas — e parasita é sinônimo de ladrão. Já a mim todos me respeitam. Sou rica pelo meu trabalho, tenho casa própria onde nada me falta durante o rigor do mau tempo. E você? Você, basta que fechem a porta da cozinha e já está sem o que comer. Não troco a minha honesta vida de operária pela vida dourada dos filantes.

— Quem desdenha quer comprar, — murmurou ironicamente a mosca.

Dias depois a formiga encontrou a mosca a debater-se numa vidraça.

— Então, fidalga, que é isso? — perguntou-lhe.

A prisioneira respondeu, muito aflita:

— Os donos da casa partiram de viagem e me deixaram trancada aqui. Estou morrendo de fome e já exausta de tanto me debater.

A formiga repetiu as empáfias da mosca, imitando-lhe a voz: "Sou fidalga! Pouso em todas as mesas... Passeio pelo colo das donzelas..." e lá seguiu o seu caminho, apressadinha como sempre.

Quem quer colher, planta. E quem do alheio vive um dia se engasga.

— Seria muito bom se fosse assim, — disse o Visconde. — Mas muitas e muitas vezes um planta e quem colhe é o outro...

Emília fuzilou-o com os olhos. Aquilo era indireta das mais diretas. O Visconde, amedrontado, encolheu-se no seu cantinho.

OS DOIS BURRINHOS

Muito lampeiros dois burrinhos de tropa seguiam trotando pela estrada além. O da frente conduzia bruacas de ouro em pó; e o de trás, simples sacos de farelo. Embora burros da mesma igualha, não queria o primeiro que o segundo lhe caminhasse ao lado.

— Alto lá! — dizia ele. — Não se emparelhe comigo, que quem carrega ouro não é do mesmo naipe de quem conduz farelo. Guarde cinco passos de distância e caminhe respeitoso como se fosse um pajem.

O burrinho do farelo submetia-se e lá trotava na traseira, de orelhas murchas, roendo-se de inveja do fidalgo.

De repente...

— *Oah! oah!.*

RECONTOS FÁBULAS 81

São ladrões da montanha que surgem de trás de um toco e agarram os burrinhos pelos cabrestos.

Examinam primeiramente a carga do burro humilde e,

— Farelo! — exclamam desapontados. — O demo o leve! Vejamos se há coisa de mais valor no da frente.

— Ouro, ouro! — gritam, arregalando os olhos. E atiram-se ao saque.

Mas o burrinho resiste. Desfere coices e dispara pelo campo afora. Os ladrões correm-lhe atrás, cercam-no, e dão-lhe em cima, de pau e pedra. Afinal saqueiam-no.

Terminada a festa, o burrinho do ouro, mais morto que vivo e tão surrado que nem suster-se em pé podia, reclama o auxílio do outro que muito fresco da vida tosava o capim sossegadamente.

— Socorro, amigo! Venha acudir-me, que estou descadeirado...

O burrinho do farelo respondeu zombeteiramente:

— Mas poderei por acaso aproximar-me de Vossa Excelência?

— Como não? Minha fidalguia estava toda dentro da bruaca e lá se foi nas mãos daqueles patifes. Sem as bruacas de ouro no lombo, sou uma pobre besta igual a você...

— Bem sei. Você é como certos grandes homens do mundo que só valem pelo cargo que ocupam. No fundo, simples bestas de carga, eu, tu, eles...

E ajudou-o a regressar para casa, decorando, para uso próprio, a lição que ardia no lombo do vaidoso.

— Eis aqui, meus filhos, outra fábula bem boa, — disse Dona Benta. — O mundo está cheio de orgulhosos deste naipe...

— Que é naipe? — quis saber Narizinho.

— É um termo usado para as cartas de jogar. Há quatro naipes — ouro, espadas, copas e paus.

— Então naipe quer dizer "qualidade", "tipo"? Do mesmo naipe quer dizer do mesmo tipo?

— Exatamente.

— E igualha, vovó?

— É sinônimo de naipe.

— Então por que a senhora não diz logo "qualidade" em vez de "naipe" 'e "igualha"?

— Para variar, minha filha. Estou contando estas fábulas em estilo literário, e uma das qualidades do estilo literário é a variedade.

Pedrinho observou que o coronel Teodorico fizera tal qual o burrinho do ouro. Quando se encheu de dinheiro, arrotou grandeza; mas depois que perdeu tudo nos maus negócios, ficou de orelhas murchas e convencido de que era realmente uma perfeita cavalgadura.

O CAVALO E AS MUTUCAS

Um cavaleiro vinha chicoteando as mutucas pousadas no pescoço da cavalgadura. Volta e meia, *plaf*! uma lambada e era um inseto de menos.

Mas o homem só chicoteava as mutucas pesadonas, já empanturradas de sangue.

Em certo ponto o cavalo perdeu a paciência e disse:

— Julgas que me prestas um serviço e, no entanto...

— No entanto que, cavalo? Pois livro-te das mutucas e ainda não estás contente?

— Benefício seria se matasses as magras e poupasse as gordas. Porque as gordas, fartas que estão, nenhum malefício me fazem, ao passo que as outras, famintas, torturam-me sem dó. Matando só as inofensivas, o bem que me queres fazer transforma-se em mal, porque sofro a dor da lambada e nada lucro com a morte dos bichinhos.

Quantos benefícios assim, benefícios só na aparência!...

— De quem é essa fábula, vovó? De Mr. de La Fontaine ou de Esopo?

— De nenhum dos dois, meu filho. É minha...

— Sua?... Pois a senhora também é fabulista?

— Às vezes... Esta fábula me ocorreu no dia em que o compadre esteve aqui montado naquele pampa. Ele não apeou. E enquanto falava ia chicoteando as mutucas gordas, só as gordas. Ao ver aquilo, a fábula formou-se em minha cabeça.

— Pois acho que ele fazia muito bem, — berrou Emília. — As gordas, as já cheias de sangue, voam dali e vão botar ovos donde saem mais mutucas. E as magras, as ainda vazias, podem falhar. O cavalo não pensou nisto.

— Falhar, como, Emília?

— Podem, por qualquer motivo, não se encherem e não porem ovos.

Dona Benta riu-se e explicou que o cavalo falava do seu ponto de vista de vítima das mordidelas. Se a vítima das mutucas fosse Emília, o mais certo era ela pensar exatamente como o cavalo. Tudo neste mundo depende do ponto de vista.

O RATINHO, O GATO E O GALO

Certa manhã um ratinho saiu do buraco pela primeira vez. Queria conhecer o mundo e travar relações com tanta coisa bonita de que falavam seus amigos.

Admirou a luz do sol, o verdor das árvores, a correnteza dos ribeirões, a habitação dos homens. E acabou penetrando no quintal duma casa da roça.

— Sim senhor! É interessante isto!

Examinou tudo minuciosamente, farejou a tulha de milho e a estrebaria. Em seguida notou no terreiro um certo animal de belo pelo que dormia sossegado ao sol. Aproximou-se dele e farejou-o sem receio nenhum.

Nisto aparece um galo, que bate as asas e canta.

O ratinho por um triz que não morreu de susto. Arrepiou-se todo e disparou como um raio para a toca. Lá contou à mamãe as aventuras do passeio.

— Observei muita coisa interessante, — disse ele, — mas nada me impressionou tanto como dois animais que vi no terreiro. Um, de pelo macio e ar bondoso, seduziu-me logo. Devia ser um desses bons amigos da nossa gente, e lamentei que estivesse a dormir, impedindo-me assim de cumprimentá-lo.

O outro... Ai, que ainda me bate o coração! O outro era um bicho feroz, de penas amarelas, bico pontudo, crista vermelha e aspecto ameaçador. Bateu as asas barulhentamente, abriu o bico e soltou um *có-ri-có-có* tamanho que quase cai de costas. Fugi. Fugi com quantas pernas tinha, percebendo que devia ser o famoso gato que tamanha destruição faz no nosso povo.

A mamãe-rata assustou-se e disse:

— Como te enganas, meu filho! O bicho de pelo macio e ar bondoso é que é o terrível gato. O outro, barulhento e espaventado, de olhar feroz e crista rubra, o outro, filhinho, é o galo, uma ave que nunca nos fez mal nenhum.

As aparências enganam. Aproveita, pois, a lição e fica sabendo que —

Quem vê cara não vê coração.

Emília fez cara de piedade.

— Coitadinho! Era duma burrice sem par. Farejou o gato! Um ratinho a farejar gato! Acho isso um absurdo. Só se era um gato morto...

— Por que absurdo, Emília?

— Porque o Visconde diz que os animais do "naipe" dos ratos já nascem sabendo o que é gato. Adivinham gato pelo cheiro. Por isso digo: ou o gato estava morto ou o ratinho estava endefluxado...

Dona Benta explicou que os fabulistas não têm o rigor dos naturalistas e muitas vezes torcem as coisas para que a fábula saia certa.

— Boa moda! — exclamou Emília. — Errar dum lado para acertar do outro...

Narizinho disse que os poetas usam muito esse processo, chamado "licença poética". Eles sacrificam a verdade à rima. Os fabulistas também são poetas ao seu modo.

OS DOIS POMBINHOS

Eram felizes. Queriam-se muito e contentavam-se com o que tinham. Mas um deles perdeu a cabeça e, farto de tanta paz, encasquetou na cabeça a ideia de correr mundo.

— Para quê? — advertiu o companheiro. — Não é tão sossegado aqui este remanso?

— Quero ver terras novas, respirar novos ares.

— Não vá! há mil perigos pelo caminho, incertezas, traições. Além disso, o tempo não é próprio. Época de temporais.

De nada valeram os bons avisos. O pombinho assanhado beijou o companheiro e partiu.

Nem de propósito, uma hora depois o céu se tolda, os ventos rugem. O imprudente viajante aguenta o temporal inteiro fora de abrigo, encolhido numa árvore seca. Sofre horrores; mas salva-se, e quando veio a bonança pôde continuar a viagem. Dirigiu-se a um lindo arrozal, pensando:

— Que vidão irei passar neste mimoso tapete de verdura!

Ai!... Nem bem pousou já se sentiu preso num laço.

Uma hora de desespero, a debater-se...

Foi feliz ainda. O laço, apodrecido pelas chuvas, rompeu-se e o pombinho safou-se. E fugiu, exausto, com várias penas de menos e um fio de barbante aos pés, a lhe embaraçar o voo.

Nisto um gavião surge, que se precipita sobre ele com rapidez de flecha. O mísero pombinho, atarantado, mal tem tempo de abrigar-se no terreiro dum casebre de lavradores. Desse modo livrou-se do rapinante, mas não pôde livrar-se dum menino que de bodoque em punho correu para cima dele e espeloteou-o.

Corre que corre, perereca que perereca, o mal-aventurado pombinho conseguiu ainda uma vez escapar, oculto num oco de pau.

E ali, curtindo as dores da asa quebrada, esperou pacientemente que o inimigo se fosse. Só então, com mil cautelas, pôde fugir para o ninho.

Ao vê-lo chegar, arrastando a asa, depenado, moído de canseira, o companheiro beijou-o por entre lágrimas e disse: "Bem certo o ditado: *Boa romaria faz quem em casa fica em paz*".

— Não concordo, vovó! — disse Pedrinho. — Se toda gente ficasse fazendo romaria em casa, a vida perderia a graça. Eu gosto de aventuras, nem que volte de perna quebrada.

— Eu também! — berrou Emília, — e hei de escrever uma fábula o contrário dessa.

— Como?

— Assim que o pombinho viajante partiu, um caçador aparece e dá um tiro no que ficou fazendo romaria em paz. Quando o viajante volta, todo estropiado, vê as penas do companheiro no chão, manchadas de sangue. Compreende tudo e diz: "Quem vai, volta estropiado; mas quem não vai cai na panela".

Dona Benta explicou que a sabedoria popular é uma sabedoria de dois bicos. Muitos ditados são contraditórios.

— Há um que diz: "Quem espera sempre alcança" e outro diz: "Quem espera desespera". Conforme o caso, a gente escolhe um ou outro — e quem ouve elogia a sabedoria da sabedoria popular.

As duas cachorras

Moravam no mesmo bairro. Uma era boa, caridosa; outra, má e ingrata. A boa, como fosse diligente, tinha a casa bem arranjadinha; a má como fosse vagabunda, vivia ao léu, sem eira nem beira.

Certa vez a má, em véspera de dar cria, foi pedir agasalho à boa.

— Fico aqui num cantinho até que meus filhotes possam sair comigo. É por eles que peço.

A boa cedeu-lhe a casa inteira, generosamente.

Nasceu a ninhada, e os cachorrinhos já estavam de olhos abertos quando a dona da casa voltou.

— Podes entregar-me a casa agora?

A má pôs-se a choramingar.

— Ainda não, generosa amiga. Como posso viver na rua com filhinhos tão novos? Conceda-me um novo prazo.

A boa concedeu mais quinze dias, ao termo dos quais voltou.

— Vai sair agora?

— Paciência, minha velha, preciso de mais um mês.

A boa concedeu mais quinze dias, e ao terminar o último prazo voltou; mas desta vez a intrusa, rodeada dos filhos já crescidos, robustos e de dentes arreganhados, recebeu-a com insolência: — Quer a casa? Pois venha tomá-la, se é capaz...

Para os maus, pau!

— Ótima, vovó! — exclamou a menina. — Gostei. Esta fábula merece grau dez.

— E me faz lembrar o mata-pau, — disse Pedrinho. — O mata-pau é assim. Nasce numa árvore, todo humildezinho e fraquinho; mas vai crescendo, crescendo, e um dia estrangula a árvore que o acolheu.

Dona Benta explicou que aquela fábula punha em foco a ingratidão, sentimento muito comum entre os homens. E citou vários ingratos ali das redondezas.

— Em matéria de dinheiro há muita ingratidão assim. Um sujeito vem pedir um empréstimo. Vem de chapéu na mão, humilde como essa cachorra. Assim que se pilha servido, dá o coice.

Emília achou ótima a moralidade da fábula: "Para os maus, pau!".

— Isso mesmo! Pau no lombo deles!

— A dificuldade, Emília, está em conhecermos quem é o mau. Eles sabem disfarçar-se. Apresentam-se como essa cachorra, todos cheios de diminutivos — um "cantinho", uma "comidinha", um "dinheirinho"... E como havemos de adivinhar que isso é um disfarce, um preparo do terreno?

— Como? — disse Emília. — É boa!... Pelo diminutivo. Assim que um freguês vier com "inhos", é a gente ir pegando no pau e lascando...

A CABRA, O CABRITO E O LOBO

Antes de sair a pastar, a cabra, fechando a porta, disse ao cabritinho:

— Cuidado, meu filho. O mundo anda cheio de perigos. Não abra a porta a ninguém antes de pedir a senha.

— E qual é a senha, mamãe?

— A senha é: "Para os quintos do inferno o lobo e toda a sua raça maldita".

Decorou o cabritinho aquelas palavras e a cabra lá se foi, sossegada da vida.

Mas o lobo, que rondava por ali e ouvira a conversa, aproximou-se e bateu. E disfarçando a voz repetiu a senha.

O cabritinho correu a abrir, mas ao pôr a mão no ferrolho desconfiou. E pediu:

— Mostre-me a pata branca, faça o favor...

Pata branca era coisa que o lobo não tinha e, portanto, não podia mostrar. E, assim, de focinho comprido, desapontadíssimo, o lobo não teve remédio senão ir-se embora como veio — isto é, de papo vazio.

Desse modo salvou-se o cabritinho porque teve a boa ideia de

confiar, desconfiando.

— Esse cabritinho, disse Emília, é como eu e o Marechal Floriano Peixoto. Nós três confiamos desconfiando. Lobo nenhum nos embaça. Esse cabritinho aprendeu comigo.

— Como aprendeu com você, Emília, se você nunca o encontrou?
— É que ele adivinhou que eu penso assim...
Tia Nastácia, lá na copa, murmurou "Ché!...".

Os dois ladrões

Dois ladrões de animais furtaram certa vez um burro, e como não pudessem reparti-lo em dois pedaços surgiu a briga.
— O burro é meu! — alegava um. — O burro é meu porque o vi primeiro...
— Sim, — argumentava o outro, — você o viu primeiro; mas quem primeiro o segurou fui eu. Logo, é meu...
Não havendo acordo possível, engalfinharam-se, rolaram na poeira aos socos e dentadas.
Enquanto isso um terceiro ladrão surge, monta no burro e foge de galope.
Finda a luta, quando os ladrões se ergueram, moídos da sova, rasgados, esfolados...
— Que é do burro?
Nem sombra! Riram-se — risadinha amarela — e um deles, que sabia latim, disse:

— Inter duos litigantes tertius gaudet, que quer dizer: quando dois brigam, lucra um terceiro mais esperto.

— Isso já me aconteceu uma vez, — disse Pedrinho. — Briguei lá na escola por causa duma pera, e quando terminou a briga, que é da pera? Estava no papo do Zezico, filho do Totó padeiro.
— E você deu também a tal risadinha amarela...
— Dei, mas foi um tal murro no ladrão que ele quase vomitou a pera. Quem riu amarelo foi ele.
— Que adiantou? Ficou do mesmo jeito sem a pera.
— E o gosto? Uma forra dessas vale três peras.
Emília concordou.

A mutuca e o leão

Cochilava o leão à porta de sua caverna no momento em que a mutuca chegou.
— Que vens fazer aqui, miserável bichinho? Some-te, retira-te da presença do rei dos animais.
A mutuca riu-se.
— Rei? Não és rei para mim. Não conheço tua força, nem tenho medo de ti.
— Vai-te, excremento da terra!
— Vou, mas é tirar-te a prosa, — disse a mutuca.
E atacou-o. Atacou-o a ferroadas com tamanha insistência que o leão desesperou. Inutilmente espojava-se, e sovava-se a si próprio com a cauda ou tabefes das

patas possantes. A mutuca fugia sempre e, ora no focinho, ora na orelha, ora no lombo, fincava-lhe sem dó o agudo ferrão.

Farta por fim de torturar o orgulhoso rei, a mutuca bazofiou:

— Conheceste a minha força? Viste como de nada vale para mim o teu prestígio de rei? Adeus. Fica-te aí a arder que eu vou contar a toda bicharia a história do leão sovado pela mutuca.

E foi-se.

Logo adiante, porém, esbarrou numa teia, enredou-se e morreu no ferrão da aranha.

São mais de temer os pequenos inimigos do que os grandes.

— Grande verdade! — exclamou o menino. — Um tigre é menos perigoso que certos micróbios, e aqui na roça eu só tenho medo duma coisa: vespa!

A FOME NÃO TEM OUVIDOS

Caíra um triste sabiá nas unhas de esfaimadíssimo bichano. E gemendo de dor implorava:

— Felino de bote pronto e afiadas unhas, poupa-me! Repara que se me devoras cometes um crime de lesa-arte, pois darás cabo da garganta maravilhosa donde brotam as mais lindas canções da selva. Queres ouvir uma delas?

— Tenho fome! — respondeu o gato.

— Queres ouvir uma canção que já enlevou as próprias pedras, que são surdas, e fez exclamar à bruta onça: "Este sabiá é a obra prima da natureza?".

— Tenho fome! — repetiu o gato.

— Tens fome, bem vejo, mas isso não é razão para que destruas a maravilha da floresta, matando o tenor cujos trinos criam o êxtase na alma dos mais rudes bichos. Queres ouvir o gorjeio em lá menor da minha última sinfonia?

— Tenho fome! — insistiu o gato. — Sei que tudo é assim como dizes, mas tenho fome e acabou-se. Para satisfazê-la eu devoraria a própria música, se ela me aparecesse encarnada em petisco. E isso, meu caro sabiá, porque a fome não tem ouvidos...

E comeu-o.

— Acho muito "literária" esta fábula, vovó! disse — Narizinho. — Não há sabiá que fale em "felino de bote pronto", nem em "crime de lesa-arte", coisas que nem sei o que são. Ponha isso em literatura sem aspas.

Dona Benta explicou que "felino" é um adjetivo relacionado a gatos, onças, tigres, panteras e todos os mais "felídeos".

— E que é felídeo?

— É a família dos mamíferos carniceiros que os sábios chamam *felis*. Há o *felis catus*, que é o gato. Há o *felis pardus*, que é o leopardo. Há o *felis onça*, que é a onça... São os felinos.

— E crime de lesa-arte?

— É um crime que lesa ou prejudica a arte. Lesar significa prejudicar.

— E por que a senhora botou essas "literaturas" na fábula?

— Para que vocês me interpelassem e eu explicasse, e todos ficassem sabendo mais umas coisinhas...

— E a fome não tem ouvidos mesmo?

— Não tem, minha filha. Quando a fome aperta, o animal faminto come o que encontra. Há casos até de pais que têm comido os filhos, por ocasião das grandes fomes da humanidade...

O OLHO DO DONO

Um veadinho, fugindo aos caçadores, escondeu-se num estábulo. E pediu às vacas que o não denunciassem, prometendo-lhes em troca do asilo mil coisas. As vacas mugiram que sim e o fugitivo agachou-se num cantinho.

Vieram à tarde os tratadores, com os feixes de capim e a cana picada. Encheram as manjedouras e saíram.

Veio também, fiscalizar o serviço, o administrador da fazenda. Correu os olhos por tudo e foi-se.

O veadinho respirou.

— Vejo que este lugar é seguro, — disse ele. — Os homens entram e saem sem perceber coisa nenhuma.

Uma vaca, porém, o avisou:

— O perigo, meu caro, é que apareça por aqui o bicho de Cem-Olhos...

— Quê? — exclamou o veado. — Há disso?

— Há sim. Chama-se Dono. É um que quando aparece tudo vê, tudo descobre, desde o menor carrapato do nosso lombo até o sal que o tratador nos furta. Se ele vem, amigo, tu estás perdido!

Não demorou muito, surge Cem-Olhos. Vê aranhas no teto e interpela os homens da lida:

— Por que não tiram isso?

Vê um cocho rachado

— Consertem este cocho.

Vê o chão mal limpo

— Vassoura, aqui!

E está claro que também viu as pontas do chifre do veadinho.

— Que história, é esta? Chifre de veado entre vacas?...

Aproximou-se e descobriu o mísero.

— Uma espingarda! — gritou — e era uma vez um veadinho.

O olho do dono engorda o cavalo.

— Malvado! — exclamou Narizinho vermelha de cólera. — O veadinho que o bruto matou com certeza era o filhote de Bambi...

Emília também se indignou.

— Ah, eu queria estar lá para, dar um tiro de canhão na orelha desse homem! Matar o filhotinho de Bambi só porque ele se abrigou naquela porcaria de estábulo lá dele! Mas eu sei por que o bruto o matou...

— Por que foi, Emília? — quis saber Dona Benta.

— Pela mesma razão que o urubu matou o sabiá: de inveja. Inveja da lindezinha do filho de Bambi. Devia ser um sujeito horrendamente feio, com cara de coruja seca, três verrugas no nariz, orelhas de camelo do deserto, capenga, boca torta, pé espalhado, beiço rachado no meio, analfabeto, jacarepaguá. Feio assim, não aguentou ver lá na fazenda dele aquela belezinha de veado, um bambizinho de pelo macio, olhos de criança inocente, pernas que eram quatro mimos, focinho cor de rosa. Bela Helena... Inveja, inveja só. Eu só queria que...

— Pare, Emília! — disse Dona Benta. — A fábula não é para mostrar a feiura de um e a boniteza de outro — é só para frisar que quem é dono vê tudo, não deixa escapar coisa nenhuma.

Mas de nada adiantou a advertência. Todos estavam indignados com o tal dono. E Emília teve uma ideia. Berrou:

— Lincha! Lincha essa fábula indecente!

Os outros acompanharam-na:

— Lincha! Lincha!...

E os três lincharam a fábula, único meio de dar cabo do matador do filhote de Bambi que estava dentro dela.

Unha-de-Fome

Depois duma vida de misérias e privações Unha-de-Fome conseguiu amontoar um tesouro, que enterrou longe de casa, num lugar ermo, colocando uma grande pedra em cima. Mas tal era o seu amor pelo dinheiro, que volta e meia rondava a pedra, e namorava-a como o jacaré namora os seus próprios ovos ocultos na areia. Isto atraiu a atenção dum vizinho, que o espionou e por fim lhe roubou o tesouro.

Quando Unha-de-Fome deu pelo saque, rolou por terra desesperado, arrepelando os cabelos.

— Meu tesouro! Minha alma! Roubaram minha alma!

Um viajante que passava foi atraído pelos berros.

— Que é isso, homem?

— Meu tesouro! Roubaram o meu tesouro!

— Mas morando lá longe você o guardava aqui, então? Que tolice! Se o conservasse em casa não seria mais cômodo para gastar dele quando fosse preciso?

— Gastar do meu tesouro?! Então você supõe que eu teria a coragem de gastar uma moedinha só, das menores que fosse?

— Pois se era assim, o tesouro não tinha para você a menor utilidade, e tanto faz que esteja com quem o roubou como enterrado aqui. Vamos! Ponha no buraco vazio uma pedra, que dá no mesmo. Que utilidade tem o dinheiro para quem só o guarda e não gasta?

— Muito certo, disse Dona Benta, mas os usurários como esse Unha-de-Fome não raciocinam como as criaturas normais. O dinheiro para eles não é para ser trocado pelas coisas que tornam agradável a vida — é para ser acumulado. O maior prazer desses homens consiste em saber que possuem tesouros.

— Pois acho que eles estão certos, — disse Emília. — O que é de gosto regala a vida, como diz Tia Nastácia. Se o meu gosto é namorar o dinheiro em vez de gastá-lo, ninguém tem nada à ver com isso.

— Mas o dinheiro é uma utilidade pública, Emília, e ninguém tem o direito de retirá-lo da circulação. Quem faz isso prejudica aos outros.

— Sebo para à circulação! — gritou Emília, que também era avarenta. Aquele célebre tostão novo que ela ganhou estava guardadíssimo. Sabem onde? No pomar, enterrado junto à raiz da pitangueira...

O LOBO VELHO

Adoecera o lobo e, como não pudesse caçar, curtia na cama de palha a maior fome de sua vida. Foi quando lhe apareceu a raposa.

— Benvinda seja, comadre! É o céu que a manda aqui. Estou morrendo de fome e se alguém não me socorre, adeus lobo!...

— Pois espere aí que já arranjo uma rica petisqueira, — respondeu a raposa, com uma ideia na cabeça.

Saiu e foi para a montanha onde costumavam pastar as ovelhas. Encontrou logo uma, desgarrada.

— Viva anjinho! Que faz por aqui, tão inquieta? Está a tremer...

— É que me perdi e tremo de medo do lobo.

— Medo do lobo? Que bobagem! Pois ignora que o lobo já fez as pazes com o rebanho?

— Que me diz?

— A verdade, filha. Venho da casa dele, onde conversamos muito tempo. O pobre lobo está na agonia e arrependido da guerra que moveu às ovelhas. Pediu-me que dissesse isto a vocês e as levasse lá, todas, a fim de selarem um pacto de reconciliação.

A ingênua ovelhinha pulou de alegria. Que sossego dali por diante, para ela e as demais companheiras! Que bom viver assim, sem o terror do lobo no coração! Enternecida disse:

— Pois vou eu mesma selar o acordo.

Partiram. A raposa, à frente, conduziu-a à toca da fera. Entraram. Ao dar com o lobo estirado no catre, a ovelhinha por um triz que não desmaiou de medo.

— Vamos, — disse a raposa, — beije a pata do magnânimo senhor! Abrace-o, menina!

A inocente, vencendo o medo, dirigiu-se para o lobo e abraçou-o. E foi-se a ovelha!...

Muito padecem os bons que julgam os outros por si.

— Bem feito! — berrou Emília. — Uma burrinha dessas o melhor que podia fazer era o que fez: entrar na boca do lobo. E, além disso, ovelha eu nem considero bicho...

— Que é, então? — perguntou Narizinho admirada.

— É um novelo de lã por fora e costeletas por dentro. Ovelha é muito mais comida do que bicho. Não se defende, não arranha, não morde — é só *bé, bé, bé*... Bem feito! Eu gosto das feras. São batatais. Urram, e é cada unhaço que arranca lanhos de carne do inimigo.

— Mas o ato da raposa você não pode aprovar por que foi traição, — disse a menina.

— Isso é verdade. Para uma raposa dessas, só tiro na orelha. Vou fazer uma fábula em que a raposa, em vez de sair ganhando, perde. Uma fábula assim...

E começou a inventar a fábula da "raposa que levou na cabeça".

O RATO E A RÃ

Estava um ratinho sem experiência da vida tomando fresco à beira da lagoa, quando surgiu à tona uma rã velhaca.

— Bom dia, Rói-Rói! Que faz aí, tão pensativo?

— Estou admirando a beleza destas águas e invejando a felicidade dos que podem viver nela.

— Tem razão de invejar-nos, ratinho. É lindo isto aqui dentro, mas não é para bico de rato. Ah, se você conhecesse a margem oposta!... Que beleza! Algas que boiam, libelinhas que esvoaçam. Quer ir até lá?

— Querer, quero. Mas como, se nado tão mal?

— Isso é o de menos. Posso atar você à minha pata, e levá-lo de reboque.

O ratinho aceitou. A rã trouxe uma embira, amarrou pata com pata e pôs-se a nado rebocando o ingênuo. Ao chegar em lugar fundo a rã, que o que queria era afogar o ratinho, mergulhou, procurando arrastá-lo consigo. Mas o ratinho em apuros pôs a boca no mundo, pererecou, gritou por socorro e resistiu aos empuxões da rã com quantas forças tinha. Nisto um gavião que ia passando ouviu o barulho, desceu qual uma flecha e agarrou o mísero.

Ao tirá-lo d'água, porém, viu a rã encambada nele e exclamou radiante:

— Ora viva, que estou de sorte! Atirei no que vi e matei o que não vi. Meu jantar vai ser de carne e peixe.

E foi para o alto duma árvore engolir os petiscos — castigando, sem o saber, a traição da rã e a imprudência do ratinho.

— Essa fábula, vovó, não me parece fábula — parece historinha que não tem moralidade. "Passo".

— Eu também "passo", — disse Pedrinho.

— Eu, idem! — berrou Emília.

E Dona Benta teve de contar a seguinte, que era a do Lobo e o Cordeiro — um suco!

O LOBO E O CORDEIRO

Estava o cordeiro a beber num córrego, quando apareceu um lobo esfaimado, de horrendo aspecto.

— Que desaforo é esse de turvar a água que venho beber? — disse o monstro arreganhando os dentes. — Espere que vou castigar tamanha má-criação!...

O cordeirinho, trêmulo de medo, respondeu com inocência:

— Como posso turvar a água que o senhor vai beber se ela corre do senhor para mim?

Era verdade aquilo e o lobo atrapalhou-se com a resposta. Mas não deu o rabo a torcer.

— Além disso, — inventou ele, sei que você andou falando mal de mim o ano passado.

— Como poderia falar mal do senhor o ano passado, se nasci este ano?

Novamente confundido pela voz da inocência, o lobo insistiu:

— Se não foi você, foi seu irmão mais velho, o que dá no mesmo.

— Como poderia ser o meu irmão mais velho, se sou filho único?

O lobo, furioso, vendo que com razões claras não vencia o pobrezinho, veio com uma razão de lobo faminto:

— Pois se não foi seu irmão, foi seu pai ou seu avô!

E — *nhoc!* — sangrou-o no pescoço.

Contra a força não há argumentos.

— Estamos diante da fábula mais famosa de todas, — declarou Dona Benta. — Revela a essência do mundo. O forte tem sempre razão. Contra a força não há argumentos.

— Mas há a esperteza! — berrou Emília. — Eu não sou forte, mas ninguém me vence. Por quê? Porque aplico a esperteza. Se eu fosse esse cordeirinho, em vez de estar bobamente a discutir com o lobo, dizia: "Senhor Lobo, é verdade, sim, que sujei a água deste riozinho, mas foi para envenenar três perus recheados que estão bebendo ali em baixo". E o lobo, já com água na boca: "Onde?". E eu, piscando o olho: "Lá atrás daquela moita!". E o lobo ia ver e eu sumia...

— Acredito, — murmurou Dona Benta. — E depois fazia de conta que estava com uma espingarda e, *pum!* na orelha dele, não é? Pois fique sabendo que estragaria a mais bela e profunda das fábulas. La Fontaine a escreveu dum modo incomparável. Quem quiser saber o que é obra prima, leia e analise a sua fábula do Lobo e o Cordeiro.

O CAVALO E O BURRO

Cavalo e burro seguiam juntos para a cidade. O cavalo, contente da vida, folgando com uma carga de quatro arrobas apenas, e o burro — coitado! gemendo sob o peso de oito. Em certo ponto o burro parou e disse:

— Não posso mais! Esta carga excede às minhas forças e o remédio é repartirmos o peso irmãmente, seis arrobas para cada um.

O cavalo deu um pinote e relinchou uma gargalhada.

— Ingênuo! Quer então que eu arque com seis arrobas quando posso tão bem continuar com as quatro? Tenho cara de tolo?

O burro gemeu:

— Egoísta! Lembre-se que se eu morrer você terá que seguir com a carga das quatro arrobas e mais a minha.

O cavalo pilheriou de novo e a coisa ficou por isso. Logo adiante, porém, o burro tropica, vem ao chão e rebenta.

Chegam os tropeiros, maldizem da sorte e sem demora arrumam com as oito arrobas do burro sobre as quatro do cavalo egoísta. E como o cavalo refuga, dão-lhe de chicote em cima, sem dó nem piedade.

— Bem feito! exclamou um papagaio. Quem o mandou ser mais burro que o pobre burro e não compreender que o verdadeiro egoísmo era aliviá-lo da carga em excesso? Tome! Gema dobrado agora...

— Isto aqui, — disse Dona Benta, — vale como lição do que é a falta de solidariedade.

— Oh, que comprimento de palavra! — exclamou Narizinho. — Que é solidariedade, vovó?

— É o egoísmo bem compreendido, minha filha. É o reconhecimento de que temos de nos ajudar uns aos outros para que Deus nos ajude. Quem só cuida de si, de repente se vê sozinho e não encontra quem o socorra. Aprendam.

— A coisa é bonita, — comentou a menina, — mas a palavra é feia e comprida demais. So-li-da-rie-da-de...

O INTRUJÃO

Um célebre patarata propalou pela cidade que era possível ensinar a ler aos burros. O rei soube do fato e o fez vir à sua presença.

— É verdade o que dizem aí?

— Que é possível ensinar a ler a um burro? Perfeitamente, majestade. Comprometo-me a, em dez anos, transformar o mais burro dos burros num perfeito gramático.

— E que é preciso para isso?

— Em primeiro lugar um burro. Em segundo lugar, outro burro... perdão! uma pessoa que me garanta casa e comida pelo espaço de dez anos.

— Pois dou-te o burro e o mais, — disse o rei. — Se, porém, ao fim desse prazo não me apresentares o burro lendo e escrevendo corretamente, ai de ti!...

O charlatão saiu do palácio esfregando as mãos de contente. E como seus amigos, assustados, viessem criticar-lhe o absurdo daquele negócio e o fim desastroso que ele charlatão fatalmente teria, o nosso homem piscou velhacamente o olho, dizendo:

— Que ingênuos são vocês! Em dez anos, o rei, eu ou o burro, um de nós três não existe mais. E assim, de qualquer maneira sairei ganhando. É ou não é?

Todos concordaram que era...

— Gostei! — berrou Emília, — Esse é dos meus. Fez um bom negócio e provou que o verdadeiro burro era Sua Majestade.

— Mas se se passassem os dez anos e nenhum dos três morresse? — perguntou Pedrinho.

— Ah, ele não se apertava! Quando faltasse um dia para inteirar os dez anos, dava um veneno ao burro e pronto! Ficava um burro só na história: Sua Majestade Burríssimo!...

O HOMEM E A COBRA

Certo homem de bom coração encontrou na estrada uma cobra entanguida de frio.

— Coitadinha! Se fica por aqui ao relento, morre gelada.

Tomou-a nas mãos, conchegou-a ao peito e trouxe-a para casa. Lá a pôs perto do fogão.

— Fica-te por aqui em paz até que eu volte do serviço à noite. Dar-te-ei então um ratinho para a ceia. — E saiu.

De noite, ao regressar, veio pelo caminho imaginando as festas que lhe faria a cobra.

— Coitadinha! Vai agradecer-me tanto...

Agradecer, nada! A cobra, já desentorpecida, recebeu-o de linguinha de fora e bote armado, em atitude tão ameaçadora que o homem enfurecido exclamou:

— Ah, é assim? É assim que pagas o benefício que te fiz? Pois espera, minha ingrata, que já te curo...

E deu cabo dela com uma paulada.

Fazei o bem, mas olhai a quem.

— A senhora arranjou uma moralidade ao contrário da sabedoria popular que diz: "Fazei o bem e não olhai a quem".

— Sim, minha filha. Esse fazer o bem sem olhar a quem é lindo — mas nunca dá muito certo. Aquele grande filósofo-educador da China...

— Confúcio, já sei!... — gritou Pedrinho.

— Ele mesmo, — confirmou Dona Benta. — Pois Confúcio, que foi o maior filósofo prático da humanidade, disse uma coisa muito certa: "Tratai os bons com bondade e aos maus com justiça".

Emília bateu palmas.

— Pois então Confúcio concorda comigo. Meu ditado é: "Para os maus, pau!". Justiça é pau.

O GATO E A RAPOSA

Gato e raposa andavam a correr mundo, pilhando capoeiras e ninhos. Muito amigos, e volta e meia a raposa dava trela à gabolice.

— Afinal de contas, meu caro, não és dos bichos mais bem-dotados pela natureza. Só tens um truque para escapar aos cães: trepar em árvore...

— E é quanto me basta, — respondeu o gato. — Vivo muito bem assim e não troco esta minha habilidade pela tua coleção inteira de manhas.

A raposa sorriu. Ora o gato a desfazer dela, dona de cem manhas cada qual melhor! E recordou lá consigo que sabia iludir cães de mil maneiras, ora fingindo-se morta, ora escondendo-se nas folhas secas, ora disfarçando as pegadas, ora correndo em ziguezague. Recordou todos os seus truques clássicos. Enumerou-os. Chegou a contar noventa. E chegaria a contar cem, se o rumor duma acuação não viesse interromper-lhe os cálculos.

— Está aí a cachorrada! — disse o gato, subindo por uma árvore acima. — Aplica lá os teus inumeráveis recursos, que o meu recurso único já está aplicado.

A raposa, perseguida de perto, disparou como um foguete pelos campos, pondo em prática, um por um, todos os recursos de sua coleção.

Foi tudo inútil. Os cães eram mestres; não lhe deram tréguas, inutilizaram-lhe as mais engenhosas manhas e acabaram pegando-a.

Só então se, convenceu — muito tarde!... — de que é preferível *saber bem* uma coisa só do que *saber mal-e-mal* noventa coisas diversas.

— Eu, se fosse a senhora, vovó, trocava essa fábula por aquela outra — a tal do Pulo do Gato. O gato ensinou à onça todos os pulos menos um — o pulo de lado. E quando acabou a lição, a onça, *zás!* pulou em cima do gato para comê-lo. Mas o gato fugiu com o corpo — deu um pulo de lado. Muito desapontada, a onça disse: "Mas esse pulo você não ensinou". E o gato, de longe: "E não ensino, porque esse é o pulo do gato".

A MALÍCIA DA RAPOSA

O leão convidou a bicharia, inteira para uma festa em seu palácio. O primeiro a aparecer foi o urso. Vendo a caverna cheia de ossos de caça, tresandante a carniça, tapou o nariz.

O leão furioso atirou-se a ele.

— Patife! Entrar em meu palácio de mão no nariz!...

E matou-o.

Logo em seguida aparece o macaco. Sente o mau cheiro, vê o urso por terra, compreende tudo e diz:

— Que formoso palácio! Quanto asseio reina aqui! E como é perfumado o ar! Parece-me que estou num jardim maravilhoso, florido de lindas rosas!...

O leão enfureceu-se de novo.

— Estás caçoando, maroto? Estás brincando com o teu rei? Pois toma lá... — e matou-o com um tabefe.

O terceiro convidado a vir foi a raposa. Como é espertíssima, ao ver o urso e o macaco mortos percebeu que na casa dos reis não é de bom aviso ser sincero demais, nem lisonjeiro fora de conta. E preparou uma escapatória.

— Então, — exclamou o rei, — que achas do meu palácio?

— Para falar a verdade, — disse a raposa, — não posso dar opinião. Venho da luz do sol e pouco estou enxergando aqui dentro...

— E o cheiro?

— Também não posso ajuizar porque estou sem nariz — endefluxadíssima...

E nada lhe aconteceu.

— Gostei, gostei! — exclamou a menina. — Está aqui uma das fábulas mais jeitosas. Desta vez a raposa merece um doce. Venceu a força do leão com a esperteza duma resposta muito certa. Eu também perco o nariz quando apanho um resfriado.

As razões do porco

Lá ia para o mercado a carroça dum sitiante, Dentro, três animais: uma cabra, um carneiro e um leitão. Cabra e carneiro seguiam em silêncio, muito sossegados da vida. Já o porquinho, não. Inquieto, a suspirar, volta e meia espiava pelas frestas, cheio de apreensões. E quando avistou o mercado não se conteve: abriu a boca e berrou como se estivessem a sangrá-lo no coração.

— Para que isso? — disse a cabra. — Também eu vou para a feira e, no entanto, a ninguém incomodo com esse berreiro descompassado.

— Também assim penso, — ajuntou o carneiro. — Vamos ser vendidos, quer dizer, vamos mudar de dono. É tolice lamuriar dessa maneira por coisa tão sem importância.

O porquinho berrou ainda mais, e por fim explicou-se:

— É verdade, vamos ser vendidos os três. Mas tu, cabra, teu destino é dar leite; e tu, carneiro, tua função é produzir lã. Compreendo que seja indiferente para ambos que deis leite ou lã a este ou aquele. Mas eu — eu só presto para ser comido, e ir para o mercado não me é apenas mudar de dono, mas mudar de mundo. Vou para o açougue — *coin, coin*! Como então quereis que me conforme com a sorte e vá nesse sossego de cabra e nessa indiferença de carneiro? Tivésseis o meu destino e havíeis de berrar ainda mais forte...

E continuou a botar a boca no mundo.

— Quem o manda ser carne? — comentou Emília. — Cabra é leite. Carneiro é lã.
— Cabra e carneiro também são carne, — disse Narizinho.
— Em segundo lugar! Em primeiro lugar são leite e lã; só depois é que são carne. Mas o pobre porco é só carne, carne e mais carne. É lombo, é linguiça, é presunto, é chouriço, é pernil, é costeleta, é entrecosto, é tripa. O porco é carníssimo. Quando sai do chiqueiro, já sabe que não é para dar leite, como a cabra, nem dar lã, como o carneiro. E por isso berra e faz muito bem. Eu berrava o dobro...

Segredo de mulher

Como a Fidência se gabasse de discreta, seu marido resolveu tirar a prova. E para isso uma noite acordou-a com ar assustado, dizendo:

— Que estranho fenômeno. Fidência. Pois não é que acabo de botar um ovo?
— Um ovo?! — exclamou a mulher, arregalando os olhos.
— Pois é para ver. E cá está ele, ainda quentinho. Mas escute: é preciso que isto fique em segredo absoluto entre nós. Você bem sabe como é o mundo. Se a notícia corre, começam todos a troçar de mim e acabam pondo-me apelido. Segure, pois, a língua. Nunca diga nada a ninguém.

A mulher jurou segredo e soube guardá-lo por umas horas, enquanto era noite e não tinha com quem taramelar. Mas logo que amanheceu pulou da cama e foi correndo em procura da comadre Teresa.

— Você é capaz, Teresa, de guardar um segredo eterno?
— Toda gente sabe que minha boca é um túmulo...
— Pois então ouça: meu marido esta noite botou dois ovos!...
— Não diga!...

— Pois é isso. Mas, olhe! ... Isto é segredo inviolável. Jure que jamais o contará a ninguém.

A comadre Teresa beijou dois dedos em cruz; mas logo que a Fidência se foi, sentiu na língua uma tal comichão que contou a história dos três ovos à tia Felizarda.

Tia Felizarda também jurou segredo, mas contou a história dos quatro ovos à prima Joaquina. Prima Joaquina também jurou segredo, mas contou a história dos cincos ovos à sua amiga Inês...

Inês...

E o caso foi que ao meio-dia a cidade inteira só comentava uma coisa — o estranho fenômeno do *Zé Galinha*, misterioso homem que punha cada noite doze dúzias de ovos...

— Isso de contar um conto e aumentar um ponto é ali com a senhora Emília, — observou a menina.

— Um ponto só? Ah, ah! A Emília vai logo aumentando dez... — caçoou Pedrinho.

O Visconde explicou que há para isso uma razão psi-co-ló-gi-ca.

— É para melhor acentuar o fato, — disse ele. — Contar uma coisa é passar essa coisa duma cabeça para outra. E como nessas passagens há sempre perda (como na corrente elétrica que vai de um ponto a outro), o contador exagera. Exagera sem querer, por instinto.

— Eu não exagero, — disse Emília. — Apenas enfeito.

— Pois então exagera, porque enfeitar é exagerar, — explicou o Visconde. E voltando-se para Emília: "Pode botar a língua...".

O AUTOMÓVEL E A MOSCA

Um automóvel havia encalhado em certo ponto de mau caminho, num atoleiro.

— E agora?

— Agora é procurar bois na vizinhança e arrancá-lo à força viva.

Assim se fez. Arranjam os bois — uma junta. Atrelam-na ao carro e principia a luta.

— Vamos, Malhado! Puxa, Cuitelo!

Os bois estiram os músculos num potente esforço, espicaçados pelo aguilhão.

Mas não basta. É preciso que todos, serviçais e passageiros, metam ombros à tarefa e, empurrando de cá, alçapremando de lá, ajudem o arranco dos bovinos. A mosca aparece. Assunta o caso e resolve meter o bedelho onde não é chamada. E toda aflita começa — voa daqui, pousa ali, zumbe à orelha de um, pica no focinho de outro, atormenta os bois, atrapalha os homens — a multiplicar-se de tal maneira que dá a impressão de ser não uma só, mas um enxame inteiro de moscas infernais.

O carro, afinal, saiu do atoleiro.

— *Uf!* Que trabalhão me deu!... — disse a mosquinha enxugando o suor da testa.

— A Joana Baracho é assim, — comentou Narizinho. — Lá na casa dela as irmãs fazem tudo, mas quem finge que sua é ela. Certas fábulas são retratos de pessoas.

— E isso é instintivo, — tornou Dona Benta. — Lembra-se, Pedrinho, daquele jogo de futebol lá na vila? Os assistentes "torciam", e quando a bola entrava no gol não havia um que não atribuísse o ponto à sua torcida pessoal.

A ONÇA DOENTE

A onça caiu da árvore e por muitos dias esteve de cama seriamente enferma. E como não pudesse caçar, padecia fome das negras.

Em tais apuros imaginou um plano.

— Comadre irara, — disse ela, — corra o mundo e diga à bicharia que estou à morte e exijo que venham visitar-me.

A irara partiu, deu o recado e os animais, um a um, principiaram a visitar a onça. Vem o veado, vem a capivara, vem a cotia, vem o porco do mato.

Veio também o jaboti.

Mas o finório jaboti, antes de penetrar na toca, teve a lembrança de olhar para o chão. Viu na poeira só rastos *entrantes*, não viu nenhum rasto *sainte*. E desconfiou:

— Hum!... Parece que nesta casa quem entra não sai. O melhor, em vez de visitar a nossa querida onça doente é ir rezar por ela...

E foi o único que se salvou.

— Todas as histórias fazem do jaboti uma ideia muito boa, — comentou Emília. — Espertos, inteligentes, mil coisas. Mas o nosso lá do pomar mostrou-se bem bobinho.

— Ao contrário, Emília. Tanto não era bobo que, já sumiu.

— Por isso mesmo. Se tivesse ficado aqui, estava no seguro. Nada nunca lhe aconteceria. Mas fugiu — e se foi para os lados do Elias Turco, aposto que dele só resta a casca. O Elias tem cara de gostar muito de jaboti ensopado...

O JABOTI E A PIÚVA

Brigaram certa vez o jaboti e a piúva.

— Deixe estar! — disse esta furiosa. — Deixa estar que te curo, meu malandro! Prego-te uma peça das boas, verás...

E ficou de sobreaviso, com os olhos no astucioso bichinho que lá se ria dela sacudindo os ombros.

O tempo foi correndo; o jaboti esqueceu-se do caso; e um belo dia, distraidamente, passou ao alcance da piúva.

A árvore incontinenti torceu-se, estalou e caiu em cima dele.

— Toma! Quero ver agora como te arrumas. Estás entalado e, como sabes, sou pau que dura cem anos...

O jaboti não se deu por vencido. Encorujou-se dentro da casca, cerrou os olhos como para dormir e disse filosoficamente:

— Pois como eu duro mais de cem, esperarei que apodreças...

A paciência dá conta dos maiores obstáculos.

— Essa fábula está com cara de ser sua, vovó, — disse Pedrinho. — Eu conheço o seu estilo.

— E é, meu filho. Inventei-a neste momento, e sabe por quê? Porque me lembrei daquela piúva caída lá no pasto e dum jaboti que estava escondido debaixo dela. Sei quanto dura a madeira da piúva e sei quanto vive um jaboti — e a fábula formou-se em minha cabeça. E todas as fábulas foram vindo assim. Uma associação de ideias sugere as historinhas.

— Associação de ideias é isso?

— Sim. A gente pensa numa coisa. Esse pensamento puxa outro. Esse outro puxa terceiro. É o que os sábios chamam associação de ideias.

A raposa e as uvas

Certa raposa esfaimada encontrou uma parreira carregadinha de lindos cachos maduros, coisa de fazer vir água à boca. Mas tão altos que nem pulando.

O matreiro bicho torceu o focinho.

— Estão verdes, — murmurou. — Uvas verdes, só para cachorro.

E foi-se.

Nisto deu o vento e uma folha caiu.

A raposa ouvindo o barulhinho voltou depressa e pôs-se a farejar...

Quem desdenha quer comprar.

— Que coisa certa, vovó! — exclamou a menina — outro dia eu vi essa fábula em carne e osso. A filha do Elias Turco estava sentada à porta da venda. Eu passei no meu vestidinho novo de pintas cor de rosa e ela fez um muxoxo. "Não gosto de chita cor de rosa." Uma semana depois lá a encontrei toda importante num vestido cor de rosa igualzinho ao meu, namorando o filho do Quindó...

O gato vaidoso

Moravam na mesma casa dois gatos iguaizinhos no pelo mas desiguais na sorte. Um, amimado pela dona dormia em almofadões. Outro, no borralho. Um passava a leite e comia em colo. O outro por feliz se dava com as espinhas de peixe do lixo.

Certa vez cruzaram-se no telhado e o bichano de luxo arrepiou-se todo, dizendo:

— Passa de largo, vagabundo! Não vês que és pobre e eu sou rico? Que és gato de cozinha e eu sou gato de salão? Respeita-me, pois, e passa de largo...

— Alto lá, senhor orgulhoso! Lembra-te que somos irmãos, criados no mesmo ninho.

— Sou nobre! Sou mais que tu!

— Em quê? Não mias como eu?

— Mio.

— Não tens rabo como eu?

— Tenho.

— Não caças ratos como eu?

— Caço.

— Não comes rato como eu?

— Como.

— Logo, não passas dum simples gato igual a mim. Abaixa, pois, a crista desse orgulho idiota e lembra-te que mais nobreza do que eu não tens — o que tens é apenas um bocado mais de sorte.

Quantos homens não transformam em nobreza o que não passa de um bocado mais de sorte na vida!

— Acho que todos os homens importantes são assim, — disse Pedrinho. — O que eles tem é sorte. Os tais nobres! "Passo." Os tais duques, os tais reis, os tais príncipes.

— Mas há uma nobreza, — disse Dona Benta, — que não depende da sorte e sim do esforço. Essa é respeitável! Madame Curie ficou importante por ter descoberto *radium*. Foi sorte? Não. Levou anos estudando, fazendo experiências, e tanto lidou que descobriu a maravilhosa substância. Criaturas assim podem orgulhar-se de ser mais que os outros.

— Mas não se orgulham, vovó! — disse Narizinho. — Já notei que as pessoas verdadeiramente importantes são modestas — como o Conselheiro ou o Visconde. Mas há umas tais pulguinhas humanas que só por terem caído em graça se julgam engraçadíssimas...

Emília botou-lhe a língua. "Ahn!"

PAU DE DOIS BICOS

Um morcego estonteado pousou certa vez no ninho da coruja, e ali ficaria de dentro se a coruja ao regressar não investisse contra ele.

— Miserável bicho! Pois atreves a entrar em minha casa, sabendo que odeio a família dos ratos?

— Achas então que sou rato? — respondeu o intruso. — Não tenho asas e não voo como tu? Rato, eu? É boa!...

A coruja não sabia discutir e, vencida de tais razões, poupou-lhe a pele.

Dias depois o finório morcego planta-se no casebre do gato-do-mato. O gato entra, dá com ele e chia de cólera.

— Miserável bicho! Pois tens o topete de invadir minha toca, sabendo que detesto as aves?

— E quem te disse que sou ave? — retruca o cínico. — Sou muito bom bicho de pelo, como tu, não vês?

— Mas voas!...

— Voo de mentira, por fingimento...

— Mas tem asas!

— Asas? Que tolice! O que faz a asa são as penas e quem já viu penas em morcego? Sou animal de pelo, dos legítimos, e inimigo das aves como tu. Ave, eu? É boa...

O gato embasbacou, e o morcego conseguiu retirar-se dali são e salvo.

O segredo de certos homens está nesta política do morcego. É vermelho? Tome vermelho. É branco? Viva o branco!

— Sim, senhor! exclamou Emília. Nunca imaginei que os morcegos fossem tão espertos. Esse vence até as raposas. Enganou a coruja e enganou o gato.

— Mas não enganou o fabulista, — disse Dona Benta. — La Fontaine ouviu a conversa, e fez a fábula, para pôr em relevo a duplicidade dos que não são uma coisa certa e sim o que convém no momento.

— Emília, que é tão amiga da esperteza, devia casar-se com esse morcego, — lembrou Narizinho — mas Emília murmurou: "Passo".

A GALINHA DOS OVOS DE OURO

João Impaciente descobriu no quintal uma galinha que punha ovos de ouro. Mas um por semana apenas. Louco de alegria, disse à mulher:

— Estamos ricos! Esta galinha traz um tesouro no ovário. Mato-a e fico o mandão aqui das redondezas.

— Por que matá-la, se conservando-a você obtém um ovo de ouro de sete em sete dias?

— Não fosse eu João Impaciente! Quer que me satisfaça com um ovo por semana quando posso conseguir a ninhada inteira num momento?

E matou a galinha.

Dentro dela só havia tripas, como nas galinhas comuns, e João Impaciente, logrado, continuou a marcar passo a vida inteira, morrendo sem vintém.

Quem não sabe esperar, pobre há de acabar.

— Eu, se fosse o fabulista, — disse Pedrinho, — mudava o título dessa fábula. Punha O PALERMA. Só mesmo um palerma como esse João Impaciente podia fazer uma coisa assim.

Dona Benta não concordou.

— Ah, meu filho, isso de esperar não é fácil. Quantas vezes você mesmo não perdeu uma coisa que muito desejava por excesso de impaciência, por não ter tido a sabedoria de esperar...

— Ainda ontem, vovó, ele quase pegou uma saíra das raras, — ajuntou Narizinho. — Mas não esperou que ela entrasse bem, bem, bem, na armadilha. Puxou o cordel antes do tempo. Pedrinho também é palerma às vezes, por falta de paciência. Eu, sim, sei esperar.

— E por isso mesmo não pegou aquela pulga que estava em sua cama, — disse Emília. — Ficou esperando que a pulga parasse de pular e a pulga afinal sumiu.

A especialidade de Emília era pegar pulgas.

A GARÇA VELHA

Certa garça nascera, crescera e sempre vivera à margem duma lagoa de águas turvas, muita rica em peixe. Mas o tempo corria e ela envelhecia. Seus músculos cada vez mais emperrados, os olhos cansados — com que dificuldade ela pescava!

— Estou mal de sorte, e se não topo com um bom viveiro de peixes em águas bem límpidas, certamente que morrerei de fome. Já se foi o tempo feliz em que meus olhos penetrantes zombavam do turvo desta lagoa...

E de pé num pé só, o longo bico pendurado, pôs-se a matutar naquilo até que lhe ocorreu uma ideia.

— Caranguejo, venha cá! — disse ela a um caranguejo que tomava sol à porta do seu buraco.

— Às ordens. Que deseja?

— Avisar a você duma coisa muito séria. A nossa lagoa está condenada. O dono das terras anda a convidar os vizinhos para assistirem ao seu esvaziamento e o ajudarem a apanhar a peixaria toda. Veja que desgraça! Não vai escapar nem um miserável guaru.

O caranguejo arrepiou-se com a má noticia. Entrou na água e foi contá-la aos peixes.

Grande reboliço. Graúdos e pequeninos, todos começaram a pererecar às tontas, sem saberem como agir. E vieram para a beira d'água.

— Senhora dona do bico longo, dê-nos um conselho, por favor, que nos livre da grande calamidade.

— Um conselho?... — e a matreira fingiu refletir. Depois respondeu. — Só vejo um caminho. É mudarem-se todos para o poço da Pedra Branca.

— Mudar-se como, se não há ligação entre a lagoa e o poço?

— Isso é o de menos. Cá estou eu para resolver a dificuldade. Transporto a peixaria inteira no meu bico.

Não havendo outro remédio, aceitaram os peixes aquele alvitre — e a garça os mudou a todos para o tal poço, que era um tanque de pedra, pequenino, de águas sempre límpidas e onde ela sossegadamente poderia pescá-los até o fim da vida.

Ninguém acredite em conselho de inimigo.

— Eu não acredito nem em conselhos de amigos quanto mais de inimigos, — disse Emília. — Não quero que me aconteça o que aconteceu com o coronel Teodorico.

Ninguém entendeu. Emília explicou:

— Ele foi para o Rio de Janeiro depois da venda das terras e acabou sem vintém. Por quê? Porque acreditou nos conselhos dos amigos do seu dinheiro. Até bondes o burrão comprou! Eu, quando me dão algum conselho, fico pensando comigo mesmo: "Onde é que está o gato?". Porque há sempre um gato escondido dentro de cada conselho.

Dona Benta arregalou os olhos. Como estava ficando sabida aquela diabinha!

— E em que você acredita, então? — perguntou o Visconde.

Emília respondeu:

— No meu miolo. Não vou em onda nenhuma, nem de inimigo nem de amigo. Cá comigo é ali na batata do cálculo...

O leão e o ratinho

Ao sair do buraco viu-se um ratinho entre as patas do leão. Estacou, de pelos em pé, paralisado pelo terror. O leão, porém, não lhe fez mal nenhum.

— Segue em paz, ratinho; não tenhas medo de teu rei.

Dias depois o leão caiu numa rede. Urrou desesperadamente, debateu-se, mas quanto mais se agitava mais preso no laço ficava.

Atraído pelos urros, apareceu o ratinho.

— Amor com amor se paga, — disse ele lá consigo e pôs-se a roer as cordas. Num instante conseguiu romper uma das malhas. E como a rede era das tais que rompida a primeira malha as outras se afrouxam, pôde o leão deslindar-se e fugir.

Mais vale paciência pequenina do que arrancos de leão.

— Isso é verdade, — comentou Narizinho. — Não há o que a paciência não consiga. Lá na cachoeira há um buraco na pedra feito por um celebre pingo d'água que cai, cai, cai há séculos.

— E há um ditado popular para esse pingo, — ajuntou Pedrinho: — Água mole em pedra dura tanto dá até que fura.

— Quem faz os ditados populares, vovó?

— O povo, minha filha. Os homens vão observando certas coisas e por fim formam um ditado, ou rifão, ou provérbio, ou adágio, ou dito, no qual resumem o que observaram. Esse dito do pingo d'água que tanto dá até que fura é muito bom — bonitinho e certo.

— Foi o meio de vencermos a Cuca naquela nossa aventura do Saci, — lembrou Pedrinho. — A Cuca não tinha medo de coisa nenhuma, porque era poderosa. Mas quando se viu imobilizada pelos cipós com que a amarramos e com aquele pingo d'água a lhe pingar na testa, cedeu. Entregou o pito, como diz Tia Nastácia.

O ORGULHOSO

Era um jequitibá enorme, o mais imponente da floresta. Mas orgulhoso e gabola. Fazia pouco nas árvores menores e ria-se com desprezo das plantinhas humildes. Vendo a seus pés uma tabua, disse:

— Que triste vida levas, tão pequenina, sempre à beira d'água, vivendo entre saracuras e rãs... Qualquer ventinho te dobra. Um tizio que pouse em tua haste já te verga que nem bodoque. Que diferença entre nós! A minha copada chega às nuvens e as minhas folhas tapam o sol. Quando ronca a tempestade, rio-me dos ventos e divirto-me cá do alto a ver os teus apuros.

— Muito obrigado! — respondeu a tabua ironicamente. — Mas fique sabendo que não me queixo e cá à beira d'água vou vivendo como posso. Se o vento me dobra, em compensação não me quebra e, cessado o temporal, ergo-me direitinha como antes. Você, entretanto...

— Eu, quê?

— Você, jequitibá, tem resistido aos vendavais de até aqui; mas resistirá sempre? Não revirará um dia de pernas para o ar?

— Rio-me dos ventos como me rio de ti, — murmurou com ar de desprezo a orgulhosa árvore.

Meses depois, na estação das chuvas, sobreveio certa noite uma tremenda tempestade. Raios coriscavam um atrás do outro e o ribombo dos trovões estremecia a terra. O vento infernal foi destruindo tudo quanto se opunha à sua passagem.

A tabua, apavorada, fechou os olhos e curvou-se rente com o chão. E ficou assim encolhidinha até que o furor dos elementos se acalmasse e uma fresca manhã de céu limpo sucedesse aquela noite de horrores. Ergueu, então, a haste flexível e pôde ver os estragos da tormenta. Inúmeras árvores por terra, despedaçadas, e entre as vítimas o jequitibá orgulhoso, com a raizama colossal à mostra...

Quanto maior a altura, maior o tombo...

— Que é tabua, vovó? — perguntou Pedrinho.
— Ora meu filho! Então não sabe o que é tabua?
— Sei o que é tábua...
— Pois tabua é uma planta da família das tifáceas, muito comum aqui nos nossos brejos e de cujas folhas, compridas como espadas, a gente da roça faz esteiras.
— Ah! sei! É até uma planta muito importante — a mais importante de todas, porque a gente da roça só dorme em esteira. Mas eu não digo tabua, vovó, digo pirí.
— Pirí é planta parecida, meu filho, não é a mesma.

Emília achou que a moralidade da fábula estava certa, mas...
— Mas o que, Emília?
— Mas entre ser tabua e ser jequitibá prefiro mil vezes ser jequitibá. Prefiro dez mil vezes!
— Por quê?
— Porque o jequitibá é lindo, é imponente, é majestoso, só cai com as grandes tempestades; e a tabua cai com qualquer foiçada dos que vão fazer esteiras. E depois que viram esteiras tem que passar as noites gemendo sob o peso dos que dormem em cima — gente feia e que não toma banho. Viva o jequitibá!

Dona Benta não teve o que dizer.

O EGOÍSMO DA ONÇA

Ao voltar da caça, com uma veadinha nos dentes, a onça encontrou sua toca vazia. Desesperada, esgoelou-se em urros de encher de espanto a floresta. Uma anta veio indagar do que havia.
— Mataram-me as filhas! — gemeu a onça. — Infames caçadores cometeram o maior dos crimes mataram-me as filhas...

E de novo urrou desesperadamente, espojando-se na terra e arranhando-se com as unhas afiadas.

Diz a anta:
— Não vejo motivo para tamanho barulho... Fizeram-te uma vez o que fazes todos os dias. Não andas sempre a comer os filhos dos outros? Inda agora não mataste a filha da veada?

A onça arregalou os olhos, como que espantada da estupidez da anta.
— Ó grosseira criatura! Queres então comparar os filhos dos outros com os meus? E equiparar a minha dor à dor dos outros?

Um macaco, que do alto do seu galho assistia à cena, meteu o bedelho na conversa.

— Amiga onça, é sempre assim. *Pimenta na boca dos outros não arde...*

Na voz de "pimenta", Tia Nastácia veio lá da cozinha, com a colher de pau na mão.

— Pimenta, Sinhá? É o que está me fazendo falta hoje. Acabou-se aquela do vidro de boca larga e não sei como me arranjo com o vatapá de amanhã...

Todos caçoaram da pobre preta.

— Não é isso, boba. Estamos "fabulando" a pimenta que não arde na boca dos outros.

A negra não entendeu.

— Não arde? Quem disse que não arde? Só não arde se não for das ardidas.

Dona Benta ficou com preguiça de explicar e deu-lhe ordem de fazer o vatapá sem pimenta.

— Ché! Fica sem graça, Sinhá. Feijão sem sal, vatapá sem pimenta e café re-quentado, é jantar estragado.

O IMITADOR DOS ANIMAIS

Pedro Pereira Pedrosa tinha uma habilidade rara: imitava na perfeição a voz dos animais. O *coin-coin* do porco, o *au-au* do cachorro, o *bé* do carneiro, o relincho do burrico, tudo ele reproduzia de modo a enganar todo mundo.

— É tal e qual! — diziam os ouvintes maravilhados.

Um dia apareceu na cidade um homem se propondo a derrotar o imitador.

— Vamos os dois imitar em público a voz dum porquinho; e se eu não ganhar a partida, cortem-me a cabeça!

Chega o dia. Enche-se o teatro. Pedro aparece confiante na vitória e imita leitão novo de modo a entusiasmar o público.

— O outro, agora! O outro!... — berra a assistência.

Apareceu o outro, embrulhado num capotão. Preparou-se, remexeu-se e, de repente:

— *Coin! coin! coin!...*

Vaia estrondosa.

— Fora! Fora! Pedro ganhou! Pedro imita melhor! Fora...

O sujeito abriu o capote e suspendeu pelas orelhas um leitãozinho que trazia oculto.

— Vaiai senhores, vaiai o verdadeiro autor dos coinchos, pois foi este porquinho quem berrou e não eu...

Os espectadores entreolharam-se encafifadíssimos.

Mais vale cair em graça do que ser engraçado.

— Apoiadíssimo! — exclamou o Visconde. — Mais vale cair em graça do que ser engraçado. Eu, por exemplo, tenho sido bem engraçadinho em várias ocasiões — mas quem cai em graça é sempre outra pessoa...

O burro sábio

No tempo em que os animais falavam, uma assembleia de bichos se reuniu para resolver certa questão.

Compareceu, sem ser convidado, o burro, e pedindo a palavra pronunciou longo discurso, fingindo-se estadista. Mas só disse asneiras. Foi um zurrar sem conta.

Quando concluiu, ficou à espera dos aplausos; mas o elefante, espichando a tromba para o seu lado, disse:

— Grande pedaço d'asno! Roubaste o tempo, a nós e a ti. A nós, porque o perdemos a ouvir asneiras; e a ti, porque muito mais lucrarias se o empregasses em pastar capim. Toma lá este conselho:

Um tolo nunca é mais tolo do que quando se mete a sábio.

— Está aí uma fábula inútil, — disse Pedrinho. — Diz a mesma coisa que a do Asno e do Burro.

— Sim, meu filho. É uma variante. Serve para mostrar que uma mesma verdade pode ser expressa de modos diferentes.

— Continuo a achá-la inútil, — insistiu Pedrinho. — Se veio para provar isso, perdeu o tempo, porque nada mais claro que todas as coisas podem ser ditas de muitas maneiras.

O Visconde contestou.

— Isso também, não, Pedrinho. As verdades científicas só podem ser ditas de uma maneira. Quando eu pergunto: "Quanto é um mais um?" a resposta só pode ser "Dois".

— E o "Onze" onde fica, Visconde? — berrou Emília. — Um mais um também dá 11.

O sabuguinho científico atrapalhou-se.

Mal maior

— O sol vai casar-se — anunciou um bem-te-vi boateiro. — Viva o sol!

— Viva? — exclamaram as rãs, assustadas. — Não diga isso, pelo amor de Deus... Um sol apenas já nos dá que fazer. Seca os brejos e nos deixa às vezes a ponto de morrermos de sede. E é um só... Imaginem agora que se casa e além do senhor sol temos também que aturar dona sol e os sóis filhinhos... Será a maior das calamidades, porque então unicamente as pedras poderão resistir à fúria da família de fogo.

Assim é. O mundo está bem equilibrado, e qualquer coisa que rompa a sua ordem resulta em males para os viventes. Fique, pois, solteiro o sol e não enviúve quem é casado.

— Não gostei! — berrou Emília. — Se nada mudar, o mundo fica sempre na mesma e não há progresso.

— Espere, Emília, — disse Dona Benta. — O que a fábula quer dizer é que qualquer mudança nas coisas prejudica a alguém.

— Pode prejudicar a um e fazer bem a dois, — insistiu Emília. — As coisas não são tão simples como as fábulas querem. *Est modus...* como é aquele latim que a senhora disse outro dia, Dona Benta?

— *Est modus in rebus...*

— Isso mesmo. Nos modos está o rebus...

— Não, Emília. Esse latim quer dizer que em tudo há medidas.

— Eu sei. É como nos verbos. Todos os verbos tem uma porção de modos. A gente também tem modos. As coisas tem modos.

— Isso! Você agora pôs o dedo na significação desse latim. *In rebus* quer dizer nas coisas. Todas as coisas têm modos, ou medidas. Mas as fábulas não podem expor todos os modos das coisas — só expõem um, o principal, ou o mais frequente.

— Por que não podem?

— Porque ficariam compridas demais. Virariam tratados de filosofia...

Tolice de asno

Um asno pedantíssimo atormentava a paciência dum pobre burro de carroça, desses que reconhecem o seu lugar na terra. Zurrava, declamava, provava que era ele um talento de primeira grandeza e sábio como nunca apareceu outro no mundo.

O burro ouvia, de orelha murchas, pastando. O asno danou.

— Que bronco tu és, amigo! Falo e não me respondes! Zurro ciência e tu pastas! Vamos! Dize alguma coisa! Contraria-me, contesta-me as opiniões, que estou a arder por uma polêmica. Do contrário envergonhar-me-ei de ter-te como irmão na forma e na cor.

Um macaco que tudo ouvia lá num galho não se conteve e disse:

— O mundo está perdido! Esta besta a fazer-se de sábio, a zurrar centenas de asneiras e o burro a engolir tudo caladinho...

O burro abanou as orelhas e respondeu com a citação do verso de Bocage:

Um tolo só em silêncio é que se pode sofrer...

— Aposto que esse burro era o nosso Conselheiro, — disse Emília — e o asno não pode ser outro senão o coronel Teodorico.

Emília não perdoava ao coronel o arzinho de superioridade com que ele a tratou naquela prosa contada nos *Serões de Dona Benta*.

— E quem é esse Bocage, vovó? — perguntou a menina.

— Um velho poeta português, notável pelas suas agudezas.

— E que é agudeza? — quis saber Pedrinho.

— É filosofia com graça, meu filho. Emília, por exemplo, tem às vezes excelentes agudezas...

Emília derreteu-se toda.

As duas panelas

Duas panelas, uma de ferro, orgulhosa, outra de barro, humilde, moravam na mesma cozinha; e como estivessem vazias, a bocejarem de vadiação, disse a graúda:

— Bela tarde para um giro pela horta! A cozinheira não está, e até que venha teremos tempo de dizer adeus à alface e fazer uma visita aos repolhos. Queres ir?

— Com todo o prazer!... — respondeu a panela de barro, lisonjeadíssima da honrosa companhia.

— Dá-me o braço então, e vamo-nos depressa antes que "ela" venha.

Assim fizeram, e lá se foram as duas, desajeitadonas, gingando os corpos ventrudos, cheias de amabilidades para com as hortaliças. "Bom dia, dona Couve!" "Comendador Repolho, como passa?" "Coentrinho, adeus!"

No melhor da festa, porém, a panela de ferro falseou o pé e esbarrou na amiga.

— Ai que me trincas! — exclamou esta.

— Não foi nada, não foi nada...

Uns passos mais e novo choque.

— Ai que me desbeiças, amiga!

— Em casa arruma-se, não é nada.

Minutos depois, terceiro esbarrão, este formidável.

— Ai! Ai! Ai! Fizeste-me em pedaços, ingrata! ... — e a mísera panela de barro caiu por terra a gemer, reduzida a cacos.

Sempre que o fraco se associa ao forte, sai trincado, desbeiçado, despedaçado...

— A moralidade desta fábula também podia ser o tal "Lé com lé, cré com cré", — lembrou Pedrinho.

— Exatamente, meu filho. Se tivessem saído a passeio duas panelas de ferro ou duas panelas de barro, nada teria acontecido.

— Se fosse escrever essa fábula, — berrou Emília, — eu punha uma moralidade diferente.

— Qual?

— Fé com fé, bá com bá, isto é, ferro com ferro, barro com barro.

Todos acharam engraçadinho.

A PELE DO URSO

Dois caçadores precisados de dinheiro tiveram a ideia de vender a pele de um urso que morava na floresta próxima. Feito o negócio e recebida a importância, tomaram das espingardas e saíram em procura da fera. Encontraram-lhe sem demora o rasto e seguiram-no cautelosos. Súbito, um deles, batendo na testa, exclamou:

— Que caçadores das dúzias somos nós! Pois não é que deixamos em casa os cartuchos?

Era verdade aquilo, e mal os caçadores deram pela coisa o mato estaleja e o urso aparece.

Rápido como o relâmpago, um deles consegue trepar por uma árvore acima. Já o outro, mais lerdo, o remédio que teve foi deitar-se no chão e fingir-se de morto.

O urso chegou, bamboleando o corpo. Dá com o "cadáver", fareja-o nos olhos, no nariz, nos ouvidos e exclama:

— Carniça! Isto é coisa que só aos urubus pode interessar. E retirou-se, bamboleante.

Assim que o urso desapareceu ao longe, os caçadores, até então imóveis, respiraram e criaram alma nova. E, muito satisfeitos de se verem livres das unhas da "pele" vendida, foram correndo para casa. Lá chegados, riram-se da aventura; e o que trepara à árvore perguntou ao que se fingira de morto:

— Que é que te disse o urso ao ouvido, compadre?

— Disse-me que não se deve contar com o ovo antes da galinha o botar!...

Ouvindo falar em ovo, Tia Nastácia veio lá da cozinha saber que história de ovo era aquela. Ovo é uma coisa que bole no coração das cozinheiras. Dona Benta teve de repetir o caso da pele do urso.

A pobre preta não entendeu nada. Só gostou daquele ovo ali no fim, mas não achou nenhuma relação entre a pele do urso e o ovo da galinha.

— Será que esse caçador pensa que urso bota ovo? — disse ela tolamente.

Todos riram-se.

— A cara de Tia Nastácia está me sugerindo uma fábula que esqueci de contar, — disse Dona Benta — a do Galo e a Pérola. Um galo estava ciscando no terreiro. De repente encontrou uma pérola. "Que pena!" exclamou. "Antes fosse um grão de milho."

A boa negra ainda ficou mais atrapalhada. Urso, ovo de galinha, pérola, grão de milho... Que embrulhada era aquela? E voltou para a cozinha resmungando:

— Até Sinhá está ficando que a gente não entende. Credo...

Liga das Nações

Gato-do-mato, jaguatirica e irara receberam convite da onça para constituírem a Liga das Nações.

— Aliemo-nos e cacemos juntos, repartindo a presa irmãmente, de acordo com os nossos direitos.

— Muito bem! — exclamaram os convidados. — Isso resolve todos os problemas da nossa vida.

E sem demora puseram-se a fazer a experiência do novo sistema. Corre que corre, cerca daqui, cerca dali, caiu-lhes nas unhas um pobre veado. Diz a onça:

— Já que somos quatro, toca a reparti-lo em quatro pedaços.

— Ótimo!

Repartiu a presa em quatro partes e, tomando uma, disse:

— Cabe a mim este pedaço, como rainha que sou das florestas.

Os outros concordaram e a onça retirou a sua parte.

— Este segundo também me cabe porque me chamo onça.

Os sócios entreolharam-se.

— E este terceiro ainda me pertence de direito, visto como sou mais forte do que todos vós.

A irara interveio.

— Muito bem. Ficas com três pedaços, concordamos (que remédio!); mas o quarto tem que ser dividido entre nós.

— Às ordens! — exclamou a onça. — Aqui está o quarto pedaço às ordens de quem tiver a coragem de agarrá-lo.

E arreganhando os dentes assentou as patas em cima.

Os três companheiros só tinham uma coisa a fazer: meter a cauda entre as pernas. Assim fizeram e sumiram-se, jurando nunca mais entrarem em Liga das Nações com onça dentro.

— Chega de fábulas, vovó! — disse Pedrinho. — Já estamos empanturrados. A senhora precisa nos dar tempo de digerir tanta sabedoria popular. Estou com a cabeça cheia de "moralidades".

Dona Benta concordou. Tudo tem conta, e a maior sabedoria da vida é usar e não abusar. Mas, querendo saber se tinham aproveitado a lição, disse:

— Muito bem. Vamos agora ver se não perdi meu tempo. Que é que você conclui de tudo isto, Pedrinho?

— Concluo, vovó, que as fábulas, mesmo quando não valem grande coisa, têm sempre um mérito: são curtinhas...

— Muito bem. E você, minha filha?

— Para mim, vovó, as fábulas são sabidíssimas. No momento a gente só presta atenção à fala dos animais, mas a moralidade nos fica na memória e de vez em quando, sem querer, a gente aplica "el cuento", como a senhora diz.

— Muito bem. E você, Emília?

— Eu acho que as fábulas são indiretas para um milhão de pessoas. Quando ouço uma, vou logo dando nome aos bois: este mono é o Tio Barnabé; aquele asno carregado de ouro é o coronel Teodorico; a gralha enfeitada de penas de pavão é a filha de Nhá Veva. Para mim, fábula é o mesmo que indireta.

Dona Benta voltou-se para o Visconde.

— E que pensa das fábulas, Visconde?

O sabuguinho assoprou e disse:

— Na minha opinião, as fábulas mostram só duas coisas: 1.º) que o mundo é dos fortes; e 2.º) que o único meio de derrotar a força é a astúcia. Essa da Liga das Nações, por exemplo. Os animais formaram uma liga, mas que adiantou? Nada. Por quê? Porque lá dentro estava a onça, representando a força e contra a força de nada valeram os direitos dos animais menores. Bem que a irara fez ver o direito desses animais menores. Mas nada conseguiu. A onça respondeu com a razão da força. A irara errou. Em vez de alegar direito, devia ter recorrido a uma esperteza qualquer. Só a astúcia vence a força. Emília disse uma coisa muita sábia em suas *Memórias*...

— Que foi que eu disse? — perguntou Emília, toda assanhadinha e importante.

— Disse que se tivesse um filho só lhe dava um conselho: "Seja esperto, meu filho!". Se não fosse a esperteza, o mundo seria duma brutalidade sem conta...

— Seria a fábula do Lobo e o Cordeiro girando em redor do sol que nem planeta, com todas as outras fábulas girando em redor dela que nem satélites, — concluiu Emília dando um pinote.

Dona Benta calou-se, pensativa.

RECONTOS

Histórias de
Tia Nastácia

Histórias de Tia Nastácia

Pedrinho, na varanda, lia um jornal. De repente parou, e disse à Emília, que andava rondando por ali:

— Vá perguntar a vovó o que quer dizer *folk-lore*.

— Vá? Dobre a língua. Eu só faço coisas quando me pedem por favor.

Pedrinho, que estava com preguiça de levantar-se, cedeu a exigência da ex-boneca.

— Emilinha do coração, — disse ele, — faça-me o maravilhoso favor de ir perguntar a vovó que coisa significa a palavra *folk-lore*, sim, teteia?

Emília foi e voltou com a resposta.

— Dona Benta diz que *folk* quer dizer gente, povo; e *lore* quer dizer sabedoria, ciência. *Folk-lore* são as coisas que o povo sabe por boca, de um contar para o outro, de pais a filhos — os contos, as histórias, as anedotas, as superstições, as bobagens, a sabedoria popular, etc. e tal. Por que pergunta isso, Pedrinho?

O menino calou-se. Estava pensativo, com os olhos lá longe. Depois disse:

— Uma ideia que eu tive. Tia Nastácia é o povo. Tudo que o povo sabe e vai contando de um para outro, ela deve saber. Estou com o plano de espremer Tia Nastácia para tirar o leite do *folk-lore* que há nela.

Emília arregalou os olhos.

— Não está má a ideia, não, Pedrinho! Às vezes a gente tem uma coisa muito interessante em casa e nem percebe.

— As negras velhas, — disse Pedrinho, — são sempre muito sabidas. Mamãe conta de uma que era um verdadeiro dicionário de histórias folclóricas, uma de nome Esméria, que foi escrava de meu avô. Todas as noites ela sentava-se na varanda e desfiava histórias e mais histórias. Quem sabe se Tia Nastácia não é uma segunda Tia Esméria?

Foi assim que nasceram as *Histórias de Tia Nastácia*.

O bicho Manjaléu

Era uma vez um velho que tinha três filhas muito bonitas, mas um velho muito pobre, que vivia de fazer gamelas. Uma vez passou pela sua casa um lindo moço a cavalo; parou e declarou que queria comprar uma das moças. O velho se ofendeu; disse que por ser pobre não era nenhum malvado que andasse vendendo as filhas; mas diante das ameaças do moço teve que aceitar o negócio.

Lá se foi a sua primeira filha na garupa do cavaleiro, e o velho ficou olhando para o ouro recebido.

No dia seguinte apareceu outro moço, ainda mais lindo, montado num cavalo ainda mais bonito e propôs-se a comprar a filha do meio. O velho, bastante aborrecido, contou o que se tinha passado com a primeira, e não quis aceitar o negócio. O moço ameaçou de matá-lo, e também lá se foi com a segunda moça na garupa, deixando com o velho dois sacos de dinheiro.

No dia imediato apareceu terceiro moço e depois da mesma discussão lá se foi com a derradeira moça na garupa, deixando em troca três sacos de dinheiro.

O velho ficou muito rico, mas sem as filhas e começou a criar com grandes mimos um filhinho que havia nascido fora de tempo. Quando já estava na escola esse menino teve uma briga com um companheiro, o qual lhe disse: "Você está prosa por ter pai rico, mas saiba que ele já foi um pobre diabo que vivia de fazer gamelas. Está rico porque vendeu as filhas".

O menino voltou pensativo para casa, mas nada disse. Só quando ficou moço é que pediu ao pai que lhe contasse a história das três irmãs vendidas. O pai contou tudo e ele resolveu sair pelo mundo em procura das irmãs.

No meio do caminho encontrou três marmanjos brigando por causa duma bota, duma carapuça e duma chave. Indagando do valor daquilo, soube que eram uma bota, uma carapuça e uma chave mágicas. Quando alguém dizia à bota "Bota, bote-me em tal parte!" a bota botava. E se diziam à carapuça: "Carapuça, encarapuce-me!" a carapuça encarapuçava, isto é, escondia a pessoa. E se diziam à chave: "Chave, abre!" a chave abria qualquer porta.

O moço ofereceu pelos três objetos o dinheiro que trazia e lá se foi com eles.

Logo adiante parou e disse: "Bota, bote-me em casa de minha primeira irmã". Mal acabou de pronunciar tais palavras, já se achou na porta de um palácio maravilhoso. Falou com o porteiro. Pediu para entrar, dizendo que a dona do palácio era sua irmã. A irmã soube da sua chegada, acreditou em suas palavras e o recebeu muito bem.

— Mas como conseguiu chegar até aqui, meu irmão?

— Por meio da bota mágica, — respondeu ele — e contou toda a história da sua partida e do encontro dos três objetos mágicos.

Tudo correu bem, mas assim que começou a entardecer a irmã pôs-se a chorar.

— Por que chora minha irmã?

— Ah, — respondeu ela, — choro porque sou casada com o Rei dos Peixes, um príncipe muito bravo, que não quer que eu receba ninguém neste palácio. Ele não tarda a chegar, e mata você, se enxergar você aqui...

O moço deu uma risadinha, dizendo: — Não tenha medo de nada. Com a carapuça mágica saberei esconder-me.

O Rei chegou e logo levantou o nariz para o ar, farejando: "Sinto cheiro de gente de fora!", mas a rainha mostrou que não havia por ali ninguém e ele sossegou. Tomou um banho e se desencantou num lindo moço.

Durante o jantar a rainha fez esta pergunta:

— Se aparecesse por cá um irmão meu, que faria Vossa Majestade?

— Recebia-o muito bem, — disse o rei, — porque o irmão da rainha, cunhado do rei é. E se ele está por aqui, que apareça.

O irmão encarapuçado apresentou-se, sendo muito bem recebido. Contou toda a sua história, mas não aceitou o convite de ficar morando ali por ter de continuar pelo mundo em procura das outras irmãs. O rei olhou com inveja para as botas mágicas, dizendo: "Se eu as pilhasse, iria ver a Rainha de Castela".

Na hora da partida o rei deu-lhe uma escama. "Quando estiver em apuros, pegue nesta escama e diga: Valha-me, Rei dos Peixes!".

O moço agradeceu o presente e lá se foi, depois de dizer à bota: "Bota, bote-me na casa de minha segunda irmã", e imediatamente se achou defronte de outro palácio, onde foi recebido pela segunda irmã, que era a esposa do Rei dos Carneiros. "Meu marido logo chega por aí, a dar marradas a torto e a direito, e você não escapa."

— Com a minha carapuça escapo, respondeu o rapaz, rindo-se — e contou a virtude da carapuça encantada. E de fato foi assim, correndo tudo direitinho como lá no palácio do Rei dos Peixes. Na hora da partida o Rei dos Carneiros disse: "Tome este fio de lã. Quando estiver em apuros, basta que pegue nele e diga: Valha-me, Rei dos Carneiros". Em seguida olhou com inveja para as botas mágicas. "Se as pilhasse, iria ver a Rainha de Castela."

Logo que o moço se viu na estrada, parou e disse à bota: "Bota, bote-me em casa de minha terceira irmã", e a bota botou-o no portão dum terceiro palácio ainda mais belo que os outros. Era ali o reino do Rei dos Pombos, onde tudo aconteceu como no reino do Rei dos Peixes e no reino do Rei dos Carneiros. Foi muito bem recebido e festejado, até que na hora da partida o Rei dos Pombos suspirou olhando para as botas, e disse: "Se eu pilhasse essas botas, iria ver a Rainha de Castela". Em seguida deu ao moço uma pena, dizendo: "Quando estiver em apuros, pegue nesta pena e diga: Valha-me o Rei dos Pombos".

Logo que o moço se viu na estrada, pôs-se a pensar na tal Rainha de Castela que os três príncipes queriam visitar, e disse à bota mágica: "Bota, bote-me no reino da Rainha de Castela!" e num instante a bota o botou lá.

Soube que era uma princesa solteira, tão linda que ninguém passava pela frente do seu palácio sem erguer os olhos, na esperança de vê-la à janela — mas a princesa tinha jurado só se casar com quem passasse pelo palácio sem erguer os olhos.

O moço então passou pela frente do palácio sem erguer os olhos e a princesa imediatamente casou com ele. Depois do casamento a princesa quis saber para que serviam aqueles objetos que ele sempre trazia consigo — e o que mais a interessou foi a chave de abrir todas as portas.

A razão disso era haver no palácio uma sala sempre fechada, onde o rei não permitia que ninguém entrasse. Nela morava o Manjaléu — um bicho feroz, que por mais que o matassem revivia sempre. A princesa andava ardendo de curiosidade de ver o bicho Manjaléu, e certa vez, em que o rei e o marido foram à caça, pegou a chave e abriu a porta da sala do mistério. Mas o bicho feroz pulou e agarrou-a, dizendo: "Era você mesma que eu queria!" e lá se foi para a floresta com a pobre moça ao ombro.

Quando o rei e o marido da princesa voltaram da caça e souberam do acontecido, ficaram desesperados. Mas o dono das botas mágicas prometeu consertar tudo. Agarrou-as e disse: "Bota, bote-me onde está minha esposa", e a bota botou-o.

O moço encontrou a princesa sozinha, pois que o Manjaléu andava pelo mato caçando.

— Minha querida esposa, — disse ele, — precisamos dar cabo desse monstro feroz, mas para isso é necessário que eu saiba onde é que ele tem a vida. A vida do Manjaléu está tão bem oculta que todas as tentativas para matá-lo têm falhado. Trate de saber onde ele tem a vida.

A princesa prometeu que assim faria, e quando o Manjaléu voltou deu jeito da conversa recair naquele ponto.

Manjaléu desconfiou.

— Ahn! Quer saber onde eu tenho a vida para me matar, não é? Não conto, não.

Mas a princesa, teimosa, tanto insistiu durante dias e dias que o bicho Manjaléu resolveu contar tudo. Antes disso ele amolou, bem amolado, um alfanje, dizendo: "Vou contar onde está minha vida, mas se perceber que alguém quer dar cabo de mim, corto sua cabeça com este alfanje, está ouvindo?".

A princesa aceitou a proposta. Ele que contasse tudo que ela ficaria com o pescoço às ordens do alfanje, no caso de alguém atentar contra a vida do monstro. E o bicho Manjaléu então contou: "Minha vida está no mar. Lá no fundo há um caixão; nesse caixão há uma pedra; dentro da pedra há uma pomba; dentro da pomba há um ovo; dentro do ovo há uma velinha, que é a minha vida. Quando essa vela apagar-se, eu morrerei".

No dia seguinte, quando o bicho Manjaléu saiu novamente a caçar, o marido da princesa, que estivera escondido pela carapuça, apresentou-se. "E então?" perguntou. A princesa contou-lhe direitinho tudo que ouvira ao monstro.

O moço dirigiu-se à praia do mar e pegou na escama, dizendo: "Valha-me, Rei dos Peixes!" e imediatamente o mar se coalhou de peixes que indagavam do que ele queria.

— Quero saber em que ponto do fundo do mar há um caixão assim e assim.

— Eu sei, — respondeu um enorme baiacu. — Ainda há pouquinho esbarrei nele. Esse caixão está em tal e tal parte.

— Pois quero que me tragam aqui esse caixão.

Os peixes saíram na volada; logo depois apareceram empurrando um caixão para a praia. O príncipe abriu-o e encontrou a pedra. Como quebrá-la? Lembrou-se do fio de lã. Pegou no fio de lã e disse: "Valha-me, Rei dos Carneiros!". Imediatamente apareceram inúmeros carneiros, que deram tantas marradas na pedra que a partiram.

Enquanto isso, lá longe, o Manjaléu, com a cabeça no colo da princesa e o alfanje na mão, ia sentindo coisas esquisitas.

— Minha princesa, — disse ele, — estou me sentindo doente. Alguém está mexendo na minha vida — e sua mão apertou o cabo do alfanje.

A princesa engambelou-o como pôde, para ganhar tempo. Ela sabia que seu marido estava em procura da vida do monstro.

Assim que os carneiros quebraram a pedra, uma pombinha voou de dentro e lá se foi pelos ares. O moço lembrou-se da pena, pegou-a e disse: "Valha-me, Rei dos Pombos!". Imediatamente o ar se encheu de pombos, que o moço mandou voarem em perseguição da pombinha. Os pombos foram atrás dela e a pegaram. O moço tomou-a, espremeu-a e fez sair um ovo.

Lá longe o Manjaléu se sentia cada vez pior. Começava a desfalecer; e como não tivesse dúvidas sobre o que era aquilo, foi levantando o alfanje para degolar a princesa. Mas não teve tempo. O moço havia quebrado o ovo e assoprado a velinha. A mão do Manjaléu moleou — e seus olhos fecharam-se para sempre.

Estava o reino de Castela livre daquele horrendo monstro. O moço levou a princesa para o palácio, onde o rei a recebeu com lágrimas nos olhos. E para comemorar o grande acontecimento decretou uma semana inteira de festas. E acabou-se a história.

Emília torceu o nariz.

— Essas histórias folclóricas são bastante bobas, — disse ela. — Por isso é que não sou "democrática!" Acho o povo muito idiota...

— Nossa Senhora! — exclamou Dona Benta. — Vejam só como anda importante a nossa Emilinha. Fala que nem um doutor.

— A culpa é sua, — disse Emília. — A culpa é de quem nos anda ensinando tantas ciências e artes. Eu, por exemplo, me sinto adiantada demais para a minha idade. Sou uma isca por fora, mas lá dentro já estou filósofa. Meu gosto era encontrar um Sócrates, para uma conversa...

— Eu também acho muito ingênua essa história de rei e princesa e botas encantadas, — disse Narizinho. — Depois que li o *Peter Pan*, fiquei exigente. Estou de acordo com Emília.

— Pois eu gostei da história, — disse Pedrinho, — porque me dá ideia da mentalidade do nosso povo. A gente deve conhecer essas histórias como um estudo da mentalidade do povo.

Dona Benta voltou-se para Tia Nastácia.

— Vê Nastácia, como está ficando este meu povinho? Falam como se fossem gente grande, das sabidas. *Democracia* para cá, *folclórico* para lá, *mentalidade*... Neste andar meu sítio acaba virando Universidade do Pica-Pau Amarelo.

— Emília já disse que a culpa é sua, Sinhá. A senhora vive ensinando tantas coisas dos livros que eles acabam sabidões demais. Eu até fico tonta de lidar com essa criançada. Às vezes nem entendo o que me dizem. Ontem o Visconde veio para cima de mim com uma história de "rocha sedimentária", ou coisa assim, que até eu tive de tocar ele lá da cozinha com o cabo da vassoura. Já não percebo nem uma isca do que o Visconde diz...

Mas as histórias continuaram. Naquele mesmo serão, Tia Nastácia teve de contar mais uma. E contou a história d'

O SARGENTO VERDE

Era uma vez um homem muito rico, que tinha uma filha linda, linda. Um dia apareceu um moço, também muito lindo, que quis casar com ela. Foi combinado o casamento, mas Nossa Senhora, que era madrinha de batismo da moça, apareceu-lhe num sonho e disse:

— Minha filha, toma cuidado, porque vais casar com o "cão". Depois do casamento teu marido há de querer levar-te para a casa dele, e o que tens de fazer é o seguinte: irás montada no cavalo mais magro que houver; quando chegares a um ponto do caminho, onde há uma encruzilhada, teu marido quererá tomar pela esquerda; tu tomarás pela direita e nesse momento lhe mostrarás um rosário. Ele então estoura e vai para o inferno.

Afinal chegou o dia do casamento e houve grandes festas, mas desde a noite do sonho a moça andava numa grande tristeza. As palavras de Nossa Senhora não lhe saíam da imaginação.

Na hora da partida trouxeram-lhe um lindo cavalo. Ela recordou-se do sonho e não quis montar nele; pediu outro — o mais magro e feio que houvesse. O pai estranhou aquela esquisitice, mas a moça tanto insistiu que ele teve de ceder — e lá se foi ela no cavalo mais magro e feio que havia!

Quando chegaram a encruzilhada, o "cão" quis que a moça tomasse pelo lado esquerdo, dizendo ser esse o caminho que levava à sua casa.

— Vá o senhor na frente, — respondeu a moça, — eu sigo atrás — e assim que ele enveredou pela esquerda, ela tomou pela direita e sacudiu no ar o rosário.

Mal fez isso, ouviu-se um estouro e o ar se encheu de fedor de enxofre. É que o "cão" havia rebentado e ido para o inferno.

A moça continuou a galope por aquele caminho da direita, até que bem lá adiante teve a ideia de mudar de figura. Apeou, cortou os cabelos e vestiu-se de homem — uma roupa verde. E, verdinha assim, chegou a um reino onde se ofereceu para entrar no exército do rei como sargento.

O rei gostou muito daquele sargento, a ponto de convidá-lo a passear com ele pelos jardins do palácio. E tantos passeios houve que a rainha ficou apaixonada pelo sargento e lhe declarou o seu amor. Mas o Sargento respondeu: "Senhora, eu jamais trairei meu rei".

A rainha, furiosa da vida, levantou um falso contra ele, dizendo ao marido o seguinte:

— Saiba Vossa Majestade que o Sargento Verde anda se gabando de que é capaz de subir a cavalo as escadarias do palácio, jogando para o ar três laranjas e aparando-as no mesmo copo.

Admirado daquilo, o rei mandou chamar o Sargento Verde e contou-lhe o caso. O Sargento Verde respondeu

— Saiba Vossa Majestade que eu não disse isso; mas como a rainha minha senhora afirma que eu disse, estou pronto para subir a cavalo as escadarias e jogar as três laranjas.

Disse aquilo por dizer e, muito triste da vida, foi conversar com o seu cavalo magro, ao qual contou tudo. O cavalo aconselhou-a a que não se amofinasse e que no dia marcado tudo fizesse como a rainha queria.

No dia marcado o Sargento Verde se apresentou para a grande prova, e de fato subiu e desceu várias vezes as escadarias, montado em seu cavalo magro e lançou para o ar as três laranjas, que aparou direitinho no copo, sem errar uma só.

Teve os maiores aplausos de todos, menos da rainha, que mordeu os lábios de ódio.

Dias depois, num dos seus passeios pelos jardins do palácio, a rainha achou jeito de novamente lhe declarar amor — e pela segunda vez o sargento respondeu que jamais trairia o seu bom rei. A rainha, então, mais danada ainda, inventou que o Sargento Verde andava dizendo que era capaz de plantar uma bananeira à hora do almoço e ter bananas maduras à hora do jantar.

O rei mandou chamar o Sargento Verde e indagou dele se era verdade aquilo. O sargento respondeu que nada havia dito, mas como não queria desmentir a rainha estava pronto para plantar a bananeira.

Disse isso e foi muito triste, conversar com o cavalo magro, o qual lhe falou que plantasse a bananeira e deixasse o resto por sua conta.

No outro dia, lá pela hora do almoço, o Sargento Verde foi e plantou uma muda de bananeira no pátio do palácio, e a planta começou logo a crescer e a deitar cacho, de modo que quando o jantar foi posto na mesa já havia bananas maduras.

Todos abriram a boca de admiração, mas a rainha mordeu os lábios até verter sangue. Apesar disso, tentou mais uma vez o Sargento Verde, declarando-se apaixonada por ele, e o sargento pela terceira vez respondeu que jamais enganaria o seu bom rei. A malvada rainha então foi dizer ao marido que o Sargento Verde andava se gabando de ser capaz de passear a cavalo sobre ovos, sem quebrar um só.

O rei mandou chamá-lo e perguntou se era verdade. O Sargento Verde respondeu que não era, mas como não queria desmentir a rainha estava pronto para andar a cavalo em cima dos ovos. E andou. Passeou montado no cavalo magro por cima de dúzias de ovos sem quebrar um só.

A rainha inventou contra ele uma quarta perversidade, e foi que ele andava dizendo ser capaz de ir ao fundo do oceano em busca da irmã do rei, que fora aprisionada por um monstro.

O rei chamou o Sargento Verde e indagou se era verdade. Ele disse que não, mas que estava pronto para ir ao fundo do mar em busca da princesa encarcerada. Disse isso e foi conversar com o cavalo magro, ao qual contou tudo.

— Não se amofine, — murmurou o cavalo; — arranje uma garrafa de azeite, um saquinho de sal e um papel de alfinetes; depois monte em mim e vá para a praia; lá puxe a espada e corte o mar em cruz: as águas se abrirão; entre pela abertura e vá até onde estiver a moça; agarre-a e ponha-a na garupa e toque para trás. Mas muito cuidado com o monstro que guarda a princesa; ele vai persegui-la, e o meio de evitar isso é derramar o saquinho de sal e depois soltar os alfinetes. Durante a corrida a moça pronunciará três palavras. Tome muito sentido nessas palavras.

O Sargento Verde prestou a maior atenção a tudo; arranjou o azeite, o sal, os alfinetes e partiu para a praia do mar. Lá puxou a espada e cortou as águas em cruz. Imediatamente as águas se abriram e ele entrou, e foi até onde estava a princesa encarcerada. Agarrou-a, botou-a à garupa e voltou correndo para a praia. Assim que saiu do mar, a moça disse: "Já!" Ele tomou nota da palavra e viu que o monstro vinha correndo atrás deles.

Lembrando-se da recomendação do cavalo, derramou o saquinho de sal. Imediatamente formou-se uma cerração que atrapalhou o monstro a ponto de fazê-lo parar, sem saber para onde dirigir-se. Enquanto isso, o moço continuava no galope, com a moça à garupa. Logo adiante ela murmurou: "Bela!" O Sargento Verde tomou nota da palavra e viu que o monstro havia rompido o nevoeiro e vinha vindo na disparada. Então soltou no ar os alfinetes. Imediatamente se formou uma cerradíssima floresta de espinheiros, que o monstro não pôde atravessar.

Logo depois a princesa, avistando o palácio, murmurou: "Tudo!" — e o Sargento Verde tomou nota. Chegaram, houve grandes festas e a rainha ficou ainda mais apaixonada pelo Sargento Verde.

Mas a princesa trazida do fundo do mar não falava. Além das três palavras ditas durante a viagem não pronunciou nem mais uma só. Todos se convenceram de que era muda — e a rainha se aproveitou do fato para lançar outra falsidade contra o Sargento Verde. "Ele anda dizendo, — cochichou ao ouvido do rei, — que é capaz de fazer a princesa muda falar."

O rei indagou do Sargento Verde se era verdade e ele respondeu como das outras vezes; depois foi perguntar ao cavalo o que devia fazer.

— Não tenha medo de nada, — respondeu o cavalo. — Na hora do almoço, dê com uma corda na princesa até que ela conte qual foi a primeira palavra que pronunciou logo ao sair do mar; e na hora do jantar dê-lhe outra sova até que ela conte qual foi a segunda palavra; e na hora da ceia, outra sova até que diga a terceira palavra. Faça isso que a princesa ficará falando.

O Sargento Verde assim fez. Na hora do almoço passou mão numa corda e gritou: "Conte, moça, qual foi a palavra que me disse logo que saímos do mar!" E como ela se conservasse de boca fechada, ele, *lepte! lepte!* E tanto deu que ela falou: "Já!" "E que quer dizer isso?". Com mais algumas lambadas a moça respondeu que queria dizer: "Já estou livre de muitos trabalhos".

No jantar repetiu-se a cena, e tantas lambadas levou a princesa que repetiu a segunda palavra, "Bela!" e explicou que aquilo queria dizer: "Somos duas donzelas, eu e o Sargento Verde, cujo verdadeiro nome é Lucinda".

Na ceia, a corda fez que a moça repetisse a terceira palavra, "Tudo!" isto é, que se Lucinda fosse homem, há muito tempo que a rainha já teria fugido com ele.

Esses acontecimentos assombraram menos ao rei e a corte do que verem Lucinda aparecer vestida de mulher, com o seu cavalo magro virado num lindo príncipe, que logo se casou com a princesa trazida do fundo do mar. O rei não perdoou a traição da rainha. Mandou que a soltassem pelos campos amarrada a dois burros bravos, e casou-se com a boa Lucinda, no meio de grandes festas. E acabou-se a história.

Emília ficou a olhar a cara de Narizinho.

— Esta história, — disse ela, — ainda está mais boba que a outra. Tudo sem pé nem cabeça. Sabe o que me parece? Parece uma história que era dum jeito e foi se alterando de um contador para outro, cada vez mais atrapalhada, isto é, foi perdendo pelo caminho o pé e a cabeça.

— Você tem razão, Emília, — disse Dona Benta. — As histórias que andam na boca do povo não são como as escritas. As histórias escritas conservam-se sempre as mesmas, porque a escrita fixa a maneira pela qual o autor a compôs. Mas as histórias que correm na boca do povo vão se adulterando com o tempo. Cada pessoa que conta muda uma coisa ou outra, e por fim elas ficam muito diferentes do que eram no começo.

— Quem conta um conto aumenta um ponto, — lembrou Pedrinho.

— Sim, aumenta um ponto e introduz qualquer modificação. Ninguém que ouça uma história é capaz de contá-la para diante sem alteração de alguma coisa, de modo que no fim a história aparece horrivelmente modificada. Todas as histórias do folclore são assim. Há sábios que pegam nessas histórias e as estudam, e vão indo até encontrarem o seu ponto de partida. E mostram as mudanças que o povo fez.

— Mudanças que as deixam sem pé nem cabeça, — insistiu Emília. — Essa do Sargento Verde, por exemplo. É tão idiota que um sábio que quiser estudá-la acabará também idiota. Eu, francamente, passo essas tais histórias populares. Gosto mas é das de Andersen, das do autor do *Peter Pan* e das do tal Carroll, que escreveu *Alice no País das Maravilhas*. Sendo coisas do povo, eu passo...

A PRINCESA LADRONA

Havia um pai com três filhos; um plantou um pé de laranjeira, outro plantou um pé de limeira e outro plantou um pé de limoeiro. Certo dia o mais velho foi ter com o pai e disse:

— Meu pai, já estou homem feito e quero sair pelo mundo.

O pai achou que era ainda cedo, mas o moço tanto insistiu que ele teve de concordar. E então disse:

— Pois saia, mas antes deve resolver se quer levar minha benção com pouco dinheiro ou minha maldição com muito dinheiro.

O moço quis maldição, com muito dinheiro — e o pai o amaldiçoou, depois de dar-lhe um saco de dinheiro. Antes de partir esse moço disse aos irmãos que quando a sua laranjeira começasse a murchar isso era sinal de que se achava em grandes apuros — e eles que fossem socorrê-lo.

Combinado esse ponto, o moço partiu. Andou, andou, andou, e por fim, já muito cansado, viu uma fumaça ao longe. Encaminhou-se para lá. Era um palácio. A dona do palácio era uma princesa que o recebeu com grandes amabilidades. Jantou com ele e depois convidou-o a um passeio pela horta. Ao atravessar um riacho, a princesa ladrona ergueu o vestido de modo a mostrar o pé, e depois que voltaram à sala perguntou ao moço que é que havia visto de mais lindo na horta.

— As couves, — respondeu o moço.

A princesa mordeu os lábios e convidou-o para um joguinho — e num instante ganhou todo o dinheiro que ele trazia. Depois disso mandou que seus criados o prendessem e só lhe dessem couve para comer.

Logo que isso aconteceu, lá em casa do pai do moço a laranjeira começou a murchar. O irmão do meio, vendo aquilo, foi ter com o pai e disse:

— Meu irmão está em grandes apuros e eu vou correr mundo para socorrê-lo.

O pai concordou e perguntou o que ele queria, benção com pouco dinheiro ou maldição com muito dinheiro. Esse moço também preferiu maldição com muito dinheiro — e o pai o amaldiçoou, depois de lhe dar um saco de dinheiro — e ele lá se foi.

Andou, andou, andou até sentir-se exausto, e nesse momento viu ao longe uma fumaça. Encaminhou-se para lá. Era o palácio da Princesa Ladrona. A princesa recebeu-o com as amabilidades de sempre, e depois do jantar levou-o a passeio pela horta. Ao atravessar o riozinho mostrou o pé, e ao voltarem à sala fez-lhe a mesma pergunta.

— Então, que mais apreciou na minha horta?

— As alfaces, — respondeu o moço.

A princesa pensou consigo que aquele era igualzinho ao outro; convidou-o para jogar, ganhou-lhe todo o dinheiro e o mandou prender, com ordem de só lhe darem alface.

Assim que isso aconteceu, lá na casa do pai do moço a limeira começou a murchar. O terceiro filho foi ter com o pai.

— Meu pai, quero sair pelo mundo em socorro dos meus irmãos; a laranjeira e a limeira estão dando sinal do grande perigo que eles correm.

— Pois vá, — respondeu o pai, — mas antes terá de decidir se quer minha benção com pouco dinheiro ou minha maldição com muito dinheiro.

— Meu pai, — respondeu o moço, — quero sua benção com pouco dinheiro.

O pai abençoou-o e ele partiu. Bem longe dali encontrou uma velhinha, que era Nossa Senhora disfarçada.

— Para onde vai, meu filho?

— Vou pelo mundo ganhar a vida e procurar meus irmãos, — respondeu o moço.

A velhinha deu-lhe uma toalha, dizendo:

— Quando tiver fome, meu filho, pegue esta toalha e diga: "Põe a mesa, toalha!" e um banquete aparecerá.

Deu-lhe também uma bolsa, dizendo: "Esta bolsa faz o mesmo que a toalha". E deu-lhe ainda uma violinha, dizendo: "Se perder a toalha e a bolsa, basta tocar nesta violinha que não sentirá fome, nem privação de nada".

O moço agradeceu os presentes e lá se foi pela estrada afora. Chegou afinal ao palácio da Princesa Ladrona, onde bateu e foi recebido com grandes amabilidades. Depois do jantar houve o tal passeio à horta, tudo exatinho como havia acontecido com os seus dois irmãos. De volta do passeio a princesa perguntou o que mais ele tinha apreciado.

— O lindo pé da senhora princesa, — respondeu o moço gentilmente.

A princesa sorriu como quem diz: Este me serve. Em seguida convidou-o para jogar e no jogo limpou-o do pouco dinheiro que ele trazia. E também mandou que o prendessem junto com os demais.

Lá pela tarde chegou a hora de dar comida aos presos, e uma preta apareceu diante das grades com um prato de couves.

— Muito obrigado, — disse o moço. — Diga a sua senhora que não preciso de nada disso — e estendendo a toalha teve o gosto de ver surgir um verdadeiro banquete.

A prisão estava cheia de prisioneiros, todos quase mortos de fome, de modo que o regalo foi grande. A negra, que trouxera a comida, abriu a boca, assombrada.

— Minha senhora, — foi correndo dizer à princesa, — aquele preso de ontem tem uma toalha mágica, que basta abrir para virar num banquete.

A princesa ficou logo desejosa de possuir tal toalha, e mandou a preta saber do moço se queria vendê-la. O moço respondeu que teria muito gosto em dá-la de presente, com a condição de dormir uma noite na porta do quarto da princesa do lado de fora. A princesa danou com a resposta, que lhe pareceu um grande desaforo, mas por fim concordou.

No dia seguinte, quando a negra foi levar a couve aos presos, o moço recusou de novo, e abrindo a bolsa fez aparecer um banquete mágico, de que todos comeram até não poder mais. A negra foi correndo dizer à princesa: "Minha senhora, ele tem uma bolsa ainda mais mágica que a toalha. Aquilo é que é uma bolsa de princesa".

A princesa mandou propor a compra da bolsa, e o moço disse que lhe dava a bolsa de presente, com a condição de dormir na porta do seu quarto, mas do lado de dentro. A princesa danou, mas a negra achou que ela devia aceitar, pois que dormiria na cama e ele no chão duro. Fez-se o negócio e o moço dormiu no quarto da princesa do lado de dentro, perto da porta.

No dia seguinte a negra foi de novo levar a couve aos presos e viu o moço pegar na violinha e começar a tocar. E todos os presos puseram-se a dançar como se não tivessem fome nenhuma. E até a negra pegou fogo e pôs-se a dançar também. A festa durou tanto tempo que a princesa mandou chamar a negra.

— Ah, minha senhora, o tal moço tem uma violinha que é mesmo a maior das maravilhas. Aquilo é que é viola de princesa!

— Pois vá saber dele se quer me vender a tal viola.

A negra foi e o moço respondeu que só daria a viola se a princesa se casasse com ele.

A princesa a princípio danou, mas depois resolveu aceitar a proposta e casou-se. Então todos os presos foram soltos e houve grandes festas.

E Tia Nastácia rematou a história repetindo o mesmo finzinho de sempre: "E eu lá estive e trouxe um prato de doces, que caiu na ladeira".

> *Entrou por uma porta*
> *Saiu por um canivete;*
> *Manda o rei meu senhor*
> *Que me conte sete.*

— Que história de contar sete é essa? — perguntou Emília quando a negra chegou ao fim. — Não estou entendendo nada.

— Mas isto não é para entender, Emília, — respondeu a negra. — É da história. Foi assim que minha mãe Tiaga me contou o caso da Princesa Ladrona, que eu passo para diante do jeito que recebi.

— E esta! — exclamou Emília olhando para dona Benta. — As tais histórias populares andam tão atrapalhadas que as contadeiras contam até o que não entendem. Esses versinhos do fim são a maior bobagem que ainda vi. Ah, meu Deus do céu! Viva Andersen! Viva Carroll!

— Sim, — disse Dona Benta. — Nós não podemos exigir do povo o apuro artístico dos grandes escritores. O povo... Que é o povo? São essas pobres tias velhas, como Nastácia, sem cultura nenhuma, que nem ler sabem e que outra coisa não fazem senão ouvir as histórias de outras criaturas igualmente ignorantes, e passá-las para outros ouvidos, mais adulteradas ainda.

— Outra coisa que noto nessas histórias, vovó, — observou Narizinho, — é que não dispensam reis e rainhas e príncipes e princesas encantadas. Por que é assim?

— Essas histórias, minha filha, vieram de Portugal, e são dum tempo em que em todos os países do mundo só havia reis. Isso de presidentes de república é coisa moderna. São histórias dos tempos dos reis. E para a imaginação do povo os reis, as rainhas e os príncipes eram a coisa mais maravilhosa que havia. Hoje tudo está mudado. Cada vez há menos reis, a não ser nos baralhos. E já não há aquele "cão", que quando via um rosário rebentava num grande estouro e fedia enxofre. O povo é muito conservador, de modo que as histórias que de pais a filhos a gente do povo conta são corocas, vêm do tempo da Idade Média, quando não existiam jornais nem livros.

— Pois cá comigo, — disse Emília, — só aturo essas histórias como estudos da ignorância e burrice do povo. Prazer não sinto nenhum. Não são engraçadas, não têm humorismo. Parecem-me muito grosseiras e bárbaras — coisa mesmo de negra beiçuda, como Tia Nastácia. Não gosto, não gosto e não gosto...

O PÁSSARO PRETO

Havia um homem que possuía um pássaro preto de muita estimação. Tinha também um filho muito reinador, que indo dar comida ao pássaro esqueceu a portinhola aberta. O pássaro fugiu e levou o menino no bico.

Longo tempo voou o pássaro com o menino no bico, até que chegou a um palácio maravilhoso. Lá soltou-o e mandou pôr a mesa para o almoço. Terminado o almoço entregou ao menino uma chave, dizendo ser a chave do primeiro dos sete quartos que davam para aquele salão. E foi-se embora voando.

O menino abriu o quarto e encontrou uma porção de cavalos, com os quais se divertiu grandemente, a ponto de esquecer de jantar.

No dia seguinte, antes de sair, o pássaro preto deu ao menino a chave do segundo quarto, onde havia uma porção de arreios. E assim o pássaro preto foi dando as chaves de todos os quartos até chegar ao quinto. O terceiro estava cheio de moças brancas; o quarto estava cheio de mulatinhas e o quinto estava cheio de espadas.

O menino cresceu naquele palácio, onde tinha tudo quanto desejava. O pássaro dizia sempre: "Seja bonzinho e obediente, que darei a você tudo quanto houver por aqui. Só não quero que abra a porta do sexto e do sétimo quartos. Se abri-las, perderá o que já tenho dado e não ganhará nada do que está prometido".

Mas o moço não resistiu à tentação, e um dia entrou no sexto quarto. Encontrou lá um lindo rio de prata. Enfiou o dedo e ficou com o dedo prateado. Como era agora? Para que o pássaro preto não visse o seu dedo prateado, amarrou-o com uma tira de pano.

O pássaro preto, porém, era bom adivinhador; ao ver aquele dedo amarrado, percebeu tudo.

— Já sei que abriu o sexto quarto, — disse ele — e o moço, com muito medo, confessou tudo: "Abri, sim, padrinho (ele tratava o pássaro de padrinho), mas espero que não me castigue".

— Desta vez perdoo, mas castigarei se abrir o sétimo quarto, — disse o padrinho, entregando-lhe a chave e voando.

O moço resistiu quanto pôde, mas afinal abriu também o sétimo quarto, onde encontrou um rio de ouro. Molhou o dedo no ouro liquido e ficou com o dedo dourado. Teve de amarrá-lo com outra tira de pano.

O pássaro preto voltou e, percebendo tudo, disse:

— Como castigo da desobediência, vou mergulhar você nesses dois rios e botá-lo daqui para fora — e mergulhou-o no rio de prata, depois no rio de ouro e por fim soltou-o fora do palácio. Mas de dó do afilhado lhe deu uma varinha de condão.

O moço foi andando até dar num reino onde encontrou um negro velho de nome Gaforinha. Pintou a cara e comprou a roupa desse negro, para poder entrar na cidade sem que o povo percebesse que ele era dourado e prateado.

Mas uma princesa que estava a janela viu de longe a cena e foi dizer ao rei, seu pai, que queria casar-se com o mais esfarrapado negro velho que entrasse na cidade. O rei muito se assombrou com o desejo da filha, mas não teve remédio senão fazer-lhe a vontade. Mandou que pegassem o negro e o trouxessem ao palácio. Quando o negro soube que a princesa queria casar-se com ele, ficou também assombradíssimo, porque estava longe de supor que ela sabia de tudo.

Casaram-se e ele nem tinha coragem de deitar-se na cama da princesa; dormia no chão, numa tábua. Aquilo desgostou imensamente o rei, a ponto de fazê-lo cair doente, muito mal do coração. A família fez uma promessa a Nossa Senhora, que se o rei sarasse haveria uma grande festa. O médico veio e receitou como remédio três pássaros de pluma.

O negro soube de tudo, e soube também que os príncipes casados com as outras filhas do rei iam sair a cavalo pelo mundo em procura dos pássaros de pluma. Ele então pediu a varinha mágica que lhe desse um coche muito rico, um vestuário deslumbrante e três pássaros de pluma. Entrou no coche e lá se foi ao encontro dos genros do rei.

Assim que estes viram naquele coche os três pássaros, perguntaram ao viajante se eram mesmo pássaros de pluma e se os queria vender. O viajante respondeu que só cederia os pássaros se os moços se deixassem marcar na perna com um ferro em brasa. Eles consentiram. Foram marcados na perna e correram ao palácio do rei doente com os três pássaros de pluma. O rei comeu-os e sarou. Começaram as grandes festas.

A princesa casada com o negro foi para a igreja sozinha, mas o seu marido pediu a vara de condão que fizesse aparecer outro coche ainda mais lindo que o primeiro e outro vestuário deslumbrante — e entrando no coche foi no galope, de modo a chegar à igreja antes de sua mulher. Entrou no templo, onde todos se admiraram de tanta beleza. Mas quem mais se admirou foi sua própria esposa, que estava a mil léguas de imaginar que aquele fosse o seu marido negro. As irmãs casadas com os príncipes disseram-lhe: "Com um moço assim é que você devia ter-se casado, e não com um negro tão preto".

Na festa do dia seguinte o negro pediu à vara de condão que fizesse aparecer um coche ainda mais lindo e um vestuário ainda mais deslumbrante — e foi esperar a esposa na igreja, deixando-a terrivelmente impressionada com a sua beleza e a sua riqueza.

No terceiro dia, a mesma coisa; um coche ainda mais lindo e um vestuário que era um céu aberto. Depois das festas na igreja houve banquete no palácio — e o negro se apresentou no mesmo coche e nos mesmos trajes do dia em que cedeu os pássaros de pluma aos genros do rei. Os príncipes ficaram muito espantados de ver ali aquele homem, e mais ainda quando o desconhecido declarou que não se sentava em mesa em que sentassem seus escravos.

— Que escravos? perguntou o rei.

O moço apontou para os genros do rei, dizendo que eram seus escravos, pois tinham as pernas marcadas com a mesma marca com que ele marcava os seus bois.

O rei examinou a perna dos moços e viu as marcas. Ao saberem disso, as princesas casadas com eles se atiraram pelas janelas; e os pobres príncipes fizeram o mesmo. E o rei ficou numa tal tristeza que morreu dias depois. E então o Gaforinha ficou dono de todo o reino.

— Esta história, — disse Dona Benta, — foi recolhida pelo erudito Sílvio Romero da boca do povo de Pernambuco. A gente percebe com muita clareza que é uma história truncada, bastante sem pé nem cabeça, como diz a Emília. Em geral as histórias encerram uma moralidade, uma lição qualquer — mas nesta não vemos nada disso. O fim até deixa a gente desapontada.

— Também acho, — disse Emília. — Essa princesa que se casa com um negro velho, o pássaro preto que leva o menino no bico, aqueles quartos cheios, de cavalos um, de arreios outro, de moças brancas outro, de mulatinhas outro — e os últimos com os tais rios de prata e ouro, tudo isso não tem o menor propósito. E o castigo que o pássaro preto inventou? Então dar uma vara mágica a uma pessoa é castigar? Quem me dera ser castigada assim! Tudo bobagens de negra velha. Nessa história vejo uma fieira de negras velhas, cada qual mais boba que a outra — que vão passando a história para diante, cada vez mais atrapalhada.

— E os tais pássaros de plumas? — disse Narizinho. — Que é que entende você por pássaros de pluma, Nastácia?

— Não sei, menina, — respondeu a preta. — A história eu ouvi assim e por isso conto assim. Pássaro de pluma é pássaro de pena, parece.

— E já viu pássaro que não seja de pena, sua tola? — disse Emília. — O que vale é que você mesma confessa não ter culpa das idiotices da história, senão eu cortava um pedaço desse beiço...

— Emília, respeite os mais velhos! — ralhou Dona Benta.

— A senhora me perdoe, — disse a pestinha; — mas, cá para mim, isso de respeito nada tem com a idade. Eu respeito uma abelha de um mês de idade que me diga coisinhas sensatas — mas se Matusalém vier para cima de mim com bobagens, pensa que não boto fogo na barba dele? Ora, se boto!...

A RAPOSINHA

Era uma vez um príncipe que saiu a correr mundo, em procura dum remédio para o rei, seu pai, que estava cego. Depois de muito andar, passou por uma aldeia, onde viu vários homens dando uma sova num defunto.

— Que é isso? — perguntou o príncipe.

— É que este homem nos devia dinheiro e morreu sem pagar. O costume cá da aldeia manda meter a lenha no cadáver.

O príncipe revoltou-se contra a brutalidade, e pagando a dívida do morto deu ordem para que o enterrassem.

Seguiu caminho. Adiante encontrou uma raposa que lhe perguntou para onde ia. O príncipe contou que andava atrás dum remédio para a cegueira do rei, seu pai.

— Pois sei dum remédio, — disse a raposinha. — Basta esfregar nos olhos do rei um pouco de "unguento de papagaio", mas dum certo papagaio lá do Reino dos Papagaios. Vá lá, meu príncipe, entre à meia-noite no lugar onde estão esses pássaros e não olhe para os bonitos, os que moram em gaiolas douradas. Pegue no mais velho de todos, o mais depenado e sujo, que está a um canto, num poleiro imundo. Esse é o bom.

O príncipe foi. Quando entrou no Reino dos Papagaios, ficou de boca aberta de tantas aves lindas que viu, em gaiolas de prata e ouro, e até cravejadas de diamantes. Esquecido da recomendação da raposinha, pegou na gaiola do mais bonito e foi saindo. Mas o papagaio deu um berro. Os guardas acordaram e prenderam o príncipe.

— Que queres com este papagaio? — disseram. — Vais morrer, gatuno!

O príncipe, com muito medo, explicou do que se tratava. Os guardas então lhe disseram:

— Pois muito bem: damos-te o papagaio se fores ao Reino das Espadas e nos trouxeres uma — e soltaram-no.

O príncipe saiu muito triste porque não sabia onde era o tal reino. A raposinha apareceu-lhe de novo.

— Então, meu príncipe, que tristeza é essa! — e depois de saber do acontecido falou assim: — Eu bem recomendei que pegasse o papagaio mais velho e feio. Agora o que tem a fazer é o seguinte: vá ao Reino das Espadas (e contou onde era) e entre lá à meia-noite. Encontrará espadas de todos os jeitos, de ouro e prata, muitas cravejadas de pedras preciosas — mas não pegue nenhuma dessas. Pegue uma velhinha e enferrujada, que está num canto. Essa é a boa.

O príncipe foi, e lá no Reino das Espadas ficou de boca aberta diante das tantas maravilhas que viu. Mas não teve coragem de pegar na espada mais velha e ferrugenta; escolheu, ao contrário, a mais rica de todas. Quando ia saindo, fez barulho sem querer; os guardas acordaram e o prenderam. Iam levá-lo ao Rei de Espadas. O príncipe, porém, contou sua triste história de modo a comover os guardas, os quais disseram: "Bem. Perdoaremos o seu crime, se for ao Reino dos Cavalos e nos trouxer um".

O príncipe saiu em procura do Reino dos Cavalos. Logo adiante encontrou a raposinha. "Para onde vai tão triste o senhor príncipe?" perguntou ela.

O príncipe contou tudo.

— Bem feito, — disse a raposinha. — Por que não fez como eu disse? O remédio agora é um só — ir ao Reino dos Cavalos (e contou onde era) e lá, entrar à meia-noite. Encontrará muitíssimos cavalos de todas as cores e raças, cada qual mais lindo. Mas não pegue nenhum desses. Escolha o mais velho e feio. Esse é o bom.

O príncipe foi, mas tão lindos animais viu no Reino dos Cavalos que não teve ânimo de pegar no mais velho e feio. Escolheu, ao contrário, o mais lindo de todos. Ao sair, o cavalo rinchou, acordando os guardas, que o prenderam.

Houve explicações e por fim os guardas disseram:

— Pois bem, nós o perdoaremos se você furtar a filha do rei.

O príncipe prometeu e saiu. Logo adiante encontrou a raposinha que lhe disse:

— Príncipe, saiba que sou a alma daquele defunto que levou a sova por causa das dívidas. Ando a protegê-lo por todos os modos, mas nada tem adiantado. Você nunca faz o que eu digo. Vamos ver se agora me atende. Arranje um cavalo e vá à meia-noite ao palácio do rei; entre; agarre a moça, ponha-a na garupa e dispare no galope. Passe pelo Reino dos Cavalos e pegue o que eu disse. Depois passe pelo Reino das Espadas e pegue a que eu disse. Depois passe pelo Reino dos Papagaios e pegue o que eu disse. E dispare a toda para a casa de seu pai, porque o velho está morre não morre. Mas nunca entre por veredas, nem dê atenção a coisa nenhuma antes de chegar em casa. E adeus.

O príncipe lá se foi. Chegando ao palácio do rei, furtou a moça; chegando ao Reino dos Cavalos, pegou o mais velho e feio; chegando ao Reino das Espadas, levou a mais velha; chegando ao Reino dos Papagaios, pegou o mais feio — e seguiu no galope na direção de sua casa.

Pelo caminho, porém, encontrou seus irmãos que tinham saído à procura dele, mas que ao verem aqueles objetos ficaram com inveja e resolveram matá-lo para roubar. Para isso convenceram-no de que devia deixar a estrada e seguir por um atalho, porque indo pelo atalho estaria livre de ser assaltado por ladrões.

O moço caiu na esparrela; tomou pelo atalho. Logo adiante os maus irmãos assaltaram-no, roubaram-no e jogaram-no numa buraqueira, certos de que estava morto. E voltaram para casa com os despojos. Aconteceu, porém, uma porção de coisas. A moça não queria comer nem falar; o papagaio enfiou a cabeça sob a asa e não disse uma só palavra; a espada ficou mais enferrujada ainda e o cavalo pendeu a cabeça como se fosse morrer.

Quando o moço, lá na buraqueira, acordou do longo desmaio, viu diante de si a raposa, a qual o tirou dali e o botou no caminho. Ele seguiu para casa manquitolando. Assim que chegou, a espada perdeu a ferrugem, ficando novinha em folha; o papagaio criou penas novas e foi sentar-se em seu ombro; a moça deu uma gargalhada gostosa e falou pelos cotovelos; o cavalo ergueu a cabeça e engordou num instante.

O príncipe, então, dirigiu-se ao quarto do rei cego e esfregou-lhe nos olhos um pouco de "unguento de papagaio" — e o rei imediatamente recobrou a vista e a saúde.

Foi uma grande alegria na corte. O bom príncipe casou-se com a moça e os maus irmãos foram expulsos do reino. E acabou-se a história.

— Bom, — disse Emília. — Esta já está mais bem arranjadinha. Mas eu noto uma coisa: as histórias populares parecem que são uma só, contada de mil maneiras diferentes. Falam tanto na tal imaginação do povo e eu não vejo nada disso. Vejo apenas uma grande pobreza.

— Sim, — disse Dona Benta. — Também eu não encontro grande riqueza de imaginação no nosso povo. As histórias que por aí correm de fato se repetem, parecendo ser todas do mesmo ciclo.

— Ciclo? — repetiu Narizinho. — Que é isso?

— Quando há uma ideia central e em redor dela surgem muitas histórias parecidas umas com as outras, dizem os sábios que elas pertencem ao mesmo ciclo. Na Europa houve, na Idade Média, o ciclo das histórias da Raposa. Houve também o ciclo das histórias do Rei Artur. O povo encanta-se com uma ideia e vai tecendo variantes em torno.

— No cinema de hoje noto a mesma coisa, — disse Pedrinho. — Sempre que aparece uma fita original, todas as companhias se aproveitam da ideia e dão fitas sobre o mesmo tema. Até enjoa a gente essa repetição.

— E na literatura também é assim, — disse Dona Benta, — Sempre que um escritor lança uma obra original, com alguma novidade que caia no goto do público, todos os maus escritores se metem a usar e abusar daquele tema. Quando aqui no Brasil apareceu *O Guarani* de José de Alencar, veio logo uma fúria de romances e contos de índios que não acabava mais. Eram obras de pouco valor, imitações que o tempo varreu para o lixo com a vassoura do esquecimento. Só ficou *O Guarani*.

— Bom, — disse Pedrinho. — Nesse caso, temos nas histórias populares o ciclo dos príncipes Joãozinhos que saem a correr mundo em procura de velhas que ensinam remédios e mais coisas milagrosas. As que Tia Nastácia já contou parece pertencerem ao mesmo ciclo. Já estou cansado desse "ciclismo"...

O HOMEM PEQUENO

Uma vez o príncipe D. João saiu a caçar com alguns amigos, internando-se na floresta. O príncipe, que ia na frente, acabou por distanciar-se dos companheiros, perdendo-se no mato. Quis sair da floresta e não pôde. Andava de cá para lá às tontas, sem conseguir orientação. De repente avistou um muro alto que nem uma montanha, e para lá se dirigiu.

Soube que estava num reino pertencente a uma família de gigantes. O dono da casa era tão alto que dava com a cabeça nas nuvens. Era casado com uma mulher também gigantesca e tinha uma filha também giganta, de nome Guimara.

Quando o gigante viu o príncipe, ficou muito espantado. "Que andas a fazer por aqui, homenzinho?"

O príncipe contou-lhe sua história e o gigante disse: "Pois bem. Posso admiti-lo como meu criado", e o príncipe, que não tinha outro remédio, ficou morando lá.

A filha do gigante achou-o tão engraçadinho que por ele se apaixonou. O pai percebeu a coisa. Chamou o príncipe e disse-lhe:

— É verdade, pequenote, que andas dizendo que és capaz de derrubar numa noite o muro do meu castelo e de construir um palácio?

— Não, senhor meu amo, — respondeu o príncipe. — Eu nunca falei semelhante coisa; mas se meu amo manda, farei isso.

— Pois quero ver, — disse o rei.

D. João saiu dali muito triste, indo ter com a sua amada Guimara, à qual contou a conversa.

— Não se incomode, — respondeu Guimara. — Eu arrumarei tudo.

E assim foi. Graças às suas artes mágicas, Guimara derrubou o muro durante a noite e ergueu um palácio maravilhoso. Quando na manhã do dia seguinte o gigante viu aquilo, assombrou-se.

— Olá, homem pequeno, foste tu mesmo que fizeste isso ou foi minha filha Guimara?

— Fui eu, senhor, — mentiu o príncipe.

Passaram-se uns dias. O gigante, cada vez mais desconfiado, levantou outro aleive contra o príncipe.

— Escuta cá, homenzinho, andam dizendo por aí que te gabas de seres capaz de fazer daquele monte selvagem um lindo jardim de flores. É certo?

— Eu nada disse, mas se meu amo me manda fazer isso, farei.

— Pois faze, que do contrário te cortarei essa cabecinha.

O príncipe foi ter com Guimara, que o sossegou dizendo: "Não se aflija, meu amor, eu arrumarei tudo".

E assim foi. À noite ela fugiu do seu quarto e junto com o príncipe trabalhou no morro, de modo a transformar tudo aquilo no mais belo dos jardins.

Quando pela manhã o gigante viu a obra, ficou furioso, e resolveu lá consigo que o melhor era dar cabo do homenzinho e de Guimara, pois o tal jardim só podia ser obra dela.

Mas Guimara leu o pensamento do gigante e convidou o príncipe a fugir antes que anoitecesse. E fugiram cada qual num cavalo que avançava cem léguas de cada passada. O pai saiu em sua perseguição, montado num cavalo que avançava cento e vinte léguas de cada passada.

Vendo que seriam alcançados, Guimara se transformou num riacho; virou o príncipe num negro velho; as selas, num canteiro de cebolas; uma espingarda que levavam, em beija-flor; e os cavalos, em árvores. O gigante, ao ver aquele negro velho tomando banho no riacho, parou para pedir informações.

— Meu negro velho, — disse ele, — não viu por acaso, de passagem por aqui, dois cavaleiros, um moço e uma princesa?

O negro olhou para o canteiro de cebolas e respondeu: "Plantei estas cebolas, mas não sei se darão boas". E repetia sempre essas mesmas palavras, por mais que o gigante insistisse em saber do moço e da moça.

Aborrecido com o negro, o gigante fez a mesma pergunta ao beija-flor — mas a resposta foi uma bicada que quase lhe furou os olhos. Desesperado da vida, o gigante voltou para casa. Quando sua mulher soube de tudo, gritou logo:

— Que grande idiota és tu! Pois não percebeste que o riacho era a Guimara, o negro o homenzinho, o beija-flor a espingarda, o canteiro de cebolas eram as selas, e as árvores os cavalos?

O gigante voltou para lá com a maior rapidez, mas não encontrou mais nada daquilo. Guimara e o príncipe haviam desencantado e avançado caminho, para de novo se transformarem, muito adiante, ela numa igreja, ele num padre, a espingarda num missal, e mudarem as selas num altar e os cavalos em dois sinos.

O gigante varou pela igreja adentro, perguntando:

"Senhor padre, não viu passarem por aqui dois cavaleiros, um moço e uma princesa?"

O padre, que fingia dizer missa, respondeu com um versinho.

> *Não ouço o que me diz, não ...*
> *Sou um padre ermitão,*
> *Devoto da Conceição,*
> *Não ouço o que me diz, não ...*
> *Dominus vobiscum*

Por mais que o gigante repetisse a pergunta, o padre respondia sempre do mesmo modo. Por fim, desesperado, o gigante voltou para casa e contou tudo a mulher.

— Que tolo que és! Volta para lá no galope. A igreja é Guimara, o padre é o homenzinho, o altar são as selas, o missal é a espingarda e os sinos são os cavalos.

O gigante voltou no galope, mas nada mais viu. Os fugitivos já estavam longe. O gigante, porém, breve os avistou, e então Guimara soltou no ar um punhado de cinzas, que se transformou no mais espesso nevoeiro. O gigante, não podendo enxergar mais nada, voltou para o seu castelo, danadíssimo da vida.

Os dois fugitivos, finalmente, chegaram ao palácio do príncipe. E então Guimara lhe pediu que ao chegar não beijasse a mão de sua tia. O príncipe prometeu, mas ao entrar no palácio a primeira pessoa que viu foi sua tia — e sem lembrar-se da promessa beijou-lhe a mão. Assim que fez isso, esqueceu completamente Guimara e tudo quanto se tinha passado.

O encantamento de Guimara havia desaparecido desde o instante em que ela pisou naquele reinado estranho. Ficou do tamanho de todas as moças e muito triste, porque o seu adorado príncipe já não tinha a menor ideia dela, nem do que ela fizera para lhe salvar a vida. E acabou-se a história.

— Nesta história há uma novidade, — disse Emília, — mas o fim está muito atrapalhado e sem pé nem cabeça. Eu gosto de fantasia, mas de fantasia com pé e cabeça. Tudo que não tem pé nem cabeça me parece errado.

— Essa sua teima de exigir nas histórias pé e cabeça, Emília, tem sua razão de ser, — disse Dona Benta. — As coisas sem pé nem cabeça dão-nos a impressão de monstruosidades, de coisas contra a natureza, uma história pode ser a mais fantástica possível, mas há de ter pé e cabeça. Você tem razão nessa exigência.

— Eu também acho a história descabeçada demais, — disse Narizinho. — Pois se o tal gigante era tamanho que dava com a cabeça nas nuvens, então nem enxergar o príncipe poderia. Feita a proporção, seria o mesmo que eu lidar com um micróbio. E para matar esse micróbio o idiotíssimo gigante inventava aleives, etc. Para matar um micróbio eu assento um pé em cima, e pronto.

— Outra coisa que não me agrada, — disse Pedrinho, — é o tal canteiro de cebolas. Bem se vê que é história contada por negras velhas, cozinheiras. Só faltou transformarem a moça num saquinho de sal, a espingarda em uma cabeça de alho e os cavalos num frango assado.

— Tudo passa, — concluiu Emília. — Só não passa o fim da história. A coitada da Guimara devia ter uma recompensa. Fez tudo pelo príncipe e afinal saiu lograda. E por quê? Porque ele beijou a mão da tia. Bolas! Então beijar a mão de tia traz esquecimento? Essa burrice eu não perdoo. Dou grau cinco para a primeira metade da história, mas dou zero para o final.

A MOURA TORTA

Era uma vez um pai de três filhos, que não tendo dinheiro com que dotá-los deu a cada um uma melancia, quando eles falaram em sair a correr mundo. Mas recomendou que não as abrissem em lugar onde não houvesse água.

O filho mais velho, ansioso por saber de sua sina, abriu a melancia à beira do caminho, logo adiante. De dentro pulou uma moça muito linda, a gritar: "Dai-me água ou leite!". Mas como ali não houvesse água nem leite, ela inclinou a cabecinha e morreu.

O filho do meio, que havia tomado por outra estrada, também resolveu conhecer sua sina e abriu a melancia num ponto onde não havia nem sombra de água perto. Surgiu de dentro uma jovem ainda mais bela, que disse: "Dai-me água ou leite!". Mas como não houvesse por ali nem uma nem outra coisa, ela também pendeu a cabecinha e morreu.

O filho mais moço, porém, deu muito tento à recomendação paterna, de modo que só abriu a sua melancia ao pé duma fonte. Também de dentro pulou uma moça belíssima, que pediu água ou leite. O moço deu-lhe água da fonte, que ela bebeu a fartar. Mas como estivesse nua, o moço pediu-lhe que subisse a uma arvore e lá ficasse escondidinha entre as folhas enquanto ele ia buscar lhe um vestido. A moça subiu à árvore e escondeu-se entre as folhas.

Logo depois apareceu uma moura torta, com um pote à cabeça. Vinha enchê-lo naquela fonte. Olhou para a água e viu o reflexo da moça escondida na árvore.

— Ora que desaforo! Pois se eu sou uma beleza assim, como é que ando a carregar água para os outros? — e jogou o pote, quebrando-o em vinte pedaços.

Mas ao voltar para casa tomou uma grande descompostura da patroa, que a mandou à fonte com outro pote. A moura torta foi e novamente viu o reflexo da moça na água. E quebrou o segundo pote.

A moça na árvore não conteve uma gargalhada. A moura torta olhou para cima e percebeu tudo. Jurou vingar-se.

— Linda, linda moça, — disse ela fazendo voz macia, — que bela cabeleira tu tens, minha flor. Que vontade de correr os dedos por esses lindos fios de ouro! Deixa-me que te penteie.

A moça, sem desconfiar de nada, deixou. A moura torta subiu à árvore e começou a pentear aquela belíssima cabeleira loura. Súbito, *zás!* fincou-lhe um alfinete na cabeça. Imediatamente a moça virou uma pombinha e voou. A moura torta, muito contente, ficou no lugar dela.

Nisto apareceu o moço com o vestido, mas ao ver a sua beleza transformada naquele monstro arregalou os olhos.

— Que queres? — disse a moura. — Demoraste tanto que o sol me queimou, deixando-me preta assim.

O moço deu um suspiro; mas como se tratasse de sua sina, não podia evitar coisa nenhuma. Levou a moura para o palácio e com ela se casou, tudo na maior tristeza.

Desde o primeiro dia começou a aparecer por ali uma pombinha, que se sentava nas árvores do jardim e dizia ao jardineiro: "Jardineiro, jardineiro, como vai o rei meu senhor e mais a sua moura torta?". Dizia isso e voava. Mas tanto repetiu aquela frase que o jardineiro falou ao rei.

O rei, já meio desconfiado, mandou armar uma armadilha de prata para pegar a pombinha. A pombinha não caiu no laço. Mandou armar uma armadilha de ouro — e nada. Uma de diamante — e nada. Por fim o jardineiro fez uma de visgo e nessa a pombinha ficou presa.

O jardineiro levou-a ao rei, o qual a pôs numa gaiola muito linda.

Imediatamente a moura torta manifestou desejo de comer a pombinha assada, e tanto insistiu que o rei foi obrigado a dar licença para aquele crime. Mas no dia em que a pombinha ia morrer, o rei tomou-a nas mãos e afagou-a. Percebeu logo em sua cabeça um carocinho. Olhou. Era uma cabeça de alfinete. Puxou-o — e logo que o alfinete saiu a pombinha se transformou na linda moça da melancia.

— Oh! és tu, minha amada! — exclamou ele, na maior alegria.

A moça contou-lhe toda a traição da moura torta. O rei, furioso mandou amarrá-la na cauda de um burro bravo e soltá-la pelos campos.

— Essa história, — disse Emília, — começa bastante bem e vai bem até certo ponto. Depois derrapa como automóvel na lama. O tal moço era um coitado que só possuía uma melancia. De repente está em um palácio, e sem mais aquela vira rei...

— Isso mostra, — explicou Dona Benta, — como na tradição do povo as histórias se vão adulterando. Vê-se que está incompleta. Com a passagem dum contador para outro, perdeu um pedaço.

— A ideia, — disse Narizinho, — me parece linda e original — a ideia do alfinete fincado na cabeça da moça, embora seja um absurdo. Em cabeça de gente não entra nem prego, quanto mais alfinete. Mas passa, porque nas histórias não há naturalismo; tudo é possível. O que não engulo é o moço deixar-se enganar pela moura torta. Isso é demais.

— Um bobo desse tamanho, ajuntou Pedrinho, eu nunca vi igual. Pois então toda a feiura da moura torta ele acreditou que fosse dum bocadinho de sol que a moça havia tomado? Grandessíssimo sandeu! Além do mais, ele a havia deixado escondida dentro da folhagem — e que sol é esse que penetra dentro da folhagem das árvores?

— Esta história está cheia de "popularidades" — disse Emília, — mas pelo menos tem o mérito de alguma coisa nova: o alfinete enterrado na cabeça da moça, a sua transformação em pombinha e, melhor que tudo, o caso da moura confundir o reflexo da moça com a sua própria imagem. Está tudo muito tosco e bruto, mas passa. Dou grau seis.

— Só porque apareceu uma pombinha! — exclamou Dona Benta. — As histórias com pombinhas dentro sempre encantaram a Emília.

— E tenho razão, — disse a ex-boneca. — Não há nada mais lindo que uma pombinha bem branca, com aqueles olhos tão redondos. A minha ave predileta sempre foi à pombinha. E a sua, Tia Nastácia?

A negra teve vergonha de dizer. A ave predileta de Tia Nastácia sempre fora uma galinha bem gorda, das boas para fazer de molho pardo.

A MADRASTA

Havia um viúvo com três filhas. Um dia resolveu casar-se de novo — e casou com uma mulher muito má, que tinha ódio às meninas. Fazia-as trabalhar como verdadeiras escravas.

No quintal havia uma grande figueira. Quando chegou o tempo dos figos, a madrasta botou as meninas lá tomando conta para que os passarinhos não bicassem os figos.

As três coitadinhas passavam debaixo da figueira o dia todo, dizendo aos sanhaços que se aproximavam:

> Xô, xô, passarinho,
> Aí não toques o biquinho.
> Vai-te embora p'r'o teu ninho...

Mas mesmo assim aparecia um ou outro figo bicado e a madrasta batia nas três.

Um dia em que o homem fez uma longa viagem a madrasta aproveitou-se para mandar enterrar vivas as coitadinhas. Quando o homem voltou e indagou das filhas, a peste respondeu que haviam caído doentes e morrido, apesar de todos os remédios. O pobre pai ficou muito triste.

Mas aconteceu que no lugar onde as meninas tinham sido enterradas brotou logo um lindo capinzal — dos cabelos delas, e quando batia o vento o capinzal murmurava:

Xô, xô, passarinho,
Aí não toques o biquinho.
Vai-te embora p'r'o teu ninho...

Um negro, tratador dos animais da casa, andando a cortar capim, ouviu aqueles murmúrios e teve medo de mexer nas plantinhas. Foi contar o caso ao patrão.

O patrão não quis acreditar, e disse-lhe que cortasse o capim com murmúrio e tudo. O negro obedeceu. Mas quando levantou a foice, ouviu novamente a misteriosa voz, que dizia:

Capineiro de meu pai,
Não me cortes os cabelos;
Minha mãe me penteava,
Minha madrasta me enterrou
Pelo figo da figueira
Que o passarinho bicou.

O negro foi correndo contar o caso ao patrão, com um grande susto na cara. E tanto fez que o obrigou a chegar até lá. E então o pai das meninas ouviu o lamento das filhas enterradas.

Mandou buscar uma enxada e cavar, e retirou-as da terra, vivas por milagre de Nossa Senhora, que era madrinha das três.

Quando voltaram para casa, na maior alegria deram com a madrasta estrebuchando. Um castigo do céu tinha caído sobre a peste.

— Bom, — disse Emília, — esta história já está bem mais aceitável. Tem sua originalidade e explica tudo. Desde que houve milagre, era natural que as enterradinhas vivas não morressem. Milagres não se discutem.

— E há ainda um traço delicado, — disse Dona Benta, — esse das cabeleiras das meninas que viraram capinzal murmurejante ao vento. Aparece também a figura da madrasta, que é muito comum nas histórias populares. Toda madrasta tem que ser má. O povo não admite a possibilidade de madrasta boa.

— E não há, — disse Narizinho. — As que eu conheço como a madrasta da Quinota e a da Maricoquinha, não chegam a ponto de enterrar crianças vivas — mas boas não são.

— E a do Zeferininho da Estiva, que dava na cabeça dele com a colher de pau? — acrescentou Pedrinho.

— Sim, — disse Dona Benta. — Talvez a regra seja a madrasta má, embora as haja excelentes. Sei dois casos de madrastas boníssimas, quase como mães. Tudo depende da criatura, e não do fato de ser mãe ou madrasta. Há mães tão perversas como as piores madrastas.

— Mas o povo assentou que as madrastas não prestam e não prestam mesmo, — concluiu Emília. — O coitado do povo sofre tanto que há de saber alguma coisa. Esse ponto da madrasta má o povo sabe. São más como caninanas — embora haja alguma degenerada que seja boa. Madrasta boa não é madrasta. Para ser madrasta tem que ser uma bisca das completas. Eu, se pilhar alguma por aqui, furo-lhe os olhos.

Manoel da Bengala

Era uma vez um rei que teve um filho que nasceu grandão e forte demais. Com oito dias de idade já devorava um boi inteiro. O rei, muito assustado, chamou seus conselheiros para lhe darem opinião, porque naquela toada o menino acabaria com todos os bois do reino. Os conselheiros acharam que o melhor era soltá-lo pelo mundo. O rei concordou. Deu ao filho uma bengala de ferro, um machado, uma foice de bom tamanho e soltou-o no mundo.

O príncipe saiu. Chegando a uma fazenda, pediu serviço. O fazendeiro ajustou-o e mandou-o roçar um pedaço de mato. O moço meteu a foice no mato com tanta fúria que assustou o fazendeiro. Na hora de jantar deu risada da comida que lhe trouxeram. Queria um boi inteiro, com um alqueire de farinha. O fazendeiro achou graça e fez a experiência, certo de que ele só comeria um pedacinho do boi e no máximo um litro de farinha; mas quando viu todo o boi desaparecer no seu bucho, e mais o alqueire de farinha, não quis saber de histórias — despediu-o.

O príncipe voltou para o palácio do rei, onde passou uns tempos, por fim o rei coçou a cabeça e reuniu novamente os conselheiros. "Que fazer deste rapaz que me devora um boi por dia?" Os conselheiros aconselharam o rei a mandá-lo pegar seis leões na floresta, certos de que os leões num instantinho dariam cabo dele.

O príncipe pediu um carro com três juntas de bois — e foi para a floresta, onde passou seis dias. Cada dia comia um boi e pegava um leão, que amansava e punha no carro, em lugar do boi comido. Quando completou a conta, entupiu o carro de árvores e tocou para a cidade.

O rei e todo o povo se encheram de espanto com a façanha de Manoel da Bengala, que era como lhe chamavam. Coisa como aquela ninguém ainda tinha visto. O rei coçou a cabeça. Por fim mandou que o príncipe saísse pelo mundo e nunca mais lhe aparecesse. O príncipe saiu.

Foi andando, andando. Em certo ponto encontrou um homem que atravessava um rio sem se molhar. Era o Passa-vau.

— Bom dia, Manoel da Bengala! — gritou o homem.

— Passa-vau, — disse o príncipe, — quer passar-me para a margem de lá?

Passa-vau passou-o e seguiram juntos. Adiante encontraram um homem cortando cipó. Chamava-se Arranca-serra.

— Bom dia, Manoel da Bengala! — gritou o homem.

— Arranca-serra, — disse o príncipe, — quer viajar comigo?

O homem aceitou e lá seguiram os três.

Cada dia um deles tinha de arranjar comida para o bando. Certa vez em que Passa-vau saíra a cuidar disso, encontrou um molequinho de carapuça vermelha, que lhe pediu fogo para o cachimbo. Passa-vau não quis dar e o moleque pregou-lhe tal cachimbada na cabeça que o fez vir ao chão, como morto. Só uma hora depois voltou a si, e foi contar aos companheiros o acontecido.

— Você não vale nada, — disse Arranca-serra. — Quem vai buscar comida amanhã sou eu. E foi.

O molequinho da carapuça apareceu de novo, pedindo fogo para o cachimbo. Arranca-serra não quis dar e levou outra cachimbada na cabeça que também o deitou por terra, sem sentidos. Quando voltou a si e foi em procura dos companheiros, Manoel da Bengala riu-se muito.

— Vocês não valem nada. Quem vai buscar comida amanhã sou eu. — E foi.

O moleque da carapuça apareceu pela terceira vez, sempre pedindo fogo. Manoel da Bengala respondeu ao pedido com um golpe da sua tremenda bengala de ferro. O moleque resistiu e deu-lhe com o cachimbo na cabeça. Travou-se luta medonha, até que uma bengalada arrancou a carapuça da cabeça do moleque — Manoel guardou-a no bolso.

— Manoel da Bengala, me dê minha carapuça, — pediu o moleque com voz de choro.

— Não dou, não dou, — foi a resposta, e seguiram andando os dois, um a insistir pela carapuça e outro a negar. Por fim Manoel da Bengala disse: "Só te darei a carapuça se me entregares as três princesas que tens encarceradas".

O moleque, que era o "cão", respondeu: "Isso não, porque minhas não são".

Foram andando, andando. Em certo ponto o moleque entrou por uma gruta — e Manoel da Bengala atrás. Foram dar num reino lá no fundo da terra, onde trabalhavam muitos escravos. Era o inferno. O moleque não parava de pedir a carapuça, e Manoel não parava de pedir as princesas. Por fim, vendo o "cão" que não podia com a vida daquele homem, deu-lhe as princesas. "Agora passe para cá minha carapuça!" Manoel respondeu: "Espere! Primeiro tem que me botar lá fora, no caminho".

O moleque resistiu; Manoel pregou-lhe a bengala até que ele cedesse e o levasse para fora com as três princesas na frente. Assim que as três princesas surgiram na abertura da caverna, os companheiros de Manoel da Bengala, que estavam por ali, agarraram-nas e dispararam com elas.

Quando Manoel se viu na estrada, restituiu a carapuça ao moleque, mas ficou muito espantado de não ver as moças. Os seus companheiros já estavam longe. Haviam ido entregá-las ao rei, dizendo que as tinham salvo e pois deviam recebê-las como esposas.

O rei ficou contentíssimo de rever as filhas, mas as moças puseram-se a chorar, dizendo que o salvador das três não era nenhum daqueles homens.

Lá longe, Manoel da Bengala, sentado à beira do caminho, pensava na vida. Tinha ficado com os lenços das moças. Pegou num deles e disse: "voa, voa, e vai cair no colo delas". O lenço virou num papagaio que foi sentar-se no colo duma das princesas.

— Eu só me casarei com o dono deste papagaio, — disse a moça.

Manoel da Bengala pegou nos outros lenços e disse: "Voai e levai-me ao palácio das princesas", e os lenços voaram e levaram-no ao palácio das princesas.

Lá chegando, as três reconheceram-no como o seu salvador, e Manoel casou-se com a do papagaio. Os dois embusteiros, depois de uma grande sova, foram expulsos do reino. As outras casaram-se com dois lindos príncipes. E acabou-se a história.

— Então, Emília? — perguntou Dona Benta.

— Está pitoresca e variada, — respondeu Emília, — mas muito mal composta. Com esses elementos eu faria uma beleza de história.

— Eu também, — disse Narizinho. — Vejo uma porção de defeitos. O tal Arranca-serra fiquei sem saber que é que fazia, pois o que arrancava era cipó, serra nenhuma. E o Passa-vau, que tinha a propriedade de não molhar-se, em toda a história não se utilizou dessa propriedade.

— Outro defeito que eu acho, — disse Pedrinho, — é o tal príncipe chamar-se Manoel da Bengala. Muito grosseiro para um príncipe. Muito sem poesia. Também aquilo de com uma semana de idade comer um boi inteiro, me parece idiota.

— É o que eu digo, — ajuntou Emília. — O povo, coitado, não tem delicadeza, não tem finuras, não tem arte. É grosseiro, tosco em tudo que faz. Este livro vai ser só das histórias populares do Brasil, mas depois havemos de fazer um só de histórias compostas por artistas, das lindas, cheias de poesia e mimos — como aquela do *Príncipe Feliz*, do tal Oscar Wilde, que Dona Benta nos leu. Aquilo sim. Até deixa a gente leve, leve, de tanta finura de beleza!

João e Maria

Houve uma vez um casal com tantos filhos que o remédio foi aliviar a família botando dois fora. Chamavam-se João e Maria os escolhidos como vítimas. Certa manhã o pai mandou que se aprontassem para irem com ele tirar mel na floresta.

Os meninos se aprontaram e foram. Lá no meio da mata o pai disse: "Agora fiquem aqui bem quietinhos enquanto eu me afasto. Assim que ouvirem um grito, dirijam-se do lado do som", e afastou-se para um ponto em direção contrária à sua casa, onde gritou — e depois deu uma volta e correu para casa. Ouvindo o grito, as duas crianças encaminharam-se do lado do som. Não encontraram o pai e perderam-se.

Veio a noite e os dois coitadinhos dormiram num oco de pau. No dia seguinte João subiu ao alto duma árvore para ver se enxergava alguma coisa. Viu muito longe uma fumacinha. Mandou que Maria ficasse esperando e dirigiu-se para lá. Era a casa duma velha cata cega que estava assando bolos ao forno. João, meio morto de fome, não resistiu ao cheiro daqueles bolos. Quebrou uma varinha de gancho na ponta e por um buraco da parede furtou dois bolinhos. A velha viu aquilo mal-e-mal e pensou que fosse o gato. "Chispa, gato, não me furtes meus bolinhos."

No dia seguinte veio João com o gancho furtar mais bolinhos e a velha novamente tocou o gato. No terceiro dia voltou, mas dessa vez Maria insistiu em vir com ele — e veio. Quando João pescou o primeiro bolinho e a velha ralhou com o gato, Maria não conteve uma gargalhada. A velha apareceu a janela e disse:

— Oh, são vocês, meus netinhos! Entrem. Venham morar comigo.

Os dois meninos entraram, e a velha, *nhoc!* agarrou-os e trancou-os numa arca, para engordá-los e comê-los assados. E para que engordassem depressa, dava-lhes muitos bolos todos os dias. De vez em quando dizia: "Botem para fora o dedinho para eu ver se já estão no ponto".

João não punha o dedo — punha um rabinho de lagartixa que encontrara na arca, e a velha rosnava: "Ainda estão bem magros", e aumentava a ração de bolos.

Assim por muitos dias, até que João perdeu o rabinho da lagartixa e teve de pôr o dedo. "Oh," disse a velha, "agora sim estão no ponto", e abriu a arca. "Saiam e juntem bastante lenha. Vamos fazer uma fogueira para dançar em redor." Mas a ideia da coruja não era essa, e sim lançá-los no tacho de água que ia pôr em cima da fogueira.

Os meninos saíram para a floresta. Estavam amarrando os feixinhos quando Nossa Senhora lhes apareceu e disse: — A velha é uma feiticeira que devora crianças. Por isso façam o que eu vou dizer. Depois de acesa a fogueira, assim que ela mandar que vocês dancem, digam-lhe: "Avozinha, dance primeiro para vermos como é" e assim que ela começar a dançar, empurrem-na para a fogueira e corram — e subam naquela árvore grande que há perto da casa e fiquem lá até ouvirem um estrondo: é a cabeça da velha arrebentando no fogo. Dessa cabeça vão sair três cães ferozes, mas vocês levarão no bolso três bolos. Quando aparecer o primeiro cão, gritem: Turco! e lancem-lhe um dos bolos. A mesma coisa com o segundo, que se chamará Leão, e a mesma coisa com o terceiro, que se chamará Facão. Façam isso que os três cães ferozes se transformarão em três guardas fiéis.

Os meninos assim fizeram. Levaram a lenha e armaram a fogueira. Quando a velha mandou-os dançar, pediram-lhe que começasse para verem como era — e a velha pôs-se a dançar e eles a empurraram para a fogueira. Em seguida treparam à árvore e ficaram à espera do estouro. *Bum!* lá rebentou a cabeça da velha. Imediatamente os três enormes cães surgiram. Os meninos disseram-lhes os nomes e lançaram-lhes os bolinhos. Os cães viraram guardas fiéis, tudo exato como Nossa Senhora dissera.

Desceram então da árvore e ficaram morando na casa da feiticeira, onde viveram vários anos em companhia dos bons cães.

Maria, que estava mocinha, foi gostada por um rapaz das vizinhanças, que resolveu dar cabo de João. Mas os cães defendiam-no tão bem que isso se tornou impossível. O moço armou um plano.

Aconselhou Maria a pedir a João que fosse à floresta e deixasse os cachorros na casa e João assim fez. O moço veio e entupiu os ouvidos dos cachorros com cera — e lá se foi com uma espingarda em procura de João. Se ele gritasse, os cães não ouviriam e não viriam em seu socorro.

Encontrou-o e disse: "Reza, amigo, pois vais morrer" e apontou a espingarda. João pediu tempo para dar três gritos. O malvado respondeu, rindo, que podia dar até cem. João trepou a uma árvore e gritou de cima: "Turco! Leão! Facão!".

Os cães estavam de ouvidos tapados, mas mesmo assim, ouviram alguma coisa e sacudiram violentamente as cabeças. João repetiu os gritos, duas, três vezes. A cera escapou dos ouvidos dos cães e eles vieram, velozes como relâmpagos, e agarraram o malvado e o estraçalharam.

João voltou para casa e disse a Maria: "Tu me atraiçoaste, irmã. Fica-te, pois aqui que eu vou correr mundo", e lá se foi com os três cães fiéis.

Tocou para um reino onde havia um monstro de sete cabeças, comedor de gente. Todos os dias tinham de levar-lhe uma vítima. Ao chegar lá João viu uma linda princesa amarrada a uma pedra. "Que fazes aqui, princesa?" — perguntou. E ela respondeu: "Cá estou para ser devorada pelo monstro de sete cabeças. Ele não tarda. Foge depressa, senão serás devorado também".

Contou ainda que o rei a tinha prometido como esposa a quem matasse o monstro, mas que nunca apareceu no reino homem nenhum capaz de semelhante façanha.

João declarou que não fugiria dali, ao contrário, ficaria à espera do monstro para lutar com ele e vencê-lo — e como estivesse cansado, deitou a cabeça no colo da princesa, para dormir.

Momentos depois o monstro surgiu ao longe, e a princesa, na maior aflição, pôs-se a chorar. Uma lágrima caiu no rosto de João, despertando-o. "Foge! Foge, senão serás devorado também", disse-lhe a princesa. Mas João não mostrou o menor medo. Ficou — e atiçou contra o monstro o cão Turco. Travou-se uma luta medonha, e quando o Turco já não podia mais, João atiçou o Leão. E quando o Leão já não podia mais, atiçou o Facão. O monstro não aguentou: foi vencido e estraçalhado.

João cortou a ponta das sete línguas do monstro e foi com a princesa ao palácio do rei. Mas um negro, que ia passando a cavalo, deu com o bicho morto e teve uma ideia. Cortou sete tocos das línguas do monstro e foi de galope ao palácio do rei, ao qual declarou que tinha matado o monstro.

Quando João chegou era tarde. O rei já tinha resolvido o casamento da princesa com o negro mentiroso, por mais que ela contasse a história dum modo diferente. Ninguém acreditou em suas palavras, julgando ser invenção para não casar-se com o negro.

No dia do casamento houve um grande banquete, mas no momento em que os criados serviram o negro, Turco entrou e arrebatou o que lhe haviam posto no prato. Ao ver aquilo, a princesa ficou alegríssima e contou ao pai que era um dos cães que haviam lutado contra o bicho de sete cabeças.

Os criados serviram o negro novamente, e desta vez foi Leão que entrou e levou-lhe o prato. A princesa explicou que era aquele o segundo cão que lutara contra o monstro. Por fim entrou Facão e arrebatou o terceiro prato servido ao negro. O rei, muito impressionado, mandou que seguissem aquele cachorro para ver a quem pertencia.

Os guardas foram e voltaram com o herói verdadeiro.

— Eis aí quem me salvou e matou o monstro gritou a princesa, e João confirmou suas palavras, abrindo um lenço e mostrando as sete pontas de língua.

O rei compreendeu tudo. Mandou amarrar o negro num burro bem bravo e casou João com a princesa.

— Eu já li essa história em Andersen, — disse Emília, — e agora estou vendo bem claro como o nosso povo faz nelas os seus arranjos. Foi Andersen quem a inventou.

— Não, — disse Dona Benta. — Andersen nada mais fez do que colhê-la da boca do povo e arranjá-la a seu modo, com as modificações que quis. Essas histórias são todas velhíssimas, e correm todos os países, em cada terra contada de um jeito. Os escritores o que fazem é fixar as suas versões, isto é, o modo como eles entendem que as histórias devem ser contadas.

— Na versão de Andersen, — disse Narizinho, — não há negro nenhum, nem nada de três cães. O povo aqui no Brasil misturou a velha história de Joãozinho e Maria com outra qualquer, formando uma coisa diferente. A versão de Andersen é muito mais delicada e chama-se *Hansel e Gretel*.

— O tal negro entrou aí, — disse Pedrinho, — porque no Brasil as histórias são contadas pelas negras, que gostam de enxertar personagens pretos como elas. Lá na Dinamarca Andersen nunca se lembraria de enxertar um preto porque não há pretos. Tudo gente loura.

— Onde o tal Sílvio Romero pegaria essa história? — perguntou Emília.

— No Rio de Janeiro e no Sergipe, — respondeu Dona Benta. — Ele fez um trabalho muito interessante, que publicou com o nome de *Contos Populares do Brasil*. Ouvia as histórias das negras velhas e copiava-as direitinho, com todos os erros de língua e os truncamentos. É assim que os folcloristas caçam a obra popular.

O bom diabo

Houve um rei que tinha um filho de dezoito anos.

"Meu filho," disse a rainha, "é tempo de eu ler a tua sina" e leu a sina do moço. Oh, bem triste! O moço tinha a sina de morrer enforcado. A rainha caiu numa grande tristeza, mas nada contou ao filho. "Que abatimento é esse, minha mãe?" perguntava ele, e a rainha suspirava.

Mas tanto ele insistiu com sua mãe para que lhe contasse a causa da tristeza, que ela contou. "Meu filho, é que tua sina é morreres enforcado."

O rapaz procurou consolá-la, dizendo que morrer todos morriam, e que tanto fazia morrer disto como daquilo. Mas já que sua sina era aquela, só desejava uma coisa: licença para correr mundo e ser enforcado longe dali, de modo que não desse maior desgosto aos seus. A rainha sentiu, mas concedeu a licença pedida.

No dia da partida o rei deu-lhe uma grande soma de dinheiro para a viagem — e lá se foi ele pelo mundo afora. Correu cidades e reinos, até que por fim chegou a um sitio onde havia uma capela de S. Miguel, com a imagem deste santo e a figura do diabo, mas tudo em ruínas. O príncipe parou ali, com a ideia de reconstruir a capelinha e restaurar as imagens.

Chamou operários e pôs mãos à obra. Deixou tudo novinho em folha, uma beleza. Quando o pintor veio receber o seu dinheiro, contou que sobrara um pouco de tinta porque havia deixado de pintar a figura do diabo.

— Por que o não pintou? Pinte o diabo também, — ordenou o príncipe. E o pintor pintou o diabo.

Concluída aquela tarefa, o príncipe continuou sua viagem pelo mundo. Certo dia foi dar à casa duma velha, a qual pediu pouso. Entrou, jantou, e depois começou a contar o dinheiro que ainda lhe restava. Vendo aquilo, a velha foi correndo dizer às autoridades que estava em sua casa um ladrão, contando o dinheiro que lhe havia roubado.

Veio uma escolta, que prendeu o príncipe. Foi processado, julgado e condenado à morte na forca. Mas, no dia em que tinha de ser morto, lá na capelinha de S. Miguel o santo pôs-se a conversar com o diabo.

— Então, estás agora bonito, hein, diabo?

— É verdade. Pintaram-me inteirinho.

— E não sabes quem consertou esta capela e nos pintou?

O diabo não sabia; o santo contou-lhe a história do príncipe que passara por ali, e disse mais que esse pobre moço fora preso, processado e julgado, e naquele mesmo dia ia ser erguido a uma forca por causa das intrigas de certa velha.

O diabo não quis ouvir mais. Pulou num cavalo e foi voando à casa da velha; agarrou-a e levou-a ao rei, fazendo-a confessar toda a sua maquinação contra o moço. O rei deu ordens para que soltassem o preso e o trouxessem à sua presença.

O diabo montou no cavalo e voou para a prisão onde o príncipe ia ser enforcado, e apresentou ao carrasco a ordem de soltura. O carrasco entregou-lhe o condenado, que lá se foi com o diabo para o palácio do rei.

O rei indagou do príncipe quem era ele é de onde vinha. Sabendo de tudo, condenou a velha a restituir-lhe o dinheiro e a ir para a prisão em lugar dele. Terminado o caso, o moço partiu novamente a correr mundo.

Pelo caminho encontrou um fidalgo, ao qual contou tudo.

O fidalgo disse:

— E não sabes quem te valeu?

— Não sei de nada, — respondeu o príncipe.

— Pois fica sabendo que foi o diabo da capelinha de S. Miguel, e esse diabo sou eu. No dia em que iam enforcar-te, S. Miguel me contou tudo. Montei num cavalo e voei à casa da velha; agarrei-a e levei-a ao rei, para que tudo se esclarecesse.

— E a que devo eu tanta bondade? — perguntou o príncipe.

— Ah! — exclamou o diabo, rindo-se. — Tudo deves àquele bocadinho de tinta, que mandaste aplicar sobre minha figura. Agora estás livre da má sina, porque a velha vai ser enforcada em teu lugar. Podes voltar sossegadamente ao reino de teu pai, que nada mais te acontecerá.

O príncipe assim fez. Antes, porém, voltou à capelinha de S. Miguel para agradecer ao bom santo — e enquanto rezava viu a figura do diabo muito contente da vida na sua pintura nova.

— Pois gostei! — gritou Emília. — Está aí uma historinha que descansa a gente daquelas repetições das outras. E mais que tudo gostei da camaradagem entre o santo e o diabo.

— Sim, — disse Dona Benta. — Como os dois vivessem na mesma capela, sozinhos, acabaram em muito bons termos, como se vê na história. O diabo é o símbolo da maldade, mas até a maldade amansa quando em companhia da bondade. De viverem juntos ali na capelinha, o santo e o diabo se transformaram em amigos, e os bons sentimentos de um passaram para o outro.

— Influência do meio! — gritou Pedrinho, que andava a ler Darwin.

Narizinho confessou que gostava muito das histórias com o diabo dentro, e disse que todas elas confirmavam o dito popular de que o diabo não é tão feio como o pintam.

— Credo! — exclamou Tia Nastácia fazendo três benzeduras. — Como é que uma menina de boa educação tem coragem de dizer isso do canhoto?

Narizinho arregalou os olhos.

— Como? É boa! Pois você mesma não acaba de contar a história dum diabo bom?

— Mas isso é história, menina. História é mentira. O "cão" é "cão". Não muda de ruindade.

— Se o cão é cão, viva o diabo! — gritou Emília. — Não há animal melhor, nem mais nobre que o cão. Chamar ao diabo cão é fazer-lhe o maior elogio possível.

— Dona Benta, — exclamou Tia Nastácia horrorizada, — tranque a boca dessas crianças. Estão ficando os maiores hereges deste mundo. Chegam até a defender o canhoto, credo!...

— Olhe Nastácia, se você conta mais três histórias de diabo como essa, até eu sou capaz de dar um viva ao canhoto, — respondeu Dona Benta.

Tia Nastácia botou as mãos e pôs-se a rezar.

A FONTE DAS TRÊS COMADRES

Havia um rei que cegou. Por mais que os médicos o tratassem com quanto remédio havia, não recobrava nem um pingo de vista. Certa vez bateu no palácio uma mendiga, a pedir esmola; sabendo da cegueira do rei, disse que desejava ensinar-lhe um bom remédio.

O rei a recebeu.

— Saiba V. Majestade que só existe no mundo uma coisa capaz de curar a cegueira, e é banhar os olhos com água da Fonte das Três Comadres. Mas é muito difícil obter essa água. Quem for buscá-la tem que entender-se com uma velha que mora por lá; só essa velha pode dizer se o dragão que toma conta da fonte está acordado ou dormindo.

E contou o caminho para chegar à fonte. O rei agradeceu-lhe a informação e presenteou-a com um saco de moedas de ouro. Em seguida ordenou que uma esquadra saísse com seu filho mais velho em busca da tal água milagrosa, e recomendou ao príncipe que não se distraísse com coisa nenhuma, e que estivesse de volta dentro de um ano.

O príncipe partiu. Depois de muito navegar, chegou a um reino muito rico, onde saltou em terra e caiu na folgança com as lindas moças que lá havia. Gastou todo o seu dinheiro, fez dívidas e ao esgotar-se o prazo nem coragem teve de voltar para casa.

O rei, muito aborrecido, mandou aprestar outra esquadra, que partiu levando o filho do meio. Esse moço foi também ao tal reino, onde igualmente se enfeitiçou pelas moças bonitas, esquecendo o pai cego e a água milagrosa.

Mais um ano se passou sem que ele voltasse. O rei quase morreu de desgosto. Foi então que o filho mais novo se apresentou dizendo:

— Meu pai, deixe-me ir, que juro trazer a água maravilhosa.

O rei riu-se.

— Como? Não vês que és uma criança? Se teus irmãos, homens feitos, nada conseguiram, que esperas conseguir, tu que ainda estás tão perto dos cueiros?

Mas tanto o principezinho insistiu que o rei cedeu, pensando lá consigo que donde menos se espera é que as coisas vêm. Deu-lhe uma esquadra e o menino partiu.

Também essa esquadra foi ter ao reino das moças perigosas, onde os dois príncipes se achavam encarcerados por dívidas. O principezinho pagou as dívidas deles, único meio de os restituir à liberdade. Esses maus príncipes, porém, deram-lhe maus conselhos — que ficasse ali, que desistisse de achar a tal água, etc. Mas o principezinho não cedeu. Tocou a esquadra para adiante.

Chegou por fim ao reino onde era a fonte, e tanto fez que descobriu a velha do dragão. Vendo aquele meninote com uma garrafa vazia debaixo do braço, a velha espantou-se.

— Que vem fazer aqui, meu netinho? Não sabe que o perigo é grande e ninguém escapa ao dragão? Esse monstro não passa duma princesa encantada, que devora todas as criaturas que se aproximam da fonte.

Mas o principezinho contou sua história e insistiu para que a velha o ajudasse.

— Está bem, — disse ela. — Aproxime-se do dragão sem ser visto e espie se está de olhos abertos ou fechados. Se estiver de olhos abertos é que está dormindo, e se estiver de olhos fechados é que está acordado. Por não saber disto muita gente foi devorada pelo monstro.

O principezinho agradeceu o aviso e partiu. Aproximou-se cautelosamente do dragão. Espiou. Estava de olhos abertos. "Bem," disse ele consigo, "o dragão está dormindo" — e avançou com a garrafa na direção da fonte para enchê-la. Mas o monstro fechou os olhos e saltou sobre ele. O principezinho não teve medo. Puxou da espada e enfrentou-o. Luta que luta, de repente conseguiu dar-lhe um golpe certeiro. O sangue espirrou do dragão, que imediatamente se transformou na mais linda princesa que se possa imaginar.

— Tu me desencantaste, principezinho, — disse ela, — e minha sorte me manda casar contigo. Dou-te um ano para voltares — se não voltares irei em tua procura. Toma este lenço como sinal. Adeus.

O príncipe regressou, muito alegre, para o reino de seu pai. Em caminho apanhou os irmãos no reino das moças bonitas e levou-os também. Mas esses maus irmãos armaram-lhe uma boa peça. Com o fim de roubarem a água milagrosa, que ele guardava num baú cuja chave trazia num fio ao peito, prepararam um grande banquete a bordo, com muito vinho. E tanto fizeram que o embebedaram, e lhe tiraram a chave, trocando lá no baú a garrafa de água milagrosa por água à toa do mar.

Quando a esquadra chegou ao reino do rei cego, os príncipes foram recebidos com grandes festas. O principezinho contou toda a sua viagem e entregou ao pai a garrafa de água milagrosa. O efeito, porém, foi um desastre. Em vez de curar a cegueira deixou-a ainda pior. Os maus príncipes, então, adiantaram-se e disseram que o principezinho não passava dum impostor, pois trouxera água do mar em vez de água milagrosa. O rei que experimentasse a que eles haviam trazido — e mostraram a garrafa de água da fonte. O rei experimentou-a e imediatamente sarou da cegueira. Houve grandes festas em todo o reino, mas o principezinho foi condenado à morte pela sua impostura. Os carrascos, entretanto, tiveram dó dele, e em vez de matá-lo, como ordenara o rei, apenas lhe cortaram um dedo como prova, soltando-o em seguida na floresta.

O pobre moço foi ter à casa de um lenhador, a quem pediu emprego. Foi ajustado como escravo e muito judiado. E o prazo de um ano concedido pela princesa chegou ao fim sem que o coitadinho pudesse pensar em ir procurá-la tão longe. Vendo que o seu desencantador não vinha, a princesa mandou aparelhar uma esquadra e partiu em sua procura, conforme prometera.

Quando a esquadra chegou ao reino, a princesa mandou um emissário, ricamente vestido, dizer ao rei que tinha combinado casamento com o príncipe que a desencantara, e agora estava ali para dar cumprimento à promessa. E que mandasse a bordo o príncipe, sob pena de seus navios abrirem fogo contra a cidade, incendiando-a.

O rei, muito agoniado, teve de ceder, e o príncipe mais velho apresentou-se a bordo como sendo o desencantador da princesa.

— Homem atrevido! — gritou esta, — como ousa fingir ser quem não é? Onde está o lenço que dei ao meu desencantador?

O príncipe voltou para terra, muito triste. O rei então mandou o do meio. O resultado não foi melhor, e a princesa, furiosa, fez outra intimação ao rei. Ou mandava o príncipe verdadeiro ou os seus canhões bombardeavam a cidade, destruindo tudo.

O rei ficou aflitíssimo, porque o príncipe mais novo havia sido executado por sua ordem. E estava a arrancar as barbas no maior desespero, quando os carrascos vieram dizer que não o tinham matado, mas apenas se limitado a cortar-lhe um dedo. Suspirando de alívio, o rei deu ordem para que procurassem o principezinho, com grandes recompensas a quem o descobrisse.

O lenhador que conservava o príncipe como escravo ficou mais morto do que vivo quando soube de tudo. Botou-o às costas e lá se foi ao palácio do rei, chorando de alegria e medo.

Estava o pobre príncipe em miserável estado de sujeira, vestido de andrajos. Tiveram de lavá-lo e vesti-lo com as suas roupas deixadas no palácio, por sinal que curtas e apertadíssimas. Enquanto faziam esses preparativos, o prazo dado pela princesa, de bombardear a cidade, ia chegando ao fim. Os canhões já estavam apontados. Mas tudo correu bem. O principezinho entrou no navio da princesa e mostrou-lhe o lenço.

— Agora sim, — disse ela, — reconheço em ti o meu desencantador — e seguiu com ele para o seu reino, onde se casaram e foram muito felizes. Os príncipes maus, esses tiveram o castigo merecido. Foram amarrados à cauda de cavalos bravos para morrerem despedaçados.

— Continua o negócio do número três, — disse Emília. — Tudo tem que ser três! O povo não passa sem um rei e três príncipes, dois maus e um bom. E o bom é sempre o mais criança.

— E o castigo dos maus, — ajuntou Narizinho, — também é sempre o mesmo: amarração em cauda de cavalo ou burro bravo. Acho muito bárbaras essas histórias.

— É que vêm de muito longe, — disse Dona Benta. — Se fossem histórias de hoje, teríamos automóveis em vez de forcas, e não veríamos nunca esse horrendo castigo do despedaçamento por burros bravos. O povo, muito conservador, repete hoje as mesmas histórias contadas na Idade Média, tempo em que enforcar gente correspondia a um divertimento público como hoje ir ver fitas.

— Mas se os contadores vão alterando as histórias, — disse Pedrinho, — por que conservam essas barbaridades?

— As alterações são só na cor local, em detalhes superficiais. Na essência, no fundo, as histórias não são alteradas. Por isso aparecem tantos príncipes, tantos reis, tanta forca e tanto burro bravo, — explicou Dona Benta.

— E os dragões e encantamentos?

— Também coisas da Idade Média. Naquele tempo a imaginação popular andava povoada de monstros. Um dia havemos de ler o poema de Ariosto, *Orlando Furioso*, no qual vocês verão que delírio de pesadelo era a cabeça da gente medieval. As histórias que correm entre o nosso povo são reflexos da era mais barbaresca da Europa. Os colonizadores portugueses trouxeram essas histórias e soltaram-nas por aqui — e o povo as vai repetindo, sobretudo na roça. A mentalidade da nossa gente roceira está ainda muito próxima da dos primeiros colonizadores.

— Por que, vovó?

— Por causa do analfabetismo. Como não sabem ler, só entra na cabeça dos homens do povo o que os outros contam — e os outros só contam o que ouviram. A coisa vem assim num rosário de pais a filhos. Só quem sabe ler, e lê os bons livros, é que se põe de acordo com os progressos que as ciências trouxeram ao mundo.

A rainha que saiu do mar

Houve um rei que encasquetou casar-se com a moça mais bonita que houvesse. Seus oficiais já tinham percorrido todas as cidades, e esmiuçado todas as casas, sem que descobrissem a beleza que contentasse. Só faltava serem apresentadas ao rei as filhas dum lavrador, as únicas que ele não tinha visto.

Estavam as coisas nesse pé quando entrou na igreja um rapaz de ar abobado, que olhou para a imagem duma santa e pôs-se a chorar. Perguntaram-lhe o que era, se estava sentindo alguma dor. — Não sinto dor nenhuma, — respondeu o rapaz, — mas é que olhei para aquela imagem ali e senti grandes saudades de minha irmã, que é o retrato da santa.

Todos comentaram aquelas palavras, uns caçoando, outros a sério, e de tanto fala-fala o caso chegou aos ouvidos do rei, o qual fez vir o moço à sua presença e lhe perguntou se era verdade o que dissera na igreja.

— É, sim, — respondeu o rapaz; — tenho uma irmã muito linda, o retrato daquela santa da igreja.

— E onde mora?

— Nas grotas do Monte Escarpado, a dez mil léguas daqui, por terra, ou cinco mil por mar.

O rei mandou preparar uma esquadra que levasse os seus mensageiros ao pai da moça, a fim de pedi-la em casamento — e o rapaz que dera a informação seguiu junto.

Quando a esquadra chegou à terra do Monte Escarpado, os mensageiros desceram, seguindo para a tal grota. A moça estava à janela. Oh, que maravilha! Todos ficaram tontos diante de sua beleza. Os mensageiros entregaram a carta do rei e o pai concordou em dá-la em casamento. Feitos os preparativos, a linda criatura entrou num dos navios e a esquadra partiu.

Em certo ponto da viagem o mar ficou tão bravo que os emissários resolveram descer com a moça em terra, por algum tempo. Recolheram-se à casa duma velha que morava por ali. Mas a velha não passava da pior das pestes, pois, tendo ouvido a história da moça, convidou-a a um passeio pela horta, e lá, *zuqt!* jogou-a dentro dum poço.

Quando chegou a hora do embarque, a velha levou à esquadra uma filha sua, muito feia, com a cara coberta por um véu, de modo que os emissários não perceberam a troca. A esquadra partiu. Assim que os navios desapareceram ao longe, a peste foi ao poço e pescou a moça, cortou-lhe o cabelo, furou-lhe os olhos e botou-a dentro dum caixão, que lançou ao mar. Esse caixão foi parar no reino do rei antes que os navios chegassem, sendo recolhido por um pescador.

Mas alguém que viu o pescador recolhendo o caixão deu denúncia ao rei, o qual mandou investigar. As autoridades vieram, abriram o caixão e muito se assombraram de ver dentro uma tão linda moça, de olhos furados e cabelos cortados.

Lá levaram a cega para o palácio, mas por esse tempo também os navios já tinham chegado e os emissários iam entrando com a filha da velha. O chefe do grupo, muito desapontado, declarou ao rei:

— Fui alegre, senhor, e volto triste. Muito esperei e pouco alcancei, e se nisto há culpa minha, pronto estou para sofrer o castigo que Vossa Majestade haja por bem impor-me.

O rei, entretanto, era homem de bem. Apenas disse:

— Ninguém tem culpa de nada. Prometi, cumpro. Casar-me-ei com esta moça feia.

E casou-se, na maior tristeza, vestido de luto. Só depois disso é que lhe apresentaram a moça de olhos furados. Mas o irmão dela, que estava presente, reconheceu-a de pronto e contou ao rei o desembarque no meio do caminho, a ida à casa da velha, o passeio da velha pela horta e por fim falou da substituição da sua irmã pela filha da velha.

O rei mandou trazer a velha à sua presença. A peste negou tudo e até renegou a própria filha, dizendo que nunca tinha visto semelhante feiura. Mas a parecença de traços entre a mãe e a filha era muito grande para que alguém pudesse ter a menor dúvida, e o rei deu ordens para que cortassem os cabelos e furassem os olhos da velha.

Assim que isso foi feito, os olhos da moça ficaram perfeitinhos, e sua cabeleira cresceu num instante. Virou uma criatura ainda mais formosa do que havia sido. Estava tudo salvo. As duas embusteiras foram lançadas ao mar e o rei viu-se, finalmente, casado com a criatura mais linda que havia.

— Grau 5, — gritou Emília.

— Eu nem dou nota, — disse Narizinho. — Acho que não vale a pena. História mais fraca ainda não ouvi. Vamos ver outra.

E Tia Nastácia contou a historia d'

A FORMIGA E A NEVE

Uma vez uma formiga, que andava pelos campos, ficou com as perninhas presas na neve.

— Ó neve valente que meus pés prende! — exclamou a formiga, e a neve respondeu:

— Sou valente, mas o sol me derrete.

A formiga voltou-se para o sol:

— Ó sol valente que derrete a neve que meus pés prende! — e o sol respondeu:

— Sou valente, mas a nuvem me esconde.

A formiga voltou-se para a nuvem:

— Ó nuvem valente que esconde o sol que derrete a neve que meus pés prende! — e a nuvem respondeu:

— Sou valente, mas o vento me desmancha.

A formiga voltou-se para o vento:

— Ó vento valente que desmancha a nuvem que esconde o sol que derrete a neve que meus pés prende! — e o vento respondeu:

— Sou valente, mas a parede me para.

A formiga voltou-se para a parede:

— Ó parede valente que para o vento que desmancha a nuvem que tapa o sol que derrete a neve que meus pés prende — e a parede respondeu:

— Sou valente, mas o rato me fura.

A formiga voltou-se para o rato:

— Ó rato valente que fura a parede que para o vento que desmancha a nuvem que tapa o sol que derrete a neve que meus pés prende! — e o rato respondeu:

— Sou valente, mas o gato me come.

A formiga voltou-se para o gato:

— Ó gato valente que come o rato que fura a parede que para o vento que desmancha a nuvem que esconde o sol que derrete a neve que meus pés prende! — o gato respondeu:

— Sou valente, mas o cachorro me pega.

A formiga voltou-se para o cachorro:

— Ó cachorro valente que pega o gato que come o rato que fura a parede que para o vento que desmancha a nuvem que tapa o sol que derrete a neve que meus pés prende! — e o cachorro respondeu:

— Sou valente, mas a onça me devora.

A formiga voltou-se para a onça:

— Ó onça valente que devora o cachorro que pega o gato que come o rato que fura a parede que para o vento que desmancha a nuvem que tapa o sol que derrete a neve que meus pés prende! — e a onça respondeu:

— Sou valente, mas o homem me caça.

A formiga voltou-se para o homem:

— Ó homem valente que caça a onça que devora o cachorro que pega o gato que come o rato que fura a parede que para o vento que desmancha a nuvem que tapa o sol que derrete a neve que meus pés prende! — e o homem respondeu:

— Sou valente, mas Deus pode comigo.

A formiga voltou-se para Deus:

— Ó Deus valente que pode com o homem que caça a onça que devora o cachorro que pega o gato que come o rato que fura a parede que para o vento que desmancha a nuvem que esconde o sol que derrete a neve que meus pés prende!

Deus respondeu:

— Formiguinha, acaba com essa história e vai furtar.

É por isso que a formiga vive sempre na maior atividade, furtando, furtando.

— Ora até que enfim ouvi uma história que merece grau dez! — gritou Emília. — Está muito bem arranjada, e sem rei dentro, nem príncipes, nem olho furado, nem burro bravo. Ótima! Meus parabéns a Tia Nastácia.

— Também gostei bastante, — disse Narizinho. — Só que não concordo com o fim. A formiga não furta. As coisas que há no mundo são tão dela como nossas e de todos os outros animais. Por que considerar gatuninha a formiga?

Dona Benta explicou:

— A gente vê aí o dedo das contadeiras de histórias. São em geral donas de casa, ou amas, ou cozinheiras, criaturas para as quais as formigas não passam dumas gatuninhas, porque vivem invadindo os etageres e guarda-comidas para furtar açúcar. Se fosse escrita por um filósofo, a história não teria esse fim, porque os filósofos nem sabem que há guarda-comidas no mundo. Só enxergam o céu, as estrelas, as leis naturais, etc. Mas as Tias Nastácias sabem muito bem das formiguinhas que furtam açúcar.

— E é mesmo, Sinhá, — confirmou a preta. — Outro dia esqueci de tampar a terrina de doce de laranja, e quando foi de manhã estava pretinha de formigas. As bobas se deixam grudar na calda e morrem afogadas. Bem feito! Quem manda serem gatuninhas?

— Então você também é gatuna, — disse Emília, — porque furta as laranjas da laranjeira para fazer doce.

— Mas a laranjeira é da gente, Emília, é da casa — é ali de Dona Benta. Quem tira o que é seu não furta.

— E onde está a escritura da Natureza que deu a laranjeira a Dona Benta? — gritou Emília pregando um soco na mesa.

João Esperto

Havia um casal muito pobre, que tinha um filho de nome João, bastante espertinho; mas apesar disso sua mãe, mulher de beiço rachado e muito má, não gostava dele. João vivia só, sem ter com quem brincar. Seu único amigo era uma cachorrinha que sua avó lhe dera — a Pita.

Quando ficou moço, João saiu um dia a passear longe de casa. Pelo caminho encontrou um viajante com quem puxou prosa. Soube que no reino das Três Princesas, que era perto, ia haver o casamento de uma das moças. Para isso estava o rei dando uma festa de quinze dias, a fim de que os pretendentes à mão da princesa lhe propusessem uma adivinhação. Se ela adivinhasse, o pretendente ia para a forca; mas se não adivinhasse então o felizardo se casaria com ela. Nas forcas já estavam pendurados diversos pretendentes que apareceram com adivinhações que a princesa adivinhou num instantinho.

João ouviu tudo aquilo e ficou a pensar. Quem sabe se ele venceria a princesa e se casaria com ela? Voltou para casa com um plano na cabeça.

— Meu pai, quero sair pelo mundo para ganhar a vida.

O pai consentiu, mas a mãe, que era a pior bisca das redondezas, preparou-lhe uma peça; deu-lhe um pão envenenado, imaginem! João arrumou a trouxa e partiu, acompanhado da cachorrinha.

Mas onde era o caminho para o reino das Três Princesas? Não sabia. Nem havia por ali ninguém que pudesse informá-lo. João foi andando ao acaso, com a trouxinha ao ombro. Subiu uma montanha, desceu do outro lado, numa campina, onde pousou.

No dia seguinte continuou a caminhar até onde havia um grande rio. Ficou à margem olhando para a água. Viu um burro morto, de barriga inchada, que vinha descendo rio abaixo. Em cima dele uma porção de urubus. Botou reparo naquilo e continuou a viagem.

Quando caiu a tarde João sentou-se debaixo duma figueira para jantar o pão que sua mãe lhe dera, mas qualquer coisa lhe disse que o não comesse antes de fazer uma prova com a cachorrinha — e ele deu a ela um pedaço do pão. Foi tiro e queda. Assim que a pobre Pita engoliu o primeiro bocado, tremeu toda e morreu.

João ficou muito triste da maldade de sua mãe, e também por ter perdido sua única amiguinha. Enterrou-a. Mas vieram três urubus que a desenterraram e a comeram — e também morreram. Imaginem que veneno forte a peste da mulher tinha inventado!

João botou às costas os urubus mortos e seguiu caminho. Chegou a uma estalagem onde não havia ninguém. Entrou. Lá nos fundos viu sete homens armados de espingardas, todos a morrerem de fome. Dando com o novo hóspede que entrava com aquelas aves negras ao ombro, os famintos avançaram e tomaram-lhe os urubus. Devoraram-nos — e morreram.

João escolheu a melhor das sete espingardas e lá se foi pelo caminho afora. Saiu numa extensa campina onde se sentou debaixo dum pé de árvore. Seu estômago dava torcidas medonhas, tanta era a fome. De repente viu uma perdiz mexer-se no capim. Disparou um tiro. Errou. O chumbo foi acertar numa rolinha que ele não tinha visto. Para quem erra perdiz, rolinha serve.

João depenou a rolinha — mas não viu lenha para fazer fogo. Olhou. Havia perto uma cruz muito velha. Foi lá, tirou umas lascas fez fogo, assou a rolinha e comeu-a. E água? Como obter água para matar a sede?

Teve uma ideia. Montou num cavalo que andava pastando por ali e o fez galopar até que suasse em bicas; recolheu o suor e bebeu. E assim, matada a fome e a sede, pôde continuar a viagem.

Pouco adiante encontrou uma caveira em que um enxame de maribondos havia feito colmeia. Viu também um burro amarrado a uma árvore, a escarvar o chão com o pé. Indo investigar o que havia naquele chão, encontrou uma botija de dinheiro. Pôs-se novamente a caminho e afinal avistou o reino das Três Princesas. Tinha chegado.

Indagou das festas. "Tudo corre bem," informou-lhe um sujeito, "mas não aparece pretendente nenhum com adivinhação que a princesa não adivinhe. As forcas estão engordando."

João dirigiu-se ao palácio, onde declarou ao porteiro que era pretendente à mão da princesa adivinhadeira.

O porteiro mandou-o entrar, mas todos riram-se daquele pobre diabo com cara de matuto, mal vestido, de trouxinha às costas.

— Suma-se daqui, moço, se tem amor à vida. Rapazes dos mais distintos já falharam, e estão neste momento com as línguas de fora, nas forcas. Se é lá possível que um bobo como você consiga inventar uma adivinhação que a melhor adivinhadeira do mundo não adivinhe! Suma-se, enquanto é tempo.

João, porém, tanto insistiu que foi levado a presença do rei.

— Sabes que arriscas a vida? — disse o rei.

João declarou que sim, mas que estava disposto a tudo.

— Bem, — exclamou o rei. — Nesse caso, apresente a sua adivinhação — e chamou a princesa. João foi e falou assim:

> *Sai de casa com massa e pita;*
> *A massa matou pita,*
> *A pita matou três,*
> *Os três mataram sete*
> *E das sete escolhi a melhor.*
> *Atirei no que vi*
> *E matei o que não vi.*

*Com madeira santa
Assei e comi,
Bebi água sem ser do céu;
Vi o morto carregando os vivos
E o burro sabendo
O que os homens não sabem.
Resolva agora, princesa,
Ou me dê cá sua mãozinha.*

A princesa pensou, pensou e não foi capaz de adivinhar. Pediu-lhe que repetisse a história. João repetiu-a três vezes, e a moça nada. Por fim, já com dor de cabeça, confessou ao rei:

— Impossível, meu pai. Esta eu não adivinho.

— Pois então abrace e beije o seu noivo, — respondeu o rei.

E mandou que preparassem o reino para o grande casamento.

— Gostei, gostei! exclamou Emília. — Não tem nada de boba essa historinha. É uma luta, de esperteza contra esperteza, em que o mais esperto saiu ganhando. Pedrinho sabe o que isto significa em linguagem científica. Diga lá, Pedrinho.

E o menino, que era um darwinista levado da breca, veio logo com a sua cienciazinha.

— Isso significa a vitória do mais apto. O mais apto é o mais esperto.

— A história que vocês acabam de ouvir, — disse Dona Benta, — pertence ao tipo das engenhosas. Reparem que está muito engenhosamente arranjada. Na adivinhação o matuto começa falando em massa e pita — massa é pão e Pita o nome da cachorrinha; e vai por aí além, contando toda a sua viagem em termos simbólicos.

— Então símbolo é isso? — perguntou Narizinho.

— Símbolo é palavra grega, com significado de sinal que indica uma coisa. Tudo na língua são símbolos. Todas as palavras são símbolos. A palavra "Emília", por exemplo, que é senão um símbolo da criaturinha mais pernóstica e sabida destas redondezas?

— Destas redondezas só? — protestou Emília. — Da redondeza da terra, isso sim, porque outra como eu ainda está para nascer...

Dona Benta piscou para Tia Nastácia, como quem diz "Já se viu como está ficando vaidosa?".

O CAÇULA

Havia um homem com três filhos: João, o mais velho; Manoel, o do meio; e José, o caçula. Um dia os dois mais velhos se revoltaram contra o pai e fugiram de casa. O caçula foi e disse: "Não se amofine, meu pai; sairei pelo mundo em busca de meus irmãos".

E saiu. Foi andando, andando, até que chegou à casa duma velha.

— Que anda fazendo aqui por estas alturas, menino? — perguntou a velha.

— Saí a correr mundo, em procura de dois irmãos fugidos de casa.

— Pois vou te ajudar, menino, — disse a velha. — Entras e dormes aqui. Amanhã conversaremos.

No outro dia a velha disse:

— O que tens de fazer é o seguinte. Irás ao Reino das Três Pombas, porque é lá que se acham os teus irmãos. Encontrarás a cidade num grande rebolico de festas, porque o rei vai escolher o desencantador das três pombas que estão no fundo do mar. Dou-te esta varinha de condão, toma-a. E também esta esponja. Mas muito cuidado para que ninguém te veja com estes objetos, por que vai acontecer o seguinte: teus próprios irmãos vão caluniar-te perante o rei, dizendo que te gabas de seres capaz de descer ao fundo do mar, quebrar uma pedra que há lá e desencantar as três pombas, que são três princesas.

Bem. O rei vai te chamar à sua presença e te perguntará se isso é verdade. Responderás que é mentira, mas que és capaz de fazer o desencantamento.

E então irás para a praia do mar e lançarás na água a esponja: a esponja irá flutuando e tu a acompanharás a nado até encontrares uma pedra. Baterás nessa pedra com a varinha de condão; a pedra se abrirá e aparecerá uma serpente. Baterás na serpente e a serpente adormecerá. Entrarás pela rachadura da pedra e encontrarás bem no fundo uma caixa, dentro da qual existe um ovo. É um ovo de três gemas. Quebrarás esse ovo e darás a clara à serpente. Feito isso, os teus trabalhos estarão terminados. As três gemas são as três princesas.

A velha abençoou-o e José se dirigiu para o Reino das Três Pombas. Encontrou o palácio em grandes festas e também viu seus irmãos. Falou com eles, mas os malvados fingiram não conhecê-lo — e foram intrigá-lo com o rei, dizendo que havia aparecido um grande gabola, com prosa de que era capaz de desencantar as princesas.

O rei chamou José à sua presença e interpelou-o.

— Saiba Vossa Majestade que é mentira, mas apesar disso estou pronto para desencantar as princesas.

O rei ficou admiradíssimo da segurança com que o rapazinho afirmava tal coisa, e mandou que lhe pusessem um navio à disposição. José respondeu que não era preciso — que iria a nado, e o rei riu-se, porque era o absurdo dos absurdos.

No dia seguinte foi José à praia do mar e lançou à água a esponja, que não afundava como fazem todas as esponjas. E a esponja foi indo em certa direção e ele atrás, nadando, até que chegou à pedra. Tirou a varinha da cintura e bateu. A pedra abriu-se e apareceu a serpente. José bateu na serpente e a serpente adormeceu. Entrou então pela rachadura da pedra e descobriu a caixa. Abriu-a e tirou o ovo. Partiu o ovo; deitou a clara na boca da serpente e recolheu as gemas no chapéu.

Feito isso, lançou-se de novo no mar e veio nadando até a praia. Quando chegou, bateu com a varinha nas gemas, que se transformaram nas três moças mais bonitas do mundo.

Foi um grande assombro no reino, mas os maus irmãos levantaram outro aleive contra José, dizendo que ele andava se gabando de ser capaz de trazer até a serpente. O rei perguntou-lhe se era verdade. "É mentira, mas sou capaz de trazer a serpente" — e lançando-se ao mar foi à pedra e trouxe a serpente.

Os maus irmãos tentaram levantar um terceiro aleive, mas desta vez José danou com a maldade deles e com a burrice do rei — e, dando-lhes umas varadas, adormeceu-os.

Quando o rei voltou a si, não quis mais saber de histórias. Casou José com a mais bonita das três princesas e mandou expulsar do reino os maus irmãos. E acabou-se o caso.

— Bom, — disse Emília, — esta história é das tais de virar. Eu já tive comigo a varinha de condão que Cinderela esqueceu cá no sitio, no tempo daquela festa[6], e brinquei de virar uma coisa noutra até não poder mais. É facílimo e não há mérito nenhum nisso. Prefiro as histórias em que o freguês vence à custa de espertaza, isto é, de inteligência. Com varinha mágica tudo se torna extremamente simples.

— Também acho bastante boba esta história, — disse Narizinho, — além de que há muita repetição de coisas de outras. Os tais três irmãos, o tal do mais novo sair pelo mundo, a eterna velha, o tal Reino das Três Pombas, os tais três aleives — tudo três, três, três. Isso até cansa. E os nomes? Não há história em que não apareça um João. Agora variou um pouco e veio um José...

— Eu, o que mais me admiro, — disse Pedrinho, — é a burrice desses reis, pais de três princesas. Nesta história, por exemplo, houve o primeiro aleive dos maus irmãos, mas José deu conta do recado muito bem, indo à pedra e desencantando a princesa. Que mais queria o rei? No entanto o palerma novamente deu ouvidos aos dois perversos que vieram com o segundo aleive. Isso nem é ser rei; é ser camelo.

— O negócio dos três, — disse Emília, — é coisa que só serve para maçar as crianças. O contador faz isso para espichar a história. Bem, se vê que quem as inventa é gente do povo, de pouca imaginação e cultura.

— Bom, — disse Dona Benta. — O que estou observando é que as crianças de hoje são muito mais exigentes do que as antigas. Eu, quando era pequenina, ficava deslumbrada quando ouvia histórias como esta. Hoje está tudo diferente. Em vez de meus netos deslumbrarem-se, metem-se a criticar, como se fossem uns sabiozinhos da Grécia...

Emília ficou muito admirada de saber que Dona Benta já havia sido criança.

— Mas então a senhora também já foi criança, das pequeninhas? — perguntou.

— Está claro, Emília. Que pergunta!

— E Tia Nastácia também?... Que interessante! Está aí uma coisa que nunca me passou pela cabeça.

E ficou pensativa, imaginando como seriam as duas velhas quando criancinhas.

A CUMBUCA DE OURO

Eram dois vizinhos, um rico e outro pobre, que viviam turrando. O gosto do rico era pregar peças no pobre.

Certa vez o pobre foi à casa do rico propor um negócio. Queria que ele lhe arrendasse um pedaço de terra que servisse para a plantação duma roça de milho. O rico imediatamente pensou num pedaço de terra que não valia coisa nenhuma, tão ruim que nem formiga dava. Fez-se o negócio.

---

[6] Reinações de Narizinho.

O pobre voltou para sua choupana e foi com sua mulher ver a tal terra. Lá chegados, descobriram uma cumbuca.

— Chi, mulher, esta cumbuca está cheia de moedas, venha ver!

— E de ouro! — disse a mulher. — Estamos arrumados!...

— Não, — disse o marido, que era homem de muita honestidade. — A cumbuca não está em terra minha e portanto não me pertence. Meu dever é dar conta de tudo ao dono da propriedade.

E foi ter com o rico, ao qual contou tudo.

— Bem, — disse este, — nesse caso desmancho o negócio feito. Não posso arrendar terras que dão cumbucas de ouro.

O pobre voltou para sua choupana, e o rico foi correndo tomar posse da grande riqueza. Mas quando chegou lá só viu uma coisa: uma cumbuca cheia de vespas das mais terríveis.

— Ahn! — exclamou. — Aquele patife quis mangar comigo — mas vou pregar-lhe uma boa peça.

Botou a cumbuca de vespas num saco e encaminhou-se para a choupana do pobre.

— Ó compadre, feche a porta e deixe só meia janela aberta. Tenho um lindo presente para você. O pobre fechou a porta, deixando só meia janela aberta. O rico, então, jogou lá dentro a cumbuca de vespas.

— Aí tem compadre, a cumbuca de moedas que você achou em minhas terras. Regale-se com o grande tesouro — e ficou a rir de não poder mais.

Mas assim que a cumbuca caiu no chão, às vespas se transformaram em moedas de ouro, que rolaram.

Lá de fora o rico ouviu o barulhinho e desconfiou. E disse:

— Compadre, abra a porta, quero ver uma coisa.

Mas o pobre respondeu:

— Não caia nessa. Estou aqui que nem sei o que fazer com tantas vespas em cima. Não quero que elas ferrem o meu bom vizinho. Fuja, compadre!...

E foi assim que o pobre ficou rico e o rico ficou ridículo.

— E esta, Emília, que acha? — perguntou Narizinho.

— Menos má, — respondeu Emília. — Pelo menos não tem rei bobo, pai de três princesas encantadas.

Dona Benta disse:

— Esta história pertence ao grupo das em que o povo põe em contraste o pobre e o rico. Em todas as histórias desse gênero o rico é sempre homem mau e sem coração, e o pobre bom. Vira, mexe, o pobre sai ganhando e o rico fica ridículo.

— Ridículo! — repetiu Narizinho. — Já notei que o povo tem um ditado assim: "Quanto mais rico, mais ridico".

— O povo, — explicou Dona Benta, — emprega a palavra ridículo com a significação de miserável, avarento. Mas entre os sabedores da língua a palavra ridículo quer dizer o que desperta riso. "Uma situação ridícula", quer dizer uma situação que nos faz rir — como aquela do Elias da venda, quando foi pular a cerca de arame farpado e ficou preso pelos fundilhos da calça.

— Mas no povo, — disse Pedrinho, — ridículo quer dizer só uma coisa: pão duro. Isso já notei. Da última vez que fui à vila estava a molecada atrás do Manél Agudo, gritando: "Pão duro! Pão duro!". E perguntando eu a um deles por que faziam aquilo ao coitado, o moleque respondeu: "Ah, então não sabe que esse portuga é o velho mais ridículo do mundo? Da casa dele não sai nem uma cuia d'água".

— E é *ridico* mesmo, — ajuntou Tia Nastácia. — Pobre que bate lá, pedindo esmola, só ouve uma coisa: "Deus o favoreça, irmão!". E ele tem uma barrica de dinheiro enterrada no quintal.

— Infelizmente, — disse Narizinho, — isso de cumbucas de vespas que viram moedas de ouro só mesmo nas histórias. O consolo do pobre é um só: falar mal dos ricos — mas o dinheiro dos ricos não sai. Tem grude.

— Não generalize, — observou Dona Benta. — Há os ricos ridículos, mas há também os generosos. Rockefeller não distribuiu toda a sua fortuna em benefício do mundo?

A MULHER DENGOSA

Era uma vez um homem que se casou com uma mulher muito cheia de dengues. Fingia não ter apetite. Quando se sentava à mesa era para tocar apenas nos pratos. Comia três grãos de arroz e já cruzava o talher, como se tivesse comido um boi inteiro.

O marido desconfiou de tanta falta de apetite, porque apesar daquele eterno jejum ela estava bem gordinha. E imaginou uma peça.

— Mulher, — disse ele, — tenho de fazer uma viagem de muitos dias. Adeus.

E partiu com a mala às costas — mas deu jeito de voltar sem ser percebido e de esconder-se na cozinha, atrás do pilão.

Logo que se viu só em casa, a mulher dos dengues suspirou de alívio e correu à cozinha.

— Joaquina, — disse à cozinheira, — prepare-me depressa uma sopa bem *grossa*, que quero almoçar.

A negra preparou uma panelada de sopa, que a dengosa engoliu até o finzinho. Logo depois disse à cozinheira:

— Joaquina mate um frango e prepare-me um *ensopado* para o jantar.

A negra preparou o ensopado, que ela comeu sem deixar uma isca.

— Agora, Joaquina, prepare-me uns *beijus* bem *fininhos* para eu merendar.

E merendou os beijus, sem deixar nem um farelo.

— E agora, Joaquina, prepare-me um prato de mandioca bem *enxuta* para eu cear.

A negra preparou a mandioca, que a dengosa comeu até não poder mais.

O marido então escapou do seu esconderijo e foi bater na porta da rua, fingindo estar chegando da viagem. Era um dia de chuva bem forte.

Quando a mulher abriu e deu com o homem, ficou desapontada. Ele explicou que havia desistido da tal viagem e voltado.

— Mas, maridinho, como chegou você tão enxuto, debaixo duma chuva tão grossa?

O marido respondeu:

— Se a chuva fosse tão *grossa* como a sopa que você almoçou, eu viria tão *ensopado* como o frango que você jantou; mas como era uma chuva *fina* como os beijus que você merendou, eu cheguei tão *enxuto* como a mandioca que você ceou.

A dengosa ficou admiradíssima daquelas palavras, e desapontadíssima ao compreender que o esposo tinha descoberto sua manha. E acabou com os dengues.

— Bem feito! — exclamou Emília. — Não gosto de gente afetada. Esse homem sabia fazer as coisas. Sem empregar nenhuma brutalidade, deu uma lição de mestre na dengosa.

— Mas o pior, — disse Narizinho, — é que fiquei com água na boca de vontade de comer os tais beijus. Que será beiju? Nunca vi isso.

— É mesmo! — disse Dona Benta voltando-se para Tia Nastácia. — Está aí um petisco que você nunca se lembrou de fazer.

— E sei fazer, Sinhá, sei fazer beijus dos mais gostosos, mas nunca encontro por aqui farinha boa. A da venda do Elias Turco não vale nada — é como o nariz dele.

— E eu, — disse Pedrinho, — fiquei com vontade de comer mandioca cozida, da bem enxutinha, com melado de rapadura. Upa! É uma coisa da gente lamber os beiços.

— Beiço é de boi, — protestou Emília. — Gente tem lábios.

— Bom, — disse Narizinho, — essa história foi excelente, mas curta demais. Conte uma comprida.

Tia Nastácia, porém contou outra ainda mais curta

O CÁGADO NA FESTA DO CÉU

Certa vez houve uma grande festa no céu, para a qual foram convidados os bichos da floresta. Todos se encaminharam para lá, e o cágado também — mas este era vagaroso demais, de modo que andava, andava e não chegava nunca.

A festa era só de três dias e o cágado nada de chegar. Desanimado, pediu a uma garça que o conduzisse às costas. A garça respondeu: "Pois não", e o cágado montou.

A garça foi subindo, subindo, subindo; de vez em quando perguntava ao cágado se estava vendo a terra.

— Estou, sim, mas lá longe.

A garça subia mais e mais.

— E agora?

— Agora já não vejo o menor sinalzinho da terra.

A garça, então, que era uma perversa, fez uma reviravolta no ar, desmontando o cágado. Coitado! Começou a cair com velocidade cada vez maior. E enquanto caía, murmurava:

Se eu desta escapar
Léu, léu, léu,
Se eu desta escapar
Nunca mais ao céu
Me deixarei levar

Nisto avistou lá embaixo a terra. Gritou:

— Arredai-vos, pedras e paus, senão eu vos esmagarei! — As pedras e paus se afastaram e o cágado caiu. Mesmo assim arrebentou-se todo, em cem pedaços.

Deus, que estava vendo tudo, teve dó do coitado. Afinal de contas aquela desgraça tinha acontecido só porque ele teimou em comparecer à festa do céu. E Deus juntou outra vez os pedaços.

É por isso que o cágado tem a casca feita de pedacinhos emendados uns nos outros.

— Esta história, disse Dona Benta, — deve ser dos índios. Os povos selvagens inventam coisas assim para explicar certas particularidades dos animais. A casca do cágado é toda feita de segmentos, o que dá ideia de quebradura. Daí o tombo do céu, inventado pelos índios.

— Pobres índios! — exclamou Narizinho. — Se as histórias deles são todas como essa, só mostram muita ingenuidade. Acho que os negros valem mais que os índios em matéria de histórias. Vá, Nastácia, conte uma história inventada pelos negros.

E Tia Nastácia contou a história d'

O RABO DO MACACO

Era um macaco que resolveu sair pelo mundo a fazer negócios. Pensou, pensou e foi colocar-se numa estrada, por onde vinha vindo, lá longe, um carro de boi. Atravessou a cauda na estrada e ficou esperando.

Quando o carro chegou e o carreiro viu aquele rabo atravessado no caminho, deteve-se e disse:

— Macaco tire o rabo da estrada, senão passo por cima.

— Não tiro! — respondeu o macaco — e o carreiro passou e a roda cortou o rabo do macaco.

O bichinho fez um barulho medonho.

— Eu quero meu rabo, eu quero meu rabo — ou então uma faca!

Tanto atormentou o carreiro que este sacou da cintura a faca e disse:

— Tome lá, seu macaco dos quintos, mas pare com esse berreiro, que está me deixando zonzo.

O macaco lá se foi, muito contente da vida, com a sua faca de ponta na mão. "Perdi meu rabo, ganhei uma faca! *Tinglin, tinglin*, vou agora para Angola!"

Seguiu caminho. Logo adiante deu com um tio velho que estava fazendo balaios e cortava o cipó com os dentes.

— Olá, amigo! — berrou o macaco. — Estou com dó de você, palavra! Onde já se viu cortar cipó com os dentes? Tome esta faca de ponta.

O negro pegou a faca, mas quando foi cortar o primeiro cipó a faca se partiu pelo meio. O macaco botou a boca no mundo.

— Eu quero, eu quero minha faca — ou então um balaio!

O negro, tonto com a gritaria, acabou dando um balaio velho para aquela peste de macaco — que, muito contente da vida, lá se foi cantarolando: "Perdi meu rabo, ganhei uma faca; perdi minha faca, pilhei um balaio! *Tinglin, tinglin*, vou agora para Angola!".

Seguiu caminho. Mais adiante encontrou uma mulher tirando pães do forno, que recolhia na saia.

— Ora, minha sinhá, — disse o macaco, — onde se viu recolher pão no colo? Ponha-os neste balaio.

A mulher aceitou o balaio, mas quando começou a botar os pães dentro, o balaio furou. O macaco pôs a boca no mundo.

— Eu quero, eu quero o meu balaio — ou então me dê um pão.

Tanto gritou que a mulher, atordoada, deu-lhe um pão. E o macaco saiu a pular, cantarolando "Perdi meu rabo, ganhei uma faca; perdi minha faca, pilhei um balaio; perdi meu balaio, ganhei um pão. *Tinglin, tinglin*, vou agora para Angola!".

E lá se foi, muito contente da vida, comendo o pão.

— Foi para onde? — indagou Emília. — Para Angola?

— Sei lá para onde o macaco foi! — respondeu Tia Nastácia. — Para Angola não havia de ser, que é muito longe. Foi para o mato, que é a Angola dos macacos.

— Esperei que a história acabasse melhor, — disse Narizinho. — A esperteza do macaco para ganhar coisas está boa, apesar de que isso de dar uma parte do corpo em troca duma faca não me parece negócio. Mas o inventor da história chegou no meio e não soube como continuar; por isso parou no pão.

— É, sim, — concordou Pedrinho. — Ele devia fazer o macaco ir ganhando coisas de valor cada vez maior, para mostrar que com esperteza uma pessoa consegue tudo quanto quer na vida. Mas o pobre macaco fazia os negócios e ia ficando na mesma. Saía perdendo sempre.

— Bobinho! — exclamou Emília. — Dar a cauda por uma faca ordinaríssima, que quebra ao cortar um cipó, parece-me o pior negócio do mundo. Depois trocou a faca por um balaio velho e podre. Outro negócio péssimo. E acabou trocando o balaio por um pão. Comeu o pão e ficou sem balaio, sem faca e sem cauda. Isso é mesmo o que se chama "negócio de macaco".

— E ainda acham que macaco é bicho ladino! — observou a menina.

— Não, — disse Dona Benta. — Nas histórias populares o mais ladino não é o macaco, sim a raposa e o jaboti. A raposa, ladiníssima, sai ganhando sempre. Chegou a ficar o símbolo da esperteza. Quando queremos frisar a manha dum político, dizemos: É uma raposa velha! E o jaboti não sei por que, também ficou com fama de fino. O macaco, coitado, faz suas espertezas, mas nem sempre sai ganhando. Esse de Tia Nastácia, por exemplo. Lá foi, muito contente da vida, a comer o pão — mas não se lembrou que estava sem cauda.

— Tolinho! Quando for trepar a uma árvore é que verá a asneira que fez. Macaco sem cauda é macaco aleijado. Eles fazem na floresta aqueles prodígios de agilidade justamente por causa da cauda. Idiota!

O MACACO E O COELHO

Um macaco e um coelho fizeram a combinação de um matar as borboletas e outro matar as cobras. Logo depois o coelho dormiu. O macaco veio e puxou-lhe as orelhas.

— Que é isso? — gritou o coelho, acordando dum pulo.

O macaco deu uma risada.

— Ah, ah! Pensei que fossem duas borboletas...

O coelho danou com a brincadeira e disse lá consigo: "Espere que te curo".

Logo depois o macaco se sentou numa pedra para comer uma banana. O coelho veio por trás, com um pau, e lepte! pregou-lhe uma grande paulada no rabo.

O macaco deu um berro, pulando para cima duma árvore, a gemer.

— Desculpe amigo, — disse lá de baixo o coelho. — Vi aquele rabo torcidinho em cima da pedra e pensei que fosse cobra.

Foi desde aí que o coelho, de medo do macaco vingar-se, passou a morar em buracos.

— Bravos! — exclamou Emília. — Gostei da historinha. Vale por todas as outras que Tia Nastácia contou. Está bem engraçada. Viva o coelho!

— E também nesta o macaco sai levando na cabeça, — observou Narizinho. — O coelho, que é um coitado, mostrou-se mais inteligente.

— Por que mais inteligente? — contestou o menino. — Mostrou-se, sim, mais mau, porque o macaco apenas lhe puxou as orelhas e ele moeu o rabo do macaco.

— A inteligência do coelho veio depois, — disse Narizinho, — quando tratou de morar em buraco para livrar-se da vingança do macaco.

— Pois é, — observou Emília. — Apesar da sua fama de inteligente e esperto, e de avô do homem, o macaco, pelo menos nas histórias, nem sempre fica de cima.

— Vocês precisam ler, — disse Dona Benta, — as histórias de macacos que Rudyard Kipling conta naquele livro de Mogli, o Menino Lobo. Esses macacos de Kipling são os Bandar-logs, nome de certos macacos da Índia. Os outros animais os desprezam, por causa da sua leviandade, da sua falta de seriedade, das suas molecagens. São uns perfeitos louquinhos, os macacos.

— Até parecem homens, — disse Emília, — que fazia muito pouco caso nos homens.

— Macaco é bobo, — disse Tia Nastácia, — mas às vezes acerta a mão e sai ganhando — como aquele que logrou a onça.

— Conte, conte, pediram os meninos.

E Tia Nastácia contou a história d'

O MACACO E O ALUÁ

Um macaco, uma vez, quis fazer aluá, mas estando sem dinheiro para comprar milho...

Narizinho interrompeu-a:

— Que história de aluá é essa?

— É uma petisqueira lá do Norte, que se faz de milho. Mas o macaco, que não tinha dinheiro para comprar milho, armou um plano. Foi à casa do galo, onde comprou um litro de milho para pagar em tal dia e tal hora. Foi à casa da raposa, onde comprou outro litro para pagar a tal dia e tal hora — e marcou uma hora meia hora depois da hora marcada para o galo. Depois foi à casa do cachorro, onde comprou outro litro de milho para pagar meia hora depois da hora marcada para o pagamento à raposa. E na casa da onça comprou outro litro de milho para pagar meia hora depois da hora marcada para o pagamento ao cachorro.

E muito contente da vida com os quatro litros de milho arranjados a crédito, o nosso macaquinho foi para casa fazer uma porção de aluá, que guardou num pote. Depois armou um girau bem alto e deitou-se em cima, de cabeça amarrada com um pano, como quem está com dor de dente.

Na hora do primeiro pagamento apareceu o galo.

— Então, que é isso, macaco? Doente assim?

— Estou que não posso comigo de tanta dor de dente, — respondeu o macaco. — Abanque-se e sirva-se do aluá aí do pote.

O galo sentou-se e começou a servir-se do aluá. Nisto apareceu lá no terreiro a raposa, que vinha cobrar o litro de milho vendido. O galo ficou com a crista branca de medo.

— Não se assuste compadre, — disse o macaco. — Esconda-se ali no cantinho.

O galo foi e escondeu-se. Entra a raposa. O macaco, depois de contar a sua doença, manda a raposa servir-se de aluá.

— Coma, coma, comadre, que está ótimo. O compadre galo já se regalou.

— Quê? — exclamou a raposa. — O galo andou por aqui?

— Ali está ele! — disse o macaco, apontando para o cantinho onde o pobre galo se escondera.

E a raposa foi e comeu o galo. Nisto apontou no terreiro o cachorro. A raposa, tremendo de medo, escondeu-se num canto. O cachorro entrou muito amável.

— Pois é, — disse o macaco, — estou tão doente que nem posso descer da cama. Mas vá se servindo de aluá, compadre cachorro. Está muito bom. A raposa comeu de lamber os beiços.

— Quê? A raposa esteve aqui?

— Não esteve, está! — respondeu o macaco, e apontou para o canto onde a pobre raposa se escondera.

E o cachorro foi e comeu a raposa. Nisto apontou a onça no terreiro. Entrou. Soube da doença do macaco, e também, a convite dele, se serviu do aluá.

— Coma, comadre. O cachorro disse que está da pontinha.

— Quê? Esteve o cachorro por aqui?

O macaco piscou, apontando o cantinho onde estava escondido o pobre cachorro e a onça foi e comeu o cachorro.

— Bem, macaco, — disse ela depois da festança. — Vamos agora justar nossas contas. Quero receber o dinheiro do meu milho.

— É boa! — exclamou o macaco. — Pois então a comadre entra aqui, serve-se do meu aluá, come um cachorro que tinha comido uma raposa que tinha comido um galo, e ainda tem a coragem de querer receber o dinheiro dum litro de milho cheio de caruncho?

A onça, furiosa, deu um pulo para pegar o macaco; mas este saltou do girau para cima duma árvore e ficou a rir-se da lograda.

— Deixe estar, macaco, que você me paga! — rosnou ela, e lá se foi ruminando a vingança. Chamou as outras onças e combinou que ficariam tomando conta do riozinho que havia ali, de maneira que o macaco não pudesse beber.

O macaco ficou atrapalhadíssimo. A sede veio, e sede é coisa que nenhum animal aguenta. Como fazer? Nisto viu uma cabaça de mel. Teve uma lembrança.

Lambuzou-se de mel e rolou sobre um monte de folhas secas, ficando transformado no Bicho Folhagem, que ninguém sabia o que era. E lá se foi para o riozinho, beber água.

Bebeu, bebeu à vontade, bem na vista das onças, que olhavam para aquilo com rugas na testa. Depois de bem saciada a sede, sacudiu-se das folhas e dum pulo alcançou um galho de árvore, gritando para as onças desapontadíssimas: — Piticau! Piticau!...

— Deixa estar que você me paga! — disse a onça, e pôs-se a imaginar outro meio de pegar o macaco. Abriu um grande buraco, entrou dentro e deitou-se de costas, ficando com a boca arreganhada, como armadilha; e pediu às outras que a cobrissem de folhas secas para que o macaco não desconfiasse.

O macaco veio vindo. Mas ao ver aqueles dentes arreganhados no meio das folhas secas, desconfiou.

— Chão com dentes? Está aqui uma coisa que nunca imaginei. Mas dente de chão há de gostar de comer pedra — e, *zás*! jogou uma grande pedra dentro da boca da onça.

A onça morreu engasgada e o macaco lá se foi, muito satisfeito da vida.

— Ora até que enfim apareceu um macaco esperto! — exclamou Narizinho. — Esse era dos tais de circo, como dizem, mais matreiro que uma raposa.

— A história deve estar errada, — disse Emília. — Em vez de macaco devia ser uma raposa. Só as raposas têm ideias assim. Mas gostei. Está bem arrumadinha. Grau dez.

— Notem, — disse Dona Benta, — que a maioria das histórias revelam sempre uma coisa: o valor da esperteza. Seja o Pequeno Polegar, seja a raposa, seja um macaco como este do aluá, o esperto sai sempre vencedor. A força bruta acaba perdendo — e isto é uma das lições da vida.

— Já observei esse ponto, vovó, — disse Pedrinho. — Todas as histórias frisam uma coisa só — a luta entre a inteligência e a força bruta. A inteligência não tem muque, mas tem uma sagacidade que no fim derruba o muque.

— E a gente quer que seja assim, — disse Emília. — Se vier um conto em que a força bruta derrote a inteligência, os ouvidores são até capazes de dar uma sova no contador.

— E a história perderia completamente a graça, — disse Narizinho. — Que graça tem, por exemplo, que um touro vença uma lebre? Nenhumíssima. Mas quando uma lebre vence um touro, a gente, sem querer, goza.

— Por isso vivo eu dizendo que a esperteza é tudo na vida, — gritou a boneca. — Se eu tivesse um filho, só lhe dava um conselho: Seja esperto, Emilinho!

O MACACO, A ONÇA E O VEADO

Uma vez uma onça convidou um veado para ir com ela à casa dum compadre. Foram. Como houvesse no caminho um ribeirão a atravessar, a onça enganou o veado, dizendo que não tivesse medo, pois era água rasinha. O veado meteu-se no ribeirão e quase se afogou.

Seguiram. Vendo umas bananeiras logo adiante, a onça propôs.

— Amigo veado, vamos comer bananas. Você sobe e pega as verdes, que são as melhores, e me atira as amarelas, que não valem nada.

O veado subiu, jogou as amarelas para a onça e ficou com as verdes, que não pôde comer. Desceu com o estômago no fundo, enquanto a onça arrotava de gosto.

Seguiram. Adiante encontraram uns trabalhadores capinando a roça. A onça disse:

— Amigo veado, quem passa junto daqueles homens deve dizer: "Que o diabo os carregue!". É uma saudação que deixa os homens contentíssimos.

O bobo do veado foi e disse aos trabalhadores: "Que o diabo os carregue!" mas os homens, furiosos, soltaram-lhe os cachorros em cima e quase o pegaram. Já a onça ao passar por eles, o que disse foi: "Deus ajude a quem trabalha!" e os homens, muito satisfeitos com a frase, deixaram-na passar sossegadamente.

Adiante a onça viu uma cobrinha coral.

— Olhe amigo veado, que lindo colar vermelho. Leve-o para pôr no pescoço de sua filha.

Assim que o veado foi pegar aquilo, a cobra deu-lhe um bote, que por um triz o não alcançou.

Finalmente chegaram à casa do compadre. Era quase noite, de modo que depois duma prosinha trataram de dormir. O veado armou uma rede a um canto e logo ferrou no sono. A onça, então, foi pé ante pé ao curral, comeu uma ovelha e trouxe uma cuia de sangue, que derramou em cima do veado. Depois deitou-se e dormiu regaladamente.

De manhã o compadre foi ao curral e percebeu que lhe haviam comido uma ovelha. Desconfiou logo da onça.

— Eu, comer sua ovelha, compadre? Que ideia! Olhe como estou sem o menor sinal de sangue. Talvez fosse o veado...

O compadre olhou para o veado e o viu todo sujo de sangue.

— Ah, ladrão! — e deu-lhe de cacete até matar.

A onça despediu-se do compadre e lá se foi muito lampeira.

Dias depois convidou o macaco para outra visita ao compadre. O macaco aceitou. Foram. No ribeirão a onça veio com a mesma história:

— Passe sem medo, macaco. A água é rasinha.

Mas o macaco, que tinha sabido da história do veado, não foi na onda.

— Nada! — disse ele. — Passe você primeiro, para eu ver se a água é mesmo rasinha como diz — e a onça não teve remédio senão passar na frente.

Lá nas bananeiras o macaco subiu, mas comeu todas as amarelas e à onça só deu as verdes. Furiosa do logro, a onça foi pensando: "Ah, bicho duma figa! Eu, ainda acabo lanhando esse lombo com as minhas unhas!".

Quando chegaram à roça dos trabalhadores, a onça avisou:

— Escute macaco. A saudação que esses homens gostam é assim: "O diabo leve quem trabalha!", mas ao passar por eles o macaco disse coisa diversa: "Deus ajude a quem trabalha!" e os homens deixaram-no passar.

Quando encontraram a cobrinha e a onça lembrou que era um ótimo colar para a mulher do macaco, este respondeu:

— Está me parecendo muito melhor para pulseira de uma filha de onça! — e não quis saber de pôr a mão na cobra.

Chegaram por fim à casa do compadre. Depois duma prosinha foram deitar-se. O macaco, sabidão, armou sua rede bem alto; deitou-se e fingiu dormir. A onça foi ao curral e comeu outra ovelha, vindo com a cuia de sangue lambuzar o macaco. Mas este arrumou com o pé na cuia, de modo que o sangue caiu em cima da onça.

Indo pela manhã ao curral, o compadre deu pela falta da ovelha.

— Que coisa esquisita! Sempre que a onça vem cá, desaparece-me uma ovelha...

E foi para a casa, furioso da vida. Deu com a onça roncando — fingindo que dormia, mas lá do alto de sua rede o macaco apontava para ela, dizendo:

— Veja como está barreadinha de sangue.

— Desta vez me paga! — gritou o compadre, e apontando a espingarda, *pum!* matou a onça.

— Nas histórias populares, — disse Dona Benta, — o papel da onça é sempre desastroso. Personifica a força bruta, a traição, a crueldade. Os contadores vingam-se dela ser assim, fazendo-a perder todas as partidas.

— Está claro, — disse Emília. Não tinha graça nenhuma se a onça acabasse vencendo. Ela é bruta, é má, é cruel; logo, tem de ser castigada — pelo menos nas histórias.

— E o pobre veado? — lembrou Narizinho. — Já ouvi várias histórias de veado e até tenho dó. Uns bobinhos completos. Não há nenhuma em que se atribua a menor inteligência aos veados. Acabam sempre comidos.

— Veado, ovelha e outros animais não passam de carne com quatro pés, — disse Pedrinho. — Inteligência não existe em suas cabecinhas, nem para lograr a onça, que é o mais estúpido dos animais. Eu até me rio quando ouço uma ovelha fazer: *Bé!* Que bichos bobos! Só servem mesmo para dar lã e costeletas.

— Isso não, — protestou Emília. Quando os homens querem um símbolo de meiguice, de que se lembram? Dos cordeirinhos. S. João andava com um no braço.

— Bom, S. João era um santo, era diferente dos outros homens. Quando esteve no deserto só passava a gafanhoto, coisa que ninguém come. Juro que não comeu o cordeirinho que trazia no braço. Mas o resto da humanidade, nem é bom falar! Elogiam os cordeirinhos, sim, senhor. "Que beleza! Que encanto!" mas passam-lhes a faca no pescoço e comem-nos.

— Ué! — exclamou Tia Nastácia. — Pois para que serve carneiro senão para ser comido? Deus fez os bichos cada um para uma coisa. A sina dos carneiros é a panela.

Emília danou:

— Bem se vê que é preta e beiçuda! Não tem a menor filosofia, esta diaba. Sina é o seu nariz, sabe? Todos os viventes têm o mesmo direito à vida, e para mim matar um carneirinho é crime ainda maior do que matar um homem. Facínora!...

— Emília, Emília! — ralhou Dona Benta.

A boneca botou-lhe a língua.

O VEADO E O SAPO

Um veado e um sapo queriam casar com a mesma moça. Para decidirem a questão fizeram uma aposta.

— Temos aqui esta estrada compridíssima. Vamos correr, — propôs o veado. — Quem chegar primeiro casa com a moça.

O sapo concordou, e marcaram a prova para o dia seguinte.

O veado saiu dali dando boas risadas. Um pobre sapo ter a pretensão de apostar corrida com quem? justamente com ele, que era o animal de maior velocidade que existe! Ah, ah, ah!...

Mas o sapo usou da esperteza. Reuniu cem companheiros, aos quais contou o caso, combinando o seguinte: de distância em distância, à beira da estrada, ficaria escondido um sapo, com ordem de gritar *Gulugubango, bango, lê*, sempre que o veado passasse por ele e cantasse *Laculê, laculê, laculê*. Enquanto isso, o sapo apostador ficaria, no maior sossego, esperando o veado no fim da estrada.

Assim foi. Chegada a hora da corrida, o veado disparou que nem uma bala. Cem metros adiante cantou o *Laculê*, certo de que o sapo, lá atrás, nem ouviria. Mas com grande assombro ouviu a resposta adiante dele: *Gulugubango, bango, lê*.

— Será possível? — pensou consigo o veado, e deu maior velocidade às canelas. Voou mais cem metros e cantou: *Laculê, laculê, laculê*, e ouviu adiante a resposta: *Gulugubango, bango, lê*.

O veado começou a suar frio. Deu ainda maior velocidade às pernas, avançando mais duzentos metros, rápido como o relâmpago — e cantou o *Laculê*. Mas ouviu pela terceira vez, adiante, o *Gulugubango, bango, lê*.

E desse modo até o fim da estrada, onde, mais morto que vivo, com as pernas a tremerem do grande esforço, o veado cantou pela última vez, com voz de quem não aguenta mais: *La...eu...lê...* Mas ouviu de novo a voz descansada do sapo, que respondia, adiante, sossegadamente: *Gulugubango, bango, lê*.

Fora vencido.

O veado jurou vingar-se. Na noite do casamento foi ao quintal do sapo e encheu de água fervendo a lagoa onde ele nadava. Altas horas o sapo teve saudades da lagoa e veio tomar seu banho. *Tchibum!* pulou dentro — e morreu escaldado. O veado, então, muito contente da vida, casou-se com a viúva.

— Ora, até que enfim aparece um veado esperto! — gritou Emília.

— Esperto e perverso, — disse Narizinho. — Bem merecia ser comido pela onça. Pobre sapo!

— Isso não! — contrariou Pedrinho. — Desde que o sapo logrou o veado, o veado ficou com direito de pagar na mesma moeda.

— Mas pagou em moeda diferente, — disse a menina. — Se ele se limitasse a enganar o sapo, estava bem. Mas matou-o. Isso foi crueldade.

— Mas também quem manda sapo casar com moça? — observou Emília. Sa com sa, mo com mo, diz o ditado.

— Que ditado é esse, Emília?

— Sapo com sapa, moça com moço. Sapo que encasqueta casar-se com moça, só mesmo cozinhado em água fervendo.

— E não se casou com ela o veado?

— Bom isso é diferente. Veado é um animalzinho dos mais bonitos. Mas sapo... — e Emília deu uma cuspida de nojo.

A onça e o coelho

A onça havia plantado uma roça, onde nasceu muita urtiga. A onça ficou atrapalhada. Nem entrar na roça podia, porque a urtiga arde muito. Foi então e chamou os animais da floresta.

— Quem me capinar esta roça sem se coçar ganha um boi, — disse ela.

O macaco se prontificou a fazer o serviço. Mas assim que deu começo à capinação, coçou-se tanto que a onça o tocou de lá.

Veio o bode, que também se coçou com o chifre. A onça tocou o bode.

Por fim apresentou-se um coelhinho. "Esta é boa!" disse a onça. "Se nem o macaco e o bode puderam capinar a roça, que espera fazer este bichinho?" Mas como o coelho insistisse consentiu.

A onça ficou fiscalizando o serviço para ver se ele se coçava; depois cansou-se daquilo e deixou uma sua filha no lugar.

O coelho, que não podia mais de tanta comichão, teve uma ideia. Voltou-se para a filha da onça e perguntou: — Escute aqui, oncinha, o tal boi que sua mãe prometeu não é um boi malhado, com uma mancha amarela aqui (e dizendo isso coçava a perna), e outra aqui (e coçava o lombo) e outra aqui (e coçava o focinho)?

A oncinha, muito boba, respondeu que era. O coelho prosseguiu no trabalho, e quando a comichão apertou demais veio novamente perguntar se o boi não tinha também uma mancha amarela em tal e tal parte — e coçava ali. E desse modo conseguiu capinar a roça inteira, ganhando o boi.

Mas a onça impôs uma condição.

— Compadre coelho, dou o boi, mas você só poderá matá-lo num lugar onde não houver moscas, nem galo que cante, nem galinha que cacareje.

O coelho, concordando, lá se foi com o boi em procura dum lugar onde pudesse matá-lo. Andava um pedaço, parava, escutava e sem tardança ouvia um cocoricocó!

— Aqui não serve. Tem galo — e seguia para adiante.

E foi andando até que chegou a um lugar onde não havia mosca nenhuma, nem se ouvia nenhum coricocó. Então matou o boi. Nisto surge a onça.

— Compadre coelho, — disse ela, — um boi é muita coisa para você. Passe para cá um pedaço.

O coelho deu-lhe um pedaço, que a onça devorou num segundo.

— Não chegou para matar a minha fome, compadre. Passe para cá outro pedaço — e o coelho deu outro pedaço. Por fim a onça devorou o boi inteirinho.

O coelhinho voltou para casa muito triste, com o facão na cintura. Ia pensando num meio de vingar-se da onça. Teve uma ideia. Entrou no mato e pôs-se a cortar cipó. Aparece a onça.

— Que está fazendo aí, compadre coelho?

— Estou tirando cipós. Como Deus vai castigar o mundo com uma tremenda ventania, preciso de cipó para me amarrar a um tronco de árvore.

A onça, amedrontadíssima, pediu:

— Nesse caso, amarre-me também, compadre.

— Não posso, — disse o coelho fingidamente. — Tenho de ir para casa amarrar meus filhinhos.

— Amarre-me primeiro, — pediu a onça, — e depois vá amarrar seus filhinhos.

O coelho coçou a cabeça; por fim disse:

— Está bem, comadre onça; como prova de amizade vou fazer esse grande favor — e amarrou-a com todos os cipós, deixando-a impossibilitada do menor movimento.

— Bom, — disse ele ao concluir o serviço; — a comadre está tão bem amarradinha que nem o maior dos furacões é capaz de arrancá-la daí — e foi-se embora, a rir.

Passado algum tempo a onça, vendo que não vinha vento nenhum, desconfiou. "Querem ver que fui tapeada pelo tal coelho? Como agora livrar-me deste amarramento?"

Vinha vindo um macaco.

— Amigo macaco, faça o favor de tirar de mim estes cipós.

Mas o macaco, sabidão que era apenas disse "Deus ajude a quem te amarrou", e foi-se embora.

Apareceu um veado.

— Amigo veado, faça o favor de desamarrar-me, — pediu a onça.

O veado, apesar de burrinho, deu a mesma resposta do macaco, e lá se foi.

Veio o bode, e aconteceu a mesma coisa.

Passadas algumas horas, o coelho foi espiar como ia indo a onça.

— Compadre coelho, viva! O vento não aparece e eu estou que não posso mais. Venha desamarrar-me.

O coelho, com dó dela, pôs-se a desenrolar os cipós. Assim que a malvada se viu livre, *nhoc!* deu-lhe um pega. Mas o coelho alcançou dum pulo um buraco; mesmo assim a onça agarrou-lhe um pé. O coelho caiu na risada.

— Ah, como é tola a minha comadre onça! Agarrou uma raiz de pau e está pensando que é meu pé. Ah, ah, ah!...

A onça, desapontada, soltou as unhas, pensando mesmo que houvesse ferrado uma raiz de pau. O coelho afundou no buraco.

Uma garça veio pousar ali perto. A onça chamou-a.

— Comadre garça, — disse ela, — bote sentido nesta cova enquanto eu vou buscar uma enxada. Não deixe o coelho sair.

A garça ficou na árvore, com os olhos no buraco. O coelho disse:

— Que grande tola! Então é assim que garça toma conta de buraco onde está um coelho?

— Como devo fazer então? — perguntou a bobinha.

— Ora, ora! Tem de vir aqui e ficar com o bico dentro do buraco.

A garça desceu da árvore e enfiou o bico no buraco. O coelho atirou-lhe aos olhos um punhado de areia e escapou.

Nisto veio a onça com a enxada. Cavou, cavou até lá no fundo e nada de coelho.

— Comadre garça, que fim levou o coelho que estava aqui?

— Não sei, — respondeu a tola. — Ele me mandou que enfiasse o bico no buraco. Assim que enfiei o bico, me botou nos olhos uma areia. Fiquei cega e nada mais vi.

A onça, furiosa, deu um bote na garça, que lá se foi voando, muito fresca da vida.

— Boa, boa, — disse Emília. — Estou gostando mais destas histórias de bichos do que das de reis e Joãozinhos.

— Estas histórias, — explicou Dona Benta, — foram criadas pelos índios e negros do Brasil — pela gente que vive no mato. Por isso só aparecem animais, cada um com a psicologia que os homens do mato lhes atribuem. A onça, como é o animal mais detestado, nunca leva a melhor em todos os casos. É lograda até pelos coelhos.

— E há invençõezinhas engraçadas nessa história, — observou a menina. — O jeito do coelho enganar a filha da onça, com tais perguntas sobre as manchas do boi, está muito interessante. Acho que Tia Nastácia só deve contar histórias assim. Das outras, de príncipes, estou farta.

— Pois então vou contar a história do pulo do gato, — disse Tia Nastácia — e contou.

O PULO DO GATO

A onça pediu ao gato que lhe ensinasse a pular, porque o maior mestre de pulos que há no mundo é o gato. O gato ensinou uma, duas, três, dez, vinte qualidades de pulos. A onça aprendeu todos com a maior rapidez e depois convidou o gato para irem juntos ao bebedouro, isto é, ao lugar no rio onde os animais descem para beber.

Lá viram um lagarto dormindo em cima duma pedra.

— Compadre gato, — disse a onça, — vamos ver quem dum pulo pega aquele lagarto.

— Pois vamos, — respondeu o gato.

— Então comece.

O gato saltou em cima do lagarto e a onça saltou em cima do gato — mas este deu um pulo de banda e se livrou da onça.

A onça ficou muito desapontada.

— Como é isso, compadre gato? Esse pulo você não me ensinou...

— Ah, ah, ah! — fez o gato de longe. — Isto é cá segredo meu que não ensino a ninguém. Chama-se o "pulo do gato" — meu, só meu. Os mestres que ensinam tudo quanto sabem, não passam duns tolos. Adeus, comadre! — e lá se foi.

— Ah! — exclamou Pedrinho. — Agora estou compreendendo por que se fala tanto no "pulo do gato".

— Mas pulam mesmo assim ou é história da história? — perguntou a menina.

— Não há pulo que os gatos não deem, — disse Dona Benta. — É um bichinho maravilhoso. Já vi o Romão cair dum telhado altíssimo. Outro bicho qualquer se espatifaria. Romão, porém, deu uma volta no ar e caiu sobre as quatro patas — e lá se foi ventando, sem que nada lhe acontecesse.

— Mas se o gato é da mesma família da onça, — observou a menina, — tudo o que o gato faz a onça também deve fazer.

— Sim, mas o gato é pequeno e, portanto, tem agilidade muito maior que a da onça. Quanto pesa um gato? Um quilo, apenas. E uma onça? Cem vezes mais. Natural, portanto, que por causa do peso maior a onça não seja capaz de fazer o que o gato faz.

— É verdade, vovó, — perguntou Pedrinho, — que os políticos espertos usam o pulo do gato?

Dona Benta suspirou.

— Os políticos matreiros, meus filhos, são os gatos da humanidade. Dão toda sorte de pulos — e sabem muito bem essa história de cair de pé. Há alguns entre nós que podem dar lições a todos os gatos do mundo...

O doutor Botelho

Havia um carpinteiro muito pobre, que morava num casebre de tábua. Certa vez apareceu por lá um macaco pedindo agasalho. O carpinteiro respondeu que sua casinha era muito pequena, mas estava às ordens. O macaco ficou morando com o homem.

Um dia o macaco entrou em casa com os bolsos cheios de moedas de ouro e prata.

— Onde arranjou isso, macaco? — perguntou o homem, de olhos arregalados.

— Foi o rei que me deu, — disse o macaco. — Fui visitá-lo em seu nome, com um presente, e o rei me deu tudo isto.

— E que presente levou ao rei, macaco?

— Veadinhos. Assobiei na floresta; vieram cem veadinhos que levei ao rei. Qualquer dia vou levar-lhe outro presente.

E assim foi. Na manhã seguinte o macaco chegou à beira do rio e pôs-se a assobiar. Vieram inúmeras garças, que ele convidou a irem com ele ao palácio do rei, numa procissão, duas a duas. O rei achou lindo aquilo e perguntou quem tinha tido a ideia.

— *Foi o doutor Botelho, amigo do macaco da bota do jabotelho*, — respondeu o bichinho.

O rei agradeceu a lembrança e disse-lhe que fosse à Casa da Moeda receber dinheiro.

O macaco foi e encheu um alforje de moedas de ouro que levou ao homem.

Dias depois o macaco voltou à floresta e assobiou. Vieram inúmeros coelhos, que o macaco levou de presente ao rei, dizendo ser outro presente do doutor Botelho.

O rei, muito admirado, mostrou desejo de conhecer esse doutor tão rico. O macaco respondeu que o doutor Botelho era um homem muito acanhado que não visitava ninguém, mas que se o rei quisesse conhecer as suas riquezas, ele, macaco, as mostraria.

O rei montou a cavalo e saiu com o macaco na garupa. Passaram por muitas fazendas, e o macaco dizia sempre: "Isto aqui é do doutor Botelho". Afinal, cansado de ver as fazendas do doutor Botelho, o rei voltou ao palácio.

O macaco, então, disse ao rei que estava com vontade de falar uma coisa, mas sentia acanhamento.

— Fale, ordenou o rei — e o macaco disse que o doutor Botelho havia mandado pedir em casamento a filha de Sua Majestade.

Tratando-se dum homem tão rico, dono de tantas e tão lindas fazendas, o rei não teve dúvidas em dar-lhe a filha em casamento.

— Diga ao doutor Botelho que sim, que lhe concedo a mão de minha filha — e você, macaco, vá à Casa da Moeda buscar mais ouro.

O macaco foi e encheu vários alforjes. Quando chegou à casa do carpinteiro com tudo aquilo, o pobre homem abriu a boca. E mais ainda quando soube que estava noivo da princesa, filha única dum grande rei.

— Mas, macaco, como posso eu, um pobre diabo que vive neste casebre de tábuas, pensar em casar-me com a filha do rei? Você está louco?

O macaco, porém, sossegou-o.

— Não se incomode com coisa nenhuma; deixe tudo por minha conta.

No dia marcado para o casamento o macaco preparou para o doutor Botelho um lindo cavalo e o fez montar. O carpinteiro mal podia consigo.

— Estou que quase caio do cavalo, de tanto medo, macaco.

— Não seja bobo. Já disse que deixe tudo por minha conta.

E tanto o macaco fez que deu com o carpinteiro no palácio real, onde se efetuou o casamento. Tinham agora os noivos de seguir para a casa do doutor Botelho — e como era? O pobre carpinteiro suava frio. Mas o macaco o animou: "Não tenha medo de nada. Eu arranjo tudo".

E arranjou mesmo. Quando os noivos, acompanhados dos grandes fidalgos da corte, chegaram ao casebre, não viram lá casebre nenhum e sim um maravilhoso palácio, com grande criadagem de libré. Entraram. Estava arrumada a mesa dum banquete esplêndido, com quanto doce havia e um grande cacho de bananas no centro.

Ao ver as bananas o macaco esqueceu-se do seu papel e deu um pulo sobre a mesa. Aquilo de ser o escudeiro do célebre doutor Botelho era uma grande coisa — mas comer as bananas amarelinhas era melhor — e pôs-se a comer as bananas.

— Essa história, — disse Narizinho, — é uma corrupção da velha história do Gato de Botas, que li nos *Contos de Fadas* do tal senhor Perrault. Mas como Tia Nastácia contou está muito mais ingênua.

— Serve para mostrar como o povo adultera as histórias, — disse Dona Benta. — Neste caso do doutor Botelho vemos uma tradução popular do Gato de Botas.

— Mas tradução bem malfeitinha, — disse Emília. — Tudo na história é daqui do Brasil, até o macaco e as bananas — com certeza banana ouro, que é a melhor — mas esse rei, que aparece sem mais nem menos, está idiota. Não há reis por aqui. Em todo o caso serve. Que se há de esperar da nossa pobre gente roceira?

— E a tal resposta do macaco ao rei: "*Foi o doutor Botelho, amigo do macaco da bota do jabotelho*"? Que significa isso? Que bota é essa?

— Não significa coisa nenhuma, — disse Dona Benta. — Bobagem. O tal jabotelho, que não é nada, está ali apenas para rimar com Botelho.

— E a bota?

— Essa bota foi o único restinho que ficou das botas do Gato de Botas.

— Coitadinho do povo! — exclamou Emília. — Tão ingênuo...

A RAPOSA E O HOMEM

Uma raposa foi deitar-se, fingindo-se de morta, no caminho por onde um homem ia passar. O homem chegou, parou e disse:

— Coitada da amiga raposa!

Fez um buraco e enterrou-a.

Assim que ele se afastou, a raposa saiu da cova e correu por dentro do mato até sair lá adiante. Deitou-se de novo na estrada, sempre a fingir de morta.

O homem chegou e disse:

— Oh, outra raposa! Coitadinha... — Arredou-a da estrada, cobriu-a de folhas secas e lá se foi.

A raposa repetiu a manobra. Correu a deitar-se lá adiante, no meio do caminho.

O homem chegou e enrugou a testa.

— Quem será que anda matando estas raposas?

Mas não a enterrou, nem a cobriu de folhas secas. Deixou-a onde estava.

A raposa pela quarta vez repetiu a manobra. Foi correndo deitar-se lá adiante. O homem chegou, e vendo mais aquela disse: "O diabo leve tanta raposa morta!" e agarrando-a pelo rabo jogou-a no mato.

A raposa ficou pensativa.

— Estou vendo que é um perigo abusar dos nossos benfeitores...

— Isto é uma história moral, — disse Pedrinho.

— Sim, — concordou Dona Benta. — É das tais que encerram uma lição. "Não abuses!" é a lição que a gente tira daí. A raposa abusou da bondade do homem — e se insistisse mais uma vez, o homem era capaz de dar-lhe um pontapé que a matasse de verdade.

— E seria bem feito, — disse Emília. Quem atropela desse modo os bons, merece pau.

Depois dessa história, Emília gritou:

— Eu quero agora uma historinha bem bonita em que haja um pinto!

Todos estranharam aquela exigência.

— Por que pinto e não galo ou um cachorro? — perguntou Narizinho — e Emília respondeu:

— Porque esta noite sonhei com um pinto sura que veio comer quirera na minha mão.

E Tia Nastácia contou a história de um pinto sura.

O PINTO SURA

Era uma vez um pinto diferente de todos os mais pintos do galinheiro. Que culpa tinha ele disso? Nenhuma. No entanto, todos judiavam dele — vejam só! — porque era sura...

O pobrezinho nem comer em paz podia. Na hora do milho, era *zás!* uma bicada daqui, *zás!* uma bicada dali, enquanto os outros, sossegadamente, enchiam o papo até estufar.

E se apanhava algum bichinho, grilo ou içá, era aquela certeza: a galinhada inteira punha-se a correr atrás dele até tomar o petisco.

Por causa disso o pinto sura vivia sempre com fome, encolhidinho pelos cantos, magro e maninguera...

Certo dia perdeu a paciência. Um frangote carijó, que andava de namoro com umas frangas amarelas, deu-lhe, à vista dessas meninas de penas, uma tal sova de bicadas que o deixou descadeirado. As frangas entusiasmaram-se com a valentia do carijó, riram-se à grande do triste sovado que nem suster-se em pé podia. E chegaram, mesmo, a compor um versinho:

Foi saracura,
Ó pinto sura!
Quem te pregou
Tamanha surra?

O pinto, desesperado, resolveu queixar-se ao rei.

— Levo-lhe uma carta, — pensou lá consigo — e o rei há de atender-me. Depois, quero ver! ...

Procurou pelo chão uma carta.

Bobinho como era qualquer papelzinho para ele era carta.

Achou logo um pedacinho de papel quadrado e, tomando-o no bico, partiu em direção ao palácio do rei. Levava ainda um embornal cheio de milho para ir manducando pelo caminho.

Andou, andou, andou, até que deu com uma raposa sentada à beira do caminho com um cacho de uvas na mão.

— Bom dia, dona Raposa!
— Ora viva, pinto sura! Para onde vai com tanta pressa?
— Ao palácio do rei, entregar-lhe esta cartinha.
— Quer levar-me também?
— Só se você couber neste embornal...
— Caibo, sim! — disse a raposa, e com muito jeito acomodou-se dentro do embornal.
— Mas não me vá comer o milho, hein? — recomendou o pinto, fincando o pé na estrada.

Andou, andou, andou, até que deu com um rio de águas muito limpas, cheio de peixinhos. Parou para beber, e estava *glug! glug!* quando o rio disse:

— Amigo sura, que vontade de ir viajar com você!
— Pois vamos. Já levo comigo a raposa e nada me custa levar também um rio. Até é bom — porque não preciso parar no caminho quando tiver sede.
— Pois aceito o convite! — disse o rio. E, enrolando-se como um novelo, ajeitou-se dentro do embornal ao lado da raposa, a qual se encolheu toda e exclamou:

— Chispa! Arreda para lá, que me molha, senhor rio!
— Cuidadinho! — interveio o pinto. — Não me vão brigar aí dentro!... E o senhor rio que não me molhe o milho.

Disse e continuou a viagem. E andou, andou, andou, até que deu com um espinheiro.

— Saia do caminho, ouriço! — intimou ele. — Saia da frente que quero passar!
— Hum! Como está valente o pinto sura!... — retorquiu o espinheiro.
— Saia da frente, já disse! — repetiu o pinto engrossando a voz. — Saia da frente, senão...

A raposa, ouvindo o bate-boca, espichou a cabeça para fora.

— Que é lá isso? — perguntou.

— É este espelho sem aço que não me quer dar caminho!... — berrou o pinto, furioso.

A raposa virou-se para o espinheiro e propôs: — Olhe, amigo, em vez de estar aí cercando o pinto sura, muito melhor que viesse cá dentro nos fazer companhia.

— Mas será que caibo nesse embornalzinho?

— Como não? Cá está o milho, estou eu, está o rio e ainda há lugar para muita gente. O pinto sura vai ao palácio do rei tratar dum negócio muito importante...

— Nesse caso, vou também! — resolveu o espinheiro — e dobrando os espinhos encolheu-se todo e acomodou-se no embornal.

O pinto, muito contente da vida, piou *qui-quiri-qui-qui*! e lá se foi, de papo empinado e cartinha no bico, como um grande figurão!

De novo andou, andou, andou, até que, de repente, ao dobrar um espigão, viu lá embaixo o palácio do rei, alumiando de ouro e prata. Aqui o pinto, assombrado de tanta beleza, parou, com receio de continuar a viagem. Mas para não perder tempo enquanto refletia, engoliu vinte grãos de milho.

— Que leve à breca! — disse por fim. — Quem não arrisca, não petisca!

E dirigiu-se, firme, na direção do palácio real. Lá chegou de tardezinha. Cumprimentou os guardas e foi entrando, muito senhor de si.

— Epa! Que sem-cerimônia é essa? — perguntou-lhe um criado de farda verde. — Que é que quer?

— Quero que não me aborreça! — respondeu o pinto, fechando a carranquinha. O criado abriu a boca, a pensar lá consigo: — Isto há de ser algum mágico disfarçado em pinto! — E deixou-o passar. O amigo sura, então, com toda a importância, atravessou salões e mais salões até chegar à sala do trono, onde viu o rei, todo emproado, de coroa na cabeça e cetro na mão. Aproximou-se dele, dobrou os joelhos e — *qui-ri-qui-qui*! — entregou-lhe a carta.

O rei pegou no papelzinho, examinou-o de um lado e de outro; vendo que era um papel sujo apanhado no lixo, encheu-se de furor.

Voltou-se para os guardas

— Já com este pinto malcriado fora daqui! Ponham-no junto com as galinhas — e amanhã, panela com ele!...

O pobrezinho, agarrado pela asa, viu-se arrastado pelo palácio afora até um galinheiro onde várias galinhas orgulhosas esperavam a vez de serem mastigadas pela real dentuça de Sua Majestade. Mal o viram, começaram a judiar dele, dando-lhe bicadas ainda piores que as do carijó namorador.

Mas o pinto lembrou-se de que trazia no embornal a raposa; e, tirando-a para fora, disse: — Raposinha amiga: dê um pega, dos bons, nestas emproadas!

A raposa, *incontinenti* — zás zás! — deu cabo de todas as galinhas e dos galos que vieram defendê-las.

Livre, assim, daqueles inimigos, o pinto sura mais que depressa saltou o muro e "abriu" para trás, com quantas pernas tinha.

O rei, ao saber do acontecido, rebolou-se no chão de cólera; depois deu ordem, aos berros, para que em perseguição do pinto partisse um regimento de cavalaria.

O regimento partiu no galope — *pá-tá-lá! pá-tá-lá!* — erguendo nuvens de poeira.

Quando o pinto ouviu aquele tropel, tremeu de medo, com uma gota de suor frio na testa.

— Estou aqui estou assado! — murmurou.

— Assado, nada! — falou de dentro do embornal uma voz. — Solte-me e verá.

Era o rio quem falava. O pinto, criando alma nova, soltou-o; e o rio, desenrolando-se por ali afora, inundou os campos e deteve a soldadesca.

Mas os soldados logo arranjaram canoas e conseguiram atravessar o rio.

Ao vê-los de novo galopando atrás dele, o pinto esfriou e disse:

— Estou aqui, estou em molho pardo!

— Molho pardo, nada! Solte-me e verá. — Era o espinheiro quem falava.

Mais que depressa o pinto soltou o espinheiro, o qual, arrepiando os espinhos, fechou a estrada como tranqueira que nem porco do mato vara.

O pinto, vitorioso, subiu a um cupim e fez pito para os soldados. Depois encheu o papinho de milho e continuou a viagem, sossegadamente, ciscando bichinhos à beira da estrada.

Quando deu acordo, tinha chegado. Mas aqui ficou triste.

— Pobre de mim! — pensou. — Vai recomeçar a minha vida de animal judiado... Venci o rei, venci as galinhas do rei, venci os soldados do rei; mas pior que tudo isso é o malvado frangote carijó deste galinheiro. Que será de mim?

Enchendo-se de ânimo, porém, entrou no velho cercado onde nascera. Entrou ressabiado, com mil cautelas, espia de um lado, espia de outro.

Mas aconteceu o que ele jamais esperara. As galinhas vieram rodeá-lo, muito amáveis, com festinhas e olhares meigos. Quanto ao frango arreliento, nem sombra!

— Que é dele? — perguntou o sura.

— Foi para a panela, — responderam as galinhas.

O pinto criou alma nova.

Depois, olhando, olhando e não vendo o galo, indagou:

— E o galo esporudo?

— Morreu de gogo, — disse com lágrimas nos olhos uma bela poedeira.

O pinto sura deu um pinote de alegria.

— E ... e quem é o galo agora?

— É você, beleza! ... — exclamaram todas as frangas em coro.

Só então o sura compreendeu que a viagem tinha levado muito tempo e ele não era mais o pobre pinto que dali partira e sim um formoso galo, de crista no alto do coco e esporas apontando nos pés.

Em vista disso pulou para cima dum jacá, estufou o papo e desferiu um canto de vitória:

Có-có-ri-có-có!
Quem é o rei daqui?

E a galinhada inteira respondeu:

O galo sura só!

O pinto já não era mais pinto, e sim um corajoso galo...

Todos gostaram, sobretudo do pedaço em que pegou um papelzinho do chão e disse que era carta.

— Bobinho, bobinho... — comentou Emília. — Tal qual o pinto com que sonhei...

O JABOTI E O HOMEM

Um jaboti estava em sua toca, tocando gaita. Um homem ouviu e disse: "Vou pegar aquele malandro" — e chamou: "Ó jaboti!".

— Oi! — respondeu o jaboti.

— Vem cá, jaboti.

— Já vou, — disse o jaboti — e botou a cabecinha na abertura do buraco. O homem foi e agarrou-o e levou-o para casa, onde o fechou numa caixa. No dia seguinte, de manhã, antes de ir para o serviço, disse aos meninos:

— Não me vão soltar o jaboti, ouviram? — e foi trabalhar.

O jaboti pôs-se a tocar a sua gaitinha lá dentro da caixa. Os meninos aproximaram-se, curiosos. Ele parou.

— Toque mais, jaboti, — pediram os meninos.

O jaboti respondeu:

— Vocês estão gostando da minha gaita. Imaginem se me vissem dançar....

Os meninos abriram a caixa para verem o jaboti dançar. O jaboti saiu e dançou pela sala.

>   *Lê, lé, lé, lé...*
>   *Lê, ré, lé, ré...*

Depois pediu para dar um pulinho ao quintal.

— Vá, jaboti, mas não fuja.

O jaboti foi ao quintal e fugiu para o mato.

— O jaboti fugiu! — gritaram os meninos. — Como será agora?

Um deles teve uma lembrança: botar na caixa uma pedra com a forma do jaboti, para enganar o pai.

Assim fizeram.

À tarde o pai voltou da roça e disse: "Ponham a panela no fogo e preparem-me o jaboti".

Os meninos obedeceram, pondo a pedra na panela. Quando chegou a hora: do jantar, o homem sentou-se à mesa, lambendo os beiços. Mas ao botar o jaboti no prato, viu que era pedra.

— Vocês deixaram o jaboti fugir!

Os meninos disseram que não, mas nesse momento soou lá no mato a gaitinha do fugitivo

>   *Tin, tin, tin...*
>   *Olô, olô, olô...*

O homem foi lá.

— Ó jaboti!
O jaboti respondeu: "Oi!".
Por mais que o homem procurasse, não o achava.
— Vem cá, jaboti!
E o jaboti: "Oi!". Cada vez respondia dum lugar diferente, até que o homem danou e voltou para casa, muito desapontado.

— Só isso? — gritou Emília. — É pouco...
— Não, tem mais coisas, — respondeu Tia Nastácia. — Há uma porção de historinhas do jaboti, que é um danado de esperto. Ninguém logra ele.
— É verdade, — disse Dona Benta. — O jaboti, ou cágado, como o chamamos aqui no sul, é um animalzinho que muito impressiona a imaginação dos homens do mato — os índios; daí todo um ciclo de histórias do jaboti, onde ele aparece com umas espertezinhas muito curiosas.
— E é mesmo uma galanteza, — disse Narizinho, — sobretudo uns verdes, do tamanho duma bolacha Maria. Já vi dois em casa da mãe do Tonico.
— Mas são mesmo espertos como querem os índios ou é história? — indagou Pedrinho.
— O cágado parece que tem alguma inteligência e que faz mesmo umas coisinhas jeitosas. Além disso possui aquela casca onde esconde a cabeça e as pernas assim que se vê em apuros. Isso deu aos índios a ideia de esperteza.
— Arranje, vovó, arranje um jaboti para nós! — pediu a menina. — Deve ser tão interessante...
— Hei de arranjar, mas agora vamos ouvir outras histórias dele. Continue, Nastácia.
E Tia Nastácia continuou.

O JABOTI E A CAIPORA

O jaboti entrou num oco de pau e começou a tocar a sua gaitinha. A caipora, lá longe, ouviu e disse: "Não pode ser outro senão o jaboti. Vou agarrá-lo".
Veio vindo. Parou perto do oco, a escutar.

Li, ri, li, ri ...
Lé, ré, lé, ré ...

— Olá, jaboti!
— Oi! — respondeu o tocador de gaita.
— Saia do buraco, jaboti, para vermos qual de nós dois tem mais força.
O jaboti saiu, enquanto a caipora cortava um cipó.
— Eu puxo uma ponta e você outra — eu em terra e você n'água.
— Pois vamos a isso, caipora, — respondeu o jaboti.
O jaboti entrou na água e amarrou a ponta do cipó no rabo dum pirarucu, que é o peixe de rio maior que há. A caipora, lá em terra, puxou o cipó — mas o pirarucu a arrastou para a beira d'água; e como não tinha mais força, foi puxando-a para dentro do rio. O jaboti, que já estava em terra, bem escondidinho no mato, ria-se, ria-se. Não podendo mais de tão cansada, a caipora gritou:

— Basta, jaboti! Você venceu.

O jaboti, sempre a rir-se, entrou n'água e foi desatar o cipó do rabo do pirarucu. Em seguida voltou para terra.

— Está cansado, jaboti? — perguntou a caipora.

— Cansado, eu? Nem um tiquinho! — e a caipora viu mesmo que nem suado estava. Não teve remédio senão confessar que o jaboti era mais valente do que ela — e lá se foi muito desapontada.

— Sempre a esperteza vencendo a burrice! — observou Emília. — Mas que bicho caipora é esse?

— A caipora, — explicou Dona Benta, — é um dos monstros inventados pela imaginação da nossa gente do mato. Vocês bem sabem que para o povo existem na natureza muito mais coisas do que os naturalistas conhecem, como lobisomens, sacis, mulas sem cabeça que vomitam fogo pelas ventas e também caiporas.

— Mas como é a caipora?

— Dizem que é um bicho peludo que gosta muito de fumar. Cerca os viajantes nas estradas, de noite, para pedir fumo para o cachimbo. Descrever como é a caipora não é fácil, porque as coisas que só existem na imaginação do povo variam de lugar em lugar. Aqui é dum jeito, ali é do outro. Se querem saber como é a caipora, perguntem ao Tio Barnabé. Só negro velho entende bem disso.

O JABOTI E A ONÇA

Uma vez uma onça ouviu a música da gaitinha do jaboti e aproximou-se.

— Como você toca bem, jaboti! De que é feita essa gaitinha?

— De osso de veado, ih! ih! — respondeu o cascudo.

A onça, que estava querendo apanhar o jaboti, veio com um plano.

— Sou um pouco surda, — disse ela. — Toque mais perto da abertura do buraco.

O jaboti apareceu na abertura do buraco e tocou, mas no melhor da festa a onça deu um bote para pegá-lo. O jaboti afundou a tempo; mesmo assim ficou com uma pata nas unhas da onça.

— Ah, ah, ah! — riu-se ele. — Pensa que agarrou minha pata mas só pegou uma raiz de pau! *Fiau!* ...

A onça soltou as unhas, desapontada.

O jaboti deu outra gargalhada.

— Grande boba! Era minha pata mesmo que você havia agarrado. *Fiau! Fiau!*

A onça jurou que não sairia da beira daquele buraco enquanto não apanhasse o jaboti — e ficou lá até morrer de fome.

— Aparece aqui aquele mesmo truque do coelho com a onça, — notou Emília. — Quer dizer que a onça é tão estúpida que todos os animais a enganam do mesmo modo.

— Só não acho direito, — disse Narizinho, — que a onça ficasse lá até morrer. Por mais estúpida que seja isso é coisa que onça não faz. Os índios que inventaram esse caso eram bem bobinhos.

— Eu sei mais histórias do jaboti, — disse Tia Nastácia.
— Pois então conte.
E ela contou a história d'

O JABOTI E A FRUTA

Havia no mato uma fruta que nenhum bicho podia comer sem antes pronunciar o nome dela, e como só uma mulher sabia o nome da fruta, os bichos tinham de ir à sua casa perguntar o tal nome.

— *Boioio-boioio-quizama-quizu*, — respondia a mulher, mas assim que o bicho ia saindo ela o chamava, dizendo: "Eu errei, amigo bicho. O nome não é esse, é outro" — e dizia outro. Os bichos faziam grande confusão, de modo que ao chegarem ao pé da fruta erravam no nome.

O jaboti resolveu comer a fruta. Ao saberem disso os outros animais caçoaram.

— Ora, logo quem! Se os mais pintados não conseguem decorar o nome, que é que espera aquele cascudo?

Mas o jaboti foi à casa da mulher com a sua violinha e perguntou o nome da fruta.

A mulher disse o nome, que ele imediatamente tocou na viola. Depois a mulher disse outro nome, e outro, e outro — e o jaboti ia tocando-os todos na viola até o ultimo, que era o certo. E foi tocando na viola aquele último nome até chegar à árvore. Repetiu, então, a palavra, certinho, ficando com direito à fruta.

Nisto a onça se aproximou.

— Jaboti não sabe trepar em árvore, — disse ela. — Eu trepo para você e em paga, recebo algumas frutas.

O jaboti concordou. A onça trepou à árvore, encheu um saco e desceu sem dar nenhuma ao jaboti, que lá se foi atrás dela.

Chegando a um rio, disse ele à onça:

— Comadre onça, me dê o saco para eu passar. Bem sabe que sou bom nadador. Você passa depois.

A onça deu-lhe o saco das frutas, que o jaboti levou às costas até a outra margem do rio — e lá desapareceu com as frutas deixando a onça lograda.

Furiosa com aquilo, a onça jurou vingar-se. Mas o jaboti, avisado, armou um plano. Foi esconder-se numa cova, bem embaixo da raiz em que a onça costumava descansar. Logo depois a onça veio e deitou-se.

— Jaboti, amigo jaboti, apareça! — disse ela. E o jaboti respondeu de muito pertinho (dentro da cova): "Oi! Oi!".

A onça olhou duma banda e doutra, sem ver sinal de jaboti. Gritou de novo:

— Jaboti, onde estás?

— Oi! Oi! — foi a resposta.

Vendo aquele som sair debaixo dela, a onça ficou desconfiada. Contou o caso a um macaco que vinha passando e pediu-lhe que desse uma sova em seu traseiro, por andar fingindo de jaboti.

O macaco deu tanto no traseiro da onça que a matou — e o jaboti saiu da cova muito satisfeito — *Lé, ré, lé, ré...*

— Arre, que é demais! — exclamou Narizinho. — Os "historiadores" pintam as onças ainda mais estúpidas que os perus. Veja se ela havia de mandar que o macaco desse tamanha surra no seu traseiro...

— Ora, menina, você está a pedir muito aos nossos pobres índios. Já eles fizeram alguma coisa pondo uma noção verdadeira nessa historinha.

— Que noção?

— A do jaboti botar em música a tal palavra difícil para melhor guardá-la na memória. Isso é muito certo. A toada musical ajuda a decorar.

— E que mania essa dos índios, de fazerem o jaboti músico? Ora o descrevem com uma gaita, ora com uma violinha. Será mesmo musical o jaboti?

— Coitadinho! Se há bicho que não nasceu para a música é ele. Bobagem dos índios. Fazem isso porque com a gaita ou a viola o jaboti pode lograr mais facilmente os outros bichos.

— E há mais histórias de jaboti, Nastácia?

— Há sim. Vou contar agora a d'

O jaboti e o lagarto

Era uma onça que tinha uma filha no ponto de casar-se. Havia dois pretendentes: o lagarto e o jaboti. Para desmoralizar o rival, o jaboti andou dizendo que o lagarto não valia nada, que era bicho tão à toa que ele jaboti até o usava como cavalo. Como a onça duvidasse, o jaboti ficou de aparecer montado no lagarto, e dar-lhe de chicote e espora na vista de todos.

No dia seguinte o jaboti ficou à porta de sua casa com um lenço amarrado na cabeça. Chegou o lagarto.

— Compadre jaboti, vou indo para a casa da onça. Não quer ir comigo?

O jaboti agradeceu o convite — mas ir como, se estava com uma dor de cabeça furiosa?

O lagarto insistiu, e ele:

— Só poderei ir se alguém levar-me às costas.

— Pois levo, — disse o lagarto, — mas há de descer longe da casa da onça. Não quero que me vejam servindo de cavalo.

— Muito bem, compadre lagarto, mas montar em pelo não dá certo. Deixe-me botar em seu lombo o meu caquinho de sela.

O lagarto protestou que não era cavalo para andar de sela às costas.

— Sei que não é cavalo, compadre, mas isso de montar em pelo não vai comigo — e tanto insistiu que o lagarto deixou-se arrear.

O jaboti, então, montou, depois de munir-se dum bom chicote e dum par de esporas.

Foram. A cem metros da casa da onça o lagarto pediu-lhe que apeasse e lhe tirasse do lombo o caquinho de sela.

— Oh, compadre, estou me sentindo tão ruim que nem pensar em pôr o pé no chão eu posso. Tenha paciência. Leve-me até ali adiante — e o lagarto caminhou mais cinquenta metros com ele às costas.

Vencidos os cinquenta metros, o lagarto pediu-lhe de novo que descesse — mas o jaboti tanto chorou que o lagarto foi com ele às costas até o terreiro da onça.

A onça apareceu.

— Então, senhora onça! — gritou o jaboti. — Está convencida de que o lagarto é meu cavalo? — e fincou a espora e meteu o chicote no pobre lagarto até não poder mais. Encantada com a valentia do jaboti, a filha da onça casou-se com ele.

— Que grandessíssimo pândego! — observou Narizinho. — Bobeou duma vez o outro. Quatro já que o jaboti logra: o homem que o prendeu na caixa, duas onças e este lagarto. Estou vendo que nenhum bicho pode com ele.

— E não pode mesmo, — confirmou Tia Nastácia. — O jacaré também não pôde, querem ver?

E contou a história d'

O JABOTI E O JACARÉ

Louco de inveja da gaitinha do jaboti, o jacaré resolveu furtá-la. Para isso ficou à espera dele no bebedouro.

— Olá, amigo jacaré! — disse o jaboti aparecendo. — Que faz aí?

— Tomando sol.

O jaboti bebeu e pôs-se tocar a gaitinha.

O jacaré então disse:

— Empreste-me um pouco isso; quero ver se sei tocar.

O jaboti deu-lhe a gaita. Ele, *pluf*, atirou-se ao rio e lá se foi com ela.

O jaboti danou. Passados dias, engoliu uma porção de abelhas duma colmeia e foi para o bebedouro esperar o jacaré. Escondeu-se num monte de folhas secas, apenas com a boca de fora, bem lambuzada de mel. De vez em quando soltava uma abelha: *zum*!

O jacaré apareceu, e pensando que fosse uma colmeia enfiou o dedo na boca do jaboti. O jaboti, *nhoc*! ferrou o dedo dele.

— Ai, ai, ai! — gritava o jacaré. — Largue meu dedo!

E o jaboti:

— Só largarei se me entregar a gaitinha — e apertava o dedo do jacaré. Não aguentando mais, este gritou para, o seu filho, lá longe:

> *Ó Gonçalo,*
> *Meu filho mais velho,*
> *A gaita do cágado!*
> *A gaita do cágado!*
> *Tango-lê-rê...*
> *A gaita do cágado!*
> *Tango-lê-rê...*

O rapaz, que era meio surdo, respondia:

— O quê? Sua camisa, meu pai? Seu chapéu?

E o jacaré, aflito:

> Não, Gonçalo,
> Meu filho mais velho,
> A gaita do cágado!
> Tango-lê-rê ...
> A gaita do cágado!
> Tango-lê-rê ....

E o Gonçalo:
— O que, meu pai? Suas calças?

O jacaré tornava a repetir a cantilena — e assim uma porção de tempo até que o filho entendeu e veio com a gaitinha. Só então o jaboti largou o dedo do jacaré, que saiu ventando.

— Que graça! — exclamou Emília. — Jacaré com dedo e filho gente! Mas serve, a historinha. Gostei.

— Então vai gostar ainda mais da do jaboti e os sapinhos, — disse Tia Nastácia — e contou.

O JABOTI E OS SAPINHOS

Andando a filha da onça muito namorada pelo lagarto e pelo homem, que desejavam desposá-la, o jaboti jurou que havia de vencer aos dois. Pensou um plano. "Achei, achei!" disse de repente. Foi a uma aguada e pegou um punhado de sapinhos, que soltou no bebedouro, com ordem, quando qualquer bicho viesse beber, de cantar uma coisa assim:

> Turi, turi...
> Quebrar-lhe as pernas.
> Furar-lhe os olhos ...

E recomendou:
— Mas se eu aparecer com a minha gaita vocês ficam logo caladinhos, ouviram?

Logo depois apareceu o macaco, que vinha beber. Ao ouvir a cantiga da água, deu um pulo de medo e sumiu-se.

Outros bichos vieram, acontecendo a mesma coisa.

Veio o lagarto — e fugiu no galope.

Veio o homem — e fugiu fazendo o pelo-sinal.

Faltava só o jaboti. Foram buscá-lo.

— Pois vou, porque não tenho medo nenhum, mas quero que todos os animais me acompanhem de perto.

A bicharada toda o seguiu. Quando chegou em certo ponto, disse o jaboti:
— Bem, agora vocês parem. Eu vou só.

Aproximou-se do bebedouro e deu um toque de gaita. Os sapinhos emudeceram como peixes.

O jaboti bebeu sossegadamente e foi ter com os animais, que estavam assombrados de tanta valentia. A onça, muito alegre, deu-lhe a filha em casamento.

— O que achei mais graça, — disse Narizinho, — foi aparecer um homem disputando com o jaboti a mão da filha da onça.

— E mesmo assim, mesmo em luta com o rei dos animais, — observou Pedrinho, — foi o cágado quem venceu. Isso mostra que os índios punham o jaboti até acima do homem, em matéria de esperteza.

— Que pena não termos um cágado aqui! — suspirou a menina. — Gosto cada vez mais desse bichinho.

— E é gostoso mesmo, — disse Tia Nastácia. — Ensopado, com bastante tempero e um bom pirão de farinha de mandioca, é gostoso da gente comer e lamber as unhas.

Emília fulminou-a com os olhos.

— E agora? — perguntou Narizinho. — Ainda sabe mais alguma coisa do jaboti?

— Arre, menina. Que tanto quer? — respondeu a preta. — Não sei mais nada, não. Chega. Tenho de ir cuidar do jantar. Até logo.

— Então vovó que conte mais algumas.

Dona Benta respondeu:

— Eu sei centenas de histórias. O difícil está na escolha. Sei histórias do folclore de todos os países.

— Então conte uma do folclore da Índia! — pediu o menino.

— Da Índia, não. Da China, — pediu Narizinho.

— Da China, não. Do Cáucaso, — pediu a boneca, que andava com mania de coisas russas.

E Dona Benta contou uma história do folclore do Cáucaso.

A raposa faminta

Era uma vez uma raposa que estava quase morrendo de fome. Desesperada, saiu pelo mundo para comer a primeira coisa que topasse. Encontrou um leitão. Agarrou-o.

— Que vais fazer comigo? — perguntou o leitão.

— Devorar-te, está claro.

— Oh, — exclamou o leitão, — crua minha carne não vale nada — não tem gosto. Veja uma caçarola e um bom forno para assar-me.

A raposa foi procurar a caçarola e o forno: quando voltou não viu nem sombra de leitão. Furiosa da vida, continuou a viagem. Deu com uma cabra. Agarrou-a.

— Que quer fazer de mim? — perguntou a cabra.

— Devorar-te, está claro.

— Assim com pelo e tudo? Não caia nessa. Vá ver uma tesoura e tose-me primeiro.

Enquanto a raposa procurava a tesoura, a cabra sumiu. Logo depois apareceu um lobo.

— Onde vai, raposa?

— Ando a procurar comida porque estou morrendo de fome.

— Nesse caso acompanhe-me.

Seguiram juntos até encontrar um cavalo. O lobo plantou-se diante dele, com o pelo arrepiado, e perguntou à raposa: "Está meu pelo arrepiado Estão meus olhos soltando fogo?".

— Sim, — respondeu a raposa — e o lobo lançou-se ao cavalo e matou-o. Depois dividiram a carne, comendo até não poderem mais. Estômago, porém, é saco sem fundo. Não há o que o contente. Passados uns dias a fome da raposa voltou. Saiu novamente à caça. Uma lebre vinha vindo.

— Para onde vai, lebre?

— Ando a procurar o que comer, — respondeu o animalzinho.

— Nesse caso acompanhe-me, — disse a raposa, com uma ideia na cabeça: imitar o lobo.

Seguiram. Logo adiante encontraram um cavalo. A raposa plantou-se diante dele, com o pelo arrepiado, e perguntou à lebre:

— Estão meus olhos lançando fogo?

A lebre olhou e não viu fogo nenhum.

— Não, — respondeu.

— Estúpida! — gritou a raposa. — Responde que sim, senão te mato.

A lebre, com medo, respondeu:

— Sim, estão lançando fogo.

A raposa, então, atirou-se ao pescoço do cavalo.

— Que queres comigo, raposa? — perguntou o animal.

— Devorar-te.

— Não vale a pena, — disse o cavalo. — Uso ferradura de ouro no pé direito. Vai lá e tira-a. Poderás com esse ouro comprar quantas coisas de comer quiseres.

A raposa foi pegar a ferradura de ouro, mas pegou o maior coice de sua vida. Muito maltratada, manquitolando, recolheu-se a uma cova, onde começou a filosofar. "Achei um leitão, mas em vez de comê-lo depressa, fui procurar caçarola e forno. Resultado: sumiu-se o leitão. Achei uma cabra, mas em vez de comê-la depressa, fui procurar uma tesoura — e lá se sumiu a cabra. — Achei um cavalo, mas em vez de comê-lo depressa, fui atrás duma ferradura de ouro — e quase morri dum coice. Sou bem infeliz..."

A cova onde a raposa se escondera ficava ao pé dum morro, no qual apareceu um pastor que a enxergou. O pastor pegou uma grande pedra e zás! atirou-lhe em cima.

— Ai, ai! — gemeu a raposa. — Levo pedrada até aqui, onde não há ninguém!

E dando um suspiro morreu.

— É do Cáucaso mesmo, vovó? — perguntou Narizinho.

— Sim, minha filha. Esta história é do folclore da gente do Cáucaso, e como lá é terra de neve, surgem a raposa e o lobo famintos, bichos que muito sofrem durante o inverno.

— E também um pastor, — disse Pedrinho. — Nós aqui não temos pastores, a não ser nos versos. Temos vaqueiros, porqueiros — pastor nenhum. Eu, pelo menos, nunca vi nenhum.

— Nos velhos países, — explicou Dona Benta, — há o uso de guardarem-se os rebanhos. A carneirada pasta e um homem — o pastor — toma conta dela. Entre nós o sistema é outro. Os rebanhos vivem largados pelas pastarias.

— Por quê?

— Talvez porque estamos ainda no regime das grandes propriedades. Nos países velhos a terra é muito dividida e toda ocupada. Quando nossas terras ficarem subdivididas como as da Europa, é possível que também apareçam por aqui os pastores.

— Eu gostaria bastante, — disse Emília. — Acho lindo isso de pastor, pastora e pastorinha — sobretudo pastorinhas. Como é poético!

Todos acharam graça na poesia emiliana.

— Conte agora uma do... do... da Pérsia, por exemplo, — pediu a menina.

E Dona Benta contou uma história da Pérsia.

O CAMPONÊS INGÊNUO

Era um camponês muito ingênuo, que um dia partiu para a cidade de Bagdá afim de vender uma cabra; foi montado num jumento, a puxar a cabra, que ia, *tlin, tlin, tlin,* com um cincerro ao pescoço. Três ladrões resolveram roubá-lo.

— Eu me encarrego de furtar a cabra, — disse um deles.

— E eu, de furtar o jumento, — disse o segundo.

— E eu, de furtar-lhe as roupas, — disse o terceiro.

Assim combinados, os três malandros seguiram o pobre camponês. O primeiro deu jeito de passar a campainha do pescoço da cabra para o rabo do burro sem que o pobre homem percebesse. Sempre a ouvir o toque da campainha, só muito lá adiante é que olhou para trás e não viu cabra nenhuma.

Desesperado com aquilo, porque aquele animalzinho representava muito para ele, pulou do jumento abaixo e pediu a um homem que viu por ali que o segurasse enquanto ele ia em procura da cabra. Com a maior boa vontade o homem prontificou-se a segurar o jumento — e, assim que o camponês se afastou, fugiu. Esse homem era o segundo ladrão.

Quando o camponês voltou e não encontrou nem sinal do jumento, abriu a boca, desesperado. Nisto deu com outro homem que olhava para dentro dum poço, com grande aflição.

— Que houve? — perguntou o camponês. — Perdeu também algum jumento?

— Perdi muito mais, — disse o homem com voz de desespero. — Imagine que fui encarregado de entregar um escrínio de ouro ao califa, e sentando-me à beira deste poço, para descansar, não sei que jeito dei que o escrínio caiu lá dentro.

— Por que não desce para pegá-lo?

— Já pensei nisso, mas tenho medo de resfriar-me. Sou muito sujeito a resfriados. Estou esperando que apareça alguém que queira prestar-me este serviço.

— Quanto paga? — perguntou o camponês.

— Oh, pago dez moedas de ouro, porque se trata dum escrínio riquíssimo.

O camponês não disse mais nada. Sacou fora a roupa e desceu ao poço. E o tal portador do escrínio, que não era portador de escrínio nenhum e sim o terceiro ladrão, fugiu com a roupa dele...

— Coitado! — exclamou Narizinho. — A vida é bem cruel. Os ingênuos e os bons são sempre iludidos pelos maus.

— Verdade, sim, — concordou Dona Benta. — Os homens de boa fé saem sempre perdendo. Por isso o meu bisavô, que foi o homem mais matreiro da sua zona, costumava dizer: "Quando alguém me procura para propor um negócio, eu fico ouvindo e pensando cá comigo: Onde estará o gato? e descubro, porque em todo negócio que alguém propõe há sempre um gato escondido". Nesse pau tem "mé"! dizem os caboclos.

Mas Narizinho não tirava da ideia o pobre camponês.

— Coitado! Perder a cabrinha já foi um desastre. Perdeu depois o jumento, que valia muito mais que a cabrinha. E por fim acabou nu em pelo. E por quê? Só porque teve boa fé, só porque acreditou nos três homens...

— Por isso é que eu não gosto de gente, — gritou Emília. — São os piores bichos da terra. Entre as formigas ou abelhas, por exemplo — quem é que já viu uma furtando outra, ou mentindo para outra, ou amarrando outra em rabo de burro bravo? Vivem em sociedade, aos milhares de milhares, na mais perfeita harmonia. Ah, quem quiser saber o que é honestidade de vida, vá a um formigueiro ou a uma colmeia. Aqui entre os homens é que não fica sabendo disso, não. Quanto mais conheço os homens, mais aprecio as abelhas e as formigas.

— E agora, vovó? Que história vai contar? — perguntou Pedrinho.

— Vou contar uma do Congo, na qual os negros explicam como é que apareceram os macacos.

A HISTÓRIA DOS MACACOS

Antigamente, lá no começo do mundo, os macacos moravam com os homens nas cidades. Falavam como eles, mas não trabalhavam.

Certa vez houve uma grande festa. Durante um dia e uma noite o tantam não parou de soar. Todos dançavam e bebiam um vinho feito de caldo de palmeira, porque ainda não era conhecida a uva. O velho chefe da tribo saiu dali cambaleando e foi parar no bairro dos macacos.

Antes não fosse! Os macacos judiaram dele. Uns puxavam-lhe a tanga, outros punham-lhe a língua, outros beliscavam-lhe a pele. Tamanha foi a falta de respeito que o velho chefe enfureceu-se a ponto de queixar-se a Nzame, a divindade da tribo.

Nzame mandou chamar o chefe dos macacos. Passou-lhe uma grande descompostura e disse:

— De hoje em diante, como castigo, os macacos têm que trabalhar para os homens.

Mas os macacos revoltaram-se contra a ordem do deus. Juraram não trabalhar. Quando iam para a roça, penduravam-se nas árvores do caminho, davam pulos pra aqui, pra ali, fugiam. Não houve meio de conseguir deles nenhum trabalho.

O chefe da tribo danou.

— Preciso dar uma lição nesta macacada.

Depois de refletir algum tempo, deu ordens para uma grande festança, onde houvesse muito vinho. Mas dividiu as cabaças de vinho em dois lotes — um de vinho puro e outro de vinho misturado com uma erva dormideira. "Este é para os macacos", disse ele.

Quando os macacos souberam da grande festa e da grande vinhaça, aproximaram-se todos muito xeretas. Dançaram, pularam e beberam até não poder mais. Meia hora depois dormiam sono profundo.

O chefe, então, mandou que seus homens metessem o chicote nos macacos até deixá-los peladinhos — e no dia seguinte botou-os no serviço.

Mas quem pode com macaco? O berreiro que fizeram foi tamanho que o chefe, completamente zonzo, deu ordem para que lhes cortassem a língua. "É o único meio de acabar com esta gritaria."

Ficaram os macacos sem língua — mas dois dias depois sumiram-se da aldeia, afundando no mato. Nunca mais quiseram saber dos homens — e também nunca mais falaram. Quem tem língua cortada não fala.

—Esta história se parece com as nossas daqui, — disse Narizinho. — Bem bobinha.

— Sim, mas que havemos de esperar dos pobres negros do Congo? Sabem onde é o Congo?

— Sei, — disse Pedrinho. — É quase no centro da África, do lado daquela costa que o senhor Pedro Álvares Cabral evitou de medo das calmarias. Há o Congo Belga e o Congo Francês. E sei também que cá para o Brasil vieram muitos escravos desses Congos.

— É verdade. O pobre Congo foi uma das zonas que forneceram mais escravos para a América, de modo que muitas histórias dos nossos negros hão de ter as raízes lá.

— Quem sabe se Tia Nastácia é do Congo? — lembrou Narizinho.

— Não, — disse Dona Benta. — Nastácia é neta dum casal de negros vindos de Moçambique.

— Hum, hum! — exclamou Emília. — Moçambique! Que luxo...

— Conte outra, vovó, — pediu Pedrinho. — Conte uma história dos esquimaus.

E Dona Benta contou a história d'

O RATO ORGULHOSO

Um rato fazedor de grande ideia de si mesmo vivia esperando ocasião de realizar coisas que mostrassem a sua importância. Certa noite acordou de sobressalto. A casa estava queimando. O rato ficou aflitíssimo, sem saber como escapar.

As labaredas, porém, cresciam e ele teve de resolver-se; ou ficava ali, e morria assado, ou escapava. Fechou os olhos e lançou-se ao fogo.

Mas, sem saber como, não se queimou. Achou-se lá fora, sem o menor tostadinho no pelo. Isso o encheu de enorme orgulho.

— Qual! Sou mesmo diferente dos outros. Nem as chamas têm coragem de me queimar...

Passeou por ali uns instantes e voltou a ver o estado do incêndio. Só então percebeu que não tinha havido incêndio nenhum. Os raios do sol, que se ia erguendo, é que lhe deram a impressão de fogo. O rato suspirou. A sua importância não era o que ele havia suposto. Mas que fazer para provar tal importância?

A pouca distância havia um morro altíssimo.

— Eis uma boa façanha para um rato como eu: dar um pulo e cair lá em cima do morro!

Preparou cuidadosamente o pulo e pulou. Novo desastre. Em vez de alcançar o alto do morro, caiu em cima dum montinho de areia, a seis palmos de distância.

O rato entristeceu. Estava custando a provar ao mundo a sua importância.

Olhou. Viu um lago que lhe pareceu enorme.

Foi para lá. Mediu a distância.

— Se consigo atravessar a nado este aguão, todos os animais têm que reconhecer em mim um verdadeiro herói.

Lançou-se à água, nadou, e por fim chegou ao meio do lago. Sentia na cauda o peso de milhares de peixes agarrados a ela. Estava já cansadíssimo, de modo que teve de empregar todas as forças para chegar à margem oposta. Chegou, afinal. *Uf!*

— Canseira assim jamais senti. Mas não é para menos. Acabo de atravessar um dos maiores lagos do mundo.

Prestando melhor atenção, porém, viu que não havia atravessado lago nenhum, e sim uma pocinha lamacenta. Os tais peixes que se agarraram a sua cauda não passavam de vermes da lama.

O rato ficou aborrecidíssimo, mas mesmo assim não abandonou o plano de fazer grandes coisas. Longe dali havia um pau, que lhe deu a ideia de estar espetado no céu. "Oh, lá está uma grande coisa a fazer. Visivelmente aquele pau está sustentando o céu. Se eu o derrubar, o céu cai. O mundo inteiro ficará esmagado, mas eu provarei a minha importância."

Foi. Examinou bem o pau e depois abriu um buraquinho para esconder-se quando o céu viesse caindo. Feito isso, pôs-se a roer a madeira. Roeu, roeu, roeu, e quando viu que o pau estava cai não cai, correu a esconder-se no buraco.

— Pobre mundo! Vai ficar inteirinho achatado pelo céu! ...

Esperou uma porção de tempo. Não ouviu barulho nenhum.

— Que será que houve? Talvez o céu ficasse enganchado na lua — e com mil cautelas botou a cabeça fora do buraco, para espiar.

Que desapontamento! O céu azul lá estava no lugar de sempre, com um grande sol no meio. O ratinho olhou para o pau caído: era uma simples vara.

O ambicioso sentiu grande tristeza, mas não desanimou. "Hei de fazer uma coisa grande, custe o que custar. Hei de transportar este monte daqui para o oceano." Disse e pôs-se ao trabalho. Foi furando o monte e carregando a terra aos bocadinhos até o mar. Passou nisso anos e anos, até que um dia olhou e não viu mais o monte. Ele realmente o havia transportado para o mar.

— Hum! Agora compreendo como se fazem as grandes coisas. É à força de muito trabalho e muita paciência.

E morreu feliz por haver realizado um sonho de grandeza.

— Bravos aos esquimaus! — gritou Emília. — A historinha deles está mais suculenta que todas as contadas até agora.

— Na verdade, este conto encerra uma preciosa lição, — disse Dona Benta. — Não há obstáculos que a paciência não domine. E até houve um grande pensador que disse: "O gênio é uma longa paciência".

— Mas, vovó, então tais esquimaus são bem adiantadinhos. Para inventar histórias com lições como essa, é preciso que tenham boa cabeça.

— Pudera não! — gritou Pedrinho. — Eles só comem peixe. Peixe contém fósforo. Fósforo é sinônimo de inteligência.

— Mas se é assim, — disse Narizinho, — por que não progridem?

— Ah, minha filha, os esquimaus já fazem o maior dos milagres vivendo naquela terra de gelos infinitos. Não há por lá vegetação nenhuma, a não ser, em certos pontos, a tundra, que é um tapete rasteiro de musgos e liquens. Isso dum povo desenvolver-se exige coisas: terras boas para culturas, clima agradável, cem fatores favoráveis. Para mim não há heroísmo maior do que o das tribos que passam a vida nos gelos. *Brrr!*...

— Bom. Conte outra dum país frio — Rússia, por exemplo.

E Dona Benta contou a história dos

Peixes na floresta

Era um camponês que tinha uma esposa muito faladeira. Um dia em que ele achou um tesouro enterrado na floresta, trouxe-o para casa e disse à mulher:

— Acabo de descobrir uma grande fortuna, mas temos de escondê-la. Onde será?

A mulher achou melhor enterrarem o tesouro debaixo do assoalho da isbá em que moravam. O camponês concordou. Mas assim que a mulher foi ao poço buscar água, tirou o tesouro dali e escondeu-o em outro lugar.

A mulher veio com a água.

— Mulher, mulher, — disse o camponês, — é preciso que ninguém saiba que temos este tesouro aqui debaixo do assoalho. Muito cuidado com a língua, ouviu?

Mas como não tinha a menor confiança nela, armou um plano.

— Olhe, amanhã iremos à floresta apanhar peixes. Dizem que estão aparecendo em quantidade.

— O quê? Peixes na floresta? Onde já se viu isso?

— Na floresta você verá.

Madrugadinha o camponês levantou-se e foi à vila. Comprou uma porção de peixes, uma porção de letria e uma lebre. Passou depois pela floresta, espalhando tudo aquilo em vários pontos. A lebre ele fisgou num anzol de linha comprida e jogou n'água.

Chegando em casa, almoçou e convidou a mulher para irem à floresta. Foram. Que beleza! Peixe por toda parte, um aqui, outro ali, outro acolá. A mulher, com gritos de surpresa, ia acomodando a peixada na cesta.

Depois deu com a letria pendurada de uma árvore.

— Olhe, marido! Letria pendurada em árvore!...

— Não me espanto de coisa nenhuma, — disse o homem. — Nestes últimos dias tem chovido muita massa dessas, que fica assim pendurada das árvores. Mas a gente da aldeia já apanhou quase tudo.

Nisto chegaram à lagoa, onde ele jogara a lebre.

— Espere um pouco, mulher. Esta manhã pus aqui uma linha de anzol com isca para lebre d'água. Vou ver se apanhei alguma.

Puxando a linha, apareceu no anzol uma lebre.

— Como isso?! — gritou a mulher. — Lebre d'água? Que coisa espantosa! Nunca ouvi dizer de lebre que morasse em água!...

— Nem eu, mas o fato é que pesquei uma.

Voltaram para casa com aquela lindíssima colheita e a mulher passou o dia a preparar os peixes e a lebre.

Uma semana depois em toda a redondeza só se falava no tesouro que o camponês descobrira. As autoridades mandaram chamá-lo.

— É verdade que achou um tesouro na floresta?

O camponês riu-se.

— Tesouro, eu? Ah, quem me dera achar um!

— Mas sua própria mulher anda assoprando no ouvido de toda gente que você achou um tesouro e o escondeu debaixo do assoalho da sua isbá.

— Minha mulher anda a dizer isso? Coitada! É uma louquinha que não sabe o que diz.

— É verdade, sim! — gritou a mulher, furiosa. — Ele achou um tesouro, que eu ajudei a enterrar de baixo do assoalho! Louca, eu! É boa...

— Quando foi isso? — perguntou o camponês.

— Na véspera daquele dia em que juntamos peixe na floresta.

— Peixe na floresta? — repetiu o homem, fazendo cara de não entender.

— Sim. No dia em que choveu letria e você pescou uma lebre d'água.

As autoridades convenceram-se de que a mulher era mesmo louca, e como na busca que deram nada encontrassem debaixo do assoalho da isbá, o caso morreu.

O camponês esfregou as mãos, de contente.

— Veja se eu fosse me fiar nela! Estava hoje desmoralizado e com o meu rico tesouro perdido...

— Que complicação para chegar a esse resultado! — exclamou Narizinho. — Esse camponês sabia a mulher que tinha.

— E que grande maroto! — disse Pedrinho. — Logrou a mulher, logrou as autoridades — logrou todo mundo. Freguês mais escovado ainda não vi.

— E isbá, Dona Benta, que é? — perguntou Emília.

— É o nome das casas da roça lá na Rússia, em geral de madeira. Casa de roça, aqui nós chamamos rancho, casebre, casa de sapé, mocambo e outras coisas assim. Lá é isbá.

— Gostei da história dos russos, — disse Narizinho. — Está pitoresca. Vamos ver outra de lá mesmo.

— Não. Para variar contarei uma de outra terra muito fria, a Islândia.

E Dona Benta contou a história d'

O CORMORÃO E O ÊIDER

Havia uma disputa entre o cormorão e o êider...

— Antes de mais nada, — pediu Narizinho, — explique que bichos são esses.

— O cormorão é uma ave marinha que tem um saco debaixo do bico. Uma ave com fama de ser a mais glutona de todas. Por isso os homens de certas zonas utilizam-na para a pesca. Botam-lhe uma argola no pescoço, debaixo do tal saco, de modo que o cormorão pesque o peixe, mas não possa engoli-lo. E o êider é um patão marinho dos países frios, famoso pela maciez de sua pluma, muito usada para travesseiros e acolchoados.

Bem. O cormorão e o êider andavam brigando justamente por causa da pluma. Cada qual queria ter o privilégio de produzi-la. Por fim combinaram uma coisa. Ficaria com o privilégio da pluma o que acordasse mais cedo e avisasse ao outro de que o sol estava nascendo.

Disposto a ganhar a partida custasse o que custasse, o cormorão resolveu passar a noite acordado. Já o êider tratou de dormir o mais cedo possível. Sono, porém, é sono. Quando chega não há quem aguente, de modo que lá pela madrugada o cormorão estava de não poder mais consigo. Tinha de fazer esforços tremendos para conservar os olhos abertos.

De repente não pôde mais, cochilou — e teve um pesadelo, pondo-se a gritar: "O sol! O sol está nascendo!".

A gritaria acordou o êider, que ficou a rir-se de ver o pobre cormorão naquela luta para resistir ao sono. Por mais que fizesse, o sono o ia vencendo. Afinal sua cabeça pendeu e ele dormiu duma vez.

Justamente nesse instante o sol começou a levantar-se.

— O sol! O sol! Lá vem vindo o sol! Ganhei! — gritou o êider — e teve de sacudir o cormorão para acordá-lo.

Desde então ficou o êider com o privilégio das plumas maciíssimas — tudo porque soube fazer as coisas.

— Está aí um ponto meio duvidoso, — disse Pedrinho. — O êider não soube fazer nada — apenas dormiu. Teve sorte, isso sim.

— Espere Pedrinho. Note que o cormorão, muito estupidamente, quis forçar a vitória, e a vitória não gosta de vir desse modo. Já o êider respeitou as leis da natureza, não forçou coisa nenhuma.

— Que lei?

— A lei do sono. A sabedoria do êider foi tratar de dormir o mais cedo possível. Era o meio de estar bem acordadinho à hora do nascer do sol. O cormorão contrariou a lei do sono — e *pá!* levou na cabeça.

— Por falar em êider, vovó, não poderíamos criar essa ave aqui? — perguntou a menina. — Teríamos plumas para os nossos travesseiros — coisa muito melhor que macela.

— Pois eu em vez de plumas de êider preferia papos de cormorão — para pescar de argola na lagoa, — disse Emília.

— Impossível, — respondeu Dona Benta. — Essas aves não aguentariam o nosso clima. Muito quente para elas.

— Podiam dormir na geladeira, — lembrou Emília.

— Ei, ei, ei! — exclamou Narizinho. — Eu já andava admirada dum livro inteiro sem uma asneirinha só...

— E agora, vovó? — indagou Pedrinho. — Que história vai contar?

— Creio que chega. Com tantas histórias assim, vocês apanham uma indigestão.

— Mais uma apenas, para fechar a série.

Pedrinho pensou um bocado.

— Uma de onde?

— Uma do Rio de Janeiro, por exemplo — uma bem carioca.

Dona Benta olhou para o forno. Depois riu-se e contou.

História dos dois ladrões

Era uma vez um boiadeiro lá do sertão, que tinha cara de bobo e fumaças de esperto. Um dia veio ao Rio de Janeiro gastar os cobres duma boiada. Logo que desceu do trem e ia se encaminhando para um hotelzinho próximo, foi abordado por um homem de cara ainda mais boba que a sua.

— Boa noite, meu senhor! — saudou o homem humildemente.

O boiadeiro respondeu com um "boa noite" desconfiado, e foram andando juntos. O homem começou a contar uma história muito comprida. Disse que era da roça e estava completamente zonzo naquela capital. Não conhecia ninguém, não sabia tomar bondes, atrapalhava-se com qualquer coisinha — e o pior de tudo era o medão de ser roubado.

— Isto aqui, — disse ele, — é gatuno de todos os lados. Ninguém pode confiar em ninguém. Os piratas não dormem. Se a gente está com dinheiro no bolso, eles conhecem pelo cheiro — e tanto fazem que deixam uma pessoa limpa.

— Se o senhor tem tanto medo, é sinal de que está empatacado, — disse o boiadeiro.

O homem correu os olhos, com desconfiança, dum lado e doutro; depois respondeu quase num cochicho:

— O senhor adivinhou. Todo meu medo vem de trazer no bolso um pacote de notas no valor de dez mil cruzeiros, que lá na minha terra me encarregaram de entregar à Santa Casa. Mas não sei onde é a Santa Casa. Se pergunto, ensinam-me errado — ou então desconfiam de que estou com dinheiro...

E deu um suspiro. Depois continuou:

— Aquela gente lá da roça não imagina o que é isto aqui. Nem eu imaginava coisa nenhuma. Se soubesse, não vê que me encarregava deste maldito dinheiro. Dez mil cruzeiros! Se perco o pacote, ou se algum pirata me passa a perna, vão dizer por lá que roubei — e fico desacreditado.

— E que pretende fazer? — indagou o boiadeiro.

— Minha ideia é descobrir um homem de bem que queira encarregar-se da entrega do dinheiro. Mas não acho esse homem. As caras desta terra não me inspiram a menor confiança. Só a sua. Assim que vi o senhor, tive um pressentimento no coração: "Aquele, sim, aquele tem cara de homem de bem". Por isso me aproximei.

O boiadeiro ficou muito lisonjeado com a boa ideia que o homem fazia dele.

— Lá isso, sou. Graças a Deus tenho um nome limpo. Quem quiser tratar com pessoa séria, me procure.

O homem do pacote suspirou.

— Deus seja louvado! Custou, mas achei. Meu coração não nega. Quando o vi descendo esta rua, palpitei cá comigo: "Meu salvador vai ser aquele homem...".

— Mas de que maneira acha que eu possa servi-lo? — perguntou o boiadeiro.

— Dum modo muito simples. Eu lhe dou o pacote dos dez mil cruzeiros e o senhor faz a entrega à Santa Casa.

Os olhos do boiadeiro brilharam.

— Pois estou às suas ordens, — disse ele. — Neste mundo um tem de servir o outro. Já que lhe inspiro tanta confiança, disponha dos meus préstimos.

— Ora graças! — suspirou o homem, tirando o pacote do bolso. Era um pacote de notas graúdas, muito bem amarrado, com uma de cem cruzeiros em cima.

— Pois aqui está o pacote, meu senhor. E eu fico imensamente agradecido da sua bondade. Ah, nem imagina o peso que me tira do coração! *Uf!* Esse dinheiro estava me deixando doido...

O boiadeiro pegou no pacote e foi abrindo a mala para guardá-lo.

— Espere, — disse o homem. — Eu tenho no senhor a mais absoluta confiança, mas sempre é bom que me dê uma garantiazinha — aí um dinheirinho qualquer, porque afinal de contas eu acabo de lhe entregar dez mil cruzeiros. Dez mil cruzeiros é uma fortuninha...

O primeiro ímpeto do boiadeiro foi restituir o pacote. Depois mudou e disse, pondo a mão no bolso:

— Serve uma garantia de mil e quinhentos cruzeiros? É todo o dinheiro que tenho no bolso.

O homem coçou a cabeça, vacilante. Afinal resolveu:

— Serve. É pouco, mas serve...

O boiadeiro puxou os cobres e deu a garantia de mil e quinhentos cruzeiros. Despediram-se cada qual seguindo numa direção.

— Dez mil cruzeiros! — foi murmurando o boiadeiro. — Dez mil cruzeiros! Para que precisa a Santa Casa de tanto dinheiro? Muito melhor eu distribuir isto lá pelos pobres da minha terra — pelo menos metade. É justo que a outra metade fique comigo, em pagamento do trabalho...

No hotel pediu um quarto, onde se fechou para contar o dinheiro. Só encontrou aquela nota de cem cruzeiros. O resto era papel de jornal...

— Isso é o célebre Conto do Vigário, vovó! — gritou Pedrinho. — Todos os dias leio nos jornais coisas assim — e só me admiro de ainda haver gente que vá na onda. Como há bobos no mundo!...

— Como há patifes, isso sim, — emendou Dona Benta. — O segredo do conto do vigário é que um quer passar a perna no outro. Trata-se dum duelo entre dois tipos de ladrões — o ladrão esperto e o ladrão bronco. O bronco apanha o pacote — o esperto apanha a garantia. Eu, se fosse a polícia, punha os dois na cadeia.

— Mas isso não é história do folclore, — disse Narizinho.

— Como não? Se é um produto do povo, é folclore do legítimo. Note que o principal elemento de todas as histórias é o logro. Seja príncipe ou jaboti, um logra o outro. A variedade está só nos jeitinhos do logro. O conto do vigário é um desses mil jeitos do esperto apanhar o dinheiro do bronco — num caso em que o bronco também é ladrão.

— Ah! — exclamou Emília. — Eu é que queria que alguém viesse para cima de mim com um pacote da Santa Casa...

— Que fazia?

— A coisa mais simples do mundo. "Quer garantia, meu caro senhor? Pois então abra o pacote e tire quanto quiser." Bastava isso.

— Bom, essa é a resposta natural duma pessoa honesta — mas quem cai no conto não é honesto. Assim que vê o pacote já fica assanhado para pegar o dinheiro, e portanto fará tudo, menos abrir o pacote.

— E agora? — perguntou Pedrinho.

— Agora chega, — disse Dona Benta. — Vocês já devem estar empanturrados de histórias.

— Eu confesso que estou, — disse Emília. — Estou cheinha de reis e príncipes e princesas encantadas e velhas corocas e jabotis e veados e onças. Sinto até um gostinho de jardim zoológico na boca.

— Também eu estou farta, — disse Narizinho. — Histórias do povo não quero mais. De hoje em diante, só as assinadas pelos grandes escritores. Essas é que são as artísticas.

— Bem, — concluiu Dona Benta. — Da próxima vez contarei só histórias literárias, isto é, as escritas pelos tais grandes escritores. Agora cama! Narizinho já bocejou três vezes...

E a criançada foi dormir.

Recontos

HISTÓRIAS DIVERSAS

As botas de sete léguas

Naquele enorme hotel de trinta andares, há um porteiro quase do tamanho de um andar. Está sempre ali pela calçada, vestido de comprida sobrecasaca cor de cinza, com uma fila de botões de metal amarelo na frente e dois atrás. Nos dias de chuva, assim que chega um automóvel com hóspede dentro, ele abre um enorme guarda-chuva vermelho e vai ao seu encontro. Para um hotel, nada mais precioso que um "hóspede"! É preciso que não tome nem uma só gota de chuva.

Estava eu, certo dia, parado diante desse hotel à espera de um amigo, e a observar as manobras do porteiro gigante com o seu guarda-chuva, quando percebi uma coisinha mexendo-se na calçada. Baixei os olhos e franzi a testa. Uma coisinha viva. Besouro? Mariposa! Não. Uma gentinha! A mais galante das gentinhas! Um dos mais famosos personagens do mundo das Fábulas: o Pequeno Polegar!...

Muito surpreendido com o encontro, peguei-o e botei-o na palma da mão.

— Polegarzinho querido, como é que se atreve a andar assim por estas ruas tão cheias de gente, com as botas de sete léguas ao ombro, em vez de calçadas? Esse porteiro gigante, que navega por aqui, de um momento para outro te esmaga com o seu imensíssimo pé... Como quem possui uma bota de sete léguas anda assim com ela ao ombro?

Polegar explicou que viera à cidade justamente por causa das botas. Uma delas, a do pé esquerdo, havia se desarranjado, de modo que em vez de caminhar sete léguas a cada passo que ele dava, apenas caminhava uma. Isso o impedia de usar as botas.

— Por quê?

— Porque se dou um passo com o pé direito e avanço sete léguas, e em seguida dou um passo com o pé esquerdo e só avanço uma, o passo seguinte do pé direito já não poderá ser de sete léguas e sim também de uma. E minhas botas de sete léguas ficam assim reduzidas a botas de uma légua — o que é uma vergonha.

— Quer dizer que a bota esquerda atrasa, como um relógio...

— Isso mesmo. E vim a esta cidade para ver se algum sapateiro a conserta.

— Não sei, não sei, Polegar. Estes sapateiros daqui só sabem botar meias solas e saltos. Não sei se saberão consertar atraso de bota. Vai ficar hospedado neste hotel?

— Sim.

— Por que escolheu justamente este?

— Por ser o mais alto da cidade — trinta andares. Quero ficar bem lá em cima. Gosto muito de cuspir em gente, embora saiba que isso é uma grande falta de educação. Mas ficando no último andar, satisfaço o meu gosto e não causo mal a ninguém.

— Por quê?

— Porque o meu cuspinho é tão pequeno que seca no ar antes de alcançar alguém...

Achei muita graça naquela ideiazinha e entrei no hotel para registrar o pequeno hóspede. O gerente assombrou-se quando soube que o apartamento que pedi no trigésimo andar não era para mim, e sim para aquela figurinha de meio palmo de altura, que eu havia largado em cima do balcão e se sentara na beira duma caixa de fósforos. Expliquei-lhe o caso. "É o famosíssimo Pequeno Polegar, que veio ver se encontra quem lhe conserte uma bota que está atrasando." O gerente fez cara de quem não entendeu coisa nenhuma, e com ar abobalhado foi abrindo o Livro de Registro.

— Nome? — perguntou — e eu transmiti a pergunta ao personagenzinho, o qual respondeu de modo que também a mim me causou surpresa.

— Meu nome é Nicolau Indefonsius Nicomedio.

— Nacionalidade e idade?

— Nasci na Pérsia no ano de 1425.

— Casado ou solteiro?

— Solteiro, — foi a resposta da galanteza — e suspirou. — Onde encontrar uma mulher do meu tamanho, com quem casar-me?

Eu estava admiradíssimo dele ser tão idoso e conservar o aspecto de rapazinho. "Como é que não envelhece, Polegar?"

— Porque pertenço à turma dos "personagens". Envelhecem vocês gente; os "personagens", não. Peter Pan, Emília, o Gato de Botas, Capinha Vermelha, a Gata Borralheira. Todos nós não somos gente, somos "personagens". Ontem passei o dia com a Gata Borralheira; está a mesminha do tempo do baile em que perdeu o sapato.

Concluído o registro de Polegar, o gerente mandou que o levassem a um apartamento do 30° andar, e eu fui junto para ajudá-lo no que fosse mister. Polegar chegou e já pediu banho. "Estou sujíssimo. Gastei duas semanas para chegar até aqui, porque vim com as botas ao ombro, andando pela beira dos caminhos, com muito cuidado para não ser comido pelos bichos."

— Que bichos?

— Sapos, gatos, cachorros, galinhas... Quando estou no uso das botas, não tenha medo nem de gigantes. Mas sem elas sou a maior fraqueza do mundo — e nem sei como pude chegar até aqui...

O banho de Polegar foi muito interessante. Havia no quarto um pires, que enchi d'água e serviu de piscina. Do sabonete da pia cortei um pedacinho do tamanho dum grão de arroz — e com esse sabonetinho ensaboou-se todo. Não creio que haja no mundo cena mais galante do que Polegar a ensaboar-se! Depois enxugou-se e foi para a cama. Estava cansadíssimo. Levantei a colcha e no meio daquela imensidade branca, que era o lençol, coloquei-o deitadinho, coberto com o meu lenço de seda.

— Durma bem. Amanhã voltarei para sairmos juntos em procura de sapateiro que conserte atraso de bota.

No dia seguinte voltei cedo e ajudei-o a tomar o café da manhã: meia colheradinha de café com leite, da qual só ingeriu três gotas, com uma isca de pão. Quis experimentar a geleia que veio num cálice e besuntou-se todo...

Saímos, afinal, e levei-o a uma sapataria próxima. Mostrei ao sapateiro a bota que atrasava. "Pode consertar isto?" O homem abriu a boca. Não me entendeu. De repente desconfiou, avermelhou e me pediu que saísse de sua casa porque não era "brincadeira de moleques". Saímos indignados, e fomos em procura de outro — e assim visitamos todos os sapateiros do bairro. Pouco adiantou. Só sabiam botar meias solas e saltos; de atraso nenhum entendia. Um deles disse: "Isso de atraso, só com os relojoeiros".

Fui a um relojoeiro.

— O senhor, que sabe tão bem consertar os relógios, talvez nos possa dar uma arrumação nesta botinha.

— Que tem ela?

— Está atrasando seis léguas.

O relojoeiro me olhou com tal cara que resolvi botar espaço entre mim e ele — e sumi da sua presença.

Cocei a cabeça. Procurar outro era inútil. Todos haviam de nos dar a mesma acolhida. Fiquei perplexo, sem saber o que aconselhar ao meu amiguinho.

— Não sei Polegar. Nesta cidade parece que ninguém conserta atraso de bota, e sem que o seu par de botas funcione perfeitamente você não se arruma neste mundo. Fica sem defesa.

Passamos um minuto pensando no caso. Súbito, um clarão me iluminou o cérebro: Emília!... Sim, só Emília seria capaz de dar um jeito naquilo, como dera em tantos problemas aparentemente insolúveis.

— Polegar, — disse eu, — o único remédio que vejo é irmos ao sítio do Pica-Pau Amarelo conversar com Emília. A diabinha tem feito tanta coisa maravilhosa, que é bem capaz de fazer mais uma. Emília é uma danada!

Polegar já havia estado no Pica-Pau Amarelo e se dava muito bem com Emília, da qual havia recebido um presentinho: o pito de barro de Tia Nastácia, "para esconder-se dentro quando fosse preciso".

— Pois vamos, — foi a sua resposta. — Estou com saudades dela. Ainda é Marquesa?

— Sim. Casou-se com o Marquês de Rabicó e logo se separaram, mas pela lei ainda continua Marquesa.

Muita gente jura que o Pequeno Polegar tinha paixão pela Emília. Pode ser. Não tenho elementos para dar opinião sobre o assunto.

Fomos ao Pica-Pau Amarelo, onde Emília recebeu Polegar como quem recebe o namorado, e beijou-o como quem come um bombom. Depois perguntou o que queríamos.

— Consertar a botinha dele, Emília. O pé esquerdo está atrasando seis léguas a cada passo — e contei a nossa impossibilidade de encontrar sapateiro ou relojoeiro que corrigisse o atraso.

— E que tem que atrase?

— Tem que com botas assim ele perde a velocidade, que é a sua única arma neste mundo tão cheio de gatos e outros antropófagos. Não podendo escapar dos inimigos, dum momento para outro ele desaparece da cena — e vai ser um desastre. Como poderá o mundo das crianças viver sem o Pequeno Polegar?

Emília achou que era isso mesmo. Pegou da botinha e espiou dentro, cheirou-a, franziu o nariz como se houvesse sentido um cheirinho de chulé, e disse:

— Só há um jeito, que é aplicar o faz-de-conta. Bota que atrasa é desses casos que nenhum mecânico do mundo conserta, porque não é desarranjo físico e sim da mágica que há dentro. Que ideia boba a sua, de andar procurando sapateiros e relojoeiros! Se procurasse um pai-de santo ainda vá...

Depois sorriu, e olhando para, a bota fez uma carinha de dó e disse:

— Com o faz-de-conta eu arrumo isto num momento. Querem ver? FAZ DE CONTA QUE ESTA BOTA NÃO ATRASA NEM UM CENTÍMETRO. Pronto! e entregou a bota ao Pequeno Polegar. Calce e veja.

Polegar calçou a botinha e experimentou. Deu um passo com o pé direito e sumiu da nossa presença. Minutos depois reapareceu muito alegrinho dizendo:

— Está ótima! Com um passo do pé direito fui parar na casa de Nhá Veva Papuda, que fica a sete léguas daqui, e com um passo do pé esquerdo voltei. Quer dizer que minhas botas estão regulando perfeitamente!...

Emília apenas comentou com o seu celebre arzinho de dó:

— Incrível que haja no mundo quem se aperte por tão pouco...

A RAINHA MAB

Dona Benta, na "preguiçosa" da varanda, lia um livro inglês. Narizinho chegou e espiou o título: *The Tempest*, Shakespeare.

— Que graça, ler um escritor tão velho! ...

— Minha filha, as obras dos grandes gênios não envelhecem nunca e são para todos os tempos. E nesta obra há umas coisinhas que me encantam.

— Que coisinhas?

— A figura de Ariel, por exemplo — um silfo do ar que se escravizou a Próspero e o seguia como fiel cachorrinho.

— Quem era Próspero?

— O mágico da ilha.

— Que ilha?

Dona Benta suspirou. Melhor resumir o livro, senão a curiosidade de Narizinho não parava com as perguntas. E começou:

— Era uma vez uma ilha distante, à qual foi ter a horrenda feiticeira Sicorax, levando consigo Ariel, um geniozinho muito agradável e delicado.

— Devia ser como o saci que Pedrinho teve na garrafa. Um amor aquele saci!

— Tinha jeito. A mesma obediência. a mesma boa vontade. Mas era uma tal peste a feiticeira Sicorax, que o coitadinho do Ariel, não podendo mais suportá-la, revoltou-se. Sabe o que a diaba fez?

— Deu-lhe uma surra de vara de marmelo, aposto!

— Fendeu um pinheiro e entalou-o dentro. Imagine!

Narizinho imaginou e ficou vermelha de cólera. Não podia ouvir falar em judiação de crianças. Ariel devia ser uma criança. Dona Benta continuou:

— Diz Shakespeare que os gritos de Ariel dentro da árvore eram de romper céus e terras, e que seus gemidos comoviam até aos lobos, os quais paravam e olhavam na direção do pinheiro. E assim doze anos!

— Doze, vovó? E Ariel não morria lá dentro?

— Não, porque os silfos são imortais. Mas ao cabo de doze anos chega à ilha um grande velho de nome Próspero, muito sábio e bondoso. Ouve os gemidos do pinheiro, racha-o e, muito admirado, vê sair de dentro a encantadora figurinha do silfo.

— Estou imaginando a alegria de Ariel. Doze anos!...

— Sim, a alegria e a gratidão de Ariel foram tamanhas que ele imediatamente se escravizou a Próspero. Ficou sendo a sua mão direita. Se o velho queria embravecer as ondas, ou incendiar um navio de piratas, ou adormecer uma tripulação inteira, ou salvar uma vítima na hora em que o carrasco vai decapitá-la, era a Ariel que recorria.

— Como embravecia as ondas?

— Convocando e comandando todos os silfos das águas e do ar, que são os elementos mágicos que governam os ventos e as ondas. Mas Ariel tinha um jeito de criança que só quer brincar. Queria a liberdade, e apesar de ser Próspero o melhor amo do mundo, Ariel não queria ter amo nenhum.

— Por quê?

— Para não fazer outra coisa senão brincar.

— Como seriam os brinquedinhos dele?

— Shakespeare conta. Ariel queria, cantando ao som do alaúde...

— Que é alaúde?

— Um instrumento de música, o pai do violão de hoje. Mas Ariel queria, cantando ao som do alaúde, ir nas rosas vermelhas embriagar-se com o perfume e lambiscar um melzinho; e queria, na hora em que as corujas começam a dar os seus primeiros pios, deitar-se e cochilar nas corolas das "primaveras". Ou então, quando o sol está recolhendo os seus últimos raios (como Tia Nastácia recolhe do varal as últimas peças de roupa), sair em excursão vagabunda, montado em um morcego. E suspirava: "Ah, como serei feliz quando for livre, e a terra inteira for minha, e forem meus todos os galhos em flor para me balançar como numa rede!".

— Coitadinho! Podia vir morar conosco e balançar-se quanto quisesses na sua rede, hein, vovó?

— Como, menina, se isso foi há séculos, no tempo de Shakespeare ou antes ainda?

— Mas se ele é imortal, deve continuar existindo...

— E como saber onde anda, ou em que estará transformado hoje? Tudo no mundo evolui; nada para. Mas, voltando à história... Próspero adora-o, e quando o ouve suspirar pela liberdade, vem com esperanças. Alega que ainda tem uns serviços a fazer e ocupa-o ora nisto ora naquilo e só depois o libertará. E certa vez em que Ariel lhe respondeu de mau modo, ameaçou-o de pinheiro por mais doze anos.

— Malvado!...

— Ariel pede perdão e Próspero se comove, dizendo: "Meu encantador Ariel!". O tempo vai passando e afinal chega o dia da libertação. Próspero lhe dá uma última incumbência e diz: "Vai, Ariel! Desempenha mais esta missão e vai reunir-te aos livres elementos, já que queres ser um deles. E sê feliz!...".

— Que beleza de fala, vovó! Estou gostando desse velho — parece até a senhora... Por que se chama esse livro *A Tempestade*?

— Porque foi uma tempestade que arrojou o navio de Próspero à ilha. Linda obra. Uma peça teatral de pura fantasia, cheia de mimos que parecem musgos de árvore — coisinhas delicadas. Em certo ponto há referência aos "silfos da praia" tão leves que suas pegadas não deixam a menor marca na areia — sempre a correrem, uns a perseguirem a onda que foge, outros a fugirem da onda que avança.

— Que galanteza! Estou vendo-os fazerem isso...

— E há os anõezinhos da meia-noite, entretidos em fabricar ervas amargas que de manhã as ovelhas rejeitam. E há os que de madrugada fazem brotar nos montes de esterco os chapéus-de-sapo, e ficam muito atentos a ouvi-los crescer.

— Ouvir o crescimento dum chapéu-de-sapo, que mimo, vovó! Eu queria ser uma anãzinha — um geniozinho como Ariel. Ando enjoada de ser gente.

— Não se queixe, minha filha. Você é gente, sim, mas num sítio que vence até a mesma ilha de Próspero. Que é Emília, senão uma Arielzinha? O faz-de-conta de Emília vale por todas as varas de condão. E o pó de pirlimpimpim e o super-pó do Visconde? E Pedrinho com o seu caráter tão bonito? O sábio Próspero na idade de Pedrinho, devia ser igual ao meu neto.

— E a senhora é igualzinha a Próspero. Só eu é que não sou coisa nenhuma — e Narizinho fez bico. Mas Dona Benta agarrou-a ao colo, beijou-a e disse: "Você é o meu amor, a minha neta do coração. Quer mais?".

Tia Nastácia entrou nesse momento. Veio contar que Emília estava judiando do Visconde.

— Judiando, como?

— Quer fazer uma injeção nele.

— Ah, meu Deus! — exclamou Dona Benta. — Lá está Emília reinando com a minha seringa. Vá correndo, Nastácia, e tome-lhe a seringa, e diga-lhe que se mexe outra vez naquilo eu a tranco dentro da pitangueira.

A negra lá se foi, *plec, plec* com os chinelos, a matutar consigo mesma: "Sinhá, coitada, parece que já está caducando. Prender Emília na pitangueira, como se árvore fosse quarto escuro. Onde já se viu isso?".

Depois daquela expansão de carinho com a neta, Dona Benta continuou a falar dos mimos que havia em Shakespeare e citou a rainha Mab, que aparece no drama *Romeu e Julieta*.

— É outro primor de leveza e graça, — disse ela — mas teve de interromper-se porque Tia Nastácia reapareceu puxando Emília.

— Está aqui a criminosa. Não sei como não quebrou a sua seringa, Sinhá — e entregou a Dona Benta a seringa com que Emília estivera reinando. Dona Benta guardou-a na cesta de costura.

— Injeção de que estava fazendo no Visconde, Emília?

— De vitaminas. Ele anda muito murcho.

— Mas que droga ia usar?

— Uma que descobri...

Narizinho interveio.

— Deixe-a, vovó. São drogas faz-de-conta. Continue a história da rainha Mab.

Dona Benta continuou:

— Quem fala na rainha Mab, em *Romeu e Julieta*, é o personagem de nome Mercúrio. Diz para Romeu: "Oh, bem vejo que a rainha Mab te visitou esta noite. É a pequenina fada dos sonhos. Tem o tamanho duma água-marinha de anel, e numa pequeníssima carruagem costuma passear pelo nariz dos que dormem bons sonos. As rodas desse carrinho têm os raios feitos de cambitos de moscas; o toldo é de asa de cigarra; as rédeas são tecidas de teia de aranha; e os arreios, feitos de luar. O cocheiro é um mosquitinho de libré castanha, tão pequeno que mais parece não sei o quê...

— Borrachudo! — gritou Emília. — Mosquitinho pequeno assim, só o borrachudo.

— O chicotinho que ele usava, — continuou Dona Benta, — era um pelo finíssimo atado à ponta dum osso de pernilongo.

— Que galanteza, vovó! E quem construiu semelhante miminho de carruagem?

— Conta Shakespeare que quem a buriluo numa casca de avelã foi o marceneiro Serelepe, de combinação com mestre Besouro, o qual sempre foi o serralheiro das fadas desde os tempos mais remotos.

— E que faz a rainha Mab, vovó?

— Coisas lindas! Todas as noites — diz Shakespeare — galopa em sua carruagenzinha pela cabeça dos namorados, desabrochando os mais lindos sonhos de amor. Se corre pela perna dum político que está cochilando numa preguiçosa, o homem sonha a vice-presidência da República ou o lugar de primeiro ministro. Se corre por cima dos dedos de um advogado, ele sonha com fabulosas remunerações das causas ganhas. Se passa por cima dos lábios duma jovem apaixonada, ela sonha com beijos e mais beijos; e se nesses momentos sente nesses lábios um gostinho de qualquer coisa, comida de sal ou doce, dá ordem ao cocheirinho para chicoteá-los sem dó.

— Que graça! — exclamou a menina.

— Outras vezes a rainha Mab faz cócegas nas ventas dum figurão que já ganha vinte contos por mês, e ele sonha com um emprego em que não faça nada e ganhe o dobro. E se rapidazinha passa Mab pela nuca dum soldado, ele sonha com batalhas, rufo de tambores, clarinadas, inimigos passados a fio de espada e mais burrices da guerra.

— Muito bem, vovó! Tudo da guerra é burrice. E que mais?

— Diz ele também que é a rainha Mab quem emaranha à noite a crina dos cavalos, e com isso anuncia desgraça.

— Nesse ponto Shakespeare está errado! — berrou Emília. — Quem mexe com a crina dos cavalos à noite é o saci. Só os ingleses não sabem disso.

— Que mais, vovó? — pediu Narizinho.

— Mais? Diz ele ainda que Mab visita as meninas na cama e lhes transforma os sonhos em pesadelo de casamento...

— Sim senhora, vovó! Nunca pensei que houvesse uma rainha tão útil e trabalhadeira. Essa cá me fica. Mab, Mab, Mab, a rainha que não descansa nunca e produz todas as coisas gostosas que há no mundo! Viva, viva a rainha Mab!...

Isso foi numa tarde. Na tarde seguinte, indo ao pomar, Emília encontrou Pedrinho ferrado no sono debaixo da "mangueira grande", e viu qualquer coisa passeando sobre a testa dele. Emília vinha do sol, de modo que ao entrar para a sombra ficou sem ver bem. Pareceu-lhe que o que estava na testa de Pedrinho fosse uma, cigarra. Aproximando-se mais, viu que era... que era a carruagenzinha da rainha Mab! Tal qual Dona Benta lera em Shakespeare: casca de avelã toldo de transparente asa de cigarra, borrachudo vestido de libré marrom segurando o chicotinho de pelo atado em osso de pernilongo. Tudo exato. A carruagem dava voltas pela testa de Pedrinho, pelo nariz, pelas orelhas, pelas faces e ia e vinha, e durante todo esse tempo o menino sorria aquele mesmo sorriso de anjo das crianças novas. A ex-boneca ajoelhou-se diante dele e absorveu-se na contemplação do maravilhoso espetáculo. Estava vendo o que ninguém no mundo ainda vira: a rainha Mab a provocar sonhos numa criatura! Que sonhos seriam? E Emília pôs-se a imaginar altos sonhos de grandeza e vitória — os meninos têm a alma guerreira e dominadora.

Mais de quinze minutos esteve a carruagenzinha a passear por ali, até que... *Zuqt!* deu um arranquinho e lá se foi pelos ares, que nem um besouro dos gordos.

Emília bateu palmas e gritou "Viva! Viva!"; palmas e vivas que despertaram o menino, o qual sentou-se, espreguiçou-se e lambeu os beiços.

— Que lindos sonhos teve você, Pedrinho! — disse Emília. — Sei tudo, vi tudo cá de fora. Posso descrever tudo quanto você sonhou.

Pedrinho abriu a boca, espreguiçando-se de novo.

— Diga então com que sonhei. Se acertar, ganha um presente.

Emília pensou. Pensou em triunfos, vitórias, coisas tremendas. Mas vendo pela segunda vez Pedrinho lamber os beiços, teve uma inspiração genial e disse:

— Pedrinho você sonhou com o tigelão em que Tia Nastácia esteve batendo clara com açúcar para fazer suspiros!...

Pedrinho arregalou os olhos com assombro. Depois disse, rindo-se:

— Você é mesmo uma peste, Emília! Pois há de crer que foi exatamente com isso mesmo que sonhei? — e levantando-se foi correndo para a cozinha. Sempre que Tia Nastácia fazia suspiro, guardava o tigelão para Pedrinho lamber...

A VIOLETA ORGULHOSA

Os livros falam muito no pomar do sítio de Dona Benta, mas nunca se referem ao jardinzinho que lá havia, nos fundos da casa, antes do "quintal". O quintal era onde Tia Nastácia batia roupa, ensaboava-a e punha-a no gramado para "quarar", isto é expô-la ao sol. Sem isso a roupa não fica bem lavada. "Roupa a gente lava com água, sabão e sol", costumava dizer a boa preta. "Por que sol?" perguntou Narizinho, e Nastácia respondeu que "quando o sol bate na roupa ensaboada, o sabão esquenta e cozinha a sujeira, a qual fica tão solta que sai com qualquer água. Sujeira de roupa que o sabão não cozinha, fica encruada, não sai, por mais que a gente esfregue".

Depois de lavada a roupa, a boa negra punha-a no varal para secar. Perto do tanque ficava o poço ou cacimba, que fornecera água à casa antes do encanamento da "aguinha da grota". Um poço muito bom, aberto pelo falecido João Poceiro. Sobre a cercadura de tijolos, altinha assim de quatro palmos do chão, repousava a tampa: um grande disco de cabiúna, madeira que dura toda a vida. Na tampa havia "o alçapão", que era uma abertura quadrada, com portinhola de dobradiças e cadeado. Esse cadeado foi posto no dia em que Dona Benta pilhou Emília e o Visconde tentando abrir a portinhola para medirem a profundidade do poço. "Apesar da curiosidade ser a mãe da ciência", declarou a boa senhora, "mais vale um burro vivo do que um sábio morto" — e mandou botar o cadeado, guardando a chave na cestinha de costura.

No poço ainda havia a bomba, que o Visconde afirmara ser das "aspirantes" — uma velha bomba enferrujada e que não funcionava mais, de tanto tempo que ninguém bulia nela. Depois do encanamento da água da grota ficou sem função.

E que mais havia no quintal? Ah, sim — o galinheiro e o lenheiro, um com o bafo quente das galinhas e o outro com um poético cheiro de musgos úmidos.

— Isso, o quintal. E o jardim?

— O jardim era apenas um jardinzinho quase que só dessas flores antigas que ninguém vê nos jardins modernos, como sejam esporinhas, damas entreverdes, periquito, zínias singelas... Cada pessoa da casa tinha o seu canteiro no qual plantava o que queria. O de Nastácia começou muito bem, com cravinas, rosas e dálias, mas acabou transformado numa hortinha de coentro, mostarda, etc., e também de plantas medicinais, erva-doce, losna, mentruz-de-sapo, quebra-pedra, manjericão... Emília caçoava: "Isso nunca foi canteiro — é botica!".

O canteiro de Narizinho era o mais bem tratado, porque Narizinho sempre fora muito prestimosa e ordeira. Dava gosto ver o bem arrumadinho de sua cômoda, com cada coisa no seu lugar dentro das gavetas. O mesmo ali no jardim. Nunca, ninguém viu um matinho, nem folhas secas, nem caramujos em seu canteiro, nem nada que não fossem pés de flores tão bem tratados que até pareciam plantas de exposição.

O canteiro do Visconde era apenas experimental, coisa mesmo de sábio. Tempo houve em que só havia ali zínias — a *Zinia elegans*, a menos elegante de todas as flores.

— São umas perfeitas tontas! — havia dito certa vez Narizinho. — Nunca acertam a mão, nem na forma, nem na cor. A cor das zínias é sempre atrapalhada.

— Como atrapalhada?

— Não é bem uma cor certa — é um "entre cor". Fica no meio, não vai até ao fim. O cor-de-rosa das zínias não é bem cor-de-rosa, nem vermelho, nem carmim, não é bem coisa nenhuma. A zínia parece uma flor que ainda está apalpando, procurando o que ser — e não sabe o que quer.

E colhendo uma para amostra:

— Olhe esta, por exemplo. As pétalas não têm cor do lado de baixo, só no de cima; não são como as daquele cravo ali, que têm a mesmíssima cor no direito e no avesso. As pétalas das zínias têm direito e avesso, como certas chitas ordinárias. E repare que as pétalas são ora muito compridas, ora muito curtas — irregularíssimas. E nascem sem ordem nenhuma aqui neste miolo do centro, o qual miolo é também muito irregular: vai desde as rodelinhas perfeitas das margaridas até esta espécie de comprido dedal, ou copa de cartola do tempo de dantes. Aqui está uma assim — e Narizinho colheu uma muito grotesca, com a sua enorme copa de cartola ou dedal, de onde saíam três ou quatro "tentativas" de pétalas. "Botar pétalas aqui, veja que asneira! Não é lugar de pétalas, e sim dos estames e pistilos, como o Visconde já me explicou. Estas porcariasinhas de pétalas nasceram aqui por engano, por erro da flor. As zínias erram muito, tal qual meninos vadios que nunca sabem a lição. Estas pétalas tontas, vendo o erro, pararam de crescer, ficaram bobamente fora do lugar certo" — e a menina as foi arrancando sem dó de todas as zínias erradas ali do canteiro. "Espirros de pétalas, bolas! Até os talos as zínias não sabem fazer. Repare. Uns talos ocos, fraquíssimos, que a gente pega e já quebram ou pendem. Também não sabem fabricar folhas bonitas. Veja como são ásperas, pura lixa. E dum verde feio, sujo. E de forma deselegante."

Foi por causa dessas críticas de Narizinho que o Visconde resolveu encher o seu canteiro só daquela flor, para estudá-las e aperfeiçoá-las por meio da seleção e fixação das qualidades. "Hei de disciplinar estas boêmias tontas", dizia o sabuguinho científico.

E o canteiro da Emília? Ah, esse variava muito. Cada estação, uma espécie diferente de flor. Tempo houve em que ela só quis saber de violetas — e o seu canteiro virou um violetal.

Foi quando aconteceu aquele caso da violeta orgulhosa. Emília só havia plantado violetas roxas, com as quais conversava todos os dias, enquanto as apanhava para a formação de ramalhetinhos. Certa vez encontrou-as muito agitadas.

— Que há por aqui, amorecos? — perguntou Emília; e uma das violetas, justamente a mais sábia e pernóstica da floração daquele ano, empinou-se no cabinho e disse: "O que há é que esta noite desabrochou entre nós uma violeta branca que está nos irritando com a sua insolência e orgulho. Só por que é branca: e única no canteiro, faz o maior pouco caso em todas nós, torce o nariz se a olhamos e não dá a honra de responder às nossas perguntas".

Emília, contentíssima por ter uma violeta branca em seu violetal roxo, procurou-a e descobriu-a logo. Era de fato uma linda violeta branca, das mais folhadas, repolhuda mesmo. Estava ali em seu cabinho, toda estufada como um peito de pomba, ou pipoca das gordas. E fazia uma tal cara de pouco caso nas outras, que Emília não pôde deixar de rir-se.

— Incrível que até entre as flores haja estes sentimentos baixos tão comuns entre as criaturas humanas! — filosofou a ex-boneca. E como falava com as violetas como se fossem gente, perguntou:

— Escute cá, violetinha. Não estou entendendo o seu orgulho. Todas as violetas daqui são irmãs. Nascem da mesma espécie de planta, que o Visconde diz ser da família das *Violaceae*. Todas têm a mesma forma de pétala, o mesmo cabinho e o mesmo perfume. Será que você é mais perfumada que as outras ou tem o cabinho mais comprido? — e cheirou-a e examinou-a para certificar-se.

— Não! Apesar de branca, você cheira tanto como qualquer violeta roxa. E o cabinho é o mesmo. Por que, então, essa proa toda, esse orgulho, essa empáfia, esse ar de rainha quando as outras espicham para você olhares compridos e tímidos?

A violeta branca arrufou-se como um peru que faz *puf!* e disse:

— Não tenho culpa de ter nascido diferente de minhas irmãs. Sou mais! E se a natureza me fez mais que as outras tenho o direito de fazer como fazem lá entre os homens os que são mais que os outros: os reis, que têm mais poder; os ricos, que têm mais dinheiro; os bem conformados, que têm mais beleza; os sábios, que têm mais sabedoria, etc. Pertenço à aristocracia dos que são mais... — concluiu aquela pipoca vegetal, arrufando-se toda, *puf!*...

A insolência da violeta branca fez que Emília engasgasse e ficasse sem ter o que dizer. Não encontrou argumentos. Limitou-se a murmurar: "Já se viu que coisa? Até parece que tem a Catarina de Médicis na barriga!".

As violetinhas roxas que tinham ouvido a conversa, ficaram muito desapontadas e mais humildes, ainda. A princípio, quando viram Emília interpelar a orgulhosa violeta branca, exultaram, certas do triunfo da ex-boneca. Mas nada disso aconteceu. Em vez dum duelo em que Emília achatasse a proa daquele orgulho, houve apenas um diálogo do qual a violeta branca saiu mais de cima ainda e mais orgulhosa. E como tivesse a consciência do triunfo, lá estava ereta em seu cabinho, a fazer *pufs* de peru, um atrás do outro. Se alguma violeta roxa humildemente lhe dirigia a palavra, ela nem dava a honra de responder; fazia um *puf*! e virava a cara. Já nem parecia violeta, uma florzinha tão amada pela sua modéstia. Tinha virado um *puf*! *puf*!...

Não achando argumentos para discutir com a violeta branca, Emília foi buscar o Visconde, o qual tinha respostas científicas para tudo. Enquanto isso as violetas roxas encolheram-se em suas hastes, a espiarem com o rabo dos olhos a orgulhosa irmã, que até parecia de pé no cabinho, de tanta proa.

Emília conferenciou e voltou com o Visconde. Bateu palmas, para chamar a atenção das violetinhas. Vendo todas voltadas para ela, disse:

— Violetas: saibam que essa violeta branca é uma oferecida. Nasceu neste canteiro ninguém sabe como, porque eu nunca plantei violeta branca. E como é a única dessa cor em todo o violetal, ficou orgulhosa e insolente como vocês sabem. Parece um peru estufado.

A violeta branca fez nesse momento mais um *puf*! como que para confirmar as palavras da Emília.

— Estão vendo? — continuou esta. — A violeta branca passa os dias a provocar as outras, a fazer pouco caso nas coitadinhas. E por quê? PORQUE É MAIS QUE AS OUTRAS, como me confessou. Já que a natureza, a fez mais que as outras, acha-se no direito de abusar da situação.

O Visconde interrompeu-a.

— Espere, Emília. Não estou entendendo bem. Diz você que ela é mais que as outras. Eu pergunto: em quê?

— É mais na cor, por ser branca, — respondeu Emília.

O Visconde deu uma risada gostosa.

— Oh, santa ignorância! — exclamou em seguida. — As violetas roxas são roxas por terem nas pétalas pigmentos roxos. As violetas brancas são brancas por não terem pigmento nenhum. Pergunto eu: quem é MAIS — quem tem ou quem não tem?

— Quem tem, está claro! — responderam as violetas roxas.

— Logo, vocês são mais que a violeta branca, porque vocês têm pigmentos e ela não tem!

As palavras do Visconde foram uma revelação. Todas abriram a boca e arregalaram os olhos. Emília, então, pondo as mãozinhas na cintura, voltou-se para a orgulhosa e disse:

— Vamos lá, ariana! Responda a este argumento do Visconde.

A violeta branca engasgou. Se as outras possuíam pigmentos e ela não, nada mais claro que as outras tinham algo mais que ela e pois eram mais ricas...

O Visconde fechou o debate com estas palavras:

— A cor das flores decorre da pigmentação. Quando falamos em "cor branca" dizemos uma asneira, porque para haver cor é preciso que haja pigmentação e o branco é justamente sinal de ausência de pigmentação — e continuou a falar cientificamente em cor e pigmentos, mas já sem auditório. As violetinhas roxas não quiseram mais ouvi-lo, de tão radiantes que estavam com a vitória. O que queriam era trocar impressões e lançar olhares de dó para a violeta branca. Por que de dó? Porque a violeta branca havia derrubado a cabeça e começado a murchar, de tanta tristeza e humilhação...

O PERISCÓPIO

O Visconde de Sabugosa era um sábio; mas que também fosse um inventor, isso o mundo só ficou sabendo no dia em que ele apareceu com uma "surpresa". Emília bem que desconfiou, e o andou espionando para ver se descobria por que motivo ele se fechava em seu laboratorinho durante horas e horas, isso durante semanas. Mas afinal o mistério se esclareceu: o Visconde estava trabalhando na invenção dum periscópio para enxergar o invisível!...

— Que história é essa?

— Ah, uma coisa muito séria e importante. O Visconde havia partido de uma ideia muito original, que era a seguinte. O mundo que nos rodeia está cheio de coisas visíveis e invisíveis. As visíveis nós as vemos com os nossos olhos mas as invisíveis só poderão ser vistas por meio de um invento — e pôs-se a inventar o tal periscópio. E inventou-o, e um dia em que todos estavam na varanda apareceu com um embrulho debaixo do braço. Chegou, tossiu o pigarrinho e disse:

— Respeitável público: aqui tenho comigo a mais prodigiosa invenção que já se fez neste mundo: o Periscópio do Invisível, ou o instrumento que nos permite ver as mil coisas invisíveis que nos rodeiam, — e começou a desembrulhar o pacote. Saiu uma caixa de papelão. E de dentro da caixa de papelão, um instrumento com forma de canudo.

— Aqui está a minha invenção, — disse ele. — Compõe-se deste canudo, que eu largo perto do que quero ver; e deste fio de arame que eu desenrolo e ligo a este binóculo...

— O meu binóculo! — exclamou Dona Benta. — Tinha desaparecido. Onde o encontrou, Visconde?

— No galinheiro. Mas estava sem vidros e eu apenas aproveitei a armação. O que há dentro dele são coisas feitas por mim e fazem parte do invento.

Pedrinho, que não estava ali, chegou nesse instante, muito vermelho de sol, chupando uma cuia de laranja lima. Ao ver o binóculo gritou:

— O meu binóculo! Onde estava? há quanto tempo ando procurando o meu binóculo...

— Seu não! Dobre a língua. O binóculo é de vovó, — protestou Narizinho.

Dona Benta interveio para evitar celeuma: "Pedrinho está certo. O que é meu é dele também".

— Mas onde estava? — insistiu o menino, e quando soube que o Visconde o havia encontrado no galinheiro, debaixo da palha de um ninho de galinha, fulminou Emília com os olhos. Quem poderia ter escondido lá o binóculo senão ela? Sempre que brigava com alguém, a vingancinha de Emília era essa: esconder os objetos de mais estimação do "inimigo".

O Visconde falou meia hora sobre a sua invenção, e ia entrar na parte puramente científica quando Emília o interrompeu.

— Isso fica para depois. Agora o que queremos é a demonstração da batata! Mostre-nos uma coisa invisível, senão eu já escangalho com essa joça.

— Vê, Sinhá, como está ficando esta "rainha do mundo"? — disse Tia Nastácia, que acabava de entrar com dois frangos na mão, para saber qual deles matava. "O plimu ou o rode?"

Dona Benta escolheu o frango que ia ser vítima da fome de seus netos e a negra se retirou, fazendo para Emília o gesto de chinelada no traseiro, enquanto a ex-boneca lhe punha a língua. Em seguida, voltando ao assunto do periscópio, a diabinha berrou: "Demonstração! Queremos a demonstração do invento!".

O Visconde pediu que escolhessem o que queriam ver, e cada qual quis uma coisa. A ideia vitoriosa foi a de Narizinho.

— Já ouvi falar que onde há chapéu-de-sapo há também por perto anõezinhos invisíveis.

— Essa ideia é minha! — reivindicou Emília. — Eu tive a intuição disso e agora podemos tirar a prova. Resta que haja algum chapéu-de-sapo no pomar.

— Perto da cachoeira da vaca mocha nasceram muitos esta noite, — disse Pedrinho. — Passei por lá ainda agorinha e vi.

— Pois vamos ver isso, — disse o Visconde, arrumando o canudo, o binóculo e o fio na caixa de papelão.

E lá se foram todos rumo à cocheira da vaca mocha, que ficava no fim do pomar. De passagem Pedrinho apanhou e descascou várias laranjas limas cortou-as e ofereceu uma cuia a cada um.

— Como Pedrinho está amável! — observou Dona Benta, mas Emília desmascarou *incontinenti* a amabilidade do menino: "Ele gosta da cuia da ponta, por ser mais doce, por isso e que é tão oferecido em descascar laranjas: meio de se regalar só com as cuias da ponta".

Pedrinho apenas disse: "Peste!".

Chegados lá perto da cocheira da vaca mocha, viram logo um bonito grupo de chapéus-de-sapo muito perfeitinhos, brotados naquela noite.

— Ótimo! — exclamou o Visconde. — Se a ideia de Emília está certa, havemos de ver por aqui muitos anõezinhos — e desembrulhou o pacote; colocou o canudo no chão, apontado para os cogumelos, e estirou o arame por uns vinte metros de distância. "Não podemos ficar muito perto, senão o 'invisível' se espanta." Acomodaram-se todos debaixo duma árvore, e Pedrinho fez uma armação de dois paus de gancho, onde colocou o binóculo na altura mais cômoda para o observador. E ainda arrumou uns tijolos empilhados, para o observador sentar-se — ou ficar de pé em cima, no caso de ser do tamanhinho da Emília.

— Pronto! Podemos começar, e quem vai ver primeiro sou eu! — gritou a ex-boneca.

— É vovó! — protestou Narizinho. — Primeiro os mais velhos. Venha ver, vovó.

Dona Benta espiou pelo binóculo e não viu coisa nenhuma; o mesmo sucedeu com Tia Nastácia. "Nossa vista está tão estragada, que nem com invenções do Visconde não vemos nada." Chegou a vez de Narizinho, que era a mais velha depois de Tia Nastácia — mas Emília já estava grudada no binóculo e a berrar que nem uma louca: "Estou vendo o número dos números! Sete anõezinhos — não! sete sacisinhos de carapuça vermelha e pito aceso na boca, sentados, de pernas cruzadas, debaixo dos chapéus-de-sapo, que também são sete. Estão fumando e conversando há um que parece o chefe. Usa faixa na cintura — deve ser o distintivo. Que amorecos!...".

Todos estavam ardendo por ver também, mas Emília não largava do binóculo, e às vezes até sapateava de gosto. "Briga! O chefe agarrou um pelas orelhas e sacudiu-o, e ele reagiu. Está começando um fecha. Parece que se dividiram em dois partidos — três dum lado e quatro do outro. Não consigo ouvir o que dizem, mas deve ser desaforo do bom. O chefe bate com o pé no chão e pede ordem..."

— Como consegue bater com o pé, tendo um pé só? — perguntou Narizinho.

— Dá pulinhos, — explicou Emília, sem largar o binóculo. — E agora o chefe agarrou um e enfiou dentro dum chapéu-de-sapo. Ahn!... Estou entendendo. Os chapéus-de-sapo são as casinhas deles. O chefe está trancando todos, um por um, nas respectivas casinhas. Já trancou cinco, faltam só dois. Trancou o último...

— Isto também é demais! — gritou Narizinho arrancando Emília do binóculo. — Tudo no mundo é para ela, só para ela...

Mas Emília não queria largar do binóculo, de modo que a ele se agarrou com unhas e dentes. E como o menino também viesse ajudar Narizinho, o puxa-que-puxa escangalhou com o periscópio. Quando conseguiram desgrudar Emília e foram espiar, não viram coisa nenhuma, "e me vai dar um trabalhão para reconstruí-lo", disse o Visconde.

— Que pena! — exclamou Pedrinho muito desconsolado. — Tanto que eu queria ver também e a "peste" não deixou...

Emília, com medo à indignação geral, tinha subido à pitangueira como uma macaquinha, e lá estava a comer pitangas e a jogar os caroços na cabeça dos outros. O caso era de uma boa surra, mas como só a ex-boneca havia visto os sacis e todos estavam ansiosos por ouvir todas as informações possíveis sobre essas invisíveis criaturinhas, o remédio foi engolir a "gana de esganá-la" e vieram com agradinhos.

— Emília, desça, venha ver que linda borboleta azul sentou aqui, — gritou Narizinho.

— E este vagalume dos grandes que eu achei, — gritou Pedrinho.

Até o Visconde adulou-a, dizendo: "Em menos de meia hora conserto o periscópio. O estrago foi menor do que pensei".

Emília afinal desceu, ainda com uma pitanga na boca. Desceu e começou:

— O remédio, agora que não há mais periscópio, é se contentarem com o que eu vi.

— Conte, conte o que você viu, amor! — pediram todos, trincando os dentes.

E ela, muito lampeira:

— Eram sete sacisinhos que moravam em sete chapéus-de-sapo, cada qual mais espertinho, e marotinho e engraçadinho...

Tia Nastácia, que ia passando com os temperos colhidos na horta para o jantar, sacudiu a mão em gesto de palmada.

— E não vai também umas palmadinhas no traseirinho?

Emília botou-lhe um palmo de língua.

A SEGUNDA JACA

Depois daquele caso da jaca madura, que caiu da árvore e se esborrachou em cima da Emília, ocorreu no Pica-Pau Amarelo o desaparecimento do Visconde. Era a segunda vez que semelhante coisa acontecia. A primeira foi quando caiu atrás da cômoda e lá ficou imprensado meses, sendo tirado todo coberto de bolor verde e teias de aranha. Tia Nastácia teve de substituir-lhe o corpo por um sabugo novo, só aproveitando os braços, as perninhas e a cartola. Pois não é que depois do desastre da Emília o Visconde desaparece pela segunda vez? Durante uma semana procuraram-no por toda parte e nada. Nem cheiro do menor sinalzinho do Visconde.

A casa de Dona Benta começou a ficar triste. Ninguém ali sabia viver sem o velho sábio. Até Tia Nastácia, que era analfabeta, volta e meia suspirava lá na cozinha, dizendo de si para a sua colher de pau: "Isto sem Visconde é o mesmo que talhada sem gengibre". "Talhada" era um dos doces que a boa negra fazia sempre: misturava melado de rapadura com farinha de mandioca e derramava aquilo ainda quente sobre a "tábua de amassar pastel", numa camada aí de um centímetro de espessura; depois que o derrame esfriava e endurecia ela o "talhava" com uma faca, em quadradinhos e losangos. Muita gente faz talhada só com melado e farinha. Tia Nastácia, não! Punha também gengibre, porque "se não leva gengibre, não fica sendo da 'legite'" (legítima), costumava ela dizer.

— É isso mesmo, — concordava Dona Benta. — Sem o Visconde, o nosso sítio perde muito da sua graça.

E Emília? Ah, essa chegou a dizer que o Visconde fazia parte dela como um órgão do seu corpo. "Eu tenho braços, pernas, cabeça, olhos, nariz e o Visconde. Sem ele, me sinto aleijada." E de tanto pensar num meio de descobrir o Visconde, teve uma ideia luminosa: pedir aos invisíveis sacis do pomar que o procurassem e achassem.

— Isso mesmo! — dizia ela consigo. — O periscópio está consertado. Levo o periscópio ao pomar, descubro os sacis e, como eles vivem de cachimbinho na boca, proponho-lhes um maço de cigarros em troca de me descobrirem o Visconde.

Disse e fez. Levou o "periscópio do Invisível" para o pomar e lá o assestou num monte de esterco onde havia mais de vinte chapéus-de-sapo nascidos na véspera. Espiou pelo binóculo e sorriu para si mesma. "Eu sou uma danada! Lá estão debaixo dos cogumelos uma porção de sacizetes e anõezinhos como os de Branca de Neve. O mundo está cheio de maravilhas que nós não vemos. Junto com as coisas visíveis há as invisíveis — justamente as mais lindas..."

Mas como entender-se com eles e propor o negócio da "achada" do Visconde? "Tenho de prender um saci na garrafa, como fez Pedrinho antigamente, e para isso o melhor jeito é armar uma peneira."

"Armar peneira" é coisa muito simples, que qualquer criança da roça costuma fazer no quintal, para pegar passarinhos. Espalha quirera no chão e põe em cima uma peneira emborcada. Depois ergue-a meio palmo dum lado e escora-a com um pauzinho. Amarra nesse pauzinho um barbante comprido e fica de longe, escondida, segurando a extremidade. Os canários e tico-ticos vêm comer a quirera, e quando entram debaixo da peneira basta um puxão no fio. A escora "espirra" e a peneira cai em cima dos passarinhos.

Foi o que Emília fez. Armou a peneira bem em cima dos chapéus-de-sapo e foi ficar com a ponta do barbante na mão, bem longe, lá atrás da pitangueira. E como houvesse levado para lá o periscópio, segurava o barbante e espiava ao mesmo tempo.

Os sacis, que haviam fugido enquanto ela armava a peneira, foram voltando. A princípio estranharam aquilo, mas logo se acostumaram e foram entrando na peneira. Ao ver lá dentro uma meia dúzia, Emília deu um tranco na linha.

— Peguei! — gritou ela — e correu para lá com o coraçãozinho batendo. Não há no mundo emoção maior do que a de pegar um saci... Mas pegá-los é o de menos. O difícil é tirá-los de dentro da peneira, porque são espertíssimos e agílimos. O melhor meio é enfiar uma garrafa dentro da peneira. Os sacis gostam do escuro e entram na garrafa. Depois é só tirá-la e arrolhá-la bem.

Tudo isso Emília fez, sempre de acordo com as instruções de Pedrinho, que era o maior mestre na arte de caçar sacis que havia no mundo. E como tudo lhe saísse certinho, ela dava pulos de alegria por estar na posse de um saci. "Se ele não fizer tudo o que eu quero, não o soltarei nunca — e quero ver!"

Dois dias passou a ex-boneca às voltas com o saci, em misteriosas conversas que não acabavam mais. "Que tanto lida Emília com aquela garrafa?" — murmurou Dona Benta — mas sem de nada desconfiar. Ninguém na casa percebeu que a diabinha estava dona de um saci.

Depois de muita discussão, chegaram a acordo: o saci prometeu convocar todos os seus companheiros para a procura do Visconde em troca de certa quantidade de fumo para cachimbo. Como eles não param de cachimbar consomem muito fumo picado. Feito o acordo, o saci disse: "Então me solte". E Emília respondeu: "E se você me lograr?". "Não tenha medo", respondeu o saci. "Isso de não cumprir a palavra é coisa dos homens. Saci sempre cumpre o que promete."

Emília soltou-o, e ele lá se foi, num corrupio...

Naquele mesmo dia o sacizete falou com todos os mais e se puseram a campear o Visconde. Quando os sacis procuram uma coisa acham mesmo, porque como são muito pequenininhos e espertíssimos, não fica recanto, nem buraco, nem fresta de taipa, nem "embaixos" de pau caído, tijolos ou caco de telha, que eles não revistem. Mas não houve meio. Não conseguiram coisa nenhuma. Nada — nada do Visconde de Sabugosa!...

Ao cabo uma semana o sacizete procurou Emília e disse:

— Não está. No pomar ele não está. Assim pelo sistema da procura pura e simples a coisa não vai. Temos de raciocinar, deduzir. Vamos ver. Em que hora desapareceu o Visconde?

Emília recordou e contou tudo direitinho. Ela estava com os outros debaixo da jaqueira, assistindo à experiência duma das invenções do Visconde, quando lá de cima se desprenderam duas jacas maduras. "Uma caiu sobre mim e me esborrachou. Tiraram-me de lá em miserável estado, cega, surda e muda, porque o visgo da jaca me tapara os olhos o nariz e os ouvidos. Se não fosse a esfregação de gordura que Tia Nastácia me fez, eu não teria escapado..."

— Muito bem, — disse o saci. — Caíram ao mesmo tempo duas jacas. Uma esborrachou você — e a outra?

Os olhos de Emília arregalaram-se. Sim, e a outra? Quem sabe se a outra havia caído em cima do Visconde? Essa ideia atravessou a cabeça de Emília como um relâmpago, e lá saiu ela voando rumo à jaqueira, com o sacizete atrás. A segunda jaca estava no mesmo lugar em que havia caído vários dias antes. A força dos dois juntos não deu para revirá-la, mas Emília descobriu a pouca distância a cartolinha do Visconde, debaixo de uma folha caída.

— Pronto! — gritou ela. — Está achado o viscondinho. Quando as duas jacas caíram, uma se abateu sobre mim, e a outra sobre ele. Mas como fiquei com as pernas de fora, todos me viram e correram a me salvar. Já o Visconde ficou totalmente soterrado ou "enjacado", só com a cartolinha de fora, mas com aquela folha tapando.

Emília bateu palmas, gritou, fez tal berreiro que instantes após o pessoal inteiro do sítio estava reunido lá.

— Achamos o Visconde! — dizia ela. — Está enjacado por esta jaca, podre — e batia com o pezinho na jaca. — Eu e o saci não conseguimos revirá-la, e chamei vocês para nos ajudarem.

Pedrinho veio com o enxadão e num momento revirou a enorme fruta, patenteando aos olhos de todos um quadro horrível. Lá estava o Visconde de Sabugosa achatado no chão, de braços e pernas abertos, sem cartola, morto, mortíssimo. Tia Nastácia ergueu-o e tentou botá-lo em pé. O viscondinho desabou. Estava absolutamente morto. Narizinho fez a prova do espelho diante de sua boca, e o espelhinho não ficou embaciado. Já não respirava o grande, o querido, o inesquecível sabuguinho científico que era para o Pica-Pau Amarelo o mesmo que o gengibre para as talhadas de Tia Nastácia.

A tristeza foi imensa. Emília aplicou o faz-de-conta: "Faz de conta que está vivo!", mas pela primeira vez o faz-de-conta falhou. O Visconde continuou morto. Houve lágrimas e suspiros. Até Rabicó, que só suspirava por abóboras e mais coisas de comer, veio ver o que era e fez um ron-ron suspirado. Narizinho o notou e se comoveu, mas a peste da Emília disse: "Está suspirando de não haver no corpo do Visconde nenhum grão de milho", ao que a menina retrucou: "Respeite pelo menos a morte, Emília".

Depois vieram as sugestões sobre o que fazer. Um queria que o Visconde tivesse um enterro de primeira classe. Emília lembrou aquele sistema da Índia: queimar o cadáver numa pira. Venceu por fim a ideia de Dona Benta: tirar os braços e as perninhas para serem aproveitadas num sabugo novo, e ao toco ela guardaria em seu armário como uma preciosa relíquia.

Nastácia foi ao paiol e escolheu uma, bela e gorda espiga de milho. Sacou fora a palha e debulhou-a de todos os grãos, menos seis na altura do peito — iam ficar no novo Visconde como condecorações recebidas de reis e presidentes. Depois adaptou àquele corpo novo os braços e as perninhas do falecido e botou na cabeça a cartola, que estava só um pouquinho amassada. Ficou um belíssimo Visconde, mas mudo, sem vida — sem ciência.

— Exatinho como da outra vez, lembrou Emília. Sem espremermos neste sabugo novo o caldo do corpo velho, não lhe volta a vida nem a ciência.

Todos acharam razoável. Mas como espremer um sabugo? Sabugo não é cuia de laranja ou caju.

— Com o espremedor de limão.

Pedrinho trouxe o espremedor de limão e fez a experiência, mas sem nenhum resultado.

— Não vai, — disse o menino. — Só vejo um jeito: recorrer ao torno do Antônio Ferreiro. Não há o que aquele torno não esprema — e lá foi com o novo Visconde, pendurado pelas palhinhas do pescoço, à tenda do ferreiro, que não ficava longe da casa de Dona Benta. Emília acompanhou-o conduzindo o toco morto do Visconde velho.

Deu certo.

Pedrinho colocou o toco no torno e foi dando voltas na manivela. Apesar de estar húmido do caldo da jaca, o toco do Visconde só deu de si três ou quatro pingos dum caldo escuro, que Emília aparou com o Visconde novo, no qual ficaram embebidos.

Aconteceu o esperado milagre. O Visconde novo abriu a boca, depois os olhos, bocejou, deu um suspiro e espreguiçou-se.

— Pronto! — exclamou Emília radiante. — Já adquiriu vida. Resta que tenha adquirido ciência. Como saber?

— Perguntando-lhe qualquer coisa, — respondeu Pedrinho, e ele mesmo fez a primeira pergunta.

— De que cor era o cavalo branco de Napoleão?

E o Visconde respondeu:

— Era cor de burro quando foge...

Essa resposta foi considerada científica.

A LAMPREIA

O pomar de Dona Benta estava tão velho, que Tio Barnabé, num dia em que estava lidando na horta, disse para Pedrinho:

— Se Sinhá continua teimando em não replantar as árvores de fruta, um dia vai lá e vê as jabuticabeiras dando mangas e as mangueiras dando "guaiabas".

— Por quê?

— Árvore é como gente, sinhozinho. Quando ficam muito velhas, 'garram a caducar, eh, eh, eh!... — e deu uma daquelas suas risadas gostosas em que aparecia a gengivada inteira.

O menino ficou com essa história na cabeça, e um belo dia resolveu pregar uma peça na vovó — um dia em que Dona Benta e os outros foram passar a tarde na fazenda do coronel Teodorico. Em que consistiu a peça? Ah, em trocar as frutas das árvores. Subiu à pitangueira com o bolso cheio de jabuticabas das de cabinho, e em certo galho trocou as pitangas por jabuticabas. Depois, numa das mangueiras, substituiu doze mangas por doze abacates, e foi amarrar as mangas num abacateiro. E fez outras mudanças assim à tarde, quando Dona Benta, voltou, Pedrinho deu jeito de levá-la ao pomar sob pretexto de ver uma taturana verde "toda enfeitada de raminhos" que estava na pitangueira da Emília.

Dona Benta foi e viu, e muito admirou a estranha lagarta verde. Depois, erguendo por acaso os olhos, deu com umas coisinhas pretas num ramo a quatro metros do solo. Franziu a testa, curiosa.

— Que é aquilo, Pedrinho?

O maroto simulou não perceber coisa nenhuma. "Aquilo o que, vovó?"

— Ali naquele galho! — e Dona Benta fez sinal com o dedo.

Pedrinho olhou e também franziu a testa.

— Não estou entendendo nada, vovó. Parece jabuticaba... — e trepou para ver de perto — e viu e colheu duas ou três, descendo em seguida. E com cara de assombro.

— Veja vovó, que coisa prodigiosa! Jabuticabas! Esta pitangueira está dando jabuticabas!...

Dona Benta teve uma resposta filosófica.

— Meu filho, pode ser que você engane Emília ou Narizinho; mas quem tem mais de sessenta anos de experiência neste mundo sabe que as leis naturais não sofrem exceções. Se esta pitangueira está dando jabuticabas, isso não quer dizer que tenha havido mudança nas coisas, e sim que algum "espírito santo de orelha" fez o milagre — e sacudiu o queixo do menino.

Dona Benta não "caiu", mas Narizinho caiu. Quando, pouco depois, veio ao pomar em busca de mangas e deu com abacates na mangueira, foi voando contar aos outros.

— Venham ver a maravilha! A mangueira está dando abacates!... — E ao saber que era reinação de Pedrinho, não se zangou, tratou mas foi de ir buscar Tia Nastácia a fim de passar adiante o logro.

A negra "caiu" como uma pata choca. Assombrou-se da mangueira estar dando abacates e de nascerem jabuticabas na pitangueira. E quando Pedrinho veio com a história de que aquilo só podia ser caduquice de árvores muito velhas, concordou imediatamente.

— Pois é isso mesmo: caduquice! árvore é tal e qual gente. Nasce, cresce, caduca e morre — tudo igualzinho...

Dessa brincadeira nasceu no Visconde de Sabugosa a ideia de fazer que as árvores dessem realmente duas ou três frutas diferentes, por meio de enxertos. O Visconde possuía profundos conhecimentos de genética, que é a ciência da hereditariedade, ou dos filhos puxarem os pais. E tantos e tão hábeis enxertos fez naquele pomar, que vinha gente de longe ver os "milagres". Entre os visitantes apareceu por lá, um dia... sabem quem?

— ?

— O célebre doutor Caramujo, aquele médico do reino das Águas Claras!

— Verdade isso?

— Sim. Emília estava no pomar observando-os enxertos do Visconde quando viu a certa distância uma figura muito sua conhecida, passeando por ali. — Será o doutor Caramujo? — disse consigo — e para certificar-se: "Doutor! Doutor Caramujo!".

Ao ouvir-se nomear, a figurinha voltou-se e ela viu que era ele mesmo. Que alegria! Abraçaram-se e foram tantas as perguntas que nem tinham tempo de responder. Por fim Emília pediu notícias do Príncipe Escamado.

— Solteiro ainda?

— Que solteiro, nada! Casou-se.

— Com quem? — perguntou Emília, acesa.

— Com uma lampreia, — respondeu o doutor — e Emília, não querendo revelar a sua ignorância, engoliu o "lampreia" sem indagar o que era. Conversaram longamente; depois se despediram.

— Volte, doutor! O pomar é seu. E traga-me um pouco daquelas pílulas, tão boas.

O caramujo lá se foi; com a sua casa às costas e Emília o seguiu com os olhos até vê-lo entrar no rio. Foi então em procura do Visconde, que encontrou contando as pernas de uma centopeia para verificar se eram mesmo cem.

— Escute Visconde: que é lampreia?

Não havia o que o diabinho não soubesse! Respondeu que nem um livro:

— Lampreia é um peixe do tipo das enguias, que mais parece cobra. Tem uma boca muito especial — boca de ventosa, com a qual adere a um casco de navio, ou a um pau qualquer, e ali fica pendurada, descansando.

— Como os morcegos, então, que também descansam pendurados...

— Sim; a lampreia adere à madeira para descansar e também adere a outros peixes para sugar-lhes o sangue. É vampiresca, qual os morcegos.

— Que horror! Como adere?

— Com a ventosa da boca, e com os terríveis dentinhos fura a carne do peixe e lhe vai sugando o sangue.

— Peste! E uma casou-se com o príncipe!

O Visconde quis saber que príncipe, mas Emília já estava longe, atrás de Narizinho. Encontrou-a diante do guarda-comida da copa, onde Tia Nastácia acabava de botar um prato de queijadinhas.

— Sabe quem se casou Narizinho? O príncipe! ...

— Que príncipe?

— Escamado, o peste. Virou bígamo. Era casado com você e agora desposou uma lampreia, imagine! — e explicou à menina o horror que eram as tais lampreias.

Narizinho arrepiou-se toda. Tinha sido noiva do príncipe e chegara mesmo a casar-se com ele, num casamento interrompido por um grande estrondo.[7] Não foi um casamento completo — só meio casamento. Ainda assim considerava-se ligada ao peixinho e não podia admitir que ele "bigamasse" com outra, e logo com quem, santo Deus: com uma lampreia!

Foi correndo em busca de Pedrinho, ao qual contou tudo. Pedrinho só disse: "Temos de pescar essa bisca!".

A pesca da lampreia provocou muita discussão entre Pedrinho, Emília e o Visconde. Cada qual queria uma coisa. Emília, uma bomba dentro de um bolo. "Ela come o bolo e estoura." O Visconde optou pela tarrafa do Tio Barnabé. Atraíam-na à beiradinha do rio e zás! tarrafa em cima! Mas Pedrinho decidiu-se pelo anzol. A dificuldade estava em descobrir onde moravam o príncipe e a lampreia. O reino das Águas Claras era no mar e o mar é tão grande...

A melhor ideia foi a de Emília.

— O doutor Caramujo vai voltar com as pílulas que encomendei. Vou mandar por ele um presente ao príncipe: outra rosquinha. E você manda um presente à lampreia: um anzol!...

Discute, que discute, ficou assentado o seguinte. O doutor Caramujo levaria à lampreia um bombom com anzol dentro, preso a uma linha bem comprida. A lampreia comia o bombom, fisgava-se no anzol e pronto! Quando Pedrinho ali na beira do ribeirão sentisse movimento na linha, era só puxá-la.

E assim foi. O doutor reapareceu no dia seguinte, de porunguinho à tiracolo com as prometidas pílulas, e voltou com os dois presentes. Chegado lá ao reino

---

[7] Reinações de Narizinho.

das Águas Claras, entregou a rosquinha ao príncipe, o qual, radiante, a colocou na cabeça, como coroa; e ao bombom com anzol dentro ele o colocou perto da lampreia que, naquele momento, sentada no trono, sossegadamente sugava o sangue dum peixe. Depois, vendo o bombom, Sua Majestade o comeu como sobremesa — e pronto! fisgou-se. Pedrinho, lá na beira do ribeirão com a ponta da linha em punho sentiu o "fisgo" e toca a puxar.

Não foi fácil. A lampreia oferecia grande resistência, de modo que por várias vezes o pescador teve de perder o trabalho, devolvendo muitos e muitos metros de linha, já recolhida. Mas Narizinho e Emília vieram ajudá-lo — e os três juntos podiam mais que a lampreia.

Puxa que puxa, puxa lampreia! A cobra d'água, afinal, arquejante de cansaço, mostrou-se à tona. Completamente frouxa!

Mais um pouco de puxa-que-puxa e Pedrinho pôde agarrá-la pelo pescoço e tirá-la do rio.

— Sua bígama! — exclamou Emília acocorada ali diante dela na grama da margem. — Pensa então que é só ir casando com príncipes já casados? Casamento verdadeiro vai ser o seu agora com a panela de Tia Nastácia!

De fato, Tia Nastácia preparou a lampreia segundo as instruções do livro de quitutes de Dona Benta *O Cozinheiro Imperial*. Foi a homenagem da boa negra à dignidade principesca daquela enguia.

Mas na mesa, só Dona Benta, que era filósofa, teve coragem de comer a sua rodela de lampreia ensopada. Os meninos torceram o nariz.

— Isso é mais cobra do que peixe, — disseram todos.

Quem se regalou com o petisco foi o Tio Barnabé, que logo depois apareceu na cozinha com as raízes de mandioca que Dona Benta o mandara arrancar. Aquele negro comia de tudo: lagarto, bugio, tatu, cobra. Ao ver os roletes da princesa Escamada ali num sopeirão, perguntou:

— É cobra?

— Não, — respondeu Tia Nastácia. — Os meninos dizem que é uma tal lampreia.

Tio Barnabé brilhou os olhos e lambeu os beiços.

— Negro velho não conhece esse tal bicho, mas tá com boa cara, venha! — e devorou a segunda esposa do Príncipe quase que inteirinha...

Lagartas e borboletas

— Que fim levou o Visconde? — quis saber Narizinho. — Há já três dias que não o vejo.

— Com certeza, anda no fundo do laboratório, às voltas com alguma nova invenção. Ele agora só cuida disso. Virou Edison.

Emília, que ia passando, confirmou:

— Está lá, sim, dando os últimos retoques na máquina de ler o pensamento dos animais.

— Que história é essa?

— Como eu disse: máquina de ler o pensamento dos animais. Para mim, é a invenção mais maravilhosa do mundo. "Todos os animais pensam, como nós", diz o

Visconde, mas como não sabemos a língua que falam, não temos meio de conhecer o pensamento deles. Com a nova invenção tudo se torna muito simples.

— Como é a invenção?

— Um aparelho — uma caixa assim do tamanho de um tijolo, com o miolo da invenção dentro. A gente liga um fio que sai da caixa à pele do animal e cola o ouvido à tampa, e ouve com a maior clareza o que o animal está pensando.

— Está aí uma dessas coisas que só vendo. Se for verdade, o Visconde inventou uma verdadeira revolução. Porque se a máquina permite a leitura do pensamento dos animais, também permitirá a leitura do pensamento dos homens (que são animais e muitos até animalíssimos) — e mil novidades vão acontecer. Num crime, por exemplo: não é preciso interrogar o réu nem as testemunhas, basta ligar o fio à pele do acusado e ficar ouvindo. Mas será verdade? — e Pedrinho, ainda na dúvida, foi consultar Dona Benta.

— Acha possível, vovó, descobrir-se um aparelho de ouvir o pensamento dos animais?

— Por que não, meu filho? O pensamento parece que é uma eletricidade. Nós não vemos a eletricidade comum, não sabemos o que ela é — e, no entanto, a utilizamos e transmitimos de um ponto para outro. Por um fio de cobre. E essa outra eletricidade misteriosa que se chama rádio, transmite-se sem fio nenhum. Ora, a eletricidade pensamento transmite-se de um cérebro a outro.

— Verdade isso, vovó?

— Como não? Procure no dicionário a palavra TELEPATIA.

Pedrinho abriu um dicionário que estava em cima da mesa e encontrou logo a palavra. Leu a definição: Telepatia — transmissão do pensamento dum cérebro para outro.

— Que coisa, vovó! — exclamou o menino muito admirado. — Nunca imaginei. Mas nesse caso o Visconde não está construindo nenhuma máquina boba, sem fundamento. Se existe a telepatia, e até os dicionários dão a palavra, nada mais possível do que uma máquina de captar o pensamento.

— Possível, sim, meu filho — e já realizada com a invenção do Visconde, se é certo o que a Emília diz. E poderá chamar-se psicocaptor; *psico* é pensamento em grego; e captor é captador.

Estava a discussão nesse ponto quando o Visconde apareceu muito contentinho, todo a esfregar as mãos.

— Pronto! Já terminei a construção da minha máquina.

— O psicocaptor?

O Visconde fez cara de surpresa e em seguida iluminou a carinha.

— Que ótimo nome você descobriu para a minha máquina, Pedrinho! Exato. Saiu da sua cabeça?

— Não. Da de vovó — confessou o menino — e o bem educado sabuguinho não disse o "Logo vi!" que Emília estava esperando.

— E agora? — perguntou esta.

— Agora vou fazer a experiência, — disse o Visconde. — Preciso de um animalzinho qualquer, um besouro, uma taturana...

— Na minha pitangueira ainda está aquela taturana de ontem, a verde enfeitada de raminhos.

— Será que taturana pensa? — duvidou Pedrinho.

— E por que não? Todos os seres pensam, pois todos possuem inteligência. Só variam de grau. Newton possuía uma inteligência do tamanho do Himalaia; um peru a tem do tamanho de uma jabuticaba. Mas não há ser vivo que não possua inteligência.

— Pois vamos ver se realmente as taturanas pensam, — concluiu Pedrinho.

Minutos depois estavam todos no pomar, debaixo da pitangueira da Emília. Até Tia Nastácia veio, ainda com a colher de pau na mão e a dizer: "Credo! O Visconde ainda acaba virando pai-de-santo".

O aparelho foi colocado em cima dum caixão de querosene que Emília conservava lá com uma porção de guardadinhos dentro. O grande inventor tirou a taturana da pitangueira com um pauzinho e colocou-a sobre o caixão, perto da máquina; em seguida ligou o fio à pele da taturana, e colou o ouvido à tampa do aparelho. Todos o observavam com a maior atenção. Segundos depois o Visconde começou a sorrir, num verdadeiro enlevo d'alma. Era o sorriso de todos os grandes inventores — o de Edison, quando viu acender-se a sua primeira lâmpada — o de Alexandre Bell, quando ouviu a primeira palavra ao telefone...

— Está ótima a minha máquina! — disse ele. — Ouço perfeitamente os pensamentos desta taturana. Ouço é modo de dizer, porque não há som. Percebo os pensamentos dela.

— Capta! — ajudou Pedrinho.

— Sim. Estou captando tudo o que ela pensa neste momento.

— E que é? — quis saber Emília.

— Ela está, como se diz, "filosofando", — respondeu o Visconde, — e tão interessante me parece a sua filosofia que era bom que Pedrinho tomasse nota num papel do que eu for dizendo. Veja papel, Pedrinho, e lápis.

Pedrinho foi correndo buscar papel e lápis e de volta já não encontrou o Visconde no aparelho, e sim Emília, que o alijara dali à força. Quis encrencar, mas Narizinho fez "Psiu! Escreva" e ele, vendo a atenção de todos, escreveu o que Emília falou.

— Parece que lhe aconteceu qualquer coisa, — disse Emília, — porque esta taturana está triste e volta e meia dá um suspirinho. Vou repetir com a maior exatidão o que ela está pensando. Escreva Pedrinho e ditou os pensamentos da taturana.

— "Ah, bem triste a minha vida! Num mundo de coisas tão lindas, eu sou feia e inspiro repugnância. Num mundo tão cheio de asas, eu ando me arrastando pelo chão e pelas cascas das árvores. Quem me dera ser como as borboletas que vivem pairando no ar!"

Emília interrompeu o ditado para dizer:

— Como é burrinha! Não sabe que as borboletas saem das lagartas, de modo que uma lagarta é uma futura borboleta, como uma borboleta é uma passada lagarta.

— Nada mais verdade, — disse Dona Benta, — mas como é que ela há de saber? As taturanas ou lagartas conservam-se assim até o dia em que viram casulo. Em estado de casulo ficam uma porção de dias, até que aquele mingau amarelo que há dentro dos casulos endureça e vire borboleta; e então a casca do casulo racha e a borboleta sai, toda mole ainda, úmida, sem forças, com as asas amarrotadas. Mas rapidamente secam, esticam as asas, ficam fortinhas e saem voando, voando lindo como as "sertanejas" azuis que moram dentro das matas virgens.

— É verdade, vovó! — exclamou Narizinho. — Só agora estou vendo que as lagartas não podem saber que vão virar borboletas, nem as borboletas podem saber que já foram lagartas!...

Dona Benta pensou lá consigo: "Tal qual nós, humanos, aqui na terra. Não sabemos de onde viemos nem para onde vamos". Mas nada disse, porque seus netos ainda eram muito crianças para ruminarem ideias assim.

Emília não queria largar do aparelho. Teve de ser arrancada dali à força, e todos se revezaram na maravilha, ouvindo por mais de uma hora todos os pensamentos que passavam pela cabeça da taturana. Depois fizeram experiência num caramujo grande, dos cor-de-rosa — e apanharam perfeitamente os seus pensamentos caramujais. E depois experimentaram um besourão. E uma mamangava. E uma vespa. E quanto inseto havia por ali.

Narizinho declarou que era tamanha aquela invenção que ela não queria saber de mais nada no mundo senão ouvir pensamentos. "Que valem todos os cinemas e todas as diversões humanas diante da maravilha do Psicocaptor Sabugosa?"

E a invenção ainda cresceu de vulto quando Emília teve a grande ideia de verificar se as árvores também pensavam. A primeira experiência foi feita com a sua pitangueira, por meio da ligação do fio com uma folha — e que lindos pensamentos têm as pitangueiras! Também experimentaram as laranjeiras, as mangueiras, as jabuticabeiras e as goiabeiras, verificando que as árvores de frutas gostosas pensam com muita clareza e elevação de ideias. Já os pensamentos dos pés de limão mostraram-se azedos, e os dos pés de pimenta singularmente ardidos.

— E a jaqueira? — Lembrou Emília. — Que será que pensa uma jaqueira enorme como a nossa? — e levou para debaixo da jaqueira o psicocaptor, com todo o bando atrás.

A jaqueira do Pica-Pau Amarelo sempre teve fama de ser a mais velha e maior árvore da zona. Tinha uma copa de trinta metros de diâmetro, e um tronco, na altura dum peito de homem, de três metros. Produzia jacas enormes, algumas até de duas arrobas, que quando bem maduras caíam por si mesmas e esborrachavam-se no chão, espirrando favos. E como a estação fosse própria, lá estava a velha jaqueira com mais de vinte enormes jacas maduras, prestes a caírem.

Emília colocou o aparelho no chão e ligou o fio à casca da árvore, porque as folhas ficavam muito alto. E colou o ouvido para "psicaptar". O que, porém, aconteceu, absolutamente não estava no programa — ou foi vingança da lampreia?

— Que foi que aconteceu?

— Nada, menos que isto: assim que ela colou o ouvido no aparelho e começou a ouvir, uma jaca madura desprendeu-se lá de cima e *plaf!*... caiu bem em cima dela e do aparelho, cobrindo-os quase totalmente!

— Acudam! — berrou Narizinho.

Emília estava soterrada! Dela só se viam os dois cambitos em movimento no ar... Era uma jaca das maiores, de modo que para salvá-la Pedrinho teve de ir buscar um enxadão. Depois que "removeu os escombros", a figurinha da Emília apareceu — mas em que estado!...

— Veja, vovó; como ficou esta coitada! — exclamou a menina erguendo-a e tentando pô-la de pé.

Pobre Emília! Impossível imaginar-se coisa mais deplorável. Empapada de caldo de jaca, com pedaços de favos agarrados ao corpo, com a cara, o cabelo e as mãos cobertos de visgo, daquele terrível visgo que os moleques usam para pegar passarinhos, ela não podia falar e quase não podia respirar. E como a única coisa que dissolve visgo de jaca é azeite ou gordura, Tia Nastácia correu à cozinha e voltou com uma frigideira de torresmos. E esfregou aqueles torresmos na cara da ex-boneca, dizendo: "E tenho que andar depressa, Sinhá, senão a coitadinha morre 'asfixada'. Já está ficando roxa de tanta falta de ar..."

Emília escapou da morte graças aos torresmos de Tia Nastácia, mas ficou em tal estado que teve de ir para a cama, toda engordurada e dolorida, com um gosto de jaca podre que a penetrava até ao fundo da alma...

Esse "soterramento" pela jaca foi o único desastre sério que Emília sofreu em toda a sua vida...

As fadas

Quantas coisas aconteceram no Pica-Pau Amarelo que não estão contadas nos livros! Muitas até passaram despercebidas dos meninos, como, por exemplo, a festa noturna que Branca de Neve ofereceu ao Gato de Botas. Foi uma festa magnífica, em que os sete anõezinhos penduraram nas árvores do pomar inúmeras lanternas chinesas de todas as formas e cores, mas com vagalumes dentro em vez de tocos de vela.

O mais curioso dessa festa foi que os convidados não vieram em suas carruagens e coches, e sim no Tapete Mágico, que os príncipes orientais puseram à disposição de Branca. Muito interessante aquilo. O Tapete vinha voando, e chegado bem em cima do pomar descia suavemente e pousava no chão, na clareira que havia entre o pé de pitanga da Emília e o enfezado pé de fruta-do-conde do Visconde. Dela saíam dois, três, quatro e até seis convidados, todos mal firmes nos pés, tontos da viagem aérea. Em seguida o Tapete voltava para buscar outros.

Em baixo da "mangueira grande" fora armada a mesa do banquete, com uma alvíssima toalha de linho e a rica baixela de prata que os anões de Branca tinham trazido do castelo, para fazer companhia às porcelanas oferecidas pelo príncipe Ahmed. O jantar ia ser servido pelos anões — e já lá estavam eles trazendo coisas e mais coisas, das mais gostosas. Bolinhos quase iguais aos de Tia Nastácia. Pastéis de nata feitos pelas doceiras do céu. Pirâmides de fios de ovos. Cocadas de fita, manjar branco, pé-de-moleque, pudim de laranja, queijadinhas, papo-de-anjo, bom-bocado, canudinhos de cocada com ovo, casadinhos, furrundum, ameixa recheada, pipoca coberta, baba-de-moça, doce de abóbora com coco, doce de figo, doce de cidra, doce de pêssego, doce de leite e mais cem qualidades de doces.

— E salgados não havia?

— Como não? Peru recheado, carne seca desfiada com angu de farinha de milho, mandioquinha frita, lombo com farofa, cambuquira, lambari frito, suã de porco com arroz, torresmos pururucas, quingombô, frango de espeto, galinha ensopada com palmito, peixe com pirão, leitoa assada, cuscuz, linguiça frita, omeletes, puchero argentino, salada russa, pernil de porco... que é que não havia lá?

Só não havia vinhos, porque os vinhos têm álcool e o álcool é sempre perigoso nessas festas. Fatalmente vira a cabeça de um ou outro e sai briga. Mas havia toda sorte de refrescos em lindas jarras de cristal: limonada, maracujazada, laranjada, cajuada, refresco de morango, de bacuri, de grumixama, de amora, de tamarindo, de..., de..., de... Até água havia, água do pote de Dona Benta, fresquíssima sem ser gelada e mais gostosa que todos os refrescos.

Os convidados iam chegando e se servindo sem a menor cerimônia. Saíam do Tapete e corriam para a mesa — e este pegava um doce, aquele um sanduíche, um croquete, uma empadinha. Os que ainda não haviam jantado atiravam-se aos pitéus mais sólidos, leitoa ou peru.

Lá estava Aladino com a sua lâmpada maravilhosa ao colo, e a Alice do País das Maravilhas, e Rosa Branca e sua irmã Rosa Vermelha, e Capinha com o lobo que lhe comeu a vovó espiando de longe, e o pato Donald junto com o cachorro Pluto. E estava também uma curiosa turminha de sacis, que pela primeira vez apareciam numa festa de personagens. Como constituíssem surpresa, foram logo rodeados e enchidos de perguntas. Peter Pan agarrou um deles pelo braço, e depois de encher o bolso de amêndoas cobertas levou-o para debaixo da pitangueira. Lá perguntou:

— É verdade que vocês cruzam as pernas, apesar de terem uma perna só?

O sacizete, que estava de gorro vermelho na cabeça e pito na boca, deu uma cuspidinha de banda e disse:

— É uma coisa que não sei. Tenho ouvido falar isso, mas não sei.

— Como não sabe? — admirou-se Peter. — Então não vê, não percebe, não presta atenção no que faz?

— Prestar atenção é um ato consciente, — respondeu o saci, — e isso de cruzar as pernas é um ato que todos fazem inconscientemente e, portanto, sem prestar atenção.

Peter Pan admirou-se do saci falar com tanta sabedoria, usando palavras que ele ignorava, como "consciente" e "inconsciente", e perguntou o que era. O saci veio com exemplos. "Quando você pisca, presta atenção na piscada?" — "Não, está claro!" respondeu Peter. E o saci: "Pois então você pisca inconscientemente. E quando descasca uma laranja?" — "Ah, aí presto toda a atenção, senão corto o dedo" — "Pois então, quando descasca laranja você age conscientemente. Vê a diferença?".

Peter Pan aprendeu, mas continuou a achar um grande mistério que os sacis ignorem que "cruzam as pernas apesar de terem uma perna só".

Estavam ainda os dois discutindo aquele ponto, quando um zunzum se ergueu no ar. "É ele! É ele!" diziam cem vozes, e era de fato ele, o Gato de Botas, a quem Branca oferecia aquela festa.

O Gato de Botas entrou majestosamente, no seu lindo vestuário de nobre francês do tempo dos reis Luízes: calção e jaqueta de veludo bordado, punhos de renda, gola não sei como e cabeleira empoada de branco, muito crespa. Chapéu de aba larga com uma grande pluma, e botas, as famosas botas do Gato de Botas. Entrou apoiando-se em sua alta bengala de castão de ouro; e tirando o chapéu com toda a elegância, fez um cumprimento geral, com uma graciosa curvatura. Coisa de gato francês.

E foi justamente essa curvatura que estragou a festa.

— Por quê?

— Porque ao curvar-se, o Gato de Botas viu ali no chão a coisa que mais mexe com as tripas dum gato.

— Sei uma gata...

— Não!... Viu um rato...

— Rato? Pois então havia ratos numa festa de tal luxo?

— Sim, havia um, mas não desses ratos vagabundos que caem em ratoeiras e são envenenados pelas donas de casa. Era um rato célebre. Um rato personagem, como todos ali eram personagens.

— Qual a diferença entre gente e personagem?

— Gente é gente, você sabe, não preciso explicar. E personagem é uma coisa muito mais que gente, porque gente morre e os personagens não morrem, são imortais, eternos. Dom Quixote, por exemplo. Existe desde o tempo de Cervantes, e existirá enquanto houver humanidade. Se fosse gente, já teria morrido há muito tempo e ninguém mais se lembrava dele. Quem se lembra dos fidalgos-gente do tempo de Cervantes? Todos morreram, desapareceram da memória dos homens. Mas Dom Quixote e Sancho, que são dessa mesma era, continuam perfeitamente vivos, são citados a toda hora, não morreram nem morrerão nunca. Por quê? Porque são PERSONAGENS. Pois bem: o rato que o Gato de Botas viu era também personagem — era o rato Mickey.

— Mickey Mouse?

— Sim. "Mouse" em inglês quer dizer rato, de modo que tanto faz dizer o "rato Mickey" como "Mickey Mouse".

— Muito bem. Com que então, na curvatura que o Gato de Botas fez ao entrar na festa viu ali um rato — o rato Mickey...

— Exatamente. Viu o ratinho e esqueceu-se de que ele, Gato, era um personagem, e grande personagem, a quem a princesa Branca de Neve oferecia um banquete. E agindo instintivamente como qualquer gato comum, deu um pulo em cima do ratinho, para agarrá-lo e comê-lo. Mickey também se esqueceu de que era personagem e fugiu como qualquer camundongo à-toa que vê gato.

— E lá se acabou a festa...

— Sim, porque a correria foi medonha. Mickey havia saltado para cima da mesa, com o Gato atrás, de modo que de pulo em pulo iam esparramando os doces e reduzindo à maior desordem a maravilhosa ordem com que os anões haviam arrumado a mesa. Croquetes rolavam por terra. Empadinhas esmagadas exibiam com muito vergonha as suas entranhas de palmito, com uma azeitona muito desapontada no meio. Num dos pulos o Gato caiu sobre as mães-bentas, e foi um espirro de mães-bentas para todos os lados! E ao esbarrar na pirâmide de fios-de-ovos, levou consigo, enfiado ao pescoço, um chumaço de fios amarelos...

A desordem foi completa. Como a maior parte dos personagens não sabiam do que se tratava, puseram-se a correr às tontas, tomados de pânico — e aqui era uma princesa que tropeçava e caía; logo adiante, um rei que derrubava a coroa; e agora, um saci que perdia a carapucinha ou o pito. Pânico! Pânico é isso: uma situação em que todos fogem a um perigo que não sabem qual é, e muitas vezes nem existe. E no atropelo derrubam-se, esfolam-se, um esmaga o calo do outro — e até se matam sem querer.

Pois o pega que o Gato de Botas deu em Mickey Mouse produziu um dos maiores pânicos de que há notícia no Mundo da Fábula. A Gata Borralheira perdeu um dos seus sapatinhos de vidro...

— E o achou de novo?

— Não! Perdeu-o duma vez, esmagado pelo enorme pé de Pé Espalhado.

— Quem é esse bicho? Nunca ouvi falar...

— Pois Pé Espalhado era a última novidade do Mundo da Fábula, um personagem produzido pela Emília e que ela havia soltado na véspera, como quem solta um passarinho. Coisa mesmo da Emília. Um personagem mal feito, de cabeça muito pequena e pés muito grandes e chatos, desproporcionadíssimo. E como ainda não soubesse ou não pudesse andar direito com aqueles horríveis pés espalhados, fez grandes estragos na festa: pisou nas caudas dos vestidos das princesas e acabou esmagando um dos sapatinhos de vidro da Gata Borralheira.

A pobre princesa deu um grito lancinante

— Meu sapatinho!...

Esse grito fez que o pânico esmorecesse. O tumulto cessou. Um dos muitos príncipes encantados ali presentes correu a acudi-la.

— Que foi? Que foi, princesa?

E ela aflitíssima, torcendo as mãos:

— O meu sapatinho de cristal! Veja a que ficou reduzido — a cacos...

— Quem o moeu assim? — indagou o príncipe já com a mão na espada.

A Gata Borralheira apontou para o mostrengo que andava desajeitadamente, com uns pés esparramados, como os de Carlitos.

— Foi aquele bruto!

— E quem é ele? — indagou o príncipe, que nunca vira no Mundo da Fábula um semelhante estupor.

— Pois é o tal Pé Espalhado, invenção da Emília, — informou a Borralheira. — Ela tem a mania dos pés. Antigamente andou às voltas com um "Pé de Vento". Agora inventou esse "Pé Espalhado"...

Nesse momento, Branca de Neve subiu a uma cadeira e bateu palmas.

— Ordem! Ordem! Tenho a honra de avisar aos meus amáveis convivas que a grande novidade da noite vai ser agora. O Tapete Mágico acaba de chegar com seis fadas! É a primeira vez que em nossas festas as fadas nos dão a honra de comparecer.

Fez-se profundo silêncio. Todos se voltaram para a direção que Branca, em cima da cadeira, apontava. E as fadas entraram...

Que maravilhosas criaturas! Pareciam sonhos vivos. Porque as fadas são para o mundo como é o perfume para a flor, como é o sabor para a fruta.

Entraram em grupo, de mãos dadas, sorrindo. O andar delas tinha uma leveza de pluma. Vinham como que pairando no chão, como as aves pairam no céu. E como eram só fadas boas, não havia uma que não fosse de incomparável beleza.

Peter Pan firmou a vista e reconheceu uma delas.

— Sininho! Sininho!...

E a fada Sininho, que fazia parte do grupo e era a mesma que o salvara do veneno dos piratas, saiu do grupo e foi beijar o valente garoto...

Nesse momento, o Gato de Botas, já sem botas, sem chapéu de plumas, sem casaco de veludo, só de calções, reapareceu no recinto da festa, vindo lá da escuridão do pomar. Sempre em perseguição do ratinho — e já estava pega-não-pega.

— Pega! Pega! — gritaram muitas vezes.

— Não pega! — berrou Branca furiosa — e tomando o outro pé de sapato da Borralheira, espatifou-o no focinho do Gato, dizendo:

— Sem educação! Outra festa que eu dê, boto aqui um cachorro para manter a ordem e impedir escândalos de gatos. E ponha-se daqui para fora, seu malcriado! Já já!...

Enquanto no pomar de Dona Benta se desenrolavam estas cenas, lá na casa todos dormiam a sono solto. E sonhavam. E em sonhos Narizinho se queixava para Emília: "Que pena os personagens das Fábulas terem se esquecido de nós! há quanto tempo não aparecem?...".

A REINAÇÃO ATÔMICA

Narizinho e Dona Benta, na cozinha, ajudavam Tia Nastácia a "pelar vagens". Em certo momento a menina disse:

— Por que estas burrinhas hão de ter estes fios, vovó? Só para dar trabalho às cozinheiras.

Dona Benta respondeu:

— Quando a Natureza fez as vagens, não pensou nas cozinheiras; nem havia cozinheiras naquele tempo, nem gente no mundo, nem fogo, nem animal nenhum — só vegetais.

— E para que fez a Natureza as vagens?

— Tão fácil perceber, minha filha! Para abrigar as sementes. Note que cada planta inventou um jeito de cuidar de suas sementes e defendê-las. Repare que berço macio é uma vagem para. as sementinhas tenras que dormem lá dentro.

A menina havia aberto uma e examinava os sete grãozinhos de feijão muito tenros e dum lindo verde envernizado que havia dentro. Tirou um e mordeu-o. "Adocicado, vovó, mas dum gosto meio enjoadinho."

Depois, mudando de assunto:

— Quem anda enjoada mesmo é a Emília, vovó, e até penso que está com qualquer coisa, alguma doença.

— Doença? Por quê?

— Não sei. Até o cabelo anda perdendo. Volta e meia cai um fio, e não me admirarei se tivermos uma carequinha aqui no sítio... E, por falar: por que é que só há homens carecas, mulher nenhuma? Será que as mulheres não ficam calvas ou...

— Ou, minha filha! Deve haver tantas carecas entre as mulheres como entre os homens, mas os homens têm a coragem das suas carecas e as mulheres não. Escondem-nas por meio de cabeleiras postiças, o que é muito fácil. Creio que jamais houve no mundo uma mulher calva que tivesse a coragem de exibir em público a sua careca, como faz o doutor Osmundo, que até parece ter gosto em mostrar o seu formidável queijo do reino.

— É mesmo, vovó. Ele tira do bolso o lenço e passa-o naquela calva lustrosa e cor-de-rosa, como Tia Nastácia passa um pano na vidraça. Mas se Emília ficar totalmente careca, que gracinha, hein, vovó?

— Eu terei de lhe arranjar uma cabeleira, ou chinó, como se dizia no meu tempo. Mas donde virá essa queda de cabelo da Emília? Não é coisa natural. Com certeza alguma reinação lá no laboratório do Visconde, com aquelas drogas.

Nesse momento Tia Nastácia apareceu para levar as vagens já peladas e ninguém mais falou dos cabelos da Emília. Mas Dona Benta ficou parafusando no caso, e logo depois foi ter ao laboratório do Visconde, que estava entretido na fabricação do pó de pirlimpimpim.

— Escute, Visconde. Emília, segundo diz Narizinho, anda a perder os cabelos, o que não é natural. Desconfio que é arte de alguma droga aqui deste seu laboratório. Que acha?

O sabuguinho científico segurou o queixo, franziu a testa e pensou. Depois disse:

— Não sei de droga nenhuma aqui com o poder de afetar os cabelos humanos, mas ando desconfiado de uma coisa...

— Que coisa?

— Não posso dizer ainda. Tenho de concluir uma investigação que estou fazendo. Há dias dei balanço em meu estoque de Pim e Super-Pim (era como o Visconde chamava o pó de pirlimpimpim e o Super-pó que ele havia inventado) e notei a falta de duas pitadas. Quer dizer que alguém entrou aqui e as furtou. Para quê? Para usá-las, evidentemente. Donde concluo que alguém desta casa utilizou o Pim para alguma aventura, sem que os outros soubessem. Ora, que alguém era capaz de fazer isso, senão a Emília?

— Muito bem deduzido, Visconde, — aprovou Dona Benta. — Creio igualmente que só aquela diabinha poderia ter a coragem de usar o pó escondida de nós.

— Sim. Ninguém me tira que ela usou o Pim para ir a alguma parte misteriosa, onde sofreu o choque que a está fazendo perder os cabelos. Hei de descobrir tudo. Estou aplicando no caso os métodos do detetivismo psicológico e hei de caçá-la.

— Em que consistem esses métodos, Visconde?

— Em ir apertando a pessoa suspeita, apertando, até que ela não tenha mais remédio e conte tudo espontaneamente.

Dona Benta achou muita graça no sabuguinho e disse para fecho do assunto:

— Pois continue na investigação e me dê parte do que houver. Preciso saber o que se passa nesta casa.

A partir desse dia o Visconde amiudou as suas conversas com Emília, sempre com o intuito de "caçá-la". A primeira foi assim:

— Dona Benta me contou que vamos ter cá no sitio uma pessoa calva. Será certo?

Emília encarou-o firme e desconfiada; depois disse com naturalidade: — Pode ser. Meu cabelo está caindo. Se continuar...

— E a que atribui isso?

— Não sei. Talvez eu comesse alguma coisa que faz mal aos cabelos...

Conversaram longamente, essa e outras vezes, mas sem resultado para o detetive. Dias depois, entretanto, o Visconde ficou de pulga atrás da orelha em virtude do interesse da ex-boneca pela física atômica. Isso foi depois do lançamento da bomba atômica sobre a ilha de Bikini, feito pelos americanos. Emília não largava do assunto, mas o seu interesse não era pela força destruidora das bombas, sim pelos efeitos das emanações sobre os seres vivos. A experiência havia mostrado que depois da explosão ficava a terra carregadíssima de radioatividade, e essa radioatividade exercia misteriosos efeitos nos seres vivos. Os sábios andavam a estudar esses efeitos. A preocupação de Emília era saber que efeitos as radiações produziam ou podiam produzir.

Essa preocupação da ex-boneca forçou o Visconde a estudar muito e a pedir a Dona Benta que lhe comprasse revistas científicas americanas; chegou mesmo a escrever a vários sábios, entre elas Alberto Einstein e o professor Millikan.

Um dia um raio de luz lhe entrou na cabecinha. Quem sabe se as emanações da ilha de Bikini, revolvida pela bomba atômica, tinham efeito sobre os cabelos humanos, a ponto de os fazer cair? E o Visconde se pôs em correspondência com o doutor Galipoli, que andava lá pelos cafundós estudando o mesmo assunto. Esse cientista tinha em observação cinco casos de pessoas imprudentes que haviam penetrado nas ruínas de Bikini e estavam perdendo os cabelos.

O Visconde esfregou as mãos ao ler a carta do doutor Galipoli que dizia isso, e tratou de saber em quanto tempo, depois de terem estado nas ruínas, aquelas pessoas começaram a perder os cabelos. A resposta foi: "Três meses".

O "sabinho" pensou, pensou — deduziu, deduziu... Depois foi ter com a ex-boneca.

— Emília, há quanto tempo seu cabelo começou a cair?

— Três meses.

Recorrendo à memória, o Visconde lembrou-se de que fora exatamente três meses atrás que havia pilhado Emília saindo de seu laboratório com qualquer coisa na mão — um embrulhinho de papel. Naquela ocasião não dera nenhuma importância ao caso, mas agora estava dando. E já com uma ideia na cabeça, preparou um golpe que a "caçasse". Puxou o assunto das bombas atômicas e disse:

— Para mim, a explosão da bomba atômica em Bikini foi um fracasso. Fez muito menos estragos do que a lançada sobre Hiroshima.

— Com que base diz isso, Visconde? — perguntou Emília.

— No que tenho lido e visto nas fotografias.

— Pois penso o contrário. Acho que em Bikini o arrasamento foi completo; só que como não havia cidade ali, a destruição foi menos espetacular.

O Visconde piscou lá por dentro e disse:

— Eu queria muito saber como ficaram os troncos das palmeiras com o choque da explosão. As fotografias, muito reduzidas, não me permitem fazer uma ideia.

Emília distraiu-se e:

— Ficaram esfiapadas, assim como aquela ripa que naquele dia o Guiné Carapina quebrou no joelho e jogou ali fora, e Narizinho caiu em cima e arranhou-se toda no joelho.

O Visconde encarou-a com ar firme.

— Emília, Emília! Como é que sabe disso? Como é que sabe com tanta precisão como ficaram as palmeiras da ilha de Bikini depois da explosão da bomba atômica?

Emília caiu em si e atrapalhou-se. Mesmo assim respondeu com a sua habitual esperteza:

— Sei por adivinhação, ou por dedução, como dizem vocês sábios.

Mas o sabuguinho não se deixou embrulhar.

— Adivinhação uma ova! Sabe por que esteve lá!

Pegada de surpresa, a ex-boneca vacilou. A afirmação do Visconde era das mais categóricas, e ele insistiu:

— Esteve lá, sim! E posso dizer mais: esteve lá há três meses, logo depois que entrou na ponta dos pés em meu laboratório e furtou duas pitadas de Pim, uma para ir até à ilha de Bikini e outra para voltar. Foi ou não foi assim, senhora Marquesa de Rabicó?

Emília cruzou os braços, empinou o queixinho e respondeu com a dignidade de uma verdadeira marquesa do tempo de Luiz XIV:

— Foi — e agora? Estive lá na ilha de Bikini — e agora? Quis ver os estragos da bomba atômica — e agora?

Meneando a cabeça, o Visconde respondeu com a superioridade de sempre.

— Agora, senhora Marquesa de Rabicó, vai ficar careca, sabe? Vai ficar mais careca que o doutor Osmundo, sabe? O castigo de me haver furtado as pitadas do Pim vai ser esse, sabe?

Emília arregalou os olhos e esteve uns instantes como que fulminada por um raio. O Visconde, que tinha velhas contas a justar, aproveitou-se da situação. Insistiu:

— Careca como o doutor Osmundo! Mais ainda: careca como o ovo de cerzir meias de Dona Benta!

Emília perdeu a compostura, fez cara de choro — ela que nunca havia chorado! E correu à cozinha em busca de Tia Nastácia, à qual contou tudo, entre soluços, querendo saber se não havia remédio.

A negra riu-se, riu-se, e gozou de ver a invencível Emília abatida, chorosa, largada em seu colo, a fungar, no horror de ficar careca. Mas teve dó dela e consolou-a.

— Não tenha medo, bobinha. Eu dou um arranjo nisso. Tio Barnabé tem um remédio para cabelo, tão bom, tão bom, que até faz nascer cabeleira em ovo de galinha. Arranjo com ele uma dose, e deixo essa cabecinha com uma cabeleira que nem a de Sansão.

Emília, fungou, fungou e afinal se consolou. Minutos depois estava no pomar ajudando Pedrinho a consertar a gaiola do curió.

As ninfas de Emília

Quando, na sua viagem à Grécia, Emília teve notícia da existência de ninfas, dríades e hamadríades nos bosques, sua primeira ideia foi: "E se eu fizesse no sítio uma criação de ninfas? Temos lá borboletas azuis, temos uma quantidade de passarinhos e aves que piam, como o inambu e o uru — mas zero ninfas. Vou ver se a deusa Flora me cede algumas".

Isso foi daquela vez em que Pedrinho, Emília e o Visconde desceram juntos à Grécia Antiga para acompanhar Hércules em seus Doze Trabalhos.[8] Entre certo trabalho e outro, Emília e o Visconde aproveitaram o descanso para uma chegadinha ao reino da deusa Flora. Como havia ninfas por lá! Volta e meia perpassava uma, leve como bolha de sabão com forma humana — forma esvoaçante. "As ninfas

---

8 Os Doze Trabalhos de Hércules.

não andam como nós" observou Emília. Elas deslizam. Parece que não têm peso nenhum. E que diferença há entre dríade e hamadríade?"

O Visconde explicou que dríade era a ninfa de uma certa árvore, que vivia sempre ali em redor dela; e hamadríade era também uma ninfa dessa árvore, mas que vivia dentro do tronco.

— De castigo?

— Não. Como uma alma. Nossa alma não vive dentro do corpo?

Emília achou que a Natureza andava errada naquilo de prender ninfas dentro dos troncos, "porque há de ser uma tortura horrenda isso de viver entalado, sem o menor movimentozinho — nem piscar o olho. Vou pedir a Hércules para fender todas essas árvores e soltar as pobres hamadríades...".

— Acha que estas ninfas daqui poderão acostumar-se no sítio de Dona Benta?

— Tudo é possível. Só experimentando.

— Pois vou experimentar, — resolveu Emília. — Vou ver se Flora me cede um lote aí de meia dúzia. Ela vai receber-nos em seu palácio hoje à tarde. Assim que houver um jeitinho, eu proponho o negócio.

— Que negócio?

— A troca de seis ninfas por qualquer coisa.

— Que coisa? — quis saber o Visconde, já meio desconfiado que a "qualquer coisa" fosse ele, como acontecera lá no Oráculo de Delfos.[9]

— Não sei ainda. Na hora verei.

À tarde houve a recepção e Emília soube responder muito bem às perguntas da deusa.

— Quem é a rainha lá do reino de vocês? — quis saber a deusa e Emília com todo o serelepismo: "Sua Majestade Dona Benta I", e foi contando mil coisas do "Reino" do Pica-Pau Amarelo, metade verdade, metade invenção.

— E quem é este senhor tão sério que a acompanha? —indagou a deusa, dando um piparote na cartola do Visconde.

— É um velho carregador da minha canastrinha. E um grande sábio também. Não há o que ele não saiba — até logaritmos.

A deusa Flora ignorava o que fossem logaritmos e quis saber, mas Emília (que também não sabia) embrulhou-a, fazendo uma tal mistura com mangaritos, que deixou a deusa atrapalhada. Em seguida propôs o negócio da compra de seis ninfas.

Flora surpreendeu-se. Pela primeira vez propunham-lhe um negócio daquela ordem. Compra de seis ninfas! Era boa...

— E com que moeda me paga esse lote de ninfas? —perguntou — e com muita surpresa viu Emília piscar e com um movimento de lábios indicar o Visconde. Seria possível que ela usasse o seu carregador de canastra como moeda?

Só naquele momento Flora prestou atenção no Visconde. Botou-o no colo, examinou-o. Fê-lo falar e por fim disse: "É o mais maravilhoso boneco de engonço que ainda vi. Quem o fez?".

— Não é boneco, deusa! — explicou Emília. — É personagem.

Flora não apanhou lá muito bem a diferença e estiveram uns minutos debatendo o assunto. Por fim disse:

---

9   O Minotauro.

— Seja boneco ou personagem, acho-o muito engraçadinho. Faço o negócio. Troco-o por seis ninfas. Só não sei como fazer chegar essas ninfas ao tal Pica-Pau...

— Isso não me preocupa, — respondeu Emília. — Tenho uma boa dose do Pim aqui no bolso, — e sacando um canudinho de taquara, tapado com um batoque de pau — obra do canivete de Pedrinho, explicou as maravilhas do Pim, deixando a deusa de boca aberta. Apesar de deusa, Flora sentiu inveja daquela criaturinha humana, possuidora de semelhante talismã. Seria humana ou alguma deusa também? Deusa de algum outro mundo? E começou a olhar para Emília com respeito e certo medinho.

Mas iria Emília realmente trocar as ninfas pelo Visconde, um velho amigo seu? Não! Jamais semelhante coisa lhe passara pela cabeça. A ideia de Emília era fazer o negócio e entregar um Visconde "imitação", feito por Tia Nastácia — ou um fac-símile. E combinou com a deusa: "Agora nós vamos com o lote de ninfas, depois o Visconde vem sozinho".

— Por que já não o deixa aqui? — perguntou a deusa.

— Porque ele tem de arrumar os seus logaritmos e dizer adeus aos parentes.

— Que parentes têm?

— As palhas e os grãos de milho que há lá no reino. Tem também de despedir-se dos fubás, das maizenas, das canjicas, das pamonhas, dos curaus...

A deusa Flora admirou-se duma figurinha como o Visconde ter uma parentela tão grande...

Tudo combinado operou-se a partida. Flora convocou todas as ninfas de seu Reino e passou-as em revista, levando Emília pela mão para que escolhesse as seis. O trato fora de seis ninfas "escolhidas". Afim de que as ninfas escolhidas não desconfiassem, quando ela gostava de uma dizia para a deusa na língua do P:

— Espestapa! (Esta)

A deusa entendia, mas a ninfa não — e saindo da fila vinha colocar-se ao lado do trono. Quando se completou o grupo das seis, Emília ofereceu a cada uma delas uma flor polvilhada com o pó de pirlimpimpim, dizendo:

— Se forem capazes, cheirem essas flores, todas ao mesmo tempo, mas sem espirrar — e as bobinhas, pensando que era um simples brinquedo (o brinquedo de cheirar e não espirrar), cheiraram as flores; enquanto Emília dizia: — Um, dois e TRÊS!...

Fiun!... Seis fiuns e lá se sumiram as ninfas, para irem reaparecer no pomar do Pica-Pau Amarelo, tontinhas, coitadas, e muito surpresas de se verem no meio de plantas desconhecidas — mangueiras, jabuticabeiras, pitangueiras, por entre as quais passeava — *ron, ron, ron* — um leitãozinho gordo, de fitinha na cauda, o senhor Marquês de Rabicó. E viram também um animal monstruoso, que elas desconheciam, conversando com um burro: Quindim de prosa com o Conselheiro. Assustaram-se as pobrezinhas, e quiseram voltar para o Reino de Flora — mas como?

Enquanto lá no pomar as seis ninfas se entreolhavam, sem saberem o que fazer, no Reino de Flora Emília cochichava ao ouvido da deusa:

— Não o deixo aqui porque o Visconde agora tem de me acompanhar até lá. A senhora bem sabe que uma menina como eu não pode fazer sozinha uma viagem tão longa.

— Que perigos há?

— É boa! Os perigos do ar, deusa! Corujas, morcegos...

— Mas jura que me devolve o Visconde? — insistiu Flora, sempre com medo de que Emília a lograsse.

— Juro pelo chifre do Quindim que amanhã sem falta a excelsa deusa Flora receberá aqui o senhor Visconde de Sabugosa, enviado lá do Reino de D. Benta I pela Marquesa de Rabicó.

— Quem é essa Marquesa?

— Esta sua criada!

— E Sabugosa é o nome do Visconde de cartola?

Emília respondeu que sim. Em seguida vieram os adeuses. Houve abraços e beijos, terminados os quais Emília deu uma pitada de pó ao Visconde e reservou outra para si. Cheiraram-nas ao mesmo tempo e *fiun!*... Sumiram-se os dois.

Assim que acordou lá no sítio, Emília correu em procura de Tia Nastácia. Encontrou-a fervendo pêssego salta-caroço para fazer uma pessegada.

— Depressa, Nastácia! Largue tudo e me arranje um Visconde fac-símile. Já, já...

— Que fogo é esse, diabinha? Parece que comeu brasa...

— É que fiz um negócio; comprei uma coisa e tenho que pagar com um Visconde igualzinho ao nosso, mas fac-símile.

— Que história é essa?

— Fac-símile quer dizer "de mentira". A deusa está esperando.

— Que deusa?

— Flora...

A única Flora que Nastácia conhecia era uma neta da Nhana Baracho, meninota levada, que certa vez lhe havia jogado uma laranja podre. Julgou que se tratasse dela e ficou resmungando:

— Deusa, aquela sapeca? Era o que faltava! A pestinha me fez aquilo, mas quem faz paga. Neste mundo, Deus que me perdoe, a gente não pode fazer isto de mal pros outros, porque, mais dia "menas" dia, paga mesmo. Me jogar uma laranja podre em cima! eu, uma velha!... Ela que espere que qualquer dia... Que é isso? Já aqui outra vez?

Era Emília que voltava do paiol com uma braçada de sabugo para que Tia Nastácia escolhesse um.

A negra não teve remédio. Escolheu um e fez um Visconde falso bastante igual ao verdadeiro. A cartolinha saiu muito mal feita, mas servia. Restava apenas escrever-lhe nas costas a palavra FAC-SÍMILE.

Por que isso? Porque Dona Benta tinha explicado certo dia que era um ato muito feio enganar os outros, impingindo uma coisa falsa por verdadeira. E que para evitar isso havia a palavra FAC-SÍMILE, destinada a ser impressa em tudo quanto fosse cópia de um original. Se eu duplico um objeto e marco a cópia com essa palavra posso vendê-la sem nenhuma dor de consciência, porque não estarei enganando ninguém. Se Emília entregasse à deusa Flora uma cópia do Visconde marcada com a palavra FAC-SÍMILE, ela não estaria enganando a deusa e Dona Benta nada poderia dizer.

E Emília escreveu em letra de forma nas costas do Visconde falso: FAC-SÍMILE, mas pintou uma coroinha em cima. Aí é que revelou a sua malícia. A coroinha era de Visconde de modo que a palavra "Fac-símile" deixou de significar "Cópia" e passou a significar um nome próprio o Visconde de Fac-Símile... Por ter sido boneca,

Emília considerava-se no direito de enganar aos outros, coisa que Pedrinho e Narizinho jamais fizeram.

Pronto o novo Visconde, tinha de levá-lo ao reino da deusa Flora e como era? O pó de pirlimpimpim resolveu o problema — e na manhã do dia seguinte Emília cheirou uma pitada e deu outra ao falso Visconde, e os dois foram acordar nos domínios da deusa.

Que maravilha! O reino estava acordando. As flores ainda orvalhadas entreabriam suas pétalas para o sol. As abelhas começavam a sair das colmeias. Os passarinhos experimentavam as asas. As teias de aranha, com os fios recamados de gotinhas de orvalho, tornavam-se invisíveis com a evaporação. O ar estava impregnado de perfumes fresquinhos.

Emília despertou ao pé do trono da deusa com o novo Visconde no braço. Flora desceu para recebê-los.

— Estou reconhecendo a figurinha que aqui esteve ontem e combinou comigo um negócio. Julguei que houvesse esquecido...

— Não me esqueci, não! — respondeu Emília já perfeitamente boa da tontura do Pim. — Combinamos a troca de seis ninfas pelo Visconde de Sabugosa, e aqui o trago, mas com o nome mudado. Chama-se agora Visconde Fac-Símile.

— Por que mudou? — quis saber a deusa.

— Porque descobriu que seus verdadeiros antepassados são os condes de Fac-Símile e não os marqueses de Sabugosa, como ele pensava — inventou Emília com o maior desplante, esperando que a pobre deusa não desconfiasse.

Mas dessa vez a esperteza de Emília não deu muito certo. Depois que ela se retirou, a deusa, desconfiada de qualquer maroteira, tratou de informar-se — além de que aquele Visconde não falava, não dava nenhum sinal de vida. E convencendo-se de que fora logrado ficou furiosíssima. Tão furiosa que chamou o vento Éolo e disse:

— Vá lá no tal Pica-Pau Amarelo e varra-me para cá as seis ninfas que aquela diabinha me surrupiou.

E Éolo foi e varreu o pomar como um tufão. Caiu manga verde como nunca, e todos os galhos que tinham broca vieram ao chão, e folhas só ficaram as novas e perfeitas. Mas Éolo não conseguiu arrancar de lá nem uma das seis ninfas.

— Por quê?

— Ah, porque Emília já estava lá e soube acudir a tempo. Com medo de que Flora descobrisse a sua maroteira e procurasse vingar-se, ela havia dito às ninfas:

— Olhem aqui: vocês são novas neste reino do Pica-Pau e correm muitos perigos. O melhor é ficarem uns tempos como hamadríades, dentro do tronco das árvores. Quando já não houver perigo de coisa nenhuma, eu as solto.

As seis ninfas, que estavam com frio (porque era mês de junho), aceitaram a ideia e permitiram que Emília, depois de com o machado faz de conta abrir as seis maiores árvores do pomar, as encerrasse lá dentro, promovidas a hamadríades. De modo que quando Éolo chegou e sacudiu o pomar com a força do tufão, varreu quanta coisa frágil havia — mas não tocou nas ninfas... não pôde levar para a deusa Flora ninfa nenhuma, porque já não havia ninfa nenhuma no pomar do Pica-Pau Amarelo. Só havia hamadríades, muito bem escondidas dentro do tronco das maiores árvores e à prova de quanto vento há no mundo...

Este caso das ninfas foi uma das mais belas vitórias de Emília.

O CENTAURINHO

O fato mais importante daquele ano foi a trazida de um centaurinho para o mundo moderno. Toda gente sabia o que era centauro: um ser metade homem, metade cavalo. E não havia quem não tivesse visto uma pintura qualquer de centauro. Mas centauro de verdade nunca ninguém vira nenhum — nem seco ou empalhado nos museus. E vai, senão quando, que é que aparece no sítio de Dona Benta, em companhia de Pedrinho, Emília e do Visconde de Sabugosa, quando voltaram da Grécia Antiga depois das famosas doze façanhas de Hércules? Um centauro vivo, o centaurinho Meioameio, nome com que Emília batizou o potro de centauro que Hércules havia capturado nos campos da Argólida. Era um bichinho selvagem que rapidamente se educou, e quando os três pica-pauenses voltaram para o sítio, ele veio também — por gosto, não à força.

A volta da Grécia foi feita por meio do pó de pirlimpimpim, cujo funcionamento todas as crianças conhecem. Basta aspirar uma pitada, ouve-se um *"fiun!"* e pronto! Está chegado. Assim foi daquela vez. Pedrinho deu uma pitada de pó a cada um, todos a aspiraram ao mesmo tempo... e pronto, estavam chegados ao Sítio do Pica-Pau Amarelo.

Quando Pedrinho voltou a si e se sentou, viu logo adiante um grupo formado por Dona Benta, Tia Nastácia e Narizinho, todas de mãos na cintura, em redor duma "coisa" estirada no chão e ainda profundamente adormecida: o centaurinho.

— Não estou entendendo nada, — dizia a negra. — Minha vista não é boa, mas o que eu vejo é uma mistura de cavalo e cavaleiro. Parece que os dois caíram, e o cavalo escondeu as pernas do cavaleiro e o cavaleiro escondeu a cabeça do cavalo...

Dona Benta, que também tinha a vista fraca, achava que talvez fosse isso, mas Narizinho deu uma risada.

— Aqui não há cavalo nem cavaleiro nenhum bobas. O que há é um centauro. Veja bem, vovó. O lombo, as quatro pernas e a cauda são de cavalo; mas em vez de pescoço e cabeça temos aqui (e mostrava com o dedo) um torso de homem do umbigo para cima — e uma cabeça com uma carinha linda. Trata-se, portanto de um centauro ainda menino, ou ainda potrinho...

Ao ouvir aquilo, Tia Nastácia benzeu-se três vezes com a mão esquerda, murmurando o seu famoso "Credo!".

— E Sinhá deixa que este bicho sem propósito acorde e fique morando aqui no sítio?

— Não sei, Nastácia. Isso depende de Pedrinho — que lá vem e bem acordado.

Pedrinho, que havia caído a uns cem passos de Meioameio, vinha vindo a correr. Abraçou Dona Benta, abraçou Narizinho e disse: "Não tenham medo, é mansíssimo, e o mesmo que um irmão meu".

— E chama-se Meioameio, nome que eu dei, — xereteou Emília, que também já despertara e viera correndo. — Mansíssimo! No começo, quando Lelé o pegou...

— Que Lelé é esse, Emília? — interrompeu Dona Benta.

— Hércules. No começo, quando Lelé o pegou com a bolandeira num bando de centauros que passavam no galope, eu queria que a senhora visse como o coitadinho se debateu! Mas amansou logo, porque é inteligentíssimo e compreende tudo.

Nesse momento Meioameio deu o primeiro sinal de si: estava acordando. Abriu um olho, depois o outro. Sentou-se nas patas traseiras — e ao dar com Pedrinho riu-se.

Pedrinho fez as apresentações. "Esta aqui é a vovó, Dona Benta de Oliveira; e esta é a célebre Narizinho de quem tanto falei lá na Grécia. E esta pretidão é a famosa Tia Nastácia, que já esteve morando uns tempos no labirinto do Minotauro, lá na ilha de Creta."

E voltando-se para Dona Benta e Narizinho:

— Ele sabe tudo a respeito da vida aqui no sítio, porque nas nossas viagens (que eu fazia montado nele), a distração minha e o gosto de Meioameio eram a nossa vida aqui e as aventuras do Pim. Está tão afiado nas nossas aventuras que até aguenta um exame. Pergunte-lhe alguma coisa, Narizinho, para ver.

A menina perguntou: "Que foi que encontramos chorando na Via Láctea, na nossa viagem ao céu?".

— Um anjinho de asa quebrada, que depois recebeu de Emília o nome de Florzinha das Alturas, — respondeu Meio a meio com a maior segurança e prontidão.

Apesar da estranheza que era a presença de um centauro no sítio de Dona Benta, uma semana depois já estavam tão familiarizados com ele como se ali tivesse nascido e vivido a vida inteira.

— E em que língua se entendiam?

— Ora, na "língua da Emília", que era a "língua geral" de todos ali — o rinoceronte, a vaca mocha. A "língua da Emília" era uma mistura de português, castelhano, gíria, expressões inglesas como "All right", "Okay" e "Mind your business" (cuide do seu nariz) tudo misturado com caretas, micagens e gestos de todos os tipos, pinotes, botamentos de língua, espirros e até pontapés. A palavra "atenção", por exemplo, fora substituída por um pontapé na canela. Era tão expressiva a "língua da Emília", que um filólogo inglês, que pousou uma noite no Pica-Pau Amarelo, disse mais tarde a Bernard Shaw: "A língua universal, com que há tanto tempo a humanidade sonha, não é em nenhuma universidade que se está formando, e sim no maravilhoso sítio de Dona Benta" — e consta que Bernard Shaw tomou a seguinte nota em sua carteira: "Descobrir Emília e conversar com ela".

O que foi a vida de Meioameio no sítio de Dona Benta requer para ser contado um livro de 300 páginas, e talvez um dia apareça com o título: "Um Centauro no Mundo Moderno"; hoje vamos apenas narrar um casinho interessante que aconteceu.

Havendo o Visconde de Sabugosa entrado para a Academia Brasileira de Letras, Dona Benta fez questão de ir ao Rio, com todo o pessoal do sítio, a fim de assistir à cerimônia da posse. A eleição do Visconde correra muito barulhenta graças à oposição dos "imortais" que não tinham em casa filhos crianças e, portanto, ignoravam quem fosse o tal "sabugo cientifico". Emília, empenhadíssima na vitória do Visconde, teve de desenvolver uma atividade prodigiosa na remessa de leitões assados, cestas de jabuticabas, linguiças de lombo, farinha-de-milho de beijuzinho, quartos de paca, pencas de codornas e perdizes — e até de cambadas de lambaris do rabo vermelho (com algumas pirapitingas entremeadas) a fim de conseguir votos. "É pela boca que se pega o 'imortal', dizia ela.

O tal caso interessante aconteceu na viagem ao Rio e foi o seguinte. Ao embarcarem na Central, na estação mais próxima do Sítio do Pica-Pau, o chefe do trem deixou que entrassem todos, até o Quindim, mas barrou Meioameio. "Este não pode; é um passageiro não previsto no regulamento da estrada." O centauro não podia ir em vagão de passageiro porque não era integralmente homem; e não podia ir em vagão de animais, porque não era integralmente cavalo.

A trapalhada foi medonha. Dona Benta não podia seguir viagem só com os outros e deixar Meioameio largado ali na estação, rodeado de basbaques, como acontecia sempre que ele aparecia em público. Se ele não embarcava, os outros também não embarcariam; a solidariedade era perfeita — e como agir? A pobre senhora telegrafou para o diretor da Central, para o Presidente da República, para os Ministros de Estado, para o deputado Barreto Pinto e até para o Embaixador da Grécia (o centaurinho era de nacionalidade grega). Nada conseguiu. As leis do país opunham-se terminantemente a que Meioameio viajasse em carro de passageiro por não ser integralmente homem, e em carro de animais por não ser integralmente cavalo. E o caso podia até determinar a ruptura das relações diplomáticas entre o Brasil e a Grécia, se a luminosa sugestão de Emília não fosse aceita.

— Qual foi a luminosa sugestão da Emília?

— Cortar as plataformas de dois carros, um de passageiros, outro de animais, e unir esse dois carros formando um só. Meioameio, então, viajaria de pé no ponto de junção, com a parte-cavalo no carro de animais, e a parte-gente no carro de passageiros; e pagaria meia passagem como gente e meio frete como cavalo. Só assim pôde o centaurinho ser transportado de trem ao Rio de Janeiro sem que as leis e regulamentos da República dos Estados Unidos do Brasil fossem desrespeitados.

O Congresso Nacional chegou a votar uma moção de louvor a Emília pela inteligência com que salvou a Administração Pública dum terrível dilema: ou negar transporte a um passageiro ou infringir o regulamento duma estrada de ferro. Temos aqui apenas um dos inumeráveis casos que a presença do centaurinho Meioameio no mundo moderno determinou, e que serão contados num livro grande — se as crianças quiserem.

UMA PEQUENA FADA

Dona Benta e Narizinho foram à horta ver o Tio Barnabé plantar mudinhas de morango numa leira muito bem estercada.

— Não estão juntas demais, José? — perguntou Dona Benta, que não gostava de plantas muito juntas. O negro velho endireitou o corpo, botou as mãos na cintura e depois de correr os olhos pelas três carreiras de mudinhas já plantadas, disse:

— A mó que não, Sinhá. Como este ano eu botei "menas" esterco, a folharada vai ser menor; por isso juntei um tiquinho mais as mudas.

Dona Benta, que sempre teve muita confiança no Tio Barnabé, deixou que ele fizesse como entendia. Depois da visita à horta, ela e Narizinho foram ao pomar e sentaram-se no banco tosco que Pedrinho e o Visconde haviam feito junto ao tronco da pitangueira da Emília.

— Por onde andará aquela diabinha? indagou Dona Benta. De manhã passou por mim como um corisco e afundou no laboratório do Visconde. Andam tramando qualquer coisa.

Narizinho não disse nada; estava distraída, a espantar com uma palhinha um grupo de formigas ruivas que se tinham atracado a uma pobre minhoca. Sem interromper a "salvação", disse:

— Vovó: ando desconfiada de uma coisa...

— De que, minha filha?

— Ando cismando que Emília é uma fada que veio a este mundo sob forma de boneca e depois virou gente. Tudo em Emília são disfarces — até a vara de condão de todas as fadas.

— Não estou entendendo, minha filha, — disse Dona Benta, erguendo os óculos para a testa.

— Pois eu estou, e estou cada vez mais convencida de que o "faz-de-conta" de Emília é uma varinha de condão disfarçada. Que diferença há entre o "faz-de-conta" e uma vara mágica? Preste atenção nisso, vovó. Naquela aventura de Hércules com o javali do Erimanto, por exemplo. Hércules estava perdido. Quando o javali avançou contra ele com ímpeto de avalanche, o coitado só dispunha duma arma: as cinco flechas de ponta de bronze que tinha no carcás. A senhora sabe o que é carcás, não?

Dona Benta riu-se.

— Sei minha filha; é o canudo, ou recipiente, que os antigos arqueiros levavam à cintura para o transporte das setas. E você sabe o que é arqueiro?

Narizinho não sabia.

— É o flecheiro antigo — o homem, ou o soldado, armado de arco e flecha, nos tempos em que ainda não havia arma de fogo. A palavra arqueiro vem de arco, como espingardeiro vem de espingarda, carabineiro vem de carabina, etc. Mas continue a história. Hércules estava só com cinco setas no carcás...

— ... e todas "humanizadas", isto é, sem pontas. Em certa ocasião Emília deu de ter dó das vítimas de Hércules e "humanizou" todas as suas flechas, isto é, quebrou-lhes a ponta. De modo que quando o javali investiu contra Hércules e ele o recebeu com a clava e a clava rachou em vinte pedaços e o grande herói teve de recorrer às flechas, estaria irremediavelmente perdido se não fosse o "faz-de-conta" de Emília. O Visconde me contou tudo exatinho como foi. Assim que se viu sem a clava, Hércules deu tremendo salto para trás e botou uma flecha no arco e atirou. A flecha bateu no peito da fera, *plaf*, e caiu no chão, não entrou na carne. Hércules deu outro pulo para trás e desferiu segunda flecha — e foi a mesma coisa: a flecha bateu no javali e caiu no chão. Com quatro flechas aconteceu a mesma coisa, e só quando ele ia lançar a quinta e última flecha é que Emília recordou que havia "humanizado" todas as cinco e portanto o grande herói estava perdido, ali diante do mais feroz javali que ainda apareceu no mundo e sem nenhuma arma para enfrentá-lo, nem um canivete! Vê que situação horrível, vovó!

Dona Benta achou que realmente a situação de Hércules não era nada boa, e que a ex-boneca havia cometido uma grande imprudência. "Tudo neste mundo tem limites. Emília excedeu-se. Hei de fazer-lhe um sermãozinho sobre os perigos do excesso. E depois, que aconteceu?"

— Aconteceu que quando Hércules ia lançar a quinta e última flecha, Emília teve a sorte de lembrar-se da "humanização", e gritou, no instantinho em que a flecha ia escapando do arco: "Faz-de-conta que essa tem ponta!" e a flecha adquiriu ponta e matou o javali!... Não acha isso maravilhoso, vovó? Não acha que coisas assim só as fadas conseguem por meio de suas varas de condão?

Dona Benta franziu a testa, e ficou pensando; depois disse:

— Você tem razão, minha filha. Coisas assim só as fadas conseguem realizar. Não há dúvida...

— Logo, Emília é uma fada, vovó! Logo, o tal "faz-de-conta" que ela tanto usa é uma vara de condão disfarçada...

— Sim, uma vara verbal...

— ...porque as varas de condão podem ter todas as formas, e não só a de vara — pelo menos eu penso assim.

— E pensa muito bem, minha filha. A vara de condão de Aladino era uma lâmpada, a de certos mágicos é um anel, a dos sacis parece que é a carapucinha...

Calaram-se as duas. A minhoca já estava livre das formigas, mas continuava ali mesmo, a revolver-se em movimentos morosos. "Parece que está ferida", disse Narizinho. "Deve estar envenenada", observou Dona Benta. "Essas formiguinhas, quando mordem, injetam ácido fórmico. Para nós, gente, a dose de ácido fórmico duma picada de formiga não causa mais que um ardor na pele; mas para uma minhoca deve ser algo terrível, e com certeza mortal. Observe bem essa minhoca, Narizinho, para ver se ela morre."

Narizinho voltou ao assunto do "faz-de-conta" da Emília.

— E há ainda uma coisa, vovó, que me faz crer que Emília é uma fadinha disfarçada. Às vezes deita-se aqui debaixo desta árvore e fica horas lidando com um bichinho — paquinha, vaquinha, besouro e até lagarta. Conversa com eles como se fosse gente; entende tudo quanto dizem. Ora, isso é coisa de fada. Eu também brinco e falo com os insetos — mas eles não me entendem, nem eu entendo nada do que eles dizem. Emília entende tudo! Ela é fada, vovó, e eu estou começando a ter medo...

— Por que medo, minha filha? Emília nasceu aqui e aqui se desenvolveu, e hoje é a minha neta número 3. Não há razão nenhuma para termos medo dela.

— Tenho medo de que fique poderosa demais...

Estavam nesse ponto da conversa quando Emília apontou lá adiante; vinha arrastando o Visconde pelas barbas de milho. O pobre sábio resistia como cabrito levado para a feira.

— Que será aquilo? — murmurou Dona Benta. — Judiação, tratar o pobre Visconde assim...

Ao dar com Dona Benta e Narizinho sentadas na raiz da sua pitangueira, Emília largou das palhas do Visconde e este deixou de resistir à moda dos cabritos — e aproximaram-se os dois.

— Que é isso, Emília? Que judiação é essa, com o pobre Visconde?

Emília botou as mãos na cintura e, muito vermelha e empinadinha para trás, disse:

— Pois é este estupor que me está escondendo qualquer coisa. Cada vez que me aproximo do seu laboratório, fecha uma gaveta e disfarçadamente diz, "Olhe que nuvem bonita lá no céu, com forma de elefante!". Elefante é o nariz dele. E eu então resolvi trazê-lo perante a senhora para que se confesse. Como dona do sítio, a senhora não pode tolerar que alguém ande aqui com atitudes misteriosas.

Narizinho deu uma grande risada.

— Ora, Emília! Pois então uma criatura que possui uma verdadeira vara de condão, como é o "faz-de-conta", não consegue descobrir o que um pobre viscondinho anda fazendo?

— É que o meu "faz-de-conta" não anda funcionando muito bem agora. Parece que se desarranjou por dentro, como a bota de sete léguas de Polegar...

— E você quer que vovó arranque do Visconde a confissão do que ele está fazendo?

— Exatamente...

Dona Benta riu-se do caso e com o seu ar bonachão interpelou o sabugo.

— Vamos, Visconde, conte à Emília o que está fazendo, já que não está fazendo nada de mal. Se há no mundo uma criatura incapaz de fazer qualquer coisa de mal, é o Visconde de Sabugosa. Todos sabemos disso.

O Visconde não ofereceu nenhuma resistência; e com a maior naturalidade foi contando que havia descoberto o "Periscópio do Invisível" e que guardara segredo apenas por desejar fazer uma surpresa a todos.

— Que história de Periscópio do Invisível é essa, Visconde?

— Ah, é uma invenção deveras maravilhosa. Por meio do meu periscópio qualquer pessoa pode ver as mil coisas que há ou que se passam neste mundo e nossos olhos não vêm.

— É verdade mesmo, Visconde?

Dona Benta, apesar de afeita às maravilhas que se passavam em sua casa, não deixou de sentir um pequeno frio na espinha, quando o Visconde, um sábio incapaz de mentir, respondeu com voz firme: "É!". E voltando-se para sua neta disse:

— Você descobriu hoje uma fada aqui no sitio — e agora aparece-me um mágico...

— Fada aqui? — berrou Emília. — Narizinho descobriu alguma fada aqui? Duvido!... Duvido e não admito! Ela que venha com sua vara de condão, que eu...

— Que eu o quê, Emília?

— Que eu... Não digo. Ela que venha para ver! Fada aqui! Olhe o desaforo!...

Narizinho cochichou ao ouvido de Dona Benta: "Está vendo, vovó? Esse acesso de ciúme de Emília é prova absoluta de que ela é mesmo o que eu digo: uma fada, e das boas. Não quer saber de nenhuma rival por aqui."

Desde esse dia, Dona Benta passou a olhar para a ex-boneca com certo ar de desconfiança. Quem sabe se Emília não era realmente uma fada?

Conto argentino

Dia 5 de janeiro. Dona Dolores voltou do quintal com uma ruga de apreensão na testa. Seu marido, na sala de jantar, a ler os jornais, falou-lhe do programa das festas do dia seguinte. "Aqueles dois camelos do Zoológico vão desfilar pelas ruas com os Reis Magos. Estou vendo a surpresa da criançada..." Mas nem essa nota pitoresca desfez a ruga de Dona Dolores. O marido o notou e:

— Que cara é essa? Que há?

— Há que Panchito anda a revelar maus instintos. Outro dia quebrou um galho da macieira que plantei o ano passado e hoje, apesar das minhas recomendações, pilhei-o a descascar a pobre arvorezinha. É preciso castigá-lo.

Dom Francisco, homem de espírito filosófico, não tinha grande fé nos castigos à moda clássica e por isso sempre tomava a si a correção do menino; ponderou um momento com os olhos no forro, e:

— Ele que se vista para sair e venha ter comigo.

Dona Dolores estranhou a resolução, mas foi vestir o filho. Meia hora depois aparecia Panchito em sua roupa nova de marinheiro, gola branca e gorra com inscrição dourada: "Fragata Belgrano".

— Que é, papai? — indagou o menino em tom vagamente receoso. — Vai levar-me à cidade para o meu presente?

— Sim, meu filho.

Saíram. Na Rua Dom Francisco tomou um "coletivo", e depois outro, e por fim desceu na praça Lavalle, diante do teatro Colón. Entrou no parque com o menino pela mão.

— Já andou por aqui, Pancho?

— Creio que não, papai. Não me lembro.

— Pois quero apresentar a você duas velhas árvores que conheço desde pequenote. As árvores são como navios ancorados nos portos. Mas os navios depois de certo tempo levantam a âncora e saem mar afora, a correr mundo; já as árvores, onde nascem morrem; ficam toda a vida ancoradas pelo raizame no mesmo ponto, até que envelheçam e um dia um pé de vento as derrube. Veja. Todas estas árvores aqui nasceram e aqui vão morrer — menos uma. Uma há que nasceu muito longe de Buenos Aires, lá pelas fronteiras da Bolívia e se mudou para cá.

— Como se mudou, papai, se elas não levantam as raízes, como os navios levantam as âncoras?

— Foi mudada pequenina, quando ainda não era árvore e sim "muda" — e assim falando Dom Francisco levou Pancho a certo ponto do parque, onde se deteve diante de uma velha árvore estropiada. Escoras de madeira sustinham seus galhos já bastante pendidos para o chão. Em três galhos-mestres se subdividia o tronco, a menos de um metro do solo, dando a ideia de um W tosco; e na base do tronco havia largas manchas de cimento — o cimento com que a municipalidade vai tapando os ocos abertos pelo tempo nas velhas árvores dos parques.

— E há aqui um letreiro, papai, disse o menino apontando para um quadrado de tábua na ponta de um espeque.

FLOR DE CEIBO TRAIDA DE JUJUY
PLANTADA EN 1876 POR LA SOCIEDAD
DE FOMENTO DON TORQUATO DE
ALVEAR EL PRIMER INTENDENTE
DE BUENOS AIRES

— Em 1876? — exclamou o menino admirado. — Setenta e um anos que esta árvore veio parar aqui? A idade do vovô...

— Sim. Já está bem velha, e de há muito que teria desaparecido se não fossem os cuidados da municipalidade. Esses remendos nos ocos e essas escoras é que lhe permitem ir vivendo.

Panchito não tirava os olhos do velho ceibo enfeitado com algumas flores muito vermelhas nos ramos mais vivos. Tão velho e ainda gaiteiro.

— Parece bem perto do fim, papai. Eu se fosse a municipalidade, deixava-o cair e plantava um novo. Para que conservar velharias assim?

Dom Francisco riu-se da impaciência juvenil.

— Por essa teoria, meu filho, nós velhos, estaríamos condenados. Felizmente não é assim. Todos os seres têm o direito de viver suas vidas até ao fim. É nos velhos, como teu avô, que estão a experiência e a sabedoria da vida, e é nas velhas árvores, como este ceibo, que estão a beleza e a poesia dos parques. Se aparecesse por aqui um pintor com sua caixa de tintas, que árvore iria ele pintar: esta aqui, velhinha, ou aquela ali, tão nova que não terá mais de um ano de idade?

— Oh, esta papai! Aquela nem cara de árvore tem, parece ainda "muda". Não é pintável.

— Realmente. Ainda não tem nenhum pitoresco. Sabe o que quer dizer pitoresco?

Pancho vacilou.

— Quer dizer justamente a qualidade de ser pintável, como você disse. Os pintores andam pelo mundo à caça do pitoresco para o fixarem em seus quadros. Mas note que neste ceibo há algo mais que velhice, há história — essa curta história resumida no letreiro. Naquele tempo Buenos Aires, a imensa metrópole de hoje, não passava de uma cidade-menina...

Pancho voltou a pousar os olhos no letreiro.

— Será que esta árvore ainda se lembra de Jujuy, o lugar onde nasceu?

— Se tem boa memória, há de lembrar-se. O vovô, que já passou dos 70, não vive contando coisas da sua meninice?

Depois de bem visto e comentado aquele ceibo de Jujuy, Dom Francisco levou Pancho a outro ponto do parque, onde se erguia uma grande árvore muito diferente do ceibo, um "gomero". O tronco, logo ao sair da terra, se dividia em numerosos galhos irradiantes, alguns em posição quase horizontal. Em baixo, em plena sombra, uma série de bancos de pedra, num dos quais se sentaram.

— Que frescura! — exclamou Dom Francisco. — A sombra das árvores é uma das bênçãos da natureza. Depois de penosa caminhada, quando um viandante dá com uma sombra destas, sente uma felicidade das inesquecíveis.

Pancho tinha os olhos naquele tronco enorme, ao pé do qual havia uma laje com inscrição em chapa de bronze.

— É histórica também esta árvore, papai?

— Sim, a seu modo, — respondeu Dom Francisco, — pois tem a honra de abrigar uma inscrição famosa.

O menino leu:

— *Tu que passas e levantas contra mim teu braço, antes de fazer-me mal olha-me bem.*

Sou o calor de teu lar, nas longas e frias noites de inverno.

Sou a sombra amiga que te protege contra os rigores do sol.
Meus frutos saciam tua fome e acalmam tua sede.
Sou a viga que suporta o teto de tua casa; a tábua de que está feita a tua mesa; e a cama em que dormes e descansas.
Sou o cabo de teus instrumentos de trabalho e a porta de tua casa. Quando nasces, embala-te um berço feito de minha madeira, e quando morreres o teu ataúde o será também — e te acompanhará ao seio da terra.
Sou "pano de bondade" e flor de beleza.
Se me amas como mereço, defende-me dos insensatos.
Faz-me respeitar: sou a árvore.

— Que bonito papai! exclamou Pancho, sentindo pela primeira vez em sua vidinha de criança a misteriosa impressão da beleza pura. Quem escreveu isto?

— O maior educador das Américas. Seu nome está no fim da inscrição.

Panchito leu: Domingos Faustino Sarmiento.

— Não sei de palavras mais belas, meu filho, mas Sarmiento não disse tudo. A árvore é tudo isso e ainda muito mais.

— Mais, papai? — admirou-se o menino. — Que mais pode ser?

— Se Sarmiento voltasse ao mundo e fosse refazer sua inscrição poderia acrescentar o seguinte: "Sou também a condicionadora dos climas, a purificadora do ar atmosférico, o amparo contra os ventos, a defensora do solo contra as erosões. Sou a fonte da mais preciosa matéria prima da indústria moderna. Do meu lenho se faz o papel em que os poetas escrevem seus poemas e os sábios lançam a sua ciência. Sou a produtora duma substância mágica, a celulose, que os homens transformam em seda na paz e em explosivos na guerra. Também de mim se faz a matéria plástica com que se constroem os mais rápidos aviões e mil peças da civilização. Do alcatrão extraído do meu lenho saem os mais reluzentes vernizes — esses vernizes espelhantes que brilham nos automóveis. E ainda produzo um álcool que serve de substituta da gasolina para acionar esses maravilhosos veículos. Sou riqueza e poder...".

Panchito estava surpreso. Nunca supôs que da madeira das árvores pudesse sair tanta coisa. Seus olhos não se despegavam daquela grande massa de galhos e folhas que cobria de sombra as palavras de Sarmiento. Ele olhava para a velha árvore como para um milagre vivo e silencioso.

— Guarde as palavras de Sarmiento, meu filho. O melhor bronze para fixá-las não é o metálico, e sim, justamente, a memória fresca dum menino — esse bronze vivo. E nunca mais faça a uma árvore o que fez hoje aquela pobre macieirazinha lá de casa.

Panchito, apanhado de surpresa, corou vivamente. Mas defendeu-se.

— É que eu não sabia, papai. E o que fiz foi apenas arrancar uma parte da casca.

— Apenas? Não sabe então que é pela casca que as árvores vivem? Que é por dentro da casca que correm os canaisinhos por onde a seiva bebida no solo as alimenta? A nossa macieira descascada não crescerá — secará — breve estará reduzida a lenha. Se este grande gomero nos está dando sombra é porque nenhum menino lhe arrancou a casca quando novo.

Panchito ouvia com os olhos muito abertos e o olhar distante. Fizera aquilo porque não sabia. Seu pai não insistiu no caso. Desviou a conversa.

— Esta árvore viu muita coisa em sua vida, — disse ele. — Viu grandes cantoras que subiram aquelas escadas ali do Colón para arrebatar o público com a magia de sua voz. Viu Maria Barrientos descê-las depois do espetáculo, ainda tonta com os aplausos da sua noite de triunfo — e citou outras celebridades de seu tempo que conheceu naquele teatro famoso.

Depois mudou de assunto:

— Amanhã é dia de Reis, Pancho. Que presente quer ganhar? Escolha.

O menino pensou uns instantes, num esforço mental; depois explodiu, como tomado de súbita inspiração:

— Quero um vidro de cola bem forte, papai!

Dom Francisco estranhou a extravagância, mas respeitou a escolha. Ao sair do parque deteve-se numa papelaria e pediu um vidro de cola. Panchito, com os olhos muito brilhantes e contentes, guardou-o carinhosamente no bolso. Estava feliz.

De noite, quando se recolheram, Dona Dolores interpelou o marido.

— Que é que você disse a Pancho no passeio de hoje?

— Nada. Por quê?

— Encontrei-o no quintal, com um vidrinho de cola, grudando na macieira os pedaços de casca arrancados esta manhã. Esquisito...

Paradidáticos

EMÍLIA NO PAÍS DA GRAMÁTICA

Capítulo I
Uma ideia da Senhora Emília

Dona Benta, com aquela sua paciência de santa, estava ensinando gramática a Pedrinho. No começo Pedrinho resignou.

— Maçada, vovó. Basta que eu tenha de lidar com essa caceteação lá na escola. As férias que venho passar aqui são só para brinquedo. Não, não e não...

— Mas, meu filho, se você apenas recordar com sua avó o que anda aprendendo na escola, isso valerá muito para você mesmo, quando as aulas se reabrirem. Um bocadinho só, vamos! Meia hora por dia. Sobram ainda vinte e três horas e meia para os famosos brinquedos.

Pedrinho fez bico, mas afinal cedeu; e todos os dias vinha sentar-se diante de Dona Benta, de pernas cruzadas como um oriental, para ouvir explicações de gramática.

— Ah, assim, sim! — dizia ele. — Se meu professor ensinasse como a senhora, a tal gramática até virava brincadeira. Mas o homem obriga a gente a decorar uma porção de definições que ninguém entende. Ditongos, fonemas, gerúndio...

Emília habituou-se a vir assistir às lições, e ali ficava a piscar, distraída, como quem anda com uma grande ideia na cabeça. É que realmente andava com uma grande ideia na cabeça.

— Pedrinho, — disse ela um dia depois de terminada a lição, — por que, em vez de estarmos aqui a ouvir falar de gramática, não havemos de ir passear no País da Gramática?

O menino ficou tonto com a proposta.

— Que lembrança, Emília! Esse país não existe, nem nunca existiu. Gramática é um livro.

— Existe, sim. O rinoceronte[6], que é um sabidão, contou-me que existe. Podemos ir todos, montados nele. Topa?

Perguntar a Pedrinho se queria meter-se em nova aventura era o mesmo que perguntar a macaco se quer banana. Pedrinho aprovou a ideia com palmas e pinotes de alegria, e saiu correndo para convidar Narizinho e o Visconde de Sabugosa. Narizinho também bateu palmas — e se não deu pinotes foi porque estava na cozinha, de peneira ao colo, ajudando Tia Nastácia a escolher feijão.

— E onde fica esse país? — perguntou ela.

— Isso é lá com o rinoceronte — respondeu o menino. — Pelo que diz a Emília, esse paquiderme é um grandessíssimo gramático.

— Com aquele cascão todo?

— É exatamente o cascão gramatical, — asneirou Emília, que vinha entrando com o Visconde.

Os meninos fizeram todas as combinações necessárias, e no dia marcado partiram muito cedo, a cavalo no rinoceronte, o qual trotava um trote mais duro que a sua casca. Trotou, trotou e, depois de muito trotar, deu com eles numa região onde o ar chiava de modo estranho.

---

6   Este ilustre personagem aparece pela primeira vez no livro *Caçadas de Pedrinho*.

— Que zumbido será este? — indagou a menina. — Parece que andam voando por aqui milhões de vespas invisíveis.

— É que já entramos em terras do País da Gramática, — explicou o rinoceronte. — Estes zumbidos são os Sons Orais, que voam soltos no espaço.

— Não comece a falar difícil que nós ficamos na mesma — observou Emília. — Sons Orais, que pedantismo é esse?

— Som Oral quer dizer som produzido pela boca. A, E, I, O, U são Sons Orais, como dizem os senhores gramáticos.

— Pois diga logo que são letras! — gritou Emília.

— Mas não são letras! — protestou o rinoceronte. — Quando você diz A ou O, você está *produzindo* um som, não está *escrevendo* uma letra. Letras são sinaizinhos que os homens usam para *representar* esses sons. Primeiro há os Sons Orais; depois é que aparecem as letras, para marcar esses Sons Orais. Entendeu?

O ar continuava num zunzum cada vez maior. Os meninos pararam, muito atentos, a ouvir.

— Estou percebendo muitos sons que conheço, — disse Pedrinho, com a mão em concha ao ouvido.

— Todos os sons que andam zumbindo por aqui são velhos conhecidos seus, Pedrinho.

— Querem ver que é o tal alfabeto? — lembrou Narizinho. — E é mesmo!... Estou distinguindo todas as letras do alfabeto...

— Não, menina; você está apenas distinguindo todos os sons das letras do alfabeto — corrigiu o rinoceronte com uma pachorra igual à de Dona Benta. — Se você escrever cada um desses sons, então, sim; então surgem as letras do alfabeto.

— Que engraçado! — exclamou Pedrinho, sempre de mão em concha ao ouvido. — Estou também distinguindo todas as letras do alfabeto — o A, o C, o D, o X, o M...

O rinoceronte deu um suspiro.

— Mas chega de sons invisíveis, — gritou a menina. — Toca para diante. Quero entrar logo no tal País da Gramática.

— Nele já estamos, — disse o paquiderme. — Esse país principia justamente ali onde o ar começa a zumbir. Os sons espalhados pelo ar, e que são representados por letras, fundem-se logo adiante em Sílabas, e essas Sílabas formam **Palavras** — as tais palavras que constituem a população da cidade para onde vamos. Reparem que entre as letras há cinco que governam todas as outras. São as senhoras **Vogais** — cinco madamas emproadas e orgulhosíssimas, porque palavra nenhuma pode formar-se sem a presença delas. As demais letras *ajudam*; por si mesmas nada valem. Essas ajudantes são as **Consoantes** e, como a palavra está dizendo, só soam com uma Vogal adiante ou atrás. Pegue as dezoito consoantes do alfabeto e procure formar com elas uma palavra. Experimente Pedrinho.

Pedrinho experimentou de todos os jeitos, sem nada conseguir.

— Misture agora as consoantes com uma Vogal, com o A, por exemplo, e veja quantas palavras pode formar.

Pedrinho misturou o A com as dezoito consoantes e imediatamente viu que era possível formar um grande número de palavras.

Nisto dobraram uma curva do caminho e avistaram ao longe o casario duma cidade. Na mesma direção, mais para além, viam-se outras cidades do mesmo tipo.

— Que tantas cidades são aquelas, Quindim? — perguntou Emília.

Todos olharam para a boneca, franzindo a testa. Quindim? Não havia ali ninguém com semelhante nome.

— Quindim, — explicou Emília, — é o nome que resolvi botar no rinoceronte.

— Mas que relação há entre o nome Quindim, tão mimoso, e um paquiderme cascudo deste? — perguntou o menino, ainda surpreso.

— A mesma que há entre a sua pessoa, Pedrinho, e a palavra Pedro — isto é, nenhuma. Nome é nome; não precisa ter relação com o "nomado." Eu sou Emília, como podia ser Teodora, Inácia, Hilda ou Cunegundes. Quindim!... Como sempre fui a botadeira de nomes lá do sítio, resolvo batizar o rinoceronte assim — e pronto! Vamos, Quindim, explique-nos que cidades são aquelas.

O rinoceronte olhou, olhou e disse:

— São as cidades do País da Gramática. A que está mais perto chama-se PORTUGÁLIA, e é onde moram as palavras da língua portuguesa. Aquela bem lá adiante é ANGLÓPOLIS, a cidade das palavras inglesas.

— Que grande que é! — exclamou Narizinho.

— Anglópolis é a maior de todas, — disse Quindim. — Moram lá mais de quinhentas mil palavras.

— E PORTUGÁLIA, que população de palavras tem?

— Menos de metade — aí umas duzentas e tantas mil, contando tudo.

— E aquela, à esquerda?

— GALOPÓLIS, a cidade das palavras francesas. A outra é CASTELÓPOLIS, a cidade das palavras espanholas. A outra é ITALÓPOLIS, onde todas as palavras são italianas.

— E aquela, bem, bem, bem lá no fundo, toda escangalhada, com jeito de cemitério?

— São os escombros duma cidade que já foi muito importante — a cidade das palavras latinas; mas o mundo foi mudando e as palavras latinas emigraram dessa cidade velha para outras cidades novas que foram surgindo. Hoje, a cidade das palavras latinas está completamente morta. Não passa dum montão de velharias. Perto dela ficam as ruínas de outra cidade célebre do tempo antigo — a cidade das velhas palavras gregas. Também não passa agora dum montão de cacos veneráveis.

Puseram-se a caminho; à medida que se aproximavam da primeira cidade viram que os sons já não zumbiam soltos no ar, como antes, mas sim ligados entre si.

— Que mudança foi esta? — perguntou a menina.

— Os sons estão começando a juntar-se em **Sílabas**; depois as Sílabas descem e vão ocupar um bairro da cidade.

— E que quer dizer Sílabas? — perguntou a boneca.

— Quer dizer um grupinho de sons, um grupinho ajeitado; um grupinho de amigos que gostam de andar sempre juntos; o G, o R e o A, por exemplo, gostam de formar a Sílaba GRA, que entra em muitas palavras.

— GRAÇA, GRAVATA, GRAMATICAL... — exemplificou Pedrinho.

— Isso mesmo, — aprovou Quindim. — Também o M e o U gostam de formar a Sílaba MU, que entra em muitas palavras.

— MURO, MUDO, MUDANÇA... — sugeriu a menina.

— Isso mesmo — repetiu Quindim. — E reparem que em cada palavra há uma Sílaba mais emproada e importante que as outras pelo fato de ser a depositária do **Acento Tônico**. Essa Sílaba chama-se a **Tônica**.

— O mesmo nome da mãe de Pedrinho!... — observou Emília arregalando os olhos.

— Não, boba. Mamãe chama-se Tonica e o rinoceronte está falando em Sílaba TÔNICA. É muito diferente.

— Perfeitamente, — confirmou Quindim. — No nome de Dona Tonica a Sílaba Tônica é NI; e na palavra que eu disse a Sílaba Tônica é TO. E na palavra PEDRINHO, qual é a Tônica?

— DRI, — responderam todos a um tempo.

— Isso mesmo. Mas os senhores gramáticos são uns sujeitos amigos de nomenclaturas rebarbativas, dessas que deixam as crianças velhas antes do tempo. Por isso dividem as palavras em **Oxítonas**, **Paroxítonas** e **Proparoxítonas**, conforme trazem o Acento Tônico na *última Sílaba*, na *penúltima* ou na *antepenúltima*.

— Nossa Senhora! Que "luxo asiático"! — exclamou Emília. — Bastava dizer que o tal acento cai na última, na penúltima ou na antepenúltima. Dava na mesma e não enchia a cabeça da gente de tantos nomes feios. PROPAROXÍTONA! Só mesmo dando com um gato morto em cima até o rinoceronte miar...

— E há mais ainda, — disse Quindim. — As pobres palavras que têm a desgraça de ter o acento na antepenúltima sílaba, quando não são xingadas de PRO-PA-RO-XÍ-TO-NAS, são xingadas de **Esdrúxulas**. As palavras ÁSPERO, ESPÍRITO, RÍCINO, VARÍOLA etc., são ESDRÚXULAS.

— ES-DRÚ-XU-LAS! — repetiu Emília. — Eu pensei que ESDRÚXULO quisesse dizer esquisito.

— E pensou certo, — confirmou o rinoceronte. — Como na língua portuguesa as palavras com acento na antepenúltima não são muitas, elas formam uma esquisitice, e por isso são chamadas de ESDRÚXULAS.

E assim conversando, o bandinho chegou aos subúrbios da cidade habitada pelas palavras portuguesas e brasileiras.

Capítulo II
Portugália

Era uma cidade como todas as outras. A gente importante, morava no centro e a gente de baixa condição, ou decrépita, morava nos subúrbios. Os meninos entraram por um desses bairros pobres, chamado o Bairro do Refugo, e viram grande número de palavras muito velhas, bem corocas, que ficavam tomando sol à porta de seus casebres. Umas permaneciam imóveis, de cócoras, como os índios das fitas americanas; outras coçavam-se.

— Essas coitadas são bananeiras que já deram cacho, — explicou Quindim. — Ninguém as usa mais, salvo por fantasia e de longe em longe. Estão morrendo. Os gramáticos classificam essas palavras de **Arcaísmos**. Arcaico quer dizer coisa velha, caduca.

— Então, Dona Benta e Tia Nastácia são arcaísmos! — lembrou Emília.

— Mais respeito com vovó, Emília! Ao menos na cidade da língua tenha compostura, está entendendo? — protestou Narizinho.

O rinoceronte prosseguiu:

— As coitadas que ficam arcaicas são expulsas do centro da cidade e passam a morar aqui, até que morrem e sejam enterradas naquele cemitério, lá no alto do morro. Porque as palavras também nascem, crescem e morrem, como tudo mais.

Narizinho parou diante duma palavra muito velha, bem coroca, que estava catando pulgas históricas à porta dum casebre. Era a palavra BOFÉ.

— Então, como vai a senhora? — perguntou a menina, mirando-a de alto a baixo.

— Mal, muito mal, — respondeu a velha. — No tempo de dantes fui moça das mais faceiras e fiz o papel de ADVÉRBIO. Os homens gostavam de empregar-me sempre que queriam dizer EM VERDADE, FRANCAMENTE. Mas começaram a aparecer uns Advérbios novos, que caíram no goto das gentes e tomaram o meu lugar. Fui sendo esquecida. Por fim, tocaram-me lá do centro. "Já que está velha e inútil, que fica fazendo aqui?" — disseram-me. "Mude-se para os subúrbios dos Arcaísmos", e eu tive de mudar-me para cá.

— Por que não morre duma vez para ir descansar no cemitério? — perguntou Emília com todo o estabanamento.

— É que de quando em quando ainda sirvo aos homens. Existem certos sujeitos que, por esporte, gostam de escrever à moda antiga; e quando um deles se mete a fazer romance histórico, ou conto em estilo do século XV, ainda me chama para figurar nos diálogos, em vez do tal FRANCAMENTE que tomou o meu lugar.

— Aqui o nosso Visconde pela-se por coisas antigas, — disse a menina. — Conte-lhe toda a sua vida, desde que nasceu.

O Visconde sentou-se ao lado da palavra BOFÉ e ferrou na prosa, enquanto Narizinho ia conversar com outra palavra ainda mais coroca.

— E a senhora, quem é? — perguntou-lhe.

— Sou a palavra OGANO.

— OGANO? Que quer dizer isso?

— Nem queira saber menina! Sou uma palavra que já perdeu até a memória da vida passada. Apenas me lembro que vim do latim HOC ANNO, que significa ESTE ANO. Entrei nesta cidade quando só havia uns começos de rua, os homens desse tempo usavam-me para dizer ESTE ANO. Depois fui sendo esquecida, e hoje ninguém se lembra de mim. A Senhora BOFÉ é mais feliz; os escrevedores de romances históricos ainda a chamam de longe em longe. Mas a mim ninguém, absolutamente ninguém, me chama. Já sou mais que Arcaísmo; sou simplesmente uma palavra morta...

Narizinho ia dizer-lhe uma frase de consolação quando foi interrompida por um bando de palavras jovens, que vinham fazendo grande barulho.

— Essas que aí vêm são o oposto dos Arcaísmos — disse Quindim. — São os **Neologismos**, isto é, palavras novíssimas, recém-saídas da forma.

— E moram também nestes subúrbios de velhas?

— Em matéria de palavras a muita mocidade é tão defeito como a muita velhice. O Neologismo tem que envelhecer um bocado antes que receba autorização para residir no centro da cidade. Estes cá andam em prova. Se resistirem, se não morrerem de sarampo ou coqueluche e se os homens virem que eles prestam bons serviços, então igualam-se a todas as outras palavras da língua e podem morar nos bairros decentes. Enquanto isso ficam soltos pela cidade, como vagabundos, ora aqui, ora ali.

Estavam naquele grupo de Neologismos diversos que os meninos já conheciam, como CHUTAR, que é dar um pontapé; BILONTRA, que quer dizer um malandro elegante; ENCRENCA, que significa embrulhada, mixórdia, coisa difícil de resolver.

— Outro dia vovó disse que esta palavra Encrenca é a mais expressiva e útil que ela conhece, de todas que nasceram no Brasil, — lembrou Pedrinho.

Depois que os Neologismos acabaram de passar, os meninos dirigiram-se a uma praça muito maltratada, cheia de capim, sem calçamento nem polícia, onde brincavam bandos de peraltas endiabrados.

— Que molecada é esta? — perguntou a menina.

— São palavras da **Gíria**, criadas e empregadas por malandros ou gatunos, ou então por homens dum mesmo ofício. A especialidade delas é que só os malandros ou os tais homens do mesmo ofício as entendem. Para o resto do povo nada significam.

Narizinho chamou uma que parecia bastante pernóstica.

— Conte-me a sua história, menina.

A moleca pôs as mãos na cintura e, com ar malandríssimo, foi dizendo:

— Sou a palavra CUERA, nascida não sei onde e filha de pais incógnitos, como dizem os jornais. Só a gente baixa, a molecada e a malandragem das cidades, é que se lembra de mim. Gente fina, a tal que anda de automóvel e vai ao teatro, essa tem vergonha de utilizar-se dos meus serviços.

— E que serviço presta você, palavrinha? — perguntou Emília.

— Ajudo os homens a exprimirem as suas ideias, exatamente como fazem todas as palavras desta cidade. Sem nós, palavras, os homens seriam mudos como peixes, e incapazes de dizer o que pensam. Eu sirvo para exprimir valentia. Quando um malandro de bairro dá uma surra num polícia, todos os moleques da zona utilizam-se de mim para definir o valentão. "Fulano é um cuera!" dizem. Mas como a gente educada não me emprega, tenho que viver nestes subúrbios, sem me atrever a pôr o pé lá em cima.

— Onde é lá em cima?

— Nós chamamos "lá em cima" à parte boa da cidade; este "lixo" por aqui é chamado "cá embaixo".

— Vejo que você tem muitas companheiras — observou Narizinho, correndo os olhos pela molecada que formigava em redor.

— Tenho, sim. Toda esta rapaziada é gentinha da Gíria, como eu. Preste atenção naquela de olho arregalado. É a palavra OTÁRIO, que os gatunos usam para significar um "trouxa", ou pessoa que se deixa lograr pelos espertalhões. Com a palavra OTÁRIO está conversando outra do mesmo tipo BOBO.

— Bobo sei o que significa, disse Pedrinho. Nunca foi gíria.

— Lá em cima, — explicou CUERA, — BOBO significa uma coisa; aqui embaixo significa outra. Em língua de gíria Bobo quer dizer relógio de bolso. Quando um gatuno diz a outro: "Fiz um bobo", quer significar que "abafou" um relógio de bolso.

— E por que deram o nome de bobo aos relógios de bolso?

— Porque eles trabalham de graça, — respondeu CUERA dando uma risadinha cínica.

Os meninos ficaram por ali ainda algum tempo, conversando com outras palavras da Gíria — e por precaução Pedrinho abotoou o paletó, embora seu paletó nem bolso de dentro tivesse. A gíria dos gatunos metia-lhe medo...

— Por estes subúrbios também vagabundeiam palavras de outro tipo, mal vistas lá em cima — disse o rinoceronte apontando para uma palavra loura, visivelmente estrangeira, que naquele momento ia passando. — São palavras exóticas, isto é, de fora — imigrantes a que os gramáticos puseram o nome geral de **Barbarismos**.

— Querem significar com isso que elas dizem barbaridades? — indagou Emília.

— Não; apenas que são de fora. Esse modo de classificá-las veio dos romanos, que consideravam bárbaros a todos os estrangeiros. Barbarismo quer dizer coisa de estrangeiro. Se o Barbarismo vem da França, tem o nome especial de **Galicismo**; se vem da Inglaterra, chama-se **Anglicismo**; se vem da Itália, **Italianismo** — e assim por diante. Os Galicismos são muito maltratados nesta cidade. As palavras nascidas aqui torcem-lhes o focinho e os "grilos" da língua (os gramáticos) implicam muito com elas. Certos críticos chegam a considerar crime de cadeia a entrada dum Galicismo numa frase. Tratam os coitados como se fossem leprosos. Aí vem um.

O Galicismo DESOLADO vinha vindo, muito triste, de bico pendurado. Quindim apontou-o com o chifre, dizendo:

— Se você algum dia virar poeta, Pedrinho, e cair na asneira de botar num soneto este pobre Galicismo, os críticos xingarão você de mil nomes feios. DESOLADO é o que eles consideram um Galicismo imperdoável. Já aquele outro que lá vem goza de maior consideração. É a palavra francesa ELITE, que quer dizer a nata, a fina flor da sociedade. Veja como é petulantezinha, com o seu monóculo no olho.

— ELITE tem licença de morar no centro da cidade? — perguntou o menino.

— Não tinha, mas hoje tem. Já está praticamente naturalizada. Durante muito tempo, entretanto, só podia aparecer por lá metida entre **Aspas**, ou em **Grifo**.

— Que é isso?

— Aspas e Grifo são um sinal que elas têm de trazer sempre que se metem no meio das palavras nativas. Na cidade das palavras inglesas não é assim, as palavras de fora gozam lá de livre trânsito, podendo apresentar-se sem aspas e sem grifo. Mas aqui nesta nossa PORTUGÁLIA há muito rigor nesse ponto. Palavra estrangeira, ou de gíria, só entra no centro da cidade se estiver aspada ou grifada.

— Olhem! — gritou Emília. — Aquela palavrinha acolá acaba de tirar do bolso um par de aspas, com as quais está se enfeitando, como se fossem asinhas...

— É que recebeu chamado para figurar nalguma frase lá no centro e está vestindo o passaporte. Trata-se da palavra francesa SGIRÉE. Reparem que perto dela está outra a botar-se em grifo. É a palavra BOUQUET...

— Judiação! — comentou Narizinho. — Acho odioso isso. Assim como num país entram livremente homens de todas as raças — italianos, franceses, ingleses, russos polacos, assim também devia ser com as palavras. Eu se fosse ditadora, abria as portas da nossa língua a todas as palavras que quisessem entrar — e não exigia que as coitadinhas de fora andassem marcadas com os tais grifos e as tais aspas.

— Mesmo assim, — explicou o rinoceronte, — muitas palavras estrangeiras vão entrando e com o correr do tempo acabam "naturalizando-se". Para isso basta que mudem a roupa com que vieram de fora e sigam os figurinos desta cidade. BOUQUET, por exemplo, se trocar essa sua roupinha francesa e vestir um terno feito aqui, pode andar livremente pela cidade. Basta que vire BUQUÊ...

Perto havia uma elevação donde se descortinava toda a cidade; o rinoceronte levou os meninos para lá.

Capítulo III
GENTE IMPORTANTE E GENTE POBRE

A cidade PORTUGÁLIA dava ideia duma fruta incõe — ou de duas cidades emendadas, uma mais nova e outra mais velha. A separação entre ambas consistia num braço de mar.

— A parte de lá, — explicou o rinoceronte, — é o bairro antigo, onde só existiam palavras portuguesas. Com o andar do tempo essas palavras foram atravessando o mar e deram origem ao bairro de cá, onde se misturaram com as palavras indígenas locais. Desse modo formou-se o grande bairro da Brasilina.

— Compreendo, — disse Pedrinho. — Para cá é a parte do Brasil e para lá é a parte de Portugal. Foi à parte de lá, ou a cidade velha, que deu origem à parte de cá, ou a cidade nova.

— Isso mesmo. A cidade nova saiu da cidade velha. No começo isto por aqui não passava dum bairro humilde e mal visto na cidade velha; mas com o tempo foi crescendo e ainda há de acabar uma cidade maior que a outra.

— Vamos percorrer a cidade nova, que é a que mais nos interessa, — propôs Narizinho.

Montaram de novo no rinoceronte, que se pôs a trote pelo morro abaixo. Chegados ao sopé, saltaram em terra, porque não seria gentil penetrarem na cidade da língua montados em tão notável gramático.

Oh, ali era outra coisa! Ruas varridas, sem mato e com "grilos" nas esquinas. Grande número de palavras moviam-se com muita ordem, andando de cá para lá e de lá para cá, exatinho como gente numa cidade comum.

— Que bairro será este? — perguntou Narizinho.

— Um muito importante — o Bairro dos **Nomes**, ou **Substantivos**.

— Que emproados! — observou Emília. — Até parecem as Vogais da terra do alfabeto.

— E são de fato as vogais das palavras. Sem eles seria impossível haver linguagem, porque os Substantivos é que dão nome a todos os seres vivos e a todas as coisas. Por isso se chamam Substantivos, como quem diz que indicam a substância de tudo. Mas reparem que há uns orgulhosos e outros mais humildes.

— Sim, estou notando, — declarou a menina. — Uns não tiram a mão do bolso e só falam de chapéu na cabeça. Outros parecem modestos. Quem são esses prosas, de mãos no bolso?

— São os **Nomes Próprios**, que servem para designar as pessoas, os países, as cidades, as montanhas, os rios, os continentes etc. Ali vai um — PAULO, que serve para designar certo homem.

— Mas há muitos Paulos, — observou Emília.

— Pois esse Nome designa cada um deles, exigindo depois de si um Sobrenome para marcar a diferença entre um Paulo e outro. Paulo Silva, Paulo Moreira etc. Silva e Moreira são sobrenomes que diferenciam um Paulo de outro. Já aquela palavra que vem um pouco mais atrás goza de mais importância que o Nome PAULO. É a palavra HIMALAIA, que não tem outra coisa a fazer na vida senão designar certa montanha da Índia, a mais alta do mundo. Por ter pouco serviço está gorda assim. Só é chamada de longe em longe, quando alguém quer referir-se à tal montanha. PAULO é um nome mais magro porque os homens exigem dele bastante serviço.

— Nesse caso o Nome JOSÉ deve ser fininho como um palito, — disse Emília. — E o Nome MARIA também.

— Falai no mau, aprontai o pau! — gritou Narizinho. — Lá vem o Nome JOSÉ, suando em bicas, magro que nem um espeto, surrado que nem taramela de porta de cozinha...

— Venha cá, senhor Nome JOSÉ! — chamou Emília. O Nome JOSÉ aproximou-se, arquejante, a limpar o suor da testa.

— Cansadinho, hein?

— Nem fale menina! — disse ele. — A todo momento nascem crianças que os pais querem que eu batize, de modo que vivo numa perpétua correria de igreja em igreja, a grudar-me em criancinhas que ficam josezando até à morte. Eu e MARIA somos dois Nomes que não sabem o que quer dizer sossego...

Nem bem havia dito isso e — *trrrlin*!... soou a campainha de um rádio-telefone; a telefonista atendeu e depois berrou para a rua:

— O Nome JOSÉ está sendo chamado para batizar um menino em Curitiba, capital do Paraná. Depressa!

E o pobre Nome JOSÉ lá se foi ventando para Curitiba, a fim de josézar mais aquele Zezinho.

— Não vale a pena ser muito querido nesta cidade — observou Emília. — Eu, se fosse palavra, queria ser a mais antipática de todas — para que ninguém me incomodasse, como incomodam a este pobre JOSÉ.

— Disso estou eu livre! — murmurou uma palavra gorda, que estava sentada à soleira duma porta. Era o Nome URRAGA.

— Sim, — continuou ela. — Como os homens me acham feia, não me incomodam com chamados quando têm filhas a batizar. Antigamente não era assim. Muitas meninas batizei em Portugal, e até princesas. Mas hoje, nada. Deixaram-me em paz duma vez. Desconfio que não existe no Brasil inteiro uma só menina com o meu nome.

— Por isso está gorda assim, sua vagabunda! — observou Emília.

— Que culpa tenho de ser feia, ou dos homens me acharem feia? Cada qual como Deus o fez.

— Nesse caso, se é inútil, se não tem o que fazer, se está sem emprego, a senhora não passa dum arcaísmo cujo lugar não é aqui e sim nos subúrbios. Está tomando o espaço de outras.

— Não seja tão sabida, bonequinha! Eu há muito que moro nos subúrbios, e se vim passear hoje aqui foi apenas para matar saudades. Esta casa não é minha.

— De quem é então?

— Duma diaba que veio de Galópolis e anda mais chamada que uma telefonista — uma tal ODETE. Volta e meia sai daqui correndo, a batizar meninas. Mas minha vingança é que está ficando magra que nem bacalhau de porta de venda, de tanto corre-corre.

— Está aí dentro, essa palavra?

— Aqui dentro, nada! Não para em casa um minuto. Inda agora recebeu chamado para batizar uma menina em Itaoca. Tomara que seja uma negrinha preta que nem carvão...

Enquanto Emília conversava com aquele Nome sem serviço, Pedrinho ia atentando na soberbia dos Nomes indicativos de países e continentes. O nome EUROPA era o mais empavesado de todos; louro, e dum orgulho infinito. Passou rente ao nome AMÉRICA e torceu o nariz. Também o nome ALEMANHA era emproadíssimo, embora andasse com uma cruz de ponto-falso no nariz.

— Estes Nomes Próprios, — explicou Quindim, — têm a seu serviço essa infinidade de **Nomes Comuns** que formigam pelas ruas. Os Nomes Comuns formam a plebe, o povo, o operariado, e têm a obrigação de designar cada coisa que existe, por mais insignificante que seja. Qual será a coisa mais insignificante do mundo?

— Cuspo de micróbio! — gritou Emília.

— Realmente, bonequinha, cuspo de micróbio deve ser a coisa mais insignificante do mundo. Pois mesmo assim há necessidade de dois Nomes Comuns para a designar. Imaginem agora a humildade desses dois Nomes quando passam perto do Nome Próprio DEUS, por exemplo, ou OURO, que são dos mais graduados!

— Com certeza deitam-se no chão e viram tapete para que DEUS e OURO lhes pisem em cima, — observou Emília.

Entre a multidão de Nomes que enxameavam naquela rua, os meninos notaram outras diferenças. Uns pertenciam à classe dos **Nomes Concretos** e outros à classe dos **Nomes Abstratos**. Havia ainda os **Nomes Simples** e os **Nomes Compostos**. Quindim foi explicando a diferença.

— Os Nomes Concretos são os que marcam coisas ou criaturas que existem mesmo de verdade, como HOMEM, NASTÁCIA, TATU, CEBOLA. E os Nomes Abstratos são os que marcam coisas que a gente quer que existam, ou imagina que existem, como BONDADE, LEALDADE, JUSTIÇA, AMOR.

— E também DINHEIRO, — sugeriu Emília.

— DINHEIRO é Concreto, porque dinheiro existe, — contestou Quindim.

— Para mim e para Tia Nastácia é abstratíssimo. Ouço falar em dinheiro, como ouço falar em JUSTIÇA, LEALDADE, AMOR; mas ver, pegar, cheirar e botar no bolso dinheiro, isso nunca.

— E aquele tostão novo que dei a você no dia do circo?[7] — lembrou o menino.

— Tostão não é dinheiro; é cuspo de dinheiro, — retorquiu Emília.

Depois daquela asneirinha, o rinoceronte continuou:

— Há os Nomes Simples, como a maior parte dos que circulam por aqui, e há os Nomes Compostos, como aqueles que ali vão. Estes Nomes Compostos formam-se de dois Nomes Simples, encangados que nem bois.

Ia passando o Nome GUARDA-CHUVA, de braço dado com o Nome COUVE-FLOR.

— Parecem bananas incões, — observou Emília.

— E há ainda os **Nomes Coletivos**, — continuou Quindim. — São os que indicam uma coleção, ou uma porção de coisas — como aquele, acolá!

Emília chamou-o.

— Venha cá, Senhor Coletivo! Explique-se. Diga quem é.

— Sou o Nome CAFEZAL e indico uma porção de pés de café. Deseja mais alguma coisa, senhorita?

— Quero saber se não está com a broca.

7 *Reinações de Narizinho*

— Broca só dá nos arbustos que eu batizo quando são muitos.

— E quando são poucos?

— Só os batizo quando são muitos. Se se trata apenas de dois, três ou uma dúzia, não dou confiança. Ficam sendo dois três ou uma dúzia, de pés de café, mas nunca um CAFEZAL. Está satisfeita?

— Estaria, — respondeu Emília despedindo-o espevitadamente, — se em vez de tantos pés de café você me desse uma xícara de café com bolinhos...

Capítulo IV
EM PLENO MAR DOS SUBSTANTIVOS

Havia muita coisa a ver no Bairro dos Substantivos, e por essa razão todos protestaram quando Emília falou em visitar as Interjeições.

— Espere, bonequinha aflita! disse Quindim. Inda há muito pano para mangas aqui. Vocês ainda não observaram que estes senhores Nomes estão divididos em dois gêneros, o **Masculino** e o **Feminino**, conforme o sexo das coisas ou seres que eles batizam. PAULO é masculino porque todos os Paulos pertencem ao sexo masculino.

— Mas PANELA? — advertiu Emília. — Por que razão PANELA é Nome feminino e GARFO, por exemplo, é masculino? PANELA ou GARFO têm sexo?

— Isso é uma das maluquices desta cidade — respondeu o rinoceronte. — Já em Anglópolis não é assim. Há lá mais um gênero o **Gênero Neutro**, para todas as palavras que designam coisas sem sexo, como PANELA e GARFO.

— Coitados dos ingleses que se mudam para o Brasil! — advertiu Pedrinho. — Imaginem a trabalheira para decorar o sexo de milhares de palavras indicativas de coisas que... não têm sexo!

— Você tem razão, — disse Quindim; — mas em matéria de língua a coisa é como é e não como deveria ser. Nesta cidade os Substantivos terminados em O, U, I, EM, IM, OM, UM, EN, L, R, S, e X são quase sempre masculinos.

— Nossa Senhora! — exclamou Narizinho. — Quantas terminações! Os homens mostram o seu egoísmo em tudo. "Chamaram" para o sexo deles quase todas as terminações possíveis. E os femininos?

— São quase sempre femininos os nomes terminados em A, Ã, ÇÃO, GEM, DADE e ICE.

— Bandidos! — protestou a menina. — Os homens tomaram para si doze terminações e só deixaram seis para o sexo feminino — a metade...

— Não faz mal, Narizinho, — consolou a boneca. — Quando nós tomarmos conta do mundo, havemos de fazer o contrário — ficar com doze para o nosso sexo e só dar seis para o sexo deles.

O rinoceronte continuou:

— E há ainda nomes que possuem dois sexos, isto é, que tanto servem para indicar seres ou coisas do gênero feminino como do masculino. Nós, gramáticos, usamos um nome muito feio para designar tais Substantivos — **Epicenos**.

— Isso não é designar, é xingar! — disse Emília.

— Nomes como ONÇA, CÔNJUGE, CRIANÇA, JACARÉ e tantos outros têm o defeito de servir para os dois sexos. São Nomes Epicenos.

— Epiceno é o nariz dos gramáticos, — exclamou Emília. — Um defeito a gente deve corrigir. Xingar o defeito com um nome feio, não adianta.

— E há ainda, — continuou o rinoceronte, — os Nomes chamados **Comuns de Dois**, que ora são masculinos, ora são femininos. O nome ARTISTA, por exemplo, é Comum de Dois, porque a gente tanto pode dizer O ARTISTA como A ARTISTA. Fora dessas duas classes de Nomes, o resto passa dum sexo para outro por meio duma simples mudança do final. Os que terminam em O mudam esse O em A e viram femininos. Outros, porém, arranjam um nome diferente para o feminino, como PAI — MÃE; FRADE — FREIRA; CAVALO — ÉGUA; LADRÃO — LADRA.

— E qual o feminino de Rabicó? — perguntou Narizinho.

O rinoceronte ficou atrapalhado.

— O feminino de RABICÓ é EMÍLIA, porque ela é a mulher de Rabicó.

Emília, que já de muito tempo se havia divorciado de Rabicó, ficou danadinha e disse:

— Nesse caso, o masculino de NARIZINHO é BACALHAU...

Todos arregalaram os olhos, sem perceber a ideia da boneca.

— Sim, porque Narizinho também é casada com o tal Príncipe Escamado que para mim não passa dum bacalhau de porta de venda, muito ordinário...[8]

— Calma, calma! — murmurou o rinoceronte. "Deixem as brigas para quando regressarem. Em vez disso prestem atenção a outra particularidade dos Substantivos. Além de Gênero, ou Sexo eles têm **Número**, como dizem os gramáticos. Ter Número quer dizer ter **Singular** e **Plural**. Quando um Substantivo designa uma coisa só, vai para o Singular; quando designa duas ou mais coisas, vai para o Plural. O meio de passar do Singular para o Plural consiste no ajustamento dum rabinho chamado S.

Exemplo: GATO é Singular; põe o rabinho e vira GATOS — Plural.

— É assim com todos os Substantivos? — perguntou Emília.

— Não; existem muitos que fazem o Plural de outros modos. Os que terminam em AL, OL e IL tônicos, trocam o L final por IS, como SOL, que faz Sóis; CANAL que faz CANAIS; BARRIL, que faz BARRIS.

Os terminados em EL e os terminados em IL átonos mudam o EL e o IL em EIS, assim: ANEL, ANÉIS; FÓSSIL, FÓSSEIS. Os terminados em UL trocam o L por IS, como AZUL que faz AZUIS. Alguns não seguem a regra, como CÔNSUL, que faz CÔNSULES.

— Enjoado! — comentou Emília, fazendo bico. — E os terminados em R, Z, e N?

— Esses fazem o plural juntando ES — MULHER, MULHERES; NARIZ, NARIZES; ABDÔMEN, ABDÔMENES. E os terminados em M trocam esse M por NS, como HOMEM, que faz HOMENS. E os que terminam em S não mudam, como PIRES, LÁPIS. Um pires, dois pires. Entretanto, os terminados em ÉS fazem o plural acrescentando ES; exemplos: MÊS, MESES; CORTÊS, CORTESES.

— Chega de Número, Quindim, — disse Emília. — Já me está enjoando as tripas. Mude de tecla.

---

8 *Reinações de Narizinho.*

Nesse momento surgiu o Visconde, que ficara nos subúrbios de prosa com a velha BOFÉ e outras corujas. Vinha correndo e a tapar os ouvidos com as mãos.

— Que aconteceu, Visconde? Que carreira é essa?

O pobre sábio parou, arquejante, de língua de fora como um cachorro cansado.

— Oh, estou envergonhadíssimo! — exclamou com esforço, enxugando a testa com as palhinhas de milho do pescoço. — Imaginem que ao vir para cá errei e fui dar com os costados num bairro horrível, que nem sei como a polícia deixa. O Bairro das **Palavras Obscenas**... Que coisa feia, santo Deus! Vi por lá, soltas nas ruas, esmulambadas e sórdidas, as palavras mais sujas da língua. Sarnentas, vestidas de farrapos e sem a menor compostura nos modos. Assim que me viram deram-me uma grande vaia nos termos mais infames. Os nomes que ouvi eram de fazer corar a um frade-de-pedra. E vim correndo avisar vocês para que não passem por lá.

Mas a pestinha da Emília, que era boneca e não achava nada no mundo indecente, assanhou-se logo.

— Vocês, sabugos, são todos cheios de histórias como as gentes de carne — disse ela. — As coitadas das palavras que culpa tem de existirem no mundo coisas que os homens consideram feias? Vou lá, sim. Quero consolar as pobres infelizes e dar-lhes uns bons conselhos.

Narizinho, porém, não deixou.

— Não vai, não, Emília. Inocentes ou culpadas, o melhor é não nos metermos com elas. Vovó, se soubesse, ficaria aborrecida. Por aqui ainda há muita coisa decente para vermos. Olhe aquela palavra esquisita, que vem latindo. Senhora palavra, venha cá!

A palavra CANZARRÃO aproximou-se, latindo.

— *Au! Au!* Que é que a menina deseja?

— Saber quem é a senhora e o que faz.

— Sou a mesma palavra CÃO aumentada; se tenho de designar um cão grande, viro CANZARRÃO; e se tenho de designar um cão pequenino viro CÃOZINHO.

— Isso é o que os gramáticos chamam **Grau** — mudança nas palavras para dar ideia do tamanho das coisas — explicou o rinoceronte. — Há o Grau **Aumentativo**, para aumentar, e o Grau **Diminutivo**, para diminuir.

— Sei disso — declarou Emília. — As palavras quando querem significar uma coisa grande, *latem*; e quando querem significar uma coisa pequena, *choramingam*.

Ninguém entendeu.

— Sim, — insistiu ela. — Botar um ÃO no fim duma palavra é latir, porque latido, de cachorro é assim — ÃO, ÃO, ÃO! E botar um INHO, ou um ZINHO no fim das palavras é choramingar como criança nova. Panela, por exemplo; *se late*, vira PANELÃO e se *choraminga*, vira PANELINHA...

O rinoceronte admirou-se da esperteza da boneca.

— Muito bem, senhorita! — exclamou ele. — Está certo. Mas nem sempre é assim. Aquelas duas palavras que vêm vindo para o nosso lado estão aumentadas — e aumentaram sem latir.

Vinha vindo a palavra CABEÇORRA, de braço dado à palavra COPÁZIO.

— São aumentativos de CABEÇA e COPO, — explicou Quindim. — CABEÇA — CABEÇORRA; COPO — COPÁZIO.

— Mas eu posso dizer CABEÇÃO e COPÃO — insistiu Emília.

— Pode, mas também existem aquelas formas de aumentativo sem ÃO. BICHO, por exemplo, dá BICHÃO, e BICHAÇO. CORPO dá CORPÃO e CORPANZIL. No caso de serem palavras femininas, em vez de ÃO, elas botam no fim ONA: MULHER, MULHERONA.

— Ou MULHERAÇA, — advertiu Narizinho. — Já ouvi vovó dizer que a viúva do Maluf da venda é uma MULHERAÇA.

— Está certo, — confirmou Quindim, — e, portanto, fica visto que com ÃO, ONA, ZARRÃO, RÃO, AÇO, ou AÇA, AZ, AZIO e ORRA as palavras aumentam. E para diminuírem, além do chorinho que Emília descobriu, como é que fazem?

Ninguém sabia diminuir sem chorinho. O rinoceronte explicou:

— Além do INHO e ZINHO que Emília já disse, elas diminuem com ITO...

— MOSCA, MOSQUITO, — lembrou logo Pedrinho.

— E também com ETE, ETO, OTO, ICO...

— ANTONIO, ANTONICO, — lembrou a menina.

— E com EJO, — continuou Quindim, — e com ILHO, ELHO, EL, IM, OLO, ULO e ELO.

— Quantos jeitos! — exclamou Emília. — Isso é que aborrece na língua. Em vez de haver um jeito só para cada coisa, há muitos. Tal abundância de jeito só serve para dar trabalho à gente.

— Dá um pouco de trabalho, sim, — disse o rinoceronte, — mas em compensação traz muitas vantagens. Se Pedrinho virar algum dia escritor de histórias, há de ver que esta variedade ajuda grandemente o estilo, permitindo a composição de frases mais bonitas e musicais.

Narizinho olhou para Quindim com ar de surpresa. Como é que um bicho cascudo daqueles, vindo lá dos fundões da África, entendia até de "estilo" e frases "musicais"?

— Não posso compreender como ele virou tamanho gramático assim dum momento para outro.

— Para mim, — sugeriu Emília, — Quindim comeu aquela gramaticona que Dona Benta comprou. Lembre-se que a bichona desapareceu justamente no dia em que Quindim dormiu no pomar. O Visconde tinha estado às voltas com ela, estudando ditongos debaixo da jabuticabeira. Com certeza esqueceu-a lá e o rinoceronte papou-a.

— Que bobagem, Emília! Gramática nunca foi alimento.

— Bobagem, nada! — sustentou a boneca. — Dona Benta vive dizendo que os livros são o pão do espírito. Ora, gramática é livro; logo é pão; logo é alimento.

— Boba! — gritou a menina. — Pão do espírito está aí empregado no sentido figurado. No sentido material um livro não é pão coisa nenhuma.

Emília deu uma gargalhada.

— Pensa que não sei que os livros são feitos de papel de madeira? Madeira é vegetal. Vegetal é alimento de rinocerontes. Logo, Quindim podia muito bem alimentar-se com os vegetais que se transformaram no papel que virou gramática.

Apesar do absurdo de semelhante hipótese, Narizinho ficou meio abalada. Quem sabe lá se Quindim não tinha mesmo comido a "*Gramática Histórica*" de Eduardo Carlos Pereira? Acontece tanta coisa esquisita neste mundo...

— Bom, — disse o rinoceronte. — Chega de Substantivo. Vamos agora dar uma volta pelo Bairro dos Adjetivos.

Capítulo V
Entre os Adjetivos

No Bairro dos **Adjetivos** o aspecto das ruas era muito diferente. Só se viam palavras atreladas. Os meninos admiraram-se da novidade e o rinoceronte explicou:

— Os adjetivos, coitados, não têm pernas; só podem movimentar-se *atrelados* aos Substantivos. Em vez de designarem seres ou coisas, como fazem os Nomes, os Adjetivos designam as *qualidades* dos Nomes, ou *alguma diferença* que haja neles. Daí vem a divisão em Adjetivos **Qualificativos** e Adjetivos **Determinativos**.

Nesse momento os meninos viram o Nome HOMEM, que saía duma casa puxando um Adjetivo pela coleira.

— Ali vai um exemplo, — disse Quindim. — Aquele Substantivo entrou naquela casa para pegar o Adjetivo MAGRO. O meio de a gente indicar que um homem é magro consiste nisso — atrelar o adjetivo MAGRO ao Substantivo que indica o homem.

— Logo, MAGRO é um Adjetivo Qualificativo, — disse Pedrinho, — porque indica a qualidade de ser magro.

— Qualidade ou defeito? — asneirou Emília. — Para Tia Nastácia ser magro é defeito gravíssimo.

— Não burrifique tanto Emília, — ralhou Narizinho. — Deixe o rinoceronte falar.

Mas aquele HOMEM, atrelado a MAGRO, entrou em outra casa, donde logo saiu com mais um freguês na trela.

— Olhem! — disse Quindim. — Acaba de atrelar a si mais um Adjetivo, e desta vez um Determinativo, o ESTE. Conseguiu assim formar um começo de frase — ESTE HOMEM MAGRO. O Adjetivo ESTE não indica nenhuma qualidade, mas indica uma *diferença*, e por isso a gramática o classifica de Determinativo.

— Se indica diferença, devia classificá-lo de Diferenciativo, — quis Emília.

— Cale-se! — advertiu Narizinho. — Quando você fizer a sua gramática ponha assim. Vamos agora visitar os grandes armazéns onde os Adjetivos estão guardados em prateleiras.

O armazém dos Adjetivos era bem espaçoso e dividido em duas partes; numa estavam os Adjetivos Qualificativos, e na outra estavam os Determinativos. Numerosas prateleiras recobriam as paredes, cada qual com o seu letreiro. Na prateleira dos Adjetivos Qualificativos Pátrios, Narizinho encontrou muitos conhecidos seus, entre os quais BRASILEIRO, INGLÊS, CHIM, PAULISTA, POLACO, ITALIANO, FRANCÊS e LISBOETA, que só eram atrelados a seres ou coisas do Brasil, da Inglaterra, da China, de S. Paulo, da Polônia, da Itália, da França e de Lisboa.

O dístico da prateleira próxima dizia: Adjetivos Qualificativos **Verbais**.

— Quais são estes? — perguntou o menino.

— São os Adjetivos que derivam de Verbos. Esse aí perto de você, por exemplo, FERVENDO. Às vezes é Particípio Presente do Verbo FERVER; outras vezes, sem mudança nenhuma, é Adjetivo. Quando a gente diz: A ÁGUA ESTÁ FERVENDO, o diabinho é Verbo. Mas quando a gente diz: QUEIMEI O DEDO COM ÁGUA FERVENDO, ele é Adjetivo Qualificativo, porque indica uma qualidade da água.

— Defeito! — asneirou de novo Emília. — Se queima o dedo, é defeito...

Havia ali muito poucos Adjetivos daquela espécie. Mas as prateleiras dos que não eram Pátrios nem Verbais, essas estavam atopetadinhas. Os meninos viram lá centenas, porque todas as coisas possuem qualidades e é preciso um qualificativo para cada qualidade das coisas. Viram lá SEGURO, RÁPIDO, BRANCO, BELO, MOLE, MACIO, ÁSPERO, GOSTOSO, IMPLICANTE, BONITO, AMÁVEL etc. — todos que existem.

— E na sala vizinha? — perguntou o menino.

— Lá estão guardados os Adjetivos Determinativos. Vamos vê-los.

Havia naquela outra sala sete divisões, com sete letreiros diversos. Na primeira estavam os Adjetivos **Articulares**; na segunda, os Adjetivos **Demonstrativos**; na terceira, os **Conjuntivos**; na quarta, os **Interrogativos**; na quinta, os **Possessivos**; na sexta, os **Numerais** e na sétima, os **Indefinidos**.

Narizinho parou diante da divisão dos Articulares e exclamou, de cara alegre:

— Olhem onde moram o A, o O e o UM — umas pulgas de palavrinhas, mas que apesar disso são utilíssimas. A gente não dá um passo sem usá-las. Mas isto, senhor rinoceronte, não é o que antigamente se chamava Artigo?

— Sim. Os velhos gramáticos chamavam Artigos a essas palavrinhas, mas os modernos, resolveram mudar. Em vez de Artigos eles dizem hoje Adjetivos Articulares.

— Para que servem?

— Para *individualizar* um Nome. Individualizar quer dizer *marcar um entre muitos*. Quando a gente diz A MENINA DO NARIZINHO ARREBITADO, aquele A do começo *marca, ou individualiza* esta menina que está aqui, *esta* neta de Dona Benta — e não *uma* menina qualquer. Tudo já fica muito diferente se dissermos: MENINA DO NARIZINHO ARREBITADO — sem o A, porque então já não estaremos marcando estazinha aqui.

O Adjetivo Articular UM também individualiza. Em UM MACACO, o UM individualiza, ou marca um certo macaco entre toda a macacada.

— Mas UM MACACO não diz qual é o macaco. UM MACACO pode ser este ou aquele, objetou Emília.

— Por isso mesmo a prateleira está dividida em duas partes. Na primeira vemos o casalzinho O e A sob a etiqueta de Articulares **Definidos**; e na segunda vemos o casalzinho UM e UMA sob a etiqueta de Articulares **Indefinidos**. O Articular O é Definido porque *marca com certeza*; o Articular UM é Indefinido porque *marca sem certeza*.

— A coisa é um tanto complicada; mas sem explicar eu entendo melhor do que explicado demais, — disse Emília. — Vamos ver outra prateleira.

Na prateleira próxima estavam os seguintes Adjetivos **Demonstrativos** — ESTE, ESSE, AQUELE, MESMO, PRÓPRIO, TAL etc., com as suas respectivas esposas e parentes. As esposas eram ESTA, ESSA, AQUELA, PRÓPRIA etc., e os parentes eram ESS'OUTRO, ESTOUTRO, AQUEL'OUTRO, etc.

— Muito bem, — disse Narizinho. — Vamos à terceira prateleira.

Nesta terceira estavam os Adjetivos **Conjuntivos**, que servem para indicar uma coisa que está para trás. Eram eles: O QUAL e CUJO, com as suas respectivas esposas e os seus plurais. Quindim exemplificou:

— O VISCONDE, CUJA CARTOLINHA SUMIU, ESTÁ DANADO. Nesta frase, o adjetivo CUJA refere-se a uma coisa que ficou para trás.

De fato, o Visconde havia perdido a sua cartolinha na aventura com as Palavras Obscenas. Deixara-a para trás.

— Continue, Quindim, — pediu Emília — e o rinoceronte continuou.

— Temos agora aqui a prateleira dos Adjetivos Interrogativos, que servem para fazer perguntas. Todos usam um Ponto de Interrogação no fim, para que a gente veja que eles são perguntativos.

E os meninos viram lá os Interrogativos QUE? QUAL? e QUANTO?

Em seguida vinha a prateleira dos Adjetivos **Possessivos**, que separam as coisas que *são da gente* das coisas que *são dos outros*. Lá estavam os **Possessivos** MEU, TEU, SEU, NOSSO, VOSSO e SEUS, com as respectivas esposas e com os plurais. Emília, que achava as palavras MEU e MINHA as mais gostosas de quantas existem, agarrou o casalzinho e deu um beijo no nariz de cada uma, dizendo MEUS amores!

Depois vinha a prateleira dos adjetivos **Numerais**, que se dividem em quatro classes: a dos **Cardinais**, muito apreciados pela Senhora Aritmética — UM, DOIS, TRÊS, QUATRO, CEM, MIL etc.; a dos **Ordinais** — PRIMEIRO, SEGUNDO, TERCEIRO, SECUNDÁRIO etc.; a dos Multiplicativos, como DUPLO, TRIPLO, TRÍPLICE, QUÁDRUPLO, DÉCUPLO etc.; e, finalmente, a dos **Fracionários**, como MEIO, TERÇO, QUARTO, CENTÉSIMO, MILÉSIMO etc.

A visita não parou aí. Mais adiante os meninos viram a prateleira onde estavam os Adjetivos Determinativos Indefinidos, muito familiares a todos do bandinho. Eram eles: ALGUM, NENHUM, OUTRO, TODO, TANTO, POUCO, MUITO, MENOS, QUALQUER, CERTO, VÁRIOS, DIFERENTES, DIVERSOS etc., com as suas respectivas formas femininas e os competentes plurais.

— São umas palavrinhas, muito boas, que a gente emprega a Toda hora — comentou Emília, sem, entretanto beijar o nariz de nenhuma.

O movimento naquela sala mostrava-se intenso. Milhares de Nomes entravam constantemente para retirar das prateleiras os Adjetivos de que precisavam — e lá se iam com eles na trela.

Outros vinham repor nos seus lugares os Adjetivos de que não necessitavam mais.

— As palavras não param, — observou Quindim. — Tanto os homens como as mulheres (e, sobretudo estas) passam a vida a falar, de modo que a trabalheira que os humanos dão às palavras é enorme.

Nesse momento uma palavra passou por ali muito alvoroçada. Quindim indicou-a com o chifre, dizendo:

— Reparem na talzinha. É o Substantivo MARIA, que vem em busca de Adjetivos. Com certeza trata-se dalgum namorado que está a escrever uma carta de amor a alguma Maria e necessita de bons Adjetivos para melhor lhe conquistar o coração.

A palavra MARIA achegou-se a uma prateleira e sacou fora o Adjetivo BELA; olhou-o bem e, como se o não achasse bastante, puxou fora a palavra — MAIS; e por fim puxou fora o Adjetivo — BELÍSSIMA.

— A palavra MAIS forma o Comparativo, com o qual o namorado diz que essa Maria é MAIS BELA do que tal outra; e com o Adjetivo BELÍSSIMA, ele dirá que Maria é extraordinariamente bela. E desse modo, para fazer uma cortesia à sua namorada, ele usa os três Graus do Adjetivo. Usa o Grau Positivo, com a palavra BELA; usa o Grau **Comparativo**, com a expressão MAIS BELA e usa o Grau **Superlativo**, com a palavra BELÍSSIMA.

— Mas nem sempre é assim, — observou Emília. — Lá no sítio, quando eu digo MAIS GRANDE, Dona Benta grita logo: "MAIS GRANDE é cavalo."

— E tem razão, — concordou o rinoceronte, — porque alguns Adjetivos, como BOM, MAU, GRANDE e PEQUENO, saem da regra e dão-se ao luxo de ter formas especiais para exprimir o Comparativo. Bom usa a forma MELHOR. MAU usa a forma PIOR. GRANDE usa a forma MAIOR, e PEQUENO usa a forma MENOR. O resto segue a regra.

— E para que serve o Superlativo?

— Para exagerar as qualidades do Adjetivo. Forma-se principalmente com um ÍSSIMO, ou com um ÉRRIMO no fim da palavra, como FELIZ, FELICÍSSIMO; SALUBRE, SALUBÉRRIMO; ou então usa O MAIS, como O MAIS FELIZ.

— E se quiser exagerar para menos? — indagou Pedrinho.

— Nesse caso usa a expressão O MENOS. O MENOS FELIZ.

— Sim, — murmurou Emília distraidamente, com os olhos postos no Visconde que continuava calado e apreensivo como quem está incubando uma ideia, — O SONSÍSIMO Visconde, ou O MAIS SONSO de todos os sabugos científicos...

De fato, o Visconde estava preparando alguma. Deu de ficar tão distraído que até começou a atrapalhar o trânsito. Tropeçou em várias palavras, pisou no pé dum Superlativo e chutou um O maiúsculo, certo de que era uma bolinha de futebol.

Que seria que tanto preocupava o Senhor Visconde?

Capítulo VI
NA CASA DOS PRONOMES

— Chega de Adjetivos, — declarou a menina. — Eu, não sei porque, tenho grande simpatia pelos **Pronomes**, e queria visitá-los já.

— Muito fácil, — respondeu o rinoceronte. — Eles moram numa casinha aqui defronte.

— Naquela? Tão pequena... — admirou-se Emília.

— Eles são só um punhadinho, e vivem lá como em república de estudantes.

E todos se dirigiram para a república dos Pronomes, palavras que também não possuem pernas e só se movimentam amarradas aos Verbos.

Emília bateu na porta — *tóc, tóc, tóc*.

Veio abrir o Pronome Eu.

— Entrem, não façam cerimônia.

Narizinho fez as apresentações.

— Tenho muito gosto em conhecê-los, — disse amavelmente o Pronome Eu. — Aqui na nossa cidade o assunto do dia é justamente a presença dos meninos e deste famoso gramático africano. Vão entrando. Nada de cerimônias.

E em seguida:

— Pois é isso, meus caros. Nesta república vivemos a nossa vidinha, que é bem importante. Sem nós, os homens não conseguiriam entender-se na terra.

— Todas as outras palavras dizem o mesmo, — lembrou Emília.

— E nenhuma está exagerando, — advertiu o Pronome Eu. — Todas somos por igual importantes, porque somos por igual indispensáveis à expressão do pensamento dos homens.

— E os seus companheiros, os outros Pronomes? — perguntou Emília.

— Estão lá dentro, jantando.

À mesa do refeitório achavam-se os Pronomes TU, ELE, NÓS, VÓS, ELES, ELA e ELAS. Esses figurões eram servidos pelos **Pronomes Oblíquos**, que tinham o pescoço torto e lembravam corcundinhas. Os meninos viram lá o ME, o MIM, o MIGO, o NOS, o NOSCO, o TE, o TIGO, o VOS, o VOSCO, o O, o A, o LHE, o SE, o SI e o SIGO — quinze Pronomes Oblíquos.

— Sim, senhor! Que luxo de criadagem! — admirou-se Emília. — Cada Pronome tem a seu serviço vários criadinhos oblíquos...

— E há ainda outros serviçais, — disse Eu. — Lá no quintal estão tomando sol os Pronomes FULANO, SICRANO, VOCÊ, VOSSA SENHORIA, VOSSA EXCELÊNCIA, VOSSA MAJESTADE e outros.

— E para que servem os senhores Pronomes? — perguntou a menina.

— Nós, — respondeu Eu, — somos os tais **Pronomes Pessoais**, e servimos para substituir os Nomes das pessoas. Quando a senhorita Narizinho diz TU, referindo-se aqui a esta senhora boneca, está substituindo o Nome EMÍLIA pelo Pronome TU.

Os meninos notaram um fato muito interessante — a rivalidade entre o TU e o VOCÊ. O Pronome VOCÊ havia entrado do quintal e sentara-se à mesa com toda a brutalidade, empurrando o pobre Pronome TU do lugarzinho onde ele se achava. Via-se que era um Pronome muito mais moço que Tu, e bastante cheio de si. Tinha ares de dono da casa.

— Que há entre aqueles dois? — perguntou Narizinho. — Parece que são inimigos...

— Sim, — explicou o Pronome Eu. — O meu velho irmão TU anda muito aborrecido porque o tal VOCÊ apareceu e anda a atropelá-lo para lhe tomar o lugar.

— Apareceu como? Donde veio?

— Veio vindo... No começo havia o tratamento VOSSA MERCÊ, dado aos reis unicamente. Depois passou a ser dado aos fidalgos e foi mudando de forma. Ficou uns tempos VOSSEMECÊ e depois passou a VOSMECÊ e finalmente como está hoje — VOCÊ, entrando a ser aplicado em vez do TU, no tratamento familiar ou caseiro. No andar em que vai creio que acabará expulsando o TU para o bairro das palavras arcaicas, porque já no Brasil muito pouca gente emprega o TU. Na língua inglesa aconteceu uma coisa assim. O TU lá se chamava THOU e foi vencido pelo YOU, que é uma espécie de VOCÊ empregada para todo o mundo, seja grande ou pequeno, pobre ou rico, rei ou vagabundo.

— Estou vendo, — disse a menina, — que não tirava os olhos do VOCÊ. Ele é moço e petulante, ao passo que o pobre TU parece estar sofrendo de reumatismo. Veja que cara triste o coitado tem...

— Pois o tal TU, — disse Emília, — o que deve fazer é ir arrumando a trouxa e pondo-se ao fresco. Nós lá no sítio conversamos o dia inteiro e nunca temos ocasião de empregar um só TU, salvo na palavra TATU. Para nós o TU já está velho coroca.

E mudando de assunto:

— Diga-me uma coisa, senhor EU. Está contente com a sua vidinha?

— Muito, — respondeu Eu. — Como os homens são criaturas sumamente egoístas, eu tenho vida regalada, porque represento todos os homens e todas as mulheres que existem, sendo, pois, tratado dum modo especial. Creio que não há palavra mais usada no mundo inteiro do que EU. Quando uma criatura humana diz EU, baba-se de gosto, porque está falando de si própria.

— E fora os Pronomes Pessoais não há outros?

— Há, sim. Há uns pronomes de segunda classe, que moram no galinheiro — os Pronomes Adjetivos.

— Para que servem?

— Para substituir pessoas ou coisas que não se acham presentes.

— E quais são eles?

— São os chamados Pronomes **Demonstrativos** — O, ISTO, ISSO, AQUILO. Há também os chamados Pronomes **Indefinidos** — ALGUÉM, ALGO, NINGUÉM, NADA, OUTREM, TUDO, QUAL. E há os chamados Pronomes **Relativos** — QUE e QUEM. Uns pobres diabos...

Os meninos deixaram a república dos Pronomes muito admirados da petulância e orgulho daquele pronominho tão curto.

— Parece que tem o Presidente da República na barriga, — comentou a boneca.

E parecia mesmo.

Capítulo VII
NO ACAMPAMENTO DOS VERBOS

— Agora iremos visitar o Campo de Marte, onde vivem acampados os **Verbos**, uma espécie muito curiosa de palavras. Depois dos Substantivos são os Verbos as palavras mais importantes da língua. Só com um Nome e um Verbo já podem os homens exprimir uma ideia. Eles formam a classe militar da cidade.

— Mas que é um Verbo, afinal de contas? — perguntou Pedrinho.

— Verbo é uma palavra que muda muito de forma e serve para indicar o que os Substantivos *fazem*. A maior parte dos Verbos assumem *sessenta e cinco* formas diferentes.

— Nesse caso são os camaleões da língua, — observou Emília. — Dona Benta diz que o camaleão está sempre mudando de cor. Sessenta e cinco formas diferentes! Isso até chega a ser desaforo. Os Nomes e Adjetivos só mudam seis vezes — para fazer o Gênero, o Número e o Grau.

— Pois os senhores Verbos até cansam a gente de tanto mudar, — disse o rinoceronte. — São palavras políticas, que se ajeitam a todas as situações da vida. Moram aqui em quatro grandes acampamentos, ou campos de **Conjugação**.

Os quatro acampamentos ocupavam todo o Campo de Marte. Cada um trazia letreiros na entrada. Emília leu o letreiro mais próximo — Acampamento dos Verbos da **Primeira** Conjugação. Em letras menores vinha um aviso: *Só é permitida a entrada aos Verbos de infinito terminado em Ar.*

— Que quer dizer Infinito? — indagou Narizinho.

— É uma das sessenta e cinco formas diferentes dos Verbos, e a que dá nome a Toda a tribo.

O acampamento imediato era o da **Segunda** Conjugação, para os Verbos terminados em ER. O acampamento seguinte era o da **Terceira** Conjugação, para os Verbos terminados em IR. E o último acampamento era o da **Quarta** Conjugação, para os Verbos terminados em OR.

— Os últimos serão os primeiros, — disse Emília. — Vamos começar a nossa visita por este último.

Dirigiram-se todos para o acampamento da Quarta Conjugação, mas o desapontamento foi grande. Estava quase completamente vazio. Apenas viram lá o Verbo PÔR e sua família.

— Onde anda o pessoal desta Conjugação? — perguntou a boneca. — Nalguma guerra?

— Estão todos aqui, — disse Quindim. — Este acampamento pertence exclusivamente ao Verbo PÔR e família.

— Ora esta! — exclamou Narizinho. — Uma Conjugação inteira para um Verbo só?

— Pois é verdade. Nesta Conjugação só existe PÔR e seus parentes COMPOR, PROPOR, DISPOR, DEPOR, ANTEPOR, SUPOR e outros do mesmo naipe. Antigamente PÔR pertencia à Segunda Conjugação e chamava-se POER. Mas o tempo, que tanto estraga e muda os verbos como tudo mais, fez que apodrecesse e caísse o E de POER. Ficou PÔR, como hoje está — e os gramáticos tiveram de criar para ele uma Conjugação nova.

— Seria muito mais simples fabricarem um E novo, de pau, para substituir o que apodreceu, — lembrou Emília.

— Parece mais simples, mas não é. Os gramáticos mexem e remexem com as palavras da língua e estudam o comportamento delas, xingam-nas de nomes rebarbativos, mas não podem alterá-las. Quem altera as palavras, e as faz e desfaz, e esquece umas e inventa novas, é o dono da língua — o Povo. Os gramáticos, apesar de toda a sua importância, não passam dos "grilos"[9] da língua.

— Nesse caso, — insistiu Emília, — era deixar o PÔR lá mesmo com um letreirinho no pescoço: *Ele é* POER; *se está* PÔR, *é porque o E apodreceu e caiu*. Mas vamos ver outro acampamento.

Foram para o acampamento da Segunda Conjugação. Oh, lá sim! Estava coalhado de Verbos, a ponto de os meninos nem poderem andar. O momento era bom. O batalhão do Verbo TER, que é dos mais importantes, ia desfilar. Uma corneta soou e o desfile teve começo.

Esse batalhão compunha-se de sessenta e cinco praças, ou Pessoas, distribuídas em companhias, ou **Modos** e em pelotões, ou **Tempos**. Abria a marcha o Modo **Indicativo**, com trinta soldados repartidos em cinco Tempos. Na frente de todos vinha o **Tempo Presente**, composto de seis soldadinhos, cada qual com um Pronome no bolso. Os Verbos não sabem andar só; vivem ligados a alguém ou alguma coisa, que é o **Sujeito**; e quando o Sujeito não está presente, botam em lugar dele um Pronome.

Os nomes dos seis soldadinhos do Tempo Presente eram, TENHO, TENS, TEM, TEMOS, TENDES e TÊM, e os Pronomes que traziam no bolso eram EU, TU, ELE, NÓS, VÓS e ELES. Seis soldadinhos vivos e enérgicos, que marchavam muito seguros de si.

— Bravos! — gritou Emília. — Pelo jeito de marchar a gente vê que eles têm mesmo...

Em seguida veio o Segundo Tempo, cujo nome era **Pretérito Imperfeito**; tinha igual número de soldadinhos, ou Pessoas, embora menos jovem e com caras menos vivas. Chamavam-se TINHA, TINHAS, TINHA, TÍNHAMOS, TÍNHEIS e TINHAM.

— Esses não têm — *tinham!...* — observou Pedrinho. — Por isso estão meio jururus.

---

9 Grilos: como são chamados em S. Paulo os guardas policiais das ruas.

Depois veio o Terceiro Tempo, chamado **Pretérito Perfeito**, composto igualmente de seis soldadinhos de olhos no fundo, amarelos, magros, com expressão de medo na cara. Eram eles TIVE, TIVESTE, TEVE, TIVEMOS, TIVESTES e TIVERAM.

— Estou vendo! comentou Emília. — *Tiveram*, já não têm mais nada, os bobos. Bem feito! Quem manda...

— Quem manda o que, Emília? — indagou Narizinho.

— Quem manda perderem o que tinham? Agora aguentem.

Depois desfilou o Quarto Tempo, chamado **Pretérito Mais-que-perfeito**. Eram também seis soldados — TIVERA, TIVERAS, TIVERA, TIVÉRAMOS, TIVÉREIS e TIVERAM.

Depois passou o Quinto Tempo, chamado **Futuro**, e foram recebidos com palmas por serem soldadinhos dos mais alegres e esperançosos — TEREI, TERÁS, TERÁ, TEREMOS, TEREIS e TERÃO.

— Estes são espertos, — disse Pedrinho. — Sabem contentar a todo o mundo. Viva o Futuro!...

Estava terminado o desfile do Modo Indicativo, que exprime *o que é*, ou a *realidade do momento*.

Houve um pequeno descanso antes de começar o desfile do Modo **Condicional**, muito mais modesto que o outro, pois se compunha apenas de seis soldados — TERIA, TERIAS, TERIA, TERÍAMOS, TERÍEIS e TERIAM. Emília não gostou deste Modo; achou-o com cara de mosca-morta.

Houve nova pausa, terminada a qual desfilou o Modo **Imperativo**, que era orgulhosíssimo. Compunha-se apenas de dois soldados carrancudos, com ar mais autoritário que o do próprio Napoleão. Eram eles o TEM e o TENDE.

— Só fazem isso, — exclamou Quindim. — *Mandam* que o pessoal tenha.

— Tenha que coisa? — indagou Emília.

— Tudo quanto há. Quando o Imperativo diz para você com voz de ditador: TEM JUÍZO, EMÍLIA! Ele não está pedindo nada — está mandando como quem pode, ouviu?

— Fedorento! — exclamou a boneca com um muxoxo de pouco caso.

Depois desfilou o Modo **Subjuntivo**, com três Tempos, de seis Pessoas cada um. O Primeiro Tempo, de nome Presente, trazia os soldados TENHA, TENHAS, TENHA, TENHAMOS, TENHAIS e TENHAM.

Em seguida desfilou o Segundo Tempo, de nome **Pretérito Perfeito** com os seus seis soldados — TIVESSE, TIVESSES, TIVESSE, TIVÉSSEMOS, TIVÉSSEIS e TIVESSEM. E por fim desfilou o Terceiro Tempo, ou Futuro, com os seus seis soldados — TIVER, TIVERES, TIVER, TIVERMOS, TIVERDES e TIVEREM. E pronto! Acabou-se o Modo Subjuntivo, que é o Modo que indica *alguma coisa possível*.

— Qual o que vem agora? — perguntou o menino.

— Vai desfilar agora o Modo **Infinitivo**, respondeu Quindim. Esse Modo só tem dois Tempos — o **Presente Impessoal**, com um soldado único — TER; e o **Presente Pessoal**, com seis soldados — TER, TERES, TER, TÊRMOS, TERDES e TEREM.

— Hum!... — exclamou Emília quando viu passar, muito teso e cheio de si, o soldadinho TER, do Presente Impessoal. — Esse é o tal Infinito, pai de todos e o que dá nome ao Verbo. Um verdadeiro general. Merece parabéns pela disciplina da sua tropa.

Fechava a marcha do Modo Infinitivo o **Particípio Presente**, composto do soldado TENDO, seguido logo depois do **Particípio Passado**, composto também dum só soldado, um veterano muito velho, com o peito cheio de medalhas — TIDO.

— Parece o Garibaldi, — asneirou a boneca. — Escangalhado, mas glorioso.

Estava finda a revista do Verbo TER. O rinoceronte perguntou aos meninos se queriam assistir a outras.

— Não, — respondeu Narizinho. — Quem vê um Verbo, vê todos. Só quero saber que história é essa de Verbos **Regulares** e **Irregulares**. Estou notando ali uma cerca que separa uns de outros.

— Verbos Regulares são os bem comportados, — explicou Quindim, — os que seguem as regras muito direitinhos. Verbos Irregulares são os rebeldes, os que não se conformam com a disciplina. Esse senhor TER, por exemplo é Irregular, visto como não segue **Paradigma** da Segunda Conjugação.

— Que **Paradigma** esse agora? — indagou Pedrinho.

— Cada Conjugação possui o seu Regulamento, ou Paradigma, a fim de que todos os Verbos Regulares formem as suas Pessoas sempre do mesmo modo.

— Que Pessoas, Quindim?

— Os soldadinhos são as Pessoas dos Verbos, creio que já expliquei. TENHO, TENS, TEM, TEMOS, TENDES e TEM, por exemplo, são as seis Pessoas do Tempo Presente do Modo Indicativo.

— Com que então o tal TER é irregular, hein? Não parecia.

— E além de Irregular é **Auxiliar**. Os Verbos TER SER, ESTAR e HAVER são chamados Verbos Auxiliares, porque além de fazerem o seu serviço ainda ajudam outros Verbos. Quando alguém diz: TENHO BRINCADO MUITO, está botando o Verbo TER como auxiliar do Verbo BRINCAR.

— E que outras qualidades de Verbo há?

— Muitas. Verbo é coisa que não acaba mais. Há verbos **Defectivos** uns coitados com falta de Modos, Tempos ou Pessoas.

Há os Verbos **Pronominais**, que não sabem viver sem um Pronome Oblíquo adiante ou atrás, como QUEIXAR-SE. Sem esse SE, ou outro pronome, ele não se arruma na vida.

Há os Verbos **Ativos**, que dizem o que o Sujeito *faz*; e há os Verbos Passivos, que dizem o que *fizeram para o Sujeito*. A frase: EU COMI O DOCE está com um Verbo Ativo. A frase: O DOCE FOI COMIDO POR MIM está com um Verbo Passivo (FOI COMIDO).

Se formos falar tudo, tudo, a respeito de Verbos, ficaremos aqui o dia inteiro. Gentinha que muda de forma como eles fazem, dá panos para mangas. E são exigentíssimos. Uns não sabem viver sem um **Complemento** adiante, e por isso se chamam Verbos **Transitivos**. Outros dispensam o Complemento, e por isso se chamam **Intransitivos**. QUEIMAR, por exemplo, é Transitivo, porque exige Complemento. Se alguém diz: O FOGO QUEIMOU, a frase fica incompleta; e quem ouve, pergunta logo que é que o fogo queimou. Essa coisa que o fogo queimou, seja mato, lenha, ou carvão, constitui o Complemento Objetivo de QUEIMOU.

— E os Intransitivos?

— Esses não pedem Complemento, como eu já disse. O Verbo MORRER, por exemplo, é Intransitivo. Quando a gente diz: O GATO MORREU, a frase está perfeita e ninguém pergunta mais nada.

— Eu pergunto! — gritou Emília. — Pergunto de que morreu, e quem o matou, e onde jogaram o cadáver.

Quindim coçou a cabeça.

Capítulo VIII
Emília na casa do verbo ser

Emília teve uma grande ideia: visitar o Verbo SER que era o mais velho e graduado de todos os Verbos. Para isso imaginou um estratagema: apresentar-se no palácio em que ele vivia na qualidade de repórter dum jornal imaginário — O GRITO DO PICAPAU AMARELO.

— Meu caro senhor, — disse ela ao porteiro do palácio, — eu sou redatora de O GRITO DO PICAPAU AMARELO, o mais importante jornal do sítio de Dona Benta, e vim cá especialmente para obter uma entrevista do grande e ilustre Verbo SER. Será possível?

O porteiro mostrou-se atrapalhado, porque era a primeira vez que aparecia por ali uma repórter daquela marca. A cidade da língua costumava ser visitada apenas por uns velhos carrancas, chamados *filólogos*, ou então por gramáticos e dicionaristas, gente que ganha a vida mexericando com as palavras, levantando inventário delas etc. Mas uma jornalista, e jornalista daquele tamanho, isso era novidade absoluta.

— Vou ver se ele recebe a senhorita, — respondeu o guarda.

— Pois vá, e interesse-se pelo meu caso, que não perderá o tempo, — disse Emília. — Mando-lhe lá do sítio uns bolinhos de Tia Nastácia, que são excelentes.

O venerando Verbo SER ouviu o guarda e estranhou o pedido de entrevista; mas como tivesse muito medo da imprensa, não pôde recusar-se a receber aquela repórter.

Emília foi levada à presença dele, e entrou muito tesa, com um bloquinho de papel debaixo do braço e um lápis sem ponta atrás da orelha. O venerando ancião estava sentado num trono, tendo em redor de si os seus sessenta e quatro filhos — ou Pessoas dos seus Modos e Tempos. Parecia um velho de mil anos, com aquela cabeleira branca de Papai Noel.

— Salve, Serência! — exclamou Emília curvando-se diante dele, com os braços espichados, à moda do Oriente. — O que me traz à vossa augusta presença é o desejo de bem servir aos milhares de leitores de O GRITO DO PICAPAU AMARELO, o jornal de maior tiragem do sítio de Dona Benta. Os coitados estão ansiosos por conhecer as ideias de Vossa Serência sobre mil coisas.

— Suba menina! — respondeu o Verbo SER com voz trêmula.

Emília subiu os degraus do trono, abrindo caminho a cotoveladas por entre a soldadesca atônita e foi postar-se bem defronte do venerável ancião.

— Fale Serência, enquanto eu tomo notas, — disse ela e começou a fazer ponta no lápis com os dentes.

O Verbo SER tossiu o pigarro dos séculos e começou:

— Eu sou o Verbo dos Verbos, porque sou o que faz tudo quanto existe ser. Se você existe, bonequinha, é por minha causa. Se eu não existisse, como poderia você existir ou ser?

— Está claro, — disse Emília escrevendo uns garranchos. — Vá falando.

SER tossiu outro pigarro e continuou:

— Muitos gramáticos me chamam **Verbo Substantivo**, como quem diz que eu sou a substância de todos os demais Verbos. E isso é verdade. Sou a Substância!

Sou o Pai dos Verbos! Sou o Pai de Tudo! Sou o Pai do Mundo! Como poderia o mundo existir, ou ser, se não fosse eu? Responda!

— Não tem resposta, Serência. É isso mesmo, — disse Emília escrevendo. — Os leitores de O GRITO vão ficar tontos com a minha reportagem. O diabo é este lápis sem ponta. Não haverá por aí algum canivete, ou faca que não seja de mesa, Serência?

Não havia canivete, nem faca, nem nenhum instrumento cortante naquela cidade de palavras, de modo que Emília só podia contar com os seus dentes. Mas tanto roeu o lápis, sem conseguir boa ponta, que ele foi diminuindo, diminuindo, até virar um toquinho inútil. Acabou-se o lápis — e foi essa a verdadeira causa de O GRITO DO PICAPAU AMARELO (jornal que, aliás, nunca existiu) não haver publicado a mais sensacional reportagem que ainda foi feita no mundo.

O Verbo SER falou muita coisa de si, contando toda a sua vida desde o começo dos começos. Disse que já havia morado na cidade das palavras latinas, hoje morta.

— Naquele tempo eu me chamava ESSE. Depois que a cidade latina começou a decair, mudei-me para as cidades novas que se foram formando por perto, e em cada uma assumi forma especial. Aqui nesta tomei esta forma que você está vendo e que se escreve apenas com três letras. Na cidade de Galópolis virei ÊTRE. Em Italópolis virei ESSERE. Em Castelópolis sou como aqui mesmo.

— Então foi em Roma que Vossa Serência nasceu?

— Não, menina. Sou muito mais velho que Roma. Antes de mudar-me para lá eu já existia na cidade das palavras sânscritas; e antes de ir para a cidade das palavras sânscritas eu já vinha não sei de onde. Perdi a memória do lugar e do tempo em que nasci, embora esteja convencido de que nasci junto com o mundo.

— Pois olhe, — disse Emília, — está bem rijinho para a idade... Dona Benta, com sessenta e oito anos apenas, não chega aos pés de Vossa Serência.

— Nós, palavras, vivemos muito mais do que as criaturas humanas.

— Mas também morrem, — observou Emília, — apontando para o cemitério que se avistava através da janela.

— Sim. Morrem certas palavras que não são de boa raça. Um Verbo como eu não morre nunca. Muda de aspecto apenas, e emigra duma cidade para outra. Eu nunca hei de morrer.

— Assim seja, Serência, — disse Emília, — porque se Vossa Serência cai na asneira de morrer, como iremos nós nos arranjar lá no mundo? Ninguém mais poderá ser coisa nenhuma...

Pela janela aberta via-se um trecho de rua onde o Visconde estava a passear de braço dado a uma palavra esquisita.

— Quem é aquele figurão? — perguntou SER franzindo os sobrolhos.

— Pois é o nosso grande Visconde de Sabugosa, um verdadeiro sábio da Grécia. Gosta muito de arcaísmos e outras velharias. Juro que a palavra que está com ele é coroca.

— Não é não. Já foi coroca; hoje está remoçada. Aquela palavra é a tal PAREDRO, que em Roma conheci sob a forma latina PAREDRUS. Emigrou para cá comigo, mas ninguém quis saber dela. Os homens não a chamavam nunca para coisa alguma, e por fim a coitada teve de desocupar o beco e ir viver no Bairro dos Arcaísmos. Pois sabe o que aconteceu? Um belo dia um deputado brasileiro, que era o grande romancista Coelho Neto, teve a ideia de requisitá-la para a meter num discurso. Lá lhe mandamos a palavra requisitada, ainda cheia de pó e teias de aranha como se achava. PAREDRO entrou no discurso do deputado, fez sucesso e voltou rejuvenescida. Desde então passou a receber frequentes chamados, e acabou vindo morar de novo aqui no centro, em companhia das palavras vivas. Casos como esse, porém, são raríssimos. Em geral, quando uma palavra morre, morre duma vez.

A conversa de Emília com o Verbo SER durou bastante tempo. Um velho velhíssimo como aquele tem muito que contar. Por fim acabaram amigos, e Emília pediu-lhe que a acompanhasse numa visitinha aos **ADVÉRBIOS**, espécie de palavras que ela ainda não conhecia.

— Pois não. Com muito prazer, — disse o venerável velho — e tomando-lhe a mãozinha saiu com ela do palácio.

Capítulo IX
A TRIBO DOS ADVÉRBIOS

— O caminho é por aqui, senhorita, — disse o Verbo SER. — Os senhores Advérbios moram no Bairro das **Palavras Inflexivas**, onde também moram as **Preposições**, as **Conjunções** e as **Interjeições**.

— Que quer dizer Palavra Inflexiva?

— Quer dizer palavra de queixo duro, que não muda nunca de forma, como o fazemos nós, os Verbos. As palavras inflexivas são rígidas como se fossem feitas de ferro.

— Mas que é Advérbio? — indagou Emília.

— Advérbio é uma palavra que nos modifica a nós Verbos e que modifica os Adjetivos; e que às vezes também modifica os próprios advérbios.

— Que danadinhos, hein? — exclamou Emília. — Mas de que jeito modificam?

— De muitos jeitos. Modificam de LUGAR, tirando daqui e pondo ali. Modificam de TEMPO, fazendo que seja agora ou depois. Modificam de MODO ou QUALIDADE, fazendo que seja deste jeito ou daquele, ou que seja assim ou assado. Modificam de QUANTIDADE, fazendo que seja mais ou menos. Modificam de ORDEM, fazendo que seja em primeiro lugar ou não. Pelos rótulos das prateleiras você poderá ver de que jeito elas modificam a gente.

— A gente verbática, — frisou Emília, — porque eu também sou gente e nada me modifica. Só Tia Nastácia, às vezes...

— Quem é essa senhora?

— Uma Advérbia preta como carvão, que mora no sítio de Dona Benta. Isto é, Advérbia só para mim, porque só a mim é que ela modifica. Para os outros é uma Substantiva que faz bolinhos muito gostosos.

Na casa dos Advérbios, Emília encontrou-os em caixinhas, com rótulos na tampa. Primeiro abriu a caixinha dos Advérbios de **Lugar**, onde encontrou os seguintes: AQUI, ALI, LÁ, ALÉM, LONGE, ADIANTE, ATRÁS, FORA, ABAIXO, ACIMA e outros conhecidos seus.

Na segunda caixinha viu os Advérbios de **Tempo** — HOJE, AGORA, CEDO, AMANHÃ, ONTEM, TARDE, NUNCA, DEPOIS, AINDA, ENTREMENTES.

— Oh! — exclamou Emília agarrando o ENTREMENTES pelo cangote. — Não sabia que era aqui que morava este freguês. Conheço um moço que tem tanta birra deste coitado que risca todos que encontra nas páginas dos livros. Mas não é tão feio assim, o pobre. Que acha, Serência?

O Verbo SER moveu os ombros, como quem não acha nem desacha coisa nenhuma e Emília jogou o pobre ENTREMENTES para debaixo da mesa.

Na terceira caixinha estavam os Advérbios de **Modo** ou de **Qualidade** — BEM, MAL, ASSIM, APENAS, RENTE, AINDA, TAMBÉM e outros.

Na quarta estavam os Advérbios de **Quantidade** — MUITO, POUCO, BASTANTE, MAIS, MENOS, TÃO, TANTO, QUANTO, QUE, QUASE, METADE, TODO e outros.

Na quinta estavam os Advérbios de **Ordem** — PRIMEIRO, ANTES, DEPOIS etc.

— Estou notando um erro, — disse Emília. — Este PRIMEIRO, que vejo aqui, é um Adjetivo Numeral Ordinal. Já me encontrei com ele na Casa dos Adjetivos.

— Não, senhorita. Este PRIMEIRO aqui é Advérbio e o outro PRIMEIRO que viu lá é Adjetivo.

— Como isso? Não são iguais?

— São iguais na *forma*, mas diferentes no *sentido*. Quando alguém diz: O PRIMEIRO HOMEM está usando a palavra PRIMEIRO como Adjetivo, porque ela está numerando HOMEM. Mas quando alguém diz: PRIMEIRO VOU EU, então PRIMEIRO é Advérbio, porque não está numerando coisa nenhuma e sim dizendo em que *ordem o* Senhor EU vai. Compreende?

Na sexta caixinha Emília viu os Advérbios de **Afirmação** — SIM, DEVERAS, CERTAMENTE.

Na sétima viu os Advérbios de **Dúvida** — TALVEZ, CASO, ACASO, PORVENTURA, QUIÇÁ.

Na oitava viu os Advérbios de **Negação** — NÃO, NUNCA, JAMAIS, NADA.

Na nona viu os Advérbios de **Designação** — EIS, EIS-QUE, EIS-AQUI, EIS-AÍ, EIS-ALI.

Emília notou que em quase todas as caixinhas havia Advérbios terminados em MENTE, e depois viu que a um canto estava uma grande caixa cheia dessas palavrinhas.

— Que mentirada é esta aqui? — perguntou. — Que tanto MENTE, MENTE?...

— Isto é um caso curioso, — explicou SER. — Esta palavra MENTE é um velho Substantivo, como significado de *maneira, ou intenção*, que os homens começaram a empregar no fabrico de Advérbios. Hoje não é mais substantivo, e sim *rabo de Advérbio*, ou Terminação Adverbial, como dizem os gramáticos. Grudando-se um rabinho destes a um Adjetivo, sai um Advérbio. CONSTANTE, por exemplo, é Adjetivo; põe o rabinho e vira o Advérbio CONSTANTEMENTE.

— Que engraçado! — exclamou Emília arregalando os olhos. — De maneira que se cortarmos o rabinho de CONSTANTEMENTE aparece o Adjetivo outra vez, não é?

— Está claro.

Para tirar a prova Emília agarrou o CONSTANTEMENTE e arrancou-lhe a caudinha — e, de fato, o Adjetivo CONSTANTE saiu a pular de satisfação, indo numa corrida para a casa dos Adjetivos, enquanto a caudinha saltava para dentro do caixão de MENTES.

— Os Adjetivos, — disse SER, — gostam às vezes de figurar de Advérbio, mesmo sem uso do rabinho. Você, por exemplo, pode dizer: EU GRITO ALTO, em vez de dizer: EU GRITO ALTAMENTE. O Adjetivo ALTO faz aí o papel de Advérbio.

Emília viu ainda outra caixa cheia de Advérbios de ares estrangeirados.

— E estes gringos? — perguntou.

— São Advérbios latinos que ainda têm uso no Brasil. Moram nessa caixa o MÁXIME, o INFRA, o SUPRA, o GRÁTIS, o BIS, o PRIMO, o SEGUNDO e outros. E aqui nesta última caixa moram uns Adverbiozinhos que não são Inflexivos como os demais, porque mudam de forma quando querem exagerar. Isto significa que eles têm Grau, como os Adjetivos. Este PERTO, por exemplo, sabe virar-se em PERTINHO e PERTÍSSIMO.

— Chega de Advérbios, — berrou Emília. — Vamos ver as senhoras PREPOSIÇÕES.

Capítulo X
As Preposições

— Gosto dos Advérbios, — foi dizendo Emília enquanto SER a levava para a casa das **Preposições**. — Eles prestam enormes serviços a quem fala. Impossível a gente dizer uma coisa do modo exatinho como é preciso sem usar qualquer Advérbio.

— Sim, — concordou SER. — Ninguém pode arrumar-se na vida sem eles. Até nós, Verbos, ganhamos imensamente com as modificações que eles nos fazem. Mas, bem consideradas as coisas, não existe palavra que não seja indispensável. Sem os Nomes, de que valeríamos nós, Verbos? E sem Verbos, de que valeriam os Nomes? Todas as palavras ajudam-se umas às outras, e desse modo os homens conseguem exprimir todas as ideias que lhes passam pela cabeça.

A Casa das Preposições não era grande, porque há poucas palavras nessa família.

— Estas senhoritas, — disse SER, — servem para *ligar* outras palavras entre si, ou para ligar uma coisa que está atrás a uma que está adiante. O Advérbio *modifica*; a Preposição liga.

— Quer dizer que são os barbantes, as cordinhas da língua, — observou Emília.

— Isso mesmo. Constituem os amarrilhos da língua. Sem eles a frase ficaria *telegráfica*, ou desamarrada. Aqui estão todas neste armário, olhe.

Emília examinou-as uma por uma, para as decorar bem, bem. Viu lá as Preposições A, ANTE, APÓS, ATÉ, COM, CONTRA, CONFORME, CONSOANTE, DE, DESDE, DURANTE, EM, ENTRE, PARA, POR, SEM, SOBRE, SOB e outras.

— Bravos! — gritou Emília. — São umas cordinhas preciosas, estas. A gente não pode dizer nada sem usá-las, sobretudo as menorzinhas, como A, ATÉ, COM, DE, SEM, POR...

— Creio que a Preposição DE é a mais importante — disse SER. — Num concurso de utilidade, DE venceria. E como ali adiante a conjunção E, que é a menor de todas. Tão econômica que até se escreve com uma letra só — e, no entanto, é uma danadinha de útil.

— Vamos visitar as Conjunções! — gritou Emília.

Capítulo XI
Entre as Conjunções

O Verbo SER levou Emília para a casa das **Conjunções** que ficava ao lado.

— As Conjunções, — explicou ele, — também ligam; mas em vez de ligarem simples palavras (como fazem as Preposições), ligam *grupos de palavras*, ou isso a que os gramáticos chamam **Oração**.

— Oração não é reza? — perguntou Emília.

— É reza e é também uma frase que forma *sentido perfeito*. Quando alguém diz: EMÍLIA É UMA BONECA, está formando uma Oração curtinha. Mas há frases muito compridas, compostas de várias Orações; nesse caso é preciso *ligar* as Orações entre si por meio das Conjunções. Não fazendo isso, a frase cai aos pedaços.

— Compreendo, — disse Emília. — Se eu digo... — e engasgou.

— Espere, — advertiu SER. — Se você diz: A ÁGUA É MOLE E A PEDRA É DURA, você está amarrando duas Orações diversas com o barbantinho da Conjunção E.

Emília viu na Casa das Conjunções dois armários, um com as Conjunções Coordenativas e outro com as Conjunções **Subordinativas**. No armário das **Coordenativas** encontrou muitas conhecidas suas, como E, TAMBÉM, ENTÃO, BEM COMO, QUE, OU, MAS, PORÉM, TODAVIA, SENÃO, SOMENTE, POIS BEM, ORA, ALIÁS...

— Como são numerosas! — comentou a boneca. — Nunca supus que fosse necessário tanta variedade de fios para amarrar as senhoras Orações.

— Os homens costumam amarrar as Orações de tantos modos diferentes, que todas essas cordinhas se tornam necessárias.

Emília ainda viu lá LOGO, POIS, PORTANTO, ASSIM, POR ISSO, DAÍ, OU, ISTO É, POR EXEMPLO, e muitas mais. No segundo armário estavam as Conjunções Subordinativas, que ligam as Orações dum modo especial, *escravizando* uma a outra. Eram igualmente abundantíssimas, e Emília notou as seguintes: QUANDO, APENAS, COMO, ENQUANTO, DESDE QUE, LOGO QUE, ATÉ QUE, ASSIM QUE, AO PASSO QUE, SE, SALVO, EXCETO, SEM QUE, PORQUE, VISTO QUE, DE MODO QUE, PARA QUE, SEGUNDO, CONFORME, EMBORA, e outras.

— Chi!... São tantas que já estão me enjoando, — disse Emília fazendo um muxoxo. — Chega de Casa de Fios. Vamos ver outra coisa.

— Só nos resta visitar as Interjeições, — disse o Verbo SER, tirando do bolso uma caixinha de rapé para tomar a sua pitada.

— Isso é tabaco ou pó de pirlimpimpim? — perguntou Emília.

— Pó de pirlimpimpim? — repetiu o Verbo SER, franzindo a testa. — Que pó é esse?

Emília riu-se.

— Nem queira saber, Serência! É um pozinho levado da breca. Uma vez tomamos uma pitada e fomos parar na lua...

E enquanto iam caminhando para a casa das Interjeições, a boneca desfiou a primeira aventura da *Viagem ao Céu*.

Capítulo XII
A CASA DA GRITARIA

— Que barulhada! — exclamou Emília ao aproximar-se da casa das **Interjeições**. — Será algum viveiro de papagaios?

— São elas. Aquilo lá dentro, parece um hospício, porque as Interjeições não passam de gritinhos.

— Gritos de quê?

— De tudo. Gritos de Dor, de Alegria, de Aplauso...

A casa das Interjeições parecia mesmo um viveiro de papagaios. Assim que entrou, Emília viu passarem correndo dois gemidinhos de **Dor**, as Interjeições — AI! e UI! Logo em seguida viu, a dar pulos, três gritinhos de **Alegria**: — AH! OH! EH! Depois viu três de nariz comprido — as Interjeições de **Desejo**: — TOMARA! OH! OXALÁ! E viu três num entusiasmo doido — as Interjeições de **Animação**: — EIA! SUS! CORAGEM! E viu quatro de **Aplauso**, batendo palmas: — VIVA! BRAVO! BEM! APOIADO! E viu mais quatro com caras de horror e nojo, que eram as Interjeições de **Aversão**: — IH! CHI! IRRA! APRE! E viu algumas de **Apelo**, chamando desesperadamente alguém: — OLÁ! PSIU! ALÔ! E viu duas de **Silêncio**, encolhidinhas, de dedo na boca: — PSIU! CALUDA! E viu uma bem velhinha, de **Admiração**: — CÁSPITE!

— Que baitaquinhas! — comentou Emília, tapando os ouvidos. — Já estou tonta, tonta...

— E há ainda aqui, — disse o Verbo SER, — esta pequena caixa com as **Onomatopeias** ou Interjeições Imitativas de certos sons.

Emília viu nessa caixinha a Onomatopeia CHAPE! que imita o som do animal patinhando n'água. E viu ZÁS-TRÁS! que imita movimento rápido. E viu também o célebre NHOQUE! muito usado por Pedrinho para imitar bote de cachorro bravo. E viu TCHIBUM! que imita barulho duma coisa que cai n'água. E viu TRRRILIN! que imita som de esporas no assoalho. E viu TIQUE-TAQUE, som de relógio. E TOQUE-TOQUE, som de batida em porta. E viu COIN, COIN, COIN, som de Rabicó quando leva pelotadas do bodoque de Pedrinho.

— Sim, senhor! — disse Emília, retirando-se. — São muito galantinhas, mas deixam uma pessoa atordoada. Lá no sítio usamos muito algumas destas interjeições, e ainda várias outras inventadas por nós. Tia Nastácia é uma danada para inventar Interjeições. Danada para tudo, aquela negra.

E, mudando de tom:

— Por que Vossa Serência não aparece por lá, um dia, para uma visita a Dona Benta? Por ser muito velho? Ora, deixe-se disso!... Estamos lá acostumados com a velhice. Dona Benta é velha e Tia Nastácia também. Cachorro bravo?... Oh, é bicho que nunca houve no sítio. Só temos Rabicó que é um marquês que não morde, e a vaca Mocha, que não tem chifre — e agora este Quindim, que é a pérola dos gramáticos.

— E há ainda mais coisas por lá, — continuou Emília depois duma pausa. — Há os famosos bolinhos de Tia Nastácia, feitos de polvilho, leite, uma colherzinha de sal, etc. Depois ela frita. Quando Rabicó sente de longe o cheiro desses bolinhos, vem na volada. Mas não pilha um só. É comida de gente e não de... marquês.

E finalizou com uma piscadinha marota:

— Dona Benta é viúva. Vá, que até pode sair casamento...

O Verbo SER olhava para Emília com os olhos arregalados. Ele não sabia a história da célebre torneirinha de asneiras...

Capítulo XIII
A Senhora Etimologia

Depois que se despediu do Verbo SER, Emília foi correndo em procura dos companheiros. Encontrou-os na Praça da **Analogia**, rodeados de várias palavras. O Visconde conversava com duas absolutamente iguais na forma, embora de *sentido* diferente — as palavras PENA (dó) e PENA (de escrever).

— Não acho isso direito, — dizia o Visconde para a primeira PENA; — se a senhora significa uma coisa tão diversa da significação da sua companheira, por que não muda, para evitar confusões?

— Sim, — disse Emília, chegando e metendo a sua colherzinha torta na conversa. Por que não usa um sinal — uma cruz na testa ou uma peninha de papagaio na cabeça, por exemplo?

— Nós, palavras, não temos a liberdade de nos mudar a nós mesmas — respondeu PENA (dó), — unicamente o USO lá entre os homens é que nos muda, como acaba de suceder a esta minha **Homônima**, a Senhora PENA (de escrever) Ela já teve dois NN e agora tem um só.

— Pare! gritou Emília. Que "Homônima" é essa, que apareceu sem mais nem menos?

— PENA (de escrever) é minha Homônima. Homônima quer dizer uma palavra que tem a *mesma forma* de outra, embora de *significado* diverso. Nós duas aqui somos Homônimas, do mesmo modo que grande número de outras palavras desta cidade. CESTA (balaio) e SEXTA (número), por exemplo; CELA (quartinho) e SELA (de cavalo), BUCHO (estômago) e BUXO (árvore), CARTUCHO (de espingarda) e CARTUXO (frade) são palavras Homônimas.

E há ainda outras diferencinhas. Se somos iguais unicamente no som, os gramáticos nos chamam **Homófonas**, como essas que citei. E se somos iguais na *forma escrita*, eles nos chamam **Homógrafas**.

— Então você PENA (dó), é Homônima, Homófona e Homógrafa de PENA (de escrever) — disse Emília, que tinha prestado toda a atenção. Que judiaria! Tão pequenininha e *xingada* pelos gramáticos de tantos nomes esquisitos...

— Mas isso de vocês terem a mesma forma ou o mesmo som — observou Narizinho, — há de atrapalhar muito aos homens. Quando eles se encontram diante de palavras Homônimas, Homófonas e Homógrafas devem ficar tontos.

— Puro engano, — respondeu PENA (dó). — Seria assim se os homens nos encontrassem soltas, como andamos aqui. Mas lá entre eles só aparecemos metidas em frases, e então é pelo **Sentido** que os homens nos distinguem. Quem ouve a frase: ESTOU ESCREVENDO COM UMA PENA DE BICO CHATO, vê logo que se trata da minha amiga PENA (de escrever). Mas quem ouve exclamar: QUE PENA TENHO DELA! percebe imediatamente que se trata de mim. É pelo sentido da frase que se conhecem as palavras.

— Muito bem, — disse Emília. — A senhora é uma grande sabidinha. E quem são aquelas que ali estão de prosa, duas a duas?

— Oh, aquelas são as palavras **Sinônimas e Antônimas**.

— Explique-nos isso, — pediu a menina.

— Palavras Sinônimas, — disse PENA (dó), — são as que significam a mesma coisa, ou *quase a mesma* coisa, embora tenham forma diferente. LÁBIO e BEIÇO, por exemplo; HABITAR e MORAR; CAVALO e CORCEL; OLHAR e VER são palavras Sinônimas.

— E as Antônimas?

— Palavras Antônimas, — respondeu PENA (dó), — são as que têm sentido oposto, como NOITE e DIA; SIM e NÃO; COM e SEM; ÓDIO e AMOR; BOM e MAU.

— Engraçado! — berrou Emília. — Então Dona Benta é Antônima de Tia Nastácia...

— Que absurdo é esse, Emília? — exclamou Narizinho.

— São, sim, — insistiu a boneca, — porque uma é branca e outra é preta.

— As cores delas é que são Antônimas, boba, e não elas...

Durante toda a conversa o rinoceronte manteve-se afastado, de beiço caído, refletindo distraidamente. Emília deu-lhe um beliscão.

— Acorde, boi sonso! Que nostalgia é essa?

— Estou pensando em coisas passadas — respondeu o excelente paquiderme. — Estou pensando na velhice destas palavras. Vieram de muito longe, sofreram grandes mudanças e continuam a transformar-se, como essa PENA de escrever que acaba de perder um N. A maioria delas já morou na antiga Roma, há dois mil anos atrás. Depois espalharam-se pelas terras conquistadas pelos romanos e misturaram-se às palavras que existem nessas terras. E vieram vindo, e vieram vindo, até chegarem ao que hoje são.

Enquanto vocês estavam de prosa com PENA (dó), eu pus-me a recordar a forma dessa palavra no tempo dos romanos. Escrevia-se POENE. E antes ainda de escrever-se assim, escrevia-se POINE, no tempo ainda mais antigo em que ela morava na Grécia.

— Que divertimento interessante não deve ser a estudo da vidinha, de cada palavra! — exclamou Pedrinho. — Há de ter cada uma o seu romance, como acontece com a gente...

— E assim é, — confirmou o rinoceronte. — Esse estudo chama-se **Etimologia**.

— Quem está falando aí em ETIMOLOGIA? — gritou PENA (dó) que estivera distraída a ouvir a boneca narrar as aventuras da *Viagem ao Céu*; e vendo que era o rinoceronte, acrescentou: — A Senhora ETIMOLOGIA reside aqui perto. Por que não dão um pulinho até lá, para visitá-la?

— Boa ideia! — exclamou Pedrinho. — Mas não é muito rabugenta, essa dama?

— Nada! — respondeu, PENA (dó). — É até uma excelente criatura — e sabidíssima, upa!... Conhece a vida de todas nós, uma por uma, nos menores detalhes. Sabe onde nascemos, de quem somos filhas e de que modo vimos mudando através dos séculos. Constantemente aparecem por aqui filólogos, gramáticos e fazedores de dicionários para consultar Dona ETIMOLOGIA a propósito de mil coisinhas.

— Pois vamos vê-la, — propôs o Visconde, já assanhado.

Velhas eram com ele, que também já estava velho e embolorado. Só Emília discordou. Preferia visitar a Senhora Prosódia, que ensinava o modo de *pronunciar* as palavras. Emília errava muito na pronúncia e queria aprender.

— Prefiro saber como é que se pronuncia uma palavra a saber onde, como e quando ela apareceu. Sou "prática"...

Mas narizinho empacou.

— Agora, não, Emília. Depois. Depois visitaremos Dona PROSÓDIA. Neste momento eu resolvo que se visite a ETIMOLOGIA. Você não manda.

E como o caso fosse assim despoticamente resolvido, dirigiram-se todos para a residência da Senhora ETIMOLOGIA.

Encontraram lá uma velha coroca, de nariz recurvo e uma papeira — a papeira da sabedoria. Encontraram-na com a casa entupida de filólogos, gramáticos e dicionaristas. Foi o que disse a criada que os atendeu na janela.

Pedrinho espiou pelo buraco da fechadura.

— Chi!... — exclamou. — Está "assim" de carranças lá dentro. Impossível que ela nos receba hoje. Os carranças estão de óculos na ponta do nariz e lápis na mão, tomando notas. Até que ela atenda a todos...

Puseram-se a escutar. A velha explicava a um daqueles homens como é que certa palavra havia passado do grego para o latim.

— Che!... — exclamou Emília. — Ainda estão no grego e no latim, imaginem! O melhor é espantarmos esses gramáticos e tomarmos conta da velha só para nós.

E voltando-se para o rinoceronte:

— Vamos, Quindim! Bote o focinho aqui no buraco da fechadura e solte um daqueles berros que os paquidermes dão nas "plagas africanas", quando o leão aparece na "fímbria do horizonte".

O rinoceronte não quis obedecer, achando aquilo impróprio e nada gramatical; mas Emília resolveu o caso dizendo que um berro era uma Interjeição e, portanto, uma coisa perfeitamente gramatical. Quindim então obedeceu. Ajustou o focinho ao buraco da fechadura e desferiu uma formidável Interjeição que abalou a casa:

— Muuu!...

Capítulo XIV
Uma nova interjeição

Houve um rebuliço de pânico lá dentro e logo depois surgiram, a fugir pelas janelas, mais filólogos e gramáticos e dicionaristas do que fogem ratazanas duma despensa quando o gatão aparece. A casa da velha ficou completamente vazia.

— Sim, senhor! O seu berro, Quindim, é que nem Flit, e merece ir para Casa das Interjeições com um letreiro novo: INTERJEIÇÃO ESPANTATIVA DE GRAMÁTICOS...

Desimpedida que ficou a casa da velha, entraram todos, menos o rinoceronte, que não cabia na porta. Toparam a ETIMOLOGIA intrigadíssima com aquele *Muuu!*... som jamais ouvido na zona.

— Não conheço essa interjeição — declarou ela assim que os meninos a rodearam. — Só conheço o *Mu!* dos bois mas este que ouvi não me parece nada bovino.

— Este é rinocerontino, minha senhora! — explicou Emília com toda a sapequice. — Veio da África. A senhora conhece a África?

A ETIMOLOGIA não conhece as coisas; só conhece as palavras que *designam* as coisas. De modo que ao ouvir aquela pergunta julgou que a boneca se referisse à palavra África, e respondeu:

— Sim, é uma palavra de origem latina, ou melhor, puramente latina, porque não mudou. A propósito...

— Espere, — interrompeu Emília. — A história da palavra África não nos interessa. Preferimos conhecer a história de outras palavras mais importantes, como, por exemplo, BONECA.

A velha riu-se da presunção da criaturinha e respondeu:

— BONECA, minha cara, é o feminino de BONECO, palavra que veio do holandês MANNEKEN, homenzinho. Houve mudança do M para B — duas letras que o povo inculto costuma confundir. A palavra MANNEKEN entrou em Portugal transformada em BANNEKEN, ou BONNEKEN, e foi sendo desfigurada pelo povo até chegar à sua forma de hoje, BONECO. Dessa mesma palavra holandesa nasceu para o português uma outra — MANEQUIM.

— Mas então o povo, isto é, os ignorantes ou incultos, influi assim na língua? — perguntou Pedrinho.

— Os incultos influíram e ainda influem muitíssimo na língua, — respondeu a velha. — Os incultos formam a grande maioria, e as mudanças que a maioria faz na língua acabam ficando.

— Engraçado! Está aí uma coisa que nunca imaginei...

— É fácil de compreender isso, — observou a velha. — As pessoas cultas aprendem com professores e, como aprendem, repetem certo as palavras. Mas os incultos aprendem o pouco que sabem com outros incultos, e só aprendem mais ou menos, de modo que não só repetem os erros aprendidos como perpetram erros novos, que por sua vez passam a ser repetidos adiante. Por fim há tanta gente a cometer o mesmo erro que o erro vira USO, e, portanto, deixa de ser erro. O que nós hoje chamamos certo, já foi erro em outros tempos. Assim é a vida, meus caros meninos.

— Tomemos a palavra latina SPÉCULUM, — continuou a velha. — Essa palavra emigrou para Portugal com os soldados romanos, e foi sendo gradativamente *errada* até ficar com a forma que tem hoje — ESPELHO.

— E os ignorantes de hoje continuam a mexer nela, — observou Narizinho. — A gente da roça diz ESPEIO.

— Muito bem lembrado, — concordou a velha. — Essa forma ESPEIO é hoje repelida com horror pelos cultos modernos, como a forma ESPELHO devia ter sido repelida com horror pelos cultos de dantes. Mas como os cultos de hoje aceitam como certo o que já foi erro, bem pode ser que os cultos do futuro aceitem como certo o erro de hoje. Eu, que sou muito velha e tenho visto muita coisa, de nada me admiro. O homem é um animal comodista. Daí a sua tendência a adotar os erros que exigem menor esforço para a pronúncia. ESPELHO exige menor esforço do que SPÉCULUM, e por isso venceu. ESPEIO exige menor esforço do que ESPELHO. Quem nos diz que não acabará vencendo, nestes mil ou dois mil anos? Hoje está mais difícil a ação dos ignorantes sobre a língua por causa do grande número de livros e jornais que existem e fixam a forma atual das palavras. Mas antigamente quem fazia a língua era justamente o ignorante.

Dona ETIMOLOGIA tomou fôlego e bebeu um golinho de chá. Emília foi cheirar a xícara para saber se era chá da índia ou de erva-cidreira...

— Mas qual a sua principal ocupação nesta cidade, minha senhora? — perguntou o menino.

— Eu ensino a origem e a formação de todas as palavras.

— Pois então nos conte a origem de algumas.

Dona ETIMOLOGIA bebeu mais um golinho de chá (enquanto Emília cochichava para Narizinho: "É de cidreira!") e começou:

— As palavras desta cidade nova, onde estamos, vieram quase todas da cidade velha, que fica do outro lado do mar. Lá na cidade velha, porém, essas palavras levaram uns dois mil anos para se formarem.

— Como foi isso? Explique.

— Nos começos, as terras em redor dessa cidade haviam sido ocupadas pelos soldados romanos, que só falavam latim. Esses soldados moravam em acampamentos (ou CASTRA, como se dizia em latim), de modo que foi em redor dos acampamentos que a língua nova começou a surgir.

— Que língua nova?

— A portuguesa. Os moradores das terras ocupadas pelos romanos, ou ABORÍGINES, eram bárbaros incultíssimos, que foram aprendendo o latim lá à moda deles — isto é, estropiadamente, todo errado e com muita mistura de termos e modos de falar locais. Tanto estropiaram o pobre latim, que ele virou um Dialeto, ou uma variante do latim puro. Depois os romanos se retiraram, mas o dialeto ficou vivendo a sua vidinha, e foi *evoluindo*, ou mudando, até tornar-se o que chamamos hoje *língua portuguesa*.

— Então a língua portuguesa não passa dum dialeto do latim?

— Perfeitamente. E também a língua francesa, a espanhola e a italiana não passam de outros tantos dialetos do mesmo latim. No começo, esses dialetos eram muito pobres em palavras e modos de dizer. Com o tempo, entretanto, as palavras foram aumentando enormemente, também foram aparecendo novos jeitos de combinar entre si as palavras. E desse modo essas línguas enriqueceram-se.

— Mas as palavras foram aumentando como? Donde vinham? Quem era o fabricante? — quis saber a menina.

— Umas nasciam lá mesmo, inventadas pelo povo; outras eram criadas pelos eruditos, que são os sabidões; outras eram importadas dos países estrangeiros.

— Mas o povo? Como é que o povo forma palavras?

— Muito simplesmente. O povo combina entre si palavras já existentes e forma novas.

— Isso lá no sítio se chama "tirar cria", — lembrou Pedrinho.

— Em Gramática se chama **Derivação**, querendo dizer que uma palavra *sai* de outra, ou *deriva* de outra. Neste processo de Derivação há umas certas palavrinhas sem sentido próprio que possuem uma função muito importante. São os **Prefixos** e **Sufixos**. Os Prefixos grudam-se no começo da palavra e os Sufixos grudam-se no fim. Estes constituem verdadeiros rabinhos, que por si nada dizem, mas que pregados a outras palavras servem para dar-lhes uma *forma* nova e um *sentido* novo.

— Espere! — gritou Emília. — Conheço um rabinho desses muito usado na fabricação de Advérbios — o tal MENTE. Basta pregá-lo no traseiro dum Adjetivo para aparecer um lindo Advérbio novo. É Sufixo o tal MENTE?

— Sim, bonequinha, — respondeu a velha, admirada da esperteza da Emília. — MENTE é um sufixo só de uso para fazer Advérbios. Existem inúmeros outros, como ARIA, ADO, AGEM, UME, etc. Este ARIA, por exemplo, é um Sufixo precioso, que permitiu a formação de grande número de Substantivos novos. ARIA em si não quer dizer coisa nenhuma, não passa dum simples rabinho. Mas ligado a uma palavra cria outra nova, com *ideia de quantidade*. Ligado ao Substantivo CAVALO, por exemplo, dá CAVALARIA, que quer dizer muitos cavalos.

— Não, senhora!, — protestou Emília. — CAVALO com o ARIA atrás vira CAVALOARIÀ e não CAVALARIA.

A velha riu-se da exigência daquele espirro de criatura.

— Bom, minha filha, — respondeu ela pachorrentamente, — confesso que errei. Eu devia ter explicado que antes de colocar um desses rabinhos é necessário, primeiro, cortar a Desinência da palavra. Se não, o Sufixo não pega, ou não *solda*. Cada palavra se divide em duas partes — a Raiz e a Desinência. Raiz é a parte fixa da palavra; Desinência é a parte final, mudável. Reparem que em todas as palavras formadas de CAVALO, a Raiz é CAVAL, e notem que essa Raiz nunca muda. CAVAL-EIRO, CAVAL-ARIA, CAVAL-GADURA, CAVAL-HADA...

— CAVAL-ÊNCIA, — ajuntou Emília.

— Esta palavra eu não conheço, — disse a velha, com expressão de surpresa nos olhos.

— É minha! — berrou a boneca. — Foi inventada por mim, com a invençãozinha que Deus me deu. Faz parte dos meus "neologismos".

A velha fez uma careta igual à de Tia Nastácia lá no sítio, quando pendurava o beiço e dizia — Credo!...

Capítulo XV
EMÍLIA FORMA PALAVRAS

— Pois é isso, — continuou a velha, ainda tonta da sapequice gramatical da Emília. — A Raiz das palavras não muda; de modo que para formar palavras novas a gente faz como o jardineiro; *poda* o que não é *Raiz* e *enxerta* o Sufixo.

— Em vez de enxertar o Sufixo no fim não é possível enxertá-lo no começo? — quis saber Narizinho.

— Não, — respondeu a velha. — Os Sufixos, assim como os rabos dos animais, só se usam na parte traseira. Há, porém, os irmãos dos Sufixos que servem justamente para enxertos no *começo da Raiz*.

— E como se chamam?

— PREFIXOS; PRE quer dizer antes, RE, TRANS, A e COM, por exemplo, são Prefixos. Se tomarmos o Verbo FORMAR e grudarmos na frente dele esses Prefixos, teremos os novos Verbos REFORMAR, TRANSFORMAR e CONFORMAR, todos com sentido diferente.

— Voltemos aos Sufixos, que são mais engraçadinhos, — propôs Emília. — Diga uma porção deles, Dona *Timótea*.

A velha, que já estava cansada de tanto falar, tomou mais um gole de chá, e prosseguiu, apontando para um armário:

— Os Sufixos estão todos nas gavetas daquele armário. Vá lá e mexa com eles quanto quiser — mas não me chame mais de Timótea, ouviu?

Emília não esperou segunda ordem. Correu ao armário, abriu as gavetas e tirou de dentro um punhado de Sufixos. Depois espalhou-os sobre a mesa para aprender a usá-los. Pedrinho e a menina vieram tomar parte no brinquedo.

— Olhe, Narizinho, — disse a boneca, — ali está uma caixa de Substantivos. Traga-me um — e você, Pedrinho, agarre aquela faca.

Os dois meninos assim fizeram. Narizinho depôs sobre a mesa um Substantivo pegado ao acaso — PEDRA.

— Segure-o bem, se não ele escapa, — recomendou Emília; — e agora, Pedrinho, corte a Desinência deste Substantivo dum só golpe. Vá!

— Mas esta faca será capaz de cortar PEDRA? — indagou o menino, de brincadeira, só para ver o que a boneca dizia. A diabinha, porém, estava tão interessada na operação cirúrgica que apenas gritou:

— Corte e não amole!

Apesar da recomendação, o menino amolou a faca na sola do sapato e só depois disso é que — *Zás!...* atorou a Desinência de Pedra, a qual deu um gritinho agudo.

— Pronto! — exclamou Emília. — O pobre Substantivo está reduzido a uma simples Raiz. Venha ver, Dona ETIMOLOGIA, como é engraçadinha esta Raiz.

Mas a velha, que andava farta e refarta de lidar com Raízes, nem se mexeu do lugar. Emília, então, tomou um dos Sufixos tirados da gaveta, justamente o ARIA, e fez a ligação com um pouco de cuspo. Imediatamente surgiu a palavra PEDRARIA.

— Viva! Viva! — gritou ela batendo palmas. — Deu certinho! Venha ver, Dona *Eufrásia*! Com uma Raiz e um Sufixo fabricamos uma palavra nova, que quer dizer *muitas pedras*. Deixe esse chá sem graça e venha brincar.

Mas a velha estava muito velha para brincadeiras e limitou-se a tomar novo gole de chá.

— Vamos ver outro Sufixo, — propôs Narizinho.

Emília pegou outro, o sufixo ADA, e experimentou a ligação. Deu a palavra PEDRADA.

— Ótimo! Este também dá certinho. PEDRADA todos sabemos o que é. Vamos ver outro.

Emília pegou um terceiro Sufixo — ERIA, e experimentou a ligação. Deu a palavra PEDRERIA, que não tinha sentido.

— Este não presta, — gritou Pedrinho. — Não dá nada que se entenda. Veja outro, Emília, esse EIRO.

Ligou bem. Deu PEDREIRO.

— Ótimo! — exclamou a boneca. — Vamos ver este cá — ALHA.

Deu PEDRALHA, que eles não sabiam o que era, mas estava com jeito de ser qualquer coisa. Depois experimentaram os Sufixos ULHO, ENA, IO, DADE, AME, UJE e AL, com resultados variáveis. Uns deram, outros não deram nada. ULHO, com um EG no meio, deu uma beleza — PEDREGULHO. O Sufixo DADE deu asneira — PEDRDADE.

Emília olhou para o rótulo da gaveta e viu que estava usando Sufixos de **Coleção**.

Na gaveta imediata estavam os Sufixos de **Aumento**: ÃO, ZARRÃO, AZ, AÇO, etc.

Na terceira gaveta estavam os Sufixos de **Diminuição**, INHO, ZINHO, ITO, EBRE, ILHO e mais uns trinta.

Na quarta estavam os Sufixos de **Agente**: DOR, NTE, ARIO, ARIA, EIRO, EIRA.

Na quinta, os Sufixos designativos de **Ação** ou de resultado da Ação: ÇÃO, MENTO, ADA.

Na sexta, os Sufixos designativos de **Lugar**: ARIO, ARIA, EIRO, EIRA, DOURO, DOURA, ORIO.

Na sétima estavam os Sufixos designativos de **Estado**: URA, EZA, IDADE, DADE, ICE, ÊNCIA, TUBA, ITE.

E na oitava estavam os Sufixos de Dignidade e Profissão: ADO e ATO.

Apesar de serem muitos, os meninos fizeram experiência naquela Raiz com quase todos os Sufixos, conseguindo formar as seguintes palavras derivadas de PEDRA — PEDRARIA, PEDRADA, PEDRAL, PEDRAGEM, PEDREIRO, PEDRAMA, PEDRAME, PEDRUME, PEDREGULHO (neste caso foi preciso intercalar um E e um G para dar certo), PEDRÃO, PEDRAÇO, PEDRARA, PEDRÁZIO, PEDRALHA, PEDRORRA, PEDRINHA, PEDRITA, PEDRETE, PEDROTE, PEDRILHA, PEDRIÇA, PEDRISCO, PEDRACHO e PEDREIRA, ou sejam vinte e quatro ao todo.

— Vinte e quatro! — exclamou o menino. — Agora estou compreendendo por que há tantas palavras na língua. Pois se somente com esta porqueirinha de Raiz nós pudemos formar vinte e quatro palavras diversas, imagine quantas não formaríamos usando todas as raízes que existem!

— E isso lidando só com os Sufixos próprios para fazer Substantivos, — disse Dona ETIMOLOGIA aproximando-se, — porque há ainda os Sufixos, que servem para fabricar Verbos, como por exemplo, GOTEJAR, que é a Raiz do Substantivo GOTA ligada ao Sufixo EJAR. Com esse EJAR, e ainda com EAR, IZAR, ENTAR, ECER, ITAR, INHAR, ICAR e outros, a Emília pode passar dias e dias brincando de transformar em Verbos todos os Substantivos que houver lá no sítio.

— A Senhora dá licença de levar para lá uma coleção de Sufixos? — pediu a boneca.

— Dou, — respondeu a velha; — mas primeiro trate de consertar a palavra PEDRA e de juntar do chão todos esses Sufixos espalhados. Quero tudo direitinho como estava.

Emília recolou a Desinência da palavra PEDRA e varreu todos os Sufixos que tinham caído no chão. Depois arrumou-os, muito bem arrumadinhos, nas respectivas gavetas.

Dona ETIMOLOGIA ofereceu chá aos meninos, e enquanto eles o tomavam teve ocasião de explicar que a palavra CHÁ viera da China, onde significava a bebida feita de certa planta, o *Thea sinensis*; depois a palavra passou a ser usada para designar a infusão de folhas ou raízes de qualquer planta. Que velha sabida! Parecia Dona Benta.

— Bom, bom, bom, — exclamou ela ao terminar o lanche e sem erguer-se da mesa. — Isso de que falei, e com que vocês estiveram brincando, chama-se a Derivação Própria das Palavras, porque há também a Derivação Imprópria.

— Já sei! — adivinhou Emília. — A tal Derivação Imprópria é a que se faz sem Sufixo, nem Prefixo.

A boa velha assombrou-se.

— Como o sabe, bonequinha?

— Esperteza, — disse Emília piscando um olho. — Eu muitas vezes arrisco opiniões que dão certo. Tia Nastácia diz que quem não arrisca não petisca...

Capítulo XVI
O SUSTO DA VELHA

Dona ETIMOLOGIA ficou uns instantes a olhar para a boneca, balançando a cabeça. Depois continuou:

— Pois é isso. Substantivos, Adjetivos, Preposições, Conjunções e Interjeições podem ser formados sem a ajuda dos Sufixos, e sim com o emprego duma mesma palavra, mas *dando a ela um sentido diferente*. O Substantivo NARIZINHO, por exemplo, que é um simples Diminutivo, pode tornar-se Nome Próprio, como aconteceu aqui com esta menina. Chama-se Narizinho, e, portanto, quem diz este nome está dizendo um NOME PRÓPRIO. Na frase: O NARIZINHO DE NARIZINHO É ARREBITADO, o primeiro NARIZINHO é Substantivo Comum e o segundo é Nome Próprio.

O mesmo se dá com a avó dela, Dona Benta de Oliveira. Oliveira era uma árvore que dava azeitonas; com o tempo o USO mudou esse Substantivo Comum em Nome Próprio, muito empregado para Sobrenomes — e ficaram no mundo duas espécies de OLIVEIRAS — a que dá azeitonas e a que dá Sobrenomes a muita gente.

— É mesmo! — gritou o menino. — Agora estou vendo que a maior parte dos Nomes Próprios que conheço são Nomes Comuns "apropriados", que em vez de designarem coisas passaram a designar pessoas, como LEITÃO, INOCÊNCIA, ROSA, MARGARIDA, ESPERANÇA, MONTEIRO, LOBATO, QUINDIM...

— Do mesmo modo, muitos Adjetivos viram Substantivos, sem nenhuma mudança de forma, — continuou a velha. — BRILHANTE, por exemplo, é um Adjetivo Qualificativo da coisa que brilha; mas se se refere ao diamante lapidado, vira Substantivo.

O mesmo se dá com certos Pronomes, como o pronome TUDO, que vira Substantivo na frase: O TUDO É VENCER. Também há pessoas de Verbo que viram Substantivos. VENDA que é a primeira e a terceira Pessoa do Presente do Modo Subjuntivo do Verbo VENDER, vira o Substantivo VENDA, com significação de *ato de vender* ou *casa onde se vendem coisas*.

— Na venda do João Nagib, lá perto do sitio, quase que só há pinga, fósforo, bacalhau e sal... Que venda à-toa! — recordou Emília. — Nem bala de apito tem. Dona Benta não gosta que os meninos passem por lá.

— Pare com isso, Emília, que você até envergonha a "espécie" — advertiu Narizinho. — Continue Dona ETIMOLOGIA, faça o favor.

E a velha continuou:

— E também advérbio e outras Palavras Inflexivas viram Substantivos. Quando uma pessoa diz: A METADE DO QUEIJO, o Advérbio METADE está virado em Substantivo.

E também Substantivos viram Adjetivos, como nesta frase: NOVA YORK É UMA CIDADE MONSTRO. O Substantivo MONSTRO está nesta frase fazendo papel de Adjetivo para indicar enormidade.

E também Substantivos viram Interjeições, como nesta frase... Socorro! Uma fera africana acaba de invadir minha casa!...

— Que cara feia ela está fazendo! — murmurou Narizinho, que não havia notado o súbito aparecimento do rinoceronte no fundo da sala.

— Socorro! — continuou a velha, a berrar, no maior pavor de sua vida. — Acudam-me!...

Só então os meninos perceberam que ela não estava *dando* nenhum exemplo, e sim *urrando de pavor*. Puseram-se a rir — e isso ainda mais aumentou o pânico da velha, que supôs ser riso nervoso, desses que atacam certas pessoas quando o perigo é do tamanho duma torre.

— Não se assuste, Dona *Eulália*! — gritou Emília. — Este paquiderme é mansíssimo, e até se chama Quindim, nome dum doce muito delicado. Medo de Quindim? Que bobagem! É a melhor criatura do mundo. Uma perfeita moça. Quer ver? — e Emília correu para o rinoceronte, sobre o qual trepou pela escadinha de corda que ele trazia pendente do costado — invenção de Pedrinho para facilitar a "montagem" do paquiderme, como ele dizia. A boneca deu jeito e logo se plantou, muito a cômodo sobre o terrível chifre de Quindim.

— Está vendo, dona *Brites*? Poderá haver monstro mais carneiro? Venha também. Não se vexe. Lá no sítio, Dona Benta e Tia Nastácia, quando não há gente grande perto para espiar, não saem do lombo de Quindim. Venha. Deixe-se de fedorências...

Mas não houve meio. Dona ETIMOLOGIA era a maior das medrosas, e para acalmá-la foi preciso que o Visconde afastasse dali o excelente paquiderme.

A pobre velha queixou-se de sufocação no peito e teve de tomar um bule inteiro de chá calmante.

— Uf! Que susto! Enfim... Mas como eu ia dizendo... Que é que eu ia dizendo?... Sim, que as palavras derivam umas das outras de dois modos. Mas ele não chifra ninguém lá no tal sítio?

— Nem mosquito, — respondeu Emília. — Juro pela alma do Visconde.

A velha assoprou três vezes.

— Mas como ia dizendo, a Derivação das palavras faz-se por meio de Sufixos e Prefixos. Já falei nos Prefixos?

— Um pouquinho só, — disse Pedrinho.

— Pois os tais Prefixos são palavrinhas da mesma família que os Sufixos, mas que se colocam na *frente*. Isso de servir de cauda é especialidade dos Sufixos. Existem numerosos Prefixos, mas como estou muito nervosa, vou citar apenas alguns, como SUB, INTRO, PER, SUS, COM, os quais servem para formar palavras como SUBDIVIDIR, INTROMETER, PERCORRER, SUSTENTO, COMPADRE etc. Uf! Que bicho horrendo! Aquele chifre pontudo no meio da testa...

— Continue, dona! — berrou Emília. — Esqueça duma vez o pânico. Já está enjoando.

A velha assoprou de novo, suspirou e disse:

— Há ainda a formação de palavras por Justaposição, quando duas palavras se ligam para exprimir uma terceira coisa. GUARDA e CHUVA, por exemplo, têm o sentido que vocês sabem; mas quando se JUSTAPÕEM, dão a palavra GUARDA-CHUVA, que é coisa diferente. BEM-TE-VI, BEIJA-FLOR, CORRIMÃO, PICA-PAU, GIRASSOL e tantas outras são formadas deste modo.

— SACA-ROLHA, AGUARDENTE e LAMBE-PRATOS, também, — começou Emília, mas Narizinho impôs-lhe silêncio e a velha prosseguiu.

— Há ainda a formação de palavras por Aglutinação na qual uma das palavras *perde* um pedacinho para melhor *fundir-se* com outra, como essa AGUARDENTE que Emília acaba de citar. Se houvesse apenas Justaposição, ficaria AGUAARDENTE; mas a Aglutinação faz que desapareça um dos AA.

E há, finalmente, a formação de palavras por Hibridismo, em que entram vocábulos de línguas diferentes, como em MONÓCULO. MONO é palavra grega que quer dizer UM, ou ÚNICO e ÓCULO é palavra latina.

— Lá no sítio de Dona Benta, — lembrou Emília, — MONO quer dizer macacão. O tio Barnabé, que mora perto da ponte, Dona Benta diz que é um verdadeiro mono.

— Sei disso, — declarou a velha rindo-se, — mas em grego MONO significa único.

— Único macacão?

— Cale-se, Emília, por favor! — pediu a menina.

A velha continuou:

— Se vocês quiserem visitar as palavras gregas usadas para a formação de vocábulos novos, espiem aquele cercado de arame. Lá estão todas.

Os meninos correram ao ponto indicado, que era o curral onde a velha conservava as suas palavras gregas.

— Chi!... Quantas! — exclamou Narizinho. — E todas com papeleta no pescoço, para mostrar o que querem dizer em português.

Estavam, lá, entre muitas, as seguintes greguinhas GEO (terra), que serve para formar GEOGRAFIA, GEOLOGIA, GEOMETRIA, GEODÉSIA, etc. E MICRO (pequeno), que serve para formar MICRÓBIO, MICROSCÓPIO etc. E TRI (três), que serve para formar TRIGONOMETRIA, TRILOGIA etc. E ZOO (animal), que serve para formar ZOOLOGIA, ZOOTECNIA etc. E PAN (tudo), que serve para formar PANTEÍSMO, PANORAMA, etc. E BIO (vida), que serve para formar BIOLOGIA, BIOGRAFIA etc. E RINO (nariz), que serve para formar RINOCERONTE.

— Ora vejam só! — berrou Emília. — Quindim chama-se rinoceronte por causa do nariz. RINO é nariz. E CERONTE? Que será CERONTE? Veja se acha essa palavra aí do seu lado, Narizinho.

Custou um pouco, mas acharam. CERONTE queria dizer chifre.

— Pronto! — gritou Emília radiante. — Rinoceronte significa NARIZ NO CHIFRE.

— Ou CHIFRE NO NARIZ? — objetou Narizinho. — A tradução na ordem direta não dá certo, porque na realidade Quindim não tem nenhum nariz no chifre.

Emília mostrava-se cheíssima de si com as muitas coisas novas que ia aprendendo, e passou lá mais de uma hora decorando palavras gregas para com elas formar outras diferentes. Súbito, gritou:

— Já sei o seu nome em grego, Narizinho!

— Como é?

— MICRORRINO! MICRO quer dizer pequeno e RINO quer dizer nariz. Nariz pequeno é narizinho...

— Mas por que chamam híbridas a estas palavras feitas só de grego? indagou o menino. Híbrido, que eu sei, é o burro e a mula, filhos de jumento e égua. Será que estas palavras são as mulas da língua? Vou perguntar à velha.

Perguntou, e Dona ETIMOLOGIA explicou que Híbrido queria dizer Mestiço de duas raças diferentes.

— Então aquelas palavras do cercado não são Híbridas e sim de puro sangue.

— Perfeitamente, — concordou a velha. — Um verdadeiro vocábulo Híbrido é o MONÓCULO que já citei; como também CENTÍMETRO e MINERALOGIA, porque nos três casos metade da palavra é grega e outra metade é latina. Estas, sim, são as verdadeiras mulas da língua.

Emília juntou uma porção de palavras gregas e latinas para fazer, lá no sítio uma criação de palavras Híbridas. Entre elas levou DEMO, que significa Povo; ODONTO, que significa Dente; TELE, que significa Longe; TOPO, que significa Lugar; FONO, que significa Voz — todas gregas.

— Levo estas só, — disse ela. — Palavras latinas temos lá muitas, naquele dicionário grandão de Dona Benta. Com estas já podemos fazer uma criação de Híbridos de primeira ordem.

Pedrinho não quis ficar atrás e levou mais as seguintes, também gregas: GASTRO, que significa Ventre; ÍDOLO, que significa Imagem; MISO, que significa ódio; DI, que significa Dois; TETRA, que significa Quatro — e mais umas quantas.

— Quero ver quem cria híbridos mais bonitos, se você ou eu, — disse ele.

Capítulo XVII
GENTE DE FORA

— Pois é isso, meninada! — disse logo depois a velha. — Vocês já sabem como se formam as palavras da língua. Grande número veio diretamente do latim. Foi o começo, a primeira plantação. Depois começaram a *reproduzir-se* lá entre elas, ou a *derivar-se* umas das outras. Depois houve muita entrada de palavras exóticas, isto é, procedentes de países estrangeiros. Depois houve *invenção* de neologismos — e desses vários modos a língua foi crescendo.

Aqui na cidade nova as palavras vindas da cidade velha misturaram-se com inúmeras de origem local, ou palavras índias, que já existiam nas terras do Brasil quando os portugueses as descobriram. A maior parte dos nomes de cidades, rios e montanhas do Brasil são de origem índia, como TREMEMBÉ, ITU, NITERÓI, ITATIAIA, GOIÁS, PIAUÍ, PIRAMBOIA, etc.

ITA é uma palavra da língua tupi que quer dizer PEDRA, e tem servido de Prefixo para a formação de muitos Nomes. Temos em São Paulo a cidadezinha de Itápolis, formada de ITA, que é indígena, e POLIS (cidade), que é grega.

PIRA (peixe) é outra palavra tupi muito usada. PIRACICABA, PIRAQUARA, GUAPIRA.

— Eu gosto muito das palavras tupis e lamento que o Brasil não tenha um nome tirado dessa língua, — disse Pedrinho.

— Em compensação muitos Estados do Brasil possuem nomes indígenas, como PARÁ (rio grande), PERNAMBUCO (quebra-mar), PARANÁ (rio enorme), PARAÍBA (rio ruivo), MARANHÃO (mar grande) e outros. O Tupi conseguiu encaixar na língua portuguesa grande número de palavras de uso diário, como TABA, MORANGA, JAGUAR, ARAÇÁ, JABUTICABA, CAPIM, CARIOCA, MARIMBONDO, PIPOCA, PEREBA, CUIA, JARARACA, URUTU, TIPITI, EMBIRA, etc.

— E também muitos Nomes Próprios, — advertiu Narizinho. — Conheço meninas chamadas ARACI, IRACEMA, LINDOIA, INAIÁ, JANDIRA...

— E eu conheço um menino chamado UBIRAJARA GUAPORÉ DE ITABAPOÃ GUARATINGUAÇU — filho dum turco que mora perto do tio Barnabé, — lembrou Pedrinho.

— Pois é isso, — continuou a velha. — Todas as línguas vão dando palavras para a língua desta cidade. O grego deu muitas. O hebraico deu várias, como MESSIAS, RABINO, SATANÁS, MANÁ, ALELUIA.

O árabe deu, entre outras ALFÂNDEGA, ALAMBIQUE, ALFACE, ALFAIATE, ALQUEIRE, ÁLCOOL, ALGARISMO, ARROBA, ARMAZÉM, FATIA, MACIO, MATRACA, XAROPE, CIFRA, ZERO, ASSASSINO.

A língua francesa deu boa quantidade, como PALETÓ, BONÉ, JORNAL, BANDIDO, TAMBOR, VENDAVAL, COMBOIO, CONHAQUE, CHAMPANHA.

A língua espanhola deu menos do que devia dar. Citarei FANDANGO, FRENTE, MUCHACHO, CASTANHOLA, TRECHO, SAVANA.

A língua italiana deu muito mais: ÁGIO, BANCARROTA, BÚSSOLA, GÔNDOLA, CANTATA, CASCATA, CHARLATÃO, MACARRÃO, TENOR, PIANO, VIOLINO, CARNAVAL, GAZETA, SONETO, ÓPERA, FIASCO e POLENTA são palavras italianas.

O inglês está dando muitas agora. Das antigas posso citar: CHEQUE, CLUBE, TÍLBURI, TROLE, ESPORTE, ROSBIFE, SANDUÍCHE; e entre as modernas há várias trazidas pelo cinema e pelo futebol.

— Eu sei uma! — gritou Pedrinho levantando o dedo.

— Diga.

— OKEY, que também se escreve com duas letras O K. Quer dizer que está tudo muito bem.

— E eu sei outra, — disse a menina. — Conheço a palavra IT, que quer dizer um "quezinho" especial.

— Isso mesmo, — confirmou a velha. — Esse novo sentido do velho pronome inglês IT foi inventado por uma escritora que o botou como título dum seu romance. Pessoa que tem IT significa pessoa que exerce atração sobre as outras. Emília, por exemplo, é um pocinho de IT...

A boneca fungou de gosto e Dona ETIMOLOGIA prosseguiu:

— Também vieram muitas palavras da África, trazidas pelos negros escravizados, como BANZÉ, CACIMBA, CANJICA, INHAME, MACACO, MANDINGA, MOLEQUE, PAPAGAIO, TANGA, ZEBRA, VATAPÁ, BATUQUE, MOCOTÓ, GAMBÁ.

Da Rússia vieram CALEÇA, COSSACO, SOVIETE, BOLCHEVISMO, etc.

Da Hungria vieram COCHE, COCHEIRO, SUTACHE, HUSSARDO.

Da China vieram CHÁ, CHÁVENA, MANDARIM, LEQUE.

Da Pérsia vieram BAZAR, CARAVANA, BALCÃO, DIVÃ, DAMASCO, TURBANTE, TABULEIRO, TAFETÁ.

Da Turquia vieram TULIPA, ODALISCA, PAXÁ, BERGAMOTA, QUIOSQUE.

A velha parou na Turquia, para tomar mais um gole de chá.

— E assim, se foi formando, e se vai formando, a língua. Uma língua não para nunca. Evolui sempre, isto é, muda sempre. Há certos gramáticos que querem fazer a língua parar num certo ponto, e acham que é erro dizermos de modo diferente do que diziam os clássicos.

— Que vem a ser clássicos? — perguntou a menina.

— Os entendidos chamam clássicos aos escritores antigos, como o Padre Antônio Vieira, Frei Luís de Sousa, o Padre Manuel Bernardes e outros. Para os carrancas, quem não escreve como eles está errado. Mas isso é curteza de vistas. Esses homens foram bons escritores no *seu tempo*. Se aparecessem agora seriam os primeiros a mudar, ou a adotar a língua de hoje, *para serem entendidos*. A língua variou muito e, sobretudo aqui na cidade nova. Inúmeras palavras que na cidade velha querem dizer uma coisa, aqui dizem outra. BORRACHO, por exemplo, aqui quer dizer bêbedo; lá quer dizer filhote de pombo — vejam que diferença! ARREAR, aqui, é selar um animal; lá é enfeitar, adornar.

— Então lá há moças *bem arreadas*? — perguntou Emília.

— Sim, — respondeu a velha. — Uma dama bem arreada não espanta a ninguém lá do outro lado. Aqui, MOÇO significa jovem; lá, significa *serviçal, criado*.

Também no modo de pronunciar as palavras existem muitas variações. Aqui, todos dizem PEITO; lá, todos dizem PAITO, embora escrevam a palavra da mesma maneira. Aqui se diz TENHO e lá se diz TANHO. Aqui se diz VERÃO e lá se diz V'RÃO.

— Também eles dizem por *lá* VATATA, VACALHAU, BALA, VESOURO — lembrou Pedrinho.

— Sim, o povo de lá troca muito o V pelo B e vice-versa.

— Nesse caso, aqui nesta cidade se fala mais direito do que na cidade velha, — concluiu Narizinho.

— Por quê? Ambas têm o direito de falar como quiserem, e, portanto ambas estão certas. O que sucede é que uma língua, sempre que muda de terra, começa a variar muito mais depressa do que se não tivesse mudado. Os costumes são outros, a natureza é outra — as necessidades de expressão tornam-se outras. Tudo junto força a língua que emigra a *adaptar-se* à sua nova pátria.

A língua desta cidade está ficando um *dialeto* da língua velha. Com o correr dos séculos é bem capaz de ficar tão diferente da língua velha como esta ficou diferente do latim. Vocês vão ver.

— Nós vamos ver? — exclamou Narizinho, dando uma risada. — Então pensa que somos como a senhora, que vive toda a vida e mais séculos e séculos?

— Vocês também viverão séculos e séculos por meio dos seus futuros filhinhos e netos e bisnetos, — replicou a velha.

— Menos eu! — gritou Emília. — Já me casei e me arrependi bastante. Felizmente, não tive filhos — e como não pretendo casar-me de novo, não deixarei "descendência" neste mundo...

— E se aparecer um grande pirata, como aquele Capitão Gancho, da história de Peter Pan? — cochichou Narizinho no ouvido dela.

— Isso é outro caso... — respondeu Emília, cujo sonho sempre fora ser esposa dum grande pirata para "mandar num navio..."

— Por falar em pirata... Onde andará o Visconde? — indagou Pedrinho. — Depois que tirou Quindim da sala não o vi mais.

— O Visconde anda armando alguma, — disse a boneca, que andava desconfiada de qualquer coisa. — Vamos procurá-lo, já, já, antes que lhe aconteça alguma.

E como tinham de procurar o Visconde, despediram-se da Dona ETIMOLOGIA, que prometeu aparecer no sítio de Dona Benta.

Logo que se viram na rua, Pedrinho — perguntou à primeira palavra que ia passando se não vira um Visconde assim, assim.

— Um de palhinha de milho no pescoço? Vi, pois não. Passou por aqui inda agora, com um Ditongo debaixo do capote. Ia esperneando, o coitadinho.

— Eu não disse? — berrou Emília. — Eu não disse que o Visconde andava tramando alguma? Mas que quererá ele com um Ditongo, santo Deus?...

Puseram-se em marcha, com o rinoceronte atrás. Logo adiante viram um ajuntamento na frente de certa casa.

— Será alto-falante com resultados de futebol?

Não era isso. Era uma curiosidade de museu que ali estava em exibição pública. Um grande letreiro dizia *A palavra mais comprida da língua. Entrada franca.*

Os meninos precipitaram-se para ver o fenômeno e de fato viram, num cercado de arame, espichada no chão que nem jiboia, a palavra ANTICONSTITUCIONALISSIMAMENTE.

— Irra! — berrou a boneca. — Uma, duas, três, quatro... Vinte e nove letras tem este formidável advérbio!...

— Treze sílabas! Cáspite!... — acrescentou Pedrinho.

Um guarda ali presente deu informações a respeito daquela sucuri verbal. Era uma pobre palavra que não tinha outra ocupação na língua senão exibir-se como curiosidade. Vivia do seu tamanho, como certos gigantes de circo. Uma coitada que nem andar podia de tanta letra a pesar-lhe nas costas. Mais que o alfabeto inteiro...

— Inda agora esteve aqui conversando com ela um grande fidalgo de fora, que a escreveu direitinho no seu caderno de notas.

— Como era esse fidalgo? Não reparou se usava umas palhinhas no pescoço?

— Isso mesmo.

— Sem cartolinha na cabeça?

— Sem nada na cabeça.

— Um ar de... de sabugo de milho?

— Isso mesmo.

— Um tanto embolorado?

— Isso mesmo. Verdinho de bolor.

— Pois é o grande Visconde de Sabugosa que andamos catando como se cata agulha em palheiro. E para onde se dirigiu ele?

— Depois que acabou de tomar as suas notas, — disse-me: "Passe bem!" e sumiu-se. Percebi que levava um Ditongo debaixo do capote. Ia esperneando, o pobrezinho...

Emília ficou seriamente apreensiva com a história daquele Ditongo esperneante.

Capítulo XVIII
Nos domínios da sintaxe

O tráfego naquela cidade não era bem regulado. Nada de flechas indicativas das direções, nem "grilos" poliglotas que guiassem os viajantes. De modo que os meninos, em vez de darem no bairro das Sílabas, para onde pretendiam ir a fim de saber que história era aquela do Ditongo, foram parar num bairro desconhecido.

— Onde estamos? — quis saber Pedrinho.

— No bairro da **Sintaxe**, — respondeu Quindim. — Esta cidade divide-se em duas zonas. A primeira é a zona da Lexicologia, onde todas as palavras vivem soltas, como vocês já viram. A segunda (esta aqui) é a zona da Sintaxe, onde as palavras só saem em *família*, casadinhas, com filhos e parentalha. Uma família de palavras chama-se uma **Oração**.

Os meninos viram que realmente não passeavam por ali palavras soltas. Apareciam sempre aos magotes, formando frases completas.

Passou um grupo que formava esta frase: O VISCONDE RAPTOU UM DITONGUINHO. Quindim explicou:

— Esta frase é uma Oração que leva na frente o chefe da família, ou o **Sujeito**; depois vem o verbo com o Atributo escondido dentro dele; e depois vem um Complemento, que é assim, como um criado.

— Quer dizer, — indagou Narizinho, — que em cada Oração há sempre um chefe, que é o tal Sujeito?

— Sim. Sem a presença do Sujeito é impossível formar-se a Oração. O Sujeito dirige tudo, faz e desfaz, manda e desmanda. Quando você diz Tia Nastácia FAZ BOLINHOS MUITO GOSTOSOS, o Sujeito é Tia Nastácia — e está claro que sem esse Sujeito, adeus bolinhos! O Sujeito é sempre um substantivo, *ou frase que corresponda* a um Substantivo.

— Alto lá! — exclamou Emília. — Se eu digo: TU ÉS UM PAQUIDERME GRAMATICAL, o Sujeito é TU — e TU não passa de muito bom Pronome.

— Sim, Tu é Pronome, mas está na frase *representando* a mim, rinoceronte, que sou um Substantivo.

Emília viu que era assim mesmo e calou-se.

— Muito bem, — continuou Quindim, satisfeito de haver pregado um quinau na boneca. — Sujeito é isso. Vamos agora ver quem sabe o que é Predicado.

Ninguém sabia.

— Predicado, — explicou ele — é *o que se* diz do Sujeito.

— Mas o que se diz do Sujeito está no Verbo, — lembrou o menino. — Na frase: O GATO COMEU O RATO, o que se diz do Sujeito GATO é que COMEU o rato.

— Pois é isso mesmo, — continuou Quindim. — O Predicado *está dentro* do Verbo. Depois aparecem os Complementos, que servem para *completar* a Oração com o mais que há *a dizer do Sujeito*, ou *a propósito do que ele fez ou faz*. E como há vários modos de completar, há também vários Complementos.

— Já ouvi falar num tal Complemento **Objetivo**, — disse o menino.

— Sim, e é muito importante, — confirmou Quindim. — O Complemento Objetivo é uma vítima do que o Sujeito *faz ou do que acontece*. Na Oração: O GILSON MATOU O TICO-TICO, o Complemento Objetivo é TICO-TICO, a vítima do verbo matou.

— E quais são os outros?

— Há o Complemento **Terminativo**, que é *exigido* pela palavra que ele complementa. Na Oração: O VISCONDE GOSTA DE DITONGOS, este DE DITONGOS *complementa exigidamente* o GOSTA e é, portanto, um Complemento Terminativo. Quem diz GOSTA tem de completar a ideia *dizendo do que o Sujeito gosta*.

— E que outros há?

— Há os Complementos **Circunstanciais**, que não *são exigidos de modo forçado* pelas palavras que complementam, mas que servem para esclarecer melhor o assunto. O PICA-PAU ESTÁ NO TERREIRO. Nesta Oração este NO TERREIRO é Complemento **Circunstancial de Lugar**.

— Comprido ele é! — disse Emília. — Bem maior que o terreiro...

— Existem muitos Complementos deste tipo. Há Complementos Circunstanciais de Lugar, de **Tempo**, de **Modo**, de **Fim**, de **Distância**, de **Preço**, de **Dúvida**, etc. Nesta Oração: EMÍLIA ESTÁ APRENDENDO GRAMÁTICA SEM O PERCEBER, este SEM O PERCEBER é um Complemento Circunstancial de Modo, pois que se refere ao *modo*, ou *maneira* de Emília aprender Gramática.

Nesta outra Oração: COMPREI UM QUEIJO POR SEIS CRUZEIROS, este POR SEIS CRUZEIROS é um Complemento Circunstancial de Preço.

— E fora esses Complementos compridos, que outros há?

— Há o Complemento **Atributivo**, que diz como é o Substantivo que ele complementa. É sempre formado por um Adjetivo. Na expressão: NARIZINHO ARREBATADO, este Adjetivo ARREBATADO é o complemento Atributivo do Sujeito NARIZINHO.

Estavam nesse ponto quando ouviram um rebuliço na praça. Era uma senhora de maneiras distintas, com lornhão de cabo de madrepérola, que vinha vindo, seguida de um cortejo de frases.

— Quem será aquela grande dama? — indagou Narizinho.

— Oh, é a Senhora SINTAXE, a dona de tudo isto por aqui. Quem governa e dirige a *concordância* das palavras nas frases é sempre ela. Uma senhora exigentíssima.

Os meninos foram ao encontro da grande dama, à qual Narizinho fez as necessárias apresentações. Ela gostou muito da carinha da Emília, mas achou que o chifre de Quindim podia ser menos pontudo. Depois de alguns instantes de prosa — disse Dona SINTAXE:

— Pois é isso, meus meninos. Sou eu quem faz estas palavrinhas comportarem-se como é preciso dentro das Orações. Obrigo-as a terem boas maneiras, a seguirem as regras do bom-tom. Forço o Verbo a concordar sempre com o Sujeito e o Adjetivo a concordar com o Substantivo. Também não deixo que o Pronome discorde do Substantivo. Se não fossem as minhas exigências, as frases virariam verdadeiras bagunças. Passo a vida fiscalizando a concordância das senhoras palavras.

Nesse momento passou a certa distância, muito envergonhada de si própria, uma frase que dizia assim OS GATOS COMEU OS RATOS. Dona SINTAXE ficou vermelha de cólera e chamou-a com um gesto enérgico.

— Venha cá! Então não sabe que o Verbo tem de concordar sempre com o Sujeito? Lambona! Vivo dizendo isto...

— A culpa é do Verbo, — fungou o Sujeito. — Eu bem que o avisei...

Dona SINTAXE tocou dali o COMEU e pôs no lugar um COMERAM.

— Agora sim, — disse ela sorrindo. — Agora a frase está certíssima. OS GATOS COMERAM OS RATOS. Pode ir — e nunca mais me apareça de Verbo torto, ouviu?

Dona SINTAXE encontrou mais adiante outra aleijadinha — uma Oração que rezava assim: NÓS VAI BRINCAR, e consertou-a, pondo o Verbo no plural — VAMOS.

Depois, voltando-se para Emília, que estava de mãozinhas na cintura, gozando a cena, explicou:

— Minha vida aqui é o que se vê. Tenho de estar fiscalizando todas estas senhoritas para que a cidade não vire salada de batatas. As frases que andam com a concordância na regra tornam-se claras como água da fonte — e a clareza é a maior qualidade que existe. Tenho também de cuidar da Colocação ou da ordem das palavras na frase.

— Então elas não podem arrumar-se como querem? — perguntou Emília.

— Absolutamente, não. Têm que seguir certas regras para que o pensamento fique bem claro e bem vestido. A minha preocupação é sempre a mesma — clareza. As frases formam-se para exprimir o pensamento dos homens, e a boa ordem das palavras na frase ajuda a expressão do pensamento.

— A senhora tem toda a razão, — concordou a boneca. — Lá no sítio de Dona Benta o Substantivo Nastácia também gosta de dar ordem a tudo, porque a ordem facilita a vida, diz ela.

— Eu uso aqui várias regras, — continuou Dona SINTAXE, — umas para a Ordem Direta e outras para a Ordem Inversa. Na Ordem Direta ponho sempre o Sujeito *antes do* Verbo; ponho os Complementos *logo depois* das palavras que eles complementam; ponho os Adjetivos *logo depois dos* Substantivos que eles modificam; e ponho as palavrinhas de **Ligação** *entre os* termos que elas ligam. Fica tudo uma beleza, de tão claro e simples. Mas há também a Ordem Inversa, na qual estas regras não são seguidas.

— Nesse caso a clareza deve sofrer muito, — observou a menina.

— Há limites. Se o sentido da frase fica bem claro, eu deixo que a frase se afaste da Ordem Direta; mas se o sentido *fica obscuro* ou *duvidoso*, ah, não admito! O que quero saber nesta cidade é de clareza e mais clareza, porque a clareza é o sol da língua.

— E quais as regras para a Ordem Indireta? — perguntou Pedrinho.

— Uma delas é que o Verbo deve vir antes do Sujeito, se a frase está na forma interrogativa. Eu não deixo dizer, por exemplo: ELE É QUEM? Obrigo a dizer: QUEM É ELE? Nas chamadas frases **Optativas** e **Imperativas** também mando pôr o Sujeito *em seguida* ao Verbo, como neste exemplo: FAZE TU O QUE ORDENO, que é frase Imperativa. Ou nesta: SEJA VOCÊ MUITO FELIZ, que é frase Optativa.

— E que mais?

— Os Adjetivos Determinativos eu os ponho antes dos Substantivos por eles determinados. Digo, pois AQUELE PICA-PAU, e não PICA-PAU AQUELE. ESTE RINOCERONTE e não RINOCERONTE ESTE. TRÊS MENINOS e não MENINOS TRÊS.

— E os Pronomes Oblíquos, que é que a senhora faz com eles?

— Esses eu mando colocar de três modos diferentes — *antes* do Verbo, *no meio* do Verbo e *depois* do Verbo.

— No meio do Verbo? — indagou Emília com cara de espanto. — Como? Então a senhora corta o Verbo com a faca para enfiar o Pronome dentro?

— Exatamente. Abro o Verbo e ponho o Pronome dentro. Nesta frase: O GATO SE FARTARÁ DE RATOS eu posso fazer essa operação cirúrgica. Abro o Verbo FARTARÁ, ponho o Pronome dentro, assim: FARTAR-SE-Á. E a frase fica esta: O GATO FARTAR-SE-Á DE RATOS — muito mais elegante que a outra.

— Tal qual Tia Nastácia costuma fazer com os pimentões. Abre os coitados pelo meio, tira as sementes e enfia dentro uma carne oblíqua.

Dona SINTAXE aprovou os pimentões de Tia Nastácia. Depois — disse:

— Os gramáticos chamam **Pronome Proclítico** ao que vem antes do Verbo como em O MENINO SE QUEIMOU. Chamam **Pronome Enclítico** ao que vem depois do Verbo, como em: O MENINO QUEIMOU-SE. E chamam **Pronome Mesoclítico** ao que vem no meio do Verbo, como em: O MENINO QUEIMAR-SE-Á.

— Quanta complicação para dar dor de cabeça nas crianças! — comentou Narizinho. Eu se apanhasse um gramático por aqui, atiçava Quindim em cima dele...

Nisto Emília deu uma vastíssima gargalhada.

— Que é isso, bonequinha? — perguntou a SINTAXE. — Viu o passarinho-verde?

— Estou me lembrando dos pimentões Mesoclíticos que Tia Nastácia faz sem saber... — respondeu a diabinha.

Capítulo XIX
As figuras de sintaxe

Durante todo o tempo da conversa sintática, Pedrinho e Narizinho estiveram a observar disfarçadamente várias personagens da comitiva da grande dama. Ela, afinal, percebeu o joguinho e contou serem as tais **Figuras de Sintaxe**.

— Figuras de Sintaxe? — repetiu Narizinho sem compreender. — Que espécie de figuras são essas?

A grande dama explicou:

— Eu tenho sempre comigo umas tantas Figuras que me auxiliam no trabalho de trazer bem arrumadinhas as Orações. Vou apresentá-las a vocês.

E dirigindo-se às Figuras:

— Senhoras Figuras de Sintaxe, permiti-me que vos apresente à grande Emília, Marquesa de Rabicó, à menina do Narizinho Arrebitado e ao Senhor Pedrinho. E ali, — continuou apontando para o rinoceronte, — um grande filólogo da Uganda, que se acha de passeio pelas terras da Gramática.

As Figuras fizeram uma graciosa reverência. Em seguida a grande dama passou a explicar as funções de cada uma.

— Este aqui, — disse indicando um jeitoso figurão, — é o Senhor **Pleonasmo**, cujo serviço consiste em *reforçar* o que a gente diz. Quando uma pessoa declara que

VIU COM OS SEUS PRÓPRIOS OLHOS, está usando um PLEONASMO, porque se — dissesse apenas que viu já a ideia estaria completa. Está claro que ninguém pode ver senão com os seus próprios olhos; mas falando dessa *maneira pleonástica* fica mais forte a expressão. O PLEONASMO tem que ser discreto e exato; se repete, ou comete uma redundância sem que a força da expressão aumente, torna-se *defeito*. Tudo quanto é inútil constitui defeito.

PLEONASMO ofereceu os seus préstimos aos meninos e retirou-se, depois duma elegante curvatura.

— Esta aqui, — continuou Dona SINTAXE indicando outra Figura, — é a minha amiga Elipse, que *suprime* da frase tudo quanto pode ser facilmente subentendido. Nesta Oração: — GOSTO DE UVAS E VOCÊ, DE LARANJAS, a Senhora ELIPSE cortou duas palavras sem que o sentido perdesse alguma coisa. Sem esse corte a frase ficaria assim: (EU) GOSTO DE UVAS E VOCÊ (GOSTA) DE LARANJAS, mais comprida e menos elegante.

A Senhora ELIPSE deu um beijinho na boneca e retirou-se.

— E esta aqui, — prosseguiu Dona SINTAXE, — é a senhora **Anástrofe**, que *inverte* os termos da frase. Quando uma pessoa diz: ACABOU-SE A FESTA, em vez de dizer: A FESTA ACABOU-SE, está se servindo do bom gosto da minha amiga ANÁSTROFE.

A gentil ANÁSTROFE quis também dar um beijo na boneca; mas Emília fugiu com o rosto, pensando lá na sua cabecinha: "Um beijo desta diaba é capaz de inverter os 'termos da minha cara', pondo a boca em cima do nariz, ou coisa parecida".

— Pois é assim, meus meninos, — concluiu Dona SINTAXE depois que a última Figura se retirou. — Estas amigas valem por ajudantes preciosos. Graças ao seu concurso consigo dar muita *graça* e *elegância* às frases.

— A tal Senhora ANÁSTROFE não será por acaso irmã duma tal CATÁSTROFE? — perguntou Emília, de ruguinha na testa.

Dona SINTAXE riu-se da lembrança e não achou fora de propósito a pergunta.

— Perfeitamente, — respondeu. — São duas palavras de formação grega bastante aparentadas. ANÁSTROFE é formada de ANA (entre) e STREPHO (eu viro) e CATÁSTROFE é formada de KATA (debaixo) e o mesmo STREPHO (eu viro...). São, pois irmãs por parte de pai, que é o Verbo STREPHO. Uma *vira entre*. Outra *vira de pernas para o ar*. Mas ambas viram...

A boa dama ainda conversou com os meninos por longo tempo, explicando os muitos trabalhos que tinha na língua para que as frases andassem corretamente vestidas.

— Quer dizer que a senhora é uma espécie de costureira, — lembrou Narizinho.

Dona SINTAXE achou que não.

— Costureira propriamente não — disse ela. — Meu papel na língua é de arrumadeira.

— E quanto ganha por mês? — indagou Emília.

— Nada, bonequinha. Trabalho de graça — trabalho por amor à limpeza e ao bom arranjo deste meu povinho, que são as frases. Mas vamos agora ver outra coisa. Quero que vocês conheçam os **Vícios de Linguagem** que eu conservo aqui por perto, presos em gaiolas.

Capítulo XX
OS VÍCIOS DE LINGUAGEM

Logo depois Dona SINTAXE disse:

— Vou agora mostrar a vocês os **Vícios de Linguagem**.

— Quê?! Andam soltos pela cidade, esses monstros? — indagou Narizinho.

— Não, menina. Os Vícios eu os conservo em jaulas, como feras perigosas. Vamos vê-los.

A grande dama tomou a frente e os meninos acompanharam-na até uma cadeia com grades nas janelas e toda dividida em cubículos, também gradeados. Dentro desses cubículos estavam o **Barbarismo**, o **Solecismo**, a **Anfibologia**, a **Obscuridade**, o **Cacófato**, o **Eco**, o **Hiato**, a **Colisão**, o **Arcaísmo**, o **Neologismo**, e o **Provincianismo**.

Pedrinho notou que havia ainda um cubículo sem nenhuma fera dentro.

— E o Vício aqui desta gaiola? — perguntou ele.

— Esse já se reabilitou e anda solto pela cidade nova. Só não tem licença de aparecer na cidade velha.

— Quem era ele?

— O **Brasileirismo**...

Emília espiou para dentro do primeiro cubículo, onde um monstro cabeludo estava a roer as unhas. Era o **Barbarismo**.

— Que mal faz ao mundo este "cara de coruja"? — perguntou ela.

— Gosta de fazer as pessoas errarem estupidamente na pronúncia e no modo de escrever as palavras. Sempre que você ouvir alguém dizer PORIBIR em vez de PROIBIR, SASTIFEITO em vez de SATISFEITO, PÚDICO em vez do PUDICO, PERCURAR ou PERCISA em vez de PROCURAR ou PRECISA, saiba que é por causa deste cretino.

Emília passou ao cubículo imediato, onde havia outro "cara de coruja" ainda mais feio.

— E este? — perguntou.

— Este é o tal **Solecismo**, outro idiota que faz muito mal à língua. Quando uma pessoa diz: HAVIAM MUITAS MOÇAS NA FESTA, em vez de HAVIA MUITAS MOÇAS, está cometendo um SOLECISMO. FUI NA CIDADE em vez de FUI À CIDADE; VI ELE NA RUA, em vez de VI-O NA RUA; NÃO VÁ SEM EU em vez de NÃO VÁ SEM MIM, são outras tantas belezas que saem da cachola deste imbecil.

Emília botou-lhe a língua e passou ao terceiro cubículo.

Viu lá dentro um vulto de mulher com duas caras.

— E esta "bicarada"? — perguntou.

— Esta é a **Anfibologia**, que faz muita gente dizer frases de sentido duplo, ou duvidoso, como: ELE MATOU-A EM SUA CASA. Em casa de quem, dele ou dela? Quem ouve fica na dúvida, porque a matança tanto pode ter sido na casa do matador como da matada.

Emília passou a espiar o quarto cubículo, onde estava presa uma negra muito feia, preta que nem carvão.

— E esta pretura? — perguntou.

— Esta é a **Obscuridade**, que faz muita gente dizer frases sem nenhuma clareza, dessas que deixam quem as ouve na mesma.

Emília passou ao quinto cubículo, onde viu um sujeito sujo e de cara cínica.

— E este porcalhão? — perguntou.

— Este é o **Cacófato**, que faz muita gente ligar palavras de modo a formar outras de sentido feio, como aquele sujeito que ouviu no teatro uma grande cantora e foi dizer a um amigo: ELA TRINA QUE NEM UM SABIÁ...

Emília tapou o nariz e dirigiu-se ao sexto cubículo, onde estava um maluco muito barulhento.

— E este, com cara de cachorro? — indagou.

— Este é o **Eco**, que faz muita gente formar frases cheias de latidos, ou com desagradável repetição de sons. Quem diz: O PÃO DE SABÃO CAIU NO CHÃO late três vezes numa só frase, tudo por causa desta bisca.

Emília passou ao sétimo cubículo, onde havia um freguês com cara de gago.

— E este pandorga? — perguntou.

— Este é o **Hiato**, que faz muita gente formar frases com acentuação incômoda para os ouvidos. Quem diz A AULA É LÁ FORA está sendo vítima deste senhor HIATO.

Emília passou ao oitavo cubículo, onde estava presa uma mulher, toda requebrada.

— E esta ciciosa? — perguntou.

— Esta é a **Colisão** que faz muita gente dizer frases cheias de consonâncias desagradáveis. ZUMBINDO AS ASAS AZUIS é uma frase com vício da COLISÃO.

Emília passou ao nono cubículo, onde estava um velho de cabelos brancos, todo coberto de teias de aranha.

— E este Matusalém? — perguntou.

— Este é o **Arcaísmo**, que faz muita gente pedante usar palavras que já morreram há muito tempo e que, portanto, ninguém mais entende.

— Já estive no bairro das palavras Arcaicas e travei conhecimento com algumas — observou Narizinho. — Mas por que está preso o pobre velho? Ele não tem culpa de haver palavras arcaicas.

— Mas tem culpa de botar essas velhas corocas nas frases modernas. Para que não faça isso é que está encarcerado.

Emília passou ao décimo cubículo, onde estava preso um moço muito pernóstico.

— E este aqui, tão *chic*? — perguntou.

— Este é o **Neologismo**. Sua mania é fazer as pessoas usarem expressões novas demais, e que pouca gente entende.

Emília, que era grande amiga de Neologismos, protestou.

— Está aí uma coisa com a qual não concordo. Se numa língua não houver Neologismos, essa língua não aumenta. Assim como há sempre crianças novas no mundo, para que a humanidade não se acabe, também é preciso que haja na língua uma contínua entrada de Neologismos. Se as palavras envelhecem e morrem como já vimos, e se a senhora impede a entrada de palavras novas, a língua acaba acabando. Não! Isto não está direito e vou soltar este elegantíssimo Vício, já e já...

— Não mexa, Emília! — gritou Narizinho. — Não mexa na Língua, que vovó fica danada...

— Mexo e remexo! — replicou a boneca batendo o pezinho — e foi e abriu a porta e soltou o NEOLOGISMO, dizendo: — Vá passear entre os vivos e forme quantas palavras novas quiser. E se alguém tentar prendê-lo, grite por mim, que mandarei o meu rinoceronte em seu socorro. Quero ver quem pode com o Quindim...

Dona SINTAXE ficou um tanto passada com aquele rompante da Emília, mas nada disse. Quindim estava perto, de chifre pronto para entrar em cena ao menor sinal da boneca...

— Como está ficando despótica! — murmurou a menina para Pedrinho. — Ainda acaba fazendo uma revolução e virando ditadora...

— É de tanta ganja que vocês lhe dão, — observou o menino com uma ponta de inveja.

Emília encaminhou-se para o último cubículo, onde estava preso um pobre homem da roça, a fumar o seu cigarrão de palha.

— E este pai da vida, que aqui está de cócoras? — perguntou ela.

— Este é o **Provincianismo**, que faz muita gente usar termos só conhecidos em certas partes do país, ou falar como só se fala em certos lugares. Quem diz NAVIU, MÉNINO, MECÊ, NHÔ, etc. está cometendo Provincianismos.

Emília não achou que fosse caso de conservar na cadeia o pobre matuto. Alegou que ele também estava trabalhando na evolução da língua e soltou-o.

— Vá passear, Seu Jeca. Muita coisa que hoje esta senhora condena vai ser lei um dia. Foi você quem inventou o VOCÊ em vez de TU e só isso quanto não vale? Estamos livres da complicação antiga do Tuturututu. Mas não se meta a exagerar senão volta para cá outra vez, está ouvindo?

O PROVINCIANISMO agarrou a trouxinha, o pito, o fumo e as palhas e, limpando o nariz com as costas da mão, lá se foi, fungando. Tão bobo, o coitado, que nem teve a ideia de agradecer à sua libertadora.

— Não há mais nenhum? — perguntou Emília logo que o Jeca se afastou.

— Felizmente, não, — respondeu Dona SINTAXE. — Estes já bastam para me deixar tonta.

Terminada a visita aos Vícios de Linguagem, os meninos ficaram sem saber para onde ir.

— Esperem! Íamos-nos esquecendo do Visconde. Temos de continuar na "campeação" dele, — disse Emília, mordendo o lábio e olhando firme para a SINTAXE, a ver que cara ela faria diante daquele "campeação".

— Isso depois, — opinou Pedrinho. — Estou com vontade agora de ver como as Orações se formam.

— Pois vamos a isso, — concordou Dona SINTAXE. — Há aqui perto um jardim muito frequentado pelas senhoras Orações.

— Quem são essas damas? — quis saber Narizinho.

— São frases que formam sentido, ou que dizem uma coisa que a gente entende.

— E a frase que não forma sentido? — perguntou Emília.

— Isso não é nada. É bobagem... — respondeu Dona SINTAXE afastando-se dali.

Capítulo XXI
As Orações ao ar livre

Foram todos para o jardim, onde numerosas Orações costumavam passear ao sol. Dona SINTAXE apontou para uma delas e disse:

— Vamos ver, Emilinha, se você sabe o que significa um grupo de palavras como aquele que ali está, junto ao canteiro de margaridas.

— Pois é uma Oração, está claro! Quem não sabe?

— Você não sabe, Emília. Aquilo é mais que uma Oração — é todo um **Período Gramatical**, composto de várias Orações.

— Um Período é então um cacho de Orações — disse Emília. — Estou entendendo. A Oração é uma banana: o Período é um cacho de bananas.

O rinoceronte gostou do exemplo e lambeu os beiços, enquanto Dona SINTAXE explicava que os Períodos se dividiam em três classes — Períodos SIMPLES, Períodos COMPOSTOS e Períodos COMPLEXOS.

— O Período Simples é o que... — foi dizendo Emília, mas engasgou.

— É o que se compõe só de uma Oração, — concluiu Dona SINTAXE.

— E o Período Composto é o que se compõe de duas! — gritou a boneca vitoriosamente.

— De duas ou mais, — corrigiu Dona SINTAXE. — Aquele que vai passando ali é um Período Composto.

O tal Período Composto dizia o seguinte: EMÍLIA SOLTOU O PRESO, MAS NÃO GANHOU NEM UM MUITO OBRIGADO.

— Notem, — observou Dona SINTAXE, — que há duas Orações, governadas por dois Verbos — SOLTOU e GANHOU.

Por isso o Período é Composto. A Conjunção MAS amarra a segunda Oração à primeira.

— Estou vendo, — disse Emília. — E aquele outro, perto do canteiro de cravos?

— Aquele é um Período Simples, formado de uma só Oração: O VISCONDE ESTÁ COM MEDO. Repare que há um só Verbo.

— E aquele outro lá, perto do canteiro das dálias? — indagou Pedrinho, mostrando um Período que dizia assim O RINOCERONTE, QUE É UM SABIDO, ESTÁ CALADO.

— Aquele é um Período Complexo, porque traz uma Oração pendurada em outra. Note que uma Oração não está *ligada à* outra, mas sim *pendurada* no meio da outra. Se sair dali, não estraga o resto.

— Pendurada com que gancho? — perguntou Emília.

— Com o gancho daquele pronominho QUE. Notem que nesse Período Complexo há duas orações: (1) O RINOCERONTE ESTÁ CALADO; (2) QUE É UM SABIDO. Mas esta última está apenas enganchada no meio da primeira, como numa rede, por meio do gancho do Pronome QUE.

— Que tem mesmo jeito dum ganchinho! — observou Emília, e todos concordaram — para não haver briga.

— Vamos agora ver como estas Orações se classificam quanto ao papel que representam no Período, — disse Dona SINTAXE. — Elas podem ser de três classes — **Independentes**, **Principais** e **Subordinadas**. A Oração Independente é a que por si só forma sentido completo.

E para exemplificar — gritou na direção dum grupo de Períodos que estavam parados diante dum repuxo:

— Aproxime-se um Período Composto que queira servir de exemplo! Depressa!

Todo saltitante, destacou-se do grupo este Período O PICA-PAU PICOU O PAU E FUGIU QUANDO VIU O QUINDIM.

— Reparem, — disse Dona SINTAXE, — que temos três Orações neste Período. Uma que vive sem precisar de nenhuma outra, ou Independente: O PICA-PAU PICOU O PAU. E temos a segunda Oração que é a Principal: E FUGIU; e temos a terceira que é a Subordinada, ou escrava da Principal: QUANDO VIU O QUINDIM. Sem estar ligada à Oração Principal esta terceira fica sem sentido, ninguém a entende. Mas ligada, torna-se clarinha como água de pote; quem lê compreende logo que o pica-pau fugiu QUANDO VIU O QUINDIM.

— Oração Principal? — estranhou a menina.

— Oração Principal é a que pensa que é Independente, mas não é, porque depende das outras para completar o que ela quer dizer. Aquela ali, por exemplo. Venha cá, Senhor Período!

Aproximou-se um Período Complexo, que se lia assim: QUINDIM ESTÁ COM FOME PORQUE NÃO ENCONTROU CAPIM POR AQUI.

— Reparem. A Oração: QUINDIM ESTÁ COM FOME é a Principal, mas não fica bem, bem, bem, bem completa sem a outra: PORQUE NÃO ENCONTROU CAPIM POR AQUI. Esta outra ajuda a completar a Principal. As senhoras Orações Principais trazem sempre o Verbo no Modo Indicativo, no modo Condicional ou no Modo Imperativo, não se esqueçam.

Dona SINTAXE despediu aquele Período e chamou outro.

— Aproxime-se uma Oração na **Voz Ativa**! Depressa!

Muito lampeira, destacou-se do grupo uma Oração que dizia assim: O GATO COMEU O PICA-PAU.

— Que história de Voz Ativa é essa? — indagou Emília.

— Já irá saber, — respondeu a Senhora SINTAXE — e voltando-se para a nova oraçãozinha: — Você está na Voz Ativa, não é assim? Pois então passe para a Voz Passiva para esta boneca ver.

Incontinenti a oraçãozinha desmanchou-se toda para formar outra da seguinte maneira: O PICA-PAU FOI COMIDO PELO GATO.

— Muito bem! — aprovou Dona SINTAXE.

E para os meninos:

— Notem que PICA-PAU, que é o Objeto Direto da primeira Oração, passou a ser Sujeito desta última, e reparem que o Sujeito da primeira (GATO) passou a ser Complemento.

— Que Objeto Direto é esse, que apareceu aí sem mais nem menos? — berrou Emília.

— Objeto Direto é aquilo que completa o sentido do Verbo diretamente. A gente pergunta ao Verbo: o quê? e a resposta é a tal Objeto Direto. O GATO COMEU o quê? O PICA-PAU. Logo, PICA PAU é o Objeto Direto.

— Que peste é a tal gramática! — disse Emília. — Tem coisas que não acabam mais. Só sinto que em vez de ter comido o pobre pica-pau, o gato não tivesse comido a Senhora Gramática, com todas estas damas que andam por aqui...

Dona SINTAXE não ouviu e continuou:

— Por meio destas passagens de Sujeitos para Complementos e de Complementos para Sujeitos é que as Orações passam da Voz Ativa para a Voz Passiva. Entenderam?

Os meninos fizeram com a cabeça que sim.

Durante toda a conversa Quindim manteve-se de parte, ouvindo com muita atenção as palavras da grande dama e aprovando-a com movimentos de chifre. Emília, que gostava de tirar a prova de tudo, foi ter com ele para lhe perguntar, num cochicho:

— Que acha desta senhora, Quindim? Sabe mesmo gramática ou está nos tapeando?

O rinoceronte riu-se filosoficamente.

— Como não há de saber, Emília, se ela é a Sintaxe, ou uma das partes da própria Gramática? A Sintaxe dum lado e a Lexicologia de outro, formam a Gramática inteira. Nunca duvide do que a Senhora SINTAXE — disser...

Capítulo XXII
EXAME E PONTUAÇÃO

Depois de brincarem por algum tempo naquele jardim de Períodos, e de discutirem novamente a campeação do Visconde, os meninos resolveram ir ao bairro das Sílabas "sherlockar" o rapto do Ditongo, como dizia a Emília.

— Não ainda, — propôs Dona SINTAXE. — Quero correr um exame nos meus alunos. Venham todos cá — e o senhor também, seu rinoceronte.

Os meninos e o paquiderme perfilaram-se diante da grande dama.

— Muito bem, — disse ela. — Vou ver se essas cabecinhas guardaram o que ensinei, e para isso temos que analisar uma frase.

E voltando-se para um grupo de frases passeadeiras:

— Aproxime-se um Período para ser analisado! Depressa!...

Apresentou-se incontinenti aquele assanhadíssimo Período que dizia assim: Tia Nastácia FAZ BOLINHOS, QUE TODOS ACHAM MUITO GOSTOSOS.

— Vamos ver, Emília, quantas Orações há neste Período?

— Duas! — respondeu imediatamente a boneca. — A primeira é a Principal e a segunda é a Subordinada.

— Muito bem. E qual o Sujeito da primeira, Pedrinho?

— Tia Nastácia.

— Muito bem. E qual o Sujeito da segunda, senhor paquiderme?

— TODOS, — rosnou o rinoceronte com um bamboleio de corpo.

— Muito bem. E qual o Predicado da primeira, Narizinho?

— FAZ BOLINHOS, — disse a menina com água na boca, porque estava chegando a hora do jantar.

— Muito bem. E qual o Predicado da segunda, Quindim?

— ACHAM MUITO GOSTOSOS, — respondeu o rinoceronte lambendo os beiços.

— Muito bem. E qual o Complemento da primeira, Emília?

— BOLINHOS! — berrou a boneca. — BOLINHOS é o Complemento Objetivo do Verbo FAZ — quem não sabe disso?

— Muito bem. E qual o Complemento Objetivo da segunda, Pedrinho?

— QUE.

— Esse QUE a que se refere?

— Refere-se a BOLINHOS.

— Bravos! — exclamou Dona SINTAXE. — Vejo que não perdi o meu tempo. Podem ir brincar.

Foi uma gritaria e todos saíram aos pinotes. Emília espreguiçou-se e Quindim deu uma chifrada no ar, de brincadeira.

— E agora? — disse Narizinho. — Ela nos mandou brincar — mas brincar de que, nesta cidade de palavras? Uma ideia!... Vamos ver a Pontuação! Onde fica a Pontuação, Quindim?

— Aqui perto, num bazar. Eu sei o caminho, — respondeu o paquiderme.

No tal bazar encontraram os Sinais de Pontuação, arrumados em caixinhas de madeira, com rótulos na tampa. Emília abriu uma e viu só **Vírgulas** dentro.

— Olhem que galanteza! — exclamou. — Vírgulas, Vírgulas e mais Vírgulas! Parecem bacilos do cólera-morbus, que Dona Benta diz serem virgulazinhas vivas.

Emília despejou um monte de Vírgulas na palma da mão e mostrou-as ao rinoceronte.

— Essas Vírgulas servem para separar as Orações Independentes das Subordinadas — explicou ele, — e para mais uma porção de coisas. Servem sempre para indicar uma pausa na frase. A função delas *é separar de leve*.

Emília soprou um punhadinho de Vírgulas nas ventas de Quindim e abriu outra caixa. Era a do **Ponto-e-vírgula**.

— E estes, Quindim, estes casaizinhos de Vírgula e Ponto?

— Esses também servem para separar. Mas separam com um pouco mais de energia do que a Vírgula sozinha.

Emília despejou no bolso de Pedrinho todo o conteúdo da caixa.

— E estes aqui? — perguntou em seguida, abrindo a caixinha dos **Dois-pontos**.

— Esses também servem para separar, porém com *maior energia ainda* do que o Ponto-e-vírgula.

Metade daqueles Dois-pontos foram para o bolso do menino. Emília abriu uma nova caixa.

— Oh, estes eu sei para que servem! — exclamou ela, vendo que eram **Pontos Finais**. — Estes separam duma vez — cortam. Assim que aparece um deles na frase, a gente já sabe que a frase acabou. Finou-se...

Em seguida abriu a caixa dos **Pontos-de-interrogação**.

— Ganchinhos! — exclamou. — Conheço-os muito bem. Servem para fazer perguntas. São mexeriqueiros e curiosíssimos. Querem saber tudo quanto há. Vou levá-los de presente para Tia Nastácia.

Depois chegou a vez dos **Pontos-de-exclamação**.

— Viva! — gritou Emília. — Estão cá os companheiros das senhoras Interjeições. Vivem de olhos arregalados, a espantar-se e a espantar os outros. Oh! Ah!!! Ih!!!

A caixinha imediata era a das **Reticências**.

— Servem para indicar que a frase foi interrompida em certo ponto — explicou Quindim.

— Não gosto de reticências, — declarou Emília. — Não gosto de interrupções. Quero todas as coisas inteirinhas — pão, pão, queijo, queijo — ali na batata! — e, despejando no assoalho todas aquelas Reticências, sapateou em cima.

Depois abriu outra caixa e exclamou com cara alegre:

— Oh, estes são engraçadinhos! Parecem meias-luas...

Quindim explicou que se tratava dos **Parênteses**, que servem para encaixar numa frase alguma palavra, ou mesmo outra frase explicativa, que a gente lê variando o tom da voz.

— E aqui, estes pauzinhos? — perguntou Emília abrindo a última caixa.

— São os **Travessões**, que servem no começo das frases de diálogo para mostrar que é uma pessoa que vai falar. Também servem dentro duma frase para pôr em maior destaque uma palavra ou uma Oração.

— Que graça! — exclamou Emília. — Chamarem Travessão a umas travessinhas de mosquito deste tamanhinho! Os gramáticos não possuem o "senso da medida".

Quindim olhou-a com o rabo dos olhos. Estava ficando sabida demais...

Capítulo XXIII
E O VISCONDE?

Tornava-se preciso descobrir o Visconde. A sua misteriosa "sumição", como dizia a boneca, vinha preocupando a todos seriamente. As informações obtidas eram poucas e vagas. O vigia da Senhora ANTICONSTITUCIONALISSIMAMENTE contara que o tinha visto por lá com um Ditongo debaixo do capote, a espernear. Uma das Frases que tomavam sol no Jardim das Orações também dissera que ele havia *raptado* um Ditongo. E foi só. Nada mais conseguiram colher.

— Um Ditongo! — murmurava Emília com ruguinhas na testa. — Raptou um Ditongo!... Mas para que, santo Deus? Com que fim? Há em tudo isto um grande mistério...

— Com certeza trata-se dalgum Ditongo arcaico, que ele furtou levado pela sua mania de antiguidades, — sugeriu Pedrinho.

— Não há Ditongos Arcaicos, — disse Quindim.

O remédio era um só — irem ao bairro das Sílabas, que é onde moram os Ditongos.

— Pois vamos, — decidiu Narizinho.

Foram — e montados em Quindim por ser meio longinho. Ao alcançar o bairro o rinoceronte parou a fim de orientar-se.

— É aqui mesmo, — disse ele, vendo as ruas cheias de Sílabas, num ir e vir constante. — Mas onde será a Rua dos Ditongos?

— Melhor indagar, — lembrou a menina — e chamando uma silabazinha muito curica que ia passando — disse: — A senhorita poderá informar-nos onde fica a Rua dos Ditongos?

— Com todo gosto, — respondeu a lambetinha na sua voz de formiga. — Fica nesta direção, três quadras à esquerda.

Quindim trotou para lá.

— É aqui, — disse ele ao penetrar numa rua onde só existiam Sílabas formadas de duas Vogais. — Os Ditongos são estes.

— Quê! — exclamou Narizinho, surpresa. — Ditongo, uma palavra tão gorda, quer dizer só isso — sílaba de duas vogais? Pensei que fosse coisa mais importante...

— Pois, menina, os gramáticos não tiveram dó de gastar um quilo de grego para classificar estas minúsculas silabazinhas. Eles dividem-nas em **Ditongos**, **Semiditongos**, **Tritongos** e **Monotongos**.

Todos se riram daquele grande luxo "nomenclástico", como talvez — dissesse a boneca, se não continuasse absorta em profundas cogitações.

— Emília está "deduzindo"! — murmurou a menina ao ouvido de Quindim. — Quando lhe dá o sherlockismo, ninguém conte com ela.

Havia por ali duas espécies de Ditongos — **Orais**, que só se pronunciam com a boca, e os **Nasais**, em que o som sai também pelo nariz. AI, AU, EI, EU, IU, OU, OI, UE e UI eram os orais. ÃE, AM, EM, ÕE eram os Nasais. Mas Quindim, que conhecia todos os Ditongos de cor e salteado, estranhou não ver entre eles o mais importante de todos — o ÃO.

— Querem ver que o Visconde raptou o ÃO? — refletiu lá consigo o paquiderme.

Os meninos notaram uma certa agitação entre os Ditongos. Evidentemente havia sucedido qualquer coisa grave. Andavam de cá para lá, escabichando os cantinhos e informando-se uns com os outros, na atitude clássica de quem procura objeto perdido.

Emília entrou em cena. Agarrou um dos Ditongos Nasais pelo TIL e pousou-o na palminha da mão. Era o Ditongo ÕE.

— Diga-me, ditonguinho, que foi que houve por aqui? Noto uma certa agitação entre vocês, como em formigueiros de saúva em dia que sai içá.

— De fato, estamos agitados, — respondeu o ditonguinho. — Um dos meus manos, o ÃO, que era justamente o mais importante da família, desapareceu misteriosamente. Temo-lo procurado por toda parte, mas sem resultado. Sumiu...

— Quem sabe se alguém o raptou? — sugeriu a boneca.

— Impossível! Que alguém haverá no mundo que queira um Ditongo Nasal? Nós só servimos para formar palavras; não temos outra função na vida, e nenhuma casa de ferro velho daria um vintém por todos nós juntos.

— Espere, — disse Emília refletindo. — Diga-me uma coisa: Não andou por aqui um filósofo de fora, sem cartolinha na cabeça e com umas palhas de milho ao pescoço?

— Andou, sim. Um sábio um tanto embolorado, não é?

— Isso mesmo! Bolor verde...

— Esteve cá, sim. Estive de prosa conosco e depois desapareceu. Foi logo em seguida que demos pela falta do ÃO. A senhora acha que...

— Mais que acho! Sei que foi ele quem raptou o Ditongo. O que não consigo achar é a explicação de semelhante coisa. Esse sábio é o grande Visconde de Sabugosa, que mora no sítio de Dona Benta. O guarda da Senhora ANTICONSTITUCIO-NALISSIMAMENTE me disse que o viu com um Ditongo debaixo do capote; e mais tarde uma Frase, lá no Jardim das Orações, também nos — declarou positivamente que o Visconde havia raptado um Ditongo.

— Ora veja!... — exclamou o ditonguinho arregalando os olhos. — Mas para quê? Para que um tão ilustre sábio quererá um Ditongo?...

— É o que me preocupa, — disse Emília recaindo em cismas.

O mistério do sumiço do Visconde continuava a embaraçar os meninos. Teria sido preso como gatuno? Teria sido assassinado? Teria voltado para o sítio com o Ditongo no bolso? Mistério...

— Se houvesse por aqui um jornal, poderíamos pôr um anúncio: "Perdeu-se um Visconde assim, assim; dá-se boa gratificação a quem o achar".

— Mas não existe jornal e é tolice ficarmos toda a vida a campeá-lo. Vamos esquecer o Visconde. Olhem que ainda temos de visitar a Senhora **Ortografia**.

Foi resolvido esquecerem o Visconde e visitarem a Senhora ORTOGRAFIA. Montaram de novo em Quindim e partiram. A meio caminho Emília bateu na testa.

— *Heureca*! Achei, Achei!... Já descobri tudo! Já descobri a razão do "delito" do Visconde...

Todos se voltaram para ela.

— O Visconde, — explicou Emília, — sofre do coração, como vocês muito bem sabem, e por isso se assusta com as palavras que trazem o tal Ditongo ÃO. O coitado assusta-se como se o ÃO fosse um tiro, ou um latido de cachorro bravo...

— É verdade! — confirmou Narizinho. — Lembro-me que uma vez ele levou um grandíssimo tombo, quando Tia Nastácia berrou da cozinha para o camarada do compadre Teodorico, que ia para a cidade: "Seu Chico, não esqueça de me trazer da venda um pão de sabão!" Aquele "pão de sabão" berrado foi o mesmo que dois tiros de espingarda de dois canos no coraçãozinho do Visconde, que estava distraído lendo a sua álgebra. O coitado caiu de costas. Lembro-me perfeitamente disso... ele até andou de curanchim machucado uma porção de dias.

— Pois é, — concluiu a boneca, radiante. — O Visconde raptou esse Ditongo para livrar a língua de todas as palavras que dão tiros, ou que latem como cachorro bravo...

— E fez muito bem, — disse Quindim. — O maior defeito que acho nesta língua portuguesa é esse latido de cachorro, que a gente não encontra em nenhuma outra língua viva. Até a mim, que sou bicho africano, o ÃO me assustava no começo. Trazia-me a ideia de latido de cães de caça, seguidos de homens armados de carabinas...

Como fosse ali o bairro ortográfico, Narizinho propôs que se procurasse a pessoa que tomava conta da zona.

— Quem sabe se ela sabe onde está o Visconde? — sugeriu.

— Pode ser, mas duvido muito, — disse Emília. — O Visconde ou está na cadeia, como gatuno, ou está no cemitério, enterrando o coitadinho do Ditongo. Eu bem que compreendo a ideia dele. E se ele fizer isso, vai haver a maior das atrapalhações da língua. Sem o ÃO como é que a gente se arruma para comprar um PÃO? Fica PAO... E SABÃO fica SABAO... E LADRÃO fica LADRAO... Atrapalha a língua completamente...

Capítulo XXIV
Passeio ortográfico

No Bairro da ORTOGRAFIA os meninos encontraram uma dama de origem grega, que tomava conta de tudo.

— Bom dia, minha senhora! — disse Quindim fazendo uma saudação de cabeça muito desajeitada. — Trago aqui sobre o meu lombo dois meninos e uma boneca, que desejam conhecer a vida deste bairro.

— Às ordens! — exclamou a grega. — Desçam e venham ver como lido com as letras, na formação escrita das palavras.

Os meninos desceram pela escadinha de corda e rodearam-na. Emília, lambetissimamente, tomou-lhe a benção.

— Deus te abençoe, bonequinha, — disse a ORTOGRAFIA sorrindo.

Por onde começar? Narizinho teve a ideia de inquirir por que motivo ela se chamava ORTOGRAFIA.

— Meu nome é grego e formado de duas palavras gregas ORTHOS e GRAPHIA. ORTHOS quer dizer "correta" e GRAPHIA quer dizer "escrita." Sou, portanto, a Escrita Correta, ou a que ensina a escrever corretamente.

— Pois a senhora precisa trabalhar muito, — disse Emília, — porque a maior parte das gentes ainda não sabe escrever na regra. Eu mesma, que sou marquesa, erro às vezes...

— Marquesa? — repetiu a ORTOGRAFIA admirada. — Marquesa de quê?

— Marquesa de Rabicó, para a servir, minha senhora! — respondeu Emília, de mãos na cintura e queixo erguido.

Narizinho confirmou o título da boneca e narrou várias passagens da sua vidinha, inclusive o casamento e o divórcio com o Marquês de Rabicó. A ORTOGRAFIA espantou-se grandemente de tais prodígios. Em seguida falou da sua vida ali.

— Antigamente o sistema de escrever as palavras era o **Sistema Etimológico**, o qual mandava escrevê-las de acordo com a origem. Isso trazia muitas complicações e dificuldades. Por esse sistema, a palavra CISMA, por exemplo, escrevia-se SCISMA, com uma letra inútil, mas justificada pela origem. A palavra TÍSICA escrevia-se PHTHISICA, com três letras inúteis, sempre por causa da origem. DITONGO escrevia-se DIPHTHONGO. De modo que havia uma enorme trabalheira entre os homens para decorar a forma das palavras — e trabalheira inútil, porque ninguém ganhava coisa nenhuma com isso.

— Só os tipógrafos, — lembrou Narizinho. — Esses engordavam...

— Sim, só os tipógrafos, — confirmou a ORTOGRAFIA. — Todos os mais perdiam tempo e fósforo cerebral. Em consequência disso ergueu-se um movimento para mudar — para acabar com a **Ortografia Etimológica**, e pôr em lugar dela outra mais fonética, isto é, que só conservasse nas palavras as letras que se pronunciam. Esse movimento venceu, afinal, e acabou sendo sancionado por um decreto do Governo, depois de muito estudado pela Academia Brasileira de Letras.

— Quer dizer que agora ninguém mais erra, — disse Pedrinho.

— Está muito enganado, meu filho. Há regras que têm de ser seguidas, e os que se afastarem dessas regras erram. Mas tudo se torna muito mais simples e lógico. Eu gostei da mudança, confesso — mas a minha amiga, a velha ORTOGRAFIA ETIMOLÓGICA, está furiosíssima. Não se conforma com a simplificação das palavras.

A dama grega levou os meninos para sua casa, onde havia uma bela coleção de letras e sinais gráficos.

— As letras vocês já conhecem, — disse ela. — São as do Alfabeto. Deste lado tenho as **Maiúsculas**; e daquele lado, as **Minúsculas**. Aqui nesta gaveta guardo os acentos e outros sinais.

— Quando é que a senhora emprega as Maiúsculas? — indagou Pedrinho.

— Ponho em maiúsculo todas as primeiras letras das palavras que abrem os Períodos, e também escrevo em maiúsculo a primeira letra de todos os Nomes Próprios.

— Só? — perguntou Narizinho.

— Não. Uso Maiúsculas também nos títulos, como VOSSA SENHORIA, SENHOR DOUTOR, etc. E nos Epítetos, ou Alcunhas dos homens célebres, como NAPOLEÃO, O GRANDE; GUILHERME, O TACITURNO; O TIRADENTES, etc.. Uso-as nas palavras que designam divindade, como o ETERNO, O TODO-PODEROSO.

Uso-as em certos Nomes Abstratos, quando aparecem sob forma de pessoas, como nesta frase: O MONSTRO VINHA ESCOLTADO PELA IRA, PELA TRAIÇÃO E PELO CIÚME. Uso-as para os pontos cardeais, quando designam regiões, como nestas frases: OS POVOS DO ORIENTE; OS MARES DO SUL. Mas digo sem Maiúscula: O ORIENTE DA CHINA, porque aqui oriente significa apenas uma direção geográfica. Pela mesma razão também digo: O NORTE DO BRASIL

— E os tais acentos? — perguntou o menino.

— Acentos, lido com dois — o **Agudo** (´) e o **Circunflexo** (^). E ainda lido com outros sinaizinhos aparentados com os acentos, como o **Til** (~) o **Apóstrofo** (') a **Cedilha**, que é uma caudinha no C — Ç, e o **Hífen**, ou o **Traço-de-União** (-).

Introduziram-se na língua outros acentos, como o **Acento Grave** (`) muito usado pelos franceses, e ainda o **Trema** (¨) Mas isso não pega. É bobagem. Quanto menos acentos houver numa língua, melhor. A língua inglesa, que é a mais rica de todas, não se utiliza de nenhum acento. Os ingleses são homens práticos. Não perdem tempo em enfeitar as palavras com bolostroquinhas dispensáveis.

— Muito bem! — disse Emília, que tinha gana em acentos. — Gosto de ouvir uma grande dama como a senhora falar assim, porque é exatamente como penso. Essas pulgas só servem para nos tomar tempo. Acho que só devem ser usados quando forem necessários, para evitar confusão. Hoje, escreve-se êle e há, com acentos. Acho desnecessário porque com ou sem acento só há um jeito de pronunciar essas palavras. E as letras? Fale das letras.

— Entre as letras, — continuou a Senhora ORTOGRAFIA, — uma das mais curiosas é o H. O diabinho por si só não tem som nenhum, mas ligado a outras letras produz sons especiais. No começo duma palavra é o mesmo que não existir. Em HOMEM, HOJE ou HAVER, por exemplo, tanto faz existir o H como não existir.

— Então, por que continua o H nessas palavras? — indagou o menino.

— Por que elas são filhas de palavras latinas que também se escreviam com H, e todo o mundo está acostumado. Se fossemos escrever OMEM, haveria um berreiro de protestos...

Mas quando o H se liga ao C, ele chia que nem pingo d'água em chapa de fogão, como em MACHADO, ACHAR, CHÁ, CHINA. E se se liga a um L, ou a um N, produz um som que os gramáticos chamam PALATAL, como nas palavras ALHO, TRILHO, CUNHA, VINHO. Na antiga ortografia também se ligava ao P para dar um som igual ao F, como em PHOSPHORO, PHILÓSOPHO, PHANTASIA.

Emília ficou muito tempo de prosa com a dama grega, aprendendo as regras da Nova Ortografia. Por ela soube que a Senhora ORTOGRAFIA ETIMOLÓGICA tinha residência num bairro próximo, onde todas as palavras continuavam a trajar pelo sistema antigo.

— A ORTOGRAFIA ETIMOLÓGICA entrincheirou-se lá, furiosa da vida, e não admite que ninguém toque na vestimenta das suas palavras. Essa boa velha sustenta as modas antigas. Palavras que vieram do latim com letras dobradas, ela as conserva direitinhas. Não admite mudanças.

— A boba! — exclamou Emília com toda a irreverência. — Se tudo na vida muda, por que as palavras não haveriam de mudar? Até eu mudo. Quantas vezes não mudei esta carinha que a senhora está vendo?

— Muda de cara, como? — indagou Dona ORTOGRAFIA, franzindo a testa.

— Sei lá. Mudo. Ou, antes, eles mudam a minha cara.

— Quem são eles?

— Esses diabos que desenham minha figura nos livros. Cada qual me faz de um jeito, e houve um tal que me fez tão feia que piquei o livro em mil pedacinhos.

— Pois é uma grande injustiça, — declarou a dama. — Na minha opinião, você é uma bonequinha encantadora.

— E sabe que sou também um pocinho de "it"? — acrescentou Emília piscando. Narizinho puxou-a por um braço. Era demais aquele assanhamento.

Capítulo XXV
Emília ataca o reduto etimológico

Emília dirigiu-se sozinha para o bairro onde a ORTOGRAFIA ETIMOLÓGICA se havia entrincheirado.

— Onde está a Interventora disto por aqui? — perguntou a uma sentinela com dois LL, porque ali todas as palavras se conservavam vestidas à moda de dantes.

— Naquela casinhola feita de raízes gregas e latinas; — respondeu a sentinela.

A boneca encaminhou-se para a casinha e bateu na porta um *toc, toc, toc,* enérgico.

— Entre! — gritou uma voz fanhosa.

Emília entrou e deu com uma velha de nariz de papagaio e ar rabugentíssimo, que tomava rapé em companhia dum bando de velhotes mais rabugentos ainda, chamados os CARRANÇAS.

— Com que então — foi dizendo a boneca, — a senhora está de briga com a **Ortografia Simplificada** e não admite que estas pobres palavras se vistam pelo figurino moderno?

— Sim, — rosnou a velha. — As palavras sempre usaram este modo de vestir, e eu não "admito" que dum momento para outro mudem e virem aí umas sirigaitas "fonéticas". As palavras têm uma origem e devem trajar-se de modo que quem as lê veja logo donde procedem.

— Tudo isso está muito bem, — replicou Emília, — mas a senhora sabe que existe uma contínua mudança nas coisas. As palavras, como tudo o mais, também têm que mudar. Quindim já me — explicou isso.

— Mas mudam lentissimamente, — declarou a velha, — e não assim do pé para a mão, como querem os reformadores. Mudam por si, e não por vontade dum grupo de homens.

— A senhora canta muito bem, mas não entoa. Talvez tenha até carros de razão. Entretanto, ignora a maçada que é para as crianças estarem decorando um por um o modo de se escreverem as palavras pelo sistema antigo. Os velhos Carrancas é natural que estejam do seu lado, porque já aprenderam pelo sistema antigo e têm preguiça de mudar; mas as crianças estão aprendendo agora e não há razão para que aprendam pelo sistema velho, muito mais difícil. Eu falo aqui em nome da criançada. Queremos a ortografia nova porque ela nos facilita a vida. Quanto menos complicações, melhor. Por isso vim cá conversar com as palavras para conhecer-lhes a opiniãozinha.

— Quem governa as palavras sou eu e só eu falo em nome delas.

— Pois a sua opinião de modo nenhum me interessa. Eu já a conheço. Quero, agora, conhecer a opinião das palavras, está ouvindo? Se elas pensarem como a senhora, nesse caso já não está aqui quem falou. Mas se pensarem como eu, ah, então a senhora tem que ver fogo com o meu Quindim...

— Quem é esse Quindim? — perguntou a velha, de testa franzida.

— A senhora saberá no momento oportuno, com um P só, está ouvindo? E agora, com ou sem sua licença, vou conversar com as palavras deste acampamento.

A velha ficou de tal modo desnorteada com a rompância de Emília que nem pôde abrir a boca com dois CC. Limitou-se a botar-lhe a língua (uma língua muito preta) e a recolher-se, batendo a porta.

Emília acenou para uma das palavras que andavam por ali. Era a palavra SABBADO, com dois BB.

— Senhor SABBADO, venha cá.

SABBADO aproximou-se.

— Diga-me: por que é que traz no lombo dois BB quando poderia passar muito bem com um só?

SABBADO olhou do lado da casinha da velha com expressão de terror nos olhos. Emília viu que ele estava com medo de manifestar-se livremente, e levou-o para mais longe dali. SABBADO então — disse:

— É por causa da bruxa velha. Como venho do latim SABBATUM, que por sua vez veio do hebraico SABBAT, ela não consente que eu me alivie deste B inútil. Há séculos que trago no lombo semelhante parasito, que nenhum serviço me presta.

— Quer dizer que para você seria muito melhor andar com um B só?

— Está claro! O meu sonho é ver-me livre deste trambolho. Mas a velha não deixa...

Emília arrancou-lhe o B inútil e disse:

— Pois fique com um B só. A velha está caducando e só olha para os interesses de si própria e dos Carrancas que lhe vêm filar o rapé. Estou aqui representando os interesses das crianças, que constituem o futuro da humanidade — e as crianças preferem sábados com um B só. Vá passear e nunca mais me ponha o segundo B!...

A palavra simplificada saiu lampeiríssima, pulando que nem um cabritinho novo que pilha aberta a porta do curral. Sentia-se leve, leve...

Emília chamou outra palavra. Veio a palavra SCEPTRO.

— Como é a pronúncia do seu nome? — perguntou-lhe.

— CETRO, — respondeu ela.

— Então por que traz esse S e esse P inúteis?

— Ordens da velha.

— Só por causa disso ou também porque sente prazer em trajar-se assim?

— Que prazer poderei sentir em levar vida de burro de carga? Pensa que letra inútil não pesa? Sou um SCEPTRO bem pesado...

Emília arrancou as duas letras inúteis e mandou Cetro passear — e lá se foi ele, pulando que nem tico-tico.

— E diga às suas companheiras de peso inútil que façam o mesmo — recomendou Emília de longe. — Que botem no lixo as letras mudas.

Depois chamou outra palavra. Veio THESOURO.

— Para que esse H aí dentro?

— Isso é um enfeite etimológico, que a velha exige.

— Fora com ele! Acabou-se o tempo dos enfeites etimológicos. A velha não manda mais. E diga a todas as palavras com HH inúteis que se limpem disso.

— E as de H no começo?

— Essas ficam assim mesmo. E olhe: também não fica o H dentro da palavra quando se tratar de palavra composta, como DESABITAR, que é composta de DES e HABITAR. Excetuando aquele caso, olho da rua com todos os HH mudos! Vá!...

Emília chamou outra. Veio MACHINA.

— Como é o seu nome, MÁQUINA ou MACHINA?

— MÁQUINA. Este meu CH tem som de Q.

— Então por que não o troca duma vez por um Q?

— A velha não deixa. Diz que eu sou uma palavra de origem grega, e que no grego o CH vale Q. É a ETIMOLOGIA...

— Sebo para a ETIMOLOGIA. Bote fora o CH e passe a usar o Q — e diga a todas as suas companheiras de CH que façam o mesmo. Chispa!...

Emília chamou outra. Veio KÁGADO.

— Esse K que você usa não tem o mesmo som de CA? — perguntou ela.

— Tem sim...

— Pois então bote fora o K e vista o CA. Desde que o tal K tem o mesmo som do CA, ele é demais na língua e deve ser expulso do Alfabeto. Avise todos os KK que o tempo deles se acabou. Suma-se!...

O velho KÁGADO lá se foi, de nariz comprido, achando muito perigosa aquela sua transformação em CÁGADO...

— Não fica bonito, — murmurou Emília ao vê-lo afastar-se, — mas simplifica. Estamos na era da simplificação.

Depois chamou outra. Veio WAGÃO.

— Que letra é essa que você usa no frontispício? — perguntou.

— É o W ou DABLIÚ, uma letra do Alfabeto inglês que vale por dois VV entrelaçados. Letra muito importante em Anglópolis, mas pouco usada aqui.

— Pois não há mais DABLIÚS em português, sabe? Foi expulso do nosso Alfabeto. Troque-o por V e raspe-se!...

E lá se foi WAGÃO, transformado em VAGÃO, rolando muito mais leve sobre os seus trilhos.

Emília chamou outra. Veio PERY.

— Que Y é esse que você usa em vez do I comum? — perguntou-lhe.

— Todas as palavras de origem tupi, como eu, sempre foram escritas assim, com Y.

— Mas os índios tinham linguagem escrita?

— Não. Só a tinham falada.

— Nesse caso não há razão nenhuma para vocês andarem a fingir-se de gregas, usando esse Y. Tire isso e bote um I simples. Avise a todas as mais para que façam o mesmo. Rua!...

Emília chamou outra. Veio a palavra PHOSPHORO e com ela a palavra PHTHISICA.

— Como se lê o seu nome? — perguntou Emília a PHOSPHORO.

— Lê-se FÓSFORO. O meu PH soa como F.

— Então não seja idiota. Use F que até acenderá melhor, e não complicará a vida das crianças. Avise os seus colegas de que o PH morreu para sempre. Roda ...

— E a senhora? — disse depois, dirigindo-se a PHTHISICA. — Sabe que está tuberculosa de tanto carregar letras inúteis? Liberte-se dos parasitos do corpo que garanto a sua cura. Suma-se!...

Emília chamou outra. Veio a palavra INGLEZ.

— Meu caro, — disse ela, — acho que você está muito bem assim, como esse Z atrás. Mas o Governo fez um decreto expulsando os ZZ de inúmeras palavras, de modo que a sua forma daqui por diante vai ser INGLÊS. Eu lamento muito, mas lei é lei...

INGLEZ, transformado em INGLÊS, lá se foi, teso como um cabo de vassoura, sem sequer murmurar um "Yes". Emília chamou outra. Veio EGREJA.

— Saiba que foi resolvido que de agora em diante todas as palavras que uns escreviam com E e outros com I serão escritas unicamente com I. Escrevê-las com E fica sendo erro.

— E por que decidiram conservar o I em vez de mim? — protestou o E de EGREJA.

— Não sei, nem quero saber, — respondeu a boneca. — Resolveram assim e acabou-se. Tiraram a sorte, com certeza — ou então o I soube apadrinhar-se melhor. Vá embora!...

E Emília chamou outra. Veio PROMPTO.

— Não há mais P mudo dentro das palavras. Fora com esse e suma-se!...

E PROMPTO lá se foi, muito sem jeito, transformado em PRONTO.

Emília chamou outra. Veio a palavra CANÇAR.

— Uns escrevem você com S e outros com Ç. Ora, isso constitui uma trapalhada, e portanto foi decidido que todas as palavras nessas condições passem a ser escritas só com S. Roda!...

Emília chamou outra. Veio a palavra MAÇAN.

— Tire o AN, — disse a boneca. — Ponha Ã e vá avisar a todas da mesma família. E diga às terminadas em AM que a moda agora é ÃO.

Emília chamou outra. Veio a palavra PAO.

— Avise às suas companheiras que os Ditongos AI, AU e OI, só se escreverão dora em diante assim, e não AE, AO e OE. Foi resolvido e acabou-se, entende? Palavras como PAO, CÉO, CHAPÉO, etc., passam a escrever-se PAU, CÉU, CHAPÉU. E nada de rezinga. Manda quem pode. Suma-se.

— E eu como fico? — murmurou a palavra RIO, — aproximando-se.

— Você fica assim mesmo, boba! O seu final IO nunca foi Ditongo, não sabe disso? Roda! Venha outra.

Apresentou-se a palavra GEITO.

— Uns escrevem você com G e outros com J, — disse a boneca. — Fique sabendo que a moda agora é com J — e quem a escrever com G vai para o xadrez. Pode ir.

— E eu como fico? — disse a palavra MAGESTADE, apresentando-se com todo o orgulho.

— Você também fica com J, porque o J aí é etimológico, isto é, vem desde que você nasceu.

— E eu? — disse a palavra GIBOIA silvando como fazem as cobras.

— Você fica com J porque é de origem americana. Se fosse africana também ficaria com J, como aquela que lá vai — e apontou para a palavra QUIJILA, que andava passeando muito lampeira.

— Venha outra. Aproximou-se a palavra AMAL-O.

— O Governo, — disse Emília, — resolveu que doravante você e suas companheiras devem ser escritas assim — AMÁ-LO. Vá avisar às outras.

— Mas isso é um absurdo! protestou AMAL-O. Eu...

Emília arrumou-lhe com o decreto do Governo na cabeça, gritando:

— Vá avisar às outras e não me aborreça. Chispa!

AMAL-O, transformado em AMÁ-LO, lá se foi com um galo na testa, fungando.

Emília chamou a palavra SUBSCREVER, que estivera assistindo à cena.

— Como é que a senhora divide as suas sílabas? — perguntou-lhe.

— Divido-as pelo sistema etimológico assim: SUBSCRE-VER.

— Pois vai mudar isso. De hoje em diante dividirá deste modo: SUBS-CRE-VER. As razões etimológicas acabaram-se. Estamos em tempo de fonéticas. A divisão das sílabas será de acordo com a fonética, ou com os sons apenas. Vá avisar a todas. Já!...

SUBSCREVER saiu correndo.

— E pronto! — exclamou Emília dando um pontapé no montinho de KK e YY e CH e mais letras mudas e dobradas que ficaram no chão. — Pontérrimo! Quero agora ver a cara da tal ORTOGRAFIA ETIMOLÓGICA...

E viu. Logo depois a velha deixou a casinha de raízes e veio passar em revista as palavras do acampamento. Assim que avistou o SÁBADO com um B só, o CETRO sem o S e o P etimológicos, e MÁQUINA sem CH, teve um faniquito. Depois berrou, arrancou os cabelos e apelou para os Carranças que havia deixado na casinha tomando pitadas de rapé.

— Acudam! Corram todos aqui!...

Os Carranças acudiram, espirrando atchim! e a assoarem-se em grandes lenços vermelhos.

— Venham ajudar-me a "endireitar" as palavras que a pestinha da boneca estragou...

A primeira vítima foi SÁBADO, que, entre berros, teve de abrir a barriga para receber o B arrancado pela Emília. O coitadinho já se habituara a viver sem a letra inútil, de modo que resistiu e pôs a boca no mundo.

Emília, que estava observando a cena, teve dó dele. Chamou Quindim e — disse-lhe

— Vamos, Quindim! Avance e espalhe aqueles peludos complicadores da língua. Chifre neles!...

O rinoceronte não esperou segunda ordem. Avançou de chifre baixo, a roncar que nem uma locomotiva.

Os Carranças sumiram-se como baratas tontas, e a velha ORTOGRAFIA ETIMOLÓGICA, juntando as saias, trepou, que nem macaca, por uma árvore acima.

Emília ria-se, ria-se...

Depois — gritou-lhe:

— Você, sua diaba, viveu muito tempo a complicar a vida das crianças sem que nada lhe acontecesse. Mas agora tudo mudou. Agora estou eu aqui — e o Quindim ao meu lado! Quero ver quem pode com este "binômio gramatical"...

Depois da tremenda revolução ortográfica da Emília, o Brasil ficou envergonhado de estar mais atrasado que uma bonequinha e resolveu aceitar as suas ideias. E o Governo e as academias de letras realizaram a reforma ortográfica. Não saiu coisa muito boa, mas serviu. Infelizmente cometeram um grande deslize: resolveram adotar uma porção de acentos absolutamente injustificáveis. Acento em tudo! Palavras que sempre existiram sem acentos e jamais precisaram deles, passaram a enfeitar-se com esses risquinhos. O coitado do "ha" do verbo Haver passou a escrever-se com acento agudo — "há", sem que nada no mundo justificasse semelhante burrice. E introduziram acentos novos, como o tal acento grave (`) que por mais que a gente faça não distingue do acento agudo (´) O "á" com crase passou "à", embora conservasse exatamente o mesmo som! E apareceu até um tal "trema" (¨) que é implicantíssimo. A pobre palavra "frequência,", que toda a vida foi escrita sem acento nenhum, passou a escrever-se assim: "freqüência!..."

Emília danou.

— Não quero! Não admito isso. É besteira da grossa. Eu fiz a reforma ortográfica para simplificar as coisas, e eles com os tais acentos estão complicando as coisas. Não quero, não quero e não quero.

Quindim interveio.

— Você tem razão, Emília. A tendência natural duma língua é para a simplificação, por causa da grande lei do menor esforço. Se a gente pode fazer-se perfeitamente entendida dizendo, por exemplo, "tísica", porque dizer "phthisica", como nos tempos da ortografia etimológica? A forma "tísica" entrou na língua por efeito da lei do menor esforço. Mas a tal acentuação inútil vem contrariar essa lei. Em vez de simplificar, complica. Em vez de exigir menor esforço, exige maior esforço. Logo, é um absurdo.

— Mas é obrigatório hoje escrever-se assim, com dez mil acentos — observou Pedrinho.

Quindim não concordou.

— *Est modus in rebus* — disse ele. — A língua é uma criação popular na qual ninguém manda. Quem a orienta é o USO e só ele. E o uso irá dando cabo de todos esses acentos inúteis. Note que os jornais já os mandaram às favas, e muitos escritores continuam a escrever sem acentos, isto é, só usam os antigos e só nos casos em que a clareza os exige. Temos, por exemplo "fora" e "fôra." O acento circunflexo serve para distinguir o fora advérbio do fôra verbo. Nada mais aceitável que esse acento no "o." O que vai acontecer com a nova acentuação é isso: as pessoas de bom-senso não a adotam e ela acaba sendo suprimida. O uso aceita as reformas simplificadoras, mas repele as reformas complicadoras.

Emília ficou radiante com as explicações do Quindim e pôs em votação o caso. Todos votaram contra os acentos, inclusive Dona Benta, a qual — declarou peremptoriamente:

— Nunca admiti nem admitirei imbecilidades aqui em casa.

Capítulo XXVI
Epílogo

Quando Emília voltou para onde se achavam os meninos, viu-se em preparativos para o regresso. Estavam com uma fome danada.

— E o Visconde? — indagou ela. — Apareceu?

— Está aqui, sim, — respondeu Pedrinho, — mas nega a pés juntos que haja furtado o Ditongo.

Emília aproximou-se do velho sábio, que tinha uma bochecha inchada de dor de dente.

— Então, onde está o Ditongo, Senhor Visconde? — interpelou ela, de mãozinhas na cintura e olhar firme.

O pobre fidalgo pôs-se a tremer, todo gago.

— Eu... eu...

— Sim, o senhor mesmo! — disse Emília com vozinha de verruma. — O senhor raptou o Ditongo ÃO e escondeu-o em qualquer lugar. Vamos. Confesse tudo.

— Eu... eu... — continuava o fidalgo, que não sabia lutar com a boneca.

Emília refletiu uns instantes. Depois agarrou-o e fê-lo abrir a boca à força. O Ditongo furtado caiu no chão...

— Vejam! — exclamou Emília, vitoriosa — ele tinha escondido o pobre Ditongo na boca, feito bala. Que vergonha, Visconde! Um homem da sua importância, grande sábio, ledor de álgebra, a furtar Ditongos...

— Eu explico tudo, — declarou por fim o Visconde, muito vexado. — O caso é simples. Desde que caí no mar, naquela aventura no País-da-Fábula[10], fiquei sofrendo do coração e muito sujeito a sustos. Ora, este Ditongo me fazia mal. Sempre

---

10   *Reinações de Narizinho.*

que gritavam perto de mim uma palavra terminada em ÃO, como CÃO, LADRÃO, PÃO, SABÃO, COLCHÃO e outras, eu tinha a impressão dum tiro de canhão ou dum latido de canzarrão. Por isso me veio a ideia de furtar o maldito Ditongo, de modo que desaparecessem da língua portuguesa todos esses latidos e estouros horrendos. Foi isso só. Juro!

Emília ficou radiante de haver adivinhado.

— Eu não disse? — gritou para os meninos. — Eu não disse que devia ser isto? E para o desapontadíssimo fidalgo:

— Pegue o Ditongo e vá botá-lo onde o achou. Você não é Academia para andar mexendo na língua...

....

Meia hora mais tarde já estavam todos no sítio, contando ao Burro Falante o maravilhoso passeio pelas terras da Gramática.

Paradidáticos

Aritmética da Emília

Capítulo I
A IDEIA DO VISCONDE

Aquele célebre passeio dos netos de Dona Benta ao *País da Gramática* havia deixado o Visconde de Sabugosa pensativo. É que todos já tinham inventado viagens, menos ele. Ora, ele era um sábio famoso e, portanto, estava na obrigação de também inventar uma viagem e das mais científicas. Em vista disso pensou uma semana inteira, e por fim bateu na testa, exclamando numa risada verde de sabugo embolorado:

— *Heureca*! *Heureca*!

Emília, que vinha entrando do quintal, parou espantada, e depois começou a berrar de alegria:

— O Visconde achou! O Visconde achou! Corram todos! O Visconde achou!

A gritaria foi tamanha que Dona Benta, Narizinho e Pedrinho acudiram em atropelo.

— Que foi? Que aconteceu?

— O Visconde achou! — repetia a boneca entusiasmada. — O danadinho achou!...

— Mas achou que coisa, Emília?

— Não sei. Achou, só. Quando entrei na sala, encontrei-o batendo na testa e exclamando: *Heureca*! Ora, *Heureca* é uma palavra grega que quer dizer *Achei*. Logo, ele achou.

Dona Benta pôs as mãos na cintura e com toda a pachorra — disse:

— Uma boneca que já andou pelo País da Gramática deve saber que Achar é um *verbo transitivo*, dos tais que pedem *complemento direto*. Dizer só que achou, não forma sentido. Quem ouve, pergunta logo: "Que é que achou?". Essa coisa que o achador achou é o *complemento direto* do verbo achar.

— Basta de verbos, Dona Benta! — gritou Emília fazendo cara de óleo de rícino. — Depois do nosso passeio pelo País da Gramática vim entupida de gramática até aqui — e mostrou com o dedo um carocinho no pescoço, que Tia Nastácia lhe havia feito para que ela ficasse bem igual a uma gente de verdade.

— Mas é preciso complemento, Emília! — insistiu Dona Benta. — Sem complemento a frase fica incompleta e das tais que ninguém entende. Que coisa o Visconde achou? Vamos lá, Senhor Visconde. Explique-se.

O Visconde tossiu o pigarrinho e — explicou:

— Achei uma linda terra que ainda não visitamos: o País da Matemática!

Tia Nastácia, que também viera da cozinha atraída pelo berreiro, torceu o nariz e retirou-se resmungando "Logo vi que era bobagem. Se ele achasse a mãozinha de pilão que sumiu, ainda vá. Mas isso de ir passear no tal País da Matemática, é bobagem. Vai, perde o tempo e não mata nada...".

Mas o Visconde expunha aos outros a sua ideia.

— A Terra da Matemática, — dizia ele, — ainda é mais bonita que a Terra da Gramática, e eu descobri uma Aritmética que ensina todos os caminhos. É lá o País dos Números.

Todos se entreolharam. A ideia do Visconde não era das mais emboloradas. Bem boa, até.

— Pois vamos, — resolveu Narizinho. — Isso de viagens é comigo, sobretudo agora que temos uma excelente cavalgadura científica, que é o Quindim. Para quando a partida, Senhor Visconde?

— A minha viagem, — respondeu ele, — é um pouco diferente das outras. Em vez de irmos passear no País da Matemática, é o País da Matemática que vem passear em nós.

— Que ideia batuta! — exclamou Emília encantada. — Todas as viagens deviam ser assim. A gente ficava em casa, no maior sossego, e o país vinha passear na gente. Mas como vai resolver o caso, maestro?

— Da maneira mais simples, — respondeu o Visconde. — Vou organizar um circo Sarrazani para que o pessoal do País da Matemática venha representar diante de nós. Inventei esse novo sistema porque ando reumático e não posso locomover-me.

Todos aceitaram a explicação do Visconde, o qual tinha tido realmente uma dessas ideias que merecem um doce. Dona Benta voltou à costura. Pedrinho correu para o pomar e o grande sábio de sabugo foi dar começo à organização do circo. Só ficaram na sala Narizinho e Emília.

— Por que razão, Emília, você tratou o Visconde de "maestro"? O pobre Visconde dará para tudo, menos para música. Nem assobia.

— É porque ele teve uma ideia *batuta*, — respondeu a boneca.

Capítulo II
OS ARTISTAS DA ARITMÉTICA

Pedrinho construiu uma cadeira de rodas para o Visconde, que quase não podia andar de tanto reumatismo. Não ficou obra perfeita. Basta dizer que em vez de rodas de madeira (difíceis de cortar e que nunca saem bem redondinhas), ele botou no carro quatro rodelas de batata-doce. Rabicó lambeu os beiços lá de longe, pensando consigo: "Comer o carro inteiro não é negócio, mas aquelas quatro rodinhas têm que acabar no meu papo".

Quando o Visconde apareceu na sala dentro do carrinho de paralítico, foi um berreiro.

— Viva o Visconde Sarrazani! — gritou Emília e todos a acompanharam na aclamação.

O circo foi armado no pomar, num instantinho. Era todo faz-de-conta. O pano, as arquibancadas, os mastros, tudo faz-de-conta. Só não era faz-de-conta a cortina que separava o picadeiro dos bastidores, isto é, do lugar onde ficam os artistas antes de entrarem em cena. Pedrinho havia pendurado um cobertor velho feito cortina, e arranjou-o de jeito que sem sair do seu lugar ele o manobrasse com um barbante, abrindo e fechando a passagem.

Emília exigiu palhaço e para contentá-la o Visconde nomeou Quindim palhaço, apesar de o rinoceronte ser uma criatura muito grave, incapaz de fazer a menor graça. Roupa que servisse num palhaço daquele tamanho não existia, de modo que

Pedrinho limitou-se a colocar na cabeça do "boi da África", como dizia Tia Nastácia, um chapeuzinho bicudo, como usam os palhaços do mundo inteiro. E só.

— E os artistas? — perguntou Dona Benta na hora do café, vendo o entusiasmo com que Pedrinho falava do circo.

— Isso ainda não sei, — respondeu o menino. — O Visconde está guardando segredo.

Esses circos faz-de-conta são muito fáceis de arrumar, de modo que o Grande Circo Matemático ficou pronto num instante. A "viagem" ia começar logo depois do café.

E assim foi. Tomado o café, todos se dirigiram ao circo. Dona Benta sentou-se na sua cadeirinha de pernas curtas e os outros acomodaram-se nas arquibancadas, que não passavam de uns tantos tijolos postos de pé no chão limpo. Ao menor descuido o tijolo revirava e era um tombo. O Marquês de Rabicó ficou amarrado à raiz duma pitangueira próxima, porque estava olhando com muita gula para as rodas do carrinho do Visconde. Quindim sentou-se sobre as patas traseiras, muito sério, com o seu chapeuzinho de palhaço no alto da cabeça.

— Pronto, Senhor Sarrazani! — gritou Emília vendo o grupo inteiro já reunido. — Pode começar a bagunça.

O Visconde, sempre dentro do seu carrinho, gemeu um reumatismo, tossiu um pigarro e por fim falou:

— Respeitável público! Vou começar a viagem com a apresentação dos artistas que acabam de chegar do País da Matemática. Peço a todos a maior atenção e respeito, porque isto é coisa muito séria e não a tal bagunça que a Senhora Emília acaba de dizer, — concluiu ele, lançando uma olhadela de censura para o lado da boneca.

Emília deu o desprezo, murmurando: "Fedor!" e o Visconde prosseguiu:

— Atenção! Os artistas do País da Matemática vão entrar no picadeiro. Um, dois e... três! — rematou ele, estalando no ar o chicotinho.

Imediatamente o cobertor que servia de cortina abriu-se e um grupo de artistas da Aritmética penetrou no recinto.

— São os **Algarismos**! — berrou Emília batendo palmas e já de pé no seu tijolo, ao ver entrar na frente o 1, e atrás dele o 2, o 3, o 4, o 5, o 6, o 7, o 8, o 9. — Bravos! Bravos! Viva a macacada numérica!

Os algarismos entraram vestidinhos de roupas de acrobata e perfilaram-se em ordem, com um gracioso cumprimento dirigido ao respeitável público. O Visconde então — explicou:

— Estes senhores são os célebres **Algarismos Arábicos**, com certeza inventados pelos tais árabes que andam montados em camelos, com um capuz branco na cabeça. A especialidade deles é serem grandes malabaristas. Pintam o sete uns com os outros, combinam-se de todos os jeitos formando **Números** e são essas combinações que constituem a **Aritmética**.

— Que graça! — exclamou a Emília. — Quer dizer então que a tal Aritmética não passa de reinações dos algarismos?

— Exatamente! — confirmou o Visconde. — Mas os homens não dizem assim. Dizem que a Aritmética é um dos gomos duma grande laranja azeda de nome Matemática. Os outros gomos chamam-se Álgebra, Geometria, Astronomia. Olhem como os algarismos são bonitinhos... O que entrou na frente, o puxa-fila, é justamente o pai de todos — o Senhor 1.

— Por que, pai de todos? — perguntou Narizinho.

— Porque se não fosse ele os outros não existiriam. Sem 1, por exemplo, não pode haver 2, que é 1 mais 1; nem 3, que é 1 mais 1 mais 1 — e assim por diante.

— Nesse caso, os outros algarismos são feixes de Uns! — berrou a boneca pondo as mãozinhas na cintura.

— Está certo, — concordou o Visconde. — Os algarismos são varas. O 1 é uma varinha de pé. O 2 é um feixe de duas varinhas; o 3 é um feixe de três varinhas — e assim por diante.

Narizinho, muito atenta a tudo, notou a ausência de alguma coisa. Por fim — gritou:

— Está faltando um algarismo, Visconde! Não vejo o Zero!

— O Zero já vem, — disse o Visconde. — Ele é um freguês muito especial e o único que não é feixe de varas, ou de Uns. Sozinho não vale nada, e por isso também é conhecido como Nada. Zero ou Nada. Mas se for colocado depois dum número qualquer, aumenta esse número dez vezes. Colocado depois do 1 faz 10, que é dez vezes 1. Depois de 2 faz 20, que é dez vezes 2. Depois de 5 faz 50, que é dez vezes 5 — assim por diante.

— E depois de si mesmo? — quis saber Emília.

— Não faz nada. Um zero depois de si mesmo dá 00, e dois zeros valem tanto como um zero, isto é, nada. E também se o Zero for colocado antes de um número, deixa o número na mesma. Assim, 02, por exemplo, vale tanto como 2.

— E dez zeros enfileirados?

— Dez, ou vinte, ou mil zeros valem tanto como um, isto é, nada.

— Pois sendo assim, — disse Emília, — o tal Senhor Zero não é número, nem coisa nenhuma. E se não é número, que é então? Algum feiticeiro? Será o Mágico de Oz?...

O Visconde atrapalhou-se na resposta e para disfarçar gemeu o reumatismo. Mas Quindim, de dó dele, berrou no seu vozeirão de paquiderme africano:

— É um sinal, pronto!

O reumatismo do Visconde sarou imediatamente.

— Pois é isso, — disse ele. — Um sinal. O Zero é um sinal. Quem não sabe duma coisa tão simples?

A boneca e o rinoceronte piscaram um para o outro enquanto os Algarismos passeavam pelo picadeiro e depois se colocavam de lado, às ordens do Visconde.

— Vou agora apresentar ao respeitável público, — disse ele depois de estalar o chicotinho, — um grupo de artistas velhos e aposentados, os tais **Algarismos Romanos**, de uso naquela Roma que os irmãos Rômulo e Remo fundaram antigamente nas terras da Itália. Senhores Algarismos Romanos, para a frente!

A cortina abriu-se de novo e apareceram sete artistas velhos e capengas, cobertos de pó e teias de aranha. Eram o I, o V, o X, o L, o C, e o M. Fizeram uns cumprimentos de cabeça, muito trêmulos, e perfilaram-se adiante dos Algarismos Arábicos.

— Ora bolas! — exclamou a boneca. — Isso são letras do alfabeto, não são algarismos. E está faltando o D! D, doente. Com certeza ficou no hospital, gemendo os reumatismos...

— Os romanos, — explicou o Visconde, — não tendo sinais especiais para figurar os algarismos, usavam essas sete letras do alfabeto. O I valia um; o V valia cinco; o X valia dez; o L valia cinquenta; o C valia cem; o D valia quinhentos e o M valia mil.

— E quando queriam escrever o número 7, por exemplo? — indagou Pedrinho.

— Para escrever o 7 eles botavam o V com mais dois II à direita — explicou o Visconde. E dirigindo-se aos velhinhos: — Vamos lá! Formem o número 7 para este menino ver.

O V adiantou-se e a seu lado vieram colocar-se dois II, ficando uma figura assim: VII.

— Muito bem, — disse o Visconde. — Formem agora o número 4.

Os romanos colocaram-se nesta posição: IV, e o Visconde — explicou que uma letra de valor menor, colocada depois de outra, somava com ela e colocada antes, diminuía. Por isso, VI era 6 e IV era 4.

Em seguida ele fez os artistas romanos formarem em todas as posições, de modo que dessem todos os números, e ao lado de cada combinação botou o algarismo arábico correspondente.

Formou-se no picadeiro uma figuração assim:

I	1	um
II	2	dois
III	3	três
IV	4	quatro
V	5	cinco
VI	6	seis
VII	7	sete
VIII	8	oito
IX	9	nove
X	10	dez

— Que complicação! — exclamou Emília. — Estou vendo que os árabes eram mais inteligentes que os romanos. E os números além de dez?

O Visconde mandou que os algarismos romanos formassem os números além de 10, eles se colocaram assim: XI — 11; XII — 12; XIII — 13; XIV — 14; XV — 15; XVI — 16; XVII — 17; XVIII — 18; XIX — 19; XX — 20; XXI — 21; XXII — 22, etc.

— E o 50 como é?

O Visconde deu ordem para a formação do 50 e imediatamente um L se adiantou, muito lampeiro.

— Pronto! — exclamou o Visconde. — Esse quer dizer cinquenta. Quem quiser representar 60, ou 70, ou 80, é só botar um X, dois XX ou três XXX depois do L, assim: LX, LXX, LXXX.

— E 100?

— Era o C. Duzentos eram dois CC. Trezentos, três CCC.

— E 500?

— Era o D, o tal que hoje não apareceu.

— E 1000?

— Era o M. E se esse M tinha um risquinho em cima, M, ficava valendo um Milhão, isto é, mil vezes mil.

— Muito bem, — disse Narizinho. — Faça-os agora formarem o número do ano em que estamos, 1946.

O Visconde deu ordem e os algarismos romanos colocaram-se deste jeito: MCMXLVI.

— Não entendo, — berrou Emília. — Explique-se.

— Muito simples, — disse o Visconde. — O primeiro M quer dizer Mil. Temos depois outro M com um C à esquerda; ora, C é 100 e antes de M diminui de cem esse M, o qual fica valendo novecentos. O resto é fácil.

— Fácil, nada! — protestou a boneca. — Fácil é a numeração dos árabes.

— E por isso mesmo os Algarismos Arábicos venceram os Algarismos Romanos — observou o Visconde. — Hoje são os únicos empregados nas contas. Os Algarismos Romanos ainda se usam, mas apenas para marcar capítulos de livros, ou as horas, nos mostradores dos relógios. Quase que só.

Tia Nastácia, que tinha vindo da cozinha perguntar que sopa devia fazer para o jantar, ficou de boca aberta diante da sabedoria do Visconde.

— Nem acredito no que estou vendo, Sinhá! — disse ela sacudindo a cabeça. — Pois um hominho de sabugo, que eu fiz com estas mãos que Deus me deu, não é que está um sábio de verdade, desses que dizem coisas que a gente não entende? Credo!

— Não entende você, que é uma analfabeta, — respondeu Dona Benta. — Todos os outros, até a Emília, estão entendendo perfeitamente o que ele diz. O Visconde acaba de falar da numeração romana e não errou nada. Creio que foi o Quindim quem lhe ensinou isso.

— Há de ser, — concordou a negra. — Eu é que não fui. A única coisa que eu quis ensinar a esse diabinho, ele fez pouco caso.

— Que foi?

— Eu quis ensinar ao Visconde uma reza muito boa para bicho arruinado. Sabe o que me respondeu, depois de fazer carinha de dó de mim? Que isso de reza para bicho arruinado era su... super... Como é mesmo?

— Superstição de negra velha, não foi isso?

— Tal e qual Sinhá.

— Pois é isso. Os sábios só acreditam na ciência, e o Visconde é um verdadeiro sábio. Faça sopa de macarrão, ouviu?

Tia Nastácia retirou-se para a cozinha, de beiço espichado, sempre com os olhos no Visconde.

— Credo! Figa, rabudo! — ia ela dizendo.

Capítulo III
MAIS ARTISTAS DA ARITMÉTICA

Depois da apresentação dos Algarismos o Visconde estalou o chicote, e todos os artistas, arábicos e romanos, recolheram-se aos bastidores.

— Agora, — disse ele, — tenho de apresentar ao respeitável público algumas madamas que também são artistas da Aritmética. A primeira é essa que vem vindo.

Vinha entrando uma senhora magricela muito esticadinha para trás.

— Esta é Dona **Unidade**, — explicou o Visconde, — e assim como o UM é o pai de todos os algarismos, assim também Dona Unidade é a mãe de todas as quantidades de coisas. Nenhuma quantidade de qualquer coisa pode existir sem ela. Quando alguém diz, por exemplo, *cinco laranjas*, está se referindo a uma Quantidade de laranjas; e nessa quantidade, *uma laranja* é a unidade. Quando alguém diz: 100 papagaios, a Unidade é papagaio.

— Passe adiante, — berrou Emília. — Isso é fácil demais.

O Visconde deu nova ordem. Dona Unidade fez um cumprimento de cabeça e retirou-se, sempre muito esticadinha para trás. Apareceu outra madama, gorda e satisfeita da vida; entrou e foi logo dizendo:

— Eu sou a **Quantidade**. Sirvo para indicar uma porção de qualquer coisa que possa ser contada, pesada ou medida. Quando alguém pergunta: Que quantidade de gente há aqui neste circo? Eu CONTO as pessoas e respondo: Há 8 pessoas. Oito pessoas é uma Quantidade. Se alguém pergunta: Quantos quilos pesa esse rinoceronte? Eu PESO o Quindim e respondo: Pesa 2.000 quilos. Dois mil quilos é uma Quantidade. Se alguém pergunta: Que altura tem a Emília? Eu MEÇO a Emília e respondo: Tem 2 palmos. Dois palmos é uma Quantidade. Estão entendendo?

— Está claro que estamos. Para entender coisas não há como nós, — respondeu a boneca.

Dona Quantidade riu-se daquela gabolice e — continuou:

— Devo explicar ao respeitável público que as quantidades se dividem em duas espécies — **Quantidades Homogêneas** e **Quantidades Heterogêneas**. Vinte laranjas, ou dez laranjas, por exemplo, são Quantidades Homogêneas, isto é, da mesma qualidade. Mas se alguém fala em dez laranjas e cinco papagaios, então está falando de Quantidades Heterogêneas, porque laranjas e papagaios não são coisas iguais — são coisas de espécies diferentes.

— Duas bonecas e dois rinocerontes são quantidades homogêneas ou heterogêneas? — perguntou Dona Benta voltando-se para a boneca.

— Heterogeníssimas! — respondeu Emília.

— Por quê?

— Porque os rinocerontes têm chifre no nariz e as bonecas nem nariz tem.

— Diga logo que são seres de espécies diferentes, porque a única diferença que há entre uma boneca e um rinoceronte não é apenas essa de chifre no nariz. É também que um diz asneirinhas e outro não...

Mas a atenção da Emília já estava noutro ponto, de modo que interrompeu Dona Benta, dizendo:

— E que lhe parecem aqueles números que vêm entrando, vestidos de vermelho?

Realmente, vinham entrando o 2, o 4, o 6, o 8 e o 0, todos vestidinhos de fardas vermelhas. O Visconde — explicou que eram os **Números Pares**.

— São os Números Pares, — disse ele, — e todos os mais números que terminarem com qualquer desses vermelhinhos também são números pares. Os que vão entrar agora, vestidos de farda verde, são os **Números Ímpares**.

Entraram cinco periquitos verdinhos — o 1, o 3, o 5, o 7, o 9; fizeram uma cortesia e retiraram-se.

Emília teve uma ideia luminosa. Bateu na testa, riu-se e — perguntou aos berros:

— Uma coisa! Vamos ver quem sabe. Por que é que o Par é ímpar?

Todos abriram a boca, sem perceber onde ela queria chegar.

— Não sabem? Por uma razão muito simples: porque só tem três letras e o número três é imparíssimo!...

Foi um "Oh!" geral de desapontamento — mas Emília ganhou um ponto.

Capítulo IV
Manobras dos números

Terminada a apresentação dos artistas da Aritmética, o Visconde começou a explicar como é que eles manobram lá entre si, de jeito a indicar de um modo fácil todas as quantidades que existem por menores ou maiores que sejam. E o respeitável público viu que só com aqueles dez artistas podiam formar-se números enormíssimos, capazes até de numerar todas as estrelas do céu e todos os peixinhos do mar.

Com um 1 na frente de outro 1 formava-se o 11; com o 1 e o 2 formava-se o 12; com o 1 e o 3 formava-se o 13 — e do mesmo modo o 14, o 15, o 16, o 17, o 18, o 19.

— Depois, — disse o Visconde, — começa a casa do 20, que é um 2 com um 0 em seguida. E assim temos o 21, o 22, o 23, o 24, até o 29. Depois começa a casa do 30, e temos, a seguir, o 31, 32, 33, 34, até 39. Depois começa a casa do 40, e a do 50, do 60, do 70, do 80 e do 90. O 90 vai indo — 91, 92, 93, 94, até 100.

— Isso eu já sabia antes de nascer, — disse Narizinho. — Depois do 100, vem o 101, o 102, o 103, etc. Adiante!

— Bom, — disse o Visconde, — nesse caso vou explicar outra coisa. Vou explicar que 10 unidades formam uma **Dezena**. Dez Dezenas formam uma **Centena**. Dez Centenas formam um **Milhar**. Dez milhares formam uma **Dezena de Milhar**. Dez Dezenas de Milhar formam uma **Centena de Milhar**. Dez Centenas de Milhar formam um **Milhão**. Vou escrever um número e dividir as casas.

— Que casas? — indagou Emília.

— As casas das Unidades, das Dezenas, das Centenas, etc.; e o Visconde escreveu no chão este número:

845768963524637

Depois desenhou uma casinha para as Unidades, outra para os Milhares, outra para os Milhões, outra para os Bilhões e outra para os Trilhões, assim:

— Na casa das Unidades, — explicou ele, — há três janelinhas. A primeira, ocupada pelo 7, é a janela das Unidades Simples; a segunda, ocupada pelo 3, é a janela das Dezenas de Unidades; a terceira, ocupada pelo 6, é a janela das Centenas de Unidade.

Depois temos a casa vizinha, onde moram os Milhares. A primeira janela, ocupada pelo 4, é a janela dos Milhares Simples; a segunda, ocupada pelo 2, é a janela das Dezenas de Milhar; a terceira, ocupada pelo 5, é a janelas das Centenas de Milhar. Depois temos a terceira casa, onde moram os Milhões...

— Milhão é milho grande. Logo, a casa dos Milhões é o paiol — gritou Emília, que não perdia ocasião de fazer graça.

Todos riram-se e o Visconde — continuou:

— A primeira janela, ocupada pelo 3 é a janela dos Milhões simples; a segunda, ocupada pelo 6, é a janela das Dezenas de Milhão; a terceira, ocupada pelo 9, é a janela das Centenas de Milhão.

Depois temos a quarta casa, onde moram os Bilhões. Na primeira janela ficam os Bilhões Simples; na segunda ficam as Dezenas de Bilhão e na terceira ficam as Centenas de Bilhão.

A quinta casa é a dos Trilhões. Há os Trilhões Simples, as Dezenas de Trilhão e as Centenas de Trilhão. Depois vem a casa dos Quatrilhões, dos Quintilhões, dos Sextilhões, dos Setilhões, dos Octilhões, dos Nonilhões, etc.

— Olhem como o Quindim ficou alegre! — observou a boneca. — De tanto "leões" que ouviu falar, — lembrou-se da África e está sorrindo...

O Visconde não achou graça; limitou-se a dar ordem aos artistas árabes para se colocarem em posição e formarem um número bem grande. Os algarismos obedeceram, formando este número:

543784932141357362439567435932143

— Agora — disse ele, em vez de fazer as casinhas, vou marcar o lugar das casinhas com uma vírgula, assim da direita para a esquerda.

543,784,932,141,357,362,439,567,435,932,143

— Isto é para facilitar a leitura do número. Temos aqui as casas das Unidades, dos Milhares, dos Milhões, dos Bilhões, dos Trilhões, dos Quatrilhões, dos Quintilhões, dos Sextilhões, dos Setilhões, dos Octilhões e a dos Nonilhões. A lá do fim é a das Unidades e a daqui do começo é a dos Nonilhões. Vamos ver quem lê este número sem engasgar pelo caminho — concluiu ele, certo de que ninguém era capaz. Mas a espertíssima Emília leu certinho.

— Quinhentos e quarenta e três Nonilhões, setecentos e oitenta e quatro Octilhões, novecentos e trinta e dois Setilhões, cento e quarenta e um Sextilhões, trezentos e cinquenta e sete Quintilhões, trezentos e sessenta e dois Quatrilhões, quatrocentos e trinta e nove Trilhões, quinhentos e sessenta e sete Bilhões, quatrocentos e trinta e cinco Milhões, novecentos e trinta e dois Milhares e cento e quarenta e três Unidades. Ufa!

Foi um sucesso a leitura da Emília. Dona Benta até tirou os óculos para esfregar os olhos, de tão assombrada. Quindim, que estava cochilando, ergueu a cabeça como quem diz mentalmente: "Sim, senhora!". Rabicó piscou sete vezes e Pedrinho mordeu os lábios de inveja, porque ele não era capaz de ler duma assentada, sem um só erro, aquele número tão grande.

Emília ficou toda ganjenta, com os olhinhos acesos.

Em seguida o Visconde — explicou o que era **Regra**.

— Regra é o modo sempre igual de se fazer uma coisa, — disse ele. — Temos regras para tudo e também para ler os números grandes como este. A Regra aqui é dividi-lo com um espacinho, de três em três algarismos, *começando da direita para a esquerda*. Vamos ver outro exemplo — e mandou que os algarismos formassem este número:

45365462878

— Venha Narizinho, separar as casas.

A menina separou os algarismos assim, com espacinhos da direita para a esquerda:

45 365 462 878

— Muito bem. Agora leia.

Narizinho leu imediatamente

— Quarenta e cinco Bilhões, trezentos e sessenta e cinco Milhões, quatrocentos e sessenta e dois Milhares e oitocentos e setenta e oito Unidades.

— Bravos! — exclamou o Visconde, — enquanto a menina botava a língua para a boneca, que não deixou de ficar desapontada de ver que Narizinho lia os números grandes tão bem quanto ela. Mas Emília consolou-se murmurando com cara de pouco caso que aquele número era uma pulga perto do seu.

Em seguida o Visconde — explicou que o serviço principal dos números era indicar as somas de dinheiro, porque o dinheiro é a coisa mais importante que há para os homens.

— Por quê? — perguntou a boneca. — Para mim dinheiro não tem importância nenhuma. Dou o desprezo...

— Para as bonecas não terá, mas para os homens tem muitíssima, porque o dinheiro é uma coisa que se transforma em tudo quanto eles desejam. Se eu tenho um pacote de dinheiro, posso transformá-lo numa casa, numa vaca de leite, num passeio à Europa, num terreno, numa porção de ternos de roupa, numa confeitaria inteira de doces, num automóvel — em tudo quanto eu queira. Daí vem a importância do dinheiro e a fúria dos homens para apanhar a preciosa substância. Quem tem uma casa, tem uma casa e nada mais; mas quem tem dinheiro tem o meio de ter tudo quanto imagina. O dinheiro é a única substância mágica que existe. Em vista disso, vou apresentar ao respeitável público a Senhora **Quantia**, que é a dama mais orgulhosa da cidade da Aritmética, pelo fato de só lidar com dinheiro.

Desta vez o Visconde não estalou o chicote, como fizera para chamar os artistas arábicos e romanos, mas entrou nos bastidores e, fazendo mil salamaleques, de lá trouxe pela mão a grande dama.

— Respeitável público! — disse ele comovido. — Tenho a honra de introduzir a Ilustríssima Senhora Dona Quantia, a grande dama que só lida com dinheiro.

Dona Quantia era um poço de orgulho. Veio de lornhão erguido e cabeça alta, olhando para todos com grande insolência. Estava vestida duma fazenda feita de notas de 500 cruzeiros e trazia colar, cinto e pulseira de moedas. Em seu peito havia, bordado a fio de ouro, um sinal assim: $, que é o sinal do dinheiro. Toda ela tilintava: *tlin, tlin, tlin, tlin.*

— Já sei, — cochichou Emília ao ouvido da menina. — Essa "Númera" que só lida com dinheiro é filha da outra, quer ver?

E criando coragem — gritou para a emproadíssima dama:

— A senhora tem os traços de **Dona Quantidade**. Vai ver que é filha dela...

A grande dama mirou a boneca de alto a baixo com o lornhão e dignou-se a responder:

— Sim, espirrinho de gente, sou filha da Quantidade; mas enquanto minha pobre mãe lida com todas as coisas que existem, eu só lido com dinheiro. Cada país tem o seu dinheiro e vocês no Brasil tiveram o mesmo dinheiro do velho Portugal. A unidade do dinheiro no Brasil era o REAL — a menor de todas as unidades de dinheiro do mundo. Isso fez que, para comodidade dos negócios, a unidade se tornasse o MIL RÉIS, ou o MIL-RÉIS como escrevem os estrangeiros — e o absurdo ficou de bom tamanho, porque era uma *unidade* igual a um *milhar*. A Aritmética gemia de dor. Afinal veio o CRUZEIRO e a velha moeda herdada de Portugal foi para as coleções dos numismatas.

— Que bichos são esses? — indagou Pedrinho.

— Numismata, — explicou Dona Quantia, — é o sujeito que coleciona moedas; e a arte de colecionar moedas se chama Numismática. Havia antigamente moedas de 20 e 40 réis, feitas de cobre. Com o tempo ficavam verdes de azinhavre. Foi uma limpeza desaparecerem essas imundícias.

— É, mas quando hoje aparece um pobre bem pobre, a gente bem que sente falta delas, — observou Emília.

— Por quê? — indagou Dona Benta, admirada.

— Porque quando o pobre é bem pobre, dos bem sujinhos, a gente tem dó de dar um tostão...

Dona Benta trocou um olhar com o rinoceronte, como quem diz: — Já se viu que diabinha?

Dona Quantia continuou:

— Hoje a moeda menor do Brasil é a de 10 centavos, ou o TOSTÃO. Vem depois a de 20, e a de 50 centavos. Em seguida vêm as "pratas" de 1, 2 e 5 cruzeiros.

— E depois vêm as "notas"! — berrou Pedrinho, que era muito entendido no assunto e possuía uma velha nota de 10 mil réis.

— As novas notas do Brasil, — continuou Dona Quantia, — são de 10, 20, 50, 100, 200, 500 e 1000 cruzeiros. Acabou-se o antigo CONTO DE RÉIS. Em vez do conto de réis temos MIL CRUZEIROS.

— E como se escreve a moeda nova? — quis saber Narizinho.

— Do mesmo modo que a antiga, menos um zero e com o CIFRÃO na frente, precedido de CR. O cifrão é este sinal que tenho pregado no peito e o mundo inteiro usa para indicar dinheiro.

Nesse momento entraram quatro figurões muito interessantes. Um, de charuto na boca e cartola na cabeça, parecia o rei do mundo. Os outros dois eram dois Zeros parecidos com aquele Malempeor dos desenhos argentinos. E o último era o 1, com a sua carinha de pai da vida. O Visconde — explicou:

— Esta formação Leblântica representa o velho real antigo, isto é, a antiga unidade monetária do Brasil.

Emília deu uma gargalhada gostosa.

— Incrível! — disse ela. — Para representar 1 real, que é a quantidade de dinheiro mais pulga que existe no mundo, o *Le Blanc* teve de mobilizar quatro figurões, um charuto, uma cartola, dois chapéus furados e mais um apenas amarrotado. Bem diz Tia Nastácia: quanto mais magro, mais cheio de pulgas...

O Real danou com a observação e o Visconde — disse:

— A unidade monetária do Brasil de hoje escreve-se assim:

Cr$ 1,00

e lê-se UM CRUZEIRO. Os dois zeros marcam a casa das dezenas, as quais agora são os CENTAVOS, isto é, CEM AVOS, porque o Cruzeiro se divide em cem pedacinhos, ou avos. É uma moeda decimal, como o Dólar, o Peso, o Franco. Muito mais racional e cômoda do que o velho Réis, plural do Real, que era tão irreal que nunca existiu amoedadamente.

— O Mil-Réis, — disse Pedrinho, — tinha o defeito de exigir muitos zeros. Era zero que não acabava mais...

— Isso mesmo. Para escrever cem contos, empregavam-se 8 zeros, além dos dois pontos indicativos de contos e do meu pobre cifrão colocado lá atrás — um desaforo! A coisa ficava assim — 100:000$000. Na moeda nova, essa mesma quantia de dinheiro escreve-se assim Cr$ 100.000,00 e lê-se: cem mil cruzeiros.

— E como ficou o Mil Contos?

— Ficou Um Milhão de Cruzeiros.

— E o 1$500, o 1$650?

— Ficaram assim — Cr$ 1,50 e Cr$ 1,65. Basta cortar um zero e passar o cifrão para a frente.

Pedrinho tirou do bolso a sua velha nota de 10$000 e contemplou-a com olhos cheios de saudades.

— Coitadinha! — murmurou suspirando. — Tenho de trocá-la por uma de 10 cruzeiros, mas a minha sensação vai ser de ter ficado mais pobre. Vou passar de dono de *dez mil* para dono de *dez* apenas...

— Aquela grandeza antiga não passava duma ilusão de ótica. O sistema novo é muito mais racional.

Dona Quantia guardou o lornhão no cinto e — indagou com voz enfarada:

— Querem mais alguma coisa?

— Queremos que a senhora nos arranje alguns milhares de cruzeiros, — disse Pedrinho.

— Dinheiro ganha-se, — respondeu ela. — Se quer tantos cruzeiros, cresça, trabalhe e ganhe-os.

Disse e retirou-se majestosamente pelo braço do Visconde.

Todos se entreolharam.

— Já viram emproamento maior? — observou Emília. — Essa bruxa, só porque serve para indicar dinheiro, já está assim que ninguém a atura. Imaginem se em vez de indicar dinheiro ela possuísse dinheiro de verdade, aos contos, ou aos milhares de cruzeiros! Fedorenta...

Na noite desse dia os meninos só sonharam com os artistas da Aritmética. Narizinho contou *o seu sonho ao Le Blanc para que ele o desenhasse*, e saiu isto:

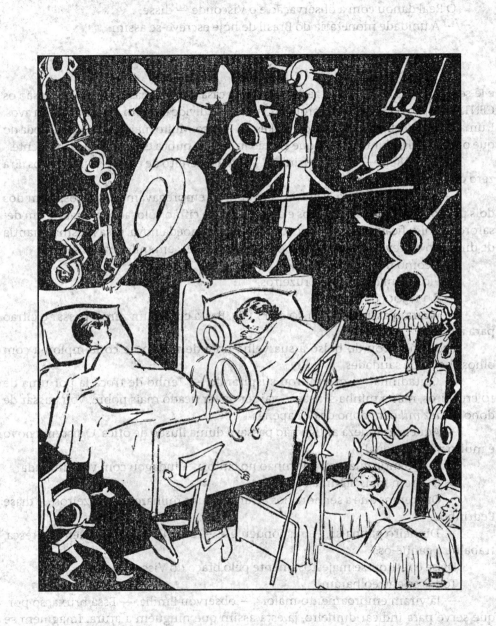

Capítulo V
ACROBACIAS DOS ARTISTAS ARÁBICOS

Depois da retirada de Dona Quantia houve uma interrupção no espetáculo, causada pelo japonês da horta que veio saber de Dona Benta como ela queria o canteiro das alfaces. Pedrinho aproveitou o ensejo para indagar de Quindim por que motivo estava tão casmurro. Mais parecia um peixe do que um paquiderme africano. O rinoceronte andava adoentado, queixando-se de nostalgia, isto é, de saudades da África, a sua terra de nascimento.

— Não há de ser isso, — disse o menino. — Você o que tem são bichas. Fale com Tia Nastácia. Ela faz um chazinho de hortelã que é um porrete para bichas. Nostalgia uma ova! Saudades da África, duma terra tão quente e cheia de insetos terríveis? Só o fato de você estar livre das moscas tsé-tsé, as tais que dão a doença do sono, quanto não vale?

Quindim riu-se, e ia dizer que não havia mosca que o picasse por causa daquela couraça que tinha no lombo, quando Dona Benta voltou à sua cadeira e o espetáculo prosseguiu. O Visconde pôs-se de pé no carrinho e — disse:

— Respeitável público! Os artistas arábicos vão agora fazer diversas acrobacias muito interessantes, chamadas Contas ou **Operações Fundamentais** da Aritmética. São as reinações dos números, e têm esse nome de Fundamentais porque essas contas constituem os *fundamentos* ou a *base* de todas as matemáticas. Quem sabe essas Contas já sabe muita coisa e pode perfeitamente viver neste mundo de Cristo.

— Quais são elas? — quis saber a menina.

— Primeiro, temos a reinação que aumenta, chamada **Soma**, ou **Conta de Somar**. Depois temos a reinação que diminui chamada **Subtração** ou **Conta de Subtrair**. Depois temos a reinação que multiplica, chamada **Multiplicação** ou **Conta de Multiplicar**. E por último temos a reinação que divide, chamada **Divisão** ou **Conta de Dividir**.

— Isso eu já nasci sabendo, — disse Pedrinho. — Na vida a gente vive somando, diminuindo, multiplicando e dividindo coisas, mesmo sem conhecer nada de aritmética.

— É que a gente sabe sem saber que sabe, — explicou o Visconde. — Mas antes de mostrar essas reinações, quero apresentar ao respeitável público a coleção de **Sinais Aritméticos**, uns risquinhos que ajudam os números nas suas acrobacias.

O chicote estalou e os Sinais Aritméticos começaram a entrar no picadeiro. A frente de todos veio uma cruzinha assim: +

— Este é o sinal de **Mais**, — explicou o Visconde. — Serve para somar. Sempre que a cruzinha aparece depois dum número, isso quer dizer que esse número tem que juntar-se, ou somar-se ao número que vem em seguida.

Todos bateram palmas, porque isso de mais é sempre melhor do que menos.

O segundo sinal que se apresentou foi o Sinal de **Menos**, um simples tracinho horizontal, assim: −

— Este freguês, — explicou o Visconde, — diminui. Quando aparece entre dois números, quer dizer que temos de tirar do primeiro número o outro, ou diminuir.

Ninguém bateu palmas.

O terceiro sinal era um xis, assim: ×

— Este é o sinal de **Multiplicar**, — disse o Visconde. — Quando aparece entre dois números, quer dizer que um tem que ser multiplicado pelo outro.

— Então é parente do **Mais**, — observou Emília. — Os dois aumentam.

— Perfeitamente, — concordou o Visconde; — mas o sinal de multiplicar aumenta muitas vezes. É poderoso.

— Então, viva! — gritou a boneca. — Gosto das coisas poderosas.

O quarto sinal eram dois pontos separados por um tracinho, assim: ÷

— Este é o sinal de **Dividir**. Quando aparece entre dois números, quer dizer que o segundo divide o primeiro.

— Não gosto, — resmungou Emília. — Divisão não é comigo. O que é meu é meu só. Não divido nada com ninguém.

O quinto sinal era formado de dois tracinhos paralelos, assim: =

— Este é o sinal de **Igualdade**, — explicou o Visconde. — Quando está entre duas coisas, quer dizer que uma é igual à outra.

O sexto sinal, mais complicadinho, tinha esta forma: √

O Visconde explicou que esse sinal indicava uma nova reinação que um número fazia sozinho, chamada RAIZ QUADRADA, ou simplesmente **RAIZ**.

— Raiz de quê? — interrompeu Emília. — Raiz de mandioca, raiz de árvore?

— Não é só mandioca ou árvore que tem raiz. Os números também têm a sua raiz aritmética.

— *Arimética*, — corrigiu Emília, — que se implicara com o "t" dessa palavra e o estava sabotando.

— E os sinais são só esses?

— Sim. Queria mais? Só com esses já os homens fazem todas as contas da aritmética.

— E aquele cidadão que vem vindo sem ser chamado? — perguntou Emília apontando para um senhor de ar carrancudo que vinha vindo.

— Aquele é o **Problema**, — explicou o Visconde. — Um sujeito que gosta de ser resolvido, espécie de charada. Ele dá umas tantas indicações e por meio delas a gente tem de descobrir o xis, isto é, descobrir uma terceira coisa.

— Que ar grave e casmurro ele tem!

— Não é para menos. Todos os Problemas vivem preocupados em encontrar uma certa senhora dona.

— Quem é ela?

— Dona **Solução**, justamente a que vem entrando.

Vinha entrando uma dama de rosto alegre e ar feliz, verdadeira cara de quem acaba de descobrir a pólvora. E muito pernóstica.

— Respeitável público! — disse ela com desembaraço. — Eu sou a Solução, a criatura que ali o Senhor Problema vive procurando. Quando ele me acha, fica logo risonho, sem aquele ar fúnebre e preocupado que vocês lhe notaram. Sou uma criatura importantíssima, porque o mundo anda cheio de problemas de todas as espécies, de modo que os homens não têm sossego enquanto eu não apareço.

— Mas como a senhora resolve os problemas? — perguntou Narizinho.

— De mil modos, e aí está a minha ciência. Resolvo todos os problemas, e ensino aos homens o jeitinho de resolvê-los. Sou uma danada.

— Estou vendo, — disse Emília. — Assim que a senhora entrou, o Senhor Problema, que estava tão casmurro, deu um suspiro e uma risadinha.

— E aquela madama lá, Visconde? — indagou Pedrinho, apontando para uma criada que viera atrás de Dona Solução.

— Aquela é a **Prova**. Sua especialidade consiste em ver se as contas da patroa estão certas.

— E como consegue isso?

— Consegue-o fazendo a mesma conta de outro jeito. Se o resultado for o mesmo, então é que a conta está certa.

Quindim continuava de olhos fechados, cabeceando, e isso muito preocupava Pedrinho. E se o rinoceronte de fato estivesse doente? E se morresse? Pedrinho teve uma ideia. Virou-se para Dona Solução e disse:

— Minha senhora, estamos aqui no sítio com um problema muito sério: o estado de saúde do nosso grande amigo Quindim. Ele está nostálgico e sorumbático. Perdeu o apetite. Não brinca mais. E nem sequer presta atenção a um espetáculo tão interessante como este. A senhora, que é uma grande resolvedora de coisas, por que não nos resolve o problema da doença de Quindim?

A dama olhou para o paquiderme e disse, sorrindo:

— O problema do seu amigo Quindim é um problema médico e eu só resolvo problemas aritméticos. Sinto muito, mas nada posso fazer em semelhante caso.

Depois deste discursinho a ilustre dama retirou-se do picadeiro, seguida do Senhor Problema e de todos os Sinais Aritméticos.

— E agora? — indagou a boneca.

— Agora acabou-se a primeira parte, — respondeu o Visconde. — Isto foi apenas a apresentação dos personagens que fazem as reinações aritméticas. Tenho que interromper o espetáculo por alguns minutos para fazer uma fomentação no meu reumatismo.

Dona Benta aproveitou a folga para ir dar umas ordens a Tia Nastácia, enquanto Narizinho e Pedrinho trepavam à pitangueira que estava assim de pitangas vermelhas. Esperar comendo pitangas é das melhores coisas do mundo.

Capítulo VI
A PRIMEIRA REINAÇÃO

O Visconde fez a fomentação do seu reumatismo e, enquanto esperava pelos espectadores, deu uma prosinha com Rabicó.

— Então, — perguntou ele, — está gostando da festa?

Rabicó, sempre amarrado ao galho da pitangueira, suspirou.

— Esses assuntos científicos não me dizem nada. Nasci para comer e só me interesso por comidas. De todas as histórias que ouvi, gostei apenas do tal Sinal de Raiz. Até me veio água à boca. Sou amigo de raízes — de mandioca, de inhame, todas. Quem sabe se essa raiz aritmética não é das gostosas?

O Visconde olhou para ele com ar de dó, mas não fez nenhum comentário, porque os espectadores já vinham voltando. Dona Benta ajeitou-se na sua cadeirinha. A menina e Pedrinho, com os lábios vermelhos das pitangas, pularam da pitangueira para cima dos seus tijolos. Emília foi colocar-se de cócoras sobre a cabeça de Quindim, que se escarrapachara no chão para dormir.

O Visconde tossiu o pigarro e — gritou:

— Atenção, respeitável público! O espetáculo vai começar. Os Algarismos Arábicos vão fazer a reinação número um, que se chama **Somar** — disse e estalou o chicote. Imediatamente a cortina se abriu e os algarismos entraram, colocando-se em linha no picadeiro.

— Primeiro explique o que é somar, — reclamou Emília. — Eu sei o que é, mas quero ver se estou certa.

— Somar, — respondeu o Visconde, — é juntar dois ou mais números num só. Os números que se juntam recebem o nome de **Parcelas**, e o resultado da juntação recebe o nome de **Soma** ou **Total**. Vou dar um exemplo.

O Visconde mandou que dois algarismos quaisquer saíssem da forma e viessem somar-se no centro do picadeiro. Adiantaram-se o 5 e o 7, colocando-se no centro do picadeiro, separados por uma cruzeta de madeira representando o sinal Mais.

— Muito bem, — disse o Visconde. — Agora somem-se.

Houve um passe de magia. O 5 e o 7 fundiram-se um no outro e surgiu como resultado um número novo, o 12, que era a soma dos dois.

— Pronto! — exclamou o Visconde. — Vou agora fazer o 9 juntar-se a outro número, ao 6, por exemplo.

O 9 saiu da forma e juntou-se ao 6, formando o número 15.

— Faça agora o 3 juntar-se ao 2, — pediu a boneca.

O Visconde deu a ordem e o 3 juntou-se ao 2, formando o número 5.

— Muito bem, — disse Dona Benta. — Resta agora que a criançada decore a Tabuada de Somar. Sem saber de cor, bem decoradinha, essa Tabuada, não há no mundo quem some.

O Visconde concordou e escreveu num papel a seguinte Tabuada, que todos deviam decorar.

TABUADA DE SOMAR

2 + 1 = 3	3 + 1 = 4	4 + 1 = 5	5 + 1 = 6
2 + 2 = 4	3 + 2 = 5	4 + 2 = 6	5 + 2 = 7
2 + 3 = 5	3 + 3 = 6	4 + 3 = 7	5 + 3 = 8
2 + 4 = 6	3 + 4 = 7	4 + 4 = 8	5 + 4 = 9
2 + 5 = 7	3 + 5 = 8	4 + 5 = 9	5 + 5 = 10
2 + 6 = 8	3 + 6 = 9	4 + 6 = 10	5 + 6 = 11
2 + 7 = 9	3 + 7 = 10	4 + 7 = 11	5 + 7 = 12
2 + 8 = 10	3 + 8 = 11	4 + 8 = 12	5 + 8 = 13
2 + 9 = 11	3 + 9 = 12	4 + 9 = 13	5 + 9 = 14
2 + 10 = 12	3 + 10 = 13	4 + 10 = 14	5 + 10 = 15
6 + 1 = 7	7 + 1 = 8	8 + 1 = 9	9 + 1 = 10
6 + 2 = 8	7 + 2 = 9	8 + 2 = 10	9 + 2 = 11
6 + 3 = 9	7 + 3 = 10	8 + 3 = 11	9 + 3 = 12
6 + 4 = 10	7 + 4 = 11	8 + 4 = 12	9 + 4 = 13
6 + 5 = 11	7 + 5 = 12	8 + 5 = 13	9 + 5 = 14
6 + 6 = 12	7 + 6 = 13	8 + 6 = 14	9 + 6 = 15
6 + 7 = 13	7 + 7 = 14	8 + 7 = 15	9 + 7 = 16
6 + 8 = 14	7 + 8 = 15	8 + 8 = 16	9 + 8 = 17
6 + 9 = 15	7 + 9 = 16	8 + 9 = 17	9 + 9 = 18
6 + 10 = 16	7 + 10 = 17	8 + 10 = 18	9 + 10 = 19

Emília examinou-a com toda a atenção e disse:

— Mas aqui só está a soma dos números pequenos, que vão de 2 a 9. E depois de 9? Como se somam os números compridos?

— Isso já é mais complicado. Temos que fazer uma conta. O melhor é chamar Dona Regra para ensinar o jeitinho, — disse o Visconde, estalando o chicote.

Dona Regra apareceu.

— Faça o favor de explicar ao respeitável público como se faz uma soma de números grandes.

— Com todo o gosto, — respondeu a madama. — Mas não estou vendo aqui nenhum quadro-negro. Sem quadro-negro nada posso fazer.

De fato, o empresário do circo havia esquecido de arranjar um quadro-negro. Só não se esquecera de arranjar um giz, mas de que vale giz sem quadro-negro?

Houve um momento de embaraço. Todos se entreolharam, sem saber como resolver o caso, até que Emília veio com uma das suas ideias geniais.

— Quindim pode muito bem virar quadro-negro, — disse ela. — A casca dele é ótima para ser riscada com giz. Já fiz a experiência.

— Mas Quindim é o palhaço, — objetou Pedrinho.

— Qual palhaço, nada! — exclamou a boneca. — Um palhaço desses, que não faz a menor graça e dorme o tempo inteiro, o melhor é que vire quadro-negro.

A ideia foi aprovada e o rinoceronte virou quadro-negro. Moveu-se com muita preguiça para o centro do picadeiro, de modo que Dona Regra pudesse fazer a conta na sua casca.

— Muito bem, — disse a madama, — um tanto ressabiada. Mas será que esse bicho não morde?

— Não tenha medo, dona! — berrou Emília. — Quindim é um anjo de bondade. Não chifra nem pulga.

Dona Regra criou coragem e aproximou-se do paquiderme com giz na mão, dizendo:

— Que números querem que eu some?

— Some os números 25 679, 838 e 26, — pediu Pedrinho.

Dona Regra escreveu esses números no quadro-negro, assim:

$$\begin{array}{r} 25\,679 \\ 838 \\ 26 \\ \hline \end{array}$$

com um tracinho embaixo.

Depois — disse:

— Esses números recebem o nome de **Parcelas**. Temos aqui três Parcelas, a de cima, a do meio e a de baixo. Reparem que elas ficam alinhadas da direita para a esquerda formando colunas. Há a coluna das Unidades Simples, formada pelos números 9, 8 e 6. Há a coluna das Dezenas, formada pelos números 7, 3 e 2. Há a coluna das Centenas, formada pelos números 6 e 8. Há a coluna dos Milhares, formada pelo número 5. E há a coluna das Dezenas de Milhar, formada pelo número 2. Estão entendendo?

— Está claro que estamos, — berrou a Emília. — A senhora não está lidando com cavalgaduras.

— Folgo muito, — disse Dona Regra, sorrindo. — Vamos agora fazer a soma. Para isso a gente começa da direita para a esquerda e soma a coluna das Unidades Simples. Temos 9+8+6. Quem sabe quanto é 9 mais 8 mais 6?

— Eu sei! — gritou Pedrinho — 9 mais 8 é igual a 17; e 17 mais 6 é igual a 23. Logo, a soma dessa coluna é igual a 23.

— Muito bem. A soma dessa coluna é igual a 23. Embaixo do risco a gente escreve o 3 do 23 e leva para cima o 2 que sobra, a fim de o somar com a segunda coluna que é a das Dezenas. Essa coluna é composta de que algarismos, menina?

— Do 7, do 3 e do 2, — respondeu Narizinho.

— Muito bem. E qual a soma desses algarismos?

— 7 mais 3 e mais 2 é igual a 12, — responderam todos a um tempo.

— Muito bem. A gente soma a esse 12 o 2 que veio de trás e obtém 14. Depois escreve-se o 4 desse 14 embaixo do risquinho e leva para cima o 1 que sobra, a fim de o somar com os algarismos da terceira coluna, que é a das Centenas. Essa coluna é composta dos algarismos 6 e 8. Quanto é 6 mais 8?

— Catorze!

— Muito bem. A gente soma a esse 14 o 1 que veio de trás e obtém 15. Escreve-se embaixo do risquinho o 5 desse 15 e leva-se para cima o 1 que sobra, a fim de o somar com os algarismos da quarta coluna, que é a dos Milhares.

— Está errado! — berrou Emília.

— Por quê? — perguntou Dona Regra muito admirada.

— Porque a senhora falou em "algarismos" da quarta coluna e a quarta coluna não tem "algarismos", só tem um algarismo, que é o 5.

— É verdade, — disse Dona Regra olhando para o quadro-negro. — Queira desculpar-me. Foi um lapso. Mas como eu ia dizendo, a gente leva o 1 que sobra do 15 para o somar com o algarismo da quarta coluna, o que dá 6. Escreve-se esse 6 debaixo do risquinho. Resta agora somar a quinta coluna, mas como ela é composta apenas daquele 2, a gente desce o coitado para baixo do risquinho. E então a conta fica assim:

$$\begin{array}{r} 25\,679 \\ 838 \\ 26 \\ \hline 26\,543 \end{array}$$

— Temos aqui o número 26 543 que é a Soma das três Parcelas — e pronto!

— Bravos! — gritou Narizinho. — Entendi perfeitamente. A sua explicação está clara como água.

— Como água limpa, — acrescentou Emília, — porque se estivesse clara como água suja, nós teríamos ficado na mesma.

Dona Regra riu-se da bobagenzinha. Depois disse:

— Agora que vocês viram fazer a conta de somar, torna-se muito fácil compreender a regra. Os livros costumam trazer primeiro a regra e depois o exemplo, mas eu gosto de fazer o contrário — primeiro dou o exemplo e depois recito a regra.

— E como a senhora recita a regra de somar?

— Assim. A gente escreve as diversas parcelas de modo que os algarismos das unidades, dezenas, centenas e milhares fiquem uns embaixo dos outros, da direita para a esquerda, formando colunas. Depois começa a somar da direita para a esquerda, e escreve a soma debaixo do risquinho, *mas só escreve o último algarismo da soma*. A sobra a gente leva para cima e soma com a coluna seguinte. Na última coluna a gente escreve embaixo do risquinho a soma inteira. É só.

— E como saber se a conta está certa ou não? — perguntou o menino.

— Isso não é comigo, — respondeu Dona Regra. — É lá com a Senhora Prova.

— Pois então que o Visconde chame essa bruaca para vermos o que ela diz, — berrou a boneca.

Dona Benta chamou Emília à ordem, fazendo-a ver que não devia tratar com tamanho desrespeito uma criatura que prestava tantos serviços à humanidade; mas a pestinha, que estava cada vez mais ganjenta, tapou os ouvidos para não ouvir o sermão.

Dona Prova veio e — disse:

— O melhor jeito de ver se uma conta de somar está certa é fazer essa conta outra vez, de baixo para cima.

Capítulo VII
A SEGUNDA REINAÇÃO

— Meus senhores e minhas senhoras, — começou o Visconde no dia seguinte depois que todos se sentaram, — vou apresentar agora os três artistas da **Conta de Diminuir** ou **Subtrair**, que é muito engraçadinha. Aquele figurão que vai entrando é o **Minuendo**.

Entrou um algarismo igual aos outros e ninguém ficou sabendo por que motivo se chamava Minuendo. Em seguida entrou outro algarismo também igual aos outros, que foi apresentado como o **Subtraendo**. E por último entrou outro algarismo que o Visconde — disse ser o **Resto**.

— Muito bem, Senhor Visconde, — gritou Emília. — Estou vendo o Minuendo, o Subtraendo e o Resto, mas não vejo a razão de se chamarem assim. São números como outros quaisquer. Explique-se.

— Vou explicar-lhe, — respondeu o Visconde. — Na Conta de Subtrair a gente tira um número menor de um número maior. O número menor que é tirado do maior chama-se Subtraendo. O número maior donde é tirado o menor chama-se Minuendo. Esses números que entraram são o 9 e o 3. O 9 é o maior; logo é o...

— Minuendo! — berrou Narizinho. — E o 3, que é o menor, é o Subtraendo. Nada mais fácil.

— Isso mesmo, — confirmou o Visconde. — E este número 6 que veio atrás dos outros é o Resto.

— Que quer dizer Resto? — indagou Pedrinho.

— Resto é o que sobra da diminuição. Nesta conta, por exemplo, temos de tirar o menor do maior, isto é, temos de tirar o 3 do 9. Quem sabe? Quem de nove tira três quanto fica?

— Seis! — gritaram todos.
— Pois é isso. Seis é o Resto desta diminuição.
— Mas como é que a gente sabe que 9 menos 3 é 6? — perguntou a boneca.

TABUADA DE DIMINUIR

2 − 2 = 0	3 − 3 = 0	4 − 4 = 0	5 − 5 = 0
3 − 2 = 1	4 − 3 = 1	5 − 4 = 1	6 − 5 = 1
4 − 2 = 2	5 − 3 = 2	6 − 4 = 2	7 − 5 = 2
5 − 2 = 3	6 − 3 = 3	7 − 4 = 3	8 − 5 = 3
6 − 2 = 4	7 − 3 = 4	8 − 4 = 4	9 − 5 = 4
7 − 2 = 5	8 − 3 = 5	9 − 4 = 5	10 − 5 = 5
8 − 2 = 6	9 − 3 = 6	10 − 4 = 6	11 − 5 = 6
9 − 2 = 7	10 − 3 = 7	11 − 4 = 7	12 − 5 = 7
10 − 2 = 8	11 − 3 = 8	12 − 4 = 8	13 − 5 = 8
11 − 2 = 9	12 − 3 = 9	13 − 4 = 9	14 − 5 = 9
6 − 6 = 0	7 − 7 = 0	8 − 8 = 0	9 − 9 = 0
7 − 6 = 1	8 − 7 = 1	9 − 8 = 1	10 − 9 = 1
8 − 6 = 2	9 − 7 = 2	10 − 8 = 2	11 − 9 = 2
9 − 6 = 3	10 − 7 = 3	11 − 8 = 3	12 − 9 = 3
10 − 6 = 4	11 − 7 = 4	12 − 8 = 4	13 − 9 = 4
11 − 6 = 5	12 − 7 = 5	13 − 8 = 5	14 − 9 = 5
12 − 6 = 6	13 − 7 = 6	14 − 8 = 6	15 − 9 = 6
13 − 6 = 7	14 − 7 = 7	15 − 8 = 7	16 − 9 = 7
14 − 6 = 8	15 − 7 = 8	16 − 8 = 8	17 − 9 = 8
15 − 6 = 9	16 − 7 = 9	17 − 8 = 9	18 − 9 = 9

— Aplicando a Tabuada de Diminuir. Todos têm de decorar esta tabuada, como fizeram com a Tabuada de Somar. Sem saberem as duas tabuadas decorzinho na ponta da língua, é impossível fazerem qualquer conta de somar ou diminuir. A tabuada é esta, — concluiu ele apresentando uma tábua de pinho em que a escrevera a carvão.

— Sua letra é muito ruim, Visconde, — observou Emília. — Está ali um algarismo que tanto pode ser 3 como 5. Parece até coisa escrita por Tia Nastácia. Eu tenho uma ideia muito boa a respeito destas tabuadas.

— Qual é?

— Escrever as duas nas árvores do pomar, e ninguém poderá apanhar uma laranja sem primeiro recitar, de olhos fechados e certinho, a casa da tabuada que estiver escrita na casca da laranjeira.

— Muito bem, Emília! — apoiou Dona Benta. — Acho excelente a ideia. Desse modo a gulodice fará que vocês aprendam a tabuada a galope.

— Então vamos já fazer isso, — propôs a boneca, contentíssima da aprovação.

— Já, não, — protestou o Visconde. — Depois de acabar o espetáculo.

— Já, sim! — exigiu a boneca. — Quero que seja já. Interrompe-se o espetáculo por algum tempo. Faz-de-conta que a fita queimou.

Discute que discute, a ideia da Emília saiu vencedora por dois votos — e foi uma correria. Cada qual tomou conta duma laranjeira de casca bem lisa para nela copiar da Aritmética uma casa da tabuada. Narizinho escreveu num pé-de-laranja-lima a casa do 2. Pedrinho escreveu num pé-de-laranja baiana a casa do 3. Dona Benta escreveu num pé-de-laranja seleta a casa do 4. O Visconde escreveu num pé-de-laranja do céu a casa do 5. Emília escreveu num pé-de-laranja-azeda a casa do 7, que ela achava a mais implicante.

Dona Benta interveio.

— Isso não, Emília. A casa do 7 tem de ser escrita num pé-de-laranja-lima, se não ninguém a aprende. Ai, nesse pé-de-laranja-azeda, você deve escrever a casa do 5, que é facílima.

Assim foi feito. A casa do 7 passou para um pé-de-laranja-lima e a do 5 foi para o pé-de-laranja-azeda.

Como lápis não servia para riscar a casca das laranjeiras, foram utilizados pregos, e Dona Benta recomendou que não afundassem muito os riscos para não estragar as árvores.

Em cada árvore foi escrita, dum lado, uma casa da tabuada de somar e do outro lado, a mesma casa da tabuada de diminuir. O pomar inteiro ficou cheinho de números.

— Pronto! — gritou Emília quando viu terminado o trabalho. — Os sabiás vão ficar espantados de tantos algarismos e são bem capazes de também aprender A-rit-mé-ti-ca.

Mas estava fazendo calor e Pedrinho colheu uma laranja com a vara, para chupá-la.

— Não pode! — gritou Narizinho. — Pedrinho está apanhando uma laranja sem recitar a tabuada da casca! Não pode!

— Ela tem razão, Pedrinho, — disse Dona Benta. — Se você quer chupar uma laranja desse pé, deve primeiro recitar a tabuada escrita na casca, e de olhos fechados.

Pedrinho não sabia de cor aquela casa, que era a do 6, e teve de decorá-la depressa, depressa, pois do contrário morreria de sede mas não chuparia a laranja. O mesmo aconteceu com os outros, e o resultado foi que no dia seguinte todas as casas estavam sabidinhas na ponta da língua. Como todos gostassem muito de laranjas, a cena no pomar tornara-se engraçadíssima. Aqui e ali, só se via menino de olhos tapados recitando tabuada, com algum outro perto, a fiscalizar. Se errava, tinha de repeti-la, de modo que cada laranja só descia da árvore depois duma recitação de tabuada sem o menor erro.

Isso foi no dia seguinte. Naquele dia, depois de escrita nas árvores a Tabuada de Diminuir, todos voltaram ao circo para a continuação do espetáculo.

— Vamos ver agora, — disse o Visconde, — como se faz a conta de Subtrair quando os números são grandes, ou de vários algarismos. Isto já é mais difícil e tem regra. Dona Regra venha representar o seu papel!

Dona Regra saiu dos bastidores e veio para o centro do picadeiro, muito lampeira.

— Vamos lá, — disse o Visconde, — conte aqui ao respeitável público como é que se faz uma conta de Subtrair quando os números são grandes.

— Muito simples, — começou ela. — Antes de mais nada, escreve-se o Subtraendo debaixo do Minuendo.

— Quer dizer que se escreve o número menor debaixo do maior, não é isso? — indagou a boneca.

— Justamente, — concordou a Regra. — Escreve-se o número menor debaixo do maior, de modo que as casas fiquem uma embaixo da outra.

— Dê um exemplo para esclarecer melhor, — pediu Narizinho.

— Darei um exemplo concordou Dona Regra — e enfileirou o número 7 284 sob o número 19 875, passando um tracinho por baixo, assim:

$$\begin{array}{r} 19\,875 \\ 7\,284 \\ \hline \end{array}$$

— Temos aqui o 7 284, que é o Subtraendo, escrito embaixo do 19 875, que é o Minuendo. As casas do número de cima estão em coluna com as casas do número de baixo. Resta agora fazer a operação.

— Mas a senhora então é médica? Médica é que faz operação, — asneirou Emília.

— Vou fazer uma operação *aritmética*, — respondeu Dona Regra — e não uma operação cirúrgica. Os médicos ou cirurgiões é que fazem operações cirúrgicas. Mas as contas da Aritmética, a de somar, diminuir, multiplicar e dividir, são chamadas contas ou também *Operações Aritméticas*.

— Muito bem, — disse Emília. — Estou satisfeita. Continue.

Dona Regra — continuou:

— Começa-se a Subtração da direita para a esquerda e escreve-se o Resto debaixo do risquinho. Temos em cima 5 e embaixo do 5 temos 4. Quem de 5 tira 4 quanto resta?

— Resta 1, — gritaram todos.

— Muito bem. Resta 1. Logo, escreve-se o 1 embaixo do risquinho, assim:

$$\begin{array}{r} 19\,875 \\ 7\,284 \\ \hline 1 \end{array}$$

Depois temos de diminuir o número seguinte, que é o 7. Quem do 7 tira 8 quanto fica?

Emília olhou para Narizinho e Narizinho olhou para Pedrinho. Parecia um absurdo. Como de 7 se pode tirar 8, se 8 é maior que 7?

— Não pode! — gritaram os três a um tempo. — Impossível tirar 8 de 7; de 8 a gente pode tirar 7 porque até sobra 1; mas tirar 8 de 7 é asneira.

Dona Regra riu-se da expressão, mas concordou.

— Sim, isso é verdade. Não se pode tirar 8 de 7 porque 8 é maior que 7. Neste caso, então, a regra manda que o 7 tome 10 emprestado da casa vizinha e some a si esses 10. Fazendo isso o 7 fica valendo 17 e, portanto, fica maior que o 8, podendo ser feita a diminuição. Quem de 17 tira 8 quanto fica?

Pedrinho fez a conta nos dedos e — respondeu antes dos outros:

— Ficam 9.

— Isso mesmo. Ficam 9. Escreve-se esse 9 debaixo do risquinho e continua-se a operação.

$$\begin{array}{r} 19\,875 \\ 7\,284 \\ \hline 91 \end{array}$$

Temos agora de diminuir os algarismos da terceira coluna, isto é, temos de tirar o 2 de baixo do 8 de cima. Mas esse 8 teve de emprestar 10 para o 7, seu colega da direita, de modo que ficou valendo menos 1.

— Ficou valendo menos 10, — gritou Emília.

— Não, bonequinha. Desta vez você errou. Ficou valendo menos 1 apenas, isto é, ficou valendo 7. O 1 que saiu dele vale 1 para ele mas vale 10 para a coluna da direita.

— Ora que grande pândego! — exclamou Emília. — O ladrão é 8; fornece 10 para o vizinho da direita e ainda fica valendo 7! Que espertalhão! Explique isso, madama.

Dona Regra pachorrentamente — explicou:

— Nada mais simples. Esse 8 está na casa das Centenas, e como uma Centena é igual a 10 Dezenas, o 1 que sai dali vai valer 10 na casa das Dezenas. Por isso e que somamos 10 ao 7.

— Muito bem. Continue.

— Tirando 1 do 8 ficamos com 7. Temos agora de fazer a subtração. Quem de 7 tira 2 quanto fica?

— Ficam 5!

— Muito bem. Escreve-se esse 5 debaixo do risquinho, assim:

$$\begin{array}{r} 19\,875 \\ 7\,284 \\ \hline 591 \end{array}$$

Agora temos de subtrair a quarta coluna, composta do 9 em cima e do 7 embaixo. Quem de 9 tira 7 quanto fica?

— Ficam 2! — gritaram todos.

— Isso mesmo. Escreve-se esse 2 debaixo do risquinho assim:

$$\begin{array}{r} 19\,875 \\ 7\,284 \\ \hline 2\,591 \end{array}$$

Temos agora de subtrair a quinta coluna, mas nessa coluna só existe um 1 em cima; embaixo não há nada. Quem de 1 tira nada quanto fica?

— Quem de 1 tira nada fica o 1 mesmo, — gritou Emília. — Essa é boa! Pois se não tirou nada, não diminuiu nada. Que pergunta idiota!

Dona Regra corou com a observação da boneca, mas nada disse. Apenas observou friamente que se descia o 1 para baixo do risco e a conta estava terminada; assim:

$$\begin{array}{r} 19\,875 \\ 7\,284 \\ \hline 12\,591 \end{array}$$

— Temos aqui, — declarou ela ainda, — o número 12 591, que é o Resto ou a Diferença entre os números 19 875 e 7 284, — e, fazendo um cumprimento de cabeça, retirou-se muito empertigada.

— Olhe o que você fez, Emília! — disse Dona Benta. — A pobre senhora saiu ofendida com a sua malcriação.

Emília fez focinho de pouco caso.

— Sua alma, sua palma. Quem ficar zangado com o que eu digo, só prova que não tem "senso-de-humor"...

O rinoceronte, que estava cochilando, arregalou os olhos. Emília, aquela bonequinha vagabunda, a falar em senso de humor! Bem dizia Tia Nastácia que o mundo estava perdido...

Nisto o Visconde chamou a atenção do público para Dona Prova, que vinha entrando.

— Resta ainda saber se a conta que vocês fizeram está certa, — disse a madama — e para isso a gente *soma* o Subtraendo com o Resto; se der um número *igual* ao Minuendo, então a conta está certa. Vamos ver isso.

O Subtraendo era 7 284, e o Resto era 12 591. Somados esses dois números, o resultado foi 19 875.

— Certinho! — exclamou Emília. — Esse número é igual ao Minuendo. A senhora é uma danada...

Dona Prova retirou-se, satisfeita com o elogio.

Capítulo VIII
A TERCEIRA REINAÇÃO

A terceira reinação dos números é a **Conta de Multiplicar**. O Visconde começou ensinando que multiplicar um número por outro é fazer uma soma de parcelas iguais. Assim, multiplicar 6 por 5 é o mesmo que repetir o 6 como parcela 5 vezes

$$6 - 6 - 6 - 6 - 6$$

— A multiplicação, — disse ele, — é uma soma abreviada.

— Então essa conta é inútil, — observou Emília.

— Ao contrário, — afirmou o Visconde. — É utilíssima, porque adianta o expediente. Se eu tiver um número grande para multiplicar por outro número grande, levaria toda a vida se fosse fazer todas as somas necessárias; mas multiplicando um pelo outro obtenho imediatamente o resultado. Se tivéssemos, por exemplo, de multiplicar o número 749 pelo número 936 pelo sistema das somas, levaríamos um tempo enorme só para escrever 936 vezes o número 749, antes de fazer a soma. Mas, multiplicando, eu escrevo um embaixo do outro e num instante obtenho o resultado.

— Pois vamos ver isso, mestre.

O Visconde escreveu na casca do Quindim o número 749 e embaixo dele o número 936, dizendo:

— O número que fica em cima chama-se **Multiplicando** e o que fica embaixo recebe o nome de **Multiplicador**. O resultado da operação é o **Produto**. E como este Produto é o resultado da multiplicação dos dois números acima, esses números são os **Fatores do Produto**.

— Já sei! — exclamou Emília. — Fator é o mesmo que Fazedor. Quer dizer que o Multiplicando e o Multiplicador são os que fazem o Produto, ou os Fazedores do Produto.

— Isso mesmo. Mas não se usa dizer Fazedor, e sim Fator.

— Pois eu agora só vou dizer Fazedor, — declarou Emília, que era espírito de contradição. — Não me importo com o uso dos outros; tenho o meu usinho pessoal.

Todos olharam-na, admirados daquele "topete".

O Visconde não fez caso e continuou:

— Vamos ter tabuada novamente. Sem que todos saibam na ponta da língua a Tabuada de Multiplicar, não podemos ir adiante.

— Que espiga! — exclamou a boneca. — Já ando enjoada até às tripas de tanta tabuada. Além disso, todas as cascas das laranjeiras já estão cobertas de números. Onde escrever essa nova tabuada?

De fato, aquilo era um problema sério. Não havia mais árvores de casca lisa onde escrever números. As ameixeiras tinham a casca rugosíssima; as goiabeiras tinham a casca lisa, mas os troncos eram muito finos e tortos. Como fazer?

— Resta uma casca! — berrou de repente a boneca. A casca do Quindim. Parece que foi feita de propósito para receber uma tabuada inteirinha.

Todos aprovaram a ideia. Pedrinho tomou do giz e escreveu do lado esquerdo a casa do 2, do 3, do 4 e do 5. Do outro lado escreveu a casa do 6, do 7, do 8 e do 9, copiando tudo direitinho da Aritmética. O rinoceronte, cuja paciência era infinita, não fez conta e até gostou da cócega que lhe fazia o giz ao riscar o seu couro duro como pau.

A casa do 1 não foi escrita porque todo número multiplicado por 1 dá ele mesmo. E a do 10 também não foi escrita porque é muito fácil — é tudo de 10 em 10, assim: 2 vezes 10 = 20; 3 × 10 = 30; 4 × 10 = 40; 5 × 10 = 50, etc.

TABUADA DE MULTIPLICAR

2 x 1 = 2	3 x 1 = 3	4 x 1 = 4	5 x 1 = 5
2 x 2 = 4	3 x 2 = 6	4 x 2 = 8	5 x 2 = 10
2 x 3 = 6	3 x 3 = 9	4 x 3 = 12	5 x 3 = 15
2 x 4 = 8	3 x 4 = 12	4 x 4 = 16	5 x 4 = 20
2 x 5 = 10	3 x 5 = 15	4 x 5 = 20	5 x 5 = 25
2 x 6 = 12	3 x 6 = 18	4 x 6 = 24	5 x 6 = 30
2 x 7 = 14	3 x 7 = 21	4 x 7 = 28	5 x 7 = 35
2 x 8 = 16	3 x 8 = 24	4 x 8 = 32	5 x 8 = 40
2 x 9 = 18	3 x 9 = 27	4 x 9 = 36	5 x 9 = 45
2 x 10 = 20	3 x 10 = 30	4 x 10 = 40	5 x 10 = 50

6 x 1 = 6	7 x 1 = 7	8 x 1 = 8	9 x 1 = 9
6 x 2 = 12	7 x 2 = 14	8 x 2 = 16	9 x 2 = 18
6 x 3 = 18	7 x 3 = 21	8 x 3 = 24	9 x 3 = 27
6 x 4 = 24	7 x 4 = 28	8 x 4 = 32	9 x 4 = 36
6 x 5 = 30	7 x 5 = 35	8 x 5 = 40	9 x 5 = 45
6 x 6 = 36	7 x 6 = 42	8 x 6 = 48	9 x 6 = 54
6 x 7 = 42	7 x 7 = 49	8 x 7 = 56	9 x 7 = 63
6 x 8 = 48	7 x 8 = 56	8 x 8 = 64	9 x 8 = 72
6 x 9 = 54	7 x 9 = 63	8 x 9 = 72	9 x 9 = 81
6 x 10 = 60	7 x 10 = 70	8 x 10 = 80	9 x 10 = 90

Como não tivessem tempo de decorar a tabuada inteira, o Visconde — declarou que não fazia mal. Nas primeiras lições todos podiam colar, olhando para a casca do Quindim. Mais tarde, porém, seria proibido fazer conta de multiplicar com o rinoceronte perto.

— Bem, bem, bem, — disse o Visconde depois de acabado o serviço. — Vamos praticar um pouco na conta de multiplicar. Vou escrever na areia um Multiplicando e um Multiplicador para Pedrinho achar o Produto.

E escreveu o seguinte:

1 578
4

— O número 1 578 é o Multiplicando e o número 4 é o Multiplicador. Qual é o Produto, Senhor Pedro Malasartes?

Pedrinho começou a conta da direita para a esquerda. Tinha de multiplicar o 4 de baixo por todos os algarismos do número de cima.

— Quatro vezes 8... — disse ele e olhou para a casca do Quindim.

Viu na tabuada que 4 vezes 8 era igual a 32 e escreveu 32 debaixo do risquinho.

— Está errado, — gritou o Visconde. Debaixo do risquinho a gente só escreve o 2 do 32.

— E que faz do 3 que sobra?

— O 3 que sobra a gente põe de lado para somar ao resultado da multiplicação do número seguinte. Qual o número seguinte?

— É o 7.

— Muito bem; 4 multiplicado por 7 quanto dá?

Pedrinho olhou para Quindim.

— Dá 28.

— Muito bem. Agora some esse 28 ao 3 que ficou de lado. Quanto dá?

— Dá 31.

— Muito bem. Agora escreva o 1 do 31 embaixo do risquinho e ponha o 3 de lado para somar adiante. Qual é o terceiro número a multiplicar?

— É o 5.

— Muito bem; 4 multiplicado por 5 quanto dá?

Pedrinho olhou para Quindim.

— Dá 20.

— Muito bem. Esse 20 somado ao número 3 que ficou de lado, quanto dá?

— Dá 23. E então a gente escreve o 3 do 23 e põe de lado o 2, — concluiu Pedrinho que já havia compreendido tudo. Depois multiplica-se o 4 pelo último número, que é o 1 e obtém-se o número 4, porque qualquer número multiplicado por 1 fica ele mesmo. E então soma-se o 4 com o 2 que ficou do 23, o que dá 6; escreve-se o 6 embaixo do risquinho e pronto! Não é isso, senhor sabugo?

O Visconde aprovou as palavras do menino. Era aquilo mesmo.

— Você é um alho, Pedrinho! — gritou Emília.

— E você sabe o que é, sua sirigaita? Você é uma cebola!

Ao ouvir lá da cozinha aqueles gritos de alho e cebola, Tia Nastácia apareceu à porta, de colher de pau na mão. Temperos eram com ela.

— Alho? Cebola? — gritou de longe. — Tragam para cá. Comida sem alho e cebola não sai gostosa.

Todos riram-se da coitada e o Visconde continuou:

— A conta de multiplicar que fizemos é das mais simples, porque o Multiplicador tinha um só algarismo. Mas quando o Multiplicador tem muitos algarismos, a operação é a mesma, embora leve mais tempo.

— Dê um exemplo, — reclamou a Emília. — Sem exemplo a gente não entende bem.

O Visconde escreveu na areia os seguintes números:

$$35\,465$$
$$354$$

— Temos aqui um Multiplicando de cinco algarismos e um Multiplicador de três algarismos. A conta faz-se do mesmo jeito da primeira. Multiplica-se o 4 do número de baixo por todos os algarismos de cima e escreve-se o resultado debaixo do risco. Depois multiplica-se o 5 do número de baixo por todos os algarismos de cima, e escreve-se este segundo resultado debaixo do primeiro resultado. Depois multiplica-se o 3 do número de baixo por todos os algarismos do de cima, e escreve-se este terceiro resultado debaixo do segundo resultado. A coisa fica assim:

$$35\,465$$
$$354$$
$$\overline{}$$
$$141\,860$$
$$177\,325$$
$$106\,395$$

Passa-se então um risquinho embaixo desses três resultados para os somar. E temos isto:

$$35\,465$$
$$354$$
$$\overline{}$$
$$141\,860$$
$$177\,325$$
$$106\,395$$
$$\overline{}$$
$$12\,554\,610$$

Esse número 12 554 610 e o **Resultado** da multiplicação do número 35 465 pelo número 354. É o **Produto**. Entenderam?

— Quem não entende isso? É o mesmo que água, — declarou Narizinho.

— E para saber se a conta está certa? — perguntou Pedrinho.

— Nada mais fácil, — respondeu o Visconde. — Para saber se a conta está certa a gente *inverte a ordem dos fatores*, isto é, a gente multiplica o 354 pelo 35 465 e o resultado deve ser o mesmo da multiplicação do 35 465 pelo 354.

Foi feita a conta e o produto deu igualzinho — 12 554 610.

— Isso quer dizer que a ordem dos fazedores não altera o Produto, — observou Emília.

Dona Benta olhou para ela com os olhos arregalados. Estava ficando sabida demais. Pena era aquela teimosia! Por que insistir em dizer fazedores em vez de fatores?

— Sim, — disse Dona Benta, — a ordem dos *fatores* não altera o produto.

— Ordem dos *fazedores*, — teimou Emília.

Narizinho deu-lhe um beliscão.

— Respeite os mais velhos, ouviu?

Mas Emília, sempre louquinha, correu para longe e de lá — gritou:

— Fa-ze-do-res! Fa-ze-do-res!... — e ficou longo tempo a amolar com aquilo.

O Visconde aborreceu-se com o incidente, mas continuou:

— Há ainda uma coisa que vocês precisam saber. Quando se tem de multiplicar um número por 10, por 100, por 1000, etc., não é preciso fazer a conta: basta acrescentar ao número tantos zeros quantos forem os zeros do Multiplicador. Assim, por exemplo, para multiplicar o número 34 567 por 1 000 basta acrescentar ao 34 567 os três zeros do 1 000 — e teremos o seguinte produto: 34 567 000.

— Que facilidade! — exclamou Narizinho. — São continhas de um segundo. Zás-trás, nó cego! Se todas fossem assim...

Emília, lá longe, continuava:

— Fa-ze-do-res! Fa-ze-do-res!...

— Que lástima! — murmurou Dona Benta. — A Emília, que já é uma personagem célebre no mundo inteiro e está se tornando uma sabiazinha, de vez em quando se esquece das conveniências e fica uma verdadeira praga...

— Criaturas de pano são assim mesmo, — observou o Visconde. — Culpa teve Tia Nastácia de fazê-la dum paninho tão ordinário...

O espetáculo teve de ser interrompido porque era hora do jantar. Tia Nastácia apareceu à porta da cozinha, gritando:

— Acabem com a brincadeira, gentarada! A sopa está esfriando na mesa.

Pedrinho e Narizinho saíram aos pinotes. Dona Benta ergueu-se com dificuldade. O Visconde suspirou na sua cadeirinha de reumático, porque ele era sabugo e os sabugos não comem. Quindim abriu um bocejo e espojou-se no chão, apagando na poeira toda a tabuada da casca. Estava terminado o espetáculo daquele dia.

Capítulo IX
QUINDIM E EMÍLIA

Enquanto o pessoalzinho jantava, Emília aproximou-se do rinoceronte, pé ante pé, sem que ele percebesse, e de repente lhe deu um berro ao ouvido:

— Fazedores!

Quindim levou um susto; depois riu-se.

— Você é boba, Emília, — disse ele. — Que adianta estar insistindo nisso? Uma andorinha não faz verão. Por mais que queira que seja fazedores, o mundo inteiro continuará dizendo fatores. Perca essa bobagem.

— E por que você não perde esse chifre no nariz? Onde se viu um sábio da Grécia com chifre no nariz?

— Sou assim, porque a natureza me fez assim, — respondeu resignadamente o rinoceronte.

— Pois eu sou asneirenta, porque aquela burra da Tia Nastácia me fez assim. Ela foi a minha natureza. Natureza preta como carvão, e beiçuda...

Emília gostava muito de conversar com o rinoceronte para ouvir histórias da África, lutas de feras a que ele havia assistido, caçadas feitas pelos exploradores de chapéu de cortiça, etc.

— Vamos, Quindim, conte outra vez a luta do tigre com o crocodilo, que você viu.

Quindim contou pela centésima vez a luta do tigre com o crocodilo, enquanto ao lado o Visconde esfregava o corpo com folhas de picão, que Emília dissera serem muito boas para o reumatismo. Mas era peta. O remédio só serviu para tornar o pobre sábio ainda mais verde do que era.

Vendo aquilo, a boneca mudou de assunto.

— E que remédio vocês lá na África usam para reumatismo?

— Nenhum, — respondeu o rinoceronte. — Reumatismo é doença que os animais da minha raça desconhecem.

— Há de ser por causa do cascão, — observou Emília. — Esse cascão é tão duro que nem reumatismo, nem doença nenhuma consegue entrar no corpo dos Quindins. Mas eu sou de pano e também as doenças não penetram no meu corpo. Sabe por quê? Porque o pano é uma peneirinha que coa a doença...

Quindim olhou para ela com ar de dó. O mal da bonequinha era incurável. Asneirite crônica...

Emília voltou-se para o Visconde e perguntou:

— E depois do jantar, que vamos ter neste circo de meia-cara?

— Vamos ter a **Conta de Dividir**. Dividir é achar quantas vezes um número contém outro.

— Então ensine-me essa conta depressa, para eu fazer um bonito quando os outros chegarem.

O Visconde ensinou-lhe a regra de dividir e o mais, de modo que quando os meninos vieram e se sentaram nos seus respectivos lugares, a boneca estava mais afiada que uma lâmina Gillette.

— Vamos agora, — disse o Visconde quando viu todos sentados, — ver a quarta Reinação dos Números, chamada Conta de Dividir. Dividir é... Quero ver quem sabe. Que é dividir?

— Dividir é achar quantas vezes um número contém outro, — respondeu Emília *incontinenti*.

Todos olharam para ela, admiradíssimos. E mais admirados ainda ficaram quando a boneca prosseguiu nestes termos:

— O número que divide o **Dividendo** chama-se **Divisor**. E o resultado obtido chama-se **Quociente**. E se sobra alguma coisa que não possa ser dividida, essa alguma coisa chama-se **Resto**. Quem não sabe isso?

Foi um assombro. Emília parecia uma Aritmética de pano! Dona Benta enrugou a testa. Onde a diabinha teria aprendido aquilo?

TABUADA DE DIVIDIR

2 ÷ 2 = 1	3 ÷ 3 = 1	4 ÷ 4 = 1	5 ÷ 5 = 1
4 ÷ 2 = 2	6 ÷ 3 = 2	8 ÷ 4 = 2	10 ÷ 5 = 2
6 ÷ 2 = 3	9 ÷ 3 = 3	12 ÷ 4 = 3	15 ÷ 5 = 3
8 ÷ 2 = 4	12 ÷ 3 = 4	16 ÷ 4 = 4	20 ÷ 5 = 4
10 ÷ 2 = 5	15 ÷ 3 = 5	20 ÷ 4 = 5	25 ÷ 5 = 5
12 ÷ 2 = 6	18 ÷ 3 = 6	24 ÷ 4 = 6	30 ÷ 5 = 6
14 ÷ 2 = 7	21 ÷ 3 = 7	28 ÷ 4 = 7	35 ÷ 5 = 7
16 ÷ 2 = 8	24 ÷ 3 = 8	32 ÷ 4 = 8	40 ÷ 5 = 8
18 ÷ 2 = 9	27 ÷ 3 = 9	36 ÷ 4 = 9	45 ÷ 5 = 9
20 ÷ 2 = 10	30 ÷ 3 = 10	40 ÷ 4 = 10	50 ÷ 5 = 10
6 ÷ 6 = 1	7 ÷ 7 = 1	8 ÷ 8 = 1	9 ÷ 9 = 1
12 ÷ 6 = 2	14 ÷ 7 = 2	16 ÷ 8 = 2	18 ÷ 9 = 2
18 ÷ 6 = 3	21 ÷ 7 = 3	24 ÷ 8 = 3	27 ÷ 9 = 3
24 ÷ 6 = 4	28 ÷ 7 = 4	32 ÷ 8 = 4	36 ÷ 9 = 4
30 ÷ 6 = 5	35 ÷ 7 = 5	40 ÷ 8 = 5	45 ÷ 9 = 5
36 ÷ 6 = 6	42 ÷ 7 = 6	48 ÷ 8 = 6	54 ÷ 9 = 6
42 ÷ 6 = 7	49 ÷ 7 = 7	56 ÷ 8 = 7	63 ÷ 9 = 7
48 ÷ 6 = 8	56 ÷ 7 = 8	64 ÷ 8 = 8	72 ÷ 9 = 8
54 ÷ 6 = 9	63 ÷ 7 = 9	72 ÷ 8 = 9	81 ÷ 9 = 9
60 ÷ 6 = 10	70 ÷ 7 = 10	80 ÷ 8 = 10	90 ÷ 9 = 10

O Visconde deu uma risada velhaca e ia abrindo a boca para contar o segredo, quando Emília pulou no picadeiro e pregou um tranco no carrinho, fazendo-o rodar para os bastidores. E ficou de giz na mão no lugar do sábio expulso.

— A Divisão, — disse ela, — serve para acharmos *quantas vezes um número contém outro, e também para dividir um número em partes iguais*. Se eu, por exemplo, tenho 20 laranjas para distribuir igualmente por 4 pessoas, divido 20 por 4 e obtenho o Quociente 5. Quer dizer que dou 5 laranjas a cada pessoa e fico sem nenhuma em paga do meu trabalho. Isto é o que se chama dividir um número em partes iguais. O número 20 tem quatro partes iguais a 5.

O assombro do respeitável público aumentava. Os olhos de Dona Benta pareciam tochas, de tão arregalados. Narizinho e Pedrinho estavam de boca aberta. Mas Quindim e Rabicó sorriam.

Emília continuou:

— Agora vou dar outro exemplo. Vou fazer uma conta para saber quantas vezes um número contém outro. O número 5, por exemplo, quantas vezes está contido no número 765? Ninguém sabe, não é? Pois eu sei. O número 5 está contido 153 vezes no número 765. E sabem como se faz a conta? Assim: Escreve-se o 765 e o 5, separados por um L de rabo comprido, deste jeito:

$$765 | 5$$

O 765 é o Dividendo e o 5 é o Divisor, estão ouvindo? Agora eu divido todos os números do Dividendo, um por um. Divido-os pelo Divisor 5, deste jeito: Em 7 quantas vezes há 5? Há 1 vez. Vou e escrevo o 1 debaixo do L, assim

$$765 | 5$$
$$1$$

Depois multiplico o 1 pelo 5 e subtraio o resultado do 7. Vamos ver. Uma vez 5 é 5 mesmo; tirado de 7 dá 2. Escrevo esse 2 bem pequenino em cima do número seguinte, que é o 6, assim:

$$2$$
$$765 | 5$$
$$1$$

Esse 6 ficou valendo 26. Agora eu divido o 26 pelo 5 Divisor. Em 26 quantas vezes há 5? Há 5 e sobra 1. Eu escrevo o 5 debaixo da perninha do L, assim:

$$2$$
$$765 | 5$$
$$15$$

e ponho o 1 que sobra em cima do último número do Dividendo, que é o 5, assim

$$2\,1$$
$$765 | 5$$
$$15$$

O 5 do Dividendo, com o 1 em cima, fica valendo 15. Eu então divido esse 15 pelo 5 do Divisor. Em 15 quantas vezes há 5? Há 3. Escrevo esse 3 debaixo da perna do L, assim

$$\begin{array}{r|l} 765 & 5 \\ \hline 153 & \end{array}$$

E pronto! Esse número 153 é o Quociente da Divisão de 765 por 5. Aprenderam?

O espanto da assistência crescia cada vez mais. Infelizmente Emília tinha aprendido com o Visconde só até ali, de modo que não pôde continuar a lição. Mas para não dar o gosto, fez de repente uma careta.

— Ai! — exclamou, levando a mãozinha à bochecha. — Não posso mais de dor de dentes...

Foi uma gargalhada geral. Como podia ter dor de dentes uma criaturinha que não tinha dentes? E para cúmulo o Visconde reapareceu, arrastando a perna reumática, vermelho de indignação.

— Ela quer bobear vocês! — gritou ele vingativamente. — Enquanto estavam jantando, aprendeu depressa esse pedacinho para *fazer bonito*...

— E fiz mesmo um bonito! — exclamou Emília. — Todos ficaram com cada boca deste tamanho, diante da minha ciência...

— É — mas o resto? Se sabe aritmética tão bem, por que não continua?

— Porque estou com dor de dentes, senhor sabugo!

— Como, se não tem dentes?

Mas Emília, que não se atrapalhava nunca, respondeu com todo o desplante:

— Estou com uma dor de dentes abstrata, está ouvindo? Isto é coisa que um sabugo embolorado nunca poderá compreender. Vá fomentar o seu reumatismo que é o melhor. — E voltando-se para a assistência, num ar de desafio:

— Fa-ze-do-res! Fa-ze-do-res!...

E lá se foi para o pomar gritando o fazedores...

Dona Benta olhou para Narizinho, desconfiada.

— Será que está ficando louca?

— Louca, nada, vovó! — respondeu a menina. — Emília está assim por causa da ganja que lhe dão. No Brasil inteiro as meninas que leem estas histórias só querem saber dela — e Emília não ignora isso. É ganja demais.

Pedrinho teve dó do Visconde e foi buscar o carro de rodas para botá-lo dentro. Mas com espanto viu que o carrinho estava sem rodas. Rabicó escapara da peia e comera as quatro rodas do carrinho!

O menino passou mão duma vara para dar uma boa lição no gulosíssimo marquês. Não pôde. O maroto já estava longe dali, a rir-se dele. Rodas de batata-doce! Onde se viu fazerem-se rodas de batata-doce? Aquilo era uma provocação a que o pobre Rabicó não poderia de maneira nenhuma resistir.

— Grandessíssimo pirata! — exclamou Pedrinho, ameaçando o leitão com a vara. — Deixa estar que qualquer hora o apanho e vai ver...

Em seguida pôs o inválido Visconde dentro do carrinho sem rodas e arrastou-o para o picadeiro.

— Agora aguente-se aí, mestre. Um professor não precisa ir e vir de cá para lá. Mesmo sem rodas pode deitar ciência. Vamos. Comece.

O Visconde aprumou-se e disse:

— Emília já explicou a primeira parte da divisão, que aprendeu comigo enquanto vocês estavam jantando. Mas a divisão que ela fez era uma que não deixa Resto. Se todas fossem assim, seria muito bom; mas não são. Muitas deixam Resto, como esta, por exemplo.

E escreveu no chão, com uma varinha, estes números:

$$75 | 4$$

— Temos aqui o número 75 para ser dividido por 4. Divide-se o 7 pelo 4. Dá 1 e sobram 3. Esse 3 junta-se ao algarismo seguinte, que é o 5. Dá 35. Em 35 quantas vezes há 4? Há 8 vezes. Mas 8 vezes 4 é igual a 32; portanto, sobram 3. A divisão fica assim:

$$75 | 4$$
$$35\ 18$$
$$3$$

O Quociente é 18 e há um Resto que não pode ser dividido. Esse Resto é 3.

— E quando os números são de muitos algarismos? — perguntou Pedrinho.

— A coisa então fica mais complicada, — disse o Visconde, — e eu queria muito ver a Senhora Dona Emília aqui em meu lugar para responder a essa pergunta...

E o Visconde, ainda furioso com a peça que a boneca lhe havia pregado, olhou na direção que Emília tomara. Não a viu. A pestinha desaparecera.

— A regra é esta. Escreve-se o Divisor ao lado do Dividendo, separados pelo tal L da Emília, assim, por exemplo:

$$6\ 458 | 24$$

Depois a gente separa no Dividendo... Qual é o Dividendo, Pedrinho?

— É o número da esquerda, 6 458.

— Isso mesmo. A gente separa nesse número tantos algarismos quantos forem os do divisor. Neste caso aqui os algarismos do Divisor 24 são dois. A gente, portanto, separa dois algarismos no Dividendo 6 458, assim: 64,58 e faz a divisão do número separado. Em 64 quantas vezes há 24?

Pedrinho fez a conta de cabeça.

— Há 2 vezes e sobra alguma coisa.

— Isso mesmo. A gente então põe o 2 debaixo do tracinho e multiplica esse 2 pelo 24, escrevendo o resultado debaixo do 64, assim:

$$\begin{array}{r|l} 64\,58 & \underline{24} \\ 48 & 2 \end{array}$$

Depois tira, ou subtrai, o 48 do 64, para achar o resto que sobra, assim:

$$\begin{array}{r|l} 64\,58 & \underline{24} \\ \underline{48} & 2 \\ 16 & \end{array}$$

Depois a gente desce o algarismo seguinte do Dividendo, que é o 5, e marca essa descida com uma vírgula, assim

$$\begin{array}{r|l} 64\,5'8 & \underline{24} \\ \underline{48} & 2 \\ 165 & \end{array}$$

Agora a gente divide o 165 pelo 24. Quantas vezes há 24 em 165?

Os dois meninos não souberam, mas o rinoceronte colou para Narizinho, murmurando de modo que só ela ouvisse: 6.

— Há 6! — respondeu a menina, corando.

— Muito bem. Escreve-se o 6 debaixo da perna do L e multiplica-se pelo 24. Dá 144. Escreve-se esse 144 debaixo do 165 e subtrai-se, assim:

$$\begin{array}{r|l} 64\,5\,8 & \underline{24} \\ \underline{48} & 26 \\ 165 & \\ \underline{144} & \\ 21 & \end{array}$$

Ficou um resto de 21. A gente então desce do Dividendo outro algarismo, que neste caso é o 8, e bota-o depois do 21...

— Diga "bota ele" em vez de "bota-o", senhor pedante! — gritou uma voz que vinha do alto — a vozinha da Emília.

O Visconde danou e prosseguiu:

— Bota-se o 8 depois do 21. Fica 218. Agora divide-se. Em 218 quantas vezes há 24?

Quindim colou e Narizinho — respondeu, corando novamente:
— Há 9...
— Muito bem. A gente escreve esse 9 debaixo da perna do L e multiplica-o pelo 24...
— Multiplica ele! — insistiu a vozinha que vinha do alto.
O Visconde deu o desprezo e prosseguiu:
— Multiplica-se o 9 pelo 24 e escreve-se o resultado debaixo do 218, assim:

$$\begin{array}{r|l} 64\ 58 & 24 \\ 48 & 269 \\ \hline 165 & \\ 144 & \\ \hline 218 & \\ 216 & \end{array}$$

e depois subtrai-se o 216 do 218, assim:

$$\begin{array}{r|l} 64\ 58 & 24 \\ 48 & 269 \\ \hline 165 & \\ 144 & \\ \hline 218 & \\ 216 & \\ \hline 2 & \end{array}$$

E como agora não há mais no Dividendo nenhum algarismo para descer, a conta está terminada. Esse 2 ficou sendo o resto da Divisão. Quer dizer que 6 458 dividido por 24 dá 269 e fica um resto de 2.

— Bravos, Senhor Visconde! — disse Dona Benta. — A conta está muito bem ensinada. Só faltou explicar uma coisa. O senhor disse que para começar a operação a gente separa no dividendo tantos algarismos quantos forem os algarismos do Divisor. Mas se esses algarismos separados formarem um número menor que o do Divisor? Se, por exemplo, em vez de 64 fosse 14? Como é que se poderia dividir 14 por 24, se 14 é menor que 24?

— Se o número é menor, então a gente separa mais um algarismo. Nada mais simples.

Dona Benta deu-se por satisfeita, porque era aquilo mesmo.

— E para saber se a conta está certa? — perguntou Pedrinho.

— Muito fácil. Multiplica-se o Divisor pelo Quociente e soma-se o resultado com o Resto, se houver Resto. O número obtido deve ser igualzinho ao Dividendo. Se não for igual é que a conta não está certa.

Para tirar a prova do que ele dizia, Narizinho multiplicou o Divisor 24 pelo Quociente 269, obtendo o resultado 6 456. Depois somou esse resultado ao Resto 2 e obteve o número 6 458, igual ao Dividendo.

Todos bateram palmas. A lição do Visconde estava certinha. Em seguida ele explicou o que era metade de um número, terça parte de um número, quarta parte, quinta parte, décima parte, etc.

— Quando a gente quer achar a metade de um número, — disse ele, — basta dividir esse número por 2. Se quer achar o terço, divide por 3. Se quer achar o quarto, divide por 4. Se quer achar o quinto, divide por 5. Se quer achar o sexto, divide por 6, e assim por diante.

— Mentira! — gritou uma vozinha no alto da pitangueira. Todos voltaram para lá os olhos. Era a Emília, que estava feito um tico-tico no galho mais alto. — Mentira! — continuou ela. — Quem quer achar um cesto, procura-o na despensa. Lá é que Tia Nastácia guarda os cestos...

— Quanta quer pela gracinha? — perguntou a menina com ironia.

Emília jogou-lhe uma pitanga no nariz.

Capítulo X
A REINAÇÃO DA IGUALDADE

Como já fosse tarde, o Visconde, por ordem de Dona Benta, suspendeu o espetáculo daquele dia.

— Chega por hoje, — disse ela. — Quem quer aprender demais, acaba não aprendendo nada. Estudo é como comida: tem de ser a conta certa, nem mais, nem menos. Quem come demais tem indigestão. Amanhã o Senhor Visconde continuará o espetáculo.

Mas no dia seguinte o Visconde anunciou que só recomeçaria o espetáculo depois que todos soubessem na ponta da língua as tabuadas escritas nas laranjeiras, de modo que os meninos passaram o dia no pomar, chupando laranjas e decorando números. Narizinho foi a primeira a decorar todas as casas, porque era menina de muito boa cabeça, como dizia Tia Nastácia. Pedrinho, que não quis ficar atrás, esforçou-se, decorando também todas as casas, embora errasse algumas vezes, sobretudo no 7 vezes 8. Cada vez que tinha de multiplicar 7 por 8, ou 8 por 7 parava, engasgava ou errava. O meio de acabar com aquilo foi escrever com tinta vermelha o número 56 na palma da mão. Sete vezes oito dá 56.

Estavam no mês de junho e os dois meninos mais pareciam sanhaços do que gente, de tanto que gostavam de chupar laranjas. Mas como para apanhar uma laranja fosse necessário recitar sem o menor erro as casas de tabuada escritas na casca das laranjeiras, o remédio foi fazerem um esforço de memória e decorarem tudo duma vez. Ficaram desse modo tão afiados que Tia Nastácia não parava de abrir a boca.

— Parece incrível, — dizia ela, — que laranja dê "mió" resultado que palmatória — e dá. Com palmatória, no tempo antigo, as crianças padeciam e custavam a aprender. Agora, com as laranjas, esses diabinhos aprendem as matemáticas brincando e até engordam. O mundo está perdido. Credo...

— Mas se você não sabe aritmética, Nastácia, como sabe que nós sabemos tabuada? — perguntou-lhe a menina.

— Sei, porque quando um canta um número os outros não "correge".

— Corrigem, boba. Correge é errado.

E era aquilo mesmo. Um fiscalizava o outro e o Visconde os fiscalizava a todos. Ficaram tão sabidos que no terceiro dia o sabugo aritmético anunciou que ia recomeçar o espetáculo.

Depois do café do meio-dia (que era sempre às 2 horas), todos se sentaram nos seus lugares e o Visconde começou:

— Os números vão hoje brincar de Igualdade. Sabem o que é? É quando o resultado de uma porção de números que se somam, diminuem, multiplicam ou se dividem entre si, é igual a outro número, ou ao resultado de outros números que também se somam, diminuem, multiplicam ou se dividem entre si. $5 + 4 = 9$, por exemplo, é uma Igualdade das mais simples. Esta aqui já é menos simples — e escreveu na casca do Quindim, donde a tabuada já se havia apagado:

$$4 + 8 - 6 = 8 - 4 + 2$$

— Nesta conta temos duas continhas separadas pelo sinal de Igual. Vou botar as duas dentro duma rodela para ficar menos atrapalhado — e escreveu a conta assim:

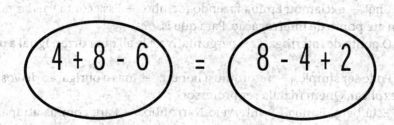

A primeira continha antes do **Igual** chama-se o **Primeiro Membro** da Igualdade. A segunda continha depois do **Igual** chama-se o **Segundo Membro** da Igualdade. Fazer essa conta é fácil. É só ir somando e diminuindo o que encontrar pelo caminho. Vamos ver quem acerta.

— Para mim é canja! — gritou o menino. — Quatro mais 8 é igual a 12; e 12 menos 6 é igual a 6. Essa é a continha do Primeiro Membro. A continha do Segundo Membro é esta: 8 menos 4 é igual a 4; e 4 mais 2 é igual a 6. O resultado do Primeiro Membro e do Segundo Membro é o mesmo 6.

— Muito bem. A Igualdade está perfeita, — disse o Visconde. — O resultado dos dois Membros dessa Igualdade é igual a 6. Está certo. Agora fiquem sabendo que cada número que leva o sinal de **Mais** ou de **Menos** tem o nome de **Termo** da Igualdade. Nesta Igualdade, portanto, temos três Termos no Primeiro Membro e também três no Segundo.

— Como? — protestou Emília, aproximando-se. — Estou vendo dentro da primeira rodela só dois números com sinal **Mais** e **Menos**.

O Visconde — explicou.

— É que o primeiro número dum Membro de Igualdade é sempre mais, quando não traz sinal nenhum.

— Ah! Então dissesse. A gente não pode adivinhar.

— Muito bem, — continuou o Visconde. — Até aqui tudo está muito simples, porque nesta Igualdade só entram Termos com sinais de **Mais** e **Menos**. A coisa se complica um bocadinho quando entram números com os sinais de multiplicar e dividir. Tendo o sinal de multiplicar ou dividir, o número não recebe mais o nome de Termo.

— Que nome recebe, então?

— Recebe o nome de **Fator**, se tem sinal de multiplicar; e recebe o nome de **Divisor**, se tem o sinal de dividir. Ficam sendo os Fatores e os Divisores dos Termos.

— Que complicação! — exclamou Narizinho. — Tão bom se tudo fosse Termo duma vez... Continue.

O Visconde tossiu um pigarrinho, deu um gemido reumático e continuou:

— Vamos ver agora uma Igualdade bem complicada, cheia de Termos e Fatores, isto é, com todos os sinais aritméticos. Esta, por exemplo, — e escreveu no rinoceronte

$$4 \times 3 + 7 \times 5 - 9 \times 3 + 18 \div 2 - 3 \times 5 = ?$$

— Ché! — exclamou Emília fazendo focinho. — Essa conta vai dar dor de cabeça. Tem até ponto de interrogação. Para que isso?

— O ponto de interrogação é perguntativo. Ele ali quer dizer: **Igual a quê**? Tão simples.

— Pode ser simples, — retorquiu a boneca, — mas a obrigação de Vossa Excelência é explicar. Quem manda ser professor?

— Está bem, Emília, — interveio Narizinho. — Pare com as atrapalhações. Não seja tão curica.

Emília botou-lhe a língua e o Visconde prosseguiu

— Muito bem. Vamos ver quem faz esta conta.

— Nada mais fácil, — gritou Pedrinho. — É ir somando e diminuindo e multiplicando e dividindo os números de acordo com os sinais.

— Está enganado, — contestou o Visconde. — Não é assim. Existe uma regra para fazer essa conta.

— E qual é?

— *Primeiro a gente faz todas as multiplicações e divisões indicadas pelos sinais.* Faça.

Mas antes de entregar o giz ao menino, marcou com uma rodela os números que tinham de ser multiplicados e divididos, assim:

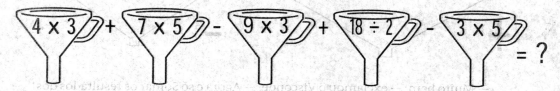

Emília interveio:
— Eu, se fosse o Visconde botava esses números dentro de funis, em vez de rodelas, assim — e tomando o giz apagou as rodelas e desenhou funis:

Agora é só Pedrinho fazer as multiplicações e divisões dos números que estão dentro dos funis e escorrer os resultados pelos bicos.
O menino gostou da ideia e escorreu os resultados pelos bicos dos funis, assim:

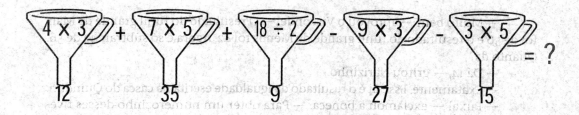

— Muito bem, — disse o Visconde. — Agora ponha juntos todos os funis de sinal **Mais**, e depois deles ponha os funis de sinal **Menos**.
Pedrinho obedeceu, arrumando os funis assim:

— Muito bem. Agora some todos os funis de sinal **Mais** e depois some todos os funis de sinal **Menos**.

PARADIDÁTICOS ARITMÉTICA DA EMÍLIA

353

— Espere, — disse Emília. — Vou desenhar mais dois funis grandes, um para conter todos os funizinhos de **Mais** e outro para conter todos os funizinhos de Menos. Desse modo não haverá meio de atrapalhar a conta — e desenhou dois funis grandes, assim:

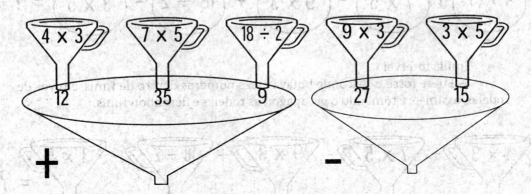

— Muito bem, — exclamou o Visconde. — Agora é só Somar os resultados dos bicos dos funizinhos e escorrer as somas pelos bicos dos funis grandes.

Pedrinho fez de conta e o desenho ficou assim:

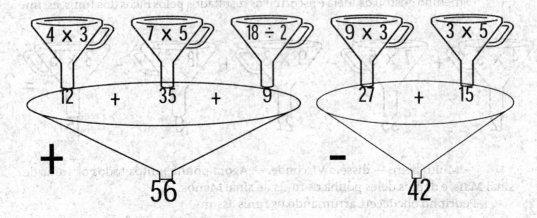

— Muito bem — aprovou o Visconde. — O resultado do funil grande de Mais foi de 56 e o resultado do funil grande de Menos foi 42. Agora é só subtrair 42 de 56. Quanto dá?

— Dá 14, — gritou Narizinho.

— Exatamente. Esse 14 é o resultado da igualdade escrita na casca do Quindim.

— Puxa! — exclamou a boneca. — Para obter um numerozinho desses tivemos de gastar 7 funis!

— Mas ganhamos uma funileira — rematou Dona Benta, levantando-se para atender alguém que vinha procurá-la.

Capítulo XI
As Frações

O espetáculo foi interrompido por um pretinho que desejava falar com Dona Benta. Era uma cria da fazenda do Coronel Teodorico.

— Que é que quer, rapaz? — indagou a boa senhora ao ver aproximar-se o tiçãozinho.

— É que eu vim trazer para mecê um presente que o Coronel mandou.

Na voz de presente, o respeitável público abandonou o circo do Visconde para ir ver o que era.

— E onde está o que você trouxe?

— Eu vim a cavalo. Está na garupa, num picuá. São duas melancias.

Se na voz de presente o espetáculo fora interrompido, na voz de melancia, e ainda mais duas, o espetáculo acabou duma vez. Quem quer saber de Aritméticas quando tem melancias para comer?

— Traga-as aqui! — disse Dona Benta, mas Narizinho e Pedrinho já haviam corrido na frente e vinham voltando com duas melancias das rajadas, de quase uma arroba cada uma. Vinham arcados.

— Faca, Tia Nastácia! — gritou Emília. — Faca bem amolada e uma bandeja, depressa!

Tia Nastácia apareceu à porta da cozinha para ver do que se tratava e logo depois entrou no circo de faca na mão e bandeja.

— Quer que parta, Sinhá? — perguntou.

Dona Benta respondeu que sim, e com muita habilidade a negra picou a melancia em doze fatias. Estava o que havia de pururuca e cor-de-rosa.

— O "anjo" é meu! — gritou Narizinho avançando, e lá fugiu a correr com o "anjo" na mão. O "anjo" da melancia era o miolo central, corruptela popular da palavra "âmago".

Todos comeram à vontade, inclusive Rabicó, que de longe sentiu o cheiro e veio de focinho para o ar. Pedrinho deu-lhe primeiramente um pontapé, como castigo da comidela das rodas do carro; depois foi-lhe passando as cascas.

— Ótimo! — exclamou de repente o Visconde. — Esta melancia veio mesmo a propósito para ilustrar o que eu ia dizer. Ela era um **Inteiro**. Tia Nastácia picou-a em pedaços, ou **Frações**. As **Frações** formam justamente a parte da Aritmética de que eu ia tratar agora.

— Se pedaço de melancia é Fração, vivam as Frações! — gritou Pedrinho.

— Pois fique sabendo que é, — disse o Visconde. — Uma melancia inteira é uma unidade. Um pedaço de melancia é uma fração dessa unidade. Se a unidade, ou a melancia, for partida em dois pedaços, esses dois pedaços formam duas Frações — dois **Meios**. Se for partida em três pedaços, cada pedaço é uma fração igual a um **Terço**. Se for partida em quatro pedaços, cada pedaço é uma fração igual a um **Quarto**. Se for partida em cinco pedaços, cada pedaço é uma fração igual a um **Quinto**. Se for partida em seis pedaços, cada pedaço é um **Sexto**. Se for partida em sete pedaços, cada pedaço é um **Sétimo**. Se for partida em oito pedaços, cada pedaço é um **Oitavo**. Se for partida em nove pedaços, cada pedaço é um **Nono**. Se for partida em dez pedaços, cada pedaço é um **Décimo**.

— E se for partida em doze pedaços, como esta? — perguntou Pedrinho.

— Nesse caso, cada pedaço é **Um Doze Avos** da melancia inteira. Um Doze Avos escreve-se assim: $\frac{1}{12}$. Todas as frações escrevem-se assim, um número em cima e um número embaixo, separados por um tracinho horizontal ou oblíquo. Com o tracinho oblíquo essa fração se escreveria assim: 1/12.

Até 10 não se usa a palavra Avos. Depois de 10, sim, só se usa o tal Avos; 1/11 lê-se um onze avos; 1/38 lê-se um trinta e oito avos; e assim por diante.

Os meninos estavam ouvindo e comendo, de modo que com a boca cheia de avos de melancia deixavam que o Visconde falasse, sem interrompê-lo com perguntas. E o Visconde ia falando.

— O número de cima chama-se **Numerador** e o número de baixo chama-se **Denominador**. Nestas frações 2/3, 4/7, 8/37, quais são os Numeradores e quais são os Denominadores?

Ninguém respondeu. Quem come melancia não fala. A resposta foi dada pelo próprio Visconde.

— Os Numeradores são 2, 4 e 8. E os Denominadores são 3, 7 e 37. O numerador e o denominador são chamados *termos da fração*.

Fez uma pausa e continuou:

— Quando o denominador da fração é 10, 100, 1 000, 10 000 e assim por diante, a fração é chamada *decimal*. As outras, com denominador 5, ou 8 ou 13 ou 40, e assim por diante, são *frações ordinárias*. Agora vou falar só das Frações Ordinárias.

— Pois eu preferia que falasse só das Decimais. Não gosto nada do que é ordinário, — disse Emília.

Quindim, que também estava mascando cascas de melancia de sociedade com o Marquês de Rabicó, deu uma risada africana — *quó-quó-quó*. Era a primeira vez que se ria desde que aparecera no sítio, e a princípio todos julgaram que se houvesse engasgado.

— Será que Quindim está sarando da nostalgia? — murmurou Narizinho, vendo que não. — O coitado anda que é o mesmo que um pedaço de pau. Só quer dormir, não diz nada, não puxa prosa. Uma pena...

Apesar das interrupções, o Visconde insistia na lição.

— Frações, — disse ele, — são essas que já mostrei, as tais que têm um Numerador em cima e um Denominador embaixo. O número de baixo, ou Denominador, mostra *em quantas partes está dividida a unidade*; e o número de cima, ou Numerador, *mostra o número destas partes que foram tomadas*.

— Exemplifique com melancia, propôs Narizinho com a boca cheia de "anjo".

— Mas... que é da melancia? — exclamou o Visconde. — Estou vendo só cascas e sementes. A coitada já se foi...

— Abre-se a segunda, — disse Narizinho — e gritou para a cozinha: — Traga a faca outra vez, Nastácia!

Tia Nastácia veio partir a segunda melancia, na qual por ordem de Dona Benta ninguém avançou.

— Deixemos o Visconde utilizar-se dela para a lição. Depois vocês a devoram.

— Muito bem, — disse o Visconde. — Temos aqui doze frações do inteiro melancia. Se eu tomo três pedaços, formo com eles esta fração: 3/12, três doze avos. O Denominador 12 indica o número de pedaços em que Tia Nastácia partiu a melancia; e o Numerador 3 indica o número de pedaços que eu tomei. Se eu escrevesse 9/12, o Numerador seria 9. O. Numerador numera a quantidade de pedaços que se tomou do inteiro.

— Está compreendido. Passe adiante, — disse o menino, ansioso para chegar ao fim da lição e avançar na melancia.

— Temos de aprender — continuou o Visconde, — o que é **Número Inteiro** e o que é **Número Misto**. Número Inteiro é a melancia ou as melancias que ainda não foram partidas. Número Misto é a melancia inteira com mais uns pedaços ao lado. Se eu tenho uma melancia inteira e mais vários pedaços, meu número é misto e eu o escreverei assim: 1 1/2, 1 1/4, 1 2/5, 1 4/8, 1 8/9, 1 8/10, etc. Em cada um desses Números Mistos o 1 representa a melancia inteira; e as frações 1/2, ¼, 2/5, 4/8, 8/9, 8/10, representam pedaços da que foi partida, ou as Frações.

— Estou notando — disse Narizinho, já com o "anjo" no papo, — que o senhor escreve frações com os números de cima sempre menores que os de baixo. É preciso ser assim? Todas as frações são assim?

— Não, — respondeu o Visconde. — O número de cima pode ser maior que o de baixo. Nestas frações: 7/3, 9/2, 80/25, os Numeradores 7, 9 e 80 são maiores que os Denominadores 3, 2 e 25. Mas estas frações são chamadas **Impróprias**, porque representam mais que um inteiro. É o mesmo que se a gente tiver, por exemplo, 15 pedaços de melancia. Ora, Tia Nastácia partiu esta em 12 pedaços; logo, se tivermos 15 pedaços temos uma melancia inteira e mais 3 pedaços.

— Pois dessas frações eu gosto, — disse Narizinho. — Todas deviam ser assim. Frações que rendem! Mas como a gente sabe que a fração é maior que o inteiro?

— Eu já expliquei, — disse o Visconde. — É quando o número de cima é maior que o número de baixo.

— E se os dois números forem iguais, como, por exemplo, 3/3 ou 5/5?

— Nesse caso a fração é igual a um inteiro certinho. Se eu tenho uma melancia e a parto em 3 pedaços, esses 3 pedaços são a melancia inteira. Se a parto em 4 pedaços, esses 4 pedaços são a melancia inteira. Por isso 3/3 é igual a 1, isto é, um inteiro. E 4/4 e também igual a 1, isto é, um inteiro.

— E 13456/13456? — perguntou Emília.

— A mesma coisa, 13456/13456 é uma fração de números iguais em cima e embaixo, e, portanto, vale tanto como 1, isto é, um inteiro.

— E quando o número de baixo é maior?

— Então a fração é menor que o inteiro. A fração 2/5 por exemplo, tem só dois quintos do inteiro e para formar o inteiro completo precisa de mais 3/5. Um inteiro tem 5/5 (cinco quintos).

— E quantos sextos tem um inteiro?

— Tem 6. Olhem. Vou escrever uma porção de frações iguais a 1, ou a um inteiro — disse o Visconde — e escreveu: 2/2, 3/3, 4/4, 5/5, 6/6, 7/7, 8/8, 9/9, 10/10...

— Chega, — disse Pedrinho, — isto é tão claro que não vale a pena perder tempo insistindo. Agora eu quero saber para que serve conhecer frações.

— Para mil coisas, — respondeu o Visconde. — Na vida de todos os dias a gente lida com frações sem saber que o está fazendo. Vou dar um exemplo. Suponha que o Coronel Teodorico manda mais uma melancia com ordem de ser dividida igualmente por todas as pessoas da casa. As pessoas da casa (as que comem) são Nastácia, Dona Benta, você, Narizinho, Quindim e Rabicó = seis. Temos de dividir a melancia em seis partes iguais, isto é, temos de dividir 1 por 6 para dar 1/6 um sexto a cada pessoa. Está aí a fração que cada qual recebe.

— Mas se cada um recebe um cesto de melancias, — observou a boneca, — recebe muito mais que uma melancia inteira, porque um cesto de melancias tem que ser mais que uma melancia só.

— Quanto quer pela gracinha? — disse a menina, danada com a interrupção.

— Você está se fazendo de boba. Sabe muito bem que um sexto, com s na frente e x no meio, não é o mesmo que um cesto com c na frente e s no meio. São duas palavras que têm o mesmo som, mas se escrevem de maneira diferente e significam coisas diferentes.

— Diga logo que são palavras homófonas, — completou a boneca, — lembrando-se do que aprendera no passeio à Terra da Gramática. Eu *asneirei* apenas para amolar o Visconde.

O embolorado sábio resmungou que não era *faca* e prosseguiu:

— Vou agora ensinar como se lida com as frações — como se somam, como se subtraem, como se multiplicam e como se dividem. A gente lida com elas do mesmo modo que lida com os números inteiros. Mas antes disso temos de aprender várias coisas. Temos de aprender a **Simplificar Frações**. Temos que aprender a transformar números Inteiros ou **Mistos** em Frações Impróprias e vice-versa, isto é, transformar Frações Impróprias em números Inteiros ou Mistos. E temos de aprender a reduzir frações ao **Mínimo Denominador Comum**.

— Chi! Quanta coisa...

— Parece muito, mas não é. Tudo fácil. Simplificar frações, por exemplo, é reduzi-las a outras frações de números menores em cima e embaixo, mas do mesmo valor.

— Como isso? Se os números são menores em cima e embaixo, como o valor pode ser o mesmo? duvidou a menina.

— Pois pode. Se eu tenho a fração 12/24 por exemplo, posso reduzi-la a 6/12, ou a 3/6, ou a ½. Todas estas frações exprimem a mesma coisa: meio ou metade dum inteiro.

— Por quê?

— Ora que pergunta! Porque sim. Pense um pouco. Se eu tenho 12 pedaços duma melancia que foi dividida em 24 pedaços, está claro que eu tenho a metade dos pedaços e, portanto, a metade da melancia. Se tenho 6 pedaços duma melancia que foi dividida em 12 pedaços, está claro que tenho a metade dela. Se tenho 3 pedaços duma melancia que foi dividida em 6 pedaços, está claro que tenho a metade dela. Não está claro como água?

— Com melancia dentro da Aritmética, tudo fica realmente claro como água do pote, — observou Emília.

— Pois é isso. Simplificar uma fração é reduzi-la a outra do mesmo valor, mas com os termos menores. Em 3/6 os termos são menores do que em 12/24 e o valor é o mesmo: ambas as frações valem ½, ou meia melancia.

— Quer dizer, — observou Pedrinho, — que se a gente multiplicar o número de baixo e o número de cima duma fração por um mesmo número, a fração fica valendo o mesmo, não é?

— Exatamente. Se multiplicar ou se dividir, à vontade. Se na fração 4/8, por exemplo, eu multiplicar o número de baixo e o de cima por 5, obtenho a fração 20/40 que tem o mesmo valor que 4/8. E se depois eu dividir os dois números por 2, obtenho a fração 2/4 que tem o mesmo valor de 4/8. Não é simples?

— E para transformar Frações Impróprias em números Inteiros ou Mistos?

— Para isso há uma regrinha. A gente divide o número de cima pelo de baixo. Se a divisão não deixar resto, o resultado é um número Inteiro.

— Dê um caso.

— Por exemplo, a fração 6/3. Dividindo-se o 6 pelo 3 temos 2 e não há resto. Quer dizer que essa fração é igual a 2, que é número inteiro.

— Mas se ela é igual a 2, que é um número inteiro, então não é fração, — gritou Emília.

— Por isso mesmo a Aritmética a trata de Fração Imprópria, como quem diz que tem jeito de fração, mas não é. É fração apenas na aparência.

— Bolas! Esse negócio de é-não-é, não vai comigo. Comigo é ali no duro. Pão pão, queijo queijo.

— E se ficar resto? — indagou a menina.

— Se ficar resto, então temos um número Misto, isto é, composto de inteiro e fração. Na fração 9/5 por exemplo, o 9 dividido pelo 5 dá 1 e sobram 4. O resultado escreve-se assim: 1 4/5.

— Está claro, — disse Pedrinho. — O inteiro é igual a 5/5. Esse 5/5 somado ao 4/5 dá 9/5. E agora, para transformar números inteiros ou mistos em frações? Como se faz?

— Vamos ver um exemplo. Suponha que você quer transformar o número 5 em terços. Tem que raciocinar assim: se 1 inteiro tem 3 terços, 5 inteiros devem ter 5 vezes 3 terços; basta pois multiplicar o 5 pelo 3, escrevendo o resultado em cima do 3, assim: 15/3. Cinco inteiros é igual a 15/3.

— E se o número for misto? Esse número, por exemplo: 4 3/4? Como transformar 4 3/4 numa fração?

— Muito simples. Multiplica-se o inteiro, isto é, o 4, pelo número de baixo. Quanto dá?

— Dá 16.

— Muito bem. Agora some esse 16 ao número de cima. Quanto dá?

— Dá 19.

— Muito bem. Agora você escreve o 19 em cima e conserva o 4 embaixo, assim: 19/4. Quer dizer que 19 quartos é igual a 4 ¾.

— Chi! — exclamou o menino. — É canja.

— E para reduzir as frações ao Mínimo Denominador Comum? — quis saber a menina.

— Outra canja, — respondeu o Visconde. — Reduzir duas ou mais frações ao Mínimo Denominador Comum, isto é, *a um número de baixo igual em todas as frações sem alterar o valor delas,* é coisa que se faz assim: Primeiro, a gente simplifica as frações. Depois a gente acha o número que divide sem deixar resto todos os números de baixo, e este número será o tal Mínimo Denominador Comum. (Comum quer dizer que serve a todas.) Depois a gente divide este Mínimo Denominador Comum pelo número de baixo de cada fração e o resultado a gente multiplica pelos números de cima, escrevendo o produto em cima do tal Mínimo Denominador Comum.

— Nossa Senhora! — exclamou Emília. — Que regra comprida. Juro que me perdi no meio. Fiquei na mesma. Venha o exemplo logo. Sem melancia a coisa não vai...

O Visconde escreveu na casca de Quindim estas frações: ½, ¾, 5/8, e disse:

— Temos aqui três frações para serem reduzidas ao Mínimo Denominador Comum. Vamos aplicar a regra. Que é que se faz primeiro, Pedrinho?

— Primeiro? Primeiro a gente...

Pedrinho tinha esquecido. O Visconde ensinou:

— Primeiro a gente simplifica as frações. Mas como nestas que escrevi elas já estão no mais simples possível, não haverá necessidade disso. Já estão simplificadas. Segundo, a gente acha qual é o menor número que possa ser dividido por esses três números de baixo, o 2, o 4 e o 8. Esse menor número é o 8...

— Como sabe que é o 8? — indagou Emília — e o Visconde ficou atrapalhado. Coçou a cabeça e disse:

— Há um jeitinho que depois vou ensinar. Por agora basta que saibam que é o 8 — e o 8 vai para baixo de todas as futuras frações, assim:

$$\frac{\ }{8}, \frac{\ }{8}, \frac{\ }{8}$$

Agora divido este 8 por cada um dos números de baixo das frações ½, ¾, 5/8. Quanto dá?

— Oito dividido por 2 dá 4.

— E esse 4 multiplicado pelo 1 de cima?

— Dá 4 mesmo.

— Isso. Escreva 4 em cima do primeiro 8. — Pedrinho escreveu:

$$\frac{4}{8}, \frac{\ }{8}, \frac{\ }{8}$$

— E agora 8 dividido pelo número de baixo da segunda fração?

— Dá 2... Multiplicado pelo 3 de cima dá 6.

— Escreva esse 6 em cima da segunda fração. — Pedrinho escreveu:

$$\frac{4}{8}, \frac{6}{8}, \frac{}{8}$$

— Resta agora dividir o 8 pelo número de baixo da última fração. Quanto dá?
— Oito dividido por 8 dá 1, que multiplicado pelo 5 de cima dá 5 mesmo.
— Muito bem. Escreva esse 5 em cima da última fração.

Pedrinho escreveu e a conta ficou terminada, assim:

$$\frac{4}{8}, \frac{6}{8}, \frac{5}{8}$$

— Pronto! — exclamou o Visconde. Está certinho.
— Espere! — gritou Emília. — E o tal Mínimo Múltiplo Comum? Eu faço questão de saber isso.

O Visconde coçou novamente a cabeça.
— Fica para amanhã. Hoje estou cansado.
— É que ele não sabe e vai espiar na A-rit-mé-ti-ca de Dona Benta, — cochichou a boneca ao ouvido do rinoceronte. Quindim sorriu com filosofia.

Capítulo XII
MÍNIMO MÚLTIPLO

Emília tinha razão. O Visconde estava esquecido da regra para achar o Mínimo Múltiplo Comum e por isso adiou o espetáculo para o dia seguinte, com a ideia de ir ver na Aritmética como era. Mas a pestinha da Emília pôs-se a segui-lo de longe, disfarçadamente. Viu o Visconde tomar a Aritmética e ir com ela para debaixo duma laranjeira das mais afastadas. Dirigiu-se então para lá, pé ante pé, e de repente avançou, gritando:

— Aí, mestre! Está colando, hein?
O Visconde ficou vermelho como camarão cozido.
— Isto não é colar, Emília. É recordar. Por mais que um professor saiba, muitas coisas ele esquece, e tem de recordar-se.
— Então confessa que não sabia, não é? Está muito bem. Eu só queria isso. Estou satisfeita! — E, girando nos calcanhares, afastou-se.

O Visconde ficou sozinho debaixo da laranjeira, a recordar a Aritmética, um tanto desapontado pelo que acontecera, embora um professor, por melhor que seja, não possa ter tudo de cor na cabeça. Mais tarde, quando o espetáculo recomeçou, foi ele o primeiro a contar ao público que tinha recordado aquela parte da Aritmética debaixo da laranjeira.

— Mas se eu não o tivesse pilhado nisso, juro que Vossa Excelência não estava agora a fazer-se de modesto, — gritou a pestinha da Emília.

O Visconde lançou-lhe um olhar terrível.

— Sou um homem honrado e apelo para Dona Benta como testemunha.

Dona Benta riu-se do jeitinho dele.

— Pois eu confirmo esse juízo, — disse a boa senhora. — Nunca neste sítio apareceu um sabugo mais honesto que o Visconde de Sabugosa. Pelo Visconde eu ponho a mão no fogo. Jamais enganou ninguém.

— Enganou, sim! — berrou a boneca. — Enganou Pedrinho, fingindo-se de pau falante, no caso do irmão de Pinóquio.[11] Pensa que me esqueço?

O Visconde avermelhou; e, como era verde, e o vermelho misturado ao verde dá um tom de burro quando foge, ficou por uns momentos o mais esquisito de todos os sabugos do mundo. Até Emília teve dó dele.

— Está bem, está bem, Visconde. Não vale a pena brigarmos por tão pouco. Retiro as expressões.

O Visconde bufou ainda por uns instantes e em seguida passou a explicar o Mínimo Múltiplo Comum.

— Antes de falar em Mínimo Múltiplo precisamos saber o que é Múltiplo. Múltiplo de um número é o produto desse número por um número inteiro qualquer. E, assim, qualquer número é múltiplo de si mesmo! Os Múltiplos de 2 são o 2, o 4, o 6, o 8, o 10, o 12, o 14, o 16, o 18, etc. Os Múltiplos de 3 são o 3, o 6, o 9, o 12, o 15, o 18, o 21, o 24, etc. Os Múltiplos de 4 são o 4, o 8, o 12, o 16, o 20, o 24, o 28, etc. Mínimo Múltiplo quer dizer o menor Múltiplo, e nestes exemplos que eu dei o menor Múltiplo de 2 é 2; o menor Múltiplo de 3 é 3; o menor Múltiplo de 4 é 4. Mas a coisa fica mais complicada quando temos de achar o Mínimo Múltiplo de diversos números.

— Quer dizer, o menor número que se deixe dividir por diversos números? — indagou Pedrinho.

— Isso mesmo. Achar o menor número que se deixe dividir por vários números sem deixar resto. Vamos ver um exemplo. Qual é o menor número que pode ser dividido por 4, 6, 8 e 12 ao mesmo tempo?

Ninguém sabia, isto é, só Quindim sabia, mas Quindim estava mais mudo que um peixe, com o pensamento longe dali. O Visconde explicou:

— Há uma regra para fazer essa conta. Escrevem-se os números em linha, separados por vírgulas, assim

$$4, 6, 8, 12$$

e depois corre-se um risco por baixo e outro risco de pé à direita, assim

$$\underline{4, 6, 8, 12} \;|$$

e descobre-se o menor número acima de 1, que divida, sem deixar resto, pelo menos dois desses quatro números.

Narizinho gritou logo:

— Parece-me que o 2 divide todos esses números; divide o 4, o 6, o 8 e o 12.

— Exatamente. É o 2 o menor número que divide esses quatro números sem deixar resto. Nesse caso escreve-se o 2 à direita, assim:

---

[11] *Reinações da Narizinho*

$$\begin{array}{r|l} 4,6,8,12 & 2 \\ \hline \end{array}$$

e faz-se a divisão de todos os números por ele, escrevendo o quociente debaixo do traço horizontal. Quatro dividido por 2 dá 2; 6 dividido por 2 dá 3; 8 dividido por 2 dá 4; e 12 dividido por 2 dá 6. São esses os quocientes das quatro divisões. Vamos escrevê-los debaixo do traço, assim:

$$\begin{array}{r|l} 4,6,8,12 & 2 \\ \hline 2,3,4,6 & \end{array}$$

Agora repete-se a operação; temos de achar o menor número que divida pelo menos dois desses quatro números, 2, 3, 4 e 6. Qual é ele?

— Creio que é o 2 ainda, — gritou Pedrinho, — porque 2 divide o 2, o 4, e o 6.

— Isso mesmo. É o 2. Escreve-se então o 2 à direita, passa-se um risco embaixo, assim:

$$\begin{array}{r|l} 4,6,8,12 & 2 \\ \hline 2,3,4,6 & 2 \end{array}$$

e faz-se a divisão desses quatro números pelo 2. Dois dividido por 2 dá 1; escreve-se esse 1 embaixo, assim:

$$\begin{array}{r|l} 4,6,8,12 & 2 \\ \hline 2,3,4,6 & 2 \\ 1, & \end{array}$$

Depois divide-se o 3 pelo 2. É possível?

— Sem deixar resto não é possível, — disse a menina.

— Nesse caso não se faz a divisão, mas desce-se o 3 para baixo, assim:

$$\begin{array}{r|l} 4,6,8,12 & 2 \\ \hline 2,3,4,6 & 2 \\ 1,3 & \end{array}$$

e agora divide-se o número seguinte, que é o 4, e depois o último número, que é o 6. Quatro dividido por 2 dá 2 e 6 dividido por 2 dá 3. Escrevemos esses resultados embaixo do risco, assim:

$$\begin{array}{r|l} 4,6,8,12 & 2 \\ \hline 2,3,4,6 & 2 \\ 1,3,2,3 & \end{array}$$

Agora temos que achar o menor número que divida pelo menos dois desses números. Qual é ele?

— É o 3, gritaram todos. O 3 divide os dois 3 desses quatro números.
— Isso mesmo. É o 3. Escreve-se então 3 à direita e faz-se a divisão, assim:

4, 6, 8, 12	2
2, 3, 4, 6	2
1, 3, 2, 3	3
1, 1, 2, 1	

Deu 1, 1, 2 e 1. Temos que continuar a divisão até só ficarem Uns embaixo. Já temos lá três Uns, mas o 2 está atrapalhando. É preciso fazer nova divisão e como agora só há o 2 para dividir, dividiremos o 2 por ele mesmo. E ficam só Uns embaixo, assim:

4, 6, 8, 12	2
2, 3, 4, 6	2
1, 3, 2, 3	3
1, 1, 2, 1	2
1, 1, 1, 1	

— E agora?
— Agora é só multiplicarmos todos os divisores, isto é, multiplicarmos os números ao lado do traço em pé, que são 2, 2, 3 e 2. Quanto dá?
— Dois multiplicado por 2 dá 4, — gritou Emília; — e 4 multiplicado por 3 dá 12; e 12 multiplicado por 2 dá 24. Duas dúzias certinho.
— Pois esse número 24 é o Mínimo Múltiplo Comum que nós procuramos. É o menor número que se deixa dividir pelo 4, pelo 6, pelo 8 e pelo 12 sem deixar resto. Ora aí está o bicho de sete cabeças!
Para amolar o pobre Visconde a boneca disse que não via ali nada com sete cabeças, porque os números eram quatro apenas.
— Só se somar com a sua e a do Quindim e a do Rabicó, — asneirou ela, para remate.
O Visconde deu o desprezo.

Capítulo XIII
SOMAR FRAÇÕES

Tia Nastácia interrompeu o espetáculo com um prato de talhadas de rapadura, que foram comidas num abrir e fechar de olhos. Rabicó aproximou-se com a boca pingando água. Narizinho teve dó dele.
— Tome, Marquês, mas lembre-se que isto é doce da roça e, portanto, impróprio para o paladar dum fidalgo da sua importância. Um Marquês não come rapadura com farinha, e sim manjares dos mais finos e caros.

Mas Rabicó não queria saber de nobreza; tinha um estômago insaciável e tudo lhe servia — fossem talhadas ou cascas de melancia. Era um Marquês da Mula Ruça, como dizia a ex-Marquesa de Rabicó.

Comidas as talhadas, o Visconde recomeçou:

— Muito bem. O respeitável público já aprendeu a achar o Mínimo Múltiplo Comum e agora tem de aprender a somar Frações. É uma coisa facílima. Se as frações que nós queremos somar têm o mesmo Denominador, isto é, o mesmo número embaixo, basta somar os Numeradores, isto é, os números de cima, e escrever o resultado sobre o número de baixo.

— Exemplo! — gritou a boneca. — Venha exemplo!

— Espere, — respondeu o mestre, e alinhou estas frações:

$$\frac{1}{5} + \frac{3}{5} + \frac{2}{5} + \frac{4}{5} + \frac{7}{5}$$

Temos aqui uma porção de Quintos a somar. Somo os números de cima e escrevo o resultado sobre o 5 de baixo, assim:

$$\frac{1}{5} + \frac{3}{5} + \frac{2}{5} + \frac{4}{5} + \frac{7}{5} = \frac{17}{5}$$

A soma dessas Frações dá 17 quintos.

— Quintos de quê? — amolou a Emília. — Quintos de vinho ou quintos do inferno?

Dona Benta chamou-a à ordem e o Visconde prosseguiu:

— Vamos agora somar Frações que tenham os números de baixo diferentes, como nestas, — e escreveu:

$$\frac{1}{2} + \frac{2}{3} + \frac{4}{5} + \frac{1}{6} + \frac{2}{3}$$

Neste caso temos de reduzir todas as frações a um mesmo Denominador. Depois fazemos como no primeiro exemplo: somamos os números de cima e botamos o resultado sobre esse mesmo Denominador. Como é que se reduzem Frações ao mesmo Denominador? Já expliquei.

— Mas já esqueci! — berrou a boneca.

— Eu sei, — gritou Pedrinho. — Primeiro a gente simplifica as frações. Depois a gente acha o Mínimo Múltiplo Comum dos números de baixo e esse Mínimo Múltiplo será o Denominador Comum de todas as frações. Depois a gente divide esse Denominador Comum por cada um dos números de baixo das Frações e multiplica o resultado por cada um dos números de cima. E então escreve-se o produto obtido em cima do tal Denominador Comum.

— Muito bem, — aprovou o Visconde. — Faça a conta agora.

Pedrinho fez a conta. Primeiro aplicou a regra para achar o Mínimo Múltiplo de 2, 3, 5, 6, e 3, obtendo isto:

2, 3, 5, 6, 3	2
1, 3, 5, 3, 3	3
1, 1, 5, 1, 1	5
1, 1, 1, 1, 1	

Depois multiplicou os Divisores 2, 3 e 5, obtendo o número 30.

— Trinta! — gritou ele triunfante. — O Mínimo Múltiplo Comum de 2, 3, 5, 6 e 3 é 30!

Dona Benta bateu palmas.

— Muito bem, meu filho. Estou gostando de ver como você pega bem as lições do Visconde. Nesse andar, acabo tendo um neto matemático de verdade.

Todos olharam com inveja para o menino. O Visconde continuou:

— Está achado o Denominador Comum das Frações ½, 2/3, 4/5, 1/6 e 2/3. É o número 30. Temos agora de dividir esse 30 pelo número de baixo de todas as frações, isto é, pelo 2, pelo 3, pelo 5, pelo 6 e pelo 3 e multiplicar depois cada resultado pelos números de cima que são, o 1, o 2, o 4, o 1 e o 2, escrevendo os produtos como Numeradores, tendo todos eles o 30 como Denominador. Fazendo-se a conta, Pedrinho, quanto dá?

— Trinta dividido por 2 dá 15...

— Multiplique o 15 por 1 de cima e escreva o produto sobre o 30, assim: 15/30. Continue.

— Trinta dividido por 3 dá 10...

— Multiplique o 10 pelo 2 da segunda Fração e escreva o produto em cima do 30, assim: 20/30. Continue.

— Trinta dividido por 5 dá 6...

— Multiplique o 6 pelo 4 da terceira Fração e escreva o produto em cima de 30, assim: 24/30. Continue.

— Trinta dividido por 6 dá 5...

— Multiplique o 5 pelo 1 da quarta Fração e escreva o produto em cima do 30, assim: 5/30. Continue.

— Trinta dividido por 3 já vimos que dá 10...

— Multiplique o 10 pelo 2 da última Fração e escreva o produto em cima do 30, assim: 20/30. Continue.

— Já acabou.

— Bem. Nesse caso ficamos com as seguintes Frações:

$$\frac{15}{30}, \frac{20}{30}, \frac{24}{30}, \frac{5}{30}, \frac{20}{30}$$

e como temos de somá-las, basta somar os números de cima, pondo o resultado sobre o 30, que é o Denominador Comum. Some.

Pedrinho somou e achou 15 mais 20 mais 24 mais 5 e mais 20 igual a 84. E escreveu a Fração 84/30.

— Isso mesmo. Está certinho, aprovou o Visconde. Deu uma fração imprópria, isto é, de Numerador maior que o Denominador. Reduza essa Fração.

Pedrinho aplicou a regra. Dividiu o 84 de cima pelo 30 de baixo e achou 2, mais um resto de 24.

— Pronto, — disse ele. Dá 2 inteiros e sobram 24 trinta avos. E escreveu essa Fração Mista assim:

$$2\frac{24}{30} \quad \text{ou} \quad 2\frac{4}{5}$$

— Muito bem, aprovou o sabugo, vendo que estava tudo certo. Agora temos ainda um caso muito simples, que é somar Frações Mistas, isto é, as compostas de inteiros e Frações. Para isso basta primeiro somar os Inteiros e depois somar as Frações. É tão simples que não vale a pena dar exemplo.

Capítulo XIV
SUBTRAIR FRAÇÕES

Emília deu um bocejo. Estava já enjoada da Aritmética.

— Meu Deus! Que preguiça de ouvir o Visconde explicar essas iscas de números que não acabam mais! Vamos brincar de outra coisa.

— Não, — disse Dona Benta. — Pedrinho e Narizinho têm que aprender tudo para fazerem um bonito na escola.

— Mas que adianta saber Aritmética? — insistiu Emília. — Eu já vivi uma porção de vida e nunca precisei de Aritmética. Bobagem.

— Não diga assim, tolinha. As contas da Aritmética são das mais necessárias a quem vive neste mundo. Sem ela os engenheiros não podiam construir casas, nem pontes, nem estradas de ferro, nem nada de grandioso. Tudo tem que ser calculado, e para tais cálculos a Aritmética é a base. Até para comprar um sabão na venda uma pessoa tem de saber Aritmética, para não ser lograda pelo vendedor no troco. Continue, Visconde.

E o Visconde continuou:

— Assim como se somam as Frações, também se diminuem, e os casos são os seguintes. Primeiro caso subtrair Frações com o mesmo Denominador. Segundo caso: subtrair Frações com Denominadores diferentes. Terceiro caso: subtrair uma Fração dum Número Inteiro ou dum Número Misto.

No primeiro caso, se as Frações têm o mesmo Denominador, basta achar a diferença entre os Numeradores. Nestas Frações, por exemplo:

$$\frac{3}{8} - \frac{2}{8}$$

basta subtrair do Numerador 3 o Numerador 2. Dá 1. Põe-se o 1 em cima do 8, assim: 1/8. Não pode haver nada mais simples.

— E para subtrair Frações que tenham Denominadores diferentes, como 1/2 – 1/4? — perguntou Narizinho.

— Reduzem-se as Frações ao mesmo Denominador e depois faz-se a subtração. Reduzindo-as, como ficam?

— Ficam 2/4 – 1/4 e o resultado é ¼.

— Muito bem. Temos agora outro caso: subtrair uma Fração dum Número Inteiro ou dum Número Misto. Subtrair, por exemplo, 2/4 de 5. Como se tiram 2/4 de 5? Pense um pouco.

Pedrinho pensou assim: 1 tem 4/4, logo, 5 tem 20/4. Ora, de 20/4 tirando-se 2/4 restam 18/4. Mas 18/4 é uma Fração Imprópria, de modo que eu a reduzo, dividindo o número de cima pelo de baixo. Dividindo 18 por 4 obtenho 4 e um resto de 2, ou 2 quartos. Fico, portanto, com 4 2/4.

— O resultado é 4 2/4, — respondeu ele depois que acabou de pensar.

— Muito bem, — aprovou o Visconde. — Vamos agora ver o último caso: subtrair uma Fração dum Número Misto, como neste exemplo:

$$6\frac{6}{8} - 2\frac{1}{4}$$

Desta vez Pedrinho adivinhou a regra antes que o Visconde a dissesse. Viu que bastava subtrair os Inteiros e depois subtrair as Frações e gritou:

— Já sei como é! Subtrai-se o 2 do 6. Dá 4. Em seguida subtrai-se o 1/4 do 6/8 depois de reduzir essas duas Frações ao mesmo Denominador.

— Isso mesmo. Meus parabéns. Você adivinhou a regra. Vamos ver agora se adivinha a regra no caso da primeira Fração ser menor que a segunda, como nestas, por exemplo:

$$6\frac{1}{4} - 2\frac{6}{8}$$

Pedrinho falhou. Por mais que pensasse não conseguiu achar o jeito, e pensou tanto que Emília veio com a sua caçoada:

— Não pense demais. Lembre-se que de tanto pensar já morreu um burrinho...

O Visconde explicou:

— É muito simples. Como de 1/4 não podemos tirar 6/8 porque 1/4 é menor que 6/8, faz-se o seguinte: a Fração 1/4 toma 1 emprestado do 6 e soma a si esse 1. Ora, como esse 1 que ela tomou vale 4/4 o ¼ se soma a esse 4/4 e fica elevado a 5/4. Mas como o 6 forneceu 1 à Fração, ele fica valendo 5. Temos então o tal 6 1/4 reduzido a 5 5/4, que vale a mesma coisa mas está numa forma diferente. E agora você pode fazer a operação. Quem de 5 5/4 tira 2 6/8 quanto fica?

Pedrinho primeiro subtraiu o 2 do 5 obtendo 3. Depois subtraiu 6/8 de 5/4, de acordo com a regra, isto é, reduzindo-as ao mesmo Denominador e obteve como resultado o Número Misto 3 1/2.

Nesse ponto Emília interveio.

— Descobri um jeito de fazer tais contas sem usar da Aritmética, — gritou a diabinha.

Todos se voltaram para a isca de gente.

— Suponhamos, — disse ela, — que temos de tirar 5/8 de ¾. Eu vou e arranjo duas folhas de papel do mesmo tamanho, assim, e puxou do bolso do avental dois pedacinhos de papel do mesmo tamanho. Agora dobro uma das folhas em oito partes e rasgo três partes para só ficarem cinco.

— Por que rasga?

— Porque cada folha de papel dobrada em oito partes é composta de oito oitavos e eu só preciso de cinco oitavos A folha de papel fica assim:

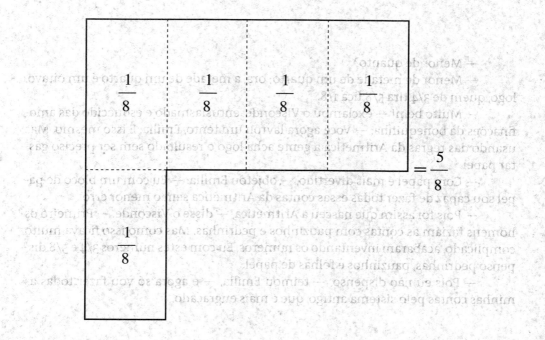

PARADIDÁTICOS ARITMÉTICA DA EMÍLIA

Depois dobro a outra folha em quatro partes, ou quatro quartos, e rasgo um para ficar só com três quartos, assim:

Agora coloco uma folha de papel sobre a outra, bem ajustadinha, e vejo que a de 5/8 é menor que a de 3/4.

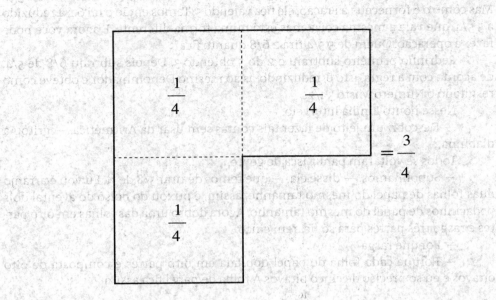

— Menor de quanto?

— Menor de metade de um quarto; ora, a metade de um quarto é um oitavo, logo, quem de 3/4 tira 5/8 fica 1/8.

— Muito bem! — exclamou o Visconde, entusiasmado e esquecido das amofinações da bonequinha. — Você agora lavrou um tento, Emília. É isso mesmo. Mas usando das regras da Aritmética a gente acha logo o resultado sem ser preciso gastar papel.

— Com papel é mais divertido, — objetou Emília. — Eu com um bloco de papel sou capaz de fazer todas essas contas da Aritmética sem o menor erro.

— Pois foi assim que nasceu a Aritmética, — disse o Visconde. — Primeiro os homens faziam as contas com pauzinhos e pedrinhas. Mas como isso ficava muito complicado, acabaram inventando os números. Eu com estes números 3/4 e 5/8 dispenso pedrinhas, pauzinhos e folhas de papel.

— Pois eu não dispenso, — teimou Emília, — e agora só vou fazer todas as minhas contas pelo sistema antigo, que é mais engraçado.

Capítulo XV
MULTIPLICAR FRAÇÕES

O Visconde continuou a lição.

— Vamos agora aprender a multiplicar as Frações Temos quatro casos. O primeiro é multiplicar uma Fração por um Número Inteiro. Para isso a gente multiplica o número de cima pelo Inteiro e escreve o resultado sobre o número de baixo. Em 3/4 X 5, por exemplo, eu multiplico o 3 pelo 5 e escrevo o produto sobre o 4, assim: 15/4.

— Fácil como água, — observou Narizinho.

— Depois, — continuou o Visconde, — temos o caso de multiplicar uma Fração por outra. Mais fácil ainda. Basta multiplicar os Numeradores e depois multiplicar os Denominadores. Neste exemplo, 3/4 X 2/3 temos 3 vezes 2, 6; escreve-se o 6 em cima, assim: 6. Depois multiplicam-se os números de baixo. Quatro vezes 3, 12. Escreve-se o 12 embaixo do 6, assim: 6/12 e pronto.

Agora temos o terceiro caso, multiplicar uma Fração por um Número Misto. Aqui *basta reduzir os Números Mistos a Frações e depois multiplicá-las*. Mais fácil ainda.

— Exemplo! — reclamou Emília.

— Multiplicar, por exemplo, — atendeu o Visconde, — 2 3/4 por 2/3. Temos de reduzir o Número Misto 2 3/4 a Fração Imprópria e para isso é só aplicar a regra. Vamos ver. Faça a conta, Pedrinho.

Pedrinho reduziu o 2 3/4 multiplicando o 2 pelo 4 e somando o resultado ao 3. Ficou assim: 11/4. Depois multiplicou 11/4 por 2/3 obtendo 22/12.

Depois reduziu essa Fração, dividindo o 22 pelo 12 e obteve o seguinte resultado: 1 10/12 ou 1 5/6.

Capítulo XVI
DIVIDIR FRAÇÕES

Todos já estavam enjoados de tantas Frações e se não fosse Dona Benta insistir para que o Visconde naquele dia mesmo ensinasse a divisão, o mais certo era abandonarem o circo, deixando o mestre sozinho. Mas Dona Benta deu ordem para que a festa continuasse e o Visconde prosseguiu:

— Temos agora de dividir Frações e há vários casos. O primeiro é quando se trata de dividir uma Fração por um Número Inteiro, como neste exemplo:

$$\frac{6}{8} \div 2$$

Se o número de cima for divisível pelo Inteiro, *divide-se esse número pelo inteiro e escreve-se o resultado sobre o número de baixo*. Seis dividido por 2 dá 3 e 3 sobre 8 dá 3/8. Pronto.

Mas se o número de cima não for divisível pelo Inteiro, como neste caso: 5/8 ÷ 3, então faz-se assim: *multiplica-se o número de baixo pelo Inteiro e escreve-se o resultado debaixo do número de cima*. Temos, pois de multiplicar o 8 pelo 3, ficando a Fração assim: 5/24.

O outro caso é dividir um Inteiro por uma Fração e para isso a regra é *multiplicar o inteiro pelo número de baixo e dividir o produto pelo número de cima*. Neste caso: 5 ÷ 2/4 nós multiplicamos o 5 pelo 4 e dividimos o produto por 2. Cinco multiplicado por 4 dá 20, e 20 dividido por 2 dá 10. Esse 10 é o resultado da operação.

E agora temos o último caso — dividir uma fração por outra. Para isso a gente *inverte os números da segunda Fração e depois multiplica as duas*.

— Que graça! — exclamou Narizinho. — Está aí um verdadeiro malabarismo.

— Não deixa de ser, — concordou o Visconde. — Neste exemplo: 3/4 ÷ 2/5 inverte-se a Segunda Fração, deixando-a transformada em 5/2 e depois multiplica-se pelo 3/4.

Capítulo XVII
OS DECIMAIS

Nesse momento Tia Nastácia apareceu com uma peneira de pipocas rebentadas naquele instante.

— Pipoca, minha gente!

Todos a rodearam, e até Rabicó, que andava por longe, veio ventando. Pelo menos o piruá, isto é, o milho que não rebenta e fica tostadinho no fundo da peneira, ele havia de apanhar.

Emília escolheu as pipocas mais bonitas, não para comer, pois a coitada não comia, mas para fazer flores. Era de uma grande habilidade para transformar pipocas em lindas flores, que coloria com as tintas de Pedrinho. Mas pouco duravam essas obras de arte: iam todas acabar no papo do Marquês de Rabicó — o Come-Tudo.

— Faça com as pipocas como fez com as melancias, Visconde! — sugeriu Narizinho.

— Impossível, — respondeu ele com ar triste. — Na velocidade com que estou vendo as pipocas desaparecerem da peneira, estaria eu bem arranjado se contasse com elas para a lição de Frações Decimais que vou dar agora.

— Frações ainda? — protestou Emília. — Ai, que já estou até com dor de barriga, de enjoo! Felizmente essas são Decimais, e não das tais Ordinárias...

O ar de tristeza do Visconde se acentuava à medida que as pipocas iam desaparecendo da peneira. Que seria?

Emília descobriu o segredo e foi cochichar ao ouvido de Dona Benta:

— Ele não pode ver ninguém comer pipocas, porque é sabugo e as pipocas são feitas de grão de milho, isto é, dos filhinhos dos sabugos. É isso.

Dona Benta, profundamente comovida, chamou Tia Nastácia em particular e advertiu-a para que nunca mais aparecesse com pipocas quando o Visconde estivesse presente. Ele era sabugo mas tinha coração.

A negra riu-se com toda a gengivada vermelha.

— Ché! o mundo está perdido, Sinhá. Sabugo já tem coração, já fala *"matamáticas"*, já ensina gente de carne. Ché!... — e lá se foi para a cozinha com a peneira vazia, depois de jogar os piruás para o leitão.

O Visconde enxugou uma lágrima nas palhinhas de milho da gola e começou, depois dum longo suspiro:

— Frações Decimais são pedaços de uma Unidade dividida em décimos, centésimos, milésimos, milionésimos e em outras partes ainda menores. Uma unidade divide-se em 10 Décimos. Um Décimo divide-se em 10 Centésimos. Um Centésimo divide-se em 10 Milésimos. Um Milésimo divide-se em 10 Décimos de Milésimo. Um Décimo de Milésimo divide-se em 10 Centésimos de Milésimo e assim por diante.

Se dividirmos uma peneira de pipocas em 10 partes iguais, cada parte será um Décimo da peneira cheia e esse Décimo escreve-se assim: 0,1 — zero, vírgula, um. E se agora dividirmos este Décimo em outras 10 partes iguais, cada nova parte será um Centésimo da peneira cheia, e escreve-se assim: 0,01. Se dividirmos esse Centésimo em outras 10 partes iguais, cada partezinha será um Milésimo da peneira cheia e escreve-se assim: 0,001.

O primeiro Zero marca o lugar do Número Inteiro. Quando está Zero é que não há Número Inteiro. Depois vem a vírgula Decimal. Neste Número: 0,2 a leitura é assim: Dois Décimos. Neste Número: 5,06, a leitura é: Cinco Inteiros e seis Centésimos.

A diferença entre as Frações Decimais e as Frações Ordinárias é que as Ordinárias dividem as coisas por qualquer número que se queira. Mas nas Frações Decimais as coisas só são divididas de 10 em 10.

Outra diferença está no modo de escrevê-las. Em vez dum número em cima de outro, separados por um tracinho, a Fração Decimal tem a vírgula. O Denominador, ou o número de baixo, está escondido, não aparece. Assim: 0,1 é a mesma coisa que 1/10 e 0,01 e a mesma coisa que 1/100.

Já vimos que nos Números Inteiros eles vão subindo cada vez mais, da direita para a esquerda, a partir da Casa das Unidades, assim:

Nos Números Decimais é o contrário. A contagem começa da Esquerda para a Direita e as casas, de uma janela só, vão diminuindo sempre, assim:

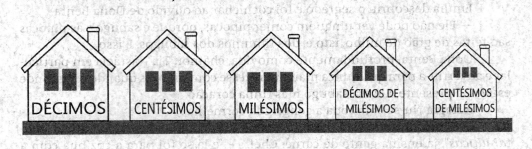

Mas essas Frações são pedacinhos dos Inteiros, de modo que as casas das Frações ficam na mesma vila dos Números Inteiros, separadas apenas pela vírgula.
— A vírgula é o muro, — observou Emília.
— Sim, é o muro que divide as duas partes da vila, assim:

Agora vou botar dentro dessas casas números inteiros e frações para ver quem lê certo — e o Visconde pôs nas casas estes números:

Pedrinho, que havia prestado muita atenção, leu incontinenti:
— Setecentos e quarenta e três Milhões, quinhentos e vinte e cinco Milhares, quatrocentos e treze Unidades, **Vírgula**, cinco Décimos, oito Centésimos e quatro Milésimos.
— Bravos! Isso mesmo. Agora, Narizinho, escreva 46 centésimos.
Narizinho escreveu: 0,46.
— Muito bem. E você, Emília, escreva 579 milésimos.
Emília encrencou. Quis inventar um jeito diferente e atrapalhou-se.
— Adiante! — exclamou o Visconde. — Você, Quindim!

Quindim desenhou no ar, com o chifre, um número assim: 0,579.

— Muito bem. E agora Dona Benta vai escrever 3 inteiros e 5378 décimos de milésimo.

Dona Benta riu-se e escreveu na areia, com o dedo, este número: 3,5378.

— Muito bem. Está mais que sabido. Vamos agora ver como se reduzem Frações Decimais à mesma denominação.

— Que quer dizer denominação?

— Quer dizer Frações da mesma casa. 0,24 e 0,35 são da mesma denominação porque ambas são da casa dos Centésimos. 0,671 e 0,987 são da mesma denominação porque ambas são da casa dos Milésimos.

— Sabido. Passe adiante — gritou Pedrinho.

— Muito bem. Para reduzir Frações Decimais à mesma denominação, *basta encher de zeros os vazios*. Reduza estas, Pedrinho — e escreveu:

0,6
0,352
0,15
0,7

Pedrinho encheu os vazios, assim:

0,600
0,352
0,150
0,700

— Muito bem. Lá em cima temos em primeiro lugar 0,6, ou seis Décimos e aqui embaixo temos esse 0,6 transformado em 0,600, ou 600 Milésimos, o que dá na mesma. Ficou o 0,6 com *denominação diferente, mas conservou o mesmo valor*, porque tanto faz dizer 6 Décimos como 600 Milésimos. O mesmo se dá com as outras.

O Visconde engoliu um pigarro e continuou:

— Como estão vendo, a vírgula é a mandona dos Números Decimais. Tudo depende dela. Se muda de lugar, o número muda de valor. Se temos, por exemplo, 4,38, quatro Inteiros e trinta e oito Centésimos, mudando a vírgula uma casa para a direita ficaremos com 43,8, quarenta e três Inteiros e oito Décimos.

— E mudando a vírgula uma casa para a esquerda? quis saber a menina.

— Nesse caso o número fica assim: 0,438, e lê-se: quatrocentos e trinta e oito milésimos.

— Quer dizer que mudando a vírgula para a direita o número aumenta e mudando para a esquerda diminui?

— Exatamente. Mudando uma casa para a direita, o número fica dez vezes maior; mudando duas casas, o número fica cem vezes maior; mudando três casas, o número fica mil vezes maior. Agora, mudando-se uma casa, duas ou três para a esquerda, dá-se o contrário: o número diminui tornando-se dez, cem ou mil vezes menor.

— Que danadinha, a tal vírgula! — exclamou Emília. — Vou fazer amizade com ela, pois vejo que se trata de uma criatura poderosa.

— E que mais o senhor sabe desses tais Números Decimais, Visconde? — perguntou o menino.

— Oh, muita coisa. Sei, por exemplo, reduzir Decimais a Frações Ordinárias e vice-versa. Se quero, por exemplo, reduzir o Decimal 0,35 a Fração, escrevo-o sem a vírgula, dou um tracinho e ponho embaixo o número 1 seguido de dois zeros.

— Por que dois zeros?

— Porque no decimal 0,35 há dois algarismos depois da vírgula; se houvesse três algarismos eu escreveria três zeros; se houvesse quatro eu escreveria quatro zeros, e assim por diante. Neste exemplo, o 0,35 fica transformado nesta Fração Ordinária: 35/100. Trinta e cinco cem avos é o mesmo que trinta e cinco centavos.

— E o vice-versa?

— O vice-versa é transformar Frações Ordinárias em Números Decimais. Para isso eu *acrescento cifras ao número de cima da Fração Ordinária e depois o divido pelo número de baixo*. Na Fração 3/4 por exemplo, eu acrescento um zero ao 3 e obtenho 30; depois divido o 30 pelo 4 de baixo. Dá 7 e sobram 2. Acrescento mais um zero a este 2 e continuo a divisão. Obtenho 5 certo, sem resto nenhum, assim:

$$\begin{array}{r|l} 30 & 4 \\ 20 & 75 \\ 0 & \end{array}$$

Depois, separo no quociente 75, com a vírgula, tantas casas da direita para a esquerda quantos forem os zeros que usei. Usei dois zeros, não é? Pois então separo duas casas no 75, assim:

$$0,75$$

E ponho um zero antes da vírgula, porque nenhum número pode começar com a vírgula.

— É a defesinha dela, — observou Emília. — Quer sempre estar resguardada contra qualquer perigo. As criaturas muito pequenas, exceto eu, têm necessidade de capangas.

Quindim deu uma risada africana, *quó, quó, quó*.

— E se a divisão ainda deixar resto? — indagou Pedrinho.

— Nesse caso, a gente faz a divisão até três zeros. Depois abandona o resto.

Joga fora. Faz de conta que ele não existe. Nesta Fração 2/3, por exemplo. Acrescentando um zero ao 2 dá 20 e dividindo-se o 20 por 3 temos:

$$\begin{array}{r|l} 20 & 3 \\ 20 & 666 \\ 20 & \\ 2 & \end{array}$$

Se a gente continuar a divisão acrescentando sempre um novo zero ao 2 que resta, a coisa não acabará nunca. Por isso a aritmética manda só acrescentar três zeros, isto é, só dividir o 20 três vezes. Põe-se a vírgula na terceira casa à esquerda, assim:

0,666

e pronto. Está o 2/3 transformado no Decimal 666 Milésimos.

— Mas a conta não está certa, — objetou Emília. — Desde que foi posto fora o coitadinho do resto, fica sempre faltando alguma coisa.

— Fica, mas que remédio? Por mais que se divida o 20 por 3 haverá sempre esse resto de 2, mas depois de muitas divisões ele fica tão pequenininho que já não vale nada e o melhor mesmo é botá-lo fora para evitar amolações.

— Pois eu vou juntar todos esses restinhos que os Decimais põem fora, — asneirou Emília. — E hei de fazer para eles uma casinha, com fogãozinho, mesa, um rádio... uma vitrola...

— Lá vem! — exclamou Narizinho. — Emília já desarranjou a bola outra vez. É uma danada! Não se cura nunca...

Depois o Visconde ensinou como se somavam, subtraíam, multiplicavam e dividiam os Decimais.

— Para somar Decimais, — disse ele, — escrevem-se um embaixo do outro, de modo que as vírgulas correspondam; *depois soma-se e derruba-se a vírgula para baixo*. Vamos somar estes aqui:

0,45
0,567
0,5
0,789

Somo e derrubo a vírgula, assim:

0,45
0,567
0,5
0,789
―――
2,306

PARADIDÁTICOS ARITMÉTICA DA EMÍLIA

Para subtrair é a mesma coisa: escreve-se um debaixo do outro, alinhados pela vírgula e *subtrai-se, derrubando a vírgula no resto*. Se tenho de subtrair 0,463 de 3,568, faço assim:

$$3,658$$
$$0,463$$
$$\overline{3,195}$$

— Para multiplicar escrevo um em cima do outro, alinhados pela vírgula, e faço a multiplicação como se fosse de Números Inteiros. O segredinho de tudo está depois na descida da vírgula. Ela deve ser posta de jeito que *separe tantos algarismos, sempre da direita para a esquerda, quantas forem as casas decimais dos dois números que se multiplicam*.

— Que quer dizer "casas decimais"? — perguntou Pedrinho.

— São as que ficam à direita da vírgula. Vamos fazer esta multiplicação:

$$1,87 \times 0,26$$

Escrevo um número em cima do outro, assim:

$$1,87$$
$$0,26$$

e, fazendo a multiplicação, obtenho este resultado:

$$1,87$$
$$0,26$$
$$\overline{1122}$$
$$374$$
$$\overline{4862}$$

E como lá em cima tenho quatro números decimais, separo com a vírgula quatro casas embaixo, assim: 0,4862.

— Mas eu sei dum caso em que essa regra não dá certo, — lembrou o menino. — Se eu multiplicar, por exemplo, 0,12 por 0,15 obtenho este resultado:

$$\begin{array}{r} 0,12 \\ 0,15 \\ \hline 60 \\ 12 \\ \hline 180 \end{array}$$

— E como é a vírgula agora? Lá em cima há quatro casas decimais e neste resultado 180 só há três. Como faço para separar quatro casas?

— Você acrescenta mais um zero à esquerda para conseguir as quatro casas, e desce a vírgula, assim:

$$0,0180$$

Resta agora aprender a dividir Decimais. Temos dois casos. No primeiro, o número que é dividido tem menos Decimais que o número que divide, como neste exemplo:

$$0,50 \div 0,250$$

Para dividir esses dois Números Decimais igualam-se com zeros as casas depois da vírgula e pronto. Faz-se assim:

$$0,500 \div 0.250$$

O segundo caso é quando o primeiro número tem mais Decimais que o segundo, como nestes:

$$0,5625 \div 0,125$$

Para dividir esses números basta fazer a divisão como se se tratasse de Inteiros e depois *separar no resultado tantos decimais quantos houver de diferença.* Vejamos

$$\begin{array}{r|l} 0,5625 & \underline{0,125} \\ 500 & 45 \\ \hline 625 & \\ 625 & \\ \hline 000 & \end{array}$$

Qual a diferença de Decimais entre um número e outro?

— Um número tem quatro Decimais e outro tem três. A diferença é de 1, — respondeu Pedrinho.

— Muito bem. Nesse caso você separa no quociente 45, da direita para a esquerda, uma casa só, assim: 4,5. E pronto!

Capítulo XVIII
As medidas

Emília abriu um bocejo maior que o do Quindim.

— Chega de Frações. Estou enjoada, já disse. Se o Visconde não muda de assunto, prego-lhe uma peça terrível. Ponho fogo, com um fósforo, nessas barbinhas de milho que ele tem no pescoço.

— Não é preciso chegar a tanta violência, Senhora Marquesa, — respondeu o Visconde frisando ironicamente a palavra Marquesa. — Já acabei a lição de Frações. Vou agora falar sobre as Medidas, ou o Sistema Métrico.

— Não vai falar de coisa nenhuma! — gritou Tia Nastácia aparecendo à porta da cozinha. — São horas de jantar. Venham todos. Fiz um lombinho com farofa que está mesmo um suco. Corram!

Lombinho de porco com farofa e umas rodelas de limão por cima era petisco de fazer vir água à boca, de modo que ninguém mais quis saber de Aritmética naquele dia. Mas na tarde seguinte a aula ao ar livre — continuou. O Visconde tossiu três pigarros e — disse:

— Medir é uma das coisas mais importantes da vida humana. Os homens não fazem nada sem primeiro medir. Quem vai comprar chita numa loja, obriga o caixeiro a medir um pedaço de fazenda. Quem vai vender feijão no mercado da vila, pesa-o antes de entrar em negócio. Pesar é medir. O automóvel que para numa bomba de gasolina a fim de encher o tanque, faz o bombeiro medir a gasolina que entra. Sem essas medições seria impossível negociar. Se eu vou a uma casa e peço um pedaço de morim, ou um pouco de açúcar, faço papel de idiota. Tenho de pedir tantos metros de morim ou tantos quilos de açúcar. A base da vida dos negócios, portanto, é a medição.

Mas todos os países tinham suas medidas, de modo que a trapalhada era grande. Daí veio a ideia de organizar medidas que servissem para todos os povos — e os sábios começaram a estudar a questão. As medidas devem ser de três espécies. Temos que medir as coisas que têm comprimento, como uma corda, uma peça de morim. Temos que medir os líquidos, como o querosene, o vinho, o leite, ou as coisas esfareladas ou reduzidas a pequenos pedacinhos, como o arroz, o açúcar, o café. E temos de medir o peso de certos materiais.

Em primeiro, os sábios trataram de achar a melhor medida para as coisas que têm comprimento — e inventaram o **Metro**. Que é o Metro? Vamos ver quem sabe.

— Metro é um pedaço de pau amarelo, dividido em risquinhos, que há em todas as lojas, — respondeu Emília. — Serve para medir chitas e para dar na cabeça dos fregueses que furtam carretéis de linha.

— Esqueceu-se do principal, Emília. Esqueceu-se de dizer que esse pau amarelo tem sempre o mesmo comprimento. Em qualquer país do mundo que você vá, encontrará sempre o metro das lojas com o mesmo comprimento. Mas para achar o comprimento que devia ter o metro, os sábios torceram a orelha.

Era preciso encontrar uma medida fixa, que os homens não pudessem nunca alterar, e então eles se lembraram de tomar a distância entre o *Equador e o Polo Norte*. Fizeram lá uns cálculos e acharam que tinha 5.130.740 toesas.

— Que é toesa?

— Era uma medida de comprimento usada na Europa.

— Mas se havia essa toesa, para que inventaram o metro? A humanidade não ia vivendo muito bem com a toesa?

— Não ia. O comprimento da toesa era, como se diz, arbitrário, sem base, variando de um ponto para outro. Não prestava, a toesa. Eles mediram aquela distância em toesas porque não havia outro meio. Acharam, como já disse, que a distância entre o Equador e o Polo Norte era de 5.130.740 toesas e então dividiram essa distância em dez milhões de partes iguais. Tomaram uma dessas partes e deram-lhe o nome de **Metro**. Quer dizer que *Metro é a décima milionésima parte da distância entre o Equador e o Polo*. E pronto! Nunca mais poderia haver dúvida sobre o comprimento do Metro. Quem o quisesse verificar, era tomar outra vez aquela distância e dividi-la em dez milhões de partes.

— Hei de fazer essa medição, — disse Emília, — para verificar se o metro de fita do Elias Turco está direito.

Quindim repetiu a sua risada africana: *quó, quó, quó.*

— E que quer dizer Metro? — perguntou Narizinho.

— É uma palavra que vem do grego *metron*, medida. Temos na língua muitas palavras em que entra o *metro*, como termômetro, instrumento para medir a temperatura; barômetro, instrumento para medir a pressão atmosférica; cronômetro, instrumento para medir o tempo, etc. E o novo sistema de medidas ficou se chamando Sistema Métrico, porque a base dele é o Metro.

Depois de obtida a medida de comprimento, os sábios trataram de arranjar a medida de capacidade, isto é, a medida para os líquidos ou as coisas esfareladas — e inventaram o Litro. Quem sabe o que é litro?

— É uma lata velha, redonda, em que os vendeiros medem feijão, — disse Emília.

Quindim fez de novo: *quó, quó, quó.*

— Litro, — explicou o Visconde, — é o primeiro filho do Metro. Depois de arranjado o metro para medir o comprimento, os sábios arranjaram o Metro Quadrado para medir as superfícies. O Metro Quadrado é uma superfície quadrada que tem um metro de cada lado, assim:

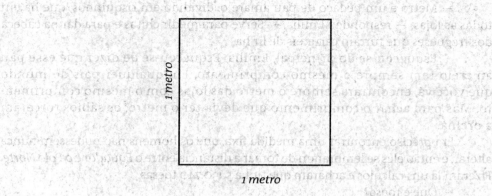

Depois arranjaram o Metro Cúbico, para medir as coisas líquidas ou esfareladas. O Metro Cúbico é um cubo que tem um metro de comprimento, um metro de largura e um metro de altura, assim:

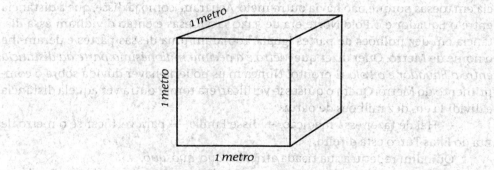

Depois dividiram esse bloco em mil bloquinhos iguais, assim:

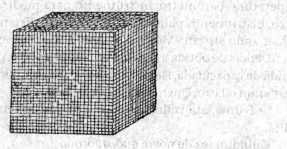

e cada um desses bloquinhos ficou sendo a milésima parte do bloco inteiro, ou um Decímetro Cúbico. Pois o tal litro é isso: é um Decímetro Cúbico. Depois que desse modo foi conseguida uma medida fixa para os líquidos, acabou-se a atrapalhação de medidas sem base científica. Um litro é sempre a mesma coisa em qualquer país do mundo. Não varia. É sempre um Decímetro Cúbico, ou a milésima parte do Metro Cúbico.

— Sim, senhor! — exclamou a menina. — Esses sábios eram uns danados. Arranjaram um jeito de botar os vendeiros na linha. Eles agora não podem fazer os litros do tamanho que querem.

— Restava ainda conseguir a medida fixa para as pesagens. Se quero comprar chumbo, por exemplo, não posso medir esse metal com o Metro, nem com o Litro.

Tenho de usar a balança e pesá-lo. Mas qual devia ser a *unidade de peso das balanças*? Era outra trapalhada no mundo. Havia toda sorte de pesos, havia Onças, e Arrobas, e Quintais, e Oitavas, e Libras, sempre variando de um ponto para outro. Como para medir o comprimento havia Léguas, e Milhas, e Braças, e Varas, e Côvados, e Palmos, e Passos, e Pés, e Polegadas. Como para medir líquidos havia Pipas, e Almudes, e Quartilhos. Como para medir coisas secas e esfareladas havia os Alqueires e Quartas que a nossa gente da roça ainda usa.

Tudo isso já não tem razão de ser, depois do Sistema Métrico inventado pelos sábios. Para medir comprimento temos o Metro ou as divisões e multiplicações do Metro. Para medir Líquidos temos o Litro ou as divisões e multiplicações do Litro. Para medir as coisas de peso, temos o QUILO, que se divide em mil GRAMAS.

Ao ouvir falar em grama, os olhos do Quindim brilharam — e Emília veio com uma das suas:

— Se tem tantas Gramas assim, o tal Quilo não passa dum canteiro de jardim...

Quindim repetiu o *quó, quó, quó*,

— O Quilo e o Grama, — continuou o Visconde — são também filhos do Metro. Os sábios tomaram um Metro Cúbico de água destilada e o dividiram em mil partes iguais — cada parte ficou sendo um Quilo. Depois dividiram o Quilo em mil partes iguais, e cada parte ficou sendo um Grama.

— E os vendeiros têm agora de *gramar* ali no peso certo, não é assim?

— Nossa Senhora! — exclamou Dona Benta. — Até trocadilhos esta diabinha já faz...

O Visconde continuou:

— Depois de arranjar o **Metro**, foi só dividi-lo em partes iguais para obter os **Decímetros**, os **Centímetros** e os **Milímetros**. Decímetro é a décima parte do Metro. Centímetro é a centésima parte. Milímetro é a milésima parte.

Depois prepararam as medidas grandes. Fizeram o **Decâmetro**, que vale 10 metros, medida que ninguém emprega. Fizeram o **Hectômetro**, que vale 100 metros e também não é usado. Fizeram o **Quilômetro**, ou mil metros que é usadíssimo.

— Por que não se usam esses coitados? — quis saber Narizinho.

— Porque não são necessários. Com o Metro e o Quilômetro os homens se arrumam perfeitamente. É mais fácil, por exemplo, dizer 10 metros do que dizer um Decâmetro.

— Lá isso é, — concordou a menina.

— E para o Grama fizeram a mesma coisa. Dividiram-no em **Decigrama**, **Centigrama** e **Miligrama**. Decigrama é a décima parte dum Grama; Centigrama é a centésima parte; Miligrama é a milésima parte.

Depois vieram as multiplicações. **Decagrama**, ou 10 Gramas. Não pegou. **Hectograma**, ou 100 Gramas. Também não pegou. E **Quilograma**, ou **Quilo**, como se diz vulgarmente. Esse pegou como sarampo. Não há quem não use o Quilo, e também a Tonelada, ou mil Quilos.

— E o Litro?

— O Litro foi dividido em **Decilitro**, ou décima parte dum litro; em **Centilitro**, ou centésima parte; e em **Mililitro**, ou milésima parte.

— E pegaram?

— Nada disso pegou. Ninguém usa. Como também ninguém usa as multiplicações do Litro — o **Decalitro**, ou 10 Litros; o **Hectolitro**, ou 100 Litros e o **Quilolitro**, ou 1000 Litros. Mais fácil dizer logo 10 Litros, 100 Litros ou 1000 Litros do que os tais Decalitro, Hectolitro e Quilolitro.

— Pobres sábios! — exclamou a menina. — Perderam o latim...

— Latim, não, — protestou Emília. — Perderam o grego, porque todas essas palavras estão me cheirando a grego.

O Visconde confirmou que de fato eram palavras gregas, pois em grego Quilo significa 1000, Hecto significa 100 e Deca significa 10.

— O Metro, — continuou ele, — divide-se em 100 Centímetros e cada Centímetro divide-se em 10 Milímetros. No metro do Elias Turco a gente vê muito bem essas divisões.

— E para medir terrenos? — perguntou Pedrinho.

— Medição de terreno é medição de superfície. Um terreno é uma superfície de chão. Para medida de superfície os sábios tomaram, como eu já disse, o Metro Quadrado, e com 100 Metros Quadrados constituíram o **Are**, que ficou sendo a unidade.

— E o tal **Hectare** que vovó tanto usa? Ela diz que aqui no sítio tem 520 hectares...

— O Hectare, — respondeu o Visconde, — corresponde a cem Ares, ou 10.000 metros quadrados.

Mas entre nós as medidas de terrenos que mais usamos ainda são as antigas. Temos o **Alqueire** e a **Quarta**. Um Alqueire de terra é a superfície de chão onde cabe um Alqueire de grãos de milho plantados; uma Quarta de terra é o chão que leva uma Quarta, ou 12 litros de milho.

— Mas isso não é medida exata, — observou Pedrinho. — Deve variar muito, conforme a qualidade do milho e o modo de plantá-lo. Se eu o plantar bem espaçado, o tal Alqueire de terra fica enorme.

— Muito certo isso. Mas o Alqueire de terra está já fixado em Metros Quadrados. Tem em S. Paulo, 24.200 Metros Quadrados. Em Minas e outros Estados tem o dobro.

— E a Légua Quadrada, Visconde? Já ouvi falar nisso, — observou Pedrinho.

— A antiga Légua, medida de comprimento que foi substituída pelo Quilômetro, tinha um valor muito variável. A usada no Brasil e chamada "Légua de Sesmaria" tinha 6.600 metros. Já a Légua Marítima, também usada pela nossa gente do mar, tinha 5.555 metros. Mas a Légua comum que ainda hoje usamos tem 6.000 metros justos.

— Ensine agora a correspondência das medidas antigas com as métricas — pediu o menino. — Quantos gramas, por exemplo, tem uma libra, quantos centímetros tem um palmo, etc.

— Não, — respondeu o sabugo. — Se ninguém ensinasse isso aos meninos, seria ótimo, porque se punha fim, duma vez, a essas medidas antigas, que não valem nada e só servem para atrapalhar a vida dos homens. Quem quiser medir coisas, use o Sistema Métrico Decimal arranjado pelos sábios. O mais é bobagem. Para que estar enchendo a cabeça de vocês com coisas que já morreram?

— Bravos, Visconde! Nós não somos cemitérios, — concluiu Emília.

Capítulo XIX
NÚMEROS COMPLEXOS

No outro dia o Visconde falou em Números Complexos.

— Que quer dizer complexo? — indagou Pedrinho logo de começo.

— Quer dizer complicado. No sistema de medições decimais que ensinei tudo é facílimo, porque tudo se divide de dez em dez. Mas nos antigos sistemas não era assim, de modo que a complicação se tornava enorme. Uma Onça, por exemplo, tinha 8 Oitavas; uma Libra tinha 16 Onças; uma Arroba tinha 32 Libras, e assim por diante. Eram sistemas que o uso foi criando aqui e ali, arbitrariamente.

Mas o Sistema Métrico Decimal não abrange todas as medições do mundo. Algumas ainda são feitas pelos sistemas antigos, como, por exemplo, a medição do Tempo.

— Medir o tempo eu sei, — disse a menina. — São os dias, os anos, as horas.

— Perfeitamente. Temos o Século, com 100 anos. Temos o Lustro, com 5 anos. Temos o Ano, com 12 meses. Temos o Mês, com 30 ou 31 dias.

— Fevereiro tem 28 e 29, — lembrou Pedrinho.

— Temos o Dia com 24 horas. Temos a Hora com 60 minutos. Temos o Minuto com 60 segundos.

Depois temos as medidas do valor do dinheiro, que são as moedas, e que variam em cada país. Todos os povos possuem a sua medida especial do dinheiro, que em alguns é bem complicada. Na Inglaterra, por exemplo.

A unidade da moeda na Inglaterra é a Libra Esterlina, que vale 20 Shillings. O Shilling vale 12 Pence. O Penny vale 4 Farthings.

— Que história de Pence e Penny e essa? — quis saber Pedrinho. — É Pence ou Penny, afinal de contas?

— Penny é o singular e Pence é o plural. Temos de dizer 1 penny, e 2 pence. O sinal da Libra Esterlina é £. O sinal do Shilling é *s*, e o sinal do Penny é *d*.

— Por quê *d*?

— Coisa antiga. Havia antigamente o Denário, e o *d* do Denário ficou, apesar de ele ter cedido o seu lugar ao Penny. Os ingleses são muito conservadores.

— E que outras moedas há?

— Em muitos países as moedas seguem o sistema decimal, como nos Estados Unidos, em que a unidade é o Dólar. Um Dólar divide-se em 100 Centavos.

Na França a unidade é o Franco, que se divide em 100 Cêntimos.

Na Alemanha é o Marco, que se divide em 100 Pfennings.

Na Itália é a Lira, que se divide em 100 Centésimos.

Em Portugal é o Escudo, que também se divide em 100 Centavos.

Na Argentina, em Cuba, no Uruguai, no México e no Paraguai é o Peso. Na Áustria é o Shilling. Na Bolívia é o Boliviano. No Equador é o Sucre. Na China é o Tael. Na Grécia é a Dracma. Na Índia é a Rúpia. No Japão é o Iene. Na Rússia é o Rublo. Na Espanha é a Peseta. Na Suécia é a Krona ou Coroa. Na Turquia é a Piastra. Não há nada que varie tanto como a moeda.

A lição foi interrompida pela chegada do correio com uma porção de livros encomendados por Dona Benta. Entre eles vieram os de Malba Tahan, um misterioso califa árabe que conta lindos apólogos do Oriente e faz as maiores piruetas possíveis com os números. Dona Benta passou a noite a ler um deles, chamado *O homem que calculava*, e no dia seguinte ao almoço, — disse:

— Parece incrível que este árabe saiba tantas coisas interessantes a respeito dos números! Estive lendo-o até às quatro da madrugada e estou tonta. O tal homem que calculava só não calculou uma coisa: que com suas histórias ia fazer uma pobre velha perder o sono e passar a noite em claro. Livros muito bons são um perigo: estragam os olhos das criaturas. Não há como um "livro pau", como diz a Emília, porque são excelentes narcóticos...

A criançada assanhou-se com o Malba Tahan, de modo que o pobre Visconde de Sabugosa foi deixado às moscas. Emília declarou que "O Sabugo Que Calculava" não valia o sabugo da unha de "O Homem Que Calculava", e para provar a afirmação chamou o Visconde e propôs-lhe um problema.

— Venha cá, sabinho da Grécia. Venha me resolver este problema tahânico. Um lixeiro juntou na rua 10 pontas de cigarros. Com cada três pontas ele fazia um cigarro inteiro. Pergunto: quantos cigarros formou com as 10 pontas?

— Nada mais simples, — respondeu o Visconde. — Formou 3 cigarros e sobrou uma ponta.

— Está enganado! — berrou Emília. — Formou 5 cigarros...

— Como? Não é possível...

— Nada mais simples. Com as 10 pontas achadas na rua ele formou 3 cigarros e fumou-os — e ficou com mais três pontas, que juntas àquela quarta deu 4 pontas. Com essas 4 pontas formou mais um cigarro e sobrou uma ponta. Fumou esse cigarro e ficou com 2 pontas. E vai então e pediu emprestada a outro lixeiro uma ponta nova e formou um cigarro inteiro — o quinto! Temos aqui, portanto, 5 cigarros formados com as 10 pontas, e não 3 cigarros, como o senhor — disse. Ahn!... — concluiu Emília botando-lhe um palmo de língua.

— Está errado, — protestou o Visconde, — porque se ele fumou esse quinto cigarro, sobrou uma ponta.

— Não sobrou coisa nenhuma, — volveu Emília, — porque como ele havia tomado de empréstimo uma ponta nova, pagou a dívida com a última ponta sobrada. Ahn!... — e botou-lhe mais um palmo de língua.

Todos riram-se e o Visconde desapontou. E não foi só isso. Ficou tão desmoralizado como professor de Aritmética, que quando bateu palmas e chamou os meninos para a lição, ninguém mais quis saber dele. Pedrinho entretinha-se com o Japi, um cachorrinho que apareceu no sítio e estava todo arrepiado diante do rinoceronte. Rabicó andava por longe, devorando as goiabas caídas durante a noite. Narizinho fora ajudar Tia Nastácia a escamar uma cambada de lambaris. Dona Benta, essa não largava do Malba Tahan.

E Emília?

Ah, a Emília acabava de fazer uma das suas célebres maroteiras. Fora ao escritorinho do Visconde e, vendo lá o manuscrito da "ARITMÉTICA DO VISCONDE", cortou o "T" da palavra Aritmética e substituiu o nome do autor pelo seu. Eis a explicação da ARITMÉTICA DO VISCONDE ter saído com o frontispício duplamente errado — sem o "t" e sem o nome do verdadeiro dono...

Paradidáticos

Geografia
de Dona Benta

Capítulo I
O universo. Bailado das estrelas no espaço

Depois que Dona Benta concluiu a história do mundo contada à moda dela,[12] os meninos pediram mais.

— Mais, quê? — perguntou a boa avó. — Poderei contar muitas histórias assim — história da Física, história da Química, história da Geologia, história da Geografia...

— Conte histórias de Geografia, — pediu Pedrinho, que andava sonhando com viagens pelos países estrangeiros.

E Dona Benta contou a Geografia.

— Era uma vez uma grande bola, — começou ela, — mas ninguém sabia que essa grande bola fosse bola. Todos julgavam que fosse uma coisa chata. Essa grande bola é a nossa Terra, ou o planeta em que moramos. Quando nas noites límpidas a gente olha para o céu, vê lá uma infinidade de estrelinhas. Cada uma é também uma bola, ou um mundo. E tudo isso junto se chama Universo, e portanto o Universo se compõe de milhões e milhões de bolas, ou astros, ou mundos girando uns em torno dos outros.

— Por que é que giram uns em torno dos outros? — perguntou Narizinho.

Dona Benta riu-se.

— Essa pergunta me faz lembrar uma de Pedrinho quando era pequeno. Pôs-se a olhar com muita atenção para a vaca amarela, que estava pastando perto dum burro, já falecido, de nome Urucungo. De repente — perguntou: "Vovó, por que é que os chifres da vaca amarela não nasceram na cabeça do Urucungo?". Não pude responder, do mesmo modo que não posso responder à sua pergunta, Narizinho. Os astros giram porque giram...

O que sei é que giram em redor uns dos outros, e *sempre do mesmo modo*. Um sábio inglês, de nome Isaac Newton, de tanto prestar atenção a esse *mesmo modo*, descobriu como ele era. E como os sábios chamam *lei* a esse *mesmo modo* das coisas se fazerem, Newton batizou de *Lei da Gravitação* o tal *mesmo modo* dos astros girarem uns em torno dos outros. (Gravitar é o mesmo que girar, e gravitação é o mesmo que giramento.)

— Conte essa lei, vovó.

— A Lei da Gravitação diz assim: *A matéria atrai a matéria na razão direta das massas e na razão inversa do quadrado das distâncias.*

— Fiquei na mesma! — gritou Pedrinho.

— Pois não será difícil compreender, se formos por partes. Diz a Lei que a *matéria atrai a matéria*. Matéria é tudo quanto ocupa lugar no espaço. Você ocupa lugar no espaço; logo você é matéria. Os astros ocupam lugar no espaço; logo os astros são matéria. Emília ocupa lugar no espaço; logo Emília é matéria.

A boneca rebolou-se toda, orgulhosa de ocupar lugar no espaço...

— Mas o espaço é infinito, — continuou Dona Benta, — isto é, não tem fim; de modo que os astros, por maiores que sejam, não passam de pontinhos ocupando

---

12 *História do Mundo para as crianças.*

lugarezinhos no espaço infinito. Esses pontinhos, ou partículas de matéria, atraem-se, ou puxam-se uns aos outros.

— Já sei, — disse Pedrinho. — Um puxa o outro como o ímã puxa o ferro. O ímã que atrai o ferro é a matéria-ímã atraindo a matéria-ferro. Continue, vovó.

— Muito bem. *A matéria atrai a matéria, mas de que modo? De dois modos. Primeiro, na razão direta das massas...*

— Não entendo essa tal razão direta, — disse a menina.

— Muito simples. Quer dizer que quanto maior for um astro, tanto mais atrai outro. Se é pequeno, atrai pouco; se é grande, atrai muito. Se um astro é o dobro do outro, atrai o dobro do que atrairia se fosse do mesmo tamanho. Entendeu?

— Parece que sim; — respondeu Narizinho; — continue.

Dona Benta — continuou:

— Segundo modo: *na razão inversa do quadrado das distâncias*. Quer dizer que quanto *mais longe* um astro está de outro, menos o atrai.

— Sei. Com a distância vai perdendo a força. Isso é lógico. Se o ferro está a um quilômetro do ímã, por força que é menos atraído do que se estivesse a um metro. Mas esse quadrado aí no meio? Que é?

— Significa que se o ferro está a cinco quilômetros do ímã é atraído vinte e cinco vezes menos do que se estivesse a um quilômetro, porque o quadrado de cinco é vinte e cinco. Quadrado de um número quer dizer esse número multiplicado por si mesmo.

— Compreendi. Continue, vovó.

— Já acabou. É isso só. Um astro atrai outro conforme o tamanho e conforme a distância em que está do outro. Quanto maior for o astro, mais atrai, e quanto mais longe estiver, menos atrai. A Lei da Gravitação é isso.

— Ora, ora! — exclamou Pedrinho. — Tão claro e simples, e eu pensei que fosse um bicho de sete cabeças. Só, só, só isso?

— Só, meu filho. Todas as coisas da ciência são simples quando as entendemos.

— Sempre que a senhora explica nós entendemos muito bem; mas quando os outros explicam, ficamos na mesma.

— É que só explico o que sei. Muitas criaturas se metem a explicar o que não sabem — e por isso ninguém as entende. Como seria possível entendê-las, se elas mesmas não estão se entendendo?

Mas voltemos ao assunto. Dizia eu que pelo espaço infinito milhões e milhões de mundos giram uns em redor dos outros. Ora, nós moramos num desses mundos. A Terra é um dos milhões e milhões de grãozinhos de poeira que flutuam no espaço — e Geografia quer dizer a descrição das coisas da superfície desse grãozinho. Mas só o que está na superfície. Contar geografia é contar tudo que está em cima da casca da Terra — contar os rios, contar os mares, as montanhas, os vulcões, os países, as cidades, as florestas...

— E a tal Geologia, vovó? Não é a mesma coisa?

— Não. A Geologia também trata da terra, mas não se limita a descrever o que está em cima da casquinha. Conta como a Terra se formou, como a casquinha endureceu e de que é formada; diz que há tais e tais rochas e como essas rochas viraram em areia ou nisso que chamamos solo; diz como se formaram os mares e as montanhas e os continentes e mil coisas. Se você furar a terra para ver como é lá dentro, já não faz geografia e sim geologia. *Geo* em grego quer dizer terra, e *grafia* quer dizer escrever ou descrever. A Geografia só descreve o que está em cima.

— E a Geometria? Também tem *Geo* no nome...

— Essa mede as coisas da terra. Mas na *História do Mundo* eu já contei como se formaram os mundos. Agora iremos dar um passeio pelo nosso mundinho, para ver o que a natureza pôs em cima dele, e também as mudanças que os homens, com as suas reinações, fizeram na superfície da casquinha. Se, por exemplo, o homem abre um canal ligando dois mares, esse canal é uma mudança — e a geografia fala dele. Se o homem derruba uma floresta e no lugar constrói uma cidade, a geografia fala dela.

Mas antes de tudo temos de ver a Terra de longe. Faz de conta que estamos na Lua, espiando a Terra por um telescópio...

Capítulo II
A TERRA VISTA DA LUA

Quem primeiro, lá na Lua, pôs o olho no imaginário telescópio a fim de espiar a Terra, foi Pedrinho.

— Que está vendo, meu filho? — perguntou Dona Benta.

— Estou vendo um astro enorme, com duas grandes manchas ligadas por um rabinho.

Dona Benta explicou:

— Você está vendo a Terra do lado do Hemisfério Ocidental. Hemisfério quer dizer metade duma esfera, ou bola, ou globo. Sempre que virem uma palavra começada por *Hemi* saibam que quer dizer metade de qualquer coisa. *Hemi* em grego significa meio. Você está vendo o que os geógrafos chamam o Hemisfério Ocidental, ou o lado da Terra que nós habitamos. As duas grandes manchas ligadas por um rabinho constituem o Continente Americano. Uma parte é a América do Norte; o rabinho é a América Central; e a outra parte é a América do Sul. Esse rabinho foi cortado pelo governo dos Estados Unidos por meio do Canal do Panamá. E que é que você vê, Pedrinho, em redor das duas grandes manchas.

— Vejo uma superfície lisa, muito igual...

— Pois é o mar. As manchas são de terra e o liso é água salgada. Uma parte dessa água tem o nome de Oceano Atlântico e outra tem o nome de Oceano Pacífico.

— E o segundo Hemisfério? — perguntou Narizinho.

— Esse é o Hemisfério Oriental. Para espiá-lo temos de levar a Lua e mais o telescópio para o lado oposto ao em que estamos.

— Visconde, — gritou Emília, — leve a Lua e mais o telescópio para o outro lado!

O Visconde fez de conta que cumpriu a ordem e Pedrinho espiou de novo.

— Estou vendo, sim, vovó! — disse ele. — Estou vendo o Hemisfério Oriental. Tem mais manchas de terra que o outro. Uma, grande, em forma de presunto...

— É a África, ou o Continente Africano, — explicou Dona Benta.

— Depois há uma ainda maior, — continuou Pedrinho.

— É a Europa e a Ásia, ou o Continente Europeu e o Continente Asiático.

— E há uma terceira mancha que parece uma ilha enorme, com várias ilhas pequenas por perto.

— É a Oceania, ou o Continente Oceânico, assim chamado porque se compõe de ilhas, grandes e pequenas, espalhadas pelo Oceano Pacífico.

Emília também quis espiar.

— Mas quanta água. Deus do céu! — exclamou ela. — Nunca pensei que no mundo houvesse mais água do que terra...

—Sim, — disse Dona Benta. — A água dos oceanos ocupa dois terços da superfície da Terra ao passo que todos os continentes somados só ocupam o terço restante. No Norte e no Sul dos Hemisférios ficam os Polos, regiões onde o sol bate de raspão e que, portanto, vivem eternamente recobertas de gelo.

— Norte? Que é Norte? — perguntou a menina.

— Nós no mundo nos orientamos pelo Sol, como aqui no sítio nos orientamos pela casa. Dizemos perto da casa, longe da casa, à esquerda da casa, à direita da casa, em cima da casa, em baixo da casa, etc. Assim na Terra. A casa é o Sol. Quando dizemos ao Norte, ou ao Sul, ou a Leste, ou a Oeste, referimo-nos a pontos em relação ao Sol.

— E como a gente sabe isso? — quis saber o menino.

— Muito simples. Ficou assentado que a direção em que o Sol nasce se chama Leste, ou Este, ou Oriente, ou Nascente; e que a direção em que o Sol se põe se chama Oeste, ou Poente, ou Ocidente. De modo que o Sul fica à direita de quem olha para o Sol e o Norte fica à esquerda.

Para você conhecer onde é Norte, Sul, etc., basta fazer isto: ficar de pé, bem esticadinho, olhando para o lado onde o Sol nasce. E então terá o Norte à esquerda, o Sul à direita, o tal Leste bem na ponta do nariz e o tal Oeste nas costas.

— Espere, vovó, deixe-me praticar, — disse o menino pondo-se de pé, já esquecido de que estava na Lua. O Sol nasce todos os dias aqui do lado da fazenda do major Teodorico — logo, Teodorico é Leste. E como minha mão esquerda fica apontando para os lados da vila, a vila é Norte. Resta o Sul. O Sul fica sendo para a direita, bem em cima da venda do Elias Turco. Está certo?

— Certíssimo, — aprovou Dona Benta. — Você já pode orientar-se perfeitamente pelo Sol. Em terra é simples, porque sabemos certo o ponto onde o Sol nasce e onde se põe. Mas no mar já não é assim. Basta que o Sol não apareça um dia para que o navegante fique desnorteado. Para evitar semelhante transtorno é que usam a bússola.

— Ahn! Desnorteado quer dizer isso... Agora compreendo. É ficar sem norte. Vivo empregando essa palavra mas só agora entendi bem o que quer dizer.

— Ha uma coisa que não entendo, vovó, — disse Narizinho. — Não entendo essa história de oceanos e mares. Por mais que olhe pelo telescópio só vejo um oceano único, porque a água que cobre a superfície da Terra é contínua. Como então falar em Oceano Atlântico e Oceano Pacífico, e Oceano Índico e Mar Mediterrâneo e Mar Cáspio?

— De fato, só existe um oceano; mas por comodidade esse oceano único foi dividido em três grandes partes, que são os chamados oceanos Atlântico, Pacífico e Índico. E o que chamamos Mares são partes desses Oceanos que ficam perto de certas terras. Há o Mar Mediterrâneo, que vocês já conhecem; o Mar da Arábia, que fica entre a Arábia e a Índia; há o Mar do Japão, que fica entre o Japão e a Coreia; há o Mar de Banda, que fica na Oceania; há o Mar Negro, que fica ao sul da Rússia; há o Mar Cáspio, que não passa dum grande lago de água salgada e não se liga ao oceano como os outros; há o Mar das Antilhas, que fica entre Cuba e a América Central; há o Mar de Bering, que fica entre o Alasca e a Sibéria...

— Chega de tanto mar! — gritou Emília. — A senhora assim nos afoga... Conte antes como é que a Terra anda passeando pelo espaço.

Dona Benta riu-se e — explicou.

— Esses milhões e milhões e milhões de mundos que flutuam no espaço gravitam uns em redor dos outros governados pela tal Lei da Gravitação que já vimos. Quando vocês crescerem e meditarem sobre isso hão de ficar maravilhados de tão prodigioso equilíbrio. Mas o assunto é imenso demais para que nos demoremos nele agora. Deixemos o Universo em paz e vejamos o que acontece neste pedacinho do Universo que é o nosso e onde o rei é o Sol. Vocês já viram isto na *História do Mundo*. Do Sol saíram todos os planetas, entre os quais a Terra, que é um dos menores...

— Já sabemos isso, — declarou Pedrinho. — Passe adiante. Conte coisas da Terra. Os outros planetas não nos interessam.

Capítulo III
A TERRA É REDONDINHA

— Pois vamos lá, — continuou Dona Benta. — Como vocês sabem, a Terra é redondinha.

— Prove! — exigiu Emília. — Aqui comigo não basta dizer; é preciso provar, ali na batata!

— Há muitos meios de provar a redondeza da Terra, e na *Viagem ao céu* já discutimos isto. O melhor meio, porém, é viajar. Se você sair daqui e for caminhando sempre na mesma direção, sabe o que acontece? Acaba voltando exatinho ao ponto de partida.

— Alguém já fez isso?

— Oh, quanta gente! Há um livro dum tal Júlio Verne, chamado *A Volta do Mundo em 80 dias*, que conta um passeio desses. Um senhor Fog, inglês de Londres, — declarou que daria a volta ao mundo em 80 dias. Seus amigos duvidaram; ele apostou e partiu, disposto a ganhar a aposta. Viajou sem parar — a pé, a cavalo, de elefante, de trem, de navio. Atravessou mares e rios e campos e florestas e montanhas. Cortou numerosos países, pulando dum continente para outro. Viu pelo caminho as mais variadas raças de gente e as mais diversas espécies de animais e plantas. Sofreu bem maus pedaços, mas afinal chegou a Londres dentro do prazo marcado e teve o gosto de embolsar o dinheiro da aposta. Se você, Emília, fizer uma viagem assim, ficará também convencida de que o nosso globo é redondíssimo.

— Mas não ganho nada, — disse a boneca. — Se todos já sabem que é redonda, quem irá apostar comigo?

— Esse inglês, — continuou Dona Benta, — realizou a sua viagem em 80 dias, e todos naquela época ficaram assombrados de tamanha rapidez. Hoje, porém, é possível fazer o mesmo percurso em muito menos tempo, porque os meios de transportes estão mais aperfeiçoados. Os aeroplanos e dirigíveis permitem encurtar enormemente as viagens. O Graf Zeppelin, por exemplo, já fez a volta ao mundo em três semanas e o aviador americano Lewis Howard fê-la de avião em três dias e algumas horas.

— E qual distância a percorrer?

— Mais ou menos 40.000 quilômetros, ou sejam 80 vezes a distância entre São Paulo e o Rio de Janeiro. Quando for descoberto o meio de voar com a velocidade de 1.666 quilômetros por hora, será possível dar a volta ao globo exatamente num dia. E será interessante, porque quem o fizer irá acompanhando o Sol. Se sair ao meio-dia, com o Sol a pino, viajará o dia todo tendo o Sol sempre a pino, como se estivesse parado no céu.

— Mas essa velocidade é absurda, vovó, — observou Pedrinho. — Nunca será conseguida.

— Por que, meu filho? Lembre-se que o homem começou andando a pé, com velocidade não maior de oito ou dez quilômetros por hora; depois utilizou-se do cavalo e conseguiu aumentar essa velocidade para 50 quilômetros; depois inventou o trem de ferro e passou a vencer 100 quilômetros por hora; depois apareceu o automóvel, que já atingiu a velocidade de 300 por hora; por fim entrou em cena o aeroplano, com o qual já chispou 600 quilômetros por hora. Repare na progressão: 10, 50, 100, 300, 600. Nesse andar, temos de admitir que um dia será descoberto o meio de vencer os 1.666 quilômetros por hora, necessários para dar a volta ao mundo num dia.

— Nem precisa isso, — advertiu Emília. — Com o nosso pó de pirlimpimpim já conseguimos velocidades muito superiores.

— Acredito, — disse Dona Benta. — Infelizmente o tal pó de pirlimpimpim esgotou-se e o inventor dele, o senhor Peninha, desapareceu...[13]

— Mas em cima da Terra que há, vovó? — perguntou Narizinho.

— Há uma camada de gás chamado ar — camadinha muito pequena. Calcula-se que a 150 quilômetros da superfície da Terra já não existe ar nenhum.

— E que vem depois?

— Depois que acaba o ar vem o éter.

— Aquele de cheirar? — perguntou Emília, que certa vez ficara tontinha ao cheirar um vidrinho de éter.

— Não. Esse líquido que você conhece é uma droga de farmácia, chamada Éter Sulfúrico. O éter de que eu falo é uma invenção dos filósofos gregos, que os sábios de hoje ainda usam. É... é...

Dona Benta engasgou. Não sabia como definir o éter de maneira que os meninos entendessem. Por fim — disse:

— É uma espécie de ar que não é ar, nem coisa nenhuma conhecida. Sua função consiste em encher o espaço entre os planetas. O éter é uma coisa hipotética. Sabem o que quer dizer hipotético?

---

[13] *Reinações de Narizinho.*

— Sei! — gritou Pedrinho, que sabia mesmo. — Hipotético é o faz-de-conta dos sábios. Quando eles não podem dar explicação exata de certa coisa, arranjam uma explicação jeitosa, com o nome de hipótese, e essa hipótese fica no lugar da explicação verdadeira, guardando a cadeira, como um chapéu. Na venda do Elias Turco é assim. Há nas prateleiras uma porção de hipóteses de vinho (garrafas vazias) esperando uma remessa que ele pediu. Quando a remessa chegar, ele tira das prateleiras as hipóteses vazias e põe as garrafas cheias. As hipóteses científicas são como as garrafas vazias do Elias Turco.

— Isso mesmo, — confirmou Dona Benta. — Vejo que compreendeu muito bem. Mas a camada de ar que envolve a Terra é tanto mais densa quanto mais perto da superfície. À medida que sobe, vai se rarefazendo, isto é, ficando mais rala, mais diluída, mais homeopática, até que o ar desaparece e surge o tal éter. Por esse motivo os aeroplanos não podem subir além de certa altura. O ar tornando-se rarefeito, eles não encontram apoio para as asas, e as hélices não encontram resistência. Como vocês sabem, é a resistência do ar que permite aos aeroplanos manterem-se no espaço e moverem-se, do mesmo modo que é a resistência da água que permite ao navio flutuar e mover-se. Saindo da camada de ar um aeroplano não pode equilibrar-se, nem mover-se; como um navio não pode flutuar nem mover-se se sair de cima da água.

Existem montanhas tão altas que bem lá em cima o ar já é irrespirável, de tão rarefeito. Por esse motivo o pico do Everest, no Himalaia (uma cadeia de montanhas da Índia), não foi até agora escalado pelos exploradores.

— Mas se o ar não tem cor, nem gosto, nem cheiro, nem forma, como é que sabemos que existe? — perguntou Narizinho.

Nesse momento a porta da sala fechou-se com estrondo. Começava a ventar forte.

— Aquela porta acaba de responder à sua pergunta, minha filha. O vento fechou-a — e que é o vento senão ar em movimento? Os homens têm meios de fazer o que querem do ar. Nos laboratórios eles o analisam e verificam que o ar se compõe de uma mistura de tais e tais gases. Chegam até a liquefazê-lo. O ar líquido é uma água terrível, que tem de ser guardada muito bem segura dentro de vidros. Se a gente pinga uma gota de ar líquido, ela evapora-se com tamanha rapidez que produz um frio medonho, congelando o que toca.

— Muito bem, — disse Pedrinho. — Em cima da Terra é ar. E em baixo?

— Como em baixo? Se a Terra não passa duma bola, como em baixo? Qual o baixo duma bola, ou esfera? Já expliquei que a Terra foi uma bola de fogo que começou a resfriar-se de fora para dentro. A parte de fora, ou a superfície, já está resfriada e por isso podemos viver sobre ela. Mas à medida que caminhamos da superfície para o centro, o calor vai aumentando, e bem lá no centro só existe fogo, ou matéria incandescente — terra derretida.

— Eu sei, — gritou Pedrinho. — A Terra começou sendo uma bola de fogo, isso há milhões e milhões de anos. Não havia água, só havia vapor d'água. Depois a casca da Terra foi esfriando e o vapor virou água no ar e começou a cair. Mas como a casca estava quente como chapa de fogão, a água que caía evaporava-se e subia de novo aos ares, e lá virava água outra vez e caía, e evaporava-se e subia e caía e subia e caía — as chuvas. Chuva é esse sobe-e-desce. Sobe vapor e desce líquido.

— Muito bem. E depois?

— A terra continuou resfriando-se mais e mais, e por fim a água pôde parar e ficar empoçada no chão, formando os mares e lagos. Hoje ainda se evapora, e sobe e desce em forma de chuva, mas isso é nada em comparação de antigamente.

— Muito bem, — aprovou de novo Dona Benta. — Agora é preciso que vocês notem isto: as coisas quentes quando se resfriam diminuem de volume. É o que os sábios chamam *contração*. O calor *dilata* os corpos, dizem eles — isto é, espicha os corpos; e a perda de calor faz que os corpos se encolham, ou se *contraiam*. Já notou, Pedrinho, que os trilhos das estradas de ferro são sempre separados entre si por um espaço?

— Já, sim. Há sempre um espaço de quase um centímetro entre um e outro.

— E sabe por que isso? Justamente por causa da dilatação dos corpos pelo calor. Se os trilhos não tivessem entre si essa separação, num dia de sol quente o ferro dilatava-se e as pontas dos trilhos embicavam uma na outra, erguendo-se e despregando-se dos dormentes.

— Ora veja só! Eu nunca havia pensado nisso. Sempre julguei que os construtores de estradas deixavam esses vãozinhos por economia.

— Deixam-nos para que os trilhos se dilatem nos dias de calor sem causar transtorno à linha. Com a Terra deu-se o inverso. Era uma grande massa única, sem vãozinhos, de modo que ao resfriar-se ia se contraindo — ia se esgrouvinhando. Numa fruta que a gente põe a secar é fácil ver o que acontece. Uma uva, por exemplo. De redondinha e lisa que é, murcha, esgrouvinha-se toda quando vira passa. A Terra foi uma grande uva que ao virar passa ficou esgrouvinhada de montanhas e vales.

Até hoje a Terra ainda sofre mudanças na casca. Sempre que há um terremoto a crosta da Terra sofre um encolhimento ou um enrugamento naquele ponto. Mas os terremotos de hoje são nada em comparação com o que deviam ter sido no começo. Foram esses tremendos terremotos que ergueram as montanhas atuais e fizeram sair dos mares os continentes.

— Quem pode afirmar que os continentes surgiram de dentro dos mares? Quem viu? — perguntou Narizinho.

— Há muitas provas, entre elas o encontro de conchas e outros vestígios de mar no alto de montanhas; isso indica que tais montanhas já estiveram debaixo d'água, porque só na água se formam conchas.

Capítulo IV
O MIOLO DA TERRA

No outro dia Dona Benta voltou a conversar sobre o mesmo assunto.

— Emília, — disse ela, — se você abrir um buraco ali no terreiro, que é que sai?

— Terra, — disse a boneca.

— E depois? se o buraco for bem fundo?

— Terra quente.
— E depois, mais, mais, mais fundo?
— Terra derretida, ou lava.
— E depois?
— Terra quente, outra vez.
— E depois?
— Terra fria, outra vez.
— E depois?
— Depois? Depois saem chineses...
Todos riram-se, menos Dona Benta.

— Emília está certa, — disse a boa senhora. — Os chineses são os nossos Antípodas, isto é, a gente que vive do lado oposto ao nosso, de modo que se o buraco aberto pela Emília varasse a Terra lado a lado, poderia muito bem dar na China.

— Emília errou, vovó! — contraveio Narizinho. — Se o tal buraco varasse a Terra podia aparecer tudo, menos chineses. Para chegarem até nós, por dentro desse buraco, os chineses teriam de atravessar o centro da Terra, onde o fogo é terrível, e ficariam imediatamente reduzidos a torresmos. Ahn! — e Narizinho botou a língua para a boneca.

— Não vale a pena perdermos tempo com esse buraco, — disse Dona Benta, — porque é um impossível. Teria de ter uns 12.800 quilômetros, e nem um tatu mágico é capaz de abrir um buraco dessa profundidade. Os buracos mais profundos que os homens conseguiram não passam de picadinhas de alfinete na crosta da Terra. Que eu saiba, o mais profundo de todos é um poço que está sendo aberto na Califórnia para ver se há petróleo. Está já com cinco mil metros ou cinco quilômetros.

— Só?

— Só, minha filha, e constitui um motivo de espanto para os homens. Somos simples formiguinhas deste planeta, não resta dúvida...

— Mas como os homens sabem que a distância dum lado a outro da Terra é de 12.800 quilômetros? — perguntou Pedrinho. — Quem furou para medir?

— Essa linha que atravessa a Terra chama-se diâmetro. Todas as bolas, ou esferas, têm o seu diâmetro, e para sabermos qual é o diâmetro não há necessidade de furar e medir a esfera. Basta calcular. Os geômetras, que são os homens que estudam a ciência das medições, descobriram que todas as bolas, sejam de que tamanho forem, têm sempre a *circunferência três vezes e um tiquinho maior que o diâmetro*. Ora, os homens mediram a circunferência da Terra e acharam 40.000 quilômetros. Logo, o diâmetro tem aqueles 12.800 quilômetros, ou seja um terço e um tico da circunferência.

Pedrinho, na dúvida, resolveu tirar a prova daquela matemática. Cortou pelo meio várias laranjas e uma grande abóbora bem redondinha. Mediu a circunferência e o diâmetro de todas as "cuias" e achou que era sempre um terço e um tico da circunferência, qualquer que fosse o tamanho das frutas. Quando voltou para a sala e contou o caso, Dona Benta disse:

— Muito bem. Gosto que vocês se convençam por si mesmos. Desse modo o que aprendem fica para sempre gravado na cabeça. Temos agora que ver como é formada essa crosta da Terra.

— Eu sei, — disse Pedrinho. — É feita de camadas, como as cebolas.

— Sim, é constituída de camadas de matérias diferentes. Camadas de argila, camadas de areia, camadas de carvão, camadas de pedra, etc. Mais para baixo só há camadas de rochas duríssimas, e segue rocha, cada vez mais quente, até dar na zona do fogo, ou das rochas derretidas.

— Nesse caso, — observou Narizinho, — os vulcões não passam de chaminés por onde a rocha derretida espirra.

— Assim pensam os sábios. Não pode haver chaminé que lance fumaça e faíscas sem haver fogão por baixo. Ora, o fogo e a lava, ou pedra derretida, que os vulcões lançam, provam que há fogo e pedra derretida no centro da Terra. Como os vulcões aparecem sempre na beira dos mares, certos sábios supõem que a causa deles seja a água do mar que entra por frestas e vai cair no fogo interno. Quando a gente derrama água fria numa chapa de ferro quente, que acontece?

— A água berra de dor e chia e vira vapor bravo, — disse Emília. — Já fiz essa experiência no fogão da Tia Nastácia.

— Pois o mesmo se dá com a água do mar que entra pelas frestas e cai no fogo lá do centro. Como o calor é infinitamente maior do que o de uma chapa de fogão, a água explode em gases, com estouros medonhos e rompe a casca da Terra, formando os vulcões.

— Que pena não termos nenhum vulcão no Brasil! — lamentou Pedrinho.

— Não os temos agora, mas já os tivemos e muitos. Há milhões de anos os vulcões deviam ser tão abundantes aqui como os formigueiros de saúva. Em muitos lugares do mundo encontramos sinais de vulcões extintos, isto é, de vulcões que já morreram. Às vezes esses vulcões extintos renascem por certo tempo, despejam fogo, cinzas e lavas e adormecem de novo. Foi o que fez o velho vulcão extinto que existia perto da cidade de Pompeia. Estava adormecido de tanto tempo, que os homens não tiveram receio de construir cidades perto dele. De repente acordou, fez aquele estrago medonho, destruiu Pompeia inteirinha e adormeceu de novo. Eu com vulcões não quero histórias, nem com os ativos, nem com os extintos.

— Estes são leões que dormem, — observou Pedrinho sentenciosamente.

Capítulo V
A GRANDE PARADA

No outro dia Pedrinho recebeu uma carta dum colega, na qual era descrita uma grande parada militar a que ele assistira. "Era soldado que não acabava mais. Dez mil! Levaram meia hora desfilando diante de minha janela."

Dona Benta aproveitou o tema para falar da população da Terra.

— O seu colega, Pedrinho, ficou admirado do desfile de dez mil homens. E se ele assistisse ao desfile da humanidade inteira? Há gente neste nosso planeta como formiga ali no pasto. Até as zonas cobertas de neve, como as regiões polares, são habitadas. Onde existe água existe gente. Só não há gente nos desertos sem uma gota d'água.

Os sábios calculam que em nosso globo nascem um pouco mais de cem crianças por minuto.

— Por minuto? — exclamou Pedrinho. — Que mina! Então enquanto eu vou daqui à vila, meia hora, o mundo aumenta de mais 3.000 habitantes?

— Não; nascem mais 3.000, mas também morrem quase 3.000, de modo que o aumento é muito menor. Mas há sempre aumento. Os sábios calculam a população do globo em 2.000.000.000 de criaturas — dois bilhões, ou dois mil milhões. E como nasce mais gente do que morre, a população do mundo vai aumentando sempre.

Todos os habitantes da Terra têm mais ou menos a mesma estatura e o mesmo aspecto. Só nos contos de fadas é que há gigantes do tamanho de torres, e homens de asas, e mulheres com corpo de peixe, etc. Na realidade o que existe são criaturas como nós, com dois braços, duas pernas, dois olhos e o resto. Diferença grande, só na cor da pele. A maior parte dos dois bilhões, a metade pelo menos, é de cor amarela-pardacenta. Depois temos os de cor preta, os de cor de cobre e os de cor branca. As raças humanas são classificadas de acordo com a cor da pele. Eu já expliquei o motivo da pele ter cor.

— São os pigmentos, — gritou Emília, que gostava muito desse termo e vivia empregando-o a propósito de tudo. — Tia Nastácia é da raça negra porque tem a pele cheia de pigmentos negros.

— Sim, é isso, — confirmou Dona Benta. — A raça branca não possui pigmentos na pele e por isso é branca. As raças vivem cada qual numa parte do mundo, e em muitos pontos acham-se bastante misturadas, como aqui entre nós. No Brasil temos gente de todas as cores. Nos países do Norte da Europa não existe essa mistura. São todos brancos. Na China também não existe mistura. São todos amarelos. O mundo está dividido em continentes e só num deles temos toda a gente branca.

— Quantos são os continentes?

— Seis. A Europa, onde todos são da raça branca; a Ásia, onde quase todos são da raça amarela; a África, onde todos são da raça negra; a América, onde a raça dos primitivos habitantes era vermelha; mas foi invadida pelos brancos, que depois trouxeram os negros e agora estão trazendo os amarelos. E há ainda a Oceania, onde a raça nativa tem uma cor entre o amarelo e o negro.

Pedrinho abrira diante de si um mapa-múndi para ir seguindo nele as palavras de Dona Benta.

— Estes continentes compõem-se de países, cada qual com um governo seu, costumes próprios e língua própria. Existem oitenta países, entre grandes e pequenos.

— Qual o maior?

— O maior em território é a Rússia, que mede mais de 20 milhões de quilômetros quadrados; depois vem a China, com 11 milhões; o Canadá com 9.665.000; os Estados Unidos com 9.362.000; e o Brasil com 8.500.000.

— E em população?

— Em população o maior é a China, com 400 milhões de habitantes; depois vem a Índia, com mais de 300, a Rússia com 170 e os Estados Unidos com 130.

— E o menor? — quis saber Narizinho.

— O menor é a República de San Marino, uma iscazinha de país encravada ao Norte da Itália. Possuem apenas 10.000 habitantes, espalhados num território de 40 quilômetros quadrados.

— Que quer dizer quilômetro quadrado? — quis saber Narizinho.
— Que pergunta! — exclamou Emília. — Quilômetro quadrado é o contrário de quilômetro redondo.

Todos riram-se, mas a boneca — explicou:

— Quilômetro redondo é o que mede as distâncias nos caminhos, e é redondo porque a gente vai pelos caminhos rodando em cima de rodas de automóvel; e quilômetro quadrado é o que mede o chão.

— Deixe vovó explicar, Emília. A professora é ela, não você.

— Quilômetro quadrado, — explicou Dona Benta, — quer dizer um quadrado de um quilômetro, ou mil metros de cada lado. Se você forrar o pasto com um milhão de ladrilhos de um metro quadrado cada um, obterá exatamente um quilômetro quadrado de área ladrilhada.

— Bolas! — exclamou o menino. Agora me lembro que o Visconde já nos ensinou isso na *Aritmética da Emília*.

— Mas voltando ao assunto da população da Terra, — disse Dona Benta, — vemos que há gente como formiga neste nosso mundinho. Dois bilhões de criaturas! É possível imaginar isso? Se toda a população desfilasse a dois de fundo ali pela porteira do pasto, cada dois gastando um segundo para passar, quantos anos levariam passando esses dois bilhões de criaturas! Vamos ver quem faz a conta.

Pedrinho correu ao lápis e fez a conta antes dos outros.

— Num minuto passavam 120, porque um minuto tem 60 segundos. Numa hora passavam 7.200, porque uma hora tem 60 minutos. Num dia passavam 172.800. Num mês passavam 5.184.000. Num ano passavam 62.208.000...

Narizinho, que era melhor calculista, completou a conta.

— Já achei a conta certa, vovó! — gritou ela. — Os dois bilhões levavam passando 32 anos, 1 mês, 24 dias, 1 hora, 46 minutos e 40 segundos exatamente.

— Muito bem, minha filha. Sua conta está o que há de certa. Um colossal desfile de 32 anos, imaginem! E então veríamos passar os ingleses de cara vermelha, os suecos e noruegueses de cabelos de boneca, os italianos gesticuladores, os espanhóis e portugueses morenos, os russos de blusa e botas, os marroquinos de fez vermelho, os africanos de cabelo pixaim, os japoneses de olhos amendoados, os chineses, os hindus de turbante, os esquimós vestidos de peles, os malaios cor de moedas de cobre, os brasileiros de todas as cores, os americanos de sapatões, os turcos de olhos tão vivos que metem medo na gente, os índios da Patagônia que têm fama de ser os homens mais altos do mundo.

Seria um espetáculo interessantíssimo; infelizmente é um sonho.

— Que pena! — exclamaram os meninos.

— Mas vocês não sabem do melhor. Um calculista americano fez uma conta para mostrar que toda essa gente caberia numa caixa cúbica, medindo 800 metros de altura, 800 de largura e 800 de comprimento. E fez um desenho para mostrar que se essa caixa fosse empurrada para o fundo do Grande Canyon do Arizona, lá desapareceria no fundo, com toda a humanidade dentro.

— Mas então esse tal Grande Canyon é um abismo terrível! — observou a menina.

— É um rasgão que as águas abriram entre montanhas. No fundo corre o rio Colorado. Mais tarde trataremos dos rasgões, ou Canyons. Constituem um dos espetáculos mais grandiosos que possamos ver sobre a terra.

— E onde fica o tal Arizona?
— É um dos estados dos Estados Unidos.
— O café está na mesa! — gritou lá de dentro Tia Nastácia.
Os meninos largaram da geografia e saíram pulando.

Capítulo VI
"O TERROR DOS MARES"

No dia seguinte Emília teve uma ideia.

— Vamos estudar geografia de outro jeito, — propôs. — Tomamos um navio e saímos pelo mundo afora vendo o que há. Muito mais interessante.

— Mas onde está o navio, boba? — indagou Narizinho.

— Um navio faz-de-conta.

— Acho ótima a lembrança, Emília, — disse Dona Benta. — E eu sigo no comando desse navio. Que nome vai ter?

— "O Terror dos Mares"! — gritou a boneca. — Levamos toda gente da casa, Tia Nastácia, Quindim, o Visconde — todos, menos Rabicó.

A imaginação dos meninos começou a trabalhar, de modo que dali a pouco a lufa-lufa se tornara grande; "O Terror dos Mares" ia partir às duas horas em ponto. Pedrinho quis o lugar de Imediato. Emília tomou conta do leme — ficou sendo a Timoneira. Narizinho foi para o cesto da gávea, para ir gritando as terras que fossem aparecendo. Quindim era a Tripulação; tinha de fazer todos os serviços pesados, desdobrar o velame ("O Terror dos Mares" era navio de vela), recolhê-lo, montar guarda de noite, etc. Tia Nastácia teve de mudar de sexo para fazer o papel de cozinheiro. O Visconde fazia o *steward*, ou o criado de bordo.

Às duas horas os preparativos já estavam prontos. "O Terror dos Mares" recolheu as âncoras e abriu as velas. O vento encheu-as — e lá se foi ele avançando vagarosamente.

— Para onde querem ir? — gritou Emília com a mão na roda do leme.

Dona Benta, vestida de "lobo do mar" e com a luneta de ver ao longe em punho, — gritou uma ordem:

— Rumo norte! Vamos seguir pela beirada do Brasil acima. Estamos no fim do Brasil, no começo da costa do Rio Grande do Sul.

Todos olharam e viram ao longe uma linha branca de praia. Quem está em mar alto só vê as costas das terras — uma faixa no horizonte.

— Ali começa o Brasil, a contar do Sul para o Norte, — disse o Capitão. Estamos defronte o Estado do Rio Grande do Sul, a terra dos gaúchos.

— Que quer dizer gaúcho, vovó, digo, Capitão?

— É o nome popular que têm os homens que vivem nos Pampas. Chama-se Pampas a zona de planícies sem florestas, só de campos, que começa na Argentina e vem até cá ao Rio Grande. A Argentina fica lá adiante, atrás do Rio Grande. A vida dos homens, em qualquer parte do mundo, depende da terra, e como aqui a terra é sobretudo composta desses campos, ótimos para a criação do gado, a vida dos homens que habitam o Rio Grande, o Uruguai e a Argentina gira em torno da criação do gado. A Argentina é um dos países do mundo que produzem maior quantidade de gado, sejam bois, cavalos ou carneiros — tudo isto é gado. Boi é gado bovino, cavalo é gado cavalar, carneiro é gado ovino.

— Ovino? — admirou-se lá no leme a Timoneira Emília. — Mas carneiro então põe ovo?

Quindim, que estava esticando uma vela, largou da corda para sentar-se no chão e rir-se à vontade — *quó, quó, quó*. O rinoceronte achava uma graça imensa em tudo quanto a boneca dizia.

— Ovino, — explicou o Capitão, — quer dizer a mesma coisa que Ovelhum. É uma palavra derivada de ovelha. Ovelha ou carneiro é a mesma coisa. Os argentinos, uruguaios e rio-grandenses dedicam-se sobretudo a criar esses animais, vivendo à custa deles. Alimentam-se de sua carne, vendem para outros países a que sobra, extraem e curtem os couros, aproveitam os ossos para adubos ou botões, utilizam-se do cavalo e do boi para o transporte, etc. Se ao gaúcho tirarmos o gado, ele fica tal qual peixe fora d'água.

— Como é que vendem o gado para outros países? — perguntou lá do cesto da gávea Narizinho.

— Vendem-no já reduzido a carne — carne congelada ou carne seca, também chamada charque. Há navios com câmaras frigoríficas onde as postas de carne são conservadas em temperatura muito baixa — temperatura do gelo. Como vocês sabem, o gelo conserva a carne, impedindo-a de apodrecer. Vai assim a carne congelada até os portos dos países que a compram, como a Inglaterra, e lá é descarregada, passando para depósitos também frigoríficos, donde só sai para os açougues.

O hábito de lidar com gado deu aos moradores dos Pampas uma fisionomia especial. São homens carnívoros, isto é, que se alimentam quase exclusivamente de carne, e valentes. Pela minha luneta vocês podem ver uma das cenas mais típicas dessas terras.

Dona Benta apontou a luneta mágica e todos vieram espiar. Viram uma boiada enorme que ia sendo tangida por homens a cavalo, rumo a um saladeiro. Os pobres animais, com grandes olhos de susto, foram obrigados a entrar numa área cercada, ou curral, donde eram tangidos para um corredor estreito, em cuja extremidade estavam os magarefes.

— Que homens tão terríveis aqueles, vó... Capitão! — exclamou a menina. — Trazem faca em punho e têm os aventais vermelhos...

— São os matadores de bois. Cada animal que chega ao fim do corredor, recebe deles um pontaço de faca na nuca, num lugarzinho mortal que todos os animais possuem no alto da cabeça. Olhe lá! Aquele magarefe acaba de erguer a faca para matar o boi que lhe chegou perto...

Realmente foi assim. A faca desceu num golpe seguro e o boi caiu. Imediatamente outros homens o puxaram dali; outros lhe tiraram o couro; outros abriram-no para extrair a barrigada, e depois o picaram em quartos, que iam dependurando em ganchos de ferro.

Os meninos não quiseram ver mais.

— Chega, vovó, — disse a menina, esquecendo-se de que Dona Benta no navio não era avó e sim Capitão. — Não posso ver sangue...

— Pois nos Pampas, minha filha, os homens não têm o menor horror ao sangue, já que o principal negócio é criar gado e matá-lo. A cena que você espiou repete-se todos os dias, em todos os saladeiros da Argentina, do Uruguai e do Rio Grande. Depois de extraída a carne dos bois mortos, eles a levam para os frigoríficos, ou salgam-na e põem-na em varais ao sol, para secar.

— Estou com remorso de gostar tanto de picadinho de carne seca com pirão, — disse a menina. — Agora é que sei donde vem tal petisco...

— Pois é assim, minha filha. Nós lá no sítio temos comido muito boi morto aqui no Rio Grande. Mas a gente gaúcha não cuida só disso. Na Argentina, como os campos são ótimos para a agricultura, eles plantam e colhem uma imensidade de trigo. Espie aqui na luneta. Está vendo naquela cidade aqueles edifícios enormes?

— Estou, sim. Parecem caixões...

— São grandes elevadores de trigo. Aquela cidade é Buenos Aires, a capital da Argentina e a maior metrópole da América do Sul, com mais de três milhões de habitantes. Como você vê, Buenos Aires fica na embocadura do Rio da Prata, e por isso os argentinos são chamados Platinos. Rio de la Plata é o nome desse rio em espanhol. É um rio formado de águas nossas, pois não passa da continuação do rio Paraná, que tem suas nascentes no Brasil.

Lá para o sul da Argentina ficam as planícies da Patagônia, em cujo fim está a Terra do Fogo. Como já se acha muito perto do polo, é um lugar terrível de frio.

— E como então é Terra de Fogo?

— Por causa das fogueiras que os índios acendiam, na costa e os navegantes avistavam do mar. Essa Terra do Fogo está separada do continente pelo Estreito de Magalhães.

— Eu sei a história de Magalhães! — gritou o Imediato Pedrinho. — Era um navegante português que saiu com três navios para dar volta ao mundo — e deu, o danado! Infelizmente não teve o gosto de voltar ao ponto de partida. Foi morto pelos selvagens de uma ilha. Mas um dos seus navios voltou a Lisboa, depois duma viajada de um ano. Já aprendi isso na *História do Mundo*.

— Pois lá está o estreito por onde Magalhães passou do oceano Atlântico para o Pacífico.

— Ahn! — fez a menina. — Estreito é aquilo... Agora compreendo.

— É aquilo, sim, minha filha. É uma nesga de mar que separa duas terras. A América do Sul tem a forma dum presunto; a ponta mais fina dirige-se para o Polo Sul e nesse extremo a terra é toda picada de ilhas e ilhotas. Ilhas são aquilo — pedaços de terra cercados de água por todos os lados; ilhotas são as ilhas pequenininhas. Numa delas, a última para o Sul, fica o Cabo Horn.

— Cabo de que? — gritou lá do leme a Timoneira. — De faca ou de vassoura?

— Cabo, — explicou o Capitão, — é uma ponta de terra que avança pelo mar a dentro. Tem esse nome porque lembra um cabo de qualquer coisa. Esse Cabo Horn é o fim do Continente Americano, o fim da América do Sul e o fim da Argentina. Depois dele há um mar friíssimo, sempre com grandes blocos de gelo boiantes: o Mar Glacial Antártico. Glacial quer dizer gelado, e Antártico quer dizer oposto a Ártico.

— E que é Ártico?

— Ártico é o nome dado ao Polo Norte. Regiões árticas são as regiões próximas do Polo Norte. Regiões antárticas são aquelas que vocês estão vendo pela luneta, próximas do Polo Sul.

— E o que é polo?

O Capitão ficava tonto com tantas perguntas, mas não deixava nenhuma sem resposta.

— Já vou mostrar o que é polo — e pediu que lhe trouxessem uma laranja. Atravessou-a lado a lado com uma vareta e disse: — Aqui está a Terra, esta laranja, e a Terra gira sobre si mesma como estou fazendo a laranja girar sobre o eixo da varinha, assim — e fez a laranja girar. — A Terra vive eternamente em giro sobre um eixo ideal, isto é, que não existe materialmente. É como se esta laranja girasse, como está girando, mas por si mesma, dando uma volta completa em 24 horas — e isso faz o dia e a noite; e também gira em redor do Sol. Mas para dar uma volta completa em redor do Sol leva mais tempo — leva 365 dias, ou um ano. Ano quer dizer isso: o espaço de tempo que a Terra leva para dar uma volta completa em redor do Sol. Entenderam?

— Mas que tem isso com o polo?

— Já chego lá. Polo é cada um destes pontos por onde a vara entra e sai da laranja. Na Terra, os polos são os pontos que marcam o lugar onde termina o tal eixo que não existe; se a Terra fosse atravessada por uma vara, os polos seriam o ponto por onde a vara entrava e o ponto por onde a vara saía. O polo que fica ao Norte chama-se Polo Norte, e o que fica ao Sul chama-se Polo Sul. Aquele mar glacial que estamos vendo pela luneta fica perto do Polo Sul, ou Antártico. Mais para diante acaba o mar e começam as terras cobertas de gelo eterno que rodeiam esse polo.

Todos vieram espiar pela luneta as terras antárticas. Eram uma brancura só. Nada de árvores ou vestígios de habitação humana. Um deserto de gelo. No mar que o banhava também só se viam blocos de gelo flutuantes, alguns enormes, como ilhas.

— São os Icebergs — pronuncia-se *áiceberg* porque é palavra inglesa que quer dizer monte de gelo. Ice (*áice*) em inglês é gelo, e *Ice cream* é aquilo de que vocês gostam tanto.

— Eu sei! — gritou Pedrinho. — Sorvete!

— Isso mesmo, mas se vocês estivessem largados naquelas regiões antárticas, quereriam tudo, menos sorvete. O frio lá é uma coisa pavorosa e perpétua, de várias dezenas de graus abaixo de zero.

— Abaixo, vovó? Pois zero já não é a temperatura do gelo?

— Zero já é gelo; imaginem agora 40, 50, 60 graus abaixo de gelo...

— *Brr!* — fez Emília lá no leme, sentindo-se enregelar só com a menção daqueles frios tremendos.

— E no entanto esse terrível bichinho que é o homem até lá tem conseguido ir. Várias expedições foram organizadas com a mira de atingir tanto o Polo Norte como o Polo Sul. O Polo Norte foi alcançado pela primeira vez pelo explorador americano Peary, no dia 6 de agosto de 1909. E o Polo Sul foi alcançado pela primeira vez a 14 de dezembro de 1911 pelo capitão norueguês Roald Amundsen. Deu-se nessa ocasião uma singular tragédia. Um capitão da marinha inglesa, Scott, também havia organizado uma expedição para atingir esse polo, mas quando lá pôs o pé viu que chegara tarde — o norueguês o havia antecipado com diferença de um mês e quatro dias. Scott alcançou o polo no dia 18 de janeiro de 1912.

— Que azar! — exclamou o Imediato Pedrinho.

— E não parou aí o azar, — disse Dona Benta. — O capitão Scott e seus companheiros foram ainda mais infelizes na volta. Acabando as reservas de víveres e de tudo, tiveram de deixar-se entanguir de frio até morrer. O mundo ficou sabendo da tragédia pelo diário de viagem do capitão Scott, mais tarde encontrado junto aos seus restos mortais.

Nesse momento Narizinho, lá do cesto da gávea, deu um grito:

— O mundo está pegando fogo! Olhem!

Dona Benta apontou a luneta na direção que o dedo da menina indicava. De fato, o céu estava em chamas. Formara-se nele imenso meio-disco de fogo, que saía dum ponto central, como as varetas dum leque. Não podia haver espetáculo mais grandioso. Dona Benta — explicou:

— Vocês estão vendo a Aurora Austral, companheira da Aurora Boreal que só aparece no Polo Norte. Os sábios ainda não estão de perfeito acordo sobre a origem dessas auroras; uns querem que sejam um fenômeno elétrico, outros querem que sejam um efeito do pôr do sol. Seja lá como for, nada pode existir mais deslumbrante.

Os meninos extasiaram-se com a Aurora Austral, que apresentava todos os tons do vermelho e do amarelo.

— Um leque como aquele é que eu queria! — exclamou a boneca. — Vamos pegá-lo?

— É meio difícil, — disse Dona Benta. — Daqui a pouco vai desaparecer.

De fato. Dali a pouco as cores começaram a desmaiar e a escuridão tomou conta do céu. Já era noite fechada. O Capitão d'"O Terror dos Mares" deu ordem de recolher.

— Cama, meninada! Fica o resto para amanhã.

Capítulo VII
O SUL DO BRASIL

No dia seguinte "O Terror dos Mares" amanheceu tão longe de terra que não foi possível enxergar nem um pontinho da costa rio-grandense.

Estavam em alto mar. Quindim esquecera-se de descer a âncora, de modo que o brigue — "O Terror dos Mares" era um brigue — fora levado pelo vento para muito longe da costa.

— E agora? — veio o Imediato perguntar ao Capitão. — Que fazer? O brigue está sem bússola...

— Sem bússola? Onde se viu um navio sem bússola? — Era um esquecimento imperdoável aquele, e se o Capitão não fosse avô do Imediato, certamente lhe castigaria a imprevidência. Mas, em vez de castigar o faltoso, apenas disse:

— Não faz mal, Pedrinho. O ar está limpo e vamos ter belo sol. Por ele nos orientaremos.

Era madrugada. Meia hora depois um clarão começou a pintar de amarelo um dos lados do céu. Logo depois apareceu uma beiradinha de fogo: o sol ia saindo do mar.

— Que esquisito! — exclamou Emília. — Ele esteve dentro d'água a noite inteira e não se apagou...

Quindim fez *quó, quó, quó.*

— Não diga asneiras, bobinha, — corrigiu Dona Benta. — O Sol está a milhões de quilômetros do mar.

— Mas parece...

— Parecer não é ser. Trata-se apenas duma ilusão de ótica, ou ilusão dos nossos olhos. Mas, vamos lá, senhor Imediato. Oriente-se.

Pedrinho orientou-se e disse onde estava o Norte.

— Muito bem! — aprovou o Capitão. — Temos de fazer o brigue velejar rumo Oeste para nos aproximarmos da costa. Quindim que manobre as velas.

O Imediato transmitiu a ordem e o rinoceronte arrumou as velas de jeito que o vento aproximasse o brigue da costa. Depois de meia hora de marcha, a menina gritou lá do cesto da gávea:

— Terra! Terra! Mandem aqui a luneta.

Todos olharam. Realmente estavam de novo com as costas do Rio Grande à vista.

O *steward* levou para cima a luneta, que a menina pôs em foco.

— Estou vendo uma linda cidade de bom tamanho à beira dum lago enorme, com bondes nas ruas e uma estrada de ferro que a liga a várias outras cidades mais para o interior.

— É Porto Alegre, a capital e a principal cidade do Rio Grande. Esse "lago enorme" é a Lagoa dos Patos, a maior do Brasil. Repare que no fim da lagoa, para o Sul, existem mais duas cidades.

— Existem, sim. Uma bem perto do mar...

— É a cidade de Rio Grande. Está no fim da Península que separa a Lagoa dos Patos do mar. A outra é Pelotas.

— Que é península, vovó?

— É uma quase-ilha. A ilha é cercada de água de todos os lados; a península também é cercada de água, mas não de todos os lados. Por um deles fica presa ao continente. Essa península acaba na cidade do Rio Grande. Note que mais ao Sul ainda há outras lagoas.

— Estou vendo...

— A maior é a Lagoa Mirim, bem grande, apesar da palavra Mirim significar pequeno. Por ela passa a divisa do Rio Grande com o Uruguai, que é um pequeno país ao Sul do nosso. O Uruguai já fez parte do Brasil com o nome de Província Cisplatina, mas soube conquistar a sua independência e vive agora muito próspero. Cria excelente gado, porque o seu território também faz parte dessa extensa região de campos onde ficam o Rio Grande e a Argentina. Sua capital...

— Estou vendo-a! — gritou Narizinho. — Uma linda cidade à beira-mar, perto de outra ainda maior...

— É Montevidéu, capital do Uruguai. Notem que fica num pedaço d'água que entra pela terra a dentro. É o Rio da Prata. A outra cidade, a grande, é Buenos Aires.

— Chi! Quantos navios nesse Rio da Prata...

— São os navios que vão a Buenos Aires e Montevidéu buscar os produtos que a Argentina e o Uruguai vendem para o estrangeiro — trigo, carnes, couros, lã, frutas, linhaça...

— Que é linhaça?

— Semente da planta que produz o linho. Dá um óleo muito usado no preparo das tintas, porque tem a propriedade de secar depressa.

— Noto uma coisa, vovó, — disse a menina voltando a luneta para o Rio Grande. — Não há montanhas altas por lá — tudo plano, exceto ao Norte. Ao Norte as terras são mais altas, mas pouco mais. E noto ainda que quanto mais para o Norte, mais montanhosas vão ficando as terras.

— De fato, — disse Dona Benta. A Serra do Mar começa ali e vai sempre subindo em altura e sempre beirando a costa; depois que sai do Rio Grande entra nos Estados de Santa Catarina e Paraná. Em seguida abaixa-se e ergue-se de novo, mas já com o nome de Serra da Mantiqueira, na qual atinge o ponto mais alto do Brasil, que é o Pico do Itatiaia, entre os Estados de São Paulo, Minas Gerais e Rio de Janeiro.

— Quantos metros tem?

— Quase 3.000. Há lá em cima uma série de rochas pontudas, com o nome de Agulhas Negras.

— Por que dão o nome de serras às montanhas? Que tem que ver uma serra com uma montanha?

— Porque vistas de longe as montanhas apresentam uma série de bicos que lembram dentes de serra.

— E que tal é o Rio Grande, vovó?

— Ah, o Rio Grande do Sul é uma das partes mais interessantes, mais ricas e de mais futuro do Brasil. Tem todas as condições de clima e topografia para desenvolver-se cada vez mais. O povo é sadio e corajoso. E entusiasta. Um povo feliz. As culturas são variadíssimas; produz até trigo; e as indústrias se desenvolvem com muita força. Em matéria de vinho o Rio Grande está na ponta. Conheço vinhos de Caxias que são absolutamente perfeitos.

Enquanto conversavam geografia "O Terror dos Mares" ia subindo a costa, rumo Norte. Chegando defronte às costas de Santa Catarina, Dona Benta mostrou pela luneta a cidade de Florianópolis, que é porto de mar, isto é, situada à beira do mar, em ponto favorável à atracação dos navios. Mostrou ainda as cidades de Laguna e São Francisco, ambas também à beira-mar. Narizinho notou que Florianópolis ficava numa ilha.

— É a ilha de Santa Catarina. Essa cidade já teve um nome muito feio — Desterro. Depois mudou para Florianópolis, ou cidade de Floriano.

— E como se chamavam os moradores da antiga cidade de Desterro? — quis saber Pedrinho.

— Desterrados! — gritou lá do leme a Emília.

Quindim deu uma risada, *quó, quó, quó*...

— Chamavam-se *desterrenses*, — disse Dona Benta.

— E agora?

— Agora são os florianopolitanos ou florianopolitenses. A gente de lá não ganhou muito com a troca... Santa Catarina é um estado ainda pouco desenvolvido e de pequena população. Apesar de possuir um território de 43.000 quilômetros quadrados, isto é, maior que os da Suíça, da Holanda ou da Bélgica, sua população anda por umas oitocentas e tantas mil almas apenas. Ao Norte há várias cidadezinhas muito curiosas, formadas pelos colonos alemães. São diferentes de todas as outras do Brasil, não só pelo tipo das casas, como pelos costumes dos habitantes. Lindas e muito prósperas. Possuem fábricas de mil coisas, manteiga, queijo, sabão, velas, vassouras, meias, fósforos, pregos, cerveja, colas, farinha de banana, tecidos de algodão, etc. A principal é Blumenau, fundada pelo notável dr. Blumenau. A segunda é Joinville.

Como vocês estão vendo pela luneta, o Estado de Santa Catarina é uma prolongação do Rio Grande do Sul. Campos de criar ao Sul e a Oeste, e só perto da costa vemos terras montanhosas — a tal Serra do Mar que dali se dirige para o Estado do Paraná.

O brigue estava já defronte à costa do Paraná. Os meninos viram a cidade de Curitiba, que é das mais bonitinhas do Brasil, e os portos de Antonina e Paranaguá. Pequenas embarcações chamadas iates faziam o transporte de mercadorias dum ponto para outro. O iate é um lindo naviozinho de vela.

— Quanto pinheiro! — exclamou lá na gávea a menina. — Vejo uns campos que não acabam mais, e matas e mais matas de pinheiros...

— É essa a principal característica do Paraná. Suas terras são abundantíssimas desse pinheiro, a *Araucaria brasiliensis*.

— Que quer dizer Araucária?

— É o nome que os botânicos deram a um gênero de pinheiros dos quais existem dez espécies, todas nativas América do Sul e da Austrália. A espécie mais conhecida é a *brasiliensis*, que dá excelentes pinhões.

— Por que falar em pinhão, vovó? — murmurou o Imediato, engolindo em seco. — Gosto tanto de pinhão cozido...

— Pois é vê-los por um óculo, meu filho. O chão daquelas matas deve estar forrado de pinhão porque estamos justamente no mês mais forte dos pinhões, junho. Contente-se com ver as árvores que os produzem. Além do pinhão, que serve sobretudo para alimento do gado, os paranaenses fazem bom comércio da madeira das araucárias. Derrubam as lindas árvores, desdobram-nas em tábuas nas grandes serrarias e vendem-nas para o resto do Brasil e também para alguns países estrangeiros. A madeira do pinheiro é o pinho — madeira branca, mole, muito própria para caixões e obras leves. O pinho do Paraná não é completamente branco como o do Canadá, nem resinoso como o de Riga; apresenta-se com veios cor de rosa.

— Por quê?

— Ora que pergunta! Por que é da natureza dele ser assim.

— E, além de pinho, que mais o Paraná produz?

— Produz muita Erva-Mate.

— Sei o que é. Aquela de que se faz chá...

— Isso mesmo. O Mate que às vezes tomamos lá no sítio vem do Paraná. Existem ervais enormes, isto é, zonas onde a planta que predomina é uma a que os botânicos chamam *Illex paraguayensis*, muito abundante no Paraguai, no Paraná e no Sul de Mato Grosso. O Sul de Mato Grosso forma a continuação do Nordeste do Paraná.

— Mato Grosso! Cada vez que ouço essa palavra imagino uma floresta de paus desta grossura! — disse Pedrinho.

— Mas não é tanto assim, — explicou Dona Benta. — Creio mesmo que só lá bem ao Norte o Estado de Mato Grosso tenha mato realmente grosso. No Sul as matas são raquíticas, sobretudo na imensa região dos Pantanais.

— Que é isso?

— Ah, o Pantanal de Mato Grosso é uma das zonas mais curiosas do Brasil. Compõe-se duma enorme área de terras muito baixas, planas, que os rios inundam na estação chuvosa. Esse regime de águas impede o desenvolvimento das florestas, de modo que o que há é campo — imensos campos de criar. Cessadas as chuvas e escorridas as águas, brota da terra um capim lindo que é o regalo dos animais. Isto fez que a região se tornasse um enorme centro de criação de gado. A maior riqueza de Mato Grosso está nesse gado.

— E é grande, Mato Grosso?

— Grandíssimo! Tem um território de um milhão e meio de quilômetros quadrados, imagine! A população hoje ainda é mínima, coisa aí de 300 ou 400 mil almas — e cabem lá 200 ou 300 milhões de habitantes.

— Mas por que não aparecem esses milhões de habitantes?

— As razões são muitas. Ainda não chegou o tempo. Tudo vai devagar. Mas a grandeza futura desse estado é coisa certa. Sobretudo quando vier o petróleo e essa nova riqueza der um arranco no desenvolvimento de Mato Grosso.

— E há lá petróleo?

— Claro que há, minha filha. Se na vizinha Bolívia há tanto petróleo, por que não há de haver em Mato Grosso também? O que há dificultado o desenvolvimento de Mato Grosso é a sua situação bem lá no centro da América do Sul, muito longe dos portos.

— Ah, a eterna questão dos transportes! — observou Pedrinho.

— Perfeitamente, meu filho. O transporte é tudo, e por isso o descobrimento do petróleo em Mato Grosso vai ter consequências muito importantes, porque petróleo é sinônimo de transporte rápido.

— A senhora falou em Nordeste do Paraná. Que história de Nordeste é essa?

— É que os Pontos Cardeais determinam ainda outros pontos intermediários entre Norte, Sul, Leste e Oeste, formando o que os marinheiros chamam Rosa dos Ventos. Um ponto entre o Norte e Oeste fica a Noroeste. Um ponto entre o Norte e o Leste fica a Nordeste. Um entre o Sul e o Leste fica o Sudeste. Um entre o Sul e o Oeste fica Sudoeste.

A Rosa dos Ventos é assim:

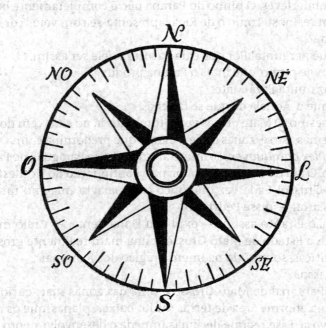

— Que rosa esquisita! — exclamou lá do leme a Timoneira. — Parece mais um ouriço...

Capítulo VIII
SÃO PAULO

— Voltemos ao Mate, — disse Dona Benta. — Todos os moradores dessa região vivem de explorar a *Illex*. Colhem as folhas e secam-nas. Só isso. Não há outro preparo. Depois empacotam-nas e vendem. Também usam moer as folhas para dar o mate chimarrão, muito apreciado pela gente gaúcha. Eles o tomam chupando a bebida por um canudinho, e em vez de xícara empregam uma cuia, ou uma cabacinha.

O canudinho tem na extremidade um pequeno ralo que não deixa passar os fragmentos das folhas moídas.

— Começa a aparecer uma cidade grande lá longe, vovó! — gritou da gávea a menina. — Um porto de mar, cheio de navios...

— É que o nosso brigue já está se aproximando da costa de São Paulo. Essa cidade é Santos.

— É mesmo! — exclamou Narizinho, que já havia estado em Santos. — Estou vendo o Monte Serrate, a estrada de ferro inglesa, a praia do José Menino... No cais estão vários navios carregando café...

— Santos é o grande porto de São Paulo, por onde saem o café e demais produtos e entram as mercadorias importadas do estrangeiro. É a porta de entrada e saída. Note que os trens daquela estrada de ferro sobem a serra puxados por um cabo de aço; quando chegam bem em cima, os vagões despegam-se dos cabos e seguem puxados por locomotivas. No fim da linha existe outra cidade...

— Estou vendo! É São Paulo...

— Exatamente, a capital do Estado e a segunda do Brasil em população. São Paulo possui quase dois milhões de habitantes, com boa porcentagem de estrangeiros — italianos, alemães, espanhóis, sírios, russos, japoneses. É intensamente industrial. Em São Paulo há fábricas de tudo. Vejam quantas chaminés!

— Estou vendo, — confirmou a menina. — Também estou vendo o Museu do Ipiranga, os viadutos...

— O Museu do Ipiranga é um verdadeiro monumento arquitetônico, construído para comemorar a proclamação da independência do Brasil. Foi exatamente naquele ponto que D. Pedro I deu o célebre grito do Ipiranga — Independência ou Morte!

Depois de referir-se a outros pontos da capital paulista, Narizinho voltou a luneta para o interior do Estado.

— Chi! Estou vendo um mar de cafezais...

— Só isso?

— E também grandes algodoais, canaviais, arrozais e plantações de feijão e milho. E também muitas estradas de rodagem, que parecem serpentinas cor de rosa espalhadas pelo chão. E muitas cidadezinhas, algumas bem grandinhas...

— Você está vendo Campinas, Ribeirão Preto, Marília, Araraquara, São Carlos, Piracicaba, Jaú, Taubaté...

— Piracicaba não fica rente a uma cachoeira grande?

— Isso mesmo. Mas não é bem cachoeira, é um *salto*. O rio Piracicaba forma ali o Salto de Piracicaba. Os piracicabanos aproveitam a força da queda d'água para produzir energia elétrica em grande quantidade.

— Espere, vovó! Estou vendo lá longe de Piracicaba uma torre esquisita, que parece uma miniatura da célebre Torre Eiffel, de Paris...

— É a torre duma sonda de petróleo. Há uma companhia que está abrindo lá um poço para ver se encontra petróleo. Esse poço — o Poço do Araquá — já está com mais de 1.500 metros.

— E para que serve o petróleo?

— O petróleo é o rei dos combustíveis modernos, de modo que só são fortes, ricos e respeitados os países que o possuem. Graças ao petróleo é que os automóveis e aviões existem. Ferro e petróleo: eis os dois elementos básicos da grandeza dos povos modernos. Os Estados Unidos tornaram-se o país mais rico do mundo porque é de todos o que produz mais ferro e petróleo.

Narizinho continuava com os olhos na luneta.

— E aquela fumaceira que estou vendo lá, vovó?

Dona Benta suspirou.

— É a queima do café, minha filha.

— Queima do café? Será que estão torrando café para exportá-lo em pó?

— Estão queimando-o, destruindo-o, porque acham que há café demais. A ideia é que se queimarem uma parte do café produzido, a parte restante alcançará melhor preço.

— É certo isso?

— Não, minha filha. Isso é o que em bom português se chama uma "imbecilidade econômica". Produzir para destruir é o maior dos absurdos. No entanto é o que está acontecendo. Os pobres fazendeiros conservam os cafezais no limpo, combatem a broca, colhem o café, secam-no, puxam-no, beneficiam-no em suas máquinas, ensacam-no, pesam-no e despacham-no pelas estradas de ferro. Depois de toda essa trabalheira, o café é amontoado e queimado. Já foram queimadas 35 milhões de sacas. Para dar ideia do volume que isso representa basta pensar que 35 milhões de sacas formam uma pilha de 40 por 40 metros, muito mais alta que o Pão de Açúcar ou o mais alto arranha-céu de Nova York ou a Torre Eiffel de Paris[14].

Os meninos ficaram a refletir sobre aquela monstruosidade econômica.

— Mas se eles querem acabar com o café, — disse Narizinho, — por que não deixam esse trabalho à broca? Combater a broca para só queimar café perfeito, parece-me um tanto esquisito... E aquele rio lá, com uma estrada de ferro ao lado?

— É o PARAÍBA, junto ao qual segue a Central do Brasil, a estrada de ferro que liga a cidade de São Paulo ao Rio de Janeiro. Preste atenção nos lindos arrozais que há nas várzeas do Paraíba.

— Lindos! Parecem tapetes de veludo verde.

— São Paulo é companheiro do Rio Grande do Sul na produção de arroz. Mas se sabe produzi-lo, não sabe comê-lo.

— Por quê? Ora essa!...

— Porque come o arroz polido, isto é, despido daquela peliculazinha vermelha que o recobre. Nessa película é que estão as vitaminas.

— E que são vitaminas?

— São certas substâncias ainda mal estudadas, mas que a experiência demonstrou serem indispensáveis para o perfeito desenvolvimento e boa saúde dos

---

14   As queimas não ficaram nisso. Passaram de 70 milhões de sacas.

animais. A falta de certas vitaminas na alimentação produz doenças, como aquele escorbuto que antigamente dizimava os marinheiros. Nas longas viagens eles só se alimentavam de bolachas e outras coisas secas, e apanhavam o escorbuto. A experiência ensinou que o mal vinha da falta de frutas e verduras na "boia". Basta que se dê a esses doentes caldo de limão ou laranja, ou alface e outras saladas, para que sarem sem demora — por causa das vitaminas que há nessas coisas.

Nos países do Oriente, onde a alimentação é quase exclusivamente de peixe e arroz sem película, desenvolve-se muito outra doença chamada beri-beri. Um sábio japonês, Takaki, teve a intuição de que a causa do beri-beri devia ser o alimento incorreto, e adicionando frutas, verduras e carnes à comida dos japoneses atacados de beri-beri, curou-os rapidamente.

— Hei de experimentar com os meus pintos, — disse Pedrinho. — Vou alimentar metade com arroz branco e outra metade com arroz com película.

— E o resultado será que os primeiros ficarão raquíticos e os segundos se desenvolverão normalmente. Essa experiência já foi feita muitas vezes. Mas isto não é mais Geografia. Voltemos a São Paulo. O Estado que temos diante de nós é o mais desenvolvido do Brasil. Além de intensa agricultura, possui notável indústria. São Paulo produz quase todos os artigos de que precisa, e exporta grande variedade deles para os outros Estados — como sejam tecidos, sapatos, chapéus, papel, livros (só a companhia editora que faz os nossos livros exporta mais de um milhão por ano), sacos de juta, vidros, objetos de metal, etc.

A população de São Paulo anda por mais de sete milhões de habitantes. Forma um núcleo humano dos mais operosos, pois a produção do Estado alcança a metade da produção total do Brasil. O clima é dos mais favoráveis, de modo que gente de todos os países do mundo gosta de viver em São Paulo.

Nesse momento foram interrompidos por Tia Nastácia, de avental e gorro, como o convinha ao "cozinheiro" de bordo.

— O almoço hoje é só virado de feijão com torresmos e uma fritada de sardinha, — disse ela. — O senhor Imediato falou muito nos peixes que ia pescar, mas se eu não tivesse tido a lembrança de trazer uma lata de sardinha não sei o que seria de nós...

— Que vergonha! — exclamou o Capitão. — Nós em cima desta imensidade oceânica e a comer sardinha enlatada! Mas antes isso do que zero. Vamos à boia, meus lobinhos do mar!

Capítulo IX
Rio de Janeiro. Minas Gerais. Espírito Santo. Bahia

A mais séria dificuldade daqueles viajantes era alimentar a tripulação, apesar de ser a tripulação composta apenas duma criatura: Quindim. O raio do Quindim, entretanto, tinha um estômago de respeitável tamanho, dificílimo de encher. Os sacos de arroz, de feijão, de farinha de trigo e os fardos de alfafa que o Imediato havia trazido não podiam durar muito tempo.

Quindim andava alegre. Aquela viagem lembrava-lhe a primeira que fizera, com a diferença: da primeira vinha ele de sua terra e ia para uma desconhecida e agora era o contrário. Quem sabe, refletia Quindim, não vai este navio levar-me novamente à África? Essa esperança o tornava alegre e bem disposto. Pena, o enjoo do mar. O pobre rinoceronte enjoava muito. Continuamente era visto achegar-se a borda do brigue para "destripar o mico", como dizia a boneca. E ficava então mortalmente pálido, com grandes olheiras e em profundo abatimento.

Depois do almoço todos retomaram os seus postos e Dona Benta apontou para uma grande cidade que começava a aparecer ao longe.

— Lá está o Rio de Janeiro, capital do Brasil! É uma das mais interessantes do mundo pela sua situação num ponto em que o Acaso reuniu todas as belezas naturais possíveis — praias das mais lindas, montanhas com florestas tropicais pelos flancos, pedras gigantescas como o Corcovado e o Pão de Açúcar, ilhas em quantidade. A natureza do Rio de Janeiro é um puro esplendor.

— O Pão de Açúcar então é pedra? — indagou Emília.

— É uma pedra em forma de torrão de açúcar, que fica à entrada da Baía da Guanabara. É nessa Baía que se acha situada a cidade. Baía quer dizer Golfo pequeno.

— E Golfo quer dizer Baía grande, — gritou Emília. — Ficamos na mesma.

— Espere. Golfo é uma porção de mar encurralado entre costas.

— Um entrecosto de água, sei, — murmurou a boneca.

Quindim fez *quó, quó, quó*.

— E Baía é um golfo pequeno. E se é ainda menor, recebe o nome de Enseada ou Angra. Lá perto da cidade do Rio há uma cidadezinha com o nome de Angra dos Reis, situada numa enseada, ou angra, que o mar forma naquele ponto.

A Baía da Guanabara é uma das grandes que existem no mundo e talvez a mais bela. Todos os navios que existem cabem lá dentro.

— Por que se chama Rio de Janeiro essa cidade?

— Porque os portugueses, quando descobriram a baía, acharam-na com jeito de Estuário dum rio...

— Estuário? Que é isso?

— Estuário quer dizer Foz de rio, isto é, o ponto onde um rio despeja no mar, mas uma foz que se alargou mais que o comum, formando uma espécie de baía. O Rio da Prata, por exemplo, é o estuário do rio Paraná. Esses antigos portugueses, porém, se enganaram, visto que a Guanabara é baía e não estuário de rio nenhum. E como houvessem descoberto o falso estuário num dia do mês de janeiro, deram-lhe o nome de Rio de Janeiro, como quem diz "o rio descoberto em janeiro". Ali desembarcaram e começaram a construir a cidade que é hoje a capital do Brasil, com quase dois milhões de habitantes.

Narizinho apontou a luneta para a capital brasileira afim de ver as mil coisas lindas que ela apresenta.

— Há uma avenida que vai de mar a mar...

— Avenida Rio Branco, — explicou Dona Benta.

— Há outra cidade menor do outro lado da baía...

— Niterói, capital do Estado do Rio de Janeiro. A cidade do Rio não faz parte de nenhum Estado brasileiro. Ergue-se num pedaço de território que tem o nome de Distrito Federal. Em redor desse distrito ficam as terras do Estado do Rio, uma zona que muito sofreu com a lei que libertou os escravos africanos. Era uma das províncias que possuíam maior número de negros cativos, de modo que do dia para a noite — isto é, do dia 13 de maio de 1888 para a noite desse mesmo dia — os escravos ficaram libertos pela Lei 13 de maio, abandonando as fazendas. E como os fazendeiros não encontrassem homens livres em quantidade suficiente para os substituir nos trabalhos da lavoura, a região sofreu muito. Em certas zonas o sapé e a saúva tomaram conta das terras.

— A saúva! — exclama o Imediato. — Nós lá no sítio sabemos que praga isso é...

— Sim, é verdade. A formiga saúva é um dos bichinhos mais bem apetrechados que existem no mundo. Organizou sua vida tão bem que os homens vivem tontos com ela. A luta no Brasil entre o homem e a formiga está incerta. Não se sabe quem vencerá. Um sábio já disse que ou o brasileiro dá cabo da formiga ou a formiga dá cabo do brasileiro. Existem zonas em que a formiga já venceu o homem, obrigando-o a emigrar.

— Mas como poderão elas, tão pequenininhas, vencer o homem, tão grande? — duvidou Emília.

— São pequenininhas mas têm a seu favor o número infinito e a perfeita organização social em que vivem. Enquanto os homens brigam uns com os outros e jamais encontram meio de viver em harmonia, elas se regalam no mais perfeito equilíbrio. *Sabem alimentar-se*, e por isso não conhecem doenças, como os homens. Entre os homens já há mais de cinco mil moléstias estudadas, quase todas consequências da alimentação errônea e da desigualdade das condições sociais. Vemos ricos e pobres — os que morrem de indigestão e os que morrem de fome. Os que vivem em palácios e os que vivem em casebres imundos. Entre as formigas a igualdade é perfeita. Todas comem a mesma coisa e vivem na mesma casa.

— Comem "a mesma coisa" não, vovó! As formigas comem de tudo, tal qual o homem. Comem folhas de roseiras, cascas de laranjas, tudo que encontram.

— As saúvas, minha filha, só comem uma certa espécie de fungo, ou cogumelozinho que elas cultivam. As folhas que conduzem para o formigueiro são lá mascadas e postas a fermentar sob certas condições de calor e umidade, para que na massa brote o tal cogumelozinho de que se alimentam.

— São fazendeiras, então?

— Perfeitamente. Cultivam a plantinha que comem. E esse alimento é perfeito — não lhes traz desarranjos intestinais, nem escorbutos, nem beri-beris. É por isso que você jamais encontra uma formiga espirrando, ou tossindo, ou escarrando, ou gemendo de reumatismo, ou morfética, ou escrofulosa. Saudinha perfeita. Isso de tosses e pigarros e reumatismos e gemidos são coisas próprias do *Homo sapiens*.

— Quem classificou o homem de *Homo sapiens*? — perguntou Pedrinho.

— Está claro que ele mesmo, — respondeu Dona Benta. — Se as formigas o fossem classificar, o adjetivo escolhido seria qualquer outro, menos esse...

— *Homo sapiens* quer dizer Homem Sapiente, não é?

— Exatamente. Porque o homem até agora não descobriu o meio de viver em harmonia com a Natureza nem consigo mesmo, ele se deu o nome de Sapiente. Não deixa de ser curioso...

— Mas sabe mil coisas, — protestou Pedrinho. — Sabe ciências, sabe fazer trens, automóveis, aviões...

— Mas não sabe comer, que é o principal, — disse Dona Benta. — Estou convencida de que a maior parte dos males que nos afligem vem disso: de não sabermos comer. As abelhas inventaram o Mel, um alimento perfeito. As formigas descobriram o tal cogumelozinho, outro alimento perfeito. Os homens, porém, comem de tudo — e sofrem as consequências desse erro.

— Deixe estar, vovó! — gritou Pedrinho. — Quando eu crescer vou dedicar-me ao estudo da alimentação. Hei de ter um grande laboratório científico para labutar até descobrir um alimento único que seja para a Humanidade o que é o Mel para as abelhas.

— Faça isso, que você terá uma estátua em cada canto, como o Salvador da Humanidade.

— Ou será pregado numa cruz, como fizeram a Cristo, — observou a menina.

Tia Nastácia veio avisar que não sabia o que fazer para a "janta".

— Pedrinho falou muito em peixe, mas não estou peixe vendo nenhum. A sardinha acabou — era uma lata só. E agora?

— Vou já arranjar peixes, — declarou o menino. — Tenho um sortimento de anzóis de primeira ordem — disse e foi cuidar da pesca. Encastoou um anzol de aço azul numa linha bem forte, iscou-o com um pedaço de carne que havia trazido expressamente para aquele fim e lançou-o à água. Como nenhum peixe mordesse nos primeiros cinco minutos, teve uma ideia: amarrar a linha no chifre de Quindim, ficando desse modo desembaraçado para continuar a ouvir a geografia de Dona Benta. E lá ficou o pobre rinoceronte, de linha amarrada ao chifre, esperando pacientemente que algum peixe esfomeado agarrasse a isca.

Dona Benta retomou o fio da lição.

— Para lá do Estado do Rio, — disse ela, — fica o de Minas Gerais, que é um dos maiores em território e em população. Minas Gerais é um Estado que também se dedica à criação, como o Rio Grande do Sul. Mas não tem pampas. Só terras montanhosas, onde cresce o Catingueiro — um capim de que o gado gosta muito.

Cria bois e vacas e porcos e cavalos; faz manteiga, queijo e prepara carnes, sobretudo de porco. Os lombos de porco de Minas Gerais são excelentes. Há lá inúmeras cidades, todas pequenas. A maior é Belo Horizonte, a capital. A segunda é Juiz de Fora, onde existem várias fábricas de tecidos e outras coisas.

A maior riqueza do Estado de Minas Gerais são as suas montanhas de ferro. Infelizmente, por falta de carvão de pedra, essas jazidas, que são das maiores do mundo, ainda não foram intensamente aproveitadas. Hão de o ser um dia e nesse dia Minas Gerais falará grosso, porque quem produz ferro é dono do rebenque.

— Lá está Belo Horizonte! — exclamou a menina. — Bonito nome.

— Essa cidade tem uma característica preciosa: foi construída desde o começo de acordo com um plano. Isso é raro, porque na imensa maioria as cidades nascem ao acaso, como as árvores, e vão crescendo sem plano nenhum. Seu clima é excelente, sobretudo para os que sofrem dos pulmões. Quando Belo Horizonte começou, pouca gente esperava que se desenvolvesse tão depressa e com tanta beleza harmônica. Deve ter hoje uns cinquenta anos, o que é nada, e já está a coisa mais linda que há no Brasil em matéria de cidade. Um verdadeiro encanto.

— Mas como é que na primeira edição deste livro a senhora disse que era um "sossego sem fim", um "deserto de gente", etc.? — interpelou Narizinho.

— Disse porque eu tinha na cabeça a Belo Horizonte dos começos. Errei. Não levei em conta os progressos feitos nos últimos vinte anos. Mas depois disso estive lá e abri a boca. Que encanto achei naquilo! Que desafogo passear naquelas ruas tão largas! Gostei tanto, que prometi levar vocês lá para um passeio — para que vejam e compreendam o que é uma "cidade certa".

— As outras então são "incertas"?

— São erradas, minha filha. Nascem ao acaso, sem plano, e ficam toda a vida tortas e incômodas, como São Paulo. Que maravilhosa capital teriam hoje os paulistas, se houvessem feito como os mineiros; isto é, se houvessem planejado e construído uma cidade nova para ser a capital do Estado! Infelizmente não foi assim. Só os mineiros e goianos tiveram essa grande previsão e por isso os mineiros e goianos vão ter em seus territórios as duas mais belas, cômodas e agradáveis cidades do Brasil. Isso de "cidades certas" é a coisa mais rara que há no mundo. Só sei de cinco: Washington, capital dos Estados Unidos, La Plata, na Argentina, Camberra, na Austrália e aqui no Brasil Belo Horizonte e Goiânia.

"O Terror dos Mares" ia avançando rumo Norte. Breve chegou às costas do Estado do Espírito Santo.

— Lá está o porto de Vitória, — disse Dona Benta. — A cidade de Vitória é a capital do Espírito Santo. Muito bonitinha na sua moldura de praias e vegetação tropical. Parece uma miniatura do Rio de Janeiro. Esse Estado, um dos menores do Brasil, possui espessas florestas, abundantes em madeiras de lei. Os espírito-santenses cultivam muito café e cereais. Fiquei me simpatizando com o Espírito Santo desde que lhe conheci as orquídeas e as borboletas. Há-as lindíssimas lá. Um dia o petróleo há de enriquecer esse Estado.

— E nos fundos do Espírito Santo, lá pelo centro do Brasil?

— Lá fica o Estado de Goiás, cuja população não passa de 600 e tantas mil almas, e como a superfície é de 644.000 quilômetros quadrados, temos que há quase um goiano para cada quilômetro quadrado. Isso é pouquíssimo. Goiás dá a impressão de um deserto.

— Por que é assim?

— Porque está situado muito longe do mar. A dificuldade de transporte faz que essa região não se desenvolva tão depressa como as que ficam perto dos portos. Se você Pedrinho, tivesse em Goiás uma fazenda, não podia produzir cereais em quantidade, porque não teria meio de vendê-los. Havia de dedicar-se à criação, porque os animais trazem o transporte consigo: encaminham-se para os mercados pelos seus próprios pés. Goiás se conservará zona pastoril, isto é, de criação, enquanto o problema do transporte rápido e barato para os portos da costa não for resolvido.

Mas há de chegar a vez de Goiás. Turistas inúmeros irão conhecer a sua nova capital. Por enquanto Goiânia está criancinha ainda. Está se formando — mas está se formando certa, e ficará tão linda como Belo Horizonte. Já vi a planta da cidade. Ótima. Tudo está previsto. Dentro duns vinte anos o resto do Brasil se espantará com o encanto da nova capital. Os que tiveram a ideia de criar essas cidades certas foram verdadeiros estadistas. O futuro os glorificará como os homens de maior visão do seu tempo.

"O Terror dos Mares" continuava a subir. Estava fronteando as costas da Bahia, tendo passado pela foz do Rio Doce e depois por entre a série de ilhotas que formam o Arquipélago dos Abrolhos. Numa delas, de nome Santa Bárbara, havia um farol.

— Lá está o Farol dos Abrolhos, — disse o Capitão. — Nos pontos das costas, muito perigosos por causa das pedras que saem do mar ou ficam escondidas n'água a pequena profundidade, os homens costumam construir faróis, isto é, torres de pedra com uma luz forte no alto. Pela luz os navios se guiam, escapando ao perigo. Não tem conta o número de naufrágios evitados pelos faróis.

Na costa fronteira a essas ilhas os meninos viram o pequeno porto de Caravelas e, mais para o Norte, Porto Seguro.

Pedrinho assanhou-se.

— Porto Seguro, vovó? Aquele de Pedro Álvares Cabral?

— Justamente. Foi ali que há 442 anos os navios de Cabral entraram. Ele mesmo deu-lhe esse nome de Seguro, por achá-lo bem abrigado dos ventos; mas em sua homenagem o porto chama-se hoje Cabrália — nos livros. O povo continua a usar o velho nome dado pelo seu descobridor.

— Vamos então aproveitar a oportunidade e repetir a cena do descobrimento, — propôs Emília. — "O Terror dos Mares" afasta-se para alto mar e vem vindo, e vê de repente aves marinhas e ramos de arvores flutuantes, etc.

Gostando da ideia, Dona Benta deu ordem ao Imediato para que afastasse o brigue até perder-se de vista a costa. O Imediato transmitiu a ordem à tripulação, que teve, para executá-la, de desamarrar do chifre, por algum tempo, a linha do anzol — e as velas foram arrumadas de jeito que o brigue se afastasse dali, rumo Nordeste. Uma hora depois estavam em pleno oceano, sem nenhuma pontinha de terra à vista.

— Eu sou Cabral! — disse Emília — e plantou-se na amurada, com a mão em viseira, sondando com os olhinhos agudos o horizonte. De repente gritou: — Aves marinhas! Vem vindo em nossa direção uma gaivota! Também estou vendo pedaços de pau e ramos de árvores flutuando — sinal de terra próxima. Mas que terra será, meu Deus? El-Rei D. Manuel mandou-me com estas naus para a Índia buscar pimenta do reino e cravo e eu vim pelo caminho certo. É verdade que depois de sair da Ilha do Cabo Verde, onde tomamos água, me desviei da rota para evitar as calmarias da costa africana...

Nesse ponto Dona Benta a interrompeu.

— Que vem a ser calmarias, senhor almirante Pedro Álvares Cabral?

Emília ignorava-o.

— São trechos do mar, — explicou Dona Benta, — em que durante certas épocas não há ventos. O mar fica parado, como um imenso espelho imóvel onde o céu se reflete. Os navios de vela que têm a desgraça de entrar numa dessas zonas são obrigados a esperar semanas inteiras até que algum vento os tire dali. A desgraça do navio de vela é essa só movimentar-se quando há vento. Continue a descobrir o Brasil, senhor almirante.

Emília — continuou:

— Sim, vejo que me desviei demais da rota por causa das calmarias e estou em caminho errado. Aves marinhas! Gaivotas e joão-grandes! Pedaços de pau! Isto é sintomático...

Narizinho riu-se.

— Cabral não sabia o que era sintomático, Emília. No seu tempo essa palavra não era usada. Mas continue.

Emília continuou.

— Aves e paus são sintomas de terra, disto não tenho a menor dúvida. Mas...

Narizinho interrompeu-a de novo, mas desta vez com um grito lá do alto da gávea.

— Terra! Terra! — e apontava com o dedo em certa direção.

Todos olharam. Realmente aparecia no horizonte um negrume de costa, que em certo ponto se elevava como se fosse montanha.

— Bendito seja Deus! — exclamou o Cabralzinho de pano. — Vejo um monte e, como hoje é o oitavo dia da Páscoa, fica ele batizado com o nome de Monte Pascoal. E a terra nova que acabamos de descobrir, eu a batizo com o nome de Vera Cruz.

Fez-se grande agitação a bordo. A tripulação mostrava-se inquieta, farejando o ar em todas as direções. O Visconde foi elevado à categoria de vice-almirante, com o nome de Gonçalo Coelho — e Cabral lhe disse:

— Gonçalo amigo, siga na sua nau costeando essa terra e veja se me descobre um porto seguro onde eu possa entrar com a minha esquadra.

O Visconde Gonçalo Coelho fez de conta que navegou dez léguas rumo Norte e voltou dizendo que encontrara um porto ótimo. Cabral tocou toda a esquadra para lá e entrou nesse porto, ao qual deu o nome de Porto Seguro.

— Lancemos aqui as âncoras, — disse ele. — E vamos escrever uma carta a El-Rei contando a grande descoberta. Olhem lá! Estou vendo na praia vários homens nus! São selvagens. Vamos pegar alguns para seguirem com a carta a El-Rei.

Um escaler foi descido com vários marinheiros de mentira, os quais jeitosamente fizeram embarcar dois índios. A bordo Cabral interrogou-os:

— Quem sois, ó Adões? Que terra é esta? Falai.

Os pobres selvagens olharam um para o outro, murmurando palavras em língua desconhecida de todos a bordo.

— Não falam a nossa língua, os coitados, — disse Cabral. — Experimentemos o inglês. *Who are you?*

Mas os índios não falavam nem inglês, nem francês, nem língua nenhuma das conhecidas no mundo. Falavam uma língua lá deles, cujas palavras estavam sendo pela primeira vez pronunciadas diante de ouvidos europeus.

Cabral desistiu de mandá-los ao rei com a carta que o escrevente de bordo, o tal Vaz Caminha, já estava escrevendo. Para quê? Chegavam à Corte e deixavam o Rei tão atrapalhado para entendê-los como tinham ficado todos ali. E Cabral deu ordem para que os pusessem em terra novamente.

Emília quis continuar a representação. Quis que se rezasse a primeira missa no Brasil e outras coisas assim. O Capitão, entretanto, que apesar de simples capitão mandava naquele almirante de brincadeira, declarou que estavam estudando Geografia e não História — e ordenou ao Imediato que tocasse o brigue para a frente.

"O Terror dos Mares" singrou rumo Norte, passando por Belmonte, Canaviei-ras, Ilhéus e muitas outras cidadezinhas beira-mar. Também passou pela foz de vários rios de bom tamanho, como o Jequitinhonha, que nasce em Minas Gerais e tem um curso tão comprido como o seu nome; o Rio Pardo e o Rio das Contas. Por fim esbarrou numa grande ilha perto da qual havia uma cidade.

— Estamos defronte à ilha de Itaparica, que está situada em frente à cidade da Bahia capital do Estado da Bahia.

— Viva a Bahia! — gritou Narizinho. — Gosto muito de coco, de laranja baiana e das mangas de Itaparica.

Por que foi falar em mangas? Pedrinho esqueceu-se de que era o Imediato do brigue para só pensar no meio de conseguir uma dúzia de mangas, enquanto Narizinho descia do mastro só pensando em coco verde.

— Não há nada melhor, vovó, — disse ela. — Pare com a sua Geografia; antes de comer pelo menos três cocos, não quero saber de mais nada.

Dona Benta teve de ceder diante daquele motim — e chamando uma das canoas boiantes em redor do brigue — pediu ao canoeiro que lhe arranjasse mangas e cocos verdes.

Minutos depois a canoa voltava cheia daquelas preciosidades — e pelo resto do dia não se fez outra coisa a bordo senão chupar mangas e comer a polpa molinha dos deliciosos cocos verdes da Bahia.

Depois foram ver a cidade. Quantas belezas históricas há na velha cidade do Salvador, que foi a primeira capital do Brasil! As igrejas históricas encantaram os meninos. Na de São Francisco todos abriram a boca.

— Que beleza, vovó! — exclamou Narizinho. — Parece um céu aberto...

E parecia mesmo. Tudo ali dentro eram ouros e mais ouros — tudo, um rendilhado de madeira entalhada e recamada de ouro. Um puro céu aberto.

Emília extasiou-se com os anjinhos esculpidos que viu lá, sobretudo um de saiote.

— Ah, meu Deus! — exclamou ela. — Não sei onde estou que não furto este anjinho para o levar ao sítio! Valeu a pena fazermos esta viagem só para vermos tamanha galanteza.

E foi preciso que Dona Benta a agarrasse pelo braço, senão Emília furtava mesmo o anjinho de saiote.

Capítulo X
O Nordeste

No dia seguinte Dona Benta falou do Nordeste do Brasil, onde se acham os Estados da Bahia, do Sergipe, de Alagoas, de Pernambuco, da Paraíba, do Rio Grande do Norte, do Ceará, do Maranhão e do Piauí.

— Esses Estados, — disse ela, — ocupam uma região enorme, onde a natureza é mais ou menos a mesma de todos os lados. O clima é quente e portanto impróprio para as raças brancas que da Europa emigram para a América. Notem que no Sul do Brasil há muitos imigrantes estrangeiros, que vieram e se fixaram em virtude do clima ser mais ou menos o mesmo que de suas pátrias. Mas em todo aquele grande Nordeste o europeu não se fixa — isto é, o europeu que não é português, porque o português é também europeu e se fixa em todos os climas do mundo, sejam os mais tórridos da África, sejam os climas gélidos da Terra Nova, lá no Canadá, onde os homens não fazem outra coisa senão pescar bacalhau.

As terras de boa parte do Nordeste são montanhosas, cortadas de zonas de Catingas, de vegetação mirrada e espinhenta. Há lá tremendas secas periódicas, isto é, que vem de tempos em tempos. O Ceará tem sido uma das maiores vítimas dessas secas, que duram às vezes um ano e mais.

— Um ano e mais? — repetiu Narizinho horrorizada. — Um ano e mais sem chover?

— Exatamente. E nesses horríveis períodos a vegetação desaparece de todo, estorricada pelo sol, o gado morre de sede ou de fome e as populações retiram-se para a costa ou outros pontos onde haja água. A maior tragédia do nosso país são essas catástrofes que de quando em quando acontecem, matando o gado e reduzindo à mais absoluta miséria milhares de criaturas humanas. Um dia hei de ler alto um livro de Rodolfo Teófilo chamado "*A Fome*", e vocês verão por que horrores esta gente tem passado.

— Mas por que não corrigem isso? Por que não fazem poços artesianos, ou não plantam árvores nessas catingas, ou não constroem canalizações como aquela que a senhora nos mostrou nos Estados Unidos para irrigar as terras secas da Califórnia?

Dona Benta mastigou antes de responder. Por fim disse: — Não sabemos resolver os nossos problemas, Pedrinho, essa é que é a verdade. As populações desta zona vivem do gado e da cultura de cereais e do algodão. Há regiões enormes recobertas da palmeira que produz o coco babaçu, cuja semente é muito procurada pelos industriais.

— Para quê?

— Delas tiram um óleo ótimo para sabão e outros fins. Se houvesse bons meios de transporte, esse babaçu constituiria uma grande riqueza — mas não há. Sua exploração ainda é feita por processos manuais e portanto em pequena escala.

A mais preciosa palmeira da zona é a que dá o Coco da Bahia. Existem à beira-mar cocais enormes. Infelizmente, por causa dos impostos e outras razões, não pudemos até agora tirar desse coco o mesmo partido que em suas colônias tiram os ingleses e holandeses. É desse coco que se faz a copra, da qual a Indústria consome grandes quantidades.

— Que é copra?

— É o branco do coco picado em fatias finas e seco ao sol. O sol evapora a água que as fatias contêm deixando só o óleo. Ficam assim menos pesadas e mais apropriadas para a exportação. Nas fábricas a copra é espremida para extrair-se o óleo — e pronto.

Os vaqueiros nordestinos são uma espécie de gaúchos das catingas. Sabem lidar maravilhosamente com o gado, que por ali se cria por si mesmo, sendo apartado e negociado quando chega no ponto.

O mais próspero desses Estados é o de Pernambuco, produtor de muito açúcar, isso desde os tempos em que o Brasil era colônia portuguesa. Sua capital, Recife, é a melhor e mais movimentada cidade do Norte, com uma população já de 380.000 almas.

— E a cidade da Bahia quantas tem?

— Menos. A Bahia passa pouco de 300.000. Já as capitais dos outros Estados do Nordeste são todas pequenas. Fortaleza, a maior, capital do Ceará, tem 90.000.

Maceió, capital de Alagoas; Natal, capital do Rio Grande do Norte; João Pessoa, capital da Paraíba; São Luiz, capital do Maranhão e Teresina, capital do Piauí, são cidadezinhas aí entre 10 e 16.000 habitantes.

Entre Sergipe e Alagoas e entre Pernambuco e Bahia corre o Rio São Francisco, um dos maiores do Brasil. Em certo ponto suas águas caem, formando a grandiosa Cachoeira de Paulo Afonso. É um rio muito largo, cheio de ilhotas pelo meio e que quando se enche derrama as águas por uma grande extensão de margens, fertilizando-as.

— Um Nilo, então.

— Sim, faz a função do rio Nilo para uma boa zona dos Estados que banha. Os rios são bênçãos da natureza; por isso é que é sempre à margem dos rios que o povoamento dum país começa.

Esses Estados do Nordeste ocupam uma área grande de um milhão e meio de quilômetros quadrados, com uma população de uns 10 milhões de habitantes. Os elementos que entraram na formação da sua gente foram os portugueses, o negro e o índio — só. Não houve lá, como no Sul, nenhuma injeção de sangue novo europeu. Além disso...

Dona Benta foi interrompida por um urro da "tripulação", que entrara a fazer com o chifre movimentos de arranque para cima. Todos correram a ver o que era.

— Um peixe no anzol, vovó! — gritou o Imediato — e, ajudado pelos demais, retirou da água a linha, em cuja ponta se debatia uma soberba garoupa. O "cozinheiro" de bordo, ao ouvir a gritaria, correu logo de facão em punho; vendo a garoupa, sua cara abriu-se num lustroso sorriso culinário:

— Ora até que enfim! — exclamou. — Uma garoupa — e das grandes! Vou fazê-la recheadinha, com farofa e azeite de dendê...

Tia Nastácia tinha se aproveitado da passagem pela Bahia para comprar várias garrafas de azeite de dendê, que as cozinheiras de lá usam como tempero. E lá se foi ela para a cozinha, toda risonha, como o belo peixe seguro pela guelra vermelha, a rabear.

— A garoupa é um peixe das pedras, — disse Dona Benta, — e muito apreciado. Estes mares aqui têm até baleias. Na Bahia floresceu antigamente a indústria da pesca da baleia, monstros que os pescadores matam para aproveitar o toucinho. Fervem-no em grandes tachos e reduzem-no a óleo. É o óleo de peixe.

— E para que serve?

— Servia para a iluminação. Hoje, porém, depois que o petróleo e a eletricidade tomaram conta do mundo, quem fornece luz aos homens, em toda parte, é o petróleo e a eletricidade. Isso fez que a pesca da baleia perdesse a importância de outrora. Para que andar correndo risco pelo mar na caça desses cetáceos, se furando a terra um óleo excelente jorra em tremendas quantidades? O óleo de peixe, porém, ainda é usado pela indústria do sabão e da margarina.

Nas costas do Rio Grande do Norte, Dona Benta mostrou aos meninos o Cabo de São Roque, que é a ponta mais a Nordeste do Brasil e também mostrou os recifes que por ali abundam. — explicou que recifes são pedras que saem do mar, a pequena distância das costas. Também mostrou Bancos de Areia, uma coisa um pouco diferente de Praia, embora composta só de areia.

— Esse Cabo de São Roque não é o mesmo célebre cabo Roque da história de Canudos que a senhora contou?

Dona Benta riu-se.

— Não, Emília. O cabo Roque era um soldado da Guerra de Canudos.

— Já passamos a Bahia e a senhora esqueceu-se de nos mostrar onde fica o tal Canudos, — disse Narizinho.

— Estamos em tempo ainda, — respondeu Dona Benta — e apontou para certa direção a luneta mágica. — Venha espiar.

A menina espiou; viu uma região montanhosa e deserta, com vegetação rala, toda retorcida, sinal de muito castigo de secas.

— É aquilo lá, vovó? Só aquilo?

— Sim, minha filha. Naquele áspero trecho de natureza estéril desenrolou-se um dos grandes dramas da vida brasileira. Um grupo de Jagunços, isto é, desses homens dos sertões que vivem de criação, foi se juntando em torno dum "iluminado" de nome Antonio Conselheiro. Iluminado quer dizer um homem místico, que vê coisas que os outros não veem. Essas gentes tinham uma fé cega no Conselheiro, que era uma boa alma, e por fim acabaram só ouvindo a ele e a mais ninguém. As autoridades, enciumadas, quiseram acabar com aquilo. Mandaram contra os jagunços um destacamento de soldados da polícia — mas o feitiço se virou contra o feiticeiro: os jagunços afugentaram a polícia.

As autoridades mandaram uma expedição maior. O resultado foi o mesmo — os jagunços correram com a nova expedição. Mandaram depois um batalhão inteiro comandado pelo major Febrônio. Foi destroçado o batalhão, morrendo o major Febrônio.

Por fim o Governo Federal entrou em cena, enviando o coronel Moreira César com 1.200 homens. A derrota foi maior ainda. Esse coronel, que gozava a fama de valente, perdeu a vida lá.

A brincadeira tinha degenerado em guerra. O Governo Federal mobilizou um verdadeiro exército, comandado por vários generais, e a luta foi tremenda. Os jagunços viram-se atacados por milhares de homens, sendo afinal vencidos.

Mas não se renderam. Caíram todos, até o último, na defesa de seu chefe. Heroísmo maior que o demonstrado por essa pobre gente não pode haver — infelizmente era o heroísmo do fanático, que apenas crê, mas não raciocina.

Os meninos contemplaram por longo tempo as paragens onde se desenrolou a tragédia, já sem nenhum vestígio da cidadezinha de casebres construída pela jagunçada bronca.

— Por que não erguem lá um monumento que recorde o fato? — indagou Narizinho.

— Porque o grande monumento sobre a tragédia de Canudos já existe. São *Os Sertões* do genial Euclides da Cunha. Um dia havemos de ler essa obra prima.

— Prima de quem, Dona Benta? — perguntou Emília.

— Do seu nariz, está ouvindo? — respondeu Narizinho danada.

Na costa do Piauí o brigue parou defronte ao Delta do Rio Parnaíba.

— Reparem na foz deste rio, — observou Dona Benta. — Divide-se em seis Barras, ou bocas de despejo para o mar, formando assim um grande delta.

— Delta eu sei o que é! — gritou Pedrinho. — Aprendi na *"História do Mundo"* quando estudamos o delta do Nilo, no Egito.

— Pois agora está você diante dum delta em pessoa. Veja. Antes de despejar-se no mar, o rio abre-se como um leque. Destas seis barras duas pertencem ao Piauí e as outras ao Maranhão. O Parnaíba divide os dois Estados quase desde o ponto em que nasce.

— Os rios então nascem, como os pintos? — indagou Emília.

— Nascem, embora não seja dum ovo, como os pintos. Começam um simples olho d'água, que brota da terra pelo flanco de alguma montanha. Esse ponto chama-se a Nascente. Depois vem correndo, como fio d'água que é, e recebendo pelo caminho outros fios d'água. São os Afluentes. Passa, quando encorpa, a Ribeiro ou Riacho; depois, a Ribeirão, que é um riacho ou ribeiro grande; e finalmente a rio.

Enquanto o brigue ia velejando veloz rumo Oeste, com intenção de alcançar naquele mesmo dia o Estuário do Amazonas, realizou-se o jantar, que foi uma festa. A garoupa preparada pelo "cozinheiro" estava divina.

— Tia Nastácia é mesmo uma danada! — exclamou Narizinho repetindo o prato. — Que boa ideia teve de descobrir este tal azeite de dendê! No começo a gente estranha, mas acaba gostando.

À sobremesa Dona Benta falou da ilha de Fernando de Noronha, que fica em alto mar, fronteira a Pernambuco — uma ilha árida que foi aproveitada para presídio. Mostra-se a pouco mais de 300 quilômetros do Cabo de São Roque.

— E que é presídio? — quis saber a menina.

— Uma prisão, — respondeu Dona Benta — e mudou de assunto porque sua neta não gostava de assuntos tristes.

Capítulo XI
A AMAZÔNIA

Só no dia seguinte, depois do almoço, é que "O Terror dos Mares" fronteou a Ilha de Marajó no estuário do Amazonas. Dona Benta foi explicando:

— Estamos num ponto muito interessante do globo, — disse ela. — Aqui desagua no Atlântico o rio Amazonas que, se não é o maior do mundo em comprimento, é o mais caudaloso, isto é, o de maior volume de águas. Nasce fora do Brasil, lá pelo Peru e com outro nome; depois que engrossa, passa a chamar-se Marañon, até a fronteira do Brasil; nesse ponto toma o nome de Solimões, até receber as águas do Rio Negro e só daí por diante é Amazonas.

O Amazonas tem um curso, ou comprimento, calculado em 5.430 quilômetros, dos quais 3.150 em nosso território. É o rei dos rios e, como rei que é, vem pelo caminho tragando numerosos afluentes, como o Javari, o Tefé, o Madeira, o Purus, esse Rio Negro de que já falei, o Tapajós, o Xingu, o Tocantins, o Pará e numerosos outros menores.

— Que fera! — exclamou Emília. — Por isso é que é o maior de todos. Como não havia de engordar, se vem papando as águas de tantos companheiros?

— De fato, o Amazonas é o maior canal de despejo de águas que existe. Um verdadeiro oceano fluvial, se é possível dizer assim. Abrange uma bacia de 5 milhões de quilômetros quadrados.

— Que história de bacia é essa?

— Bacia chama-se a área de terras banhada por um grande rio e seus afluentes, de modo que a Bacia Amazônica abrange os Estados do Amazonas e do Pará, parte de Mato Grosso, da Colômbia, do Equador, do Peru e da Bolívia — e ainda o Território do Acre, que é um pedaço de terra do Brasil entalado entre o Amazonas, a Bolívia e o Peru.

Toda essa imensa região é governada pelo Amazonas. Ele e seus afluentes formam estradas naturais, permitindo que as embarcações venham de muito longe em procura do Oceano Atlântico. O Amazonas governa. Governa os outros rios, recebendo-os em seu seio e levando-lhes as águas ao mar; governa os homens, dando-lhes meios de comunicação e alimento. Governa o clima. Governa tudo.

— Então por que o Governo não nomeia esse rio Amazonas o governador perpétuo do Estado, em vez de botar lá governadores homens? — lembrou Emília.

— Porque não é preciso, bobinha. Se esse rio já nasceu governador de fato, independente da vontade dos homens, que adianta fazer isso? Em suas águas há muito peixe, sendo o maior e o mais apreciado um de nome Pirarucu, que atinge o comprimento de 2 metros, pesando 80 quilos. Há também o Peixe-boi, que os índios caçam com chuços. A carne do pirarucu é salgada e seca ao sol, formando uma espécie de bacalhau usadíssimo na alimentação local. Existem naquelas águas mais de quinhentas espécies de peixe, imaginem!

Pedrinho ficou assanhado, porque tinha loucura por pesca e lá no ribeirão do sítio de Dona Benta só havia Traíras, Lambaris, Bagres, Cascudos, Pirapitingas, Acarás e Guarus. Que delícia não seria pescar no Amazonas!

— E há ainda, em enormes quantidades, Tartarugas, que botam ovos na areia por ocasião da Vazante, isto é, quando a estação chuvosa chega ao fim e os rios, muito cheios, começam a minguar. Desses ovos, que os amazonenses recolhem aos balaios, faz-se a manteiga de tartaruga, uma gordura empregada pelas cozinheiras amazonenses, como Tia Nastácia lá no sítio emprega a banha de porco.

Nas matas cresce uma árvore enorme, que também fornece alimento e dá dinheiro a ganhar aos homens. É o Castanheiro, produtor das famosas e gostosíssimas Castanhas do Pará, conhecidas no mundo inteiro como "Brazil Nuts", ou Castanhas do Brasil. Os amazonenses juntam as castanhas que caem das árvores e levam-nas pelo rio até a cidade de Belém, capital do Pará. Em Belém os navios as tomam para transportá-las aos países consumidores.

Outra árvore de grande importância na bacia amazônica é a Seringueira, produtora da Borracha. A borracha é o leite dessa árvore. Os seringueiros fincam na casca da árvore uma pequena vasilha e dão um corte de machadinha em cima, de modo que o leite escorra. Depois recolhem num tacho o leite juntado em numerosas dessas vasilhas e o coagulam, obtendo assim blocos de borracha bruta.

— Sei, — disse Emília. Essas árvores são as vacas vegetais do Amazonas. Os tais seringueiros tiram-lhes o leite e fazem coalhada; e depois da coalhada fazem requeijão — que é a tal borracha.

Quindim lá longe fez *quó, quó, quó.*

— Pois é, — continuou Dona Benta, que também achou graça na comparação. — A borracha constitui uma das indústrias da zona, e tempo houve em que era uma grande indústria, do tamanho da do café no Sul. Por muitos anos a Amazônia foi a única fornecedora de borracha para o mundo inteiro.

— E não é mais?

— Já não é. Os ingleses e holandeses levaram dali sementes e fizeram enormes plantações nas suas colônias, desse modo desbancando a borracha brasileira. Lá nas plantações da Índia e de Java, feitas em linha como as nossas de café, a colheita do leite, ou látex, como se diz, torna-se muito mais econômica e rendosa, podendo a borracha ser vendida por preço mais baixo que a daqui.

— Por que, vovó?

— Porque, nas plantações, as árvores estão todas reunidas num mesmo ponto, ao passo que na Amazônia estão espalhadas de mistura com muitas outras espécies vegetais. Em cada alqueire de mata nativa, por exemplo, encontram-se de 20 a 40 árvores de borracha; ora, num seringal plantado todas as árvores desse alqueire serão de borracha. A concorrência torna-se impossível.

— E por que os amazonenses não a cultivam pelo sistema do café, fazendo grandes borrachais, como há grandes cafezais? — inquiriu Pedrinho.

— Era o que deviam ter feito, mas não fizeram, e o resultado foi perderem o negócio. Quem hoje começa a fazer isso é o Ford dos automóveis. Obteve grandes extensões de terra no Pará e está formando cafezais de seringueiras. Ford, sim, vai obter na Amazônia boa borracha pelo mesmo preço de custo que os holandeses e ingleses conseguem em suas colônias. Mas para isso ele tem gasto um dinheirão surdo, coisa mesmo que só o homem mais rico do mundo pode fazer.

O clima do Amazonas é quente e úmido, o que torna a vida do homem ali uma luta constante contra as doenças e os bichinhos. Esses climas são propícios ao desenvolvimento de tudo quanto é miuçalha de asinhas e perninhas; daí a mosquitada infinita que existe lá. Os Carapanãs constituem a maior praga de tais terras — uns pernilongos bebedores de sangue, que não deixam os homens sossegados.

Os sábios consideram a Amazônia uma terra ainda em formação. Acham que ainda é cedo para a entrada ali do homem. Dia virá, porém, em que o homem há de conquistar aquela bacia para transformá-la na mais maravilhosa das fazendas. Um dia... Hoje a Amazônia ainda assusta a gente da raça branca. Só o índio nativo lhe suporta o regime de vida. Naqueles fundões vivem tribos de índios em estado de selvageria muito próxima da em que estavam quando Cabral deu com o nariz em Porto Seguro.

Vida vegetal intensíssima. Plantas de mil espécies diferentes brotam numa fúria louca; e como nos lugares em que a Flora é pujante assim a Fauna não o é menos, a Amazônia torna-se um paraíso para os animais.

— Que é flora e fauna?

— Flora é o conjunto das plantas duma zona e fauna é o conjunto dos animais. A Amazônia tem a fauna riquíssima. Passarinhos de todas as qualidades, desde jaburus de compridas pernas, tucanos de bico duplo, papagaios de todas as cores, araras lindas e mutuns, até aquele pequenino Uirapuru sobre o qual existem tantas lendas. E há onças pintadas e negras, e antas, e capivaras aos bandos, e pacas e cotias, e tamanduás, e preguiças, e veados — a bicharia toda de pelo. E cobras enormes. E jacaré que não acaba mais. E borboletas belíssimas. O naturalista Bates caçou por lá, só ele, mais de três mil borboletas diferentes.

— Que mina! — exclamou o Imediato. — Ah, se me pilho por um ano inteiro na Amazônia! Como não iria crescer a minha coleção!...

— Pois isso não está fora das possibilidades, — respondeu Dona Benta. — Podemos um dia passar uma temporada aqui para esse fim.

Pedrinho pulou de contente. Caçar borboletas constituía o seu divertimento predileto. Sua coleção já estava com mil espécies diferentes.

"O Terror dos Mares", que havia parado por meia hora, abriu de novo as velas; mas depois de avançar alguns quilômetros, tremeu de medo. Um ronco de cachoeira! Uma ronqueira, como disse a Emília. Que seria aquilo?

— É a Pororoca, — explicou Dona Benta. — As águas do Amazonas lançam-se no oceano com tal ímpeto que fazem o mar recuar. O barulho que estamos ouvindo vem da luta entre a água doce e a salgada. As águas doces do Amazonas vão empurrando a água salgada até muito longe da costa — até 200 quilômetros, imaginem!

— Então a largura do Amazonas na foz deve ser mesmo um colosso!

— É de quase 300 quilômetros.

— Safa! Isso já nem é mais rio, — observou Pedrinho, figurando mentalmente essa distância de 300 quilômetros, ou dois terços da que vai de São Paulo ao Rio de Janeiro.

A pororoca estava brava, de modo que só mesmo um navio com uma tripulação daquelas poderia vencer o obstáculo. Quindim manobrou com alta perícia, conseguindo vencer o tumulto das águas em luta. O brigue passou. Em seguida, já navegando só em água doce, deu volta em redor da ilha de Marajó, que é imensa, e depois se meteu a circular pela infinidade de canais e barras que ficam entre essa ilha e o continente.

Dona Benta, de luneta apontada, ia mostrando as coisas principais. Em certo momento — gritou para Narizinho, que estava, como sempre, repimpada na gávea:

— Desça depressa, minha filha! Venha ver uma Terra Caída.

A menina escorregou mastro abaixo e veio correndo. Olhou pela luneta. Lá ao longe, na margem do grande rio, um enorme bloco de terra estava se despegando do continente. Breve se destacou de todo e virou ilha flutuante — uma ilha verde, que veio derivando de rumo ao mar...

— Que curioso, vovó! — exclamou ela. — Um grande pedaço de margem, com floresta em cima e uma casinha, desgrudou-se do continente e virou ilha e vem vindo, vem vindo rio abaixo... Nunca imaginei uma coisa assim...

— Esse fenômeno é muito frequente no Amazonas. As águas vão minando as margens até que de repente lhes arrancam um pedaço, que trazem rumo ao oceano, como ilhas flutuantes. Imaginem o morador daquela casinha! Hoje ainda estava muito sossegado morando na margem do rio; agora, está viajando; amanhã, em que freguesia estará?

Todos se revezaram na luneta para apreciar o curioso fenômeno da Terra Caída.

O brigue subiu o Amazonas até a capital do Estado, Manaus, que os meninos queriam visitar. Lá chegando, desembarcaram e passearam-na inteirinha. Era uma cidade com todos os sinais de ter sido muito próspera em outros tempos.

— Manaus já teve os seus grandes dias, — explicou Dona Benta, — quando a exploração da borracha amazônica andava no apogeu. Tudo quanto vocês estão vendo, estas praças ajardinadas, estes edifícios apalacetados, este teatro enorme, tudo nasceu da borracha. Manaus está hoje triste e murcha porque ainda não apareceu para a Amazônia uma grande indústria que substituísse aquela.

Tia Nastácia aproveitou-se da oportunidade para encher o brigue de postas de pirarucu seco, latas de manteiga de tartaruga e bastões de Guaraná fabricados pelos índios de Maués. Também comprou várias latas dum doce excelente, feito duma fruta selvagem de nome Bacuri.

— Isto para sorvete não há nada melhor, — disse ela.

E disse a verdade. A sorveteira de bacuri que preparou viu-se esvaziada num ápice. E foi assim, a refrescarem-se com o delicioso sorvete amazonense, que os audaciosos expedicionários desceram o grande rio e alcançaram novamente o mar.

Capítulo XII
Pela América Central

— Adeus Brasil! — exclamou Pedrinho depois que o brigue venceu a pororoca. — Adeus, adeus! Vamos agora visitar terras e gentes estranhas. Adeus, pirarucus! Adeus, carapanãs!...

Dona Benta fez ver aos meninos que até então tudo havia corrido muito fácil porque estavam em casa e podiam avir-se perfeitamente com a língua que falavam. Dali por diante, porém, já de nada valia o brasileiro. Tinham de aprender um pouco de inglês, que é a língua mais falada no mundo. Iam aos Estados Unidos, ao Canadá, ás Índias, ao Japão, etc. Em todos esses países quem fala um pouco de inglês se arruma, mas quem só fala português ou brasileiro está frito.

— Bobagem, vovó! — advertiu Narizinho. — Temos o Quindim. Ele é natural do Uganda, uma colônia britânica da África, de modo que a língua inglesa lhe é familiar. Poderá servir-nos de intérprete.

— Poderia, se fosse gente; mas sendo rinoceronte, como havemos de andar com ele pelas ruas de Nova York ou Londres? Seria uma atrapalhada infernal. Animais grandes assim são uns trambolhos. O melhor é ferrarmos no estudo. Até chegarmos lá vocês já estão falando alguma coisa.

Desde esse dia a rotina de bordo mudou muito. Só se cuidava de aprender inglês. Era *Yes* para cá, *How are you* para lá, *Good bye*, *Thank you* e mil frasezinhas das de uso mais frequente. Quem sofreu com a mudança foi o "cozinheiro", porque os meninos, a fim de praticar, só queriam falar inglês.

— *Mr. Cook*, — dizia por exemplo a menina, — *give me a knife*.

Aquilo era simples, era o mesmo que dizer: "Senhor cozinheiro, arranje-me uma faca", mas a pobre negra não entendia patavina.

— Que moda essa agora! — protestava a coitada derrubando o beiço. — Estou que já não sei onde estou. O dia inteiro levam estes diabretes a falar uma língua que só o diabo entende, e até Dona Benta às vezes escapa e me dá ordens nessa língua. Isso assim não serve. Falem esquisito com quem quiserem, mas comigo só quero língua de gente...

— E inglês não é língua de gente?

— Língua de gente é língua que a gente entende. Essas que vocês deram de falar só o diabo entende; logo, não é língua de gente. Pelo menos não é língua de cristão...

Todos riram da pobre, menos Quindim, que resolveu dar-lhe umas lições. De noite, quando estava de guarda a preta vinha para perto dele e punha-se a decorar palavras inglesas. Aprendeu a dizer *All right*, que saía sempre *Ó raio*. Aprendeu o *Yes*, que é Sim, o *No*, que é Não, e mais algumas coisinhas. E com isso — declarou que se arranjaria.

O brigue seguiu de rumo à ilha inglesa de Trinidad, onde fez escala para encher de água os reservatórios. Enquanto estavam parados no porto, Dona Benta apontou a luneta em certa direção, dizendo:

— Lá estão as Guianas, um pedaço de terra colonial encravado na América do Sul. É o que resta aos europeus das suas antigas colônias, porque, como vocês sabem, toda a América do Sul, bem como toda a América do Norte, já foi colônia dos europeus. Na América do Sul essas colônias estão reduzidas hoje a esse pedacinho, que se divide em três partes, a Guiana Inglesa, que é dos ingleses, a Guiana Holandesa, que é dos holandeses e a Guiana Francesa, que é dos franceses. Nesta há a cidade de Caiena, onde os franceses mantêm um famoso presídio. Os piores criminosos da França são remetidos para ali, onde o clima carrasco dá cabo deles em três tempos.

— Os piores criminosos e os melhores inocentes, — observou Pedrinho. — Não posso me esquecer que o capitão Dreyfus, que era inocente, passou anos nessa ilha, pagando o crime que não cometeu.

Dona Benta mudou de posição a luneta e — disse:

— Lá a Oeste da Guiana Inglesa fica a Venezuela, cuja capital é Caracas. Em seguida, descendo para o Sul, temos as outras repúblicas da América que limitam com o Brasil. A Colômbia, que produz muito café e petróleo e tem como capital Bogotá. O Equador, que produz também café e petróleo e tem como capital Quito. O Peru, riquíssimo em prata, petróleo e outros minerais; capital Lima. A Bolívia, que produz muito petróleo e cuja capital é La Paz. E depois temos aquela faixa de terra comprida e estreita que é o Chile.

— E que montanha enorme é essa que vara todas as repúblicas sul-americanas como um espeto? quis saber a menina.

— É a Cordilheira dos Andes. Cordilheira quer dizer cadeia de montanhas muito extensa. Estes Andes são uma maravilha. Atravessam a América do Sul inteira, dum extremo a outro, e estão cheios de pontos altíssimos onde as neves são eternas — não se derretem nunca. E cheios de vulcões também.

— Extintos, vovó?

— Extintos e vivos. O Cotopaxi, no Equador, ergue-se a 6.500 metros de altura, mais do dobro do nosso Pico do Itatiaia.

Nos Andes cria-se um animal muito curioso, a Lhama ou Guanaco, de que a gente andina se utiliza para montaria ou para conduzir cargas. São os burros da montanha. O Chile tem uma bela capital, Santiago, e um porto muito movimentado, Valparaíso. Uma das suas principais riquezas está no Salitre, que lá abunda em enormes quantidades.

— Que é salitre?

— É uma substância natural que os químicos chamam Nitrato de Sódio, a qual tem grande emprego na agricultura como adubo. Esses depósitos de salitre constituíam a grande riqueza do Chile, como a borracha constituía a grande riqueza da Amazônia. Mas depois que os sábios descobriram meios de extrair nitrato do ar, o salitre natural perdeu muito de importância. O Chile entrou numa crise semelhante à da Amazônia, quando não pôde mais vender o seu nitrato pelos preços e na quantidade de outrora.

Outro adubo muito curioso é o do Peru. Este procede de enormes depósitos de Guano, isto é, de excrementos que há séculos as aves marinhas vêm depositando em certos pontos da costa ou ilhas onde elas fazem pouso. Ficou um cascão espesso, que os homens removem, ensacam e vendem para os agricultores.

Dona Benta já tinha mostrado aos meninos todos os países da América do Sul, menos o Paraguai. Quando chegou a vez dele, disse:

— E lá está o Paraguai, com a capital Assunção. Esse pequeno país teve um grande drama na sua vida: a guerra que durante cinco anos sustentou contra o Brasil, a Argentina e o Uruguai juntos. Apesar de pequeno e mal povoado, bateu-se com o maior heroísmo, perdendo quase todos os seus homens válidos. Só ficaram mulheres, velhos e crianças...

— Sei, — disse Pedrinho. — Já li a história do ditador Solano Lopes. Não admiro esse homem, mas admiro esse povo de energia de aço... Não sei porque, vovó, mas tenho grande simpatia pelos paraguaios. Gente danadinha! Não viu na guerra do Chaco o bonito que fizeram contra a Bolívia?

— Tudo por causa do petróleo, meus filhos. Essa guerra do Chaco não passa de mais um episódio da tremenda luta que vai entre os povos para se apossarem dos terrenos petrolíferos. No Chaco há grandes reservas subterrâneas de petróleo — e por isso esses dois países se engalfinharam.

— Estou notando, vovó, que há petróleo em todos os países que limitam com o Brasil — e no Brasil não há. Por quê?

— Porque somos cegos, minha filha. No Brasil há petróleo em quantidades imensas, mas para tirá-lo é preciso perfurar a terra — e só agora alguns brasileiros estão tratando disso. Os nossos vizinhos já têm petróleo porque estudaram o assunto e abriram poços; o mesmo acontecerá no Brasil, *se fizermos o mesmo*.

Pedrinho resolveu mentalmente dedicar-se, quando crescesse, a escavações de poços petrolíferos. Sua ideia era acabar tão opulento como Rockefeller, o Rei do Petróleo.

Depois de vistos pela luneta mágica os países da América do Sul banhados pelo oceano Pacífico, o Capitão deu ordem para que "O Terror dos Mares" abrisse todo o pano, em rota para Noroeste.

Entraram logo depois no Mar das Antilhas, que é lindo de tão azul — um azul próprio, que só se vê ali. Começaram a aparecer inúmeros peixes voadores, muitos dos quais vieram cair dentro do brigue.

Tia Nastácia ficou assombrada.

— O que mais não se vê neste mundo, santo Cristo! — murmurou ela. — Peixe de asa, que vem voando para a panela! Credo!...

O jantar daquele dia lhe custou apenas o trabalho de abaixar-se e apanhar os peixes que no voo davam de encontro às velas e às cordas, caindo no tombadilho. Infelizmente não eram gostosos como a garoupa pescada na Bahia.

— Mas servem. Pelo preço que ficam para a gente, até são ótimos, — filosofou a negra.

Dona Benta foi explicando:

— Este mar banha uma porção de ilhas pequenininhas e outras bem grandes, como a de Cuba, que é a república do açúcar e do bom fumo, e a de São Domingos, onde existem dois países, a República de Haiti, formada só de pretos e a República de São Domingos, formada de descendentes de espanhóis. As outras são colônias dos europeus. A Ilha da Jamaica pertence à Inglaterra; Guadalupe e Martinica pertencem à França. A população de todas é composta sobretudo de pretos, descendentes dos antigos escravos africanos trazidos para cá a fim de trabalhar na lavoura de açúcar.

— Estou vendo que isso aqui é um açucareiro, — disse Emília. — Açúcar em Cuba, açúcar em Jamaica, açúcar por toda parte...

— E não está longe da verdade. O Açucareiro do globo é de fato aqui. Só Cuba produz quase tanto como o resto do mundo. É uma fornecedora universal. Sua linda capital, Havana, é uma filha do Açúcar.

— Um pirulito! — gritou Emília.

Em seguida Dona Benta mostrou pela luneta a América Central, uma nesga de terra que liga a América do Sul à América do Norte.

— Ali ficam, — disse ela, — várias pequenas repúblicas — a do Panamá, a de Costa Rica, a de Nicarágua, a de Honduras, a de São Salvador e a de Guatemala. São pequenininhas mas de terras muito férteis, nas quais se cultivam muitas coisas, sobretudo bananas. Os maiores bananais do mundo ficam nesta zona, sendo as colheitas exportadas para os Estados Unidos. No Panamá temos o famoso Canal do Panamá, a obra mais grandiosa que os homens construíram sobre a terra. A natureza havia feito ali o Istmo do Panamá, isto é, deixado uma estreita fita de terra amarrando a América do Sul à América do Norte — e vai o homem e corta o Istmo por meio desse canal, ligando as águas dos oceanos — o Atlântico e o Pacífico.

— Quem abriu esse canal?

— A primeira tentativa foi feita pelos franceses, há muito tempo. Um grande engenheiro, Lesseps, formou uma companhia para esse fim. Deu começo às obras, mas foi tanta malária e febre amarela a atacar os trabalhadores que nada conseguiu. Sua empresa levou a breca. Mais tarde os americanos retomaram a tarefa, fazendo a coisa bem feita. Primeiro sanearam a zona, isto é, mataram os mosquitos...

— Mataram os mosquitos? — admirou-se a menina. — Eram então os mosquitos que atrapalhavam a abertura do canal?

— Sim. Os mosquitos pernilongos são os transmissores dos germes da malária e da febre amarela. Acabando com eles, os americanos acabaram com essas epidemias — e sossegadamente puderam rasgar o Istmo.

— Mas como matavam os mosquitos? Como podiam acabar com mosquitos que deviam ser bilhões de bilhões?

— O melhor meio de acabar com os mosquitos consiste em drenar as águas paradas ou derramar petróleo sobre as lagoas mortas. É nessas águas estagnadas que se desenvolvem as larvas dos mosquitos. Drenando-as, isto é, secando-as, ou petrolizando-as, acabam-se com as larvas, e não havendo larvas não há mosquitos. As larvinhas não podem viver sem respirar. Quando sobem de dentro da água para respirar na superfície, dão com a camadinha de petróleo ali espalhada e morrem.

— Tão simples...

— Ficou simples, sim, essa Profilaxia, isto é, esse jeitinho de evitar a epidemia, mas só depois que o homem descobriu a verdadeira causa da transmissão dos germes da malária e da febre amarela. É o mosquito. O mosquito pica um doente e infecciona-se com os germes da doença e se depois pica uma pessoa sã, transmite-lhe a doença. Antes de os homens saberem disso, os médicos lutavam às cegas, sem saber o que faziam — e era uma calamidade. Hoje, porém, em vez de dar drogas aos febrentos e maláricos, a higiene suprime os mosquitos, evitando assim que haja febrentos e maláricos.

— Viva a senhora dona Profiláxia! — gritou a menina.

— Profilaxia, — corrigiu Dona Benta. — O acento cai no final. Pronuncia-se: *profilaccía.*

Capítulo XIII
México. Mar de Sargaços. Corrente do Golfo. Estados Unidos

O brigue ia nesse momento atravessando o Canal do Yucatán, que separa a ilha de Cuba da península do Yucatán, no México. Dona Benta mostrou o que era canal: uma faixa d'água apertada entre duas terras, e disse que os canais tanto podiam ser feitos pela Natureza como pelo homem. O Canal do Panamá havia sido feito pelos homens; aquele ali, pela Natureza. Atravessado o Canal do Yucatán, o brigue penetrou no Golfo do México.

— Estamos nas águas do Atlântico que banham as costas do México, a nação mais interessante de toda a fieira de nações plantadas pelos latinos na América. Esses povos chamam-se latinos porque falam línguas filhas do latim, e também porque os romanos, faladores do tal latim, muito contribuíram para a formação deles, nos tempos antigos, quando Roma era para o mundo o que é hoje a Inglaterra. Todas as repúblicas da América do Sul e da América Central são hispano-americanas — isto é, misturadas de Espanha e América. O Brasil forma a exceção única. Mas desses países o que eu acho mais interessante é justamente o México.

O México é uma terra que não se confunde com nenhuma outra. Em tudo põe a sua marca — ou revela a sua individualidade, como se diz em língua técnica. Tem uma arte toda sua, pintura sua, música sua, cerâmica sua, arquitetura sua, costumes só seus. A história do México é um drama que não tem fim; mal acaba um ato, começa outro — e drama escrito a sangue. Até imperador o México já teve, quando foi invadido pelos soldados de Napoleão III. Esse Napoleão mandou para cá o arquiduque Maximiliano, que era austríaco, e o botou no trono como Imperador. Os mexicanos, porém, revoltaram-se e fuzilaram o pobre soberano, conseguindo libertar o país das garras dos franceses. Mas não têm fim as revoluções havidas no México, que além disso teve de sustentar uma guerra com os Estados Unidos, na qual perdeu boa parte do seu território. Os Estados americanos do Texas, do Arizona, do Novo México e da Califórnia já foram mexicanos.

O território do México é riquíssimo em minerais, sobretudo em prata. Quando os conquistadores espanhóis desceram aqui, ficaram de boca aberta, de tantos ornamentos de prata que viram no corpo dos nativos. Esses nativos eram os índios Astecas, criadores de uma civilização bem adiantadinha. A ganância de pegar aquela prata levou os espanhóis a destruírem o Império dos Astecas, abusando da superioridade em armas, porque traziam armas de fogo, desconhecidas dos índios da América.

— Já vi isso na *História do Mundo*, — observou Pedrinho.

— Pois agora está você diante do país onde ocorreu a tragédia. Os conquistadores, entretanto, não acabaram com toda a população nativa, de modo que no México, até hoje, há mais gente da raça americana nativa do que europeus, ou descendentes de europeus. Esses mexicanos formam a classe dos Peões, ou homens do campo.

O calor estava cada vez maior. Todos suavam em bicas, exceto Quindim, que, como bom filho da África, se regalava com as temperaturas altas.

— *Uf!...* — exclamou a menina descendo do mastro. — Estou que não posso mais. — E gritou para a cozinha: — Sorvete, Tia Nastácia! Não pare de fazer sorvete. Estamos morrendo assados aqui no tombadilho.

— E é natural, — disse Dona Benta. — Nosso navio está bem em cima dum rio de água quente.

— Rio de água quente?

— Sim, minha filha. Estamos navegando sobre a célebre Corrente do Golfo, isto é, sobre a Corrente Quente do Golfo do México.

O Imediato aproximou-se, de testa franzida.

— Explique isso, Capitão. Não estou entendendo nada...

Dona Benta explicou:

— Há no meio do Oceano Atlântico o célebre Mar de Sargaços. Sargaços são Algas, ou plantas marinhas que naquele ponto se reúnem em grandes massas sobre grande extensão do mar. Por entre os sargaços circulam infinidades de peixinhos. Esse Mar de Sargaços constituía outrora o terror dos Navegantes. Navio de vela que arrastado pelos ventos ali fosse ter, ficava encalhado e perdido. Era o mesmo que botá-lo em terra firme. Mas Colombo desfez tal lenda, atravessando com as suas naus esse mar de algas. Pois bem: no fundo do Mar de Sargaços há qualquer coisa ainda misteriosa para os geógrafos. Forma-se lá um rodamoinho que é a origem da Corrente do Golfo. As águas movem-se em certa direção, como um rio, e passam ali pelo Canal do Yucatán, penetrando neste golfo. Aqui aquecem-se com este terrível calor e seguem, com velocidade cada vez maior, rumo Noroeste, até encontrarem saída pelo Canal da Flórida, que é outro canal que separa Cuba da península da Flórida, nos Estados Unidos. Nesse ponto está já tão quente o rio marinho, que um termômetro Centígrado nele mergulhado marcará 27 graus, e vai avançando com a velocidade de oito quilômetros por hora.

— Velocidade dum homem andando a pé, — observou o menino.

— Atravessa o canal e segue costeando os Estados Unidos; depois se dirige para a Europa, indo aquecer as terras do Norte — as Ilhas Britânicas, a Islândia, que é uma grande ilha e a Noruega. E aquece até a Groenlândia, a terra gelada onde vivem os Esquimós.

— Os fabricantes daquele sorvete que tem uma capa de chocolate por fora? — indagou Emília.

— Não, bobinha. Os esquimós nem sabem o que é sorvete, visto que moram numa terra de gelo. Os produtores desses sorvetes apenas se utilizaram do nome deles para a marca de fábrica. Que ideia! Os esquimós a exportarem sorvetes!... Mas se os tais esquimós podem viver nas terras geladas da Groenlândia, é isso devido á passagem por perto dum ramal do rio de água quente.

— Quer dizer, — observou o Imediato, — que eles podem viver graças ao calor que vai exportado daqui deste golfo?

— Exatamente. O Golfo do México é um benemérito. Exporta calor para a Inglaterra, para a Noruega a até para os pobres esquimós.

— *Uf!*... — exclamou de novo Narizinho, enxugando a testa. — Exporta pouco, pelo que estou vendo. Devia exportar o dobro, o triplo. Quanto mais exportasse, tanto melhor para quem passasse por aqui. Estou que não aguento mais. Sorvete, Nastácia!

Tia Nastácia veio da cozinha com uma bandeja de *Eskimo Pies*, que é o nome inglês do tal sorvete recoberto de chocolate. Na parada do brigue em Trinidad haviam aprendido a receita.

— Pronto, calorenta! — disse ela. — Refresque o papo à vontade. Tenho lá na geladeira outro sortimento.

Todos se refrescaram, exceto a "tripulação". Quindim continuava nadando em mar de rosas. Calor era com ele.

Dona Benta contou mil coisas do México, e descreveu a Cidade do México, sua capital, rica de monumentos históricos. Depois falou de Tampico, perto da qual se perfuraram os primeiros poços do petróleo mexicano.

— O petróleo aqui neste país, meus filhos, é como água. Jorra da terra em quantidades tremendas. Houve um poço de nome Cerro Azul que rompeu com 300.000 barris por dia!

— Trezentos mil! — exclamou o menino, espantado. — Mas isso é um colosso, vovó! Quanto vale um barril de petróleo bruto?

— Aí uns $20.00...

— Quer dizer então que esse poço arrancava da terra, por dia, 300.000 notas de $20.00?

— Exatamente. Trezentas mil notas de vinte ou sejam 6 milhões diários...

Pedrinho ficou pensativo. Estava já a imaginar-se perfurador de petróleo lá no sítio. Quem sabe se não abriria um poço ainda maior que o Cerro Azul? Tudo é possível no mundo.

O brigue entrara em plena corrente marinha, isto é, entrara na famosa Corrente do Golfo, de modo que ia com boa velocidade. Passou pelo Canal da Flórida e ganhou o Norte, pelas costas dos Estados Unidos acima. Em certo ponto o vento deu de crescer dum modo estranho. Quindim imediatamente recolheu as velas, ou o pano, como dizem os marinheiros.

— Que há? — gritou o Imediato. — Como vai recolhendo as velas assim sem mais nem menos? Não sabe que nada se faz sem ordem minha ou do Capitão?

Quindim — respondeu que aquele vento lhe estava cheirando a Ciclone — e que se sobreviesse um ciclone, o brigue não se aguentaria de velas abertas. Escangalhava-se todo.

Pedrinho correu a falar com o Capitão, mas era tarde. A fúria do vento se tornara tamanha que ele foi arremessado de encontro a uma pilha de cordas, à qual se agarrou. E lá ficou por uns vinte minutos, encolhidinho, enquanto sobre sua cabeça o vento zunia com fúria infernal. Pedrinho teve medo. Parecia o fim do mundo. A previdência da "tripulação", entretanto, havia salvo o brigue. Com as velas recolhidas. "O Terror dos Mares" foi arrastado para muito longe, mas nada sofreu. Logo que a horrível ventania cessou, o Imediato pôde levantar-se e ir ter com o "Capitão". Encontrou Dona Benta pálida e trêmula.

— Do que escapamos, meu filho! — disse ela. — Um ciclone! Um terrível ciclone, desses tão comuns nestas regiões, acaba de varrer a Península da Flórida, destruindo a cidade de Miami, como verifiquei através da minha luneta.

Pedrinho correu à luneta e espiou. Viu realmente, lá longe, uma linda cidade beira-mar em pandarecos.

— Estou vendo, vovó! Estou vendo tudo arrasado...

— É a pobre da Miami (leia *Maiâmi*, com acento no segundo a), que mais uma vez foi varrida por um ciclone...

— Mas que é o tal ciclone, afinal?

— Os ventos, meu filho, começam com as Brisas, que são ventinhos de muito pequena velocidade. Se a velocidade cresce, a Brisa passa a Vento; se cresce ainda mais, passa a Ventania; se cresce ainda mais, passa a Tufão ou ciclone. No ciclone o vento tem tal fúria e gira em rodamoinho com tamanha força, que a cidade que tiver a desgraça de ser por ele alcançada leva a breca. Foi o que aconteceu com Miami. E por um triz também não levamos a breca. Nossa sorte foi não ficarmos dentro do rodamoinho — ficamos na beira. A ideia da "tripulação", de recolher o pano, valeu-nos a vida. Mande o Visconde dar um prêmio a Quindim — uma ração dupla de alfafa.

O Visconde nunca tomava parte nas lições de Dona Benta, porque, como o único *steward* de bordo, não tinha parada. Emília, por exemplo, que vivia no leme, não lhe dava um minuto de tréguas. "*Steward*, traga isto; *steward*, traga aquilo." Mas naquele dia aconteceu uma desgraça. O tufão o varrera para o mar. Quando a desgraça foi sabida, houve berreiro grosso.

— Salvem o Visconde! — gritava Emília. — Quero o Visconde!

Narizinho também se mostrou aflitíssima, pois não dispensava a presença do famoso sabugo científico. Tia Nastácia, essa, danou, porque ele lhe prestava grandes serviços na cozinha. Era o descascador de batatas, o batedor de ovos, o lavador do coador de café.

— Salve-o, sinhá! — veio ela pedir de mãos postas. — Salve o Visconde, pelo amor de Deus! Sem o sabugo não sei lidar naquela cozinha...

Dona Benta assestou a luneta sobre as ondas em procura do sabuguinho querido. Nada, nada. Súbito, deu um grito:

— Lá está o coitado a debater-se nas agonias da morte...

De fato, a pouca distância do brigue todos puderam ver o pobre Visconde a debater-se nas águas. Imediatamente Pedrinho preparou uma linha com anzol na ponta para pescá-lo.

— Anzol não! — protestou a boneca. — Ponha um salva-vidas. Anzol espeta.

— Espeta, nada. Sabugo não dói, não é de carne — e com muito jeito Pedrinho conseguiu pescar o estranho peixe.

Foi um delírio de contentamento quando o náufrago reapareceu a bordo. Viva! Viva! Mas como viera entanguido! Dona Benta deu-lhe um fontol e fê-lo recolher-se à sua tarimba, onde o abafou num bom cobertor, apesar da quentura que fazia.

— Deixem-no agora em paz. Com este suadouro ele fica bom num instante.

Liquidado o caso do Visconde, Dona Benta falou da terra dos americanos.

— Por que a senhora diz americanos, vovó? — indagou Narizinho. Todos os naturais da América são americanos e não só os dos Estados Unidos...

— Digo assim para facilitar — e também porque estou certa. Esse país chama-se Estados Unidos da América, não tem um nome característico como os demais. O filho dos Estados Unidos do Brasil é brasileiro, o filho dos Estados Unidos da Colômbia é colombiano, o filho da Guatemala é guatemalense, o filho do México, é mexicano — tudo muito fácil. Mas como havemos de tratar os filhos dum país que se chama Estados Unidos da América? Está claro que de americanos. Se vocês descobrirem denominação melhor, eu darei a mão à palmatória.

Os meninos pensaram, pensaram e não acharam — e dali por diante ficou assentado que quando se dissesse americano, estava entendido tratar-se dos filhos dos Estados Unidos da América.

— Esse país, — disse Dona Benta, é a glória do continente americano. É o segundo em território, com 9.362.000 quilômetros quadrados, o maior em riqueza, em civilização e em poder. E é em muitas coisas o maior não só da América como do mundo inteiro. Os Estados Unidos são hoje um país de mais de 130 milhões de habitantes, dos quais 14 milhões negros e o resto brancos. Mas há lá uma barreira entre os brancos e os pretos, de modo que as duas raças pouco se misturam. Quem é branco fica branco e quem é preto fica preto.

— E os arranha-céus?

— Sim. É a terra d'uma porção de coisas que só há lá, como os *sky-scrapers*, ou arranha-céus. A riqueza dos americanos, junto à audácia da sua iniciativa, fez que o país se enchesse de coisas únicas, coisas inéditas no mundo. Outra particularidade americana é que lá tudo é o maior do mundo. As pontes são as maiores. As casas são as maiores. A rede de estradas de ferro é a maior. A cultura do trigo, do algodão, a produção de petróleo e ferro, tudo maior.

— E as cidades?

— As cidades americanas, todas elas, têm qualquer coisa maior do mundo. Nova York, por exemplo, conta realmente com 11 milhões de habitantes, se incluirmos as zonas que lhe cresceram em redor. É a maior do mundo. E existem outras cidades formidáveis, como Chicago, a capital do Oeste e onde se concentra uma gigantesca indústria de carnes congeladas e enlatadas. Há Filadélfia, enorme, há Detroit, o grande centro da fabricação de autos, onde se acha a imensidade da fábrica Ford que enche de automóveis o mundo. Há na costa do Pacífico a grande cidade de São Francisco, ou Frisco, como eles dizem. Todas são cidades de milhões de habitantes.

— E qual a razão de esse país ter-se desenvolvido tanto, vovó?

— Muitas, meu filho. O território dos Estados Unidos é abençoado. Tem tudo. Produz tudo. Se o mundo desaparecesse inteirinho e só ficasse os Estados Unidos, eles continuariam a viver a mesma vida que vivem, sem precisar de nada. Só que deixariam de tomar café.

Minerais possuem em tremendas quantidade — e nenhum país produz tanto ferro e aço. Petróleo tem-no em quantidades fabulosas. Basta dizer que sendo a produção total do mundo de um bilhão e 200 milhões de barris, só os Estados Unidos produzem mais de 900 milhões.

— Safa! E que fazem de tanto petróleo?

— Refinam-no, reduzindo-o a gasolina, a querosene, a óleos lubrificantes, óleos combustíveis, a flit de matar mosquitos, a benzina, a vaselina, a asfalto, a piche, a parafina, etc. Não há o que eles não tirem desse óleo preto e de mau cheiro que sai das entranhas da terra. Depois de obter todos esses produtos, eles o consomem. Transformam a gasolina em corridas de automóveis e voos de aviões. Os óleos lubrificantes vão engraxar os eixos das máquinas. O óleo combustível vai fazer rodar os motores de óleo — os navios, as locomotivas. Com o flit se libertam da bicharia miúda. Com o asfalto e o piche constroem estradas sem pó, ótimas.

O segredo da grandeza americana está na sua tremenda indústria do ferro e do combustível. Com o ferro fazem toda sorte de máquinas possíveis e imagináveis — desde relógios, maquinazinhas da marcar o tempo, até o canhão, máquina de matar gente. Máquinas de tudo — de fazer papel, de tecer, de escrever, de costurar, de tudo, tudo, tudo. E para mover esses milhões de máquinas, utilizam-se do calor produzido pela queima do carvão de pedra (suas minas de carvão são das maiores do mundo) ou da força explosiva da gasolina vaporizada. Nos motores de automóvel, por exemplo, chamados Motores de Explosão, a energia que faz o carro andar, isto é, a Força, vem de sucessivas explosões de pequenas quantidades de gasolina. Quando estudarmos física havemos de ver isto, que é muito interessante.

— Bom, vovó, — disse Pedrinho. — Se esse país é assim, então o melhor é darmos um passeio por lá. Passeios por países muito adiantados são ótimos, porque abrem os olhos da gente e ensinam muita coisa.

Dona Benta aprovou a ideia, e deu ordem à "tripulação" para botar o brigue no rumo de Nova York, que é o maior porto americano.

Durante a travessia "O Terror dos Mares" vinha frequentemente se cruzando com os navios que fazem a carreira entre as duas Américas, e o hábito era se saudarem amigavelmente. Acontecia, porém, que a vista do brigue causava o maior dos assombros nos seus colegas de oceano. A marinhagem subia às vergas para ver melhor e os capitães fincavam os olhos nas lunetas. Que navio seria aquele? — era a pergunta de todos. E os radiogramas que voavam para a terra diziam do encontro do misterioso brigue, com um rinoceronte em vez de maruja e uma bonequinha vestida de pirata no leme. Mistério!

A propósito desses vapores encontrados pelo caminho, Dona Benta contou muita coisa da vida do mar — sobretudo naufrágios. Contou o terrível naufrágio do "Lusitânia", torpedeado por ocasião da Grande Guerra, e também do "Titanic", um navio monstro que deu com o bico num iceberg. Essas histórias fizeram medo ao "Imediato", que tratou de dotar o brigue dum aparelho de rádio, emissor e receptor — emissor, para lançar ao ar recados e sinais; e receptor, para apanhar recados e sinais soltos no ar.

— Estou com tudo prontinho para caso de desastre, vovó, — disse ele depois de arrumada a cabina do rádio. — Se houver qualquer coisa, se formos torpedeados ou dermos de encontro a algum iceberg, já sei lançar o famoso sinal S.O.S., que é um pedido de socorro.

Dona Benta havia explicado que quando um navio em perigo lança esse S.O.S., todos os outros que andam pelo mar o recebem — e os que estão mais perto botam-se na direção do S.O.S., a fim de socorrer o colega. Essa providência tem salvo a vida a milhares de criaturas humanas, tripulantes e passageiros.

Emília, que havia prestado atenção à conversa, resolveu fazer a experiência. Foi pé ante pé à cabina e deu o sinal de S.O.S., sem que o "Imediato" e o "Capitão" percebessem.

Uma hora depois começaram a surgir navios de vários pontos do horizonte.

— Que coisa estranha, Pedrinho! — murmurou Dona Benta. — Todos esses vapores vêm em nossa direção, como se tivessem sido chamados...

"O Terror dos Mares" acabou rodeado por cinco navios de bandeiras diferentes, cujos capitães interpelaram Dona Benta sobre o S.O.S. irradiado pelo brigue.

Dona Benta abriu a boca, e só depois de muito apertar com a "Timoneira" é que descobriu a marosca. — pediu então desculpas aos seus colegas.

— Foi reinação da Emília, — respondeu. — Queiram desculpar-me. A diabinha lançou o S.O.S. às escondidas, de brinquedo...

Os capitães, furiosos, ameaçaram de dar queixa às autoridades em terra. Um deles quis entrar no brigue para escangalhar com a cabina de rádio.

— Venha, se for capaz! — gritou-lhe Emília. — Atiço-lhe Quindim em cima e quero ver...

O capitão indagou quem era Quindim. Quando soube tratar-se dum tremendo rinoceronte natural do Uganda, ficou atrapalhado. Baleias já ele tinha visto muitas, e tubarões, e espadartes. Mas rinoceronte no mar, nunca. Disse então: — "Passe muito bem" e zarpou.

Em vista do acontecido, Pedrinho botou cadeado na cabina, fechou-a bem fechada e guardou a chave. Com uma louquinha como Emília todo o cuidado era pouco.

Capítulo XIV
OS ANDES. VULCÕES. NOVA YORK

Enquanto ia o brigue se aproximando de Nova York Dona Benta fez ver aos meninos, por meio da luneta mágica, que aquela Cordilheira dos Andes, que corta toda a América do Sul, continua com suas montanhas, embora não tão altas, através da América Central e de toda a América do Norte, indo morrer lá nos fins do território do Alaska.

— Esse território faz parte dos Estados Unidos ou do Canadá? — indagou Pedrinho, vendo que o Alaska não estava unido aos Estados Unidos.

Dona Benta — explicou que o Alaska pertencera a Rússia, a qual o vendeu aos Estados Unidos por 7 milhões do dólares, ou 70 milhões de cruzeiros em moeda brasileira do tempo em que o dólar valia dez cruzeiros

— Quanto dinheiro, vovó! — exclamou Narizinho. — Foi caro, não?

— Foi dado, menina. Mais tarde os americanos encontraram lá os maiores depósitos de ouro do mundo. Só o ouro que extraíram do Klondike (leia Kloondaiq), pagou centenas de vezes os tais sete milhões de dólares. Um escritor americano, Jack London, escreveu lindos livros sobre a vida no Alaska, que havemos de ler quando voltarmos ao sítio. *A Filha das Neves* é um. Quem lê esses livros fica fazendo perfeita ideia daquele território frigidíssimo, onde tudo é diferente da zona temperada em que moramos.

Mas, como ia dizendo, esse maciço dos Andes, esse compridíssimo levantamento da crosta da terra próximo ao Oceano Pacífico, vem desde a Patagônia até o Alaska. Vem pelo caminho tomando os mais diversos nomes. No México chama-se Sierra Madre, que quer dizer Serra Mãe.

— Mãe de quê? — indagou Narizinho.

— Com certeza da prata, porque foi nessa montanha que se descobriram as maiores minas de prata do país. Só menores que as dos Estados Unidos. Há quatro séculos que os mexicanos extraem prata dessas minas.

— Nos Estados Unidos também há uma serra mãe?

— Lá é nas Montanhas Rochosas que estão os tesouros de prata formados pela Natureza. Os americanos tiraram-na e tiram-na dali em enormes quantidades, como tiraram e tiram do Alaska e da Califórnia o ouro, como de outras partes tiraram e tiram o cobre e o ferro. Mas, voltando ao México, é na Sierra Madre que fica a cidade de México, de clima muito agradável por causa da altura. Também lá perto fica um grande vulcão de nome Popocatepetl, que na linguagem dos índios significa montanha fumegante. Isso porque esse vulcão, embora já extinto, ainda deixa escapar uma fumaça sulfurosa, isto é, com vapores de enxofre. O enxofre amarelinho deposita-se ao redor do pico, donde é tirado pela gente da zona.

— Tirado para quê?

— Para mil coisas. O enxofre tem muitas aplicações na indústria. Para matar formigas, para fazer ácido sulfúrico, para a fabricação de fósforos...

— Para pomada contra sarna de cachorro, — acrescentou a menina, que já uma vez havia curado com pomada sulfurosa o Joli do compadre Teodorico.

Dona Benta riu-se da lembrança.

— O México produz tudo que produzimos lá no Brasil, e mais uma certa goma que não produzimos. Adivinhem qual é.

— Goma arábica! — berrou Emília.

— Não. Na península do Yucatán cresce a árvore que dá a célebre goma de mascar, chamada pelos norte-americanos *Chewing-gum* (*tchiuingâm*).

— Chiclete, eu sei, — disse Narizinho.

— Isso mesmo. Como vamos visitar os Estados Unidos, quero desde já prevenir vocês sobre esse costume do povo — a mascação do *chewing-gum*. É um mau costume mexicano adotado pelos americanos.

Dona Benta disse que os Estados Unidos se compunham de 48 Estados que, unidos, formavam os Estados Unidos da América. Cada Estado tem a sua abreviatura e o seu nome popular. PA., por exemplo, é abreviatura de Pennsylvania; N. J. é abreviatura de New Jersey; LA., de Louisiana; OKLA., de Oklahoma, etc.

— E os nomes populares?

— Só em inglês essas denominações populares têm sabor e significação. Traduzidas, perdem a graça. Também os habitantes de todos os Estados têm seus apelidos cômicos, tal qual no Brasil. Assim como entre nós chamamos Barriga Verde ao filho de Santa Catarina, e Gaúcho ao rio-grandense, e Carioca ao nascido na cidade do Rio de Janeiro, assim também os americanos chamam *Blue Hens* (galinhas azuis) aos filhos do Delaware, *Tar Heels* (calcanhares de piche) aos da Carolina do Norte; *Lizards* (lagartos) a gente do Alaska; *Stubtoes* (dedo chato) a gente de Montana, etc.

— E a gente de Nova York, para onde vamos, como é tratada?

— Esses são os *Knickerbockers*, do nome dum antigo judeu que havia lá.

Dona Benta limpou no lencinho de cambraia o vidro dos óculos e — continuou:

— Uma coisa que vocês não esperam: há nos Estados Unidos uma cidade de nome Brazil, com Z, porque em inglês Brasil é com z.

— Que engraçado! E onde fica?

— No centro do Estado de Indiana. Mas é uma cidadezinha muito pequena.

— Embora seja pequena, se formos a esse Estado temos de visitá-la, — disse Narizinho.

Dona Benta fez uma pausa. Depois:

— Foi pena, ao passarmos pelo Golfo do México, não termos portado na cidade de New Orleans, na foz do *Mississippi*. Veríamos essa cidade de formação francesa, tão diferente das suas colegas americanas, e também veríamos o delta do maior rio do mundo — o Mississippi.

— Maior que o Amazonas?

— Em comprimento, sim, pois nasce nas Montanhas Rochosas, no Estado de Montana, e vem engrossando pelo caminho até despejar-se no Golfo do México, no ponto onde está New Orleans, depois dum curso de 6.700 quilômetros.

— Que danado! comentou Pedrinho. E com certeza é navegável...

— Navegabilíssimo. Ele e os seus afluentes formam uma estrada natural de 24.000 quilômetros navegáveis; e também com os seus afluentes drena uma bacia de 2 milhões de quilômetros quadrados.

— Então é o Amazonas dos Estados Unidos...

— Perfeitamente. E a história desse rio, a partir a colonização europeia, é grande parte da história dos Estados Unidos. Por ali entraram os exploradores e os colonos e os pioneiros que semearam cidades. Por ali, portanto, penetrou a civilização europeia numa zona imensa e ainda completamente virgem. Nos romances de Mark Twain a vida do Mississippi se acha muito bem pintada. Esse Mark Twain, um dos maiores escritores da América, passou parte da sua meninice trabalhando, ou reinando, nas barcaças que subiam e desciam o grande rio, de modo que vários dos seus romances recordam coisas vistas e sentidas. Hei de ler para vocês as *Aventuras de Huck*, menino levado da breca, e de seu companheiro Jim, um negro fugido que tinha ideias muito cômicas. Todas as aventuras de Huck e Jim passam-se sobre o Mississippi.

Era noite já. Depois de fazer seus cálculos, o "Imediato" declarou que, na marcha que levavam, lá pela madrugada estariam com o porto de Nova York à vista. Narizinho mostrou-se emocionada. Era o primeiro país estrangeiro que ia conhecer. Foi para a cama, depois de recomendar a Quindim que não deixasse de chamá-la com um bom berro logo que as primeiras luzes da grande cidade se fizessem visíveis.

Lá pelas três da madrugada Quindim deu um berro: *Buuuu!* Era o sinal combinado. Narizinho pulou da cama. Correu ao tombadilho. Olhou. Lá longe aparecia um clarão no céu. Luz, nenhuma; só esse clarão.

Dona Benta, que também se havia levantado, aproximou-se de luneta em punho.

— Já é o clarão de Nova York, minha filha. Estamos longe ainda, mas a cidade é tão grande, tem tanta luz, que desta distância já a claridade se torna visível.

Meia hora depois apareceram as primeiras boias iluminadas, que existem no caminho do porto para orientação dos navios, e por fim, com o romper da manhã, surgiu no horizonte a silhueta da cidade monstro.

Todos haviam corrido ao tombadilho, inclusive Tia Nastácia. Pedrinho engatilhou sua máquina fotográfica para apanhar vistas. O número de vapores que para lá se dirigiam, ou de lá saiam, era enorme e não houve um que ao cruzar-se com o estranho brigue não mostrasse o mesmo espanto.

Lá pelas dez horas chegaram. Tia Nastácia nem queria acreditar nos seus olhos, quando os gigantescos arranha-céus próximos aos cais começaram a ser vistos de perto.

— Nossa Senhora! — exclamava ela. — Aquilo é arte do diabo, sinhá! Pois onde é que já se viu casas desse tamanho?

— São mais que casas, boba, — disse a menina. — São arranha-céus.

— Arranha-céu? Pois então é mesmo o que eu disse — arte do diabo. Onde já se viu andar arranhando o céu de Nosso Senhor? Credo!...

Depois de vistos, e bem vistos, os maiores monumentos da audácia humana, os meninos prepararam-se para descer. "O Terror dos Mares" procurou um cantinho no cais de Hobocken, onde encostar-se.

— Agora é que são elas! — disse Dona Benta. — Vamos penetrar num país desconhecido. Estou com medo...

— Nada de medos, vovó! — animou Pedrinho. — Medo de quê? Com o inglesinho que sabemos, mais o de Quindim, tudo correrá muito bem.

— Mas vai Quindim então andar conosco pelos Estados Unidos afora?

— E por que não? Até servirá para ganharmos dinheiro. Podemos exibi-lo de cidade em cidade. Juro que é a primeira vez que aparece por aqui um rinoceronte especial como este, falante e, além do mais, tão bem educado. Os americanos vão abrir a boca, juro...

Dona Benta quedou-se indecisa. Estava sem dinheiro americano, sem dólares. Só mesmo exibindo Quindim podiam ganhar o necessário para as despesas.

— Está bem, — disse ela. — Mas tenho umas recomendações a fazer. Vamos entrar em país estrangeiro; é necessário, portanto, que todos se comportem muito bem para não desmoralizarem o Brasil. O melhor meio dum turista comportar-se bem em terra alheia, é nada fazer que dê na vista. Sigam em tudo a moda da terra. Lembrem-se do ditado: cada terra com seu uso, cada roca com seu fuso.

E para Tia Nastácia recomendou:

— E você, que não sabe nada de inglês, responda *All right* a tudo quanto perguntarem. Assim não errará muito.

A pobre negra estava já sentindo o coração aflito diante das prováveis consequências daquela aventura. Mas como sabia da existência de milhões de negros na América, sossegou. Entre eles havia de arranjar-se.

Depois de tudo arrumado a bordo, desceram. Entretanto, mal puseram o pé na rua, já o povo começou a juntar-se e a abrir a boca. Sobretudo Quindim e o Visconde causavam a maior estranheza. E acudiram policiais, uns homens grandes como torres. E soaram telefonadas. E houve interpelações. E gritos de sereia. E carros da polícia...

Dona Benta, que já começava a suar gelado, viu-se envolta por um enxame de repórteres, ávidos de informações e instantâneos fotográficos. A boa senhora soube explicar-se perfeitamente, conseguindo cair nas boas graças dos jornalistas. Súbito, um homem rompeu a multidão e veio propor-se para *manager* do grupo durante a estada deles na América. Faria tudo, exibiria Quindim com grandes reclames e daria a Dona Benta metade dos lucros. A proposta foi aceita sem vacilação.

Graças ao *manager* a encrenca se resolveu. Os policiais deixaram-nos seguir de rumo à Broadway. Os meninos estavam todos ansiosos por travar conhecimento com a mais famosa rua do mundo — uma rua de trinta e tantos quilômetros de comprimento.

A passeata do grupo pela Broadway constituiu a maior sensação do ano, como mais tarde confessou um jornal. Dona Benta, sempre de luneta em punho, abria caminho, tudo vendo e tudo explicando. À sua direita seguia a menina com o nariz mais arrebitado que nunca, de tanta curiosidade; à esquerda caminhavam Pedrinho, entreparando a cada instante para bater chapas, e Tia Nastácia. Atrás vinha Emília pela mão do Visconde — e fechando o cortejo bamboleava-se Quindim, grave e solene no seu passo calmo de paquiderme falante.

As recomendações de Dona Benta foram seguidas à risca. Todos caminhavam e agiam como se fossem americanos, sem gritos, sem gesticulações excessivas, engolindo os espantos, já que é feio espantar-se em público. Emília foi a que mais tomou a sério tais recomendações. Não perdia de vista coisa nenhuma do que os americanos faziam — para fazer igual. Vendo inúmeros a mascarem *chewing-gum*, comprou com dois dólares pedidos ao *manager* vários pacotinhos e os distribuiu pelo grupo. A Quindim, cuja boca ora enorme, teve de dar vinte pacotinhos duma vez. E foi assim, mascando furiosamente a goma do Yucatán, que o pessoalzinho do Sítio de Dona Benta penetrou no Times Square, o ponto mais movimentado da grande rua de Nova York.

Diante do palácio Paramount, um dos maiores cinemas da cidade, foram detidos por um homem alto e moreno, que veio lá de dentro seguido de um operador cinematográfico de máquina em punho.

— Um momentinho! — disse ele em "língua de gente". — Sou brasileiro, trabalho na empresa Paramount e quero apanhar um filme desta procissão, a mais estranha que ainda vi nesta cidade...

Dona Benta e os meninos ficaram satisfeitíssimos de ouvirem falar a língua do Brasil, inda mais por um patrício. E deixaram-se filmar em todas as posições que o brasileiro indicou, depois de o apresentarem ao *manager*, com o qual foi combinado o negócio. Sim, porque era já um negócio. O *manager* — exigiu do brasileiro a quantia de cem dólares por aquela filmagem, soma que lhe foi paga imediatamente — e repartida com Dona Benta.

— Ora graças! — exclamou ela com os olhos nas pelegas. — Ainda não chegamos ao hotel e já ganhei mais dinheiro do que com uma safra inteira de café lá no sítio. Não há dúvida que estamos num grande país...

O cortejo seguiu, sempre a mascar *chewing-gum* e com Tia Nastácia a responder *All right*! a todas as perguntas que lhe eram feitas. Infelizmente saía sempre *O'raio*! — e os perguntantes ficavam na mesma...

O brasileiro indicou um hotel onde podiam alojar-se e acompanhou-os; mas logo adiante surgiu encrenca séria. Vários policiais aproximaram-se e prenderam Quindim, alegando que as leis da cidade não permitiam rinocerontes pelas ruas.

— Mas ele não morde, nem chifra, — explicou Emília. — Quindim é diferente de todos os outros. Fala na perfeição, sabe gramática como gente grande. Uma verdadeira pérola africana.

De nada valeu a defesa. Os policiais levaram-no a caminho do Zoo, que é como chamam o Jardim Zoológico.

Emília esperneou como nunca, dando um verdadeiro escândalo. Berrou que aquilo era uma violência e que ela iria imediatamente apresentar reclamação ao cônsul da Inglaterra.

— Que tem a Inglaterra com o caso? — perguntou, com rugas na testa, o chefe dos policiais.

— Tem que Quindim é súdito inglês, nascido no Uganda, um território dos ingleses na África. Tem só isso.

O policial ficou incomodado. Sendo Quindim súdito inglês, era inevitável a intervenção do cônsul, porque a Inglaterra sempre se mostrou muito zelosa na proteção dos seus nacionais. Em vista disso gritou para os companheiros, já longe, que voltassem com o Quindim. E disse a Emília:

— Está bem. Como não quero dar motivo a complicações diplomáticas, vou restituir a liberdade a esse cidadão inglês. Com uma condição: ele só andará pelas ruas de focinheira e com o chifre embolado.

Emília riu-se.

— Que bobagem! Pois já não disse que Quindim não morde, nem chifra?

— Sim, — retrucou o policial, — mas por via das dúvidas faça o que recomendo. É o meio de reconciliar tudo. Temos aqui leis municipais que determinam isso.

Emília quis continuar a discussão, pedindo para ver as tais leis. Dona Benta, porém, chamou-a à ordem.

— Basta, Emília. Não se mostre tão exigente. Que custa botarmos em Quindim uma focinheira e uma bola na ponta do chifre? Fazendo isso, acatamos as leis do país e os policiais nos deixarão sossegados.

— Mas bola de quê? — indagou Emília.

Dona Benta, já incomodada com o pelote de *chewing-gum* que tinha na boca, não vacilou na resposta.

— De *chewing-gum*, por exemplo. Desistimos todos de continuar nesta mascação, e com a goma que temos na boca fazemos uma bola suficientemente grande para embolar o chifre de Quindim.

E assim foi feito. Quanto à focinheira, bastou pararem diante do Macy's, que é uma das lojas maiores do mundo, dessas que têm tudo quanto existe. Emília entrou e — pediu uma focinheira para rinoceronte. A caixeira arregalou os olhos. Era a primeira vez que aparecia pretendente para semelhante coisa.

— Não temos, — respondeu.

— Como não tem? — gritou Emília. — Onde já se viu uma loja imensa, como esta, que tem tudo, não ter focinheira para rinoceronte? Se não tem, faça ter — procure, invente, fabrique...

A caixeira chamou o gerente para resolver o caso — e o caso foi resolvido. Tomando várias focinheiras de cachorro, o gerente emendou-as com arame, obtendo uma que serviu perfeitamente no focinho do paquiderme.

E foi desse modo, com o rinoceronte enfocinheirado e embolado, que o grupo chegou ao hotel onde ia alojar-se.

— *Uff!* — exclamou Dona Benta ao ver-se no quarto. — Estes meninos põem-me doida. Pois não é que acharam jeito de me enfiar num quarto de hotel de Nova York, a milhares de quilômetros lá do sítio?

— Sinhá, sinhá! — disse Tia Nastácia. — Isto não acaba bem. Duas velhas como nós, seguindo a cabecinha de pano duma boneca e as cabecinhas de vento dos outros dois, isto me está cheirando a loucura. Para mim, sinhá, nós já estamos de miolo mole sem saber...

Dona Benta suspirou.

— Você não deixa de ter razão, Nastácia. Se não é loucura, pelo menos caduquice está com jeito de ser...

Capítulo XV
Nova York e Hollywood

Uma das particularidades de Nova York é o seu sistema de estradas de ferro elevadas e o sistema de estradas de ferro subterrâneas. Tia Nastácia não podia compreender aquilo.

— Arte do diabo, sinhá, — dizia ela frequentemente. — Trem de ferro que anda no ar, em cima de uma ponte sem fim — e trem de ferro que anda dentro da terra feito minhoca! Isso é arte do canhoto. Credo!...

— Também acho, — concordou Dona Benta.

— E esses negros que só falam inglês? É outra coisa que me parece arte do diabo. Ontem criei coragem e saí e cheguei até a esquina. Estava lá olhando aquelas casas que somem na altura quando passou por mim uma negra, tal e qual a Liduina, cozinheira do coronel Teodorico. Eu arreganhei uma risada de gosto. Uma negra! Uma patrícia minha! E me dirigi para ela dizendo: "Como vai?". Pois há de crer, sinhá, que a diaba não me entendeu? Olhou para mim, como quem olha para bicho do mato, e disse uma palavra que seu Pedrinho depois me ensinou: *Ai donte anderstande* que é como quem diz que não está entendendo nada. Já se viu uma coisa assim? Fiquei desapontada, porque nunca imaginei que negro falasse inglês. Desde que nasci só vi negro falar brasileiro — inglês só um ou outro branco, ou aqueles estranjas de cara vermelha que às vezes portavam lá no sítio. Mas aqui é isso — até negro — até as negras falam esse raio de língua que ninguém entende...

Dona Benta riu-se filosoficamente, concordando.

— Pois o mundo é assim, minha cara...

Emília, no dia seguinte à chegada, teimou em querer subir ao topo do arranha-céu mais alto — e subiu. Lá de cima, com Pedrinho, Narizinho e os mais, pôde ver toda a imensa cidade que ocupa a ilha de Manhattan. Viram o rio Hudson, que separa essa ilha da cidade de New Jersey, capital do Estado do mesmo nome, e também a separa do bairro de Brooklin, que é imenso.

Quando voltaram, Dona Benta contou que haviam subido ao alto do Empire State Building, o maior edifício que o homem jamais construiu no mundo, com 380 metros de altura.

— Irra! — exclamou a menina. — Já é altura! Lá de cima tudo fica zero aqui em baixo. Os homens nas ruas parecem grãos de poeira; os automóveis viram caroços de feijão — e por mais depressa que corram parece que se arrastam como tatoraninhas...

Dona Benta contou que a ilha de Manhattan (lê-se *mannattan*, com acento no *nat*) pertencera antigamente a uma tribo de índios, os quais a venderam a um holandês de nome Peter Minuit pelo preço de 25 dólares. Hoje essa ilha forma o pedaço mais valorizado de quantas terras valorizadas existem no mundo.

— Que negocião fez o holandês! — exclamou Pedrinho.

— Parece, meu filho. Naquele tempo o preço por ele pago era o que valia. Essas valorizações são muito lentas e dependem do que o homem faz sobre os terrenos. Se não houvesse surgido aqui a maior cidade do mundo, o preço das terras de Manhattan, ainda hoje, seria infinitamente menor.

Depois de percorrida toda a cidade de Nova York, e depois dum domingo inteiro passado em Coney Island, a ilha dos 3.000 divertimentos, Dona Benta resolveu chegar a Washington, capital da república, e de lá seguir para a Califórnia — isso para contentar Emília, doidinha por uma visita a Los Angeles. Perto de Los Angeles fica a cidade do cinema, Hollywood. Emília desejava conhecer as estrelas da tela.

Em Washington, que é uma cidade belíssima, construída especialmente para capital da União Americana, visitaram o célebre monumento de Lincoln, o grande presidente que libertou os escravos pretos, e também o Obelisco de Washington, uma agulha de pedra de grande altura, erguido em homenagem ao general George Washington, o Pedro I de lá — o homem que fez a independência do país.

Emília propôs uma visita a White House, ou Casa Branca, que é onde reside o Presidente da República. Foram. O Presidente Roosevelt os recebeu com muita afabilidade. Ao ser-lhe apresentado o Visconde de Sabugosa, "o maior sábio lá do Sítio", como disse Emília, o Presidente arregalou os olhos.

— Se é um grande sábio, temos que prestar-lhe as devidas homenagens. O senhor Visconde deverá visitar uma das nossas 56 universidades, para receber o grau de doutor honorífico.

— Cinquenta e seis universidades? — admirou-se Pedrinho. — Puxa...

O Presidente riu-se.

— Temos, sim, 56 universidades, com um milhão de alunos. Nós, aqui na América, damos grande importância ao estudo. Não há país no mundo que possua maior número de universidades, colégios e escolas.

— E que universidade o senhor acha que o Visconde pode visitar?

— A de Princeton, por exemplo, que fica perto.

A sugestão do Presidente foi aceita. No dia seguinte o Visconde de Sabugosa, acompanhado da turma inteira, apresentava-se à congregação da Universidade de Princeton, cujo reitor já havia sido avisado por um telefonema da Casa Branca.

Os professores de Princeton estranharam ser o Visconde um simples sabugo de milho, e duvidaram da sua ciência. Mas diante da preleção que o Visconde fez sobre os peixes do rio Amazonas — o pirarucu, o peixe-boi, a piranha e centenas de outros, convenceram-se de que realmente estavam diante dum sábio, e deram-lhe um título honorífico — e uma cartolinha nova. E quando souberam que o Visconde havia nascido num milharal de Dona Benta, admiraram-se. Um professor de grande autoridade científica tomou a palavra e — disse:

— Meus sinceros parabéns, minha senhora. Sou o professor de Agricultura Comparada desta universidade e, apesar de conhecer todas as espécies de milho que existem no mundo, jamais tive conhecimento de nenhuma que produzisse sabugos falantes — e sábios. Meus sinceríssimos parabéns!

Dona Benta ficou toda inchada...

Tia Nastácia, que também fora à festa e estava escondida atrás duma porta, sacudiu a cabeça.

— Este mundo!... — murmurou consigo. — Um sabuguinho à toa, que eu peguei no cocho da vaca mocha, já anda por estas alturas, ganhando todas essas palavras bonitas dos sábios — e ainda recebe de lambuja uma cartolinha nova... Este mundo...

A viagem para a Califórnia realizou-se parte de trem, parte de avião. De dia seguiam de avião; logo que vinha a noite, o avião descia e todos entravam num trem dormitório. Na manhã seguinte, avião outra vez. Quindim foi deixado em Nova York com o *manager*, para ir ganhando dinheiro até que eles voltassem.

Em São Francisco, a principal cidade da Califórnia, demoraram-se pouco — e no tempo em que lá estiveram Emília e Narizinho não saíram do bairro chinês, uma das maiores curiosidades locais.

De lá partiram de auto para Los Angeles, e de Los Angeles correram a Hollywood.

— Estrelas! Venham estrelas! — gritou Emília ao descer no hotel da cidade-céu. — Quero almoçar, jantar e ouvir estrelas!

Rapidamente se divulgou a notícia da chegada do grupo de Dona Benta, e não houve estrela que não viesse visitá-los — até a Greta Garbo, que é a mais cheia de histórias. Emília não chegava para as encomendas. Greta Garbo, Joan Crawford, Joan Blondell, Clara Bow e outras receberam-na em suas lindas vilas. Joan Crawford até desapontou a Emília com uma resposta que lhe deu.

— Por que a senhora tem olhos desse tamanho? — perguntara-lhe a boneca.

— Pela mesma razão que você tem uma linguinha tão comprida, — retrucou a estrela.

Pedrinho e o Visconde não quiseram saber de estrelas — só lidavam com *cowboys*. Agarraram-se a Tom Mix e outros para longas corridas a cavalo pelas planícies.

Tia Nastácia não foi esquecida. Como as estrelas soubessem dos seus deliciosos bolinhos, quiseram conhecer o petisco — e durante toda a estada em Hollywood a coitada não fez outra coisa senão bolinhos.

— São realmente deliciosos! — disse Carole Lombard. — Se você viesse morar aqui, Nastácia, causaria um grande transtorno no mundinho do cinema...

— Ué! Por que, sinhazinha?

— Porque se metia a fabricar estes bolos e nós não resistíamos à tentação de comê-los e acabávamos engordando. Ora, você bem sabe que os diretores de cinema não querem que as estrelas engordem...

De Hollywood voltaram para Nova York a fim de prosseguirem na viagem geográfica. As exibições de Quindim haviam rendido 20.000 dólares, deixando o *manager* entusiasmado. Tão entusiasmado que se propôs a comprá-lo. Ofereceu por ele 100.000 dólares. Dona Benta fez a conta. Era realmente um dinheirão em moeda brasileira. Mas havia uma dificuldade: Quindim pertencia à Emília.

— Quindim é invenção da Emília, senhor *manager*, — respondeu Dona Benta. — Fale com ela.

Mas Emília nem deixou que o homem concluísse a proposta.

— Vender Quindim? Oh! Nem por todo o dinheiro do mundo. Ele é a melhor distração que eu tenho lá no sítio...

— Mas com o dinheiro que ofereço a senhorita poderá comprar outro — poderá comprar até vinte rinocerontes...

— Pois então compre o senhor esses vinte rinocerontes e me deixe em paz com o meu. E passe muito bem!

Capítulo XVI
Terra Nova. Canadá. Círculo Ártico

Depois de muitos adiamentos, porque os meninos queriam comprar tudo quanto havia em Nova York, "O Terror dos Mares" conseguiu afinal partir de rumo ao Canadá.

Dona Benta explicou:

— O Canadá é o maior país da América em tamanho, com 9.655.000 quilômetros quadrados. Já quanto à população, é bem fraquinho: não chega a dez milhões.

— Menos ainda que a cidade de Nova York?

— Menos. E a razão é que a maior parte das suas terras estão situadas já tão perto do polo que o homem não tem coragem de povoá-las. É só gelo e mais gelo. A população concentra-se perto das fronteiras com os Estados Unidos, que é a parte menos fria.

— E quem inventou o Canadá?

— Foram os franceses. Descobriram-no e iniciaram a colonização, fundando a cidade de Quebec, na qual até hoje a língua francesa é faladíssima. Os ingleses, porém, mais espertos, acabaram botando-os de lá para fora. Hoje o Canadá faz parte do Império Britânico, o maior império que os homens formaram sobre a terra.

— Maior que o Império Romano? — indagou Pedrinho.

— Muito maior. O Império Britânico abrange enorme parte da África, a Austrália, que é todo um continente, as Índias, o Canadá e numerosas ilhas. Basta dizer que a sua população total anda por 500 milhões de habitantes — ou um quarto da população do globo.

— Mas como os ingleses conseguiram isso? Eles são tão poucos...

— Força do cérebro, meu filho. Previsão, bom governo, firmeza de caráter. Povo dotado dessas qualidades vai longe...

"O Terror dos Mares" ia se aproximando da terra canadense. Dona Benta mostrou o porto de Halifax, na província de Nova Escócia. O frio tornava-se cada vez mais intenso. Quindim, que tanto se regalara no Golfo do México, andava agora mais jururu que um pinto pelado. Tia Nastácia também maldizia da temperatura, raro saindo de perto do fogão.

O brigue cruzou com muitas embarcações de tipo diferente das encontradas até ali. Dona Benta — advertiu serem barcos pescadores a caminho de Newfoundland.

— Que Newfoundland é esse, vovó?

— A grande ilha para a qual vamos caminhando. Essa palavra significa em nossa língua terra "recentemente descoberta", ou Terra Nova.

— Sei! — gritou Pedrinho. — A terra dos cães da Terra Nova...

— A terra do bacalhau, isso sim. Nas proximidades dessa ilha existem no mar bancos de areia pouco profundos sobre os quais os bacalhaus se reúnem em quantidades prodigiosas. Esses barcos vão pescá-los.

— Com redes?

— Não. O bacalhau pega-se ao anzol — e anzol sem isca. Basta lançá-lo n'água e retirá-lo: é matemático vir um peixe no gancho.

— Por quê?

— Porque o número deles ali é infinito. Quase que mais bacalhau do que água, de modo que abocanham tudo quanto aparece diante de suas bocas famintas. Havemos de parar no porto de St. John para ver isso.

Pedrinho foi preparar os anzóis, jurando que pegaria pelo menos uma dúzia de bacalhaus.

O brigue penetrou no porto de St. John ao cair da tarde. Dona Benta percorreu com os meninos a cidade, fazendo-os ver o grande número de portugueses lá existentes. Defronte dum restaurante, em cuja tabuleta estava escrito "Iscas com elas e sem elas", parou e — disse:

— A colônia portuguesa daqui é bem numerosa; até restaurantes com dizeres em nossa língua encontramos. Raça forte, a portuguesa! Não escolhe clima. Tanto luta em Angola ou Moçambique, colônias africanas de clima quentíssimo, como aqui nestas paragens, quase enregelantes. E mestres na pescaria do bacalhau; talvez por isso gostem tanto desse peixe.

— E é mesmo bom, vovó, — disse a menina. — Aqueles bolinhos de bacalhau que Tia Nastácia fazia lá em casa, poderá haver coisa melhor? Só de falar já fiquei de água na boca...

— Pois amanhã ela poderá reduzir a bolinhos a dúzia de bacalhaus que você vai pescar...

E Pedrinho pescou mesmo. Fez amizade com dois portugueses dum barco de pesca e passou o dia no mar. E não pescou só a dúzia prometida. Pescou setenta e cinco! À tarde quando apareceu no brigue com aquela peixaria toda, Tia Nastácia esbravejou. Tinha de salgar tudo aquilo antes de deitar-se...

— Que felicidade nunca vista, vovó! — exclamou o menino. — Meu anzol caía n'água e pronto — era só puxar. A água estava assim de peixe! Nunca imaginei coisa semelhante. Pesquei setenta e cinco, e não pesquei mais porque meu braço não deu.

Ficou bambo... O barco voltou cheio até a beiradinha — até tive medo que afundasse com o peso. Vovó, por que a senhora não vende seu sítio lá no Brasil para comprar um aqui? Por mim eu nunca mais saía de St. John...

No dia seguinte Tia Nastácia preparou bacalhau de todos os jeitos para o almoço. Mas foi uma decepção. O bacalhau fresco não lembra em coisa nenhuma o salgado. É até um peixe bem insulso.

Durante a refeição Dona Benta falou do Canadá. Contou que a Terra Nova, conquanto colônia inglesa, não fazia parte do Canadá. Tinha vida à parte.

— O Canadá, — disse ela, — só é inglês politicamente. Na realidade não passa dum prolongamento dos Estados Unidos. O maior do seu comércio é feito com os Estados Unidos, cuja moeda é a que mais circula no Canadá. Os jornais mais lidos são os americanos. O viajante mal nota a diferença entre os dois povos.

— E de que vivem os canadenses?

— De muitas coisas. São dos maiores produtores de trigo do mundo. Nas planícies sem fim do sul, onde a terra é excelente, cresce o trigo como o capim gordura cresce lá em casa. Também criam muito gado e com o leite fabricam tanto queijo que se tornaram os maiores queijeiros do mundo. Isso, no sul. Ao norte estendem-se as grandes florestas de pinheiros — um pinheiro diverso do que vimos no Paraná, de madeira perfeitamente branca.

— E que fazem do pinheiro?

— Aproveitam a madeira para construção e sobretudo para papel.

— Papel?

— Sim. As árvores são derrubadas e cortadas em grandes pedaços, que descem para a costa flutuando sobre os rios. Depois são levados para as fábricas, onde grandes moinhos moem essa madeira, formando a pasta de papel. Primeiro prepara-se a pasta; só depois faz-se o papel. Vejam que coisa interessante o mundo. Um dia está de pé um pinheiro. Que é? Uma árvore. Outro dia esse mesmo pinheiro está reduzido a um rolo grande. Que é? Uma bobina de papel. Depois essa bobina passa pelos prelos — e que fica sendo? Um jornal, um livro...

Narizinho estava espiando pela luneta as florestas sem fim de pinheiros.

— Interessante, vovó! Pinheiro que não acaba mais. Que biblioteca não irá sair dali? Quantos romances lindos não vão ser impressos naquelas árvores? A nossa *História do Mundo para as Crianças* já foi pinheiro do Canadá...

Dona Benta pulou do papel para as peles.

— Outra particularidade deste país, — disse ela, — é a indústria das peles. Nas regiões mais frias do norte existem em quantidade raposas, martas, minks, raccoons e outros animaizinhos de peles apreciadíssimas. O número de homens que se dedicam exclusivamente à caça é grande. O principal centro peleiro fica na cidade de Edmonton, perdida lá nos fundões do Norte, a 1.600 quilômetros da fronteira americana. Nesse ponto se concentram as peles obtidas pelos caçadores para depois se espalharem pelo mundo. Os aviões, hoje, têm facilitado grandemente essa indústria. Como é artigo de valor alto, o transporte aéreo torna-se perfeitamente viável.

— E a capital?

— Ottawa. Mas a cidade mais populosa é Montreal. Há ainda essa Quebec a que já me referi e Toronto, boas cidades. O Canadá é um país riquíssimo em minerais, sobretudo em níquel. Fornece níquel para o mundo inteiro.

Depois do almoço travou-se viva discussão entre o Imediato e a Timoneira. Pedrinho queria que o brigue seguisse diretamente para a Europa. Emília insistia por uma chegada a Groenlândia, a terra dos esquimós. Posto o caso a votos, venceu a boneca.

— Pois vamos à Groenlândia, — disse Dona Benta, — já que estamos tão perto.

O mar entre a Terra Nova e a terra dos esquimós ia se tornando cada vez mais inçado de blocos de gelo flutuantes, alguns enormes — os icebergs. Quindim, coitado, apesar do frio tremendo que quase o encarangava, tinha de fazer prodígios para evitar choques do brigue de encontro a essas montanhas movediças. De dó do seu colega africano, Tia Nastácia acendeu uma fogueirinha perto do mastro...

À noite o céu mostrou-se muito límpido, com todas as estrelas em seus lugares. Dona Benta apontou para uma delas.

— Lá está a Grande Ursa!... — disse, e ficou uns minutos pensativa. Depois: — Devido ao nome daquela estrela é que estas regiões se chamam Árticas. A palavra vem do grego Αρκτοδ; que quer dizer Urso. Lá está a Grande Ursa brilhando com a mesma luz com que brilhava quando Erico o Ruivo descobriu a Groenlândia... Sabem o que significa Groenlândia?

— Sei, — gritou Emília. — Terra do *eskimo pie*...

— Significa Terra Verde.

— Por que, se é tudo branco por lá, tudo gelo?

— Nem sempre. Na costa sul há vegetação em certa época do ano. Esse Erico devia ser uma espécie daquele Huck descrito por Mark Twain. Morava com o pai na Islândia, que fica a Leste da Groenlândia, separada pelo Canal da Dinamarca. Um dia ele e uns companheiros de reinações cometeram um crime e tiveram de fugir. Em vez de fugir para terras conhecidas, Erico aproveitou o ensejo para fazer uma exploração — verificar se existiam terras a Oeste da Islândia — e veio ter a estas paragens. Aqui ficou três anos em explorações da costa. Depois voltou à Islândia. Contou a história da sua descoberta, arranjou mais companheiros e fez nova viagem, dessa vez para fundar na terra descoberta duas colônias, uma das quais perto do cabo Farewell.

— Onde é esse cabo?

— É o fim da Groenlândia, a pontinha mais ao sul. Farewell quer dizer "Até logo! Adeus!". Mas, como ia dizendo, perto desse campo Erico ergueu sua casa e lá ficou morando, vivendo a única vida possível — a do caçador de focas e pescador de baleias. Quantas vezes em noites como esta seus olhos não pousaram naquela estrela!...

Dona Benta calou-se uns momentos, pensativa.

— Mais tarde, isso lá pelo ano 1.000, outro norueguês de nome Leif Ericsson descobriu a América...

— Como, vovó? Não foi então Colombo?

— Espere. Leif Ericsson, caçador de focas, baleias e elefantes marinhos, alongou-se demais das zonas conhecidas, indo bater naquela Nova Escócia onde está o porto de Halifax. E batizou-a de Terra do Vinho.

— Com certeza por causa dalgum pileque que tomou por lá, — sugeriu Emília.

— Alguns anos depois, outro norueguês, Thorfinn Karlsefni, veio da Groenlândia com três navios fundar uma colônia nas terras do vinho. Fundou-a. Essa colônia, porém, não durou muito. Talvez por causa da hostilidade dos índios por ali já estabelecidos, teve de ser abandonada. E os noruegueses retiraram-se para nunca mais voltar. Foi esse o erro. Se se mostrassem mais persistentes, os destinos da América teriam sido outros. Colombo também descobriu a América, muito mais tarde; mas como soube tirar partido da descoberta é hoje o grande Colombo. A América foi descoberta dezoito vezes, mas a descoberta de Colombo foi a primeira que "pegou".

— Que bobo foi Ericsson! — disse Pedrinho. — Ah, se eu fosse ele! Derrotava os índios, ia estendendo as minhas explorações e acabaria com todo este continente batizado com o meu nome — Pedrinholândia! Que beleza, hein, vovó?

Dona Benta concordou que sim. Depois:

— E aquele estrela sempre lá, assistindo a tudo...

— Largue da estrela, vovó, — disse Narizinho, já enjoada com a crise poética em que via Dona Benta. — Estrela é astronomia, não é geografia...

Dona Benta, como quem acordasse dum sonho, suspirou e passou a falar geografia.

— Pois é isso, meus filhos. Estamos perto do Círculo Ártico, a zona do mundo onde o gelo é soberano.

— Círculo Ártico? Que é?

— Uma das divisões imaginárias do globo terrestre. Os geógrafos dividiram o globo por meio de um círculo que o rodeia pela parte mais barriguda. Esse círculo, chamado Equador, tem todos os seus pontos a igual distância dos Polos. Quer dizer que o Equador divide o globo terrestre em duas metades iguaizinhas, ou dois Hemisférios.

— Sei. Como laranja que a gente parte em cuias do mesmo tamanho, — sugeriu a menina.

— Isso. Depois dessa divisão, vem a segunda — os Paralelos. Paralelos são círculos menores, correndo paralelamente ao círculo do Equador e que subdividem as duas cuias do Globo. Os círculos paralelos que se podem traçar em redor dum globo são infinitos, mas para comodidade dos geógrafos existem dois principais, um com o nome de Trópico de Câncer, ao Norte, e outro com o nome de Trópico de Capricórnio, ao Sul. Esses dois círculos estão a uma distância de 23 graus e 27 minutos do Equador.

— Mau, mau, mau! — exclamou a menina. — Esses graus e minutos vieram atrapalhar tudo. Fiquei na mesma...

Dona Benta riu-se.

— Minha filha, as ciências se ligam entre si de tal maneira que a gente não pode falar de uma sem recorrer a outras. Para saber o que é grau temos de consultar ali o Visconde, que é doutor em Matemática. Visconde, venha explicar a esta menina o que é Grau.

O *steward* largou duma ponta de corda que estava segurando para o Quindim e aproximou-se. Tossiu o pigarrinho e disse:

— Um círculo se divide em 360 graus; cada grau se divide em 60 minutos e cada minuto se divide em 60 segundos. Grau, portanto, é a medida do círculo. Só isso.

— Muito bem, — concordou Dona Benta. — Está aí a resposta à sua pergunta, Narizinho. Grau é isso.

Mas a menina continuou na mesma. Dona Benta teve de explicar que essa divisão do círculo vale para todos os círculos, qualquer que seja o tamanho deles. Assim, tanto um anel do dedo minguinho se divide em 360 graus, como o Equador, que é o grande anel da Terra.

— Mas se o grau varia de tamanho desse jeito, como a gente pode saber quanto é um grau?

— O grau tem um valor certo para cada círculo que mede; num anel de dedo, tem um tamanhinho microscópico; no anel da Terra é enorme. Tratando-se da Terra nós já vimos, na *Aritmética da Emília*, que a distância entre o Equador e o Polo Norte é de 10 milhões de metros, tem quatro vezes isso, ou 40.000 quilômetros.

— E então?

— E então, como você já sabe que o círculo tem 360 graus, torna-se fácil saber quantos metros tem cada grau desse círculo do Equador. É só dividir 40.000 quilômetros por 360. Divida.

Narizinho dividiu, achando 111 quilômetros e 4 metros.

— Pois é isso, minha filha. Um grau terrestre tem 111 quilômetros mais 4 metros, ou 111.004 metros. Um minuto tem isso dividido por 60, já que um Grau tem 60 minutos. Faça a conta.

Narizinho achou que 111.004 metros divididos por 60 dava 1.850 metros e um tiquinho.

— Pois é isso. O Minuto geográfico tem 1.850 metros. E o Segundo Geográfico tem isso dividido por 60, ou sejam 30,8 metros e coisinha.

— Ahn! Agora entendi...

— Pois bem, — continuou Dona Benta, — nós estávamos falando dos Trópicos e da distância entre eles e o Equador. Essa distância é de 23 graus e pouco, ou sejam 2.664 quilômetros e um tico. Estou fazendo a conta de cabeça.

Esses círculos dividem a terra num sentido. Agora há os círculos que a dividem em sentido contrário, ou os Meridianos. Estes, em vez de serem paralelos ao Equador, cortam o Equador. São círculos que passam pelos Polos e lá se cruzam.

— Quantos Meridianos há?

— Quantos você quiser. Desde que são círculos imaginários, você poderá traçar milhões de milhões deles, cada qual cortando o Equador num pontinho. Mas para comodidade dos geógrafos os Meridianos são traçados nos mapas na distância de 10 graus um do outro, no Equador — ou 1.110 quilômetros. É no Equador que eles estão mais afastados um do outro. À medida que se aproximam dos polos vão também se aproximando entre si, e quando chegam aos polos, lá se cruzam.

— E para que serve toda essa trapalhada?

— Para muita coisa, minha filha. Para indicar onde fica tal ou tal ponto da terra, tal ou tal cidade, a gente vê no mapa a marcação dos Paralelos e dos Meridianos e diz certinho. Nós, por exemplo, estamos agora exatamente sobre o Meridiano marcado nos mapas com o número 50. E estamos também sobre o Paralelo 60. Por isso, se lançarmos um radiograma dizendo: "*O Terror dos Mares* está a 50 graus de Latitude e a 60 graus de Longitude" o mundo ficará sabendo exatinho o ponto em que estamos. Se tiverem de socorrer-nos, virão dar aqui sem erro.

— Latitude então é...

— É a distância, medida em graus, que vai do Equador a um certo ponto. E longitude é a distância em graus que vai do Meridiano em que estamos ao Meridiano que serve de referência.

— E que Meridiano de referência é esse?

— Qualquer. Quando soltarmos o rádio devemos declarar esse ponto de referência, assim: "Estamos a 50 graus de Latitude Norte e a 60 graus do Meridiano do Rio de Janeiro", por exemplo, ou "do Meridiano de Greenwich". Greenwich é uma cidade da Inglaterra onde existe um famoso observatório astronômico.

— Quanta coisa para explicar o Círculo Polar! — exclamou Pedrinho. Quanta volta!...

— Realmente, — concordou Dona Benta. — Narizinho queria saber o que era Círculo Polar, mas como explicar isso sem explicar o que ficava para trás? Agora tudo está claro. Círculo Polar é uma divisão do globo, do mesmo tipo que o Equador e os Trópicos. É um círculo paralelo ao Equador que fica entre o círculo do Trópico e o Polo, a uma distância de 66 graus e 30 minutos do Equador, ou sejam 7.363 quilômetros. Aqui no norte esse Círculo Polar se chama Ártico; no sul, o Círculo correspondente se chama Círculo Polar Antártico. A zona ártica principia a ser contada a partir do Círculo Ártico; e a zona antártica, a partir do Círculo Antártico.

Capítulo XVII
GROENLÂNDIA

— E que há nessa região ártica?

— Gelo, minha filha. Gelo, gelo e mais gelo. Gelos eternos. As terras são cobertas de gelo, como essa Groenlândia para onde vamos indo; a ilha de Spitzberg, que fica mais para o Norte; a Terra de Francisco José, ainda mais para o Norte; a Nova Zembla; as ilhas do Norte da Sibéria, e a parte Norte dessa Sibéria, e um pedaço do Alaska, e uma porção de ilhas ao Norte do Canadá, lá na Baía de Baffin...

Como não há vegetação no gelo, a vida animal é bastante limitada. Ursos brancos, focas de várias espécies, peixes — pouca coisa. E o mar que fica nas regiões polares também se chama Oceano Ártico. Lá bem no pontinho onde os Meridianos se cruzam fica o Polo Norte, alcançado pela primeira vez pelo explorador americano Peary, como já contei.

Os meninos haviam notado que os dias se iam tornando cada vez mais compridos. Era dia que não acabava mais, o que os forçava a dormirem de dia, fazendo de conta que era noite.

— E quanto mais para o Norte, mais compridos irão ficando, — disse Dona Benta, até o ponto de durar seis meses cada dia e outros seis meses cada noite. Mas mesmo assim, minha filha, o terrível bichinho homem não deixa estas paragens em sossego. Não tem conta o número do exploradores que as devassaram, apesar da tragédia do frio. E nos sítios mais favoráveis mora gente. Na Groenlândia moram os esquimós, no Norte da Sibéria moram os Samoiedas, os Tunguses, os Iacutos. Na Lapônia, perto da Noruega, vivem os Lapões...

— Que raças são essas?

— Gente da raça amarela, com certeza mongóis que emigraram da Mongólia, na Ásia. Vivem da foca e da rena...

— Que é rena?

— Um animalão abundante nas zonas árticas, onde existe uma vegetação rasteira de nome Tundra. A rena possui um grande chifre todo ramificado. Veadão. A carne de vaca que os esquimós comem é fornecida pela rena, como lá entre nós é fornecida pelo boi... Também dá leite e é utilizada para puxar os trenós, os únicos veículos possíveis no gelo. Como o gelo é muito liso, torna-se mais fácil escorregar sobre ele do que rodar. Rodas aqui ninguém sabe o que são. Em vez de rodas, os veículos têm duas travessas paralelas, de madeira, como patins, que deslizam sobre a lisura do gelo.

A foca constitui para a gente ártica a maior das preciosidades. Comem-lhe a carne, bebem-lhe o sangue, fazem roupas do couro, derretem-lhe o toicinho para obter óleo de iluminação.

— Quando chegarmos à Groenlândia hei de caçar pelo menos uma foca, — disse Pedrinho.

— Uma não, meu filho. Quem já apanhou setenta e cinco bacalhaus na Terra Nova, pode perfeitamente fisgar doze focas na Groenlândia.

O brigue estava já adiante do cabo Farewell, com a costa a mostrar-se picada de bicos, ou reentrâncias e saliências, que Dona Benta — declarou serem os Fjords, nome que os noruegueses dão àquela dentadura irregular. As costas da Noruega também são bordejadas desses fjords. Ao norte do cabo Farewell viram uma pequena aldeia-porto. Dona Benta mandou velejar para lá.

Chamava-se Julianshaab esse portinho, notável por ficar perto da antiga colônia formada por Erico o Ruivo. Dona Benta desceu em terra com os meninos, Emília e o Visconde. Quatro ou cinco casas de madeira habitadas por noruegueses; o resto compunha-se de cabanas de esquimós, umas duzentas. Havia também um casarão com grandes tachas de derreter toicinho de foca.

— A Groenlândia pertence à Dinamarca, — explicou Dona Benta, — isto é, a Dinamarca toma conta do comércio daqui, quase que só. Comércio de peles de foca e urso, e de óleo. Aposto que nesta vila há um representante do governo da Dinamarca, um missionário, um médico, um carpinteiro e um professor...

Custou um pouco mas descobriram a casa do professor, que com certeza havia de falar língua que Dona Benta entendesse. De fato assim foi. Chamava-se Jantzen esse homem, que por felicidade sabia inglês. Mr. Jantzen levou-os a visitar as cabanas dos esquimós, construídas dum barro turfoso, muito abundante no local. A porta era um buraco, que nem abertura de túnel. Mr. Jantzen contou que em outros pontos, onde não há a tal turfa, eles construíam as cabanas com blocos de gelo, que se soldam completamente, formando uma grande cuia emborcada.

— Mas como vivem lá dentro? — quis saber Narizinho.

— Vivendo, menina. Acendem fogo, cozinham pedaços de foca e mantêm sempre acesa uma grande lamparina de óleo. É incrível a resistência dessas criaturas ao frio...

Dona Benta contou toda a viagem desde o sítio até ali, e o mais acontecido na América, onde o Visconde recebera grau de doutor numa grande universidade. O dinamarquês ficou espantadíssimo.

— Mas... mas, como? — indagou. — Não é um sabugo de milho com perninhas?

— Sim, mas sabugo falante e sábio, Mr. Jantzen! Perfeitamente científico. Os professores da universidade de Princeton declararam nunca terem visto quem soubesse tanto sobre os peixes do Amazonas.

Mr. Jantzen sacudiu a cabeça, murmurando: — Quanto mais se vive mais se aprende. É prodigioso!...

— E se o senhor conhecesse a minha vida? — gritou a boneca. — Então é que ficava mesmo bobo duma vez. Quando eu publicar minhas memórias hei de mandar-lhe um exemplar...

O pobre professor correu a mão pelos olhos ao ver a bonequinha falar. Estaria sonhando? Os meninos riram-se dele, enquanto Dona Benta narrava diversos episódios do fenômeno emiliano. Depois do dinamarquês sossegar, contou-lhe que iam atravessar a Groenlândia de Leste a Oeste, para saírem na baía de Baffin, e que estavam com ideia de levar "O Terror dos Mares" dentro dum grande trenó, puxado pelos nativos daquela aldeia e também por quantas juntas de renas fossem necessárias.

— Dinheiro não nos falta, — disse Narizinho metendo o nariz na conversa. — Quindim nos rendeu 100.000 dólares em Nova York...

Aquele projeto parecia loucura. O professor Jantzen pensou a princípio que fosse brincadeira; quando viu que era verdade, seu queixo caiu de assombro.

Pedrinho foi ter com o carpinteiro da colônia, a fim de contratar a construção dum trenó monstro, no qual coubesse o brigue. Não era empresa absurda. Com dois troncos de pinheiro tudo se arranjaria — e havia lá um depósito de madeiras do Canadá. Em seguida foi contratar esquimós para a puxada. Esquimós e renas. Conseguiu um lote de vinte juntas de renas e outro de cinquenta esquimós.

Surgiu uma dificuldade: Quindim. Com ele dentro, o brigue ficaria muito pesado. O meio seria dividir a carga — indo o rinoceronte em outro trenó construído especialmente para esse fim. Mas o pobre paquiderme, que a bordo, e sempre com a fogueirinha de Tia Nastácia perto, já andava meio morto de frio, como era possível que aguentasse aquela viajada num trenó desabrigado — e sem fogueirinha?

O problema, apesar de grave, foi resolvido pela Emília.

— Nada mais fácil, — disse ela. Arranja-se bastante algodão e embrulha-se Quindim, só deixando de fora o focinho! Bem encastoado assim, juro que ele até vai rir-se do frio durante a viagem.

Todos aprovaram a luminosa ideia. Mas... e algodão? Em Julianshaab só havia meia dúzia de pacotes na casa do médico — e para fins médicos. A solução foi a proposta por Mr. Jantzen: usarem, em vez de algodão, certo musgo muito abundante naquelas paragens.

No dia da partida a vila inteira se reuniu para assistir ao encastoamento do estranho monstro africano, o primeiro que aparecia nas regiões árticas. Não houve um só nativo que não viesse olhar de bem perto, apalpar e cheirar, o pobre paquiderme, cujo tremor de corpo levou Emília a enganar uma mulher esquimó, dizendo que ele era feito de geleia...

O encastoamento ficou uma obra perfeita, de modo que a partida pôde realizar-se sem incidentes. Vinte juntas de possantes renas, e mais vinte juntas de nativos, meteram-se ao trenó em que ia, bem amarrado, "O Terror dos Mares"; e dez juntas de renas, mais duas de nativos, foram atreladas ao trenó de Quindim.

— Adeus, Mr. Jantzen! — despediu-se Dona Benta, com o seu boné de capitão na cabeça, de pé na proa do brigue "entrenozado". E Emília, com a sua sapequice habitual, também gritou:

— Cabo Farewell! Cabo Farewell!...

Mr. Jantzen correspondeu às duas saudações, rindo-se da última.

— Que fiasco, Emília! — murmurou Narizinho logo depois. — Que vergonha, estar desmoralizando o Brasil aqui perto do polo! *Farewell* é que é Adeus! não *Cabo Farewell*, como você disse. Olhe, até a Grande Ursa, lá em cima, está a rir-se de você...

— Não dou confiança a ursas, — disse a pestinha, fazendo um muxoxo de pouco caso.

A travessia durou uma semana, com paradas para pega de focas, de cuja carne se iam alimentando. Quindim, que era herbívoro, regalava-se com a mesma tundra trazida para as renas. O que Emília previu realizou-se. Tão quentinho sentia-se o rinoceronte no seu encastoamento de musgo, que voltou a marcar com os antigos *quó-quó-quós* as maluquices da Emília.

Pedrinho cumpriu a palavra quanto às focas. Caçou as doze prometidas e mais duas de lambuja. O modo de apanhá-las era o seguinte. Faziam um buraco no gelo — porque aquilo ali era mar congelado por cima e líquido por baixo. Faziam o buraco e ficavam de tocaia, esperando que uma cabeça de foca surgisse para respirar. E então, com um chuço, espetavam-na.

Numa das vezes Pedrinho levou grande susto. Estava muito atento a um buraco aberto no gelo, longe do acampamento, quando olhou para trás. Vinha trotando na sua direção um formidável urso branco! Foi o tempo de botar fora o chuço e disparar numa corrida louca, berrando: — Acuda, vovó! Acuda!...

Dona Benta, aflitíssima, gritou para os esquimós que corressem ao encontro do neto perseguido. Eram valentes e práticos aqueles esquimós. Enfrentaram o urso e mataram-no. A pele, cuidadosamente tirada, foi curtida, figurando hoje na sala de jantar de Dona Benta, no sítio, como um troféu glorioso.

A estranha expedição alcançou finalmente a costa da Groenlândia que dá para a Baía de Baffin. O brigue foi posto n'água e os esquimós despedidos, depois de pagos e presenteados. Narizinho quis por força trazer um bebê esquimó como lembrança daquelas paragens. Dona Benta opôs-se, dizendo: "Esses bichinhos não suportam o clima do Brasil. Estão muito adaptados ao frio".

— Criamo-lo na geladeira, — propôs Emília.

Mesmo assim Dona Benta não consentiu que trouxessem a criança, de medo que o sítio fosse virando jardim zoológico.

Quindim deu-se tão bem com o enchumaçamento de musgo que não quis mais despir-se daquele capote. Enquanto estiveram em zona fria ninguém lhe tirou do corpo um fiozinho de musgo, nem para remédio.

Depois de atravessar a baía de Baffin o brigue entrou por um dos numerosos canais que separam as ilhas lá existentes, com o plano de sair no Mar de Beaufort, de onde embicaria para o Estreito de Bering.

Antes de deixarem aquelas paragens os meninos assistiram a um espetáculo curioso.

Certa manhã Narizinho, do alto da gávea, deu um grito estridente:

— Repuxos, vovó! O mar está cheio de repuxos, lá adiante!...

Dona Benta assestou a luneta.

— Oh, é um rebanho de baleias polares! — exclamou. — Vejo-lhes perfeitamente os dorsos fora d'água...

Pedrinho ficou de orelha em pé.

— E se pescássemos uma baleia, vovó?

Dona Benta fez cara de não e não e não. Descreveu como se caçam baleias e que tremendo perigo correm os baleeiros. Logo que um desses monstros é avistado ao longe, os arpoadores metem-se em pequenos botes apropriados para aquele fim e remam em direção da bicha. A baleia tem o costume de vir de quando em quando à tona para respirar, de modo que ora está na superfície, a esguichar água, ora no fundo. No momento em que ela mergulha, os botes dos arpoadores se dirigem para o ponto provável onde ela deve emergir — e assim que ela emerge, *zás!* lançam-lhe o arpão — uma terrível fisga de aço presa à ponta duma corda bastante resistente. Sentindo-se fisgada, a baleia mergulha imediatamente, e foge — e do navio vão dando corda, dando corda, dando corda... Mas como não pode ficar muito tempo no fundo d'água sem tomar fôlego a baleia ferida surge novamente lá adiante — e os arpoadores perseguem-na, e lançam-lhe outros arpões. E a coisa vai indo assim até que ela se esgota e morre.

Depois de morta, puxam-na para perto do navio, a cujo costado amarram aquele corpanzil imenso. E então pula em cima dela um homem armado duma pá de lâmina cortante. É o cortador de toicinho.

Dá um corte no couro, assim de meio metro de largura, e espeta ali um gancho de ferro preso a uma corda, a qual corda passa por uma roldana do alto do mastro e desce. Marinheiros em baixo puxam a corda e a manta de toicinho que o homem da pá vai cortando começa a subir, a subir, a subir. Quando chega ao alto do mastro, o homem da pá decepa-a e trata de espetar outro gancho na manta seguinte. A comprida manta de toicinho pendente do mastro é então descida, enrolada e guardada. Depois derretem-na.

Desse modo descascam a baleia inteira, e soltam a carcaça no mar, como uma ilhota de carne. Em torno da carniça se reúnem tubarões aos milhares, e por cima revoam nuvens de aves aquáticas. E as ondas vão levando ao sabor do seu capricho aquele rubro banquete flutuante...

— Quer dizer que descascam uma baleia como nós descascamos uma laranja?

— Isso mesmo. As coisas, porém, nem sempre correm na marcha que acabo de descrever. Muitas vezes, durante o arpoamento, a baleia, furiosa, ataca os botes com rabanadas medonhas — e ai daquele que for alcançado! Voa pelos ares reduzido a cavacos. É de medo disso que não quero que você se meta a arpoador de baleia.

— Mas podemos pegar uma pequena, um filhote, — insistiu ainda o menino.

— Nada. Com baleias não quero encrencas. Já li aquele romance de nome *Moby Dick* — e quem lê tal livro não quer histórias com esses monstros dos mares. Sigamos nosso caminho e deixemo-los em paz com os seus esguichos.

Durante o dia o divertimento a bordo foi assistir àquele maravilhoso espetáculo, com apostas sobre o ponto onde iria de novo emergir cada baleia que dava o seu mergulho.

Depois da longa travessia pelos canais, ora num, ora noutro, o brigue foi sair no Mar de Beaufort, com a proa posta no rumo do Estreito de Bering. Dona Benta explicou:

— Esse estreito de Bering separa o Continente Americano do Continente Asiático, isto é, separa a América da Ásia. Fica entre as terras do Alaska e as da Sibéria.

Tudo parece indicar que é relativamente recente e que os dois continentes já foram ligados por um istmo. Algum terremoto rompeu o istmo, formando o estreito.

O brigue chegou ao Estreito de Bering. Atravessou-o e penetrou no Mar de Bering, que fica encurralado entre as costas da Sibéria e da península do Alaska. Dona Benta chamou a atenção dos meninos para essa península, e depois para o rosário de ilhas e ilhotas que fazem uma curva na direção da península siberiana do Kamtchatka.

— Está ali, — disse ela, apontando a luneta para o rosário de ilhas, — um sinal muito evidente de que a América e a Ásia já foram ligadas. Reparem que existe a península do Alaska, longa e fina, e que depois que ela acaba continuam na mesma direção as ilhas, primeiro as maiores, depois as menores, tanto mais espaçadas quanto mais se aproximam do Kamtchatka. Essa configuração dá ideia de que a terra em outros tempos já foi contínua naquele rumo.

— Parece uma ponte destruída, vovó! — sugeriu a menina. — As duas penínsulas são as cabeceiras da ponte; as ilhas são os pilares, ou os alicerces dos pilares...

— Exatamente, minha filha, e os sábios dão-lhe mesmo o nome de Ponte Aleutica. O rosário de ilhas tem o nome de Ilhas Aleutas. Bem possível que por essa ponte houvessem passado para a América os mongóis. Os aborígenes da América, isto é, os índios, possuem muitos traços dos mongóis — a cor, os cabelos, as feições...

— É mesmo! — exclamou Narizinho. Lembra-se daquela menina que apareceu lá no sítio com o pai e a mãe? Era uma chinesinha perfeita — uma mongolzinha. E depois a senhora soube que o pai era índio legítimo, lá dos fundões do Mato Grosso, lembra-se?

— Pois é. Com certeza os antepassados dessa menina vieram da Mongólia pela ponte aleutica, no tempo em que havia um estrado sobre estes pilares em ruínas. Outra prova de que os mongóis passaram por aqui está na descoberta feita há pouco tempo, numa das ilhas aleuticas, dum túmulo com ossos de mongol. Morreu no caminho, o coitado, e seus companheiros o enterraram num túmulo feito à moda mongólica daquela época.

— Mas conservam-se os ossos assim tanto tempo?

— Tudo se conserva indefinidamente, se está coberto de gelo. Em certa parte da Sibéria, e em outras regiões de gelos eternos, tem-se dado um fato curiosíssimo: o encontro de animais pré-históricos, como o mamute, em perfeito estado de conservação. A carne, vermelhinha, tem sido comida pelos exploradores.

— Será possível, vovó?

— Mais que possível, meu filho. É fato. Esses exploradores podem gabar-se. Olhe que comer uma carne com milhões de anos de idade é proeza.

— Mas como podem ser encontrados corpos de mamutes em regiões de gelo eterno? O mamute não era animal de clima quente?

— Sim, mas nem sempre estas regiões estiveram, como hoje, cobertas de gelo. O clima da terra tem mudado muito. Isto aqui, por exemplo, já foi talvez uma terra de linda vegetação — e de outro modo não podemos explicar o encontro da hulha em vários pontos do Círculo Ártico. O carvão de pedra, ou hulha, não passa de madeira fóssil. Para haver madeira é necessário que haja árvores. Para haver árvores é necessário clima quente...

— Está aí uma coisa que nunca imaginei. Sempre supus que a superfície da terra houvesse sido sempre a mesma de hoje.

— Nada mudou tanto como a superfície do nosso planeta, meu filho. Já existiram mares onde hoje existem continentes — e continentes de outrora dormem hoje no fundo dos mares. Se fosse possível sabermos com absoluta certeza as mudanças da crosta da terra, por esses milhões de anos atrás... Temos, porém, de nos satisfazer com as hipóteses dos sábios, algumas bem fundamentadas. Que aqui na Sibéria nem sempre foi gelo, é uma hipótese; mas hipótese bem fundamentada pelo encontro desses mamutes congelados a que me referi.

Capítulo XVIII
ÁSIA

Estavam diante da Sibéria, da imensa região em parte coberta de gelo. Estepes estendiam-se a perder de vista. Dona Benta explicou:

— Estepe é uma palavra russa que significa deserto. As estepes são planícies desabitadas que se estendem pela Sibéria afora, pelo centro da Ásia e também pelo Norte da Rússia europeia.

— Rússia europeia, vovó? Há então, duas Rússias?

— A Rússia é um país imenso, minha filha, o maior do mundo. Seu território tem mais de 21 milhões de quilômetros quadrados, imagine! Parte fica na Europa e o resto na Ásia; daí dizermos Rússia europeia e Rússia asiática. A Rússia asiática é esta Sibéria imensa...

A Rússia, que passou por uma revolução sem igual na história, forma hoje uma união de repúblicas, ou Soviets. O conjunto tem o nome de União das Repúblicas Socialistas Soviéticas, vulgarmente abreviado assim: U.R.S.S.

— Ursa! — declarou Emília. — Por isso é que chamam a Rússia de Urso Slavo...

— Pois a URSS, meus filhos, constituem um verdadeiro mundo dentro do mundo. Seu território é o mais rico que existe em recursos naturais. Minérios sem conta — as maiores minas de ouro, as maiores minas de ferro, de chumbo, de cobre, de zinco, de platina, de rádio, de carvão de pedra... O que há lá de petróleo no fundo da terra não tem conta, um verdadeiro mar subterrâneo de petróleo, já explorado em muitas regiões, como Baku, Grosny e outras. Além disso, em parte nenhuma existem melhores terras de cultura e em maiores extensões. As planícies imensas da Terra Negra, que se estendem tanto pela Rússia Europeia como pela Sibéria, são únicas no mundo. Produzem maravilhosamente o trigo.

Quem estuda a Rússia fica de boca aberta, tonto com as possibilidades ilimitadas desse país. Hoje a população anda por 180 milhões de almas apenas, embora o território comporte dez ou vinte vezes isso. Impossível prever o que será a Rússia dentro dum século ou dois.

Esta Sibéria, por exemplo. Ninguém pode dizer o que sairá daqui. No tempo dos Tsares era apenas um deserto para onde a polícia mandava os criminosos e os revolucionários que queriam reformar a Rússia. Deportavam-nos para que viessem morrer de frio e miséria. Hoje a Sibéria está sendo intensamente colonizada. Existe uma estrada de ferro que vem de Leningrado até Vladivostock, que é um porto de mar aqui na costa Leste da Sibéria. É a estrada de ferro mais comprida do mundo, com 6.550 quilômetros. Chama-se o Transiberiano, porque atravessa a Sibéria: Trans quer dizer através.

— Não é a tal, única no mundo, que adotou a bitola de 2 metros?

— Isso mesmo. Dois metros. Há grandes rios na Sibéria, como o Lena, o Jenissei, o Obi, que nascem nas montanhas do centro da Ásia e correm para o Norte, indo despejar-se no Oceano Ártico. Que mundo é a Sibéria!

Depois Dona Benta ajustou a luneta para certa direção e chamou os meninos.

— Olhem, — disse ela. — A luneta está apontada para o centro da Ásia. Prestem atenção. Aquele enorme planalto em cima das montanhas é o que os antigos chamavam o Teto do Mundo. É o famoso Planalto de Pamir, de onde se supõe que desceram os homens da raça Ariana formadores da Europa...

Os meninos ferraram o olho no chapadão imenso, formado de uma série de planaltos sucessivos. Queriam gravar para sempre o aspecto duma terra tão importante.

Dona Benta continuou:

— Foi ali o ninho da humanidade. Ali se chocaram os ovos das grandes raças e ali se chocou a Língua...

— Como? Que língua?

— Uma língua geral, uma língua básica de que todas as grandes línguas modernas mostram vestígios. É ali a verdadeira divisão da Europa e da Ásia. Os homens que se derramaram para Oeste formaram a Europa; os que se derramaram para Sul e Leste formaram a Ásia. Não há no mundo zona mais digna de estudo. Sábio que cai lá, abre a boca, tanta coisa tem para observar. O Irã, que é a mesma antiga Pérsia daquele rei Xerxes, derrotado pelos gregos, fica lá. O Afeganistão, o Beluquistão; depois a Arábia, tão histórica, e a Ásia Menor, lá no fim... Ao Sul do imenso planalto temos a grande e misteriosa Índia. A Leste fica o Tibete, mais misterioso ainda, e depois a China, esse império velhíssimo que hoje é república. E ao Norte da China temos aquela parte chamada Mongólia, que deu origem à imensa raça dos mongóis cujo sangue penetrou na América. Reparem que nesse centro da Ásia existe um lago imenso...

— Estou vendo! Estou vendo até dois, um maior e outro menor...

— O maior é tão grande que apesar de ser lago recebeu o nome de mar. É o Mar Cáspio. Fica entre terras da Rússia, do Turkestão e da Pérsia. O menor é lago mesmo: chama-se Lago do Aral.

— Estou vendo muito camelo nesse miolo da Ásia, vovó...

— O transporte ainda é feito em grande parte sobre lombo de camelos e dromedários. A falta de boas estradas e os desertos tornam esses animais preciosos para o transporte. O camelo resiste muito à sede, sendo, como é, um animal do deserto. A tal ponto adaptaram-se a vida dessas regiões, que carregam água consigo, no estômago. Muitas vezes, quando a água se esgota completamente os caravaneiros matam-nos para extrair-lhes a água do reservatório interno...

— Que porcaria! — exclamou a boneca. — Beber água suja tirada dum estômago de camelo! Eu preferia morrer de sede.

— É que você não sabe o que é sede, Emília. Não há suplício mais horroroso — daí vem o ditado: Nunca digas que desta água não beberei.

— Por quê?

— Porque por mais imunda que possa ser uma água, se a sede apertar você atira-se a ela como a um presente do céu...

— Pois eu digo e repito que nunca jamais em tempo algum beberei água de camelo, — teimou a pestinha.

— É fácil falar assim, — observou a menina, — quando se é boneca de pano sem estômago, como você, que nunca bebeu coisa nenhuma e não come senão de brincadeira. Eu, porém, que sou gente, vou fazer o que vovó diz, isto é, vou nunca dizer que não beberei tal e tal água — por via das dúvidas...

Dona Benta contou ainda que naquele centro da Ásia andava travado de muitos anos um duelo entre dois poderes — o poder do Império Britânico e o poder da Rússia.

— Os ingleses conquistaram a Índia e defendem essa possessão com unhas e dentes, porque a Índia é riquíssima. Mas o russo é um povo que cresce sempre e vai se derramando pelos territórios vizinhos. Daí o interesse dos ingleses em conservar "países-tampões" entre a Índia e a Rússia, como o Afeganistão, o Beluquistão, etc. Foi assim no tempo dos Tsares, e é assim agora. Hoje os russos estão rapidamente conquistando esses países-tampões com as suas teorias socialistas; estão sovietizando-os, e a Inglaterra vive cada vez mais aflita, porque se a sovietização alcançar a Índia, babau! Lá se vai o mais precioso diamante do seu Império.

Os meninos viram movimentos de forças militares pelos desfiladeiros da Ásia Central. Soldados indígenas comandados por ingleses, sob a bandeira inglesa. E acharam muito interessante o fato de camelos e elefantes serem empregados no transporte da artilharia. Os canhões desmontados seguiam aos pedaços sobre o lombo desses animais.

Ao deixar o Mar de Bering o brigue penetrou no Oceano Pacífico, tomando a direção das ilhas Kurilas, que já fazem parte do império nipônico.

Pedrinho havia comprado em Nova York um excelente aparelho de rádio de ondas curtas, com o qual se divertia a bordo em apanhar as mil músicas e falações que hoje circulam pelo espaço. Era tanta a música a bordo que muitas vezes Dona Benta tapava os ouvidos, tonta. O melhor da festa, porém, consistia em apanhar irradiações vindas do Brasil — notícias, músicas, sketches. As mais apreciadas dessas notícias eram as de futebol. Estava o brigue singrando naquele dia perto das Kurilas quando o rádio anunciou a derrota do Palmeiras pelo Corinthians em São Paulo. Foi um berreiro na mesa (a notícia chegara ao fim do jantar), porque o Visconde era

Corinthians e Emília era Palmeiras. Danada com a derrota do seu clube, Emília arrumou com uma colher na cabeça do Visconde, para castigá-lo do risinho de vitória que lhe viu no rosto. Dona Benta repreendeu-a, dizendo que a uma personagem da sua importância, já conhecida no Brasil inteiro, não ficava bem andar dando espetáculos como aquele.

— Tudo quanto você faz e diz, Emília, é logo espalhado, porque aquele tal sujeito vive tomando nota de tudo para botar em livros. Lembre-se.

— Pois eu não mudo, — teimou a boneca. — Sou como sou, gostem ou não gostem. E se o Palmeiras perder outra vez e o Visconde der nova risadinha, arrumo-lhe outra colherada nas ventas — e dessa vez com a colher grande, de arroz...

Dona Benta suspirou. Depois fez ver aos meninos a revolução que a descoberta do rádio trouxera para o mundo.

— É prodigioso o rádio, — disse ela. — Estamos aqui no outro lado do globo, perto do Japão — e estamos ouvindo as últimas novidades do Brasil Antigamente, para obtermos essas notícias tínhamos de esperar carta — e a carta era forçada a viajar meses para chegar às nossas mãos.

— Por falar nisso, vovó, esqueci-me de lhe dar o recado recebido ontem do compadre Teodorico.

O compadre Teodorico também montara na sua fazenda um aparelho de rádio de ondas curtas, emissor e receptor, de modo que frequentemente se comunicava com o brigue para receber novas de Dona Benta e contar como iam as coisas lá pelo sítio.

— Que foi que ele — disse?

— Disse que tudo vai bem por lá. Que o canteiro de cebolas perto da cozinha está lindo. Que o café floresceu este ano mais que no ano passado. — Disse também que Rabicó anda impossível. Vara quanta cerca existe, aparecendo diariamente lá na fazenda dele, no mandiocal.

— Fome, coitado! — murmurou Dona Benta. — Sempre que saio de casa, Rabicó ressente-se e põe-se a fazer dano aos vizinhos. Se a Chica o tratasse como recomendei, nada aconteceria. Que mais?

— Contou ainda que o Elias Turco deu uma tremenda sova naquele velhinho que mora lá perto dele.

— É um malvado aquele brutamontes!...

Todas as noites os meninos conversavam pelo rádio com o compadre Teodorico sem darem importância à maravilha que era aquele extraordinário meio de comunicação aérea. Dona Benta, porém, não deixava nunca de espantar-se. — Que assombro! — vivia dizendo. — Que maravilha! — Já Tia Nastácia não acreditava em coisa nenhuma.

— Pensa que sou boba? Essas falas do sô Teodorico, isso é pulha de Pedrinho, sinhá. Onde já se viu falar assim pelos ares, nessa distância? Não engulo, não. Não sou boba...

Depois da sobremesa veio o café. Súbito, Narizinho começou a rir-se lá consigo.

— Que aconteceu? — indagou Dona Benta.

— Uma coisa que me passou pela cabeça, vovó, uma coisa cômica. Estamos num ponto antípoda do Brasil, não é? Pois então, nesta hora, o coronel Teodorico está no fim do café da manhã, comendo aquelas célebres torradas — *mas está de cabeça para baixo e pernas para cima!*... Foi essa ideia que me fez rir.

— De fato, — disse Dona Benta. — Estamos num ponto do globo que é antípoda do Brasil, e se o globo fosse minguando, minguando cada vez mais, os nossos pés iriam tocar nos pés do compadre, sola contra sola... Você tem razão de achar graça, menina...

Capítulo XIX
JAPÃO

Uma grande ilha apareceu a proa d'"O Terror dos Mares".

— Pronto! — exclamou Dona Benta. — Estamos em plena costa do Japão. Aquilo ali já é a Ilha de Yeso. O Japão não passa dum Arquipélago, isto é, dum ajuntamento de ilhas — mais de três mil.

— Três mil, vovó?

— Sim, minha filha. Três mil, contando as ilhotas, está claro. Os territórios de todas elas, somados, não dão grande coisa. Dão 672 mil quilômetros quadrados, incluindo a Coreia, que é um pedaço conquistado à China, e as demais possessões. Quer dizer que o famoso, o poderoso Império do Japão tem uma área menor que a de vários Estados do Brasil, como o Pará, o Amazonas, Mato Grosso. Regula com o Estado de Minas. Isso em território. Em população tem mais do dobro do Brasil inteiro. Há aqui cem milhões de japoneses!

— Puxa! — exclamou Pedrinho. — Quer dizer então que só em Minas cabem cem milhões de mineiros...

— Isto serve para mostrar que o que vale para a grandeza dum povo não é a extensão do território e sim a qualidade da gente. Com um território pequeno e de más terras, cheio de vulcões, todo picadinho e, além do mais, sujeito a terríveis terremotos, este maravilhoso império vem assombrando o mundo. Tinha uma civilização só sua, fechada às ideias e coisas da Europa; mas um dia resolveu largar a velha civilização para adotar a nova — e realizou a mais impressionante adaptação que a história menciona. Mandaram alunos cursar as grandes escolas europeias e americanas, para que aprendessem as ciências lá ensinadas — e esses alunos vieram depois transformar o país. O Japão, antes da última guerra, era uma das grandes potências mundiais — respeitado, admirado e temido.

Mas há gente demais em seu território. Tem-se lá a impressão dum formigueiro que não para um minuto de trabalhar. Cultivam a terra desde a beirinha do mar até aos flancos dos vulcões. Esse contínuo aumento do povo criou sérios problemas. Como alimentar tanta gente? Daí a política de armar-se com um poderoso exército e uma poderosa esquadra a fim de conquistar terras novas. A vítima, coitada, tem sido a China. Aos poucos os japoneses lhe vão comendo o território. Já pegaram a Coreia, a Mandchuria, e estão pegando mais coisas. O Japão é a Inglaterra asiática. Até no aspecto do território se aproximam. A Inglaterra também está situada num conjunto de ilhas — daí seu nome de Ilhas Britânicas.

Narizinho, que já havia lido um romance traduzido do japonês, propôs que o brigue parasse no porto de Yokoama, para um passeio em terra. Dona Benta concordou.

Iokoama é uma cidade de meio milhão de habitantes, movimentadíssima. Todas as cidades japonesas são movimentadíssimas — puros formigueiros humanos. Muito perto fica Tókio, a capital do Império, cidade enorme, com quatro milhões de habitantes, a terceira do mundo em população. Para lá se dirigiu o bandinho de Dona Benta, exceto o Visconde e Quindim, que ficaram de guarda ao navio. Tia Nastácia também foi.

— Ché! — dizia ela. — Isto aqui está me espantando, sinhá. É formiga saúva que virou gente — não é gente. Ninguém para, tudo corre, corre, corre...

Dona Benta falou dos terremotos.

— O Japão é o paraíso dos terremotos, ou tremores de terra. Do ano 1885 ao ano 1903 foram observados 27.485!

— Quê? Vinte e sete mil terremotos? — espantou-se Pedrinho.

— Na grande maioria, simples tremores que não fizeram mal senão às xícaras de porcelana nos guarda-louças. Mas só a cidade de Kioto, por exemplo, já foi vítima de 194 classificados como fortes e de 34 classificados como fortíssimos. O Japão é pois um formigueiro que o tremor de terra teima em destruir e as formiguinhas teimam em conservar. Esta Tókio, onde estamos, sabem vocês que é a cidade mais nova que existe no mundo? Tem apenas vinte e quatro anos de idade...

— Como isso?

— Sim, tem 24 anos. É verdade que já existiu neste ponto outra cidade com o mesmo nome, mas a velha Tókio foi destruída pelo terremoto de 1923. Que tragédia imensa! Mais de duzentas mil vítimas, mais de setecentas mil casas destruídas pelo fogo e pela tremura da terra!...

— Que fogo, esse, vovó?

— Os terremotos são sempre seguidos de incêndio, como é fácil de imaginar. O fogo devorou a velha Tókio. Mas as formigas, quando alguém lhes desmancha o formigueiro, que fazem? Constroem outro. Assim os japoneses. Imediatamente fizeram planos para a construção duma nova Tókio, que é esta. E quem compara as duas chega a abençoar o terremoto. A Tókio de hoje é vinte vezes superior à Tókio destruída. Estas largas avenidas que estamos percorrendo não existiam antes do terremoto. Se algum dia sobrevier um novo cataclisma, os estragos serão muito menores. A cidade foi reconstruída prevendo isso — com ruas largas, infinidade de parques, casas feitas de modo a resistir aos abalos. Tudo mudou. A lição foi aproveitadíssima...

A noite foram a um grande cinema, onde a fita era japonesa. Cheio, cheio. Que movimento tinha aquela cidade! Parecia coisa dos Estados Unidos. Bondes elétricos, automóveis, carrinhos de vários tipos, estações de estrada de ferro — e gente, gente, gente e mais gente.

De Tókio seguiram para Osaka, outra cidade enorme, de dois milhões de habitantes, e também visitaram Kioto, Kobe e Nagoia.

Emília quis por força que Dona Benta a levasse ao Palácio do Imperador Hirohito, cujo retrato em cartão postal ela adquirira numa loja.

— Vamos visitá-lo, Dona Benta. Olhe a carinha dele. Tal qual o filho de Nhá Veva de lá perto da ponte, o Tico, a mesma cor morena, os mesmos olhos...

Dona Benta não quis. Com presidentes, como Mr. Roosevelt, é fácil falar; com um imperador como aquele já se torna mais difícil. Além disso, tinha pressa. O Visconde acabava de telegrafar que Quindim não ia bem da bola.

O telegrama do Visconde veio pôr fim ao passeio pelo Japão. Voltaram correndo ao brigue.

— Que há, Visconde? O seu telegrama assustou-nos.

— Quindim, teve um acesso esquisitíssimo e desembaraçou-se de todo aquele encastoamento de musgo feito na Groenlândia.

Foram vê-lo. O rinoceronte estava bem disposto, a rir-se. Dona Benta viu logo que não era nada. Como havia feito um dia de muito calor, ele espojara-se no tombadilho, ruidosamente, para arrancar de si o capote de musgo — e o Visconde, que era bobinho, assustou-se.

O brigue, afinal, partiu de Iokoama, com rumo à China.

— Adeus, adeus, Japão amarelo! — berrou Emília no leme. — Pode ficar certo duma coisa: que o quadro mais bonito que vi na minha vida foram as cerejeiras cobertas de flores do caminho de Tókio e Kioto. Aquilo até parece um sonho...

Dona Benta explicou que entre o Japão e a Coreia ficava o Mar do Japão, que é mesmo bem japonês. Dentro dele os japoneses sentem-se em casa, pois têm dum lado o velho Japão, e de outro o Japão novo que vão formando nas terras da China.

— E este mar aqui? — perguntou a menina.

— É o Mar Amarelo ou Mar da China. Perigoso, minha filha. Nas costas da China existe muita pirataria...

Os fatos vieram confirmar suas palavras. Ao aproximarem-se dum ponto da costa chinesa, onde havia umas ilhas, "O Terror dos Mares" deu nos olhos dumas embarcações traiçoeiras que andavam rondando por ali. Dona Benta percebeu isso pelas manobras suspeitas que tais embarcações começaram a fazer. Chamou o Imediato.

— Pedrinho, estou com medo daquelas embarcações. Estão me cheirando a coisa dos famosos piratas do Mar da China. Acho bom que você tome algumas providências para o caso de um ataque de surpresa...

Pedrinho correu a avisar os outros, reunindo-se os quatro em conferência. Que fazer se fossem atacados? A situação era gravíssima. Estavam sem canhões, sem carabinas, sem espadas. Arma de verdade só havia uma a bordo do brigue: o facão de rachar lenha de Tia Nastácia. E agora?

Emília mais uma vez teve uma das suas grandes ideias.

— O meio de nos salvarmos é um só, — disse ela com os olhos pregados no Quindim.

— Qual?

— Com uma tinta branca, feita de gesso e água, pintamos em redor dos olhos dele duas rodelas enormes. E enfiamos-lhe um canudo no chifre, para que fique três tantos maior. Depois o colocamos bem na proa do brigue, escondido debaixo de um lençol. Quando os piratas chegarem, tiramos de repente o lençol — e ele dá um urro tremendo. Os piratas botam-se...

À falta de melhor alvitre foi aceito aquele. Num instante pintaram as grandes rodelas em redor dos olhos do rinoceronte e lhe aumentaram o chifre com um canudo de dois metros de comprimento — e Emília ainda amarrou na ponta do canudo o facão de Tia Nastácia. Depois o colocaram à proa bem oculto, sob um lençol.

— Fique aí quietinho, como se estivesse morto, foi a recomendação de Emília. Quando eu gritar: "É hora!" e puxar o barbante amarrado na ponta do lençol, você dá um urro daqueles e arreganha a dentuça...

Foi ótima a lembrança da boneca, porque logo depois quatro embarcações chinesas se adiantaram, velejando velozes na direção do brigue. Dona Benta correu a esconder-se na cozinha de Tia Nastácia; trancou-se por dentro. Emília e os outros ficaram quietinhos debaixo da mesa da sala de jantar, segurando a ponta do barbante amarrado ao lençol.

Os piratas vinham se aproximando. Por uma rachadura da parede o Visconde viu que já estavam a preparar o ataque.

— Em cada embarcação vejo uns vinte piratas de punhal atravessado na boca, prontos para se lançarem sobre nós, — informou o sabuguinho.

— E que mais vê?

— Mais nada. Só que as embarcações já estão a uns dez metros de distância...

— É hora! — sussurrou Emília baixinho; contou um, dois e três e deu, juntamente com os outros, um forte puxão no barbante, ao mesmo tempo que berrava com toda a força o grito de aviso combinado com Quindim:

— É HORA!...

O rinoceronte emergiu de dentro da brancura do lençol como um "monstro da fábula", a urrar que nem apito de vapor transatlântico:

— *Muuu!*...

Os piratas esperavam por tudo, menos por aquilo. Não puderam compreender que abantesma, que dragão tinham pela frente, a dar urros num navio deserto de marinheiros — e viraram nos calcanhares. Minutos depois estavam longe, tão trêmulos de pavor que as velas das suas embarcações também tremiam.

— Pode sair da toca, vovó! — gritou Narizinho, radiante. — O nosso brigue acaba de confirmar o nome que tem. Os piratas botaram-se...

Dona Benta e Tia Nastácia apareceram, mostrando-se admiradíssimas da façanha dos meninos.

— Eu já jurei não me admirar de mais nada, — disse a preta, — mas desta vez tenho de dar a mão à palmatória. Espantar desse jeito os ladrões do mar, foi coisa que nunca julguei possível. Em paga disso vou já fazer uma gemada daquelas...

O melhor prêmio que Tia Nastácia dava aos meninos nas grandes ocasiões era uma célebre gemada que só ela sabia fazer, de três gemas com açúcar e um vinhinho, tão bem batidas que ficavam dum amarelo de manteiga fresca e duma macieza de veludo. Toda gente faz gemada. — mas nunca houve no mundo gemada que chegasse aos pés das de Tia Nastácia.

Minutos depois os heróis da grande façanha estavam recebendo o prêmio da sua corajosa engenhosidade: duas tigelas duma gemada ainda mais bem batida que as anteriores.

— Upa, Nastácia! Está que é uma delícia!... — exclamou Narizinho, provando a delícia com a ponta do dedo. E "bateu" a tigela toda, às colheradinhas, bem poupadamente.

Enquanto isso, Emília e o Visconde entreolharam-se. Em certos momentos eles se entristeciam de não serem gente de verdade — gente que come...

Capítulo XX
A velha China

O brigue entrou no porto de Xangai para abastecer-se de água e outras coisas. Dona Benta resolveu sair com os meninos para uma rápida excursão pela China. Antes, porém, disse:

— Estamos diante dum mundo totalmente novo e incompreensível para nós. A fim de termos uma ideia justa do que é esta China imensa, onde vivem mais de 400 milhões de criaturas, era necessário passarmos a vida inteira aqui. Seu território é enorme; basta dizer que dar uma volta pelas fronteiras da China equivale a dar uma volta em redor da Terra, ou quase. Sua população é infinita, por assim dizer; os chineses formam um quinto da população total do globo. Sua civilização é a mais antiga de todas — e talvez a mais profunda. Sua mentalidade é tal, que um dos grandes cérebros do Ocidente, o filósofo inglês Bertrand Russell, depois de aprofundar-se em todas as ciências e todas as filosofias, ficou certo de ter-se tornado um poço cheio até a beiradinha. Um poço de sabedoria. Mas passou um ano na China e o resultado foi voltar de queixo caído, murcho. O seu poço de sabedoria ficou reduzido a uma cacimbinha rasa diante da profundidade do poço da Sabedoria Chinesa. E ele então disse, quando voltou à Europa: "Estamos muito enganados aqui no Ocidente, supondo que somos a maior coisa que o mundo produziu. O Ocidente não passa, afinal de contas, dum broto da China. O grande tronco é lá. A China é, a muitos respeitos, não só a maior nação que ainda existiu, como a de maior cultura e força intelectual. Nenhuma civilização pode comparar-se à chinesa — pela larguez de espírito, pelo realismo, pela boa vontade de encarar as coisas como elas são e não como queremos que sejam".

— Ora, ora, vovó! — duvidou Pedrinho. — Esse inglês estava maluco ao falar assim. A China apanha de todos os outros povos. O Japão já a venceu em várias guerras. Os europeus entraram lá e fizeram o que quiseram. Bolas para esse Russell...

Dona Benta demorou-se na resposta, como estudando-a. Era difícil fazer uma criança como Pedrinho compreender certas coisas. Por fim disse:

— Se o Elias Turco entrar de faca e revólver em punho lá em casa e me der um tiro, e quebrar o braço de Narizinho, e arrancar uma perna do Visconde, isso quererá dizer que o Elias Turco, aquele brutamontes, seja superior a nós?

— Não, está claro. Só a senhora vale por todos os Elias Turcos do mundo. No "barulho", ele bate na senhora; mas numa discussão, coitado!...

— Pois assim é a China em face dos povos guerreiros, isto é, dos Elias Turcos que a atacam. Vencem-na, roubam seus tesouros, como os franceses, ingleses, alemães, americanos e italianos fizeram em 1901, quando invadiram a cidade de Pequim e a saquearam, e como agora fazem os nipônicos. Mas ponham esses Elias Turcos diante dos sábios chineses para uma discussão filosófica. Haviam de ficar com a mesma cara com que ficou o Bertrand Russell...

Os grandes povos da Europa consideram-se os primeiros do mundo porque dominam os fracos. Mas dum ponto de vista mais elevado, o simples fato de ainda serem povos guerreiros, isto é, dos que só conseguem as coisas pela violência, prova que estão muito longe do que constitui a verdadeira civilização. Sócrates, aquele sábio grego sobre o qual já conversamos, esse sim, era um homem civilizado. Mas o senhor Napoleão Bonaparte? Podemos chamar civilizado a um monstro de egoísmo que passou a vida a matar gente? Três milhões de vidas foi quanto custou à humanidade a passagem de Napoleão sobre a terra — e no entanto é ele o homem mais admirado no Ocidente. Ora, povos que ainda admiram mais a Napoleão do que a Sócrates será que merecem o nome de civilizados?

É preciso que você olhe com o maior respeito para a velha China — com o respeito dum bom bisneto diante da bisavó arcadinha. Não tem conta o que a China fez para a humanidade. As maiores invenções do Ocidente já eram coisas de longa data inventadas pelos chineses, como a imprensa, a pólvora, a escrita e outras. Além, disso, foi de lá que o Ocidente trouxe o papel, a porcelana, a seda, a arte da cerâmica artística e tantas coisas mais. Os provérbios da sabedoria popular do Ocidente fincam suas raízes na China. Os grandes princípios morais do Ocidente, como o "Conhece-te a ti mesmo", de Sócrates, ou "Não façais aos outros o que não quereis que vos façam", de Jesus, vieram da China...

Dona Benta calou-se por uns instantes, pensativa. Era uma danada de estudiosa, aquela velhinha. Entre os seus livros havia um do maior filósofo prático que existiu no mundo, chamado Kung-Futsze, cujo nome foi latinizado para Confúcio. Esse Confúcio soube de tal maneira inocular ideias morais no povo chinês, que a China realizou o milagre de viver séculos e séculos dentro do seu território, sem fazer guerra aos vizinhos, sem meter-se a "nação colonizadora", das tais que com o pretexto de civilizar outros povos vão roubá-los. Aperfeiçoou sua vida a ponto de não precisar do resto do mundo — e fechou-se em casa.

— Para evitar a invasão de povos turbulentos construiu nas fronteiras a célebre Muralha, perfeita maravilha do esforço humano. Que é que se fez no mundo que possa ser visto da lua, por exemplo? Só a grande Muralha da China. Tudo mais, o canal do Panamá, as pirâmides do Egito, as grandes pontes da América, as represas de Muscle Shoals, tudo isso ficaria invisível, se você estivesse espiando a Terra lá de cima. Mas você veria perfeitamente a linha das Muralhas Chinesas, o tapume que eles ergueram para impedir a entrada dos turbulentos mongóis. Tem 2.400 quilômetros de extensão...

— Dois mil e quatrocentos quilômetros? Puxa!...

— Com mais de seis metros de altura sobre dez de largo. E apesar de a terem construído no tempo em que Roma andava brigando com Aníbal, isto é, três séculos antes do nascimento de Cristo, a obra ainda está em grande parte de pé. Tem, pois, mais de dois mil anos de idade. Que obra de engenharia, das feitas no Ocidente, conta com elementos para durar, não digo dois, mas apenas mil anos?

— E essa enormíssima muralha defendeu a China da invasão dos povos? — perguntou Pedrinho.

— Não, meu filho. Quando os mongóis quiseram invadir a China, eles subornaram os soldados que guardavam as portas e entraram... Ao receber a notícia, o Imperador da China ponderou filosoficamente: "Em dois ou três séculos esses invasores estarão assimilados. Esperemos" — e foi o que aconteceu.

Pedrinho começou a mudar de ideias a respeito da China. Depois quis saber como cabiam lá dentro, de que se alimentavam os chineses.

— Está aí uma das maravilhas da China. Possuem uma agricultura aperfeiçoadíssima, de modo que extraem da terra todos os alimentos de que necessitam. Dos rios tiram peixe — e também criam peixe como ninguém. Não há país no mundo que produza tanto peixe.

Dois imensos rios dividem-na em três partes, rios que nascem naquelas montanhas do centro da Ásia.

— No Teto do Mundo, — ajuntou Narizinho.

— Isso. Que nascem no Pamir e depois de irrigar a China de Leste a Oeste vão despejar-se no oceano. Como sempre sucede, esses rios governam grande parte do território. Os rios não valem somente para os peixes que moram neles — valem também para as populações humanas que lhes vivem lado a lado. O rio dá às terras marginais a umidade necessária às culturas, e dá-lhes também adubo.

— Como?

— Nas cheias de cada ano transbordam, enriquecendo o solo com o húmus. E além de alimentar as gentes, ainda lhes servem de estrada de rodagem...

— De rodagem, não, vovó, — corrigiu o menino. — De deslizagem...

— Realmente, essas estradas de água deslizam. Caminhos que caminham por si, como aquelas escadas dos grandes armazéns de Nova York, que sobem incessantemente. Os rios da China são povoados. Em certos pontos existem verdadeiras cidades de casinhas flutuantes. Como os chineses são muito numerosos, o meio de morar torna-se variadíssimo. O chinês mora de todos os jeitos, em todos os tipos de habitações — até dentro da terra, como os tatus. Há uma zona onde o solo é formado duma terra especial, muito propícia a abertura de tocas. Pois ali vivem eles em tocas. Conta um viajante que à noite nada se vê sobre a terra — um deserto de casas e gente. Terreno limpo. Mas de dia só se vê gente. É que a noite todos se recolhem às suas tocas, como se fossem tatus...

— Que curioso!...

— A base da alimentação do chinês é o arroz...

— Com ou sem película? — indagou a menina.

— Até nesse ponto eles são mais sábios do que nós. O chinês não dá preferência ao arroz polido, ou desvitaminado...

— E como se chamam esses grandes rios chineses?

— Um é o Yang Tze Kiang, e outro é o Hwang Ho.

— Irra! Nominhos levados da breca...

— Hwang Ho quer dizer Rio Amarelo.

— Uma coisa já notei, vovó: que tudo é amarelo na China. O povo é de raça amarela, o Mar da China é o Mar Amarelo. Esse rio é amarelo. Por que isso?

— É que o Hwang Ho atravessa uma região em que a terra se compõe dum ocre vivamente amarelo, que se dissolve n'água tornando-a amarela. E as gentes ficam amarelas, as roupas, as casas, os animais — tudo. E por fim até o mar adquire um tom amarelo. Muita gente pensa que o amarelismo das coisas da China vem da cor dos chineses; engano; vem desse ocre que pinta tudo de amarelo.

Depois dessas explicações Dona Benta desceu em terra com os meninos. Que chinesada infinita! Era outro formigueiro ainda mais intenso que o Japão. Mas os meninos logo notaram uma diferença. No Japão o número de máquinas é enorme — de automóveis, de trens, de todas as engenhocas com que os ingleses e americanos encheram o mundo, feitas de ferro e movidas pelo vapor, pela eletricidade, pela gasolina. Ali, o contrário. Nada de máquinas — ou o mínimo possível. Tudo manual. Nas ruas, milhares de carrinhos puxados por homens, os leves *ricksaws*, de rodas altas. Também quando saíram da cidade para conhecer os campos notaram a mesma coisa. Bombas d'água movidas à força de músculo. Embarcações movidas a remo. Moinhos, descascadeiras de arroz — tudo à unha. E não é por falta de ferro, carvão ou petróleo que os chineses não possuem máquinas. Os depósitos de minério de ferro da China ocupam o segundo lugar no mundo — e quanto a carvão, há aqui jazidas maiores que as da Inglaterra.

— Por que então vivem sem máquinas?
— Ah, meu filho, por uma razão que você não é capaz de imaginar.
— Qual?
— Para não incomodar os mortos — para não fazer barulho...

Pedrinho franziu a testa. Não estava entendendo, Dona Benta — explicou:

— Uma das particularidades do povo chinês é o respeito, a veneração excessiva aos antepassados. Não há povo onde os mortos governem tanto os vivos como aqui. Ora, os mortos estão dormindo o seu sono eterno e como as máquinas apitam, roncam, fazem barulho...

— Será possível?

— A China não tem as estradas de ferro que podia ter só por causa disso. A primeira estrada de ferro construída há uns sessenta anos — e que saía justamente daqui de Xangai — por pouco não causou uma revolução. O povo ergueu-se em massa quando viu o trem apitar e roncar. Os construtores tiveram de interromper a obra para não perturbar o sossego dos mortos... Mais tarde, nas poucas estradas construídas, o jeito foi dar grandes voltas para rodear de longe os cemitérios. Ora, havendo cemitérios por toda parte, vocês podem calcular que problema terrível para um engenheiro não era fazer um traçado de estrada de ferro na China!...

O passeio por Xangai revelou apenas alguns aspectos da vida chinesa. Essa cidade está em boa parte habitada por estrangeiros, cujos bairros não se diferenciam sensivelmente das cidades europeias ou americanas. Por isso Dona Benta levou os meninos a Pequim, que é chinesa até a ponta do rabicho.

— E essa história de rabicho, vovó? Por que o usavam?

— Em certa época o trono da China foi conquistado por um príncipe Tártaro, vindo lá dessa Mandchúria que acaba de cair nas unhas dos japoneses — e como esse príncipe usava a cabeça rapada, só com um rabichinho caído atrás, todo o povo teve de adotar o costume...

Pequim é a mais curiosa cidade que se possa ver. Os meninos entusiasmaram-se com tudo — os costumes do povo, os monumentos maravilhosos, os jardins, os palácios.

— Pequim era a cidade sagrada dos chineses, — disse Dona Benta. — Estrangeiro nenhum podia aqui entrar. Mas entraram. Um bando de Elias Turcos, armados até os dentes, os tais franceses, ingleses, alemães, americanos e italianos reunidos com pretexto de vingar ofensas, aqui entraram à força em 1901 e roubaram os mais ricos tesouros da China. Mas roubaram mesmo, com o maior cinismo, em nome do que eles chamam Civilização. Roubaram e levaram tudo para a Europa. E ainda obrigaram a pobre bisavó a pagar uma enormíssima indenização.

— Indenização de quê?
— De não terem podido roubar tudo, com certeza...
— E por que isso?
— Porque os chineses, indignados com o que os estrangeiros da Europa andavam fazendo em seu país, promoveram a revolução chamada dos Boxers, para expulsá-los de lá. Tudo veio dum caso muito curioso. Os ingleses e outros civilizados da Europa estavam ganhando rios de dinheiro com a exportação para aqui do Ópio, uma droga ainda pior que o Álcool para envenenar as populações. O imperador da China achou aquilo demais — e tentou proibir a entrada do veneno. A causa de tudo foi essa. Por ter querido defender o seu povo contra o envenenamento pelo Ópio, a pobre China teve de aguentar os maiores horrores... e além do saque que sofreu em Pequim foi obrigada a pagar milhões de libras de in-de-ni-za-ção...

Emília insistiu em conhecer uma comida que só há na China, os tais Ninhos de Andorinha — uma andorinha chamada Salangana, que faz o ninho com uma baba destilada pelo bico, gelatinosa. Dona Benta atendeu-a. Entraram no Pei-Ho, um restaurante à moda local, onde os fregueses se sentam em tapetes e comem com pauzinhos, veio o ninho de salangana.

— Que lindo, vovó! — exclamou a menina. — Parece "fios d'ovos" branco.

Mas não pôde comer. O paladar dos chineses é antípoda do nosso, de modo que o que é gostoso para nós não o é para eles, e vice-versa. Narizinho lembrou-se de Tia Nastácia, que ficara a bordo do brigue em Xangai, e para lhe fazer uma surpresa mandou acondicionar numa caixinha o petisco.

— Quero ver a cara dela! — disse.

De Pequim foram a Nanquim, outra cidade enorme; e em seguida chegaram a Cantão e Hong Kong, que é uma cidade ocupada há muitos anos pelos ingleses.

— Os europeus, — disse Dona Benta, — sempre se aproveitaram da inofensividade dos chineses, agindo aqui como em casa sua. Ocupavam cidades como esta, impunham leis especiais para os seus, arrancavam dinheiro, faziam da China a casa da sogra. Daí vem a expressão "negócio da China". Até os portugueses tiraram a sua lasquinha. Aqui perto fica Macau, que ainda está na mão dos portugueses. Mas depois que o Japão se armou e bateu o exército do Tsar, na Sibéria, os europeus ficaram de orelha em pé. E se a China acordar e, adotando a civilização deles, encasquetar de ir fazer na Europa o que a Europa fez nela? E se marchar para lá com um exército de milhões e milhões de homens para justar contas?

— Mas isso é um absurdo, vovó, — contraveio o menino. — Milhões e milhões de homens! Fácil de dizer...

— E não muito difícil de realizar, meu filho. Lembre-se que os Tártaros da Mongólia já saíram daqui e varreram quase o mundo todo daquele tempo. Lembre-se de Gengiskhan, de Tamerlão...

Os meninos estavam com muita curiosidade de conhecer Macau, onde poderiam ouvir falar uma língua de que já sentiam saudades.

Macau é uma ponta de terra que os portugueses "arrendaram" da China há muito tempo, em 1557, imaginem! Os chineses são interessantes... Não gostam de estrangeiros — jamais gostaram. Depois de arrendada a terra aos portugueses, construíram uma muralha separando essa ponta do resto da China como quem diz: "Vocês ficam com a terra mas nós não queremos saber de vocês".

— Que graça! — exclamou a menina.

— O melhor é que os chineses podiam muito bem ter expulsado de lá os portugueses e não o fizeram. Apenas exigiram o compromisso de nunca entregarem tais terras a ninguém sem o consentimento deles.

Macau é uma cidade bastante pitoresca, aí duns 80.000 habitantes, dos quais apenas 4.000 portugueses. O resto, chinesada. Narizinho gostou muito das casas de teto plano, pintadinhas de vermelho, azul e verde. No passeio principal da cidade, a Praia Grande, passaram a tarde conversando com os meninos, filhos de portugueses, que por ali brincavam. Um deles reconheceu imediatamente o pessoalzinho de Dona Benta.

— Tu não és a tal Narizinho, neta da senhora Dona Benta? — perguntou o guri aproximando-se.

— Sim, sou... Como sabe?

— Ah, é que temos aqui uma livraria que recebe os livros do Brasil e lá comprei a história das tuas reinações, e as *Caçadas de Pedrinho* e a Aritmeticazinha cá da senhora Emilinha... Sei tudo de cor...

— Será possível? — exclamou Narizinho, espantada e contentíssima. — Será possível que até neste fim de mundo as crianças conheçam nossas reinações?

— Mais do que possível, menina. E se duvidas, poderei levar-te à tal livraria. Verás lá toda a coleção dos teus livros.

E assim foi feito. O portuguesinho levou-os a uma loja da cidade onde havia todos os livros das reinações.

— E de qual de nós você mais gosta? — perguntou Narizinho.

— Gosto de todos — cá da senhorita Emilinha, cá do senhor Visconde de Sabugosa, do senhor Marquês de Rabicó... E por falar: por que não o trouxeste?

— Trazer o Rabicó à China? Que ideia! Era capaz de comer todos os ninhos de aves existentes por aqui. É guloso demais, aquele freguês...

Emília implicou-se com o portuguesinho por causa do Tu. Depois que se separaram, ela disse à menina:

— Viu que pedantinho? Tu p'ra lá, tu p'ra cá, e todo cheio de diminutivos — a "senhora Emilinha", as "reinaçõezinhas"... Gente que fala Tu, não me entra. Eu cá sou ali no Você...

Dona Benta indagou do lugar em que morou o poeta Luiz de Camões quando esteve exilado em Macau por causa duns namoros lá em Lisboa. Contaram-lhe que era ao norte da cidade, num sítio deserto, onde há uma gruta. Lá ficava o poeta chorando as mágoas e escrevendo os versos imortais d'*Os Lusíadas*. Foram visitar a gruta.

— Vejam, meus filhos, o que é o mundo, — disse Dona Benta. — Estamos exatamente no pontinho da Ásia onde já esteve há séculos o velho Camões, que naquele tempo era mocinho e namorador. Aqui, aqui... Aqui escreveu ele muitos dos seus versos...

Ficou uns instantes pensativa. Depois:

— Tudo morre, tudo passa, tudo desaparece levado pelo rio do Tempo — menos a obra d'arte. Como Camões produziu uma verdadeira obra d'arte, não morreu

— está sempre vivo na memória dos homens — sempre lido — sempre recordado...
Emília disse:
— Pois eu também hei de fazer companhia ao senhor Camões. Vou escrever as minhas *Memórias*. O diabo é não termos lá no sítio nenhuma gruta como esta...

De Macau voltaram para Xangai. Ao receber o ninho de salangana que a menina lhe trouxera, Tia Nastácia arregalou os olhos.

— Ninho? Ninho mesmo de verdade? — e provou o petisco, fazendo careta. — Este mundo, este mundo... Pois aqui também aconteceu uma boa. O Visconde me trouxe, sabem o que? Brotos de bambu! — disse que é o palmito daqui. Eu experimentei — fiz um guisado. Pois não é que é gostosinho? Este mundo, sinhá, este mundo...

Capítulo XXI
MALÁSIA

De Xangai o brigue partiu rumo às Ilhas Filipinas. O plano era dar uma volta pela Oceania, que é uma das divisões do globo. Depois voltariam à Ásia para espiar a Índia e a Arábia, entrando então no Mar Vermelho. Lá fica o Canal de Suez, a porta dos fundos do Mar Mediterrâneo.

Dona Benta — explicou que iam conhecer uma zona de ilhas, ilhas e mais ilhas. Ilhas a dar com um pau. Só o Arquipélago das Filipinas compunha-se de 7.000.

— Sete mil, vovó? Não está achando meio muito?

— Não, meu filho. Dessas sete mil, porém, a maior parte se compõe de ilhotas insignificantes, que nem nome têm. Só valem as ilhas grandes, como a de Luzon, Mindanau e outras, que estiveram muito tempo nas unhas dos espanhóis e acabaram conquistadas pelos americanos. Hoje aquilo lá está um brinco. Estradas de rodagem de primeira ordem, escolas, higiene, tudo quanto é melhoramento. Mas o mundo é grande e não podemos parar nas Filipinas. Daqui seguiremos diretamente para as Índias Holandesas, que é o mais notável grupo de ilhas oceânicas.

— Por que notável?

— Por mil coisas. A ilha de Java, por exemplo; só ela merecia que passássemos lá um ano inteiro. Linda terra! um paraíso. Paraíso e inferno ao mesmo tempo, visto como é em Java que existem os mais terríveis vulcões do globo.

Pedrinho assanhou-se. Vulcão era com ele.

— Muitos, vovó?

— Cento e tantos! As duas ilhas vizinhas, Java e Sumatra, são terrivelmente vulcânicas, apesar de que esses leões de fogo andam há muito tempo em sonolência. Um houve, porém, que fez estrepolia grossa no ano de 1883 — o vulcão da pequena ilha de Krakatoa, que fica entre Java e Sumatra. Isso na manhã de 26 de agosto. O fogo lá do centro da terra explodiu de repente. Escangalhou com a ilha. Picos de 500 metros de altura afundaram de 300, 400 metros no oceano. O estrondo foi ouvido até a 5.000 quilômetros de distância. As cinzas vomitadas subiram a 30 quilômetros de altura e o vento levou longíssimo essas cinzas — para a África, para a Europa, para Ásia, para América. Durante seis semanas o céu andou por toda parte escuro como em tempo de queimada.

— E morreu muita gente?

— Embora a ilha de Krakatoa fosse desabitada, a perturbação produzida no mar criou uma onda monstruosa, que rolou de encontro às costas de Java, matando 36.000 criaturas. Portos e aldeias beira-mar foram varridos. Navios ancorados nos portos foram moídos. O movimento causado nas águas do mar por essa onda gigantesca chegou até a Ilha de Ceilão. Mais. Chegou até o Cabo Horn, lá no fim da América. Mais ainda: chegou até o Canal da Mancha, entre a Inglaterra e a França, isto é, a 17.000 quilômetros daqui...

— Puxa! — exclamou Pedrinho. — E depois?

— Aquilo havia sido um simples bocejo do vulcão adormecido. O Krakatoa bocejou, espreguiçou-se e caiu de novo no sono. Há pouco tempo deu um sinalzinho de querer acordar outra vez — mas ficou nisso.

Os meninos entusiasmaram-se com o que de bordo viram da ilha. Vegetação maravilhosa de viço. Variedade infinita de árvores tropicais. Plantações lindas, de café, de cana, de arroz, de tudo. Torres de petróleo. E gente por toda parte — os pequeninos japoneses de pele morena e cabelo liso, bem negro.

— É um paraíso de felicidade e clima esta terra, — disse Dona Benta. — Basta notar que permite a vida a 40 milhões de habitantes, tantos como o Brasil — e não tem mais que cento e poucos milhares de quilômetros quadrados, menor ainda que o Ceará.

— Que colosso, vovó! E as outras ilhas, então, que ainda são maiores?

— Com as outras já não se dá isso. Apesar de muito maiores que Java, a ilha de Sumatra tem apenas 2 milhões de habitantes e a de Bornéu — quatro vezes maior que Java — só tem 6 milhões.

— Por que? O clima não é o mesmo? A terra não é a mesma?

— Coisas, meu filho. Em Bornéu, por exemplo, os nativos sempre tiveram uma crendice muito esquisita — que para conquistar a felicidade era preciso "caçar" e ter em casa uma cabeça humana. Ora, cada habitante necessitando duma cabeça, é claro que metade da população tinha de matar a outra metade. Daí o escasso crescimento da ilha. Se não fosse assim, era muito possível que Bornéu estivesse hoje com uma população proporcional à de Java, ou sejam mais de 160 milhões de habitantes...

Dona Benta falou também da fauna dessas ilhas.

— São realmente paraísos terrestres, quanto à flora e à fauna. Animais de todas as espécies, desde o Mias, nome que os nativos dão ao Orangotango, até borboletas de maravilhosa beleza. Orangotango é uma palavra nativa de Bornéu — orang utan ou homem do mato. Além desse mias há macacos de todas as espécies. E panteras, e tigres. O tigre de Sumatra atinge respeitáveis dimensões. Há ainda, adivinhem o quê? Elefantes e ri-no-ce-ron-tes!...

— Sério? Podíamos descer para caçar um...

— Contente-se com o Quindim, meu filho. Também há bois selvagens e Babiruas, um *porco do mato de chifre*. Nos rios, jacarés enormes, e também o Gavial, que havemos de conhecer quando tocarmos na Índia. E veados, porco-espinho, cobras enormes e um sapo que voa...

— Sapo que voa, vovó?

— Ou pelo menos uma rã voadora, estudada pelo professor Wallace. E águias, abutres, falcões, papagaios...

— A senhora — disse que essas ilhas eram o paraíso dos animais; pelo que vejo são o paraíso dos caçadores. Deixe. Quando crescer eu hei de passar um ano inteiro aqui em Bornéu, caçando. Agora uma coisa, vovó: sendo ilhas isto por cá, como é que têm as mesmas feras do continente? A nado elas não podiam ter vindo...

— Isso prova o que eu já disse: as mudanças operadas na superfície da terra. Estas ilhas já fizeram parte do continente asiático ou africano. Algum grande terremoto engoliu as terras intermédias, só poupando estes pedaços. E os animais do continente, que estavam nesses pedaços, ficaram.

As pequenas ilhas, de que vamos encontrando tamanha quantidade, são picos de montanhas submersas. O Japão, por exemplo, não passa dos altos duma montanha que, por muito altos, ficaram fora da boca do mar. Montanhas realmente altas, porque ao lado das terras do Japão o mar é profundíssimo, havendo um ponto, de nome Tuscarora, em que a profundidade medida é de 9.300 metros!... Some isso com o Fujiyama, o velho vulcão extinto que há lá, de pico sempre recoberto de neve, e faça a ideia da altura que tiveram os altos onde hoje moram os japoneses antes daquela montanha ser engolida pelo mar.

Os meninos insistiram em descer em Java, mas Dona Benta não permitiu, alegando pressa. Tinham muito que viajar ainda. Pela luneta foi mostrando as outras terras das Índias Holandesas, ou da Malásia Holandesa, todas muito interessantes. Mostrou a Sumatra, a enorme Bornéu, a pequena Bali onde há maravilhosas crianças dançarinas, a de Lambock, a de Soemba. Mostrou o grupo das ilhas Molucas e a Célebes.

— A capital deste mundo holandês fica na ilha de Java. É a cidade da Batavia, já com 200.000 habitantes.

Capítulo XXII
OCEANIA

— E aquela enorme, lá adiante? — perguntou a menina.

— Aquilo não é mais ilha — é um continente inteiro — a Austrália. Estou com vontade de levar o brigue até lá, para uma estadazinha no porto de Melbourne, ao sul. Que acham?

Todos acharam que sim.

Enquanto "O Terror dos Mares" se fazia de rumo para Melbourne, Dona Benta — explicou aos meninos o que era a Austrália.

— Um continente sem sorte, — disse ela. Está situado em mau ponto estratégico, comercialmente falando. Longe demais de todas as grandes metrópoles do mundo. Além disso, dum clima hostil, excessivamente úmido num ponto, excessivamente seco noutro. Seco por absoluta falta de chuvas, o que deu origem à formação de enormes desertos. Poucos rios, nenhum deles navegável.

A Austrália é considerada uma das terras mais velhas do globo, tão velha que parece estar caducando. Há lá animais absurdos, que só existem lá. O Ornitorrinco, por exemplo, um bicho de pelo com bico de pato. E o canguru, que tem uma sacola na barriga onde carrega os filhotes e que anda aos saltos — um bicho que mais parece brinquedo de criança do que animal que se preze. E aves, então? Das mais esquisitas que possamos imaginar. Uma, de penas escorridas como cabelos. Outra que late como o cachorro. Pombos do tamanho de galinhas. Já teve a Moa, que era uma ave gigantesca, sem asas. Só de papagaios possui sessenta espécies — os cacatuas. De todas as cores e com um lindo penacho na cabeça. E creio que a Ave Lira é de lá, uma que tem a cauda em forma de lira.

— Lira dinheiro ou lira instrumento de música? — perguntou Emília, fazendo Quindim novamente soltar um daqueles famosos *quó-quó-quós*.

Dona Benta olhou bem para ela e não respondeu.

— Há também formigas das mais terríveis, como uma que pula e outra que fura latas.

— Isso também é demais, vovó! — protestou Pedrinho. — Furar lata! É boa!...

— Pois fura. Secreta um ácido que ataca o metal da lata, enferrujando-o — e depois fica-lhe fácil abrir um buraquinho com o ferrão. Mas a maior praga da Austrália vocês não são capazes de supor qual é... — O coelho.

— Algum coelho de bico de pato?

— Não. O coelho comum que todos conhecemos.

— Mas o coelho nunca foi praga, vovó. Um pobre animalzinho inofensivo...

— Inofensivo quando pouco. Mas se você imaginar um bando de milhões de coelhos famintos, compreenderá logo que pode tornar-se praga. Foi o que se deu. Na Austrália não havia coelhos. Alguém levou para lá um casal. Esse casal proliferou rapidamente, como fazem os coelhos. Muitos fugiram para o mato, onde a proliferação prosseguiu sem o menor embaraço. Ora, não havendo no mato os inimigos naturais do coelho para contrabalanço da fúria daquela multiplicação, o resultado foi que o coelho ficou na Austrália como o bacalhau nos bancos da Terra Nova. Tanto coelho, tanto, tanto, que os homens puseram as mãos na cabeça. Invadiram as roças devorando tudo. Os lavradores, desesperados, tiveram de organizar o combate aos coelhos como em outros países se organiza o combate às nuvens de gafanhotos.

Há tempos vi uma fotografia muito curiosa. Num grande campo os lavradores reunidos para a guerra ao coelho tinham levantado uma alta cerca de tecido de arame em forma de funil. A ideia era virem tocando-os da macega de modo a encurralá-los ali; seria então fácil matá-los. Começou a batida. Toca! Toca coelho para a frente! Sabem o que aconteceu? O número dos que se acumularam junto à cerca foi tamanho que formou um talude, isto é, um aterro de coelhos — e os que vieram por último passaram por cima do aterro, ganhando o alto da cerca e saltando para o outro lado...

— Mas, então é mesmo coelho que não acaba mais!...

— Se é! Basta dizer que o número deles está calculado em mais de quatro bilhões!

— Bilhões, vovó?

— Sim, bilhões. Quatro bilhões quer dizer quatro mil milhões. As roças tiveram de ser defendidas por altas cercas de telas de arame — e bem afundadas no chão para que eles não fizessem buraco, passando por baixo. Nada adiantou. Forçados pela fome, os coelhos aprenderam a subir pelas malhas do arame, como gatos. E lá continua o coelho fazendo mais mal a Austrália do que faz a formiga saúva ao Brasil.

Apesar disso a Austrália conseguiu uma vitória; ser a zona do mundo mais rica em carneiros. Possui um rebanho de 80 milhões. Quer dizer que esse país veste uma boa parte da população do mundo com a lã produzida pelos seus carneiros.

Também possui ricas jazidas minerais, sobretudo de ouro, cobre, estanho, zinco, chumbo e carvão.

— E petróleo?

— Ainda não foi encontrado. Outra coisa que há lá como em parte nenhuma: eucaliptos. O paraíso dessa árvore é a Austrália.

— E a população qual é?

— Menos que a da cidade de Nova York — seis milhões...

— Só seis milhões para quase oito milhões de quilômetros quadrados? É então um deserto...

— É realmente um deserto — e deserto ficará ainda por muito tempo, porque além dos homens não se sentirem atraídos pela Austrália, a política dos ingleses não é favorável à entrada de estrangeiros lá. A Austrália para os australianos, dizem eles.

— Mas que têm os ingleses com a Austrália?

— Ela é uma Confederação de seis Estados, que fazem parte do Império Britânico. Foi descoberta uma porção de vezes por uma porção de descobridores — apesar de já ser conhecida dos chineses desde o século XIII. Entre esses descobridores o mais famoso foi Tasman, um holandês que lá esteve em 1642. Descobriu-a, desceu em terra, fincou o pavilhão holandês...

— Disse a primeira missa da Austrália, — acrescentou a boneca.

— Não. Não disse missa nenhuma. Tomou posse da terra e foi-se embora. E ficou por isso. Os holandeses não ligaram a mínima importância à descoberta de Tasman — talvez de medo dos cangurus que trazem os filhotinhos na sacola...

— Ou do animal peludo de bico de pato.

— Seja lá o que for. O fato é que não ligaram importância — não trataram da colonização. Muitos anos depois, em 1770, um cientista inglês, Capitão Cook, foi mandado num navio observar nestes mares a passagem do planeta Vênus, com ordem de pegar alguma terra encontrada pelo caminho — e Cook pegou a Austrália. E como inglês é como o tal sapo que quando agarra não larga mais, a Austrália ficou sendo o que hoje é — colônia inglesa.

Os nativos lá encontrados davam dó — de tão selvagens, de tão atrasados. Nunca se vira no mundo homem mais animalesco do que o australiano. Não conheciam o arco de lançar flechas, nem a lança, nem o machado de pedra; não sabiam construir cabanas para morar; não tinham a menor ideia da agricultura. Os mais puros bichos do mato que você possa imaginar.

— Por que isso?

— É que essa raça ficara tanto tempo segregada de qualquer contato com as outras, e no seio duma natureza sem inimigos perigosos, como o leão, o tigre e outros, que não se desenvolveu. Só a necessidade é que faz o homem progredir. A única arma que os australianos usavam era o *Boomerang*, um pedaço de pau achatado e recurvo que, quando lançado de certo modo, volta ao ponto de partida.

— Como é isso, vovó? Não estou entendendo...

— Nem eu, meu filho. Ainda não vi um *boomerang*; só sei dele o que li nos livros — e é isso.

— Pois, então, ao chegarmos a Melbourne, a primeira coisa que vou fazer é descobrir um *boomerang*. Imagine eu lá no sítio com uma arma dessas! Rabicó me amola de longe? Eu, *pá*! boomerangada em cima — e não preciso ter o trabalho de ir pegar o pau — o pau vem ter aos meus pés por si mesmo...

O brigue ia já entrando no porto de Melbourne. Dona Benta mal teve tempo de contar que as outras cidades importantes, da Confederação Australiana eram Vitória, Adelaide, Brisbane e Sidney — e que a nova capital ia ser Camberra, uma cidade a ser construída inteirinha de acordo com um maravilhoso plano feito pelos melhores engenheiros urbanistas da Inglaterra. Engenheiro urbanista quer dizer engenheiro que desenha cidades.

Logo que o brigue ancorou no porto Dona Benta desceu com os meninos. Todos se admiraram de encontrar naquele fim de mundo uma cidade moderníssima, com mais de 400 mil habitantes (contando todos os arredores), edificação de primeira ordem, jardins públicos em quantidade, otimamente calçada e habitada só por gente da mais pura raça inglesa.

Depois de correr de automóvel os bairros principais, Dona Benta parou numa loja da Collins Street — ou rua Collins, a mais movimentada de lá.

— Tem *boomerang*? — perguntou Pedrinho.

O caixeiro espantou-se. Depois riu-se. Não tinha.

O menino danou. Que vergonha! Numa loja de primeira ordem como aquela, na melhor rua de Melbourne, que é a maior cidade da Austrália, não haver *boomerang*!

Pois não havia. Dona Benta teve de entrar em cena para explicar ao caixeiro o interesse de Pedrinho em conhecer a velha arma usada pelos aborígenes.

— *Well, well, well*, — exclamou o caixeiro. — Estou compreendendo. Mas isso não é artigo fino — e nós aqui só vendemos artigos finos, diretamente importados de Londres. *Boomerang*... Creio que poderá encontrar isso nalgum *curio* da Little Flandres Street — se encontrar.

— Que é *curio*?

— Casa de vender curiosidades...

Dona Benta mandou o auto dirigir-se para lá. Encontrou, sim, o tal *boomerang*, como em certas casas de curiosidades do Brasil a gente encontra às vezes um arco de índio do Mato Grosso. Foi comprado por cinco *shillings*. Pedrinho apressou a volta para o brigue, ansioso por fazer a experiência.

Era um simples pau recurvo, aí duns oitenta centímetros de comprimento, com as extremidades rombudas. Nada mais. Depois de examiná-lo detidamente, Pedrinho desapontou. Seria possível que aquele pau fosse ensinado? Que soubesse voltar ao ponto de partida? E se o homem do *curio*, vendo a ignorância deles a respeito, lhes tivesse impingido um pau de lenha qualquer como sendo o tal *boomerang*?

Logo que chegou ao brigue começou a fazer exercício — a lançá-lo ora dum jeito, ora de outro. Nada. O *boomerang* caia lá longe, como um pedaço de pau à toa. Nada de voltar. Mas de repente Pedrinho acertou. O *boomerang*, arremessado com mais força, seguiu rente ao chão até uma certa distância. Súbito, mudou de rumo — fez uma perfeita curva no ar — um *looping* — e veio bater de ponta na testa do atirador.

Foi um berreiro. Acudam! Acudam! Dona Benta correu, toda pepé, a ver o que era. Encontrou o menino com a testa em sangue.

— Ah, meu Deus! — exclamou, aflita. — Que ideia a minha de dar a uma criança esta arma misteriosa? Nastácia, depressa! Uma bacia d'água — iodo...

Depois de lavada a ferida, verificou-se não ser nada de importância, visto que o *boomerang* tinha a ponta rombuda. Mas o susto valeu. Pedrinho enjoou-se da Austrália e dos australianos — e Dona Benta fez menção de jogar ao oceano a arma criminosa.

Tia Nastácia deteve-lhe o braço.

— Não ponha fora, sinhá. Uma lenhinha seca como esta dá sorte lá no fogão. Me dá cá ele — e lá se foi com o *boomerang* para a cozinha...

Ao Norte da Austrália ficava a maior ilha que existe, depois da Groenlândia — Nova Guiné, a terra dos Papuas, um povo selvagem de costumes muito interessantes. Parte das terras pertence aos ingleses, parte aos alemães, que ainda possuem logo diante ilhas menores formando o Arquipélago de Bismark. E ao sul fica a ilha Tasmânia, nome dado em homenagem a Tasman, o descobridor holandês da Austrália.

— E aquela Itália lá adiante? — perguntou Narizinho, que estava de olho na luneta. — Aquela em forma de bota?

— Aquela bota é a Nova Zelândia, também pertencente aos ingleses. Há um romance de Júlio Verne, *Os filhos do Capitão Grant*, que vocês precisam ler. Parte da história se passa entre os zelandeses. Mary e Roberto, filhos do Capitão Grant, haviam saído pelo mundo afora em procura do pai, perdido por estas águas imensas...

— E encontraram-no?

— Sim. Depois duma trabalheira enorme foram descobri-lo na pequena ilha de Timor, que é em parte portuguesa e fica lá ao sul das Índias Holandesas.

— Então até por aqui andaram os portugueses?

— Oh, os nossos avós portugueses foram terríveis navegantes. Não houve parte do mundo por onde não andassem. Esta Oceania mostra sinais dos seus passos numa infinidade de terras. Infelizmente não souberam, ou não puderam conservá-las. Os ingleses estão hoje donos das ilhas descobertas pelos portugueses — como também estão donos das Índias, terra imensa onde os portugueses já falaram grosso.

— Por que isso?

— Por causa dum sujeito que nasceu na Inglaterra, chamado James Watt.

— Sei, o que inventou a máquina a vapor.

— Isso. Watt inventou a máquina a vapor e como a Inglaterra possuísse muito carvão de pedra e ferro, construiu logo navios a vapor, com os quais subiu ao trono da Rainha dos Mares. Os portugueses, que só dispunham de navios de vela, não puderam lutar com os navios a vapor; viram-se forçados a ceder o caminho aos novos concorrentes. Vejam vocês como uma simples invenção muda o aspecto do mundo...

— Quer dizer que a desgraça de Portugal foi não possuir ferro e carvão...

— Exatamente. Como hoje a desgraça do Brasil é não possuir o combustível que pôs o carvão num chinelo.

— O petróleo, já sei.

— Isso mesmo. Ferro e combustível: só os povos que dispõem desses elementos criadores da Máquina, governam o mundo. Por maior que fosse o heroísmo dos portugueses, que podiam fazer contra a força do Ferro e do Carvão? Mas a glória desse povinho é grande. Temos que tirar o chapéu ao português em qualquer parte do mundo em que estejamos. Tire o seu boné, Pedrinho.

Pedrinho tirou o boné, numa saudação respeitosa. Depois disse:

— Uma coisa estou notando: não há por aqui nações independentes. Tudo tem dono europeu. Esta ilha é dos ingleses; aquela, dos holandeses; aquela outra, dos alemães. Quer dizer que a pirataria europeia por estes mares foi grande...

— Sim, meu filho. Os europeus, sobretudo os ingleses, não passam de piratas bem organizados e bem armados. Varreram o mundo com os seus navios cheios de canhões para apossar-se de todas as terras cujos nativos fossem muito fracos para defender-se. Por bem ou por mal iam conquistando, que é como o europeu chama este roubo das terras alheias. O grande período das Conquistas, que na História figura como o mais heroico de todos não passa do período em que a Pirataria Organizada alcançou o seu apogeu. Nós somos descendentes desses grandes piratas, temos a pirataria no sangue e por isso nos entusiasmamos tanto com o chamado Período das Descobertas. Mas se a história em vez de ser escrita por nós fosse escrita pelos povos pirateados, que diferente não havia de ser...

Depois dessa tirada revolucionária, Dona Benta mostrou pela luneta as ilhas de coral.

— Eis uma das coisas mais curiosas da Natureza, meus filhos. Até aqui temos visto e falado das ilhas formadas pelos topes dos continentes submergidos. Milhares destas ilhas não passam, como eu já disse, de picos de montanhas, Itatiaias só de cabecinha de fora. Mas existem ilhas de outros tipos, isto é, de formação diferente. Ilhas formadas de esqueletos...

— Esqueletos? Que horror, vovó! Esqueletos de quê?

— De vários organismos que se criam no mar, sobretudo de um classificado pelos sábios de *Anthozoa*. Um pólipo...

— Que é pólipo?

— Um bichinho invertebrado, isto é, sem ossos, constituído apenas dum tubo com pequeninos tentáculos...

— Se são sem ossos, como podem formar ilhas de esqueletos?

— É que eles sugam da água do mar o calcário nela dissolvido e esse calcário deposita-se em seu corpinho, formando uma crosta dura, que é o coral. Os pólipos são bilhões de bilhões de bilhões, de modo que cada um formando um esqueletinho num certo ponto, e esses esqueletinhos se soldando uns nos outros, temos como resultado a criação das ilhas de coral. Começam sobre algum rochedo submerso a pouca profundidade; e vão subindo, vão subindo até saírem fora d'água.

— Que curioso!

— As ilhas de coral apresentam a forma interessantíssima de bacia fincada no mar, ou, melhor, daquele espremedor de limão que temos lá em casa. No centro ergue-se um pico mais elevado que os bordos. Entre essa pico e os bordos fica empoçada a água do mar, e sobre os bordos crescem palmeiras. Se fizermos um corte numa dessas ilhas obteremos uma figura igual a desta página.

Corte de uma ilha de coral

Narizinho estava com a luneta apontada para uma ilha de coral.

— Exato o que estou vendo, vovó! E que linda é ela! Parece um brinquedo, um enfeite...

Dona Benta deu ordem a Quindim para aproximar o brigue do enfeite a fim de que os meninos pudessem brincar-lhe na beira. Assim foi feito. Com alguma dificuldade pularam de bordo para a ilha, onde depois de a contornarem toda se sentaram sob uma palmeira. Emília, que havia levado um martelo, pôs-se a martelar.

— Pare com isso, — advertiu o menino. Não escangalhe uma obra tão linda que os pólipos levaram séculos para formar...

Emília — continuou com as marteladas e tanto fez que ao voltar para o brigue tinha os bolsos cheios dos tais esqueletos formadores de ilhas. Era uma bela novidade para o seu célebre museu.

— E agora? — perguntou Pedrinho depois da visita a ilhota.

— Agora chega de Oceania. Temos de voltar à Ásia para uma vista d'olhos à Índia e Quindim recebeu ordem de botar "O Terror dos Mares" no rumo da velha Índia.

De caminho passaram perto das Filipinas. Dona Benta apontou para certo ponto e — disse:

— Lá pereceu o maior dos navegadores antigos, o grande Fernão de Magalhães. Depois da agitadíssima viagem na qual conseguiu passar do Oceano Atlântico para o Oceano Pacífico, lá ao sul da Patagônia, portou naquela ilha ali, por ele batizada de Ilha dos Ladrões, por causa da ladronice dos nativos. Sua gente estava exausta, reduzida a pandarecos pelo escorbuto.

— Falta de vitaminas, — gritou Emília. — Com limonada eu os curava a todos.

— Naquele tempo não se sabia disso, de modo que Magalhães, já sem saber que fazer, ficou lá uns dias, descansando; depois prosseguiu na viagem — indo até a ilha de Samar. Depois foi a Cabu a Sudoeste de Samar, onde fez aliança com o reizinho da terra. Esse rei convidou-o a conquistar, de sociedade com ele, uma ilha próxima de nome Mactam. Lá morreu Magalhães num combate contra os nativos, no dia 27 de abril de 1521.

— Que pena! — exclamou o menino. — De todos os navegadores é o que mais admiro. Homem de aço. Não desanimava nunca, não desistia...

— Realmente, tinha uma têmpera excepcional. Também na minha opinião é ele a figura mais notável da longa lista dos navegadores portugueses. Um dia hei de contar a vocês a história inteirinha da sua célebre viagem, a mais famosa de quantas foram feitas desde que o mundo é mundo.

Capítulo XXIII
ÍNDIA

O brigue estava navegando nas águas que ficam entre a Indo-China e as ilhas a Leste. Tinha de atravessar o Estreito de Malaca, em demanda do Oceano Índico. Dona Benta mostrou pela luneta as terras indo-chínicas — o reino de Sião, que tem como capital a exótica cidade de Bangkok, e a Cochinchina, que está nas unhas dos franceses. Ao Sul espichava-se a comprida península de Malaca, em cuja ponta fica um dos portos mais movimentados do mundo — Singapura.

Atravessado o estreito, entraram, afinal, no Oceano Índico.

— Uma terra grande, estou vendo! — gritou a menina.

— É a ilha de Ceilão, ao Sul da Índia. Há lá uma boa cidade com o nome de Colombo.

Dona Benta começou a falar sobre a Índia.

— É difícil falar sobre a Índia para crianças como vocês... A Índia é um mundo dentro do mundo, como a China. E velhíssima. Há um livro lá, chamado *Mahabharata*, que reúne as lendas relativas aos tempos mais antigos da região. Esse livro dá a Índia como sendo a mais velha civilização humana. Mas para compreendermos um bocadinho desse enorme triângulo de terra que constitui a ponta Sul da Ásia, temos de correr uma vista d'olhos pelo conjunto — com a luneta.

Dona Benta assestou a luneta para mostrar em conjunto as terras da Índia.

— Vejam. Lá a Nordeste há aquele formidável maciço de montanhas que a separa da China. É a cadeia do Himalaia, onde se encontram os picos mais altos do globo. O mais alto de todos, aquele lá cobertinho de neves eternas, é o Everest, com quase 10.000 metros de altura. E cá a Noroeste há também aquelas montanhas, chamadas Suliman e Khirdar, que a separam do resto da Ásia.

Agora notem as grandes bacias fluviais. A de Oeste tem como eixo o grande rio Hindu, que deu nome à região. Hindustan, ou Terra do Hindu, chama-se isso a que chamamos Índia. Esse rio despeja no Mar da Arábia. Depois temos aquela outra bacia a Leste, centrada pelo famoso rio Ganges. Reparem. O Ganges despeja no Golfo de Bengala, formando um enorme delta. A grande cidade que vocês estão vendo ao Sul do delta chama-se Calcutá — a capital da Índia.

Notem que ao Sul do Ganges existem outras enormes bacias fluviais. Essas várias bacias formam extensíssimos vales de terras grandemente férteis. Não há desertos por ali, como vocês estão vendo. Por toda parte, o mesmo oceano de verdura — e que verdura! Como o clima é quente e a umidade muita, a vegetação atinge o apogeu do desenvolvimento. Todas essas condições reunidas fizeram que o território da Índia se tornasse um viveiro sem igual.

— Viveiro de passarinhos? — perguntou Emília.

— Não. Viveiro de tudo. A quantidade de animais é infinita — leões, leopardos, tigres, lobos, ursos, tudo em quantidades enormes, porque é enorme a quantidade de animais herbívoros que lhes servem de alimentos, como os antílopes, os veados, os búfalos, os porcos do mato e a miuçalha toda. E há também elefantes e rinocerontes. Em matéria de répteis, a mesma riqueza. Cobras e mais cobras, entre elas a famosa Cobra de Capelo — ou Naja. E dois tipos de crocodilos, sendo um deles o tal Gavial de que já falei — o comedor das carniças que boiam no Ganges. O que há de peixes nas águas não tem conta. E insetos? Vocês podem facilmente calcular a riqueza em insetos dessa imensa vastidão úmida e quente. Insetos e aves, porque há sempre muitas aves onde há muitos insetos. Vida, vida e mais vida! A Índia é o maior viveiro de vida que o nosso globo conhece.

Ora, se a vida animal prolifera ali com essa exuberância, deve haver uma razão. Qual é?

— "Milho", vovó! Boia farta! — gritou Pedrinho. — Onde há comida em abundância, junta toda sorte de bicharia.

— Isso mesmo. A riqueza da flora determina a riqueza da fauna, porque o que nós chamamos animal, seja inseto ou homem, não passa duma praga, ou dum parasita que dá nos vegetais. Se o vegetal desaparece, a parasitalha inteira desaparece também. Todos nós, eu, você, aquele mosquitinho ali, os rinocerontes, as borboletas — todos nós somos parasitas das plantas.

— Isso não, vovó. Os carnívoros não vivem das plantas.

— Não vivem diretamente. Vivem indiretamente. O leão, em vez de pastar capim, come um veado que não fez outra coisa na vida senão pastar, isto é, transformar capim em carne.

Sendo a Índia um tal viveiro de vida, está claro que não podia deixar de ser também um viveiro de homens. E o animal homem proliferou na Índia como o coelho na Austrália. Existem hoje, nesse triângulo que vocês estão vendo, mais de 300 milhões de criaturas humanas!...

— Trezentos? Então é quase tanto como a China...

— Proporcionalmente ao território, é mais. A China tem 400 milhões de chins para 11 milhões de quilômetros quadrados; a Índia tem acima de 300 milhões de indianos para uma superfície menos de metade da China. Quer dizer que se a China fosse tão intensamente povoada quanto a Índia, teria, em vez dos seus 400 milhões, quase um bilhão!

— A senhora falou certo, dizendo que é ali o maior viveiro de vida do mundo! — exclamou Pedrinho assombrado. — Quanta comida!...

— A população duma zona é sempre proporcional à quantidade de alimento que o solo pode fornecer. O fato da Índia povoar-se de tantos tigres, elefantes, panteras, antílopes, insetos, crocodilos, peixes, borboletas, moscas e homens, vem só disso: comida para todos.

— É então um cocho, vovó, — disse Narizinho.

— O maior de todos. Mais que um cocho. É o Cocho! Na Groenlândia, por exemplo, que tem uma superfície de um terço da Índia, só cabem uns ursos, as focas, os pinguins e 10 ou 12 mil esquimós. Não há comida para mais estômagos. E os pobres esquimós têm que suar o topete para manter suas vidinhas... Ora, pois, estamos diante dum cocho imenso, dum cocho gordo, dum cocho geral, do Grão Cocho, em suma. Essa pletora de comida deu como resultado que de vários pontos do globo acudissem mais homens para tomar parte no banquete — e a história da Índia não passa do "avança" desses outros homens no Cocho Geral.

Primeiro vieram do planalto de Pamir aqueles Arianos dos quais parte emigrou para a Europa, dando lá origem aos povos de raça branca. Desceram para aqui porque no Teto do Mundo a comida estava se tornando difícil. Esses arianos eram gente rija e de mais força mental que os Dravidianos, a gente de pele escura que por esse tempo fervilhava nos vales da Índia. E os arianos dominaram a zona inteira apesar da inferioridade numérica. O número nunca valeu muito na vida. Vale o jeito, a esperteza. Um punhado de arianos dominou completamente o enxame de dravidianos, e para defender-se deles, para evitar que se revoltassem, inventaram o tal sistema de Castas que ainda perdura até hoje.

— Que é isso?

— Um meio que os que estavam de cima, e eram poucos, inventaram para conservar em submissão os que estavam de baixo, e eram muitos. Com a sua esperteza natural, os arianos de cima convenceram os dravidianos de baixo de que eles formavam uma raça inferior, maldita, indigna. E proibiram, da maneira mais absoluta, o menor contato entre pessoas das duas classes. Separação ainda pior que a notada por vocês nos Estados Unidos entre os brancos e os pretos. E desse modo conseguiram conservar durante séculos a grande massa da população num nível tão deprimido que apesar dos párias (os malditos) serem milhões e milhões, nunca tiveram sequer a ideia de revoltar-se.

Hoje a coisa está mudando. Esse Gandhi que vocês já conhecem, é um dos apóstolos da supressão da casta. Já fez muito, o coitado, mas tem ainda muito que fazer. O homem é um bicho estúpido. Quando uma ideia lhe é embutida na cabeça durante muito tempo, nem com boticão de dentista é possível arrancá-la.

E assim passou a viver a Índia. Os dominadores dividiram-se em vários reinos que se guerreavam entre si na disputa dos melhores pontos do cocho.

Um dia os povos da Europa, já aperfeiçoados na arte de navegar, vieram vindo, vieram vindo. Vieram vindo e chegaram ao cocho, do qual tinham notícia.

Encontraram um comércio estabelecido entre os indianos e os seus vizinhos a Oeste, bem como os povos do Sul da Europa. Tudo por terra, porém, tudo levado em lombo de camelo, pois para alcançar o Mediterrâneo era necessário atravessar os desertos da Arábia. Essas dificuldades retardaram o "avança" europeu no Grande Cocho.

Mas, como ia eu dizendo, chegou o grande período da navegação. O português Vasco da Gama teve a ideia de descobrir um caminho marítimo para as Índias, e descobriu-o. Aí, então, é que foi a beleza! Os pobres indianos, que já não tinham sossego, tais as lutas travadas entre si, viram-se atacados por mar. Vasco da Gama, Cabral, Albuquerque e outros portugueses de quatro costados deram-lhes em cima. Conseguiram estabelecer-se na costa e acabaram tomando posse de grandes pedaços de território.

O formigueiro humano, que já andava a apertar-se em redor do cocho, teve de apertar-se um bocadinho mais. Havia fregueses novos.

O sucesso dos portugueses no avanço à Índia espicaçou a cobiça dos ingleses, dos holandeses e franceses e — vieram ingleses, holandeses e franceses tomar parte na comezaina. A história da Índia, por longo tempo, lembra aquele brinquedo dos meninos lá na roça — o "parigato". Sentam-se diversos num banco e começam uns a empurrar de lá, outros a empurrar de cá, para ver quem "espirra". Ora, sempre espirra o mais fraco, tanto nos parigatos dos meninos como nos parigatos dos povos.

Os ingleses, mais fortes por causa do ferro e carvão de que dispunham, fizeram que todos espirrassem — portugueses, holandeses e franceses. E desde então quem passou a mandar no Cocho Indiano foi a Inglaterra. Os portugueses só conseguiram conservar uns pedacinhos, à guisa de lembrança. Relíquias, como Goa, Diu e Damão. Tudo mais, se foi.

Hoje, entretanto, anda a Índia em grande fermentação, com a ideia de botar fora de lá todos os comensais não convidados. Está organizando um parigato que por sua vez parigate os que parigataram todos os outros: os ingleses.

— Estou vendo, vovó, que os povos mais felizes são os que habitam as terras médias, isto é, não tão vazias como a Groenlândia, nem tão cochos como a Índia. Esses vivem em paz.

— Realmente, meu filho. Um poeta romano já fez o elogio da aurea mediocritas. Também há um ditado latino que diz — *virtus in medio*. A virtude, a felicidade, tanto dos indivíduos como dos povos, está no meio — nem muito para lá, nem muito para cá. Ter medianamente é muito melhor do que ter muito ou não ter nada. O país mais feliz de todos é a Suíça. Encravada lá no centro da Europa, com um território insignificante e só de montanhas, sem minas de ouro nem reservas imensas de carvão ou petróleo, ninguém se lembra de "conquistar" a Suíça. E a Suíça vai vivendo na mais duradoura paz, entalada entre povos que não fazem outra coisa senão erguer-se duma guerra para começar outra.

Dona Benta, que não perdia vasa, meteu o pau na guerra, e a propósito da horrenda Guerra Mundial, nascida em consequência do crime de Serajevo, — disse:

— Foi a maior hecatombe da História, meus filhos. Calcula-se em quarenta milhões o número das vítimas, entre mortos, feridos e inutilizados para sempre. E quando consideramos que os governos escolhem para mandar à guerra justamente a flor dos homens, os mais moços, os mais fortes, os mais perfeitos, é que bem avaliamos a monstruosidade da guerra. E a humanidade é ainda tão estúpida que continua a adorar os guerreiros e a entusiasmar-se pelos estadistas que arrastam seus países à guerra... A de 1914-18, sabem quanto custou em dinheiro? Apenas 6.400.000.000.000.000 de contos de réis.

— Nossa Senhora! — exclamou Pedrinho. — Se isso não é número astronômico, não sei o que seja.

— E sabe você, meu filho, o que com esse dinheiro gasto durante quase cinco anos para matar gente, para estropiar gente, para desgraçar gente, os governos poderiam ter feito? Alguém já fez este cálculo interessantíssimo. Poderiam ter feito o seguinte:

1) Dado a cada habitante do Canadá, dos Estados Unidos, da Austrália, da Inglaterra, da França, da Alemanha e da Rússia, uma casa mobilada e um bom terreno no valor de 64 contos de réis.

2) Dado a cada cidade desses países, de população de 20.000 habitantes para cima, uma biblioteca no valor de 80.000 contos e uma universidade no valor de 160.000 contos.

E com isso só se gastaria parte daquele dinheiro. Com o resto, posto a juros de 5 % ao ano, seria possível manter por toda a vida um exército de 125.000 enfermeiras diplomadas e mais outro exército de 125.000 professoras, ganhando cada uma 16 contos por ano.

E ainda sobraria dinheiro bastante para comprar todas as propriedades e toda a riqueza da França e da Bélgica, inclusive todas as catedrais e igrejas, e estradas de ferro, e edifícios públicos e fazendas.

Pedrinho ficou de boca aberta, assombrado.

Capítulo XXIV
MAR VERMELHO E ÁFRICA

O brigue tinha recebido ordem de aportar em Bombaim, que é uma das grandes cidades da Índia, a Leste. Mas um radiograma captado por Pedrinho informou-o de que a peste bubônica irrompera lá em certo bairro. Dona Benta não quis histórias. Apesar de saber que a higiene anglo-indiana está hoje habilitada a não deixar que essa peste faça os estragos que costumava fazer, deu ordem a Quindim para passar de largo. Em vista disso o brigue pôs-se de rumo ao Mar Vermelho.

No Golfo de Aden Dona Benta falou:

— Estamos num ponto muito interessante do globo. A Leste temos a Ásia e a Oeste, a África. Este Mar Vermelho, que nada tem de vermelho, não passava de um golfo — um golfo especial, diferente dos outros. Ligado ao Mar da Arábia pelo estreito de Bab-El-Mandeb (para o qual vamos caminhando), separava-se do Mar Mediterrâneo, lá ao Norte, pelo Istmo de Suez, faixa de ligação entre a Ásia e a África. Um dia o bichinho homem resolveu cortar esse Istmo, como fez mais tarde com o Istmo do Panamá — e cortou. Essa obra, chamada Canal de Suez, foi dirigida pelo mesmo Fernando de Lesseps que não teve sorte no Canal do Panamá.

— O Canal de Suez então pertence aos franceses?

— Não, meu filho. Os ingleses acharam jeito de ficar com ele.

— Como?

— Comprando metade das ações da companhia dona do canal, de modo que praticamente são os senhores dessa passagem. Os ingleses adotaram a hábil política das portas. Onde há uma porta de entrada ou saída, lá aparece o inglês para apossar-

-se dela. Sabem que o dono da porta acaba dono da casa — ou pelo menos só deixa entrar na casa quem ele quer. No Brasil fizeram isso com a estrada de ferro entre São Paulo e Santos. Santos é porta de saída? Pois vamos construir essa estrada para termos na mão a chave da porta paulista — e hoje nada sai nem entra em São Paulo sem dar lucro aos ingleses. No Mediterrâneo a porta de entrada era Gibraltar, uma terra da Espanha. O inglês deu jeito — e Gibraltar é dele. A França abriu esta porta de Suez? Muito bem. Tiremos da França a porta de Suez. Ah, os ingleses! Ninguém os bate nisso de enxergar longe.

Entre os livros comprados em Melbourne por Dona Benta vinha um de Rudyard Kipling — *The Jungle Book*, cuja leitura interessara vivamente os meninos. Era a história de Mowgli o Menino Lobo, de Kaa, a serpente profundamente sábia, de Bagheera, a elástica pantera negra, de Baloo, o urso que ensinava a Mowgli a Lei da Jângal. Os meninos liam e reliam esse livro com o maior encanto. Todas as cenas se passavam na Índia.

— Quem é este Kipling que sabe tanto das coisas indianas, vovó? — perguntou Pedrinho.

— Um escritor inglês nascido na Índia. O maior escritor inglês contemporâneo. Esse livro ficará eternamente na lista das obras primas da literatura universal. Jângal é uma palavra indiana com significação de floresta, mata, e quem lê Kipling fica tão ao par da vida dos animais no seio das florestas indianas como se lá houvesse vivido anos. A pressa de acabar com a nossa viagem nos impediu de descer na Índia — e também aquela notícia da peste; mas com a leitura de Kipling vocês estão compensados. Depois de bem lê-lo e bem digeri-lo, Pedrinho poderá falar da Índia como se fosse um Mowglizinho...

E realmente assim foi. De tanto ler Kipling Pedrinho acabou mestre em coisas indianas.

O calor ia se tornando sufocante. Tia Nastácia não parava mais na cozinha, tantas vezes era obrigada a subir ao tombadilho com a bandeja de *eskimo-pie*. Quindim, esse regalava-se. Além disso andava excitado, de focinho sempre para o ar, farejando.

— É que estamos na costa da África, — disse Dona Benta. — Com o instinto maravilhoso de todos os animais selvagens, Quindim já percebeu a proximidade de sua terra natal. Perigoso, isso. Se ancorarmos nalgum porto africano, é muito possível que ele deserte, fuja...

Pedrinho aborreceu-se. Desejava imenso descer na África para caçar leões e hipopótamos, mas não desejava perder o Quindim. Como conciliar os dois desejos? O amor a Quindim, que já era um membro da família, venceu, afinal, e com grande dor de coração o menino desistiu de pisar em plagas africanas.

— Que pena, vovó! Por causa da nostalgia ali do raio da "tripulação", temos de ver a África pelo óculo. Tanto que eu queria caçar um leão do Uganda.

— Meu filho, o que não tem remédio remediado está, — respondeu Dona Benta. — Vou aproveitar a travessia do Mar Vermelho para mostrar a vocês a África, e esta zona intermédia entre a Ásia e a Europa, que do ponto de vista histórico é a mais interessante parte do mundo.

— Por quê?

— Por mil coisas. Parece incrível que um pedacinho da terra tão quente, tão estéril, tão pobre, tão áspero, tenha produzido coisas de tamanha repercussão no

Ocidente. Basta dizer que as duas maiores religiões do mundo moderno, o Cristianismo e o Islamismo, aqui se incubaram, nas areias quentes destes desertos. E ali do outro lado do Mar Vermelho foi onde se desenvolveu a maior civilização antiga que a História conhece, depois da chinesa.

— A civilização egípcia, sei...

— Isso mesmo. Egito, Arábia, Pérsia, Palestina, Turquia... Como tais nomes nos são familiares! E no entanto a terra é esta aridez que vocês estão vendo, e este calor...

A luneta de Dona Benta passeava ora sobre as areias ruivas do Nedjed, o deserto da Arábia, ora sobre a imensa planície requeimante do Sahara, lá adiante, em pleno coração da África.

— Vejam, — disse ela. — São pedaços duma coisa só, apenas com interrupções. Há o Sahara, que vem quase da costa atlântica. Atravessa a África toda de Oeste a Leste. Interrompido por aquelas montanhas de Tibesti e Tumo, continua depois formando o deserto da Líbia, que fica metade na Líbia, metade no Egito. Em seguida é novamente interrompido pelo vale do Nilo e por este Mar Vermelho, para renascer já na Ásia, no Deserto da Arábia.

— E acaba lá...

— Não sei, meu filho. Olhe. Depois do Deserto da Arábia vem aquela grande interrupção causada pelas montanhas do Teto do Mundo — mas lá adiante, na Mongólia, ao Norte da China, aparece outra vez o areal do Deserto de Gobi. Lá, sim, parece que o Sahara termina.

Os meninos convenceram-se de que realmente era isso.

— Todas estas terras, — continuou Dona Benta, — já foram uma terra só. A separação entre a Europa, a Ásia e a África tem aparência de não ser muito remota. O estudo comparado da fauna e da flora dos três continentes prova a ligação em que já estiveram. Este Mar Vermelho, por exemplo, é rasíssimo. Com certeza foi um lago que virou mar pela ruptura do *Bab-el-Mandeb*. A bicharia africana que vimos nas terras da Oceania e na Índia também mostra a ligação de outrora.

A parte do grande continente geral, que não foi tragada pelo oceano e que chamamos África, constitui hoje um continente ainda mais azarado que a Austrália, geograficamente falando.

— Por causa dos coelhos? — perguntou Emília.

— Não. Por causa dos desertos. Basta dizer que numa superfície total de trinta milhões de quilômetros quadrados, que tem a África, um terço é inteiramente inútil para o homem por causa dos desertos. Vem daí que sendo a África seis vezes maior que a Índia, possui menos de metade da população indiana. A África não tem mais de 140 milhões de habitantes — tanto como os Estados Unidos, país novíssimo, que há cento e tantos anos ainda era colônia inglesa.

Este infeliz continente é habitado ao Norte por povos da raça Hamítica e Semítica, de pele escura e cabelos lisos; no Centro e ao Sul, pelos Negros, gente de pele preta como carvão e cabelo pixaim.

— A terra de Tia Nastácia, vovó! Só por isso eu tenho uma grande simpatia pela terra africana.

— E que Hamíticos são esses? — quis saber o menino.

— Uma mistura de raças, uma mestiçagem de Arianos, Semitas e Negros. Reparem que a cor dos homens vai mudando à medida que subimos para o Norte. Ao

Sul e Centro da África, tudo negro como Tia Nastácia; depois começa a clarear; os povos do Norte da África já são fulos, ou amulatados. Depois vem aquela separação do Mediterrâneo e caímos na Europa. A mesma coisa lá. Os povos ao Norte do Mediterrâneo são em regra morenos — gregos, turcos, italianos, espanhóis, portugueses. Reflexo da pretidão da África. Depois, ainda mais para o Norte, os povos vão se tornando cada vez mais brancos. Temos os alemães, os russos, os ingleses, branquíssimos todos; e adiante, os suecos e noruegueses, que são ultra brancos, louríssimos, cabelos de milho puro. E nas regiões árticas então a brancura toma conta de tudo — é o gelo, é o urso polar...

Dona Benta ficou vários minutos calada, com os olhos postos na terra africana. Depois — disse:

— Aquela poesia de Castro Alves, "Vozes d'África", é bem certa... Este continente parece que nasceu maldito. Além dos desertos, além da malária que assola inúmeras regiões, além da mosca Tsé-tsé que propaga o bacilo da terrível doença do sono, caiu sobre ele uma desgraça pior que tudo: a cupidez da civilização europeia...

— Explique-se, vovó, — disse Pedrinho. — Não estou entendendo.

— Para que me entenda havemos de dar juntos uma grande volta pela História. Venha comigo. Nos tempos de dantes esta África pouco atraía a cobiça dos europeus. Muito calor, muita doença, muito deserto, muitas dificuldades. Os romanos só meteram o bico no norte, que não é bem África. Houve aquela tremenda luta entre Cartago e Roma, na qual Cartago, ou a África, foi derrotada. O Egito igualmente se viu conquistado. Mas a costa da Argélia ficou livre — e antes não ficasse!... Ficou livre para desenvolver-se ali um famoso foco de pirataria. As condições locais da costa e do interior montanhoso favoreciam as atividades dos piratas — e eles se tornaram o terror do Mediterrâneo. Assaltavam os navios mercantes, roubando as mercadorias e escravizando as tripulações. Ficou aquilo ali como certos distritos das cidades grandes, onde se reúnem todos os bandidos e gatunos da zona, sem que a polícia tenha meios de agir.

Nisto os portugueses começaram a sua grande era de navegações. Perto como se achavam da África, foram os pioneiros da exploração do continente infeliz. Descobriram as ilhas fronteiras à costa Oeste — Madeira e Cabo Verde. Depois vieram descendo para o Sul até chegarem ao fim da África — ao Cabo da Boa Esperança. Depois Vasco da Gama dobrou esse cabo, descobrindo assim o caminho marítimo para as Índias. Depois foram se infiltrando pela África a dentro e tomando conta daquilo.

A África, entretanto, não interessava grandemente os europeus. Tinham medo dela. A América, descoberta ao Norte por Colombo e ao Sul por Álvares Cabral, interessava-os muito mais — e os europeus começaram a colonizar as terras americanas. Mas eram poucos os colonos e o trabalho muito. Como resolver o problema? Escravizando os índios. E começa então a grande tragédia da América, a qual daria origem à grande tragédia da África.

Os índios americanos tinham horror à escravidão. Preferiam a morte, de maneira que o trabalho das plantações de cana de açúcar e outras sofriam grandemente da falta de braços. Um padre, Las Casas, concebeu a grande ideia — trazer negros africanos para substituir os índios eternamente rebeldes. Esse Las Casas tinha boas intenções. Queria libertar os índios da escravatura, e como os africanos fossem mais dóceis e já estivessem treinados na escravidão lá entre si, pareceu-lhe que seria um mal menor. Mas tudo saiu às avessas — o remédio proposto dobrou a doença. A ganância dos colonizadores fez que continuasse a escravidão dos índios e a ela se juntasse a escravidão dos negros.

Nem queiram saber, meus filhos, o que foi o célebre "tráfico de escravos africanos"... Virou a maior tragédia da História. A crueldade dos brancos, a cupidez dos civilizados excedeu a tudo quanto se possa imaginar. Pegar negros na África para exportá-los para a América tornou-se o grande negócio dos tempos. Fácil compreender isso. Se é negócio criar gado, formar pastos onde o gado paste, construir cercas, dar-lhe sal, tratá-lo, esperar que cresça e engorde, se com toda essa trabalheira e demora é bom negócio criar gado, imaginem que mina de ouro não era pegar a laço um gado humano solto na África, sem ter nenhum desses trabalhos preliminares!

Cercavam uma aldeia de negros, aprisionavam-nos, metiam os moços em cangas dois a dois e tocavam para a costa, onde o navio negreiro ancorava à espera do carregamento de "marfim preto", como eles jocosamente diziam. Crianças, velhos, doentes, tudo isso ficava largado na aldeia para que morresse de fome ou comido pelas feras.

— Que horror, vovó! — exclamou a menina, realmente horrorizada. — E quem fazia isso?

— Todos os civilizados, sobretudo os portugueses, os ingleses e os holandeses. Por muito tempo esses três povos brigaram pelo monopólio da exportação do "marfim preto". A coisa dava lucros fantásticos. Os árabes encarregavam-se de dar batida aos negros e tangê-los para a costa. Os civilizados, então, com os seus navios negreiros, vinham pegar o carregamento.

A mortandade era enorme. Só nessa caminhada para a costa já pereciam muitíssimos. Às vezes dum lote de 100.000 só ficavam vivos 20.000...

A mortandade continuava a bordo. Eram metidos nos imundos porões desses navios como sardinhas em lata — apinhados a granel... E assim se desenrolava toda a longa viagem para a América. Não tinha conta o número dos que pereciam. Os sobreviventes eram vendidos por bom dinheiro aos plantadores de cana de açúcar e café.

— Tia Nastácia conta que a mãe dela veio da África, dum lugar chamado Angola, — lembrou Narizinho. — Também conta que foi escrava sua, quando moça, vovó.

— Pois foi, — confirmou Dona Benta. — Foi minha escrava, sim. Meu marido, que Deus haja, comprou-a por dois contos e quinhentos lembro-me muito bem... Mas uma das causas do despovoamento da África era essa. Calculam certos estudiosos que mais de 2 milhões de negros eram arrancados das suas aldeias anualmente, imaginem! Ora, dizimados desse modo pela ganância da civilização europeia, destruídos pela malária e pela doença do sono, como podia crescer a população do continente infeliz?

— E como acabou isso?

— A tragédia foi tamanha que o coração dos civilizados foi amolecendo. O clamor contra aquilo fez-se enorme. Por fim a Inglaterra tomou a dianteira, promulgando leis terríveis contra o negócio; chegou mesmo a mandar seus navios perseguir nos mares os navios negreiros. E sabe o que os navios negreiros camuflados faziam ao perceberem ao longe um navio inglês? Escancaravam um alçapão para que toda a carga de "marfim preto" fosse tragada pelo oceano! De modo que quando o navio inglês encostava e o capitão vinha dar a busca, nem a catinga dos negros aparecia...

— Que horror, vovó! Que bicho malvado é o homem...

— Bem. Mudemos de assunto. A tragédia foi longa mas passou. Os países da América foram libertando os seus escravos, primeiro este, depois aquele. A Argentina libertou-os em 1813 — foi dos primeiros e por isso está agora gozando a recompensa. O México libertou-os em 1829. Os Estados Unidos, em 1863 e o Brasil, em 1888...

— Por último, hein? Que vergonha para nós! — comentou o menino.

— Sim. Fomos o último povo no mundo a libertar os escravos. Realmente essa demora em nada nos honra...

O brigue já estava com o Canal de Suez à vista. Dona Benta continuou:

— Pois a África, meus filhos, não fez nunca outra coisa senão pagar o crime de ser mais atrasada que a Europa. Depois que se acabaram as terras conquistáveis da América e da Oceania, os europeus deram-lhe em cima como urubus na carniça. Os portugueses ocuparam Angola, a Guiné Portuguesa e Moçambique, onde há um bom porto, Lourenço Marques. Os ingleses pegaram um colosso. Pegaram todo o Sul, que é a melhor parte como clima, além de riquíssima em diamantes, formando a União Sul Africana...

— Não tomaram essas terras dos boers?

— Sim, tomaram. Os holandeses haviam criado lá uma república, e boers chamavam-se os seus habitantes de origem holandesa. Depois duma guerra tremenda em que os boers mostraram o maior heroísmo, a Inglaterra ficou senhora de tudo. Além disso os ingleses pegaram o Egito, o centro da África, o Uganda, o Zanzibar, o Sudão. O que presta na África é deles hoje.

Depois entraram em cena os franceses — e pegaram a Argélia, a Guiné Francesa, o Senegal e outros pedaços. A Bélgica pegou uma parte da grande região do Congo. A Itália pegou a Eritreia — justamente aquele pedaço que vimos logo depois de passar pelo Bab-el-Mandeb: e a Tripolitânia, que já havia pertencido aos turcos; e um trecho da Somália. Os alemães também tiraram sua casquinha; depois da Grande Guerra, entretanto, tiveram de entregá-la aos ingleses e franceses.

— E os africanos com que ficaram? — perguntou Narizinho.

— Com a mosca Tsé-tsé, — respondeu Emília.

Dona Benta achou graça.

— Sim, ficaram com essa mosca e a honra de serem explorados pelos povos de mais alta civilização do mundo ocidental. Devem estar satisfeitíssimos. Livres na África, só existem hoje duas nações: a República da Libéria, formada em 1820 para benefício dos negros americanos libertos...

— Formada por quem?

— Pelos próprios americanos, na esperança de que todos os negros dos Estados Unidos se mudassem para lá. Mas não se mudaram. Os dois milhões de habitantes com que conta a Libéria são na maioria africanos legítimos. Tem um territoriozinho de 124.000 quilômetros quadrados. Capital: Monróvia, nome dado em homenagem a um presidente americano chamado Monroe, cidadinha aí de 6 a 7 mil almas.

— E a outra?

— A outra nação livre é a Abissínia, que forma um prolongamento da Eritreia. Um país curiosíssimo, esse, e relativamente civilizado. Mas a coitada da Abissínia também não se sente segura. Os italianos já fizeram uma tentativa para engoli-la. Fracassaram. Hoje estão se preparando para novo bote.[15]

---

15 Entre a primeira e a segunda edição deste livro, lá se foi a Abissínia para o papo da Itália. Entre a segunda e a terceira foi regurgitada...

— Por que não assaltam também a Libéria?

— Aí o caso fia mais fino. A Libéria conta com o apoio dos Estados Unidos, e os europeus só roncam diante dos fracos. Se o povo é forte, como os americanos ou japoneses, eles desconversam. O mundo é assim, meus filhos. Ai dos fracos! Ai de quem é pequenino...

— Isso não! — protestou Emília. — Eu sou pequenina e ninguém ainda me conquistou, nem me conquistará jamais...

Dona Benta riu-se da arrogância daquele espirro.

Antes de penetrar no Canal de Suez ela ainda falou dos árabes, um dos povos mais interessantes que o mundo tem produzido. Contou da vida áspera e simples que levam nas terras de areia e sol que sempre habitaram. Contou de como invadiram a Europa e das suas realizações lá. Contou de Maomé, o tal tocador de camelos que deu origem a uma das mais espalhadas religiões do mundo. Falou até dos cavalos árabes, dignos companheiros de vida dos duros habitantes da Arábia.

Falou em seguida dos povos semíticos, aninhados na Ásia Menor, um trecho meio Europa, meio Ásia.

— Lá está Jerusalém, capital da Palestina, — disse ela apontando a luneta, — a cidade que tamanho papel representou para o Ocidente com ser o foco inicial do Cristianismo. Mas isto vocês já sabem. Já contei tudo na *História do Mundo*.

Falou também dos turcos, outro povo que exerceu grande ação na Europa. Depois falou de Verdi — isso quando já iam entrando no Canal de Suez.

— Verdi era o grande compositor musical da Itália naquele tempo. O rei do Egito, ou melhor o Kheddiva do Egito, querendo inaugurar o canal com uma festa única, encomendou-lhe uma ópera com tema egípcio — e Verdi escreveu talvez a sua melhor *opera* — *Aída*. Dizem que a representação de Aida no Cairo, capital do Egito, quase arruinou o tesouro, tal a magnificência com que foi levada. E desde então a célebre "marcha da *Aída*" ficou sendo o hino nacional egípcio.

— Pois gostei disso, vovó, — disse Pedrinho. — Esse Kheddiva era um homem de ideias. Como foi original na sua festa, está sendo hoje lembrado por nós.

Capítulo XXV
No Mediterrâneo

Emília nunca vinha espiar na luneta, porque a sua preocupação era ouvir a conversa dos outros para fazer piadas. Naquele dia, porém, resolveu dar uma espiadela na África. Trepou a uma cadeira, ajustou a luneta aos seus olhinhos terríveis e ficou a olhar. Súbito, — disse:

— Estou vendo um mar lá dentro...

— É o lago Vitória Nianza, um dos maiores que existem. Justamente ao norte desse lago fica o território do Uganda, a pátria de Quindim. E ao sul fica o lago de Tanganica. É por ali que nasce o Nilo.

— Estou vendo, — murmurou Emília, — estou vendo um rinoceronte tal qual Quindim. Há de ser irmão ou primo ou pai ou tio dele com certeza. Também estou vendo o olhinho d'água onde começa o Nilo.

Todos riram-se. Emília continuou:

— Agora estou vendo a cidade de Lourenço Marques cheia de portugueses. Há lá uma farmácia; dentro da farmácia está um menino lendo um livro... Imaginem que livro é? A minha gramática!...[16] Oh, esse menino conhece todos os nossos livros. Estou vendo na estante dele as *Reinações*, as *Caçadas de Pedrinho*, a *Viagem ao Céu*...

Todos duvidaram que pela luneta fosse possível enxergar tão longe com tamanha minúcia, mas Emília jurou que era verdade; e disse mais:

— Estou vendo o nome da livraria que lhe vende esses livros. Chama-se Livraria Minerva...

Depois indagou do nome duma enorme ilha que ficava defronte à colônia portuguesa de Moçambique. Dona Benta respondeu tratar-se de Madagascar, uma possessão francesa. A luneta foi mudada de direção. Estava agora apontada para a zona dos desertos.

— Estou vendo um Oásis, — continuou Emília. — É uma ilhota de palmeiras perdida na imensa brancura do mar de areia. Acaba de chegar lá uma caravana de vinte camelos. Os maomés estão dando água aos camelos... São árabes... vestidos dum camisolão branco...

— Que história de "maomés" é essa? — perguntou Narizinho.

— Pois assim como Maomé foi um tocador de camelos, os tocadores de camelos podem ser maomés, — respondeu a diabinha.

— Mau, mau, mau! — exclamou Dona Benta. — Emília já abriu a torneira...

Como, porém, o brigue estivesse atravessando o canal de Suez, os meninos largaram-na para assistirem a passagem. O desapontamento foi grande. Que é um canal, no fim de contas? Um grande rego d'água, só isso. No extremo havia um porto de muito movimento.

— Port Said, — disse Dona Benta; — e aqui a Oeste fica o famoso delta do Nilo, sobre o qual já muito conversamos. Emília, traga a luneta! Quero mostrar as Pirâmides.

Emília trouxe a luneta e por ela os meninos viram as famosas Pirâmides do Egito, que já conheciam de referência. Também viram as Esfinges.

— As pirâmides são os monumentos mais velhos do mundo, — disse Dona Benta. — Eram os túmulos dos faraós, ou reis do Egito. Se pudermos descer em Londres havemos de visitar no museu os tesouros do faraó Tut-Ank-Amen encontrados num túmulo onde estiveram escondidos durante séculos. É o mais precioso tesouro que existe no mundo, não só pelo valor artístico das peças cinzeladas em ouro como pelo valor histórico.

A parada do brigue em Port Said foi curta. Os meninos sentiram-se tontos naquela cidade de gente de todas as cores possíveis e imagináveis, numa lufa-lufa tremenda. Árabes, negros, judeus, ingleses, egípcios, turcos, italianos, armênios, persas e até brasileiros — eles, o grupinho de Dona Benta. Não gostaram. Pela primeira vez depois de estar em terra Pedrinho insistiu em voltar para bordo.

Quando o "Terror dos Mares" deixou Port Said Dona Benta falou:

---

16   *Emília no País da gramática*.

— Estamos finalmente no Mediterrâneo, o mar "mais histórico" que existe, pelo menos para nós ocidentais. Se estas águas falassem... Aqui se desenvolveram os grandes povos da nossa civilização, os gregos, os romanos, e hoje se desenvolvem os seus continuadores, os franceses, os italianos, os espanhóis e outros. Olhemos pela luneta. Lá está a Grécia! Uma ponta de terra picadinha de ilhas e golfos.

— Só aquilo, vovó? — exclamou a menina admirada.

— Sim, minha filha. Essa Grécia imensa que encheu o mundo, a terra de Sócrates, de Platão, de Apeles, de Fídias, de Aristóteles, de Praxíteles, de Péricles, a Grande Grécia de que vivemos a falar, desenvolveu-se ali naquela terrinha insignificante. Não é à toa que os sábios a consideram como um milagre — como alguma coisa fora do natural, do normal.

A Grécia foi um clarão cuja luz até hoje ilumina o mundo. Quando eu digo "mundo" refiro-me ao Ocidente, porque para o orgulho do Ocidente o resto do mundo não é mundo.

— Até hoje ilumina, vovó? Por quê?

— Porque até nós, que somos lá dum confinzinho do Brasil, não exprimimos um pensamento sem recorrer a ideias, expressões ou palavras que tiveram origem nesse clarão da Grécia. Que estamos fazendo? Estudando Geografia. Nesta palavra Geografia já transparece a Grécia, porque é formada de duas noções gregas — geo, terra e *grafos*, escrever. Thales de Mileto (e Dona Benta apontou a luneta para a cidadezinha de Mileto, na Ásia Menor, hoje com o nome mudado para Palatia), foi o primeiro a escrever que a terra é uma bola. Depois outro sábio grego, de nome Hecateus, apresentou a teoria dos continentes, sendo por esse motivo considerado o pai da Geografia. Em seguida vieram Heródoto, Aristóteles, Ptolomeu, que amamentaram e criaram a ciência recém-nascida. Como vocês estão vendo, a Grande Grécia vive dentro de nós, nas nossas palavras e nas nossas ideias.

E no entanto essa Grécia imensa morreu. O país que hoje tem o seu nome e lhe ocupa as terras já não influi em nada no mundo. É um paisinho aí do tamanho do Ceará, com uma população de catorze milhões de habitantes.

— São os mesmos gregos daquele tempo?

— Não. Misturaram-se demais. Os gregos de hoje formam uma colcha de retalhos de raças. A capital ainda é a mesma — Atenas, cidade de menos de 200 mil habitantes. Visitadíssima por turistas e sábios e poetas — não pelo que é, mas pelo que foi. O que há de notável em Atenas são as ruínas históricas, entre elas as do imortal Parténon, construído no tempo de Péricles, no alto da Acrópole, por uma trindade de artistas de gênio — Fídias, Ictinos e Calícrates. Acrópole era o nome dum morrinho que havia lá.

Os meninos, de luneta enfocada sobre a Acrópole, contemplaram por longo tempo as ruínas do Parténon.

— Sou muito crila, vovó, para entender a beleza daquilo, — disse Pedrinho, — mas meus olhos sentem prazer em olhar...

— A beleza desse monumento vem de que suas ruínas ainda deixam entrever a perfeita harmonia das proporções. Beleza é isso: harmonia de proporções. Por que motivo achamos feio um homem de pernas muito compridas ou muito curtas, ou de cabeça grande demais, ou de mãos enormes, como as do Elias Turco? Simplesmente porque esses membros não guardam proporção com o resto do corpo.

Olhem. A légua e meia de Atenas fica o porto de Pireu, que era a grande porta de entrada e de saída da Grande Grécia. E aquelas outras cidades são Andrinopola, ou cidade de Adriano, e Galípoli. Aquela adiante é Patras, a cidade das frutas. Aquela mais a Oeste, para onde vamos caminhando, é Corfu, na ilha do mesmo nome. Por todas essas terras fragmentadas as ruínas são inúmeras, constituindo a maior riqueza da Grécia de hoje.

— E de que vive a Grécia de hoje?

— Do mesmo que vive o bichinho homem em todas as partes do mundo: da cultura da terra. Produz trigo, milho e outros cereais, excelente vinho, muita azeitona, figos, uma quantidade de frutas, fumo, beterraba para fazer açúcar... Vive também das glórias do passado. Suas ruínas rendem dinheiro — deixado por lá pelos turistas que vão vê-las.

— Mas como pôde a Grécia decair assim, vovó?

— Meu filho, a Grécia teve a desgraça de ficar à beira dum caminho muito trafegado. Não houve derrame de invasores da Ásia para a Europa e da Europa para a Ásia que não passasse por cima dela. Só das avalanches dos Cruzados, que de todas as partes iam a Jerusalém bater nos turcos, a Grécia sofreu mais que os turcos. Além disso até bem pouco tempo andou como peteca, de tão conquistada por este ou aquele povo. Foi conquistada pelos macedônios, pelos romanos, pelos godos, pelos vândalos, pelos eslavos, pelos venezianos, pelos turcos... Só nas unhas dos turcos esteve dois séculos. Por fim irrompeu a terrível guerra greco-turca em que os gregos saíram vencedores, readquirindo a independência. Nessa luta tomou parte o grande poeta inglês Byron. Romântico que era, Byron veio defender na Grécia de hoje a Grécia antiga que lhe esquentava a cabeça — e lá morreu.

Dona Benta apontou a luneta para uma ilha no Sul.

— Lá está a ilha de Cândia. E aquela ao Norte é a grande ilha do Peloponeso. Lembram-se da terrível guerra do Peloponeso que foi o começo do descadeiramento da Grécia antiga? Depois há aquela série de ilhas espalhadas por aquele mar. É o Mar Egeu. Notem que entre esse mar e o Mar Negro, lá adiante, fica uma faixa de terra cortada por um estreito. Sabem que estreito é esse? Pois é o famoso estreito dos Dardanelos, um dos pontos mais disputados do mundo, em vista de ser uma excelente porta.

— E os ingleses não tomaram conta dela?

— Ainda não. Na Guerra Mundial os ingleses tentaram a passagem desse estreito, mas aquilo estava muito bem defendido pelos turcos e alemães, de modo que os invasores esborracharam lá o nariz. E sabem para onde abria essa porta?

— ?

— Para a Sublime Porta...

— Que história é essa? Uma porta que abre para outra porta...

— Os turcos, no tempo em que a Turquia era um império, chamavam Sublime Porta à Corte do sultão. Como fosse na porta do palácio que se administrava a justiça, a Corte acabou tomando esse nome.

— E depois da porta do Dardanelos, que há?

— Há a cidade de Constantinopla, uma das mais belas do mundo, situada em lindíssima baia. Os turcos dão a essa cidade o nome de Istambul, e no tempo em que foi capital do Império Romano chamou-se Bizâncio.

— Não era Roma a capital do Império Romano?

— O Império Romano, como vocês já viram na *História do Mundo,* foi dividido em duas partes. Bizâncio ficou a capital de uma e Roma, da outra. Se eu fosse contar tudo quanto sei de Constantinopla, não acabava mais. É uma cidade bem grande, com milhão e meio de habitantes, riquíssima de monumentos, sobretudo mesquitas. A de Santa Sofia, só ela, vale uma cidade. Constantinopla fica no golfo do Bósforo, no Mar de Mármara. Notem como há por aqui mares interiores. Depois desse Mármara temos o Mar Negro; perto deste, o Mar de Azov; e depois, o Mar Cáspio, lá adiante. Entre esses dois mares, Negro e Cáspio, corre uma muralha natural — o célebre Cáucaso.

— Por que célebre?

— Por várias razões geográficas e outras lendárias. Lembra-se daquele herói grego, Prometeu, que, por ter furtado o fogo dos deuses para o dar aos homens, se viu amarrado a um penedo onde uma águia vinha todos os dias bicar-lhe o fígado? Pois esse penedo era no Cáucaso. Isso fez que o Cáucaso, além de outras coisas, também se tornasse famoso por ter sido o pelourinho do herói.

— Mas ele deu mesmo o fogo dos deuses aos homens? — perguntou Emília muito inocentemente.

— Sim, — respondeu Dona Benta, sem prever a que ponto ela queria chegar.

— Mas... mas se deu, então como a senhora disse prometeu?

Narizinho ferrou-lhe um beliscão.

CAPÍTULO XXVI
OS RIOS DA EUROPA

— Voltemos atrás, — continuou Dona Benta. — Temos ali a Grécia, e ao Norte a série dos famosos países balcânicos, nome dado por causa dos Bálcãs, aquelas montanhas lá pelo meio.

— Famosos por quê?

— Porque formam um fogareiro cujas faíscas volta e meia botam fogo no mundo. São briguentíssimos. Aquele país lá é a Iugoslávia, com a sua capital Belgrado e a sua eternamente memorável cidade de Serajevo. Foi em Serajevo que um estudante matou a tiros o arquiduque Ferdinando, que ia ser o sucessor do Imperador Francisco José no trono de Áustria. Esse crime pôs fogo no mundo. Desencadeou a tremenda Guerra Mundial. Notem que Belgrado fica à margem dum rio. É o Danúbio, um dos maiores rios da Europa e da História.

— Por que da História, vovó? Então a História também tem rios?

— Tem, sim. Os rios que foram cenários, ou comparsas no drama sem fim que os homens representam sobre a terra, saem da Geografia e ficam morando na História. O nosso Amazonas, por exemplo, apesar de ser o colosso que é, não passa dum rio apenas geográfico, porque, ainda nada viu de grande, ou de terrível, feito pelos homens. Já este Danúbio, bem como o rio Pó, na Itália, ou o sagrado Ganges, na Índia, ou o Marne, na França, esses penetraram na História — tantas coisas teriam a dizer, se falassem. Só para dizer ao historiador o número de conquistadores que o atravessaram, ou acamparam às suas margens, o Danúbio levaria anos falando.

— E onde começa?

— O Danúbio nasce na região da Floresta Negra, na Alemanha, e vem fazendo voltas por quase 3.000 quilômetros até sumir-se no Mar Negro. Traz em seu leito as águas de mais de trezentos tributários. Tributário quer dizer afluente. Depois de sair da Alemanha, atravessa a Áustria, banhando-lhe a linda capital Viena. Por ali erguem-se nas margens do Danúbio numerosos castelos de grande beleza poética — reminiscências dos tempos medievais. Entre eles, o castelo de Durrenstein, onde esteve prisioneiro aquele Ricardo Coração de Leão, rei da Inglaterra, que tanto caiu no goto de Pedrinho.

— Quero ver a prisão do *meu* rei! — gritou o menino agarrando a luneta. Apontou-a e viu, bem visto, o venerável castelo onde o seu amigo Ricardo esteve preso anos, até que o fosse descobrir aquele pajem cantador, Blondel.

— Que pena, vovó, não darmos um pulo até lá!...

— Se quiséssemos conhecer todos os pontos históricos deste continente europeu, passaríamos a vida inteira a viajar. A Europa é um museu maravilhoso. Tudo histórico, tudo artístico. Cada aldeia, cada recanto, cada rio, cada bosque, não só enleva os olhos como fala à imaginação. Seus países são perfeitos jardins. Nós moramos num país muito novo, pouco povoado, mal desenvolvido. O nosso "interior" ou é região de matas ou de terras com alguma cultura — casebres de palha aqui e ali, fazendas de quando em quando, tudo muito espacejado. Cá na Europa, o contrário. Entre as cidades, cada qual com a sua arquitetura própria, conforme a zona, estendem-se os campos — mas campos cultivadas, divididos e subdivididos ao infinito, com suas cerquinhas muito bem feitas, seus muros de pedra, as águas canalizadas, pontes sólidas por toda parte, estradas de rodagem de primeira ordem, casas de camponeses extremamente pitorescas. Uma paisagem todinha feita pelo trabalho humano através dos séculos. Nalguns países não é tanto, mas em outros, como na Alemanha e na Inglaterra, o território inteiro é um presepe, de tão feitinho, de tão arrumadinho.

— Mas o Danúbio, vovó? A senhora deixou o coitado no meio do caminho, — observou a menina.

— É verdade, — concordou Dona Benta. — Pois o Danúbio depois que sai da Áustria entra na Hungria, a terra das rapsódias e das danças de botinhas escarlates. Lá banha a capital desse país, Budapeste.

— Estou vendo Budapeste! — gritou a menina, que não largava a luneta. — Cidade linda... dividida em duas...

— Sim, duas. Uma se chama Buda e outra, Peste.

Emília quis fazer uma graça com o nome da capital húngara mas Pedrinho tapou-lhe a boca.

— Em seguida o Danúbio separa a Iugoslávia da Romênia, — confirmou Dona Benta. — Romênia é outro país balcânico, muito rico em minas de petróleo. E depois separa esse país da Bulgária, outro país balcânico.

— Como é o nome da capital da Romênia?

— Bucareste, uma cidade de 300 mil habitantes, linda, linda...

— E a capital da Bulgária?

— Essa tem nome de mulher — Sofia. Bem menor que Bucareste, pois pouco passa de 100 mil. Os países balcânicos são todos pequenos.

— Garnisés, então, — sugeriu a menina. — Briguentos assim...

Dona Benta continuou às voltas com o Danúbio, contando que depois de sair da Romênia ele ainda pegava um pedacinho da Rússia, só então se lançando no Mar Negro.

Nesse ponto foi interrompida por uma deliciosa música apanhada pelo rádio de Pedrinho. Era o "Danúbio Azul", célebre valsa de Strauss, um compositor vienense. Esperou que a música chegasse ao fim. Depois deu um suspiro de poesia e — continuou a danubiar.

— Notem o número de castelos e aldeias e cidades que se erguem às margens do Danúbio. Isso vem confirmar o que falei dos rios, isto é, que são os verdadeiros formadores dos países. A Austrália nunca será grande coisa porque não possui bons rios. O Sahara é aquele deserto horrendo porque não possui rio nenhum. Já esta Europa se tornou o continente privilegiado, o mais rico, o mais intensamente povoado, sobretudo em consequência da boa distribuição dos rios.

O maior de todos, o Volga, beneficia generosamente todas as regiões da Rússia que suas águas banham. Além do Volga os russos se beneficiam com o Dvina e o Onega, que correm a lançar-se no Oceano Ártico; com o Don, que corre para o Mar de Azov; e com o Dnieper e o Ural, que despejam no Mar Negro e no Mar Cáspio.

A Espanha regala-se com o Ebro, com o Guadalquivir, com o Guadiana, rios secundários mas os melhores que ela possui. Também corre em Espanha aquele famoso Tejo de que os portugueses falam com a boca cheia. Portugal tem ainda o Mondego e o Douro, nascidos em Espanha. Não há poesia ou romance português em que esses rios não figurem.

A Inglaterra conta prosa com o famoso Tâmisa, um riozinho de nada, mas de tremendo valor comercial.

Na Alemanha corre o mais romântico de todos, o Reno, cujas margens, bordadas de castelos encantadores, parecem sonhos dum fazedor de presepes.

E quantos mais — o Vístula... o Oder... A França tem lá o seu Sena, que corta Paris, a capital. Tem o Marne, espectador silencioso de tantas batalhas tremendas. Tem o Garona, o Loire, o Ródano...

Como vocês vêm, a Europa está bem servida de rios — como aliás está bem servida de tudo. É o Continente Feliz. Nada lhe faltou para o desenvolvimento que teve. Climas excelentes, nem de muito calor, nem de muito frio. Onde devia ser muito frio, como no norte, acontece aquela coisa da Corrente do Golfo, o tal rio marinho que leva para lá a quentura do Golfo do México. Por isso é que, sendo um continente pequeno, a Europa está com quase 600 milhões de habitantes.

— Seiscentos, vovó? É um colosso, então...

— Eu — disse quase. A Europa tem 550 milhões.

— Mesmo assim já é gente...

— E que gente! O resto do mundo que o diga. Os grandes povos dominadores dos tempos modernos estão aqui — os ingleses, os alemães, os franceses, os russos, os italianos, os suecos, os holandeses. E também os povos já cansados, mas cujas histórias enchem páginas da História, como os portugueses, os espanhóis, os gregos.

— Esses povos são todos oriundos daqueles arianos que desceram do planalto de Pamir?

— Essa questão de raça é das mais complexas. Mas em linhas gerais podemos dizer que existem três grandes raças, ou grupos raciais, ocupando este continente. Os Germânicos, isto é os ingleses, os alemães, os suecos, os noruegueses, os dinamarqueses, os holandeses, os flamengos e metade dos suíços. Depois temos os Latinos — italianos, franceses, portugueses, espanhóis e romenos. Depois temos os Eslavos — russos, polacos, iugoslavos, búlgaros, tchecos.

Existem outros grupos raciais de menor importância, visto que os três já mencionados formam mais de 90% do total da população europeia. Existem, por exemplo, os húngaros, os turcos, os gregos, os bascos, os ciganos...

Tia Nastácia entrou nesse momento para dizer que o jantar estava na mesa.

Capítulo XXVII
ITÁLIA

Como o brigue houvesse parado em Corfu, Tia Nastácia descera para comprar um sortimento de coisas locais — de modo que o jantar foi grego desde a sopa até a sobremesa. Narizinho apreciou muito as azeitonas-passas, isto é, conservadas murchas em óleo e não em salmoura, como as que vêm de Portugal. Pedrinho, esse, deliciou-se com os figos secos de Corinto.

— Vamos agora espiar a Itália, — disse Dona Benta logo depois de tomado o café. O café não era da Grécia — era cafezinho lá do sítio. Tia Nastácia trouxera duas sacas, do pouco escapado às fogueiras da grande queima.

— Olhem, — disse ela ao chegar ao tombadilho, depois de pedir a luneta. — Lá está a famosa Itália — aquela bota...

— É mesmo, vovó! — exclamou a menina. — Tal qual a ilha da Nova Zelândia...

— Uma enorme bota dando um pontapé numa ilha.

— Como se chama a coitada da ilha?

— Sicília.

— E aquelas duas, lá no mar alto?

— A menor é a Córsega e a maior, a Sardenha.

— Ahn! — exclamou Emília. Estou entendendo agora. A bota quis comer a sardinha; mas como a Sicília atrapalhasse, pregou-lhe um pontapé...

Dona Benta corrigiu:

— A biqueira da bota não teve força para alcançar a Sicília. O Estreito de Messina ficou a separá-las.

— Messina, vovó? Não há uma cidade com esse nome que foi destruída por um terremoto?

— Pois é a mesma, lá no estreito. A pobre cidade de Messina foi arrasada, não faz muito tempo, por um terrível terremoto. Morreram setenta mil pessoas...

— Que horror!

— Pois para mim, — disse Emília, — esse terremoto significa que a ponteira da bota alcançou a Sicília.

— Como, boba, se o estreito ainda está lá?

— Que tem isso? A bota deu o pontapé de noite, quando todos estavam dormindo, e voltou a posição antiga. Essa vai ficar sendo a minha explicação do terremoto.

Dona Benta continuou:

— Notem que a Itália forma uma grande península, quase uma ilha. Pelo meio desse cano de bota corre uma espinha dorsal — a cadeia de montanhas dos Apeninos.

— Hum! — exclamou Pedrinho. — Lembrei-me agora daquele conto de Edmundo de Amicis, no *Coração*, chamado "Dos Apeninos aos Andes" — a história dum imigrantinho...

— Pois é. Os Apeninos dividem o cano da bota ao meio, certinho pelo centro. Depois, ao Norte, há uma grande bacia fluvial. É a famosa bacia do Pó, o maior e mais fecundo rio da Itália. Notem que ao norte essa famosa bacia está fechada por uma alta cadeia de montanhas. São os Alpes. Essa configuração da Itália explica muita coisa da sua história. O país ficou fechado aos invasores pela muralha dos Alpes. Aníbal, aquele general de Cartago, foi o primeiro a entrar por ali.

Essas terras da bacia do Pó são abençoadas. Fertilíssimas, graças à irrigação do grande rio.

— Grande mesmo, vovó?

— Grande relativamente ao território da Itália. Seu curso não vai além de 640 quilômetros; mas apesar disso o Pó vale por muitos rios maiores. Ali se cultiva o arroz em grande quantidade, e tudo mais. Reparem que entre as terras da Itália e as da Iugoslávia existe um mar. É o Mar Adriático, que banha uma das mais interessantes cidades do mundo — Veneza.

— Oh! a dos canais! Deixe-me ver — e Narizinho espiou. — Lá está ela! — disse. — Estou vendo os palácios nas ruas de água, e as gôndolas em vez de automóveis... E uma igreja linda...

— É a Igreja de São Marcos, uma das maravilhas arquitetônicas da Itália. Pois essa Veneza já foi rainha do mundo. Formou-se lá uma república governada pelos Doges. Filhos da água como eram os venezianos, tornaram-se audaciosos navegantes, acabando por tomar conta do comércio marítimo da época. Eram eles que faziam o tráfego das mercadorias da Ásia para a Europa. Veneza tornou-se o grande empório dos tempos. Conseguiu enfeixar tudo em suas mãos. E assim foi até o dia em que Vasco da Gama descobriu o caminho marítimo para as Índias. Ah, nesse dia Veneza levou um terrível golpe! Seu fim estava chegado. O comércio com a Ásia iria dali por diante ser feito por mar, pelo Atlântico, e Veneza ficaria de lado. Foi realmente o que aconteceu. O empório distribuidor das mercadorias vindas da Ásia passou a ser Lisboa. Desde então Veneza foi decaindo, decaindo, até ficar o que é hoje — a maior das atrações do turismo internacional. Quem vem à Europa e não visita Veneza, sai logrado.

— Por que?

— Porque é única no gênero. Imagine uma cidade de palácios belíssimos, toda construída sobre água, com canais em vez de ruas. Ora, um espetáculo desses não há quem não queira conhecer. Veneza! Veneza! A cidade das festas. O seu carnaval ficou famoso. Imaginem que durava, sabem quanto? Seis meses...

— Que horror, vovó! — exclamou a menina. — Se o carnaval do Rio durando apenas três dias já deixa a gente tonta, imagine-se um de seis meses!...

— O carnaval de Veneza era muito diferente disso que vemos no Rio. Uma festa delicada, fina, artística. Um dia hei de ler a vocês a descrição que Taine faz dessa festa maravilhosa.

— E qual a população da Itália, hoje, vovó?

— Mais de quarenta milhões de habitantes, para um território de apenas 322.000 quilômetros quadrados. Povoadíssima, sobretudo, graças ao alimento que tira do vale do Pó. É um povo extremamente fecundo, isto é, que cresce sempre. Daí a necessidade de emigrar, de sair para outras terras. Daí também o seu moderno imperialismo, ou fúria de conquistar terras na África. O território italiano já é pequeno para o número dos seus habitantes.

Esta bota que vocês estão vendo já pôs o mundo tonto. No tempo em que em vez de dizer-se italiano dizia-se romano, esse povinho conquistou boa parte do mundo conhecido — e saqueou-a. Já foi uma Inglaterra. Já foi mais que a Inglaterra, porque foi realmente a Senhora do Mundo.

— E por que não o é hoje?

— Por causa das invenções, meu filho. Já contei como as invenções mudam o aspecto das coisas na superfície da terra. Aquele Watt que inventou a máquina a vapor deu o tombo nas raças latinas, pondo na frente as raças germânicas. Elas tinham ferro e carvão em quantidade — os países latinos eram pobres nisso. Resultado: a supremacia, a hegemonia, passou das mãos dos latinos para as dos germânicos, representados pelos ingleses e alemães na Europa e pelos Estados Unidos lá na América.

Mas no mundo nunca houve país onde as artes florescessem tanto como nesta Itália. Acabou virando um verdadeiro museu. O que há de maravilhas da arquitetura, da escultura e da pintura em suas cidades, não tem conta. Por isso a romaria dos artistas do mundo inteiro para a Itália não tem fim. O sonho de todos os artistas, onde quer que nasçam, é conhecer o Grande Museu Universal.

— E a capital?

— Ainda é Roma, hoje com muito menor população do que já teve nos períodos áureos. Roma tem hoje setecentos mil habitantes. Como Atenas, está igualmente cheia de ruínas históricas. A atual Roma é uma cidade em cima de outra. Fica lá a cidade do Vaticano, isto é, a cidadezinha do Papa, dentro da qual não é o governo italiano que manda, e sim o Papa.

Outra cidade interessantíssima da Itália é Nápoles, de maravilhoso clima. Perto fica o Vesúvio, aquele vulcão que depois de fingir-se morto pelo espaço de 1.500 anos ressuscitou de repente no ano de 79 e destruiu as cidades de Pompeia e Herculanum. Depois disso aquietou-se outra vez!

— Quero ver o Vesúvio, — disse a menina apontando a luneta. — Lá está ele, vovó! Mas está pegando fogo outra vez! Acudam!...

— Não. O Vesúvio é sempre assim agora. Desde que arrasou Pompeia, ficou a fumar um charuto que não acaba mais, como aviso aos homens: "Cuidadinho, hein? Olhem que não estou completamente apagado".

E lá estão as cidades de Turim, e Milão, e Gênova, que é o porto mais movimentado da Itália.

— E aquela acolá, linda, linda?

— Ah, aquela é Florença, o jardim artístico da Itália. Se eu pudesse escolher um ponto para passar o resto da minha vida, seria ali. Que riqueza de monumentos possui Florença! Que povo cheio de finuras! Que povo diferente dos outros!...

— E por que não escolhe?

— Não posso, meu filho. O Destino me plantou naquele sítio como fazendeira de café, e tenho de seguir o meu destino. Lá nasci como uma árvore que grossas raízes prendem à terra. Lá morrerei.

Dona Benta ainda falou por longo tempo da Itália, revelando verdadeira paixão por esse país. Depois apontou a luneta para um lugarzinho longe nas montanhas.

— Sabem o que é aquilo? Um paisinho encravado entre províncias italianas — a Republica de San Marino. Tem apenas 58 quilômetros quadrados de território e 11 mil habitantes. Do tamanho da fazenda do major Evandro, a qual tem 2.300 alqueires.

— Que galanteza! — exclamou Emília. — Bem que podíamos levá-la para o sítio...

— Pois apesar de microscópica, vive muito bem a sua vidinha, — disse Dona Benta. — Aposto que o seu povo se sente mais feliz do que o de muitas nações enormes. *Parva domus magna quies...*

— Que quer dizer isso?

— É um latim. Quer dizer: casa pequena, sossego grande...

Capítulo XXVIII
Península ibérica

"O Terror dos Mares" deixou as costas da Itália, de rumo ao Estreito de Gibraltar. De longe os meninos viram a linda cidade de Nice, que é um mimo dos ricos. Lá vão recrear-se os que têm bom gosto e dinheiro. Viram adiante o porto de Toulon e em seguida a grande cidade de Marselha, o maior porto da França e do Mediterrâneo, com 500 mil habitantes.

— E que castelo é aquele, empoleirado naquela ilhota? — perguntou a menina, que estudava Marselha pela luneta.

— É o castelo de If, tornado famoso pela história d'*O Conde de Monte Cristo,* um romance de Alexandre Dumas. Lá esteve preso o herói do romance, Edmundo Dantés.

Adiante de Marselha viram a foz do Ródano. Depois, mais adiante, uma cadeia de montanhas.

— Estão lá os Pirineus, a cadeia de montanhas que separa a França da Espanha.

— Quer dizer que já estamos em águas da Espanha?

— Sim. E aquela cidade que começa a aparecer é a maior e a mais viva cidade espanhola — Barcelona. Ao Norte, lá na montanha, fica uma companheira da República de San Marino, outra republicazinha de presepe, de nome Andorra. Tem 158 quilômetros quadrados e seis mil habitantes.

— Menos gente ainda que a outra?

— Menos. E possui seis cidadezicas: Vicilia, Canillo, Encampo, La Massana, Ordino e Loria.

Os meninos quiseram à viva força ir brincar na republiqueta.

— Mais tarde, — respondeu Dona Benta. — Na nossa segunda viagem pelo mundo visitaremos Andorra. E também visitaremos aquelas ilhas ali à esquerda.

Dona Benta mostrou as Ilhas Baleares, das quais a maior se chama Maiorca e a menor Minorca, gabando-lhes a excelência do clima e a boa raça das galinhas.

Depois viram a cidade de Alicante, e a de Cartagena, e a de Málaga, famosa pelos seus vinhos e suas passas. Estavam já com o estreito de Gibraltar à vista.

— Pronto! — disse Dona Benta. — Lá está uma pedra de grande importância para o mundo. Forma naturalmente uma fortaleza, de modo que quem está de dentro ri de quem está de fora. Hoje os donos daquilo são os ingleses. Conseguiram tomar a pedra dos espanhóis, ficando como queriam: donos das portas do Mediterrâneo. Nesse mar só entra quem os ingleses querem, porque eles não só governam esta porta de entrada como ainda a porta de saída, lá no Egito — o Canal de Suez.

— Que abelhudos, os ingleses! — disse Narizinho. — Que têm que ver com isto aqui?

— Para o inglês não há aqui nem ali. Há o mundo — e há as portas do mundo. Nasceram porteiros... Um chefe árabe de nome Tarik ben Zaid, que já a havia tomado antes, deu-lhe o seu nome, Jeb-El-Tarik, ou monte de Tarik. Daí veio a palavra Gibraltar. Os ingleses têm hoje ali uma cidade de 27 mil habitantes, dos quais 7 mil pertencentes à guarnição da formidável fortaleza que ergueram.

Essa pedra sempre interessou aos homens. Os gregos localizavam nela as Colunas de Hércules, isto é, o extremo limite do mundo. Quanta coisa não diria tal pedra, se falasse! Apesar de pedra à toa, simples granito, foi mais disputada que o maior dos diamantes. Tarik a tomou e fortificou no ano 711. Em 1309 foi retomada por Pérez de Gusmán, um soldado do rei Fernando IV, rei de Leão e Castela, reinos formados nas terras de Espanha. Em 1315 foi sitiada por Ismail ben Ferez, chefe otomano, ou turco, que nada conseguiu; mas dezoito anos depois foi conquistada pelo sultão Mohamad IV. Em 1344 os castelhanos tentaram inutilmente retomá-la. Sofreu novo assédio dos espanhóis em 1435, o qual também falhou; mas em 1462 caiu finalmente em poder dos castelhanos.

Em 1540, foi violentissimamente atacada pelos piratas que a queriam restituir aos turcos. Falhou o golpe. Os espanhóis tinham fortificado tremendamente a pedra preciosa, deixando-a com fama de fortaleza inexpugnável, isto é, que ninguém toma.

— E como os ingleses estão lá?

— Isso foi em 1704. Os ingleses, aliados aos holandeses, deram-lhe em cima com tamanha fúria que os espanhóis cederam. E seguiu-se então um longuíssimo período em que a Espanha não fez outra coisa senão assaltar a pedra perdida. Como as ondas batem sem cessar nos recifes, assim os espanhóis batiam em Gibraltar. Tudo inútil. O inglês é sapo: quando agarra não larga mais.

Em 1776, quando a Espanha viu a Inglaterra atrapalhada com os americanos de George Washington, que lutavam pela independência dos Estados Unidos, tratou de aproveitar a vaza. E organizou um assédio considerado o mais notável de todos quantos a história menciona. Durou desde 1779 até 1783. O plano consistia em matar toda a guarnição inglesa a fome. Falhou. Os ingleses conseguiram abastecer-se, varando a linha de assédio. Mas a luta não cessava. O bombardeio era contínuo. Por fim apareceu uma esquadra inglesa muito forte que escangalhou com os espanhóis. Quatro anos havia durado a luta!

— E depois?

— Depois sossegou. Ninguém mais teve coragem de mexer com a pedra naturalizada inglesa...

O brigue atravessou o estreito de Gibraltar, penetrando por fim no Oceano Atlântico, águas já conhecidas dos meninos.

— Estamos no Golfo de Cádiz, — explicou Dona Benta. — E lá está cochilando a velha cidade de Cádiz, por onde os espanhóis exportam excelente sal.

— Sal, sinhá? — disse Tia Nastácia, que naquele momento subira ao tombadilho. — Era justamente o que eu vinha pedir. Meu sal acabou.

— Acabou em bom tempo, — respondeu Dona Benta. — Estamos na terra do sal. Pedrinho que dê ordem à "tripulação" para velejar rumo ao porto de Cádiz.

Em Cádiz desceram todos, inclusive Tia Nastácia. Foram comprar sal. Tia Nastácia alegrou-se de ouvir uma língua meia atrapalhada, mas da qual entendia muita coisa.

— Agora, sim! — disse ela. Já estamos entrando em terra de língua de gente. Mas aqueles tais japoneses, aqueles ingleses lá dos Estados Unidos, Nossa Senhora! Aquilo nem é falar — é judiar duma criatura...

A demora em Cádiz foi curta. Dona Benta estava ansiosa por uma visita a Portugal, terra do seu tataravô Manuel Encerrabodes de Oliveira. Enquanto iam velejando, foi dizendo coisas da Espanha. Contou da invasão dos árabes, os quais formaram naquele território um reino encantado. Transformaram-no em jardim; construíram palácios maravilhosos, como o Alhambra, que até hoje assombra os turistas; instituíram universidades; abriram estradas ótimas; deram ao mundo um exemplo a que o mundo não estava acostumado. Infelizmente aquele maravilhoso progresso não foi de longa duração. Começaram a ciumar e brigar entre si os príncipes árabes, e enfraqueceram-se. Os castelhanos então caíram-lhes em cima e expulsaram-nos de lá.

Isso coincidiu com a descoberta da América por Cristóvão Colombo, almirante genovês a serviço da Espanha. Ora, a América significava ouro fácil, ouro em bateladas enormes — e foi essa a desgraça da Espanha. O mesmo que cair uma sorte grande em casa dum homem que vinha consumindo anos e anos na luta para a reconquista de sua casinha. A Espanha deslumbrou-se. Julgou-se privilegiada. Trabalho era coisa para os outros povos. Indústria, comércio, estudo? Bobagem! Para que trabalhar, estudar, se o trabalho e o estudo miram o ouro e ela tinha ouro aos montes? Era só saquear os Astecas do México e os Incas do Peru. Essa facilidade, essa sem-cerimônia de meter a mão no bolso da América índia, foi a desgraça da Espanha. Os ingleses trabalhavam, os holandeses trabalhavam, criavam indústrias, construíam esquadras de ferro — e acabaram dando com o colosso espanhol no chão.

O caráter dos espanhóis ressentiu-se com a facilidade da vida à custa das colônias americanas. Ficaram orgulhosos demais. Um dia, quando abriram os olhos, estavam os pobres mais pobres da Europa. Restavam-lhes, lá longe, duas colônias de valor, as últimas relíquias do imenso império perdido. Pois até essas perderam. Cuba fez-se independente e os Estados Unidos lhes tomaram as Filipinas.

Hoje a Espanha está acordando. Está vendo as realidades como elas são — e bem pode ser que ainda ressurja. Barcelona, por exemplo, é uma cidade que não lembra a Espanha antiga e sim dá amostra da Espanha futura.

— E a capital? — perguntou Narizinho, que colecionava capitais.

— É Madrid, uma cidade bem lá no centro, aí duns setecentos mil habitantes.

O brigue dobrou o Cabo de São Vicente, onde os meninos viram uma cidadezinha modesta.

— Estamos já em Portugal, — disse Dona Benta, — a companheirinha da Espanha — companheira de grandezas e desgraças. Ali está Sagres, onde o príncipe D. Henrique fundou uma escola de navegação que iria exercer grande influência nos destinos do reino. Olhem bem para Sagres. Fixem na memória esse nome. Mais tarde contarei o que o mundo ficou a dever aos estudos feitos naquele cantinho da costa...

Os meninos olharam, bem, bem, bem, para Sagres e depois foram comentando as pequeninas aldeias das províncias do Algarve, do Alentejo e da Estremadura. Um novo cabo lhes tomou a atenção.

— Cabo Espichel, — disse Dona Benta. — Logo adiante temos a embocadura do Tejo. Vamos entrar por ali, visto que Lisboa fica à margem desse rio.

Assim foi. Entraram pela foz do Tejo. A Torre de Belém! E Lisboa, afinal, uma cidade de quatrocentos mil habitantes. As outras cidades portuguesas são todas pequenas, porque o país é pequeno, apenas 92 mil quilômetros quadrados e pico — menos do dobro do município de Guarapuava, no Estado do Paraná. Quanto à população, seis milhões de habitantes. Dona Benta enumerou as principais cidades — Porto, com 170 mil almas; Coimbra, com vinte mil, sede duma velha universidade; Ovar, a terra das ovarinas, mulheres pescadoras; Aveiro, onde há um célebre doce em barriletes chamado "ovos moles do Aveiro"; Lamego, terra dos bons presuntos; Setúbal...

— Aquele que escreveu *A Marquesa de Santos*? — perguntou Emília.

— Não, boba. Aquele é um homem. A Setúbal de que estou falando é uma cidade de ótimos vinhos.

O brigue ancorou no porto de onde 435 anos atrás havia partido a esquadra de Pedro Álvares, o descobridor do Brasil. Dona Benta reconstituiu ao vivo a cena, de modo que os meninos jamais esquecessem tão memorável passo.

— Lá está ele no cais, o rei D. Manuel, despedindo-se do almirante! — disse ela apontando para um catraeiro que conversava com outros. E os meninos viram D. Manuel, tal é a força imaginativa das crianças.

Desceram todos, menos Quindim. E Tia Nastácia, logo que se pilhou no meio de gente que falava sua língua, abriu-se em risos.

— Ora graças! Isto, sim, é terra de cristão. Falam e a gente entende. Ovo aqui é ovo. Pão é pão. Lá na tal Nova York era aquela bobagem de *egg*, de *bread*... — e a boa preta regalou-se de falar. Falou por quantas juntas tinha. Entrava nas lojas à toa, pedia para ver amostras de chita, só para falar com os caixeiros.

Vendo uma negra na rua, correu para ela e abriu o coração — falou, falou, falou...

— Que regalo! — dizia a cada passinho. — Isto é que é, sinhá!...

Pedrinho quis ver o presidente da república, já que não podia ver o rei, porque os portugueses deram cabo dos seus reis a tiro. Dona Benta inventou que o presidente estava naquele dia ocupadíssimo em conferência com o ministro Salazar, não podendo, portanto, recebê-los.

— Que Salazar é esse, vovó?

— Um homem que pôs em ordem as finanças portuguesas. Um verdadeiro grande homem. Endireitar as finanças de um país é um trabalho de Hércules.

Correram a cidade inteira de automóvel, ouvindo as explicações da velha, que parecia ter vivido toda a vida lá. Mas Lisboa não interessava Dona Benta. Sua ideia era visitar certa aldeia da província onde estava enterrado o seu tataravô. Tomaram um trem e partiram.

O que Portugal tem de mais bonito são as aldeias, sempre alegres, rodeadas de campos muito bem cultivadinhos. Colhe-se lá trigo, milho, arroz, batatas, muita fruta, inclusive laranjas. Nada de fazendas grandes, como no Brasil — tudo picadinho. E que gente forte! A vida simples, de trabalho constante e ao ar livre, torna o homem do campo extraordinariamente rijo. Narizinho teve ocasião de ver em vários pontos camponesas vestidas nos interessantíssimos trajes locais. Gostou imenso, obrigando Pedrinho a tirar instantâneos sobre instantâneos para os mostrar lá no sítio.

A terrinha do tataravô de Dona Benta chamava-se Freixo de Espada à Cinta, uma aldeola extremamente pitoresca onde os meninos se regalaram. De indagação em indagação, descobriram o túmulo do velho Encerrabodes, cujo filho emigrara para o Brasil duzentos anos atrás. Dona Benta era uma paulista bem nova, de apenas duzentos anos...

O túmulo do velho estava em ruínas, revestido de líquens, com a inscrição já ilegível. Mesmo assim Dona Benta ajoelhou-se ao lado e rezou uma rezinha curta. Depois disse:

— Está aqui a raiz, está aqui o tronco. Um galho mudou-se para o Brasil, dando origem aos Encerrabodes de Oliveira lá da nossa zona. Se não fosse este velhinho aqui enterrado, vocês não existiriam...

— E como se chamava o filho desse velhinho que foi para o Brasil? — quis saber a menina.

— Encerracabritos! — gritou Emília.

Todos se escandalizaram com aquele desrespeito, mas Dona Benta desculpou a bonequinha. Realmente, o seu tataravô tinha um nome levado da breca, de modo que o filho, logo ao chegar ao Brasil, a primeira coisa que fez foi modificá-lo. Em vez de Joaquim Encerrabodes de Oliveira passou a chamar-se Joaquim de Oliveira Serra. Soltou os bodes...

Pedrinho vinha notando que a gente dali trocava sistematicamente o b pelo v, sendo isso o que mais dificultou a tomada de informações sobre o túmulo do antepassado. Ninguém sabia do tal Encerrabodes. Um campônio mais esperto foi quem deu pela coisa.

— Ah, já sei a quem Bossa Excelência se refere. Há de ser o velho Encerravodes, que bibeu muitos anos na azenha do sovreiro...

De Freixo Dona Benta levou os meninos para a costa, onde ficam as aldeias dos pescadores de sardinha e atum. Foi o de que mais gostaram.

— São grandes pescadores estes homens daqui, — disse Dona Benta. — Portugal vende sardinhas enlatadas, e outros peixes para todos os países do mundo, só tendo concorrente sério na Noruega, outro país de pescadores. Estes países de pouco território expandem-se sempre no mar. Foi a escassez de terras que tornou o português antigo um grande povo de navegantes. Inglaterra, Holanda e Portugal, esses três devastadores dos oceanos, dispunham de pouca terra em casa — daí o tornarem-se os maiores donos de terras do mundo.

Tempo houve em que Portugal teve nas mãos meio mundo, coisa maravilhosa se levarmos em conta a pequena quantidade de portugueses que sempre existiu. Qual a explicação? A pequenez do território natal. No Brasil jamais seremos um povo de navegantes. Para que, se temos terras de sobra?

— E hoje?

— Hoje, que já não existem terras a descobrir, o português equilibra-se emigrando. Vai para todos os continentes, como já vimos. Ásia, África, Oceania, América, Terra Nova... onde é que não penetra o português? Vai e vence na luta pela vida, graças à boa saúde de que goza, ao trabalho, à perseverança. Não resta dúvida que a raça aqui formada é uma grande raça. E o que esse ministro Salazar está fazendo mostra que o português, além do passado que tem, tem também futuro aqui mesmo, aqui nesta nesguinha de terra comprimida entre a Espanha e o mar.

Depois de visitadas as aldeias de pescadores, onde comeram peixe até rebentar, regressaram a Lisboa a fim de prosseguirem na viagem. Deixando o Tejo, foram subindo a costa. Viram a cidade do Porto, a capital dos excelentes vinhos que Portugal fabrica.

— Os ingleses consomem a maior parte dos bons vinhos do Porto, — disse Dona Benta. — Por ocasião da vindima, ou colheita das uvas, vêm cá os representantes de grandes casas e arrematam quase toda a produção.

Pedrinho ficou pensativo, a calcular quanta bebedeira famosa não havia sido exportada por aquele porto...

Capítulo XXIX
Inglaterra e França

O brigue subiu pelas costas do Douro e do Minho, alcançando novamente águas de Espanha. Viram a cidade de Corunha, dobraram o cabo Ortegal, passaram pelo porto de Santander, e por fim avistaram através da luneta uma montanha.

— Ali acabam aqueles Pirineus começados lá ao Norte de Barcelona, — disse Dona Benta. — Vamos agora entrar em águas francesas. A França é um país de 551 mil quilômetros quadrados, com quarenta milhões de habitantes. Sua capital, Paris, é a rainha das grandes metrópoles, com três milhões de habitantes, considerada a capital do mundo latino e também a capital da Moda. Em grande número de países as mulheres se vestem de acordo com a moda de Paris.

— Por que isso?

— Muitas razões. Cada país tem a sua especialidade. Uns governam o mercado das sardinhas. Outros são os reis do queijo. Os Estados Unidos ditam leis em matéria de automóveis e máquinas de escrever. A França governa os figurinos. Quando a francesa daqui resolve usar chapéu de abas curtas, ou inclinado para a esquerda, as mulheres de boa parte do mundo tratam *incontinenti* de fazer o mesmo. Lá entre nós, por exemplo, o grande terror das mulheres é andarem fora da moda, isto é, estarem vestidas diferentes das francesas.

— Que bobagem!

— Bobagem ou não, é assim. E os franceses aproveitam-se disso. Sua grande indústria é a moda, e os acessórios da moda, os perfumes, os ruges, o pó de arroz, as fitinhas, as rendas, os chapéus. E como estão sempre mudando a moda dos vestidos, o resto do mundo tem de entrar em gastos permanentes para conservar-se na linha.

Mas só a moda feminina. Quem governa a moda masculina são os ingleses. Quando o príncipe de Gales aparece com um terno novo de gola mais aberta ou mais fechada, o elegante no mundo inteiro fica sendo usar gola daquele jeito. Não esqueçam que o homem veio do macaco — um bicho imitativo. A fúria de andar na moda, no meu ver, prova mais a origem macacal do homem do que todos os argumentos daquele sábio inglês chamado Darwin. O atual Príncipe de Gales vive caindo dos cavalos que monta. Resultado: tornou-se elegante pelo mundo afora cair de cavalos...

— Fale da França, vovó. O Príncipe de Gales é Inglaterra.

— Pois a França é um país privilegiado. Possui todos os climas, um sistema de rios de primeira ordem, terras excelentes para grande variedade de culturas. Tem tudo. Vem disso o caráter caseiro do seu povo. O francês não sai de casa, isto é, não sai da França. Ignora o resto do mundo. Não quer saber. Não viaja. Não estuda geografia. Para que, se está bem em casa?

Ficou profundamente egoísta. O mundo lá fora pode estar pegando fogo: o francês não se mexe. Limita-se a "fazer espírito". Somítico até ali. Agarradíssimo. A avareza dos campônios da França é proverbial. Trabalham como mouros, sempre rotineiramente, como os pais e avós fizeram, e só gastam o que é em absoluto indispensável. Daí tornarem-se os franceses um dos povos mais ricos do mundo. Todos possuem suas economias no banco. E quando a moda era fazer empréstimos aos outros países, os franceses emprestavam grandes somas de dinheiro. Depois da grande guerra, porém, veio a bancarrota do mundo — e os franceses vivem agora chorando o rico dinheirinho perdido em empréstimos, um dinheiro ganho com tantos sacrifícios.

O francês é extremamente realista. Não se ilude com lorotas. Cuida de si. Aproveita a vida o mais que pode. E seria talvez o povo mais feliz do mundo, se não fosse a ameaça constante que tem pelas costas.

— Que ameaça é essa?

— Os alemães, os eternos inimigos dos franceses. O ódio separa esses dois povos dum modo terrível. Sempre que a França pôde, espezinhou os alemães — e sempre que os alemães puderam, espezinharam a França. A rivalidade não tem fim, determinando uma guerra atrás da outra. Quando não estão em guerra, estão se preparando para a guerra. E como ora ganha um, ora ganha o outro, a coisa vai se perpetuando.

Essa constante ameaça de guerra envenena a vida dos franceses, torna-os amargos. É difícil encontrar um francês que já não tivesse estado na guerra, bem como seu pai ou seu avô.

— O meio de endireitar é fácil, — disse Emília. — Basta misturar a França com a Alemanha, casando cada alemão com cada francesa.

— Ótimo! Mas certas soluções só seriam possíveis se você fosse a ditadora do mundo...

— E as cidades? — perguntou Narizinho.

— A França possui muitas cidades importantes, como aquela Marselha que já conhecemos; Lyon, o centro duma grande indústria de sedas; Bordéus, excelente porto exportador de vinho; Lille, cidade industrial; Dunquerque, um porto lá nas divisas com a Bélgica; Havre, outro porto por onde entra o nosso café.

Também possui colônias extensíssimas na África e na Ásia. Essas colônias já excedem de 7 milhões de quilômetros quadrados com uma população maior que a da metrópole. Mas o francês está longe de ter a sabedoria colonizadora do inglês.

Enquanto Dona Benta ia falando, o brigue aproximava-se de Calais.

— Lá está a cidade de Calais, que se pronuncia calé, na entrada do famoso Canal da Mancha. Esse canal separa a França da Inglaterra, ligando o Atlântico a um mar que não é bem mar.

— Que mar é esse?

— O Mar do Norte. Muito raso. O continente formava ali uma grande depressão, que se foi enchendo d'água. Olhem! Lá do outro lado do canal fica a cidade de Dover. Calais e Dover se correspondem; Dover é a Calais da Inglaterra e Calais é a Dover da França. A travessia faz-se numa hora de navio — e até a nado. Vários campeões nadadores já têm atravessado a Mancha, a despeito das suas águas bravias.

O brigue passou pelo Canal da Mancha, rumando para a boca do Tâmisa. Dona Benta desejava mostrar aos meninos a maior cidade do mundo, a imensa, a infinita Londres, capital do Império Britânico.

Para lá seguiram. Pedrinho assombrou-se com as docas que debruam as margens do famoso rio.

— As maiores docas do mundo, — disse Dona Benta. — Aqui vêm desembarcar mercadorias de todos os países de todos os continentes, sobretudo das inumeráveis colônias inglesas. Carnes da Austrália e da Argentina, café do Brasil, chá da Índia, marfins do centro da África, ouro e diamantes da África do Sul, couros do Uruguai, laranjas de São Paulo, sedas do Japão, juros dos empréstimos feitos aos povos estrangeiros e lucro do dinheiro inglês empregado por toda parte. Londres é por si um mundo. Tem oito milhões de habitantes — um milhão mais do que Nova York.

A colecionadora de capitais tomou nota em seu caderno de mais aquela, enquanto Pedrinho perguntava:

— Como, vovó? Nova York não tem então onze milhões?

— Com todos os subúrbios, sim; só a cidade tem sete milhões. Mas este conjunto tem o nome de Ilhas Britânicas. São três principais: a Inglaterra, a Escócia e a Irlanda. Esta última, depois duma luta terrível de anos e anos, está hoje independente; é o Estado Livre da Irlanda. Não há no mundo terras mais intensamente povoadas. Quarenta e seis milhões de habitantes. Ora, para um território do tamanho do Maranhão, ou sejam 814 mil quilômetros quadrados, é ter gente...

Cidades importantes há muitas, como Manchester, Liverpool, Edimburgo, capital da Escócia, Birmingham, Bristol, Glasgow. São todas terrivelmente industriais, entupidas de fábricas, pretas de fumaça de carvão de pedra.

Esse carvão de pedra, mais o ferro, foi o que deu a vitória aos ingleses. Tudo por aqui se explica pela máquina a vapor, aquela invençãozinha de James Watt. Sem isso a Inglaterra seria um quase nada, como o fora antes da invenção de Watt. Basta dizer que os primitivos habitantes nem sequer sabiam defender-se. Os romanos tomaram-lhes as terras e dominaram-nos durante quatrocentos anos. Depois vieram lá da Alemanha os Saxões, que fizeram o mesmo. Depois vieram os Normandos, que submeteram os saxões. Só então é que a raça começou a consolidar-se. Os normandos identificaram-se com o país, fazendo da miserável ilha a dona de grande parte do mundo.

A estada dos meninos em Londres não foi nada agradável, por ter coincidido com uma semana inteira de nevoeiros úmidos, o tal *fog* londrino. Andaram às cegas pelas ruas. Tia Nastácia arrenegou como nunca, não só porque detestava as tais terras de "língua absurda", como porque, tendo a vista fraca, volta e meia recebia um tranco de alguém. Chegou até a dar uma cabeçada no focinho dum cavalo de *cab*, que é um veículo ainda muito usado em Londres.

Mas viram muita coisa. Visitaram o célebre Museu Britânico, o mais opulento que existe; a catedral de Westminster e a Torre de Londres, tão cheia de recordações históricas, algumas bem trágicas.

— É um dos edifícios mais velhos da Europa, — disse Dona Benta. — Começou como uma fortificação mandada fazer por Júlio César depois que conquistou a Britânia, nome dado pelos romanos a isto por aqui. Depois foi reconstruída. Virou prisão, o lugar das execuções — e entre estas há muitas famosas, como a decapitação de Ana Bolena, de Catarina Howard e de Jane Grey, três rainhas...

— Três rainhas? — interrogou Narizinho, espantada.

— Sim, três rainhas, todas casadas com o mesmo rei.

— Sei, — disse Pedrinho. — Aquele terrível Henrique VIII que teve não sei quantas mil mulheres.

— Seis, aliás, — corrigiu Dona Benta. — Também foi decapitado aqui o célebre Sir Walter Raleigh, favorito da rainha Isabel. E o duque de Monmouth...

Os meninos regalaram-se de ver a torre famosa, os cárceres de pedra onde se conservam nas paredes inscrições lúgubres. A história da Inglaterra está cheia de dramas tremendos, muitos deles terminados ali naquelas sombras. Narizinho não gostou.

Emília, que sempre andava com um martelinho no bolso para quebrar lascas de pedras históricas, quis dar uma martelada num canto da torre. Mas teve medo do guarda. Mesmo assim apanhou do chão um cisco, dizendo:

— Pelo menos um cisquinho da Torre de Londres hei de ter no meu museu...

Dona Benta passou a tarde daquele dia lendo o *Times*, que é o mais importante jornal do mundo inglês.

— Vejam, — disse ela. — Este jornal está cheio de notícias de mais um tombo que o Príncipe de Gales levou ontem em Hyde Park — e na manhã seguinte levou os meninos àquele parque. Pedrinho insistira em ver o lugar do tombo do príncipe.

O *fog* estragou a estada deles em Londres, e como pela previsão do *Times* o nevoeiro ainda devesse durar algum tempo, Dona Benta resolveu prosseguir na viagem. Voltou para o brigue, mandando Quindim velejar rumo às costas da Bélgica.

Capítulo XXX
NORTE DA EUROPA

Narizinho anotou em seu caderno mais a capital desse país, Bruxelas, com setecentos mil habitantes, esplêndida cidade. Viram o porto de Anvers, ou Antuérpia; a cidade de Gand; depois Liège e Namur, que muito sofreram na última guerra. Mas os meninos não queriam saber da Bélgica — só queriam a Holanda, por causa dos moinhos de vento.

— De fato, — disse Dona Benta, — é um dos países mais notáveis do mundo. Era a princípio um brejo salgado, a pior coisa que existia. Mas os holandeses foram indo, foram indo, até criarem ali um paraíso. Secaram o brejo, drenaram tudo com canais, construíram diques — e fizeram ainda uma coisa famosa: a conquista de terras ao mar.

— Como?

— O mar do Norte é muito raso, como já expliquei. Eles faziam um dique cercando um pedaço de mar; depois esgotavam a água represada por meio de bombas movidas pelos moinhos de vento. E foram desse modo aumentando o território do país.

— Sim, senhora! Gente danada...

— Em verdade, os holandeses merecem que lhes tiremos o chapéu. Aquela vida constante de perigos aperfeiçoou suas qualidades, tornando-os um dos grandes povos do mundo. Sempre souberam defender-se com unhas e dentes, como quando os fanáticos espanhóis quiseram convertê-los à força. Apesar de pequenininhos, acabaram expulsando os espanhóis — e, mais: acabaram com o poderio mundial da orgulhosa Espanha. Aliados aos ingleses, bateram os espanhóis em todas as partes do mundo.

Hoje a vida na Holanda é perfeita. Ordem absoluta, asseio inigualável. O asseio das cidades e aldeias holandesas tem fama. Nas cocheiras até penduram a cauda das vacas por um cordel, para que não se sujem. As mulheres não largam da vassoura. Tudo lá alumia.

— E que fizeram dos brejos esgotados?

— Transformaram-nos em primorosas pastagens, onde criam as melhores vacas leiteiras que existem. Para leite, queijo e manteiga, é a Holanda. Os portos de Amsterdam e Roterdam são importantíssimos.

— E a capital?

— É Haia, um encanto de cidade.

Dona Benta estava a falar de Haia quando Pedrinho recebeu do compadre Teodorico um rádio contando que Rabicó estava muito mal. Todos ficaram aflitos. Que seria?

— Com certeza indigestão, — sugeriu Tia Nastácia.

— Não pode ser, — contraveio Dona Benta, — Se fosse indigestão o compadre não ligaria importância. Ele que deu a notícia é que a coisa é realmente séria. Temos que apressar a nossa volta ao Brasil.

Foi uma pena. Por causa do marotíssimo Rabicó, não podiam visitar a Rússia, esse imenso colosso que vai desde a Polônia até ao Japão. Nem visitar essa Polônia que esteve escravizada tanto tempo e agora é país livre, com a sua capital Varsóvia, muito pimpona à margem do rio Vístula. Nem dar um pulinho à Tchecoslováquia, um dos novos países nascidos depois da guerra. Nem na Lituânia, nem na Letônia, nem na Estônia, também nascidas depois da guerra. Nem na Suécia, com a sua linda capital Estocolmo. Nem na Noruega dos fjords, com a sua capital Oslo. Só lhes restava tempo para uma rápida vista d'olhos à Alemanha e à Dinamarca. Vista d'olhos de luneta. Dona Benta apontou a luneta para a Alemanha e — disse:

— Está ali um país de formidáveis possibilidades. Era no tempo dos romanos uma floresta povoada por tribos de homens louros, os tais Teutões. Os romanos os dominaram, mas os Teutões nunca se submeteram de maneira completa. Resistiram sempre e afinal deram cabo do Império Romano. Invadiram a Itália, destruindo tudo.

Depois formaram-se naquele território numerosas naçõezinhas, reinos, principados. Um dia tudo isso se unificou num bloco só — o Império da Alemanha. E o mundo começou a olhar com assombro para aquele povo. O estudo o fez o mais científico da Europa. Seus laboratórios operaram maravilhas. Suas escolas superiores criaram ninhadas de sábios, cada qual mais especializado que o outro. Este passava a vida inteira a estudar o líquido com que as aranhas fazem suas teias. Aquele compunha uma obra em vários volumes sobre o bico dos passarinhos. O resultado foi um quase monopólio da ciência. A palavra alemão virou sinônimo de ciência. E como aplicavam a ciência em tudo, começaram a influenciar o mundo inteiro.

Mas com a grandeza do Império veio o orgulho, e em 1914 a Alemanha desencadeou a maior guerra de todos os tempos — a primeira guerra mundial que a história menciona. O mundo coligou-se para abater a Alemanha porque do contrário a Alemanha tomava conta do mundo — e aquele Himalaia de orgulho foi vencido.

Foi vencido temporariamente. A Alemanha prepara-se de novo para outra guerra. Aquela gente não muda. É a mesma que os historiadores romanos pintavam como essencialmente guerreira — isto é, predatória, amiga de invadir a casa alheia e saquear o trabalho dos outros.

— E a senhora acha que é possível vir outra guerra mundial? — perguntou Pedrinho.

— Por que não? O mundo está dominado pelo Ódio, e do Ódio só pode sair a guerra. Os sociólogos não acreditavam na possibilidade de guerra em 1914, mas hoje a maioria deles admite a hipótese duma segunda guerra mundial.

— E são muitos os alemães?

— Setenta milhões — e a população cresce sempre. Sua capital, Berlim, é a cidade de serviços públicos mais perfeitos que existem. Hamburgo constitui o principal porto. E quantas cidades lindas tem! De Nuremberg, por exemplo, vocês haviam de gostar. É o grande centro da fabricação de brinquedos.

— Vamos para lá, vovó! — pediu a menina, já assanhada; mas teve de contentar-se com espiar Nuremberg pela luneta — e nunca viu tanto coelhinho, tanto cavalinho de pau, tanto carrinho, tanta boneca...

— E a superfície da Alemanha? — indagou Pedrinho.

— Quatrocentos e sessenta mil quilômetros quadrados — menor que a nossa Bahia. Notem que os mais importantes países do mundo ocupam territórios pequenos. E quanto menor o território, mais bem governados e felizes, como aquela Suíça, que vocês estão vendo lá entre a Alemanha, a França e a Itália. A despeito de ocupar apenas 41 mil quilômetros quadrados, com uma população de quatro milhões de habitantes, a Suíça é dos poucos países que fazem honra ao mundo. Funciona como um relógio — e é a maior fabricante de relógios que existe. Suas cidades e aldeias, repimpadas pelas encostas dos Alpes, equivalem a joias. Um encanto a Suíça. Um povo felicíssimo.

— E cheia de lagos, — disse a menina, que estava na luneta.

— Sim. A Suíça é isso: montanhas de picos nevados, florestas de pinheiros, chalés encantadores e lagos azulíssimos.

A Suíça foi gulosamente olhada por todos porque mais parecia presepe do que país. Depois Dona Benta voltou a luneta para a Dinamarca.

— Deixei a Dinamarca por último porque é para mim o país mais perfeito que existe. No dia em que todos ficarem como ele, o mundo entrará na Idade do Ouro. Basta dizer que a Dinamarca suprimiu o exército e a marinha, porque não tem inimigos, e suprimiu os asilos de mendicidade, porque também não tem mendigos.

— Mas por que ficaram assim?

— Trabalho e inteligência — e sobretudo bom senso. As terras eram as piores possíveis, de brejos, como as da Holanda, muito úmidas e frias. Mas os dinamarqueses foram arrumando aquilo, transformando-as em pastagens maravilhosas, aperfeiçoando as raças dos animais até chegarem ao ponto em que estão hoje: o povo mais sossegado, mais feliz, mais rico, mais contente com sua sorte, mais culto, mais bem informado e, por conseguinte, o mais civilizado. O constante mau tempo favoreceu a vida de interior — e eles começaram a ler, a ler, a ler. As estatísticas mostram que ninguém hoje no mundo consome mais livros do que os dinamarqueses. E tudo se faz lá com o maior capricho. O comércio é duma seriedade proverbial. Quando se diz: "Este produto é dinamarquês", isso corresponde a um atestado de qualidade que dispensa todos os outros.

— E de que vivem?

— Principalmente de leite e ovos. Aperfeiçoaram-se na indústria dos laticínios a ponto de, só eles, produzirem trinta por cento de toda a manteiga do mundo. Exportam-na sobretudo para a Inglaterra, para onde também mandam ovos aos milhões, e *bacon* às toneladas — aquele toicinho que vocês tanto apreciaram nos Estados Unidos.

E a Dinamarca tem ainda um mérito: é a pátria de Andersen, o amigo das crianças.

Ao ouvirem o nome de Andersen, os meninos bateram palmas. Sabiam de cor todos os contos do famoso contador de histórias.

— Vamos, vamos lá, vovó! Nem que seja por um instantinho. Vamos botar um ramo de flor no túmulo de Andersen...

E Dona Benta foi obrigada a chegar até Copenhague, a encantadora capital daquele país privilegiado, para uma visita ao túmulo de Hans Christian Andersen, o contador de histórias falecido já há tantos anos.

Narizinho depôs sobre a laje um buquezinho de violetas. Pedrinho escreveu nela o seu próprio nome, a lápis. O Visconde fez uma cerimoniosa reverência — e Emília... Emília — disse uma das suas asneirinhas...

O regresso d'"O Terror dos Mares" ao Brasil realizou-se a galope. Quindim não descansou de tanto lidar com o velame. Eram muito más as notícias recebidas de Rabicó. Voa, voa, Quindim! Em duas semanas chegaram. Foi o tempo de largarem a âncora e correrem ao sítio.

Mas quem imaginam vocês que estava a esperá-los na porteira do pasto? Rabicó em pessoa, mais roliço do que nunca — e já farejando os pacotes que os meninos traziam!...

— Que é isto? — exclamou Dona Benta, desapontada. — Pois então Rabicó não estava à morte?

— Eu bem desconfiei, sinhá, — disse Tia Nastácia. — Bem desconfiei que era peta do coronel Teodorico, só p'ra senhora voltar mais depressa. Ele ficou com saudade das prosas de toda noite ali na varanda — com o cafezinho que eu trazia e a peneira de pipocas, e inventou essa história da doença de Rabicó...

E havia sido aquilo mesmo.

Campos de Jordão, agosto, 1935.

Paradidáticos

História das invenções

Dona Benta costumava receber livros novos, de ciência, de arte, de literatura. Era o tipo da velhinha novidadeira. Bem dizia o compadre Teodorico: "Dona Benta parece velha mas não é, tem o espírito mais moço que o de muitas jovens de vinte anos".

Assim foi que naquele bolorento mês de fevereiro, em que era impossível botar o nariz fora de casa, de tanto que chovia, resolveu contar aos meninos um dos últimos livros chegados.

— Tenho aqui um livro de Hendrik Van Loon, — disse ela, — um sábio americano, autor de coisas muito interessantes. Ele sai dos caminhos por onde todo mundo anda e fala das ciências dum modo que tudo vira romance, de tão atrativo. Já li para vocês a geografia que ele escreveu e agora vou ler este último livro — *História das Invenções do Homem, o Fazedor de Milagres*.

Era um livro grosso, de capa preta, cheio de desenhos feitos pelo próprio autor. Desenhos não muito bons, mas que serviam para acentuar suas ideias.

— E quando começa? — quis saber Narizinho.

— Hoje mesmo, no serão. Podemos começar logo depois do rádio.

Já havia lá no sitio um rádio de ondas curtas, que pegava as irradiações de numerosas estações estrangeiras, Estados Unidos, Inglaterra, Alemanha, Rússia, e "depois do rádio" queria dizer depois das sete horas, porque das seis às sete nunca deixavam de apanhar a irradiação de Pittsburgh, que é uma das estações estrangeiras de maior força.

Terminada naquele dia a hora de Pittsburgh, todos se reuniram em redor de Dona Benta, ainda com os ouvidos cheios das músicas, e falações americanas.

— Comece, vovó! — disse Pedrinho.

E Dona Benta começou.

— Este livro não é para crianças, — disse ela; — mas se eu o ler do meu modo, vocês entenderão tudo. Não tenham receio de me interromperem com perguntas, sempre que houver qualquer coisa obscura. Aqui está o prefácio...

— Que é prefácio? — perguntou Emília.

— São palavras explicativas que certos autores põem no começo do livro para esclarecer os leitores sobre as suas intenções. O prefácio pode ser escrito pelo próprio autor ou por outra pessoa qualquer. Neste prefácio o senhor Van Loon diz que antigamente tudo era muito simples...

— Tudo o quê?— interrompeu Pedrinho.

— A explicação das coisas do mundo. A Terra formava o centro do Universo. O céu era uma abóbada de cristal azul onde à noite os anjos abriam buraquinhos para espiar. Esses buraquinhos formavam as estrelas. Tudo muito simples.

Mas depois as coisas se complicaram. Um sábio da Polônia, de nome Nicolau Copérnico, publicou um livro no qual provava que a terra não era fixa, pois girava em redor do sol, e as estrelas não eram brinquedinhos dos anjos, sim sóis imensos, em redor dos quais giravam milhões de terras como a nossa.

Isso veio causar uma grande trapalhada nas *ideias assentes*, isto é, nas ideias que estavam na cabeça de todo mundo — e por um triz não queimaram vivo a esse homem. Afinal a sua ideia venceu e hoje ninguém pensa de outra maneira.

A astronomia, que é a ciência que estuda os astros, tomou um grande desenvolvimento. Os astrônomos foram descobrindo coisas e mais coisas, chegando à perfeição de medir a distância dum astro a outro, e pesar a massa desses astros. As distâncias entre os astros eram tão grandes que as nossas medidas comuns se tornaram insuficientes. Foi preciso criar medidas novas — *medidas astronômicas*.

— Por que? — perguntou Narizinho. — Com o quilômetro a gente pode medir qualquer distância. É só ir botando zeros e mais zeros.

— Parece, minha filha. As distâncias entre os astros são tamanhas que para medi-las com quilômetros seria necessário usar carroçadas de zeros, de maneira que não haveria papel que chegasse. E então os astrônomos inventaram o "metro astronômico" ou a "unidade astronômica", que é como eles dizem. Essa unidade, esse metro, tinha 92.900.000 milhas.

— Que colosso, vovó! Eu acho que fizeram um metro grande demais...

— Pois está muito enganada, minha filha. As distâncias entre a Terra e as novas estrelas, que com os modernos telescópios foram sendo descobertas, acabaram deixando essa medida pequena. E então o astrônomo Michelson propôs outra medida: o ano-luz.

— Que história é essa?

— Michelson verificou que a luz caminha com a velocidade de 299.820 quilômetros por segundo. Multiplicou esse número por sessenta para obter a velocidade da luz num minuto, ou um *minuto-luz*. Depois multiplicou isso por sessenta para obter a velocidade da luz numa hora, ou uma *hora-luz*. Depois multiplicou isso por 24 para obter um *dia-luz*, e finalmente multiplicou o *dia-luz* por 365 por obter o tal *ano-luz*.

— E que obteve?

— Obteve 9.455.123.520.000 quilômetros. Quer dizer que num ano um raio de luz caminha a distância de 9 trilhões, 455 bilhões, 123 milhões, 520 mil quilômetros.

— Puxa! — exclamou Pedrinho. — Até dá tontura na gente...

— Pois é isso. Os astrônomos tiveram de criar esse monstruoso metro para medir a distância entre os astros; e, por imenso que seja tal metro, mesmo assim eles têm que recorrer aos zeros para a medição de certas distâncias. Já se conhecem astros à distância de trinta mil anos-luz de nossa Terra, imaginem!

— Cáspite!

— Pois bem, isto que os astrônomos fizeram para os astros, outros homens de ciência fizeram para o *contrário dos astros*, isto é, para as *moléculas* e *átomos*, que são coisinhas infinitamente pequenas. Chegaram a medir átomos que têm o tamanhinho de uma trilionésima parte de milímetro.

— Será possível? Um milímetro já é uma isca que a gente mal percebe...

— Imagine agora o que é um milímetro dividido em um trilhão de partes iguais! Isto serve para mostrar até onde vai o homem com a sua ciência. Mede a distância entre a terra e um astro que está a trinta mil anos-luz daqui; e mede uma partícula de matéria que tem 1/1.000.000.000.000 de milímetro. Ora, neste livro o senhor Van Loon trata de mostrar como esse bichinho homem, que já foi peludo e andava de quatro, chegou a desenvolver seu cérebro a ponto de medir a distância entre os astros e a calcular o tamanho dos átomos.

— Como foi isso?

— Inventando coisas. O homem é um grande inventor de coisas, e a história do homem na Terra não passa da história das suas invenções com todas as consequências que elas trouxeram para a vida humana. É mais ou menos isto o que Van Loon diz neste prefácio. Vamos agora ver o capítulo número um.

— Depois da pipoca, vovó! — gritou Narizinho farejando o ar.

De fato, da cozinha entrou para a sala o cheiro da; pipocas que Tia Nastácia estava rebentando. Pipoca à noite foi coisa que nunca faltou no sítio de Dona Benta.

Capítulo I
O BICHO INVENTOR

Depois que na peneira de pipocas só ficaram os piruás, isto é, os grãos de milho que não rebentam, Dona Benta continuou:

— Van Loon começa este capítulo assim: "Um belo dia um grãozinho de pó pesando apenas 6.000.000.000.000.000.000.000.000.000.000.000.000.000.000.000.000.000.000.000 de toneladas destacou-se do Sol para começar sua vida própria pelo Espaço.

— Nossa Senhora! — exclamou a menina. — Nem Quindim é capaz de ler esse número.

— Esse fato, — continuou Dona Benta, — não causou nenhuma perturbação no céu. Era tão pequenininho o tal grão de pó destacado do Sol, que nenhuma das outras estrelas deu pela coisa. É nesse microscópico grão de poeira que vivemos, meus filhos. Somos uma poeirinha viva sobre esse grãozinho de poeira astronômica... E os outros astros são também grãos de poeira, com certeza habitados por seres absolutamente incompreensíveis para nós. Pois bem, no nosso grãozinho de poeira formou-se a Vida, surgiram os animais, que são seres com vida, e pelo espaço de milhões e milhões de anos os animais se foram revezando no domínio da terra, ora vencendo uma espécie, ora vencendo outra, até que apareceu o homem, o atual vencedor.

— Atualmente só, vovó? Não poderá ficar o vencedor sempre?

— Impossível responder, minha filha. Assim como no animal homem surgiu essa inteligência que lhe deu o domínio da terra, pode surgir outra forma de inteligência, mais apurada, em outro qualquer ser, numa planta, num peixe, numa formiga, num micróbio — e o homem terá de entregar o cetro de Rei dos Animais, desaparecendo da superfície da Terra como tantos outros reis já desapareceram.

— Mas como o homem tomou conta da Terra?

— É o que Van Loon procura explicar nesse capítulo. Logo que a crosta se resfriou a ponto de permitir a Vida, a Terra se foi povoando rapidamente duma infinidade de plantas, de animais cascudos e de seres que viviam no seio das águas. Se eu fosse Van Loon contava a coisa de outra maneira, porque estou convencida de que a planta é tudo, e que todos os animais não passam de parasitas, ou pragas da planta.

— A senhora já disse isso na Geografia, — lembrou Pedrinho.

— Pois é. Veio a Planta, numa infinidade de espécies vegetais de todos os tamanhos e tipos; e a abundância de vegetais trouxe consigo a abundância de animais, isto é, de parasitas da planta.

Desses animais muitos nunca deixaram as águas e foram os antepassados dos peixes que existem hoje — esses que o homem pesca, salga e enlata, para empregá-los na alimentação.

Outros, os antepassados dos lagartos e das cobras que existem hoje, ocuparam tais extensões da Terra (como sabemos pelos fósseis encontrados) que com certeza foram os reis da criação em seu tempo. Algum lagartão de tamanho descomunal havia de rir-se dos outros seres, como nós hoje nos rimos de todos, e havia de chamar-se a si mesmo Rei dos Animais. Isso porque durante milhões de anos o clima da Terra, as chuvas torrenciais e a excessiva umidade do ar *favoreciam* o desenvolvimento desse tipo de vida. Nós somos um tipo de vida. A planta é um tipo de vida. O micróbio é um tipo de vida. Nessa época a que me estou referindo o clima favorecia o tipo de vida representado pelos *Saurios*, animais que tanto viviam na terra como na água.

— E grandes, não?

— Monstruosos, minha filha. Atingiam proporções que nos enchem de espanto. Dentro d'água deviam dar ideia de embarcações, de iates ou submarinos em movimento. Surge agora um problema. Como foi que esses monstros, que eram os donos da Terra, desapareceram por completo? Só temos notícias de sua existência pelos esqueletos encontrados nas escavações, ou conservados dentro dos gelos eternos. Como foi que desapareceram?

Aqui entram em cena as hipóteses. Van Loon opina que as causas do desaparecimento deviam ter sido várias, e cita uma bastante curiosa. Diz ele que esses animais se foram desenvolvendo de tal maneira, crescendo tanto, encoscorando tanto nos cascões de defesa, aumentando de tal forma a força e o tamanho das garras e dos chifres, que acabaram vítimas do excesso de força.

E faz uma comparação muito curiosa com as modernas potências militares, ou Grandes Potências, como se diz. Esses países estão se armando de tal maneira na terra, no mar e no ar, estão se fortificando com tamanho número de canhões, tanques, metralhadoras, carabinas, gases mortíferos, navios encouraçados, submarinos, aviões de bombardeio, etc., que acabarão vitimados pelo excesso de armamentos, do mesmo modo que os grandes sáurios de outrora[17].

Ficaram tão grandes, esses sáurios, tão pesados em suas armaduras, que acabaram vencidos pelo peso do armamento. A carga tornou-se excessiva. Perderam a mobilidade e foram morrendo de fome, atolados nos lameiros, quando uma mudança qualquer de clima trouxe escassez de vegetação.

— Compreendo, — disse Pedrinho. Se os bois tão lindos que o coronel Teodorico tem no Pasto Grande ficarem sem aquele famoso capim gordura que cresce lá, levam a breca, a não ser que o coronel os mude para outro pasto.

— Isso mesmo. — Se sobrevier uma mudança de clima que mate todo aquele capim, e se os bois estiverem gordos demais a ponto de não poderem andar, ou o compadre os tira de lá ou eles morrem de fome. Os sáurios daquele tempo perderam o pasto — e como não tinham nenhum compadre que os acudisse, foram desaparecendo um por um. Hoje vemos os seus esqueletos nos museus — e os pobres museus ficam tontos para acomodar tamanhas carcaças. Basta uma delas para encher toda uma sala imensa.

---

17 Isto foi escrito muito antes do rompimento da Segunda Guerra Mundial.

Violentas mudanças de climas deviam ser mais frequentes naquelas épocas do que hoje, porque à medida que a Terra vai envelhecendo vai criando juízo — há menos mudanças bruscas, menos terremotos, menos erupções vulcânicas. Um dia chegaremos ao estado em que está a Lua, um estado parado, caduco, morto, que quase não muda — e será então o começo do fim da nossa Terra.

Pois foi assim que os milhões de enormes sáurios que dominavam a Terra desapareceram completamente, isso muito antes que os grandes mamíferos e o homem dessem sinal de si.

Mas afinal o homem deu sinal de si. Apareceu. Não de súbito, do dia para a noite, caído das nuvens. Foi aparecendo aos poucos, gastando milhares de anos. Apareceu juntamente com os macacos, os chimpanzés, os orangotangos, os gorilas. Era um deles. Peludo, andando de quatro, feiíssimo. Dessa grande família macacal um ramo começou a modificar-se num certo sentido, até virar no que chamamos Homem. Outros ramos desenvolveram-se em sentido diferente e ficaram o que são hoje — os Símios. Outros desapareceram.

Andavam de quatro pés. Os do ramo macaco-homem aprenderam a andar sobre dois apenas, e os dois pés que sobravam lentamente se foram transformando em mãos. Foi um enorme progresso, porque para caminhar sobre a terra quatro pés são demais. Dois bastam. E dois bastando, sobram dois, que virando mãos se tornam de grande utilidade para o indivíduo.

O primeiro grande passo, o primeiro grande progresso dessa espécie animal foi esse — transformar dois pés em duas mãos. Tudo mais decorre daí. Puderam mudar de hábitos, e tanto caminhar sobre o chão como sobre as árvores, desse modo adquirindo enormes vantagens sobre os que só andavam no chão. Viraram acrobatas maravilhosos. Aprenderam a dar saltos dum galho a outro, duma árvore a outra, escapando assim com facilidade de todos os inimigos quadrúpedes. E naquela Terra em que os Sáurios já tinham sido os dominadores absolutos, os Símios entraram a dominar.

Mas deu-se outra mudança na superfície da Terra. As águas retraíram-se e as áreas de terra firme aumentaram. A temperatura também diminuiu, com o ar já menos úmido. As condições, portanto, se tornaram menos favoráveis para a vida das plantas. Em vez da floresta ser uma coisa contínua, começou a sofrer interrupções (isso em milhares de anos). Interrompia-se aqui para só recomeçar muito lá adiante. Surgiram manchas de campo, isto é, de chão revestido de vegetais rasteiros. As florestas ficaram como ilhas dentro do mar de vegetação rasteira.

Isso veio mudar a vida dos Símios, sobretudo daquele ramo donde ia sair o Homem. Já o futuro Homem não podia, como antes, viver exclusivamente sobre as árvores, locomovendo-se por entre as copadas. Quando a floresta parava e começava o campo, ele tinha de refletir, de estudar o caso.

Também as montanhas se ergueram naquele tempo a muito maior altura por causa do abaixamento das águas, de modo que os nossos antepassados, além da barreira dos campos, tiveram ainda a atrapalhá-los a barreira das montanhas. E então a Lei da Sobrevivência dos mais aptos, que nunca deixa de agir, fez valer a sua força.

— Que lei é essa, vovó?

— Quer dizer que na luta pela vida, na luta entre as espécies ou contra as coisas que nos rodeiam, vence sempre o mais apto, isto é, o mais esperto, o mais jeitoso, o mais preparado para mudar de sistema quando isso convém. O nosso macaco-

-homem já estava com a inteligência mais alerta que a dos outros e se ia adaptando às mudanças verificadas na superfície da Terra. Vencia as dificuldades. Sobrevivia. Era o mais apto, como se diz em linguagem científica, e o mais apto sobrevive sempre, isto é, continua a viver enquanto o menos apto leva a breca.

Aquele animal peludo que se mostrava mais apto que os outros, que já pensava, que já estudava as situações comparando uma coisa com outra, que já fazia tudo para sobreviver, que já havia transformado dois pés inúteis em duas mãos utilíssimas, lutou de rijo contra os novos obstáculos que as mudanças na superfície da Terra criaram e adaptou-se a eles. Acabou vencendo.

— Como?

— Tornando-se o que precisava ser. Tornando-se INVENTOR. Com os inventos que ia fazendo *aumentava o seu poder sobre a natureza*, e não se deixava vencer pelos obstáculos. A partir dessa época a Terra viu proliferar sobre sua crosta um bicho diferente dos demais. Um animal que criava coisas. Um animal que inventava. O Homem, enfim.

Quando hoje falamos em invenção imediatamente nos vêm à ideia as últimas grandes invenções humanas, como o rádio, a televisão, o cinema falado. Naquele tempo o pobre bicho peludo só inventava coisas extremamente simples, que depois ia aperfeiçoando. E como uma invenção sai de outra, as grandes invenções de hoje não passam do desenvolvimento das modestas invençõezinhas dos nossos antepassados peludos.

— Mas era só o bicho homem que inventava? — perguntou Pedrinho.

— Não. Todos os animais possuem uma certa capacidade inventiva. As aves, por exemplo, inventaram os ninhos, alguns bastantes engenhosos. As aranhas inventaram um variado sistema de teias para apanhar insetos. As abelhas e as formigas inventaram inúmeras coisas para resolver seus problemazinhos de alimentação e moradia. Os castores se tornaram verdadeiros arquitetos. Mas esses animais, depois de inventarem uma certa coisa boa para eles, paravam. O homem não. O homem nunca parou de inventar, mais, mais, mais, sempre mais, e desse modo foi desenvolvendo a sua capacidade inventiva até distanciar-se infinitamente de todos os outros seres que habitam a Terra.

Os ninhos, as teias de aranha, as construções dos castores, por exemplo, são sempre os mesmos. Eram há dois mil anos o mesmo que são hoje e daqui a mais dois mil anos serão ainda o mesmo. Já o homem está mudando sempre, inventando sempre, aperfeiçoando sempre. As casas de há dois mil anos eram muito diversas das de hoje, e as do ano 3000 vão ser muito diferentes das de agora.

Os outros animais só inventaram para dois fins: garantir a alimentação e a morada. Conseguindo isso, pararam. Parece que o espírito inventivo deles adormeceu. O homem, não. Quanto mais inventa, mais quer inventar e mais inventa. Nunca parou, nem nunca parará. E a coisa vai com tamanha velocidade, que é impossível prever o que seremos daqui a alguns milhares de anos.

— Pois até bonecas pensantes, falantes e asneirantes nós já inventamos, — murmurou Narizinho com os olhos na Emília.

Dona Benta riu-se e prosseguiu:

— A raça humana começou com uma enorme vantagem. A vida dos homens primitivos sobre as árvores, com a agilidade e alertza que eles precisavam ter, deu-lhes uma forte superioridade sobre os seres que viviam no chão. Tinham de usar muito mais o cérebro do que os quadrúpedes de baixo, que só usavam a força bruta. Depois, quando veio a mudança de que falei e eles se viram diante das florestas diminuídas, dos tais campos rasos e das tais barreiras de montanhas, já estavam suficientemente ágeis para, mesmo fora das florestas, livrar-se dos perseguidores.

Os que tiveram de desistir das florestas, para morar unicamente em planícies despidas de vegetação alta, aperfeiçoaram-se com rapidez na arte de andar de pé, sem a ajuda das mãos (nas florestas caminhavam segurando-se com as mãos nos troncos do caminho), tiveram de contar unicamente com os pés, já que as mãos não tinham em que agarrar-se. E aquelas mãos, que a princípio só serviam para ajudar aos pés, começaram a ter outros empregos. Começaram servir para segurar coisas, para *carregar* coisas, para *despedaçar* coisas. Foi um grande progresso. Os outros animais não podiam fazer isso. Para segurar, carregar e despedaçar coisas só usavam os dentes; o bicho-homem segurava, carregava e despedaçava com as mãos, conservando os dentes livres para a defesa. Como vocês estão vendo, a vantagem era enorme.

Foi esse o grande passo que o bicho-homem deu, e que lhe permitiu distanciar-se de todos os outros animais. Dali por diante suas invenções seriam sempre no sentido de aumentar o poder dos pés e das mãos — como também *aumentar* o poder dos olhos, dos ouvidos e da boca, e aumentar a resistência da pele. Graças a esses aumentos o homem ganhou Eficiência, isto é, ganhou um poder tão grande que o fez o rei da Terra. Hoje quem manda é ele — e a não ser que a faculdade da invenção se desenvolva tremendamente numa formiga ou num micróbio, o homem continuará rei enquanto a Terra for a Terra.

— Então a Terra pode algum dia deixar de ser a Terra? — perguntou Pedrinho.

— Se as condições de clima que temos hoje mudarem de modo que a vida se torne impossível, como na Lua, então a nossa Terra deixará de ser este maravilhoso canteiro da Vida para tornar-se uma coisa morta como a Lua. É nesse sentido que falei. Se todos desaparecermos, se isto aqui ficar uma aridez sem sinal de vida, como a Lua, então a Terra deixará de ser a Terra. Terra é o nome que demos ao grãozinho de pó. Se desaparecermos, desaparece também a denominação que lhe demos, e portanto desaparece a Terra...

Os meninos ficaram pensativos. Dona Benta — continuou:

— Mas isso não foi tudo. Além da diminuição das florestas e do elevamento das montanhas, o bicho-homem teve de lutar contra outro terrível fenômeno daqueles tempos: o *enregelamento* de enorme parte da superfície da Terra. Os sábios chamam a isso *Glaciação*. Houve vários *Períodos Glaciais*, em que os gelos tomaram conta do mundo só poupando uma faixa lado a lado do Equador. A temperatura baixou muito. As condições de vida tornaram-se duríssimas. Os animais e as plantas tiveram de ir recuando para a faixa do Equador, único ponto onde a vida lhes era possível.

Ora, todos os animais e plantas são por natureza preguiçosos. Repare naquele gatinho ali. Se está com a barriga cheia, o que quer é dormir, e não fazer nada, Todos os seres são assim. Querem e preferem o sossego, a paz, a ausência de trabalho. Seja leão, camarão ou pulga, se podem estar cochilando não estão trabalhando. E o bicho-homem também devia ser assim. Mas aquelas sucessivas calamidades, e por último a invasão dos gelos, o tornaram terrivelmente alerta e trabalhador.

A necessidade põe a lebre a caminho, diz o ditado — e foi a necessidade que botou no caminho do progresso os nossos antepassados peludos. Tiveram de correr, de pensar depressa, de inventar uma, duas, dez e cem coisas diferentes para vencer os obstáculos que as mudanças de clima e outras lhes vinham criando.

O gelo equivaleu ao mais formidável dos chicotes. Horrorizado com a perspectiva de morrer de frio, o bicho-homem deu tratos à bola e acabou despertando o imenso Poder que jazia adormecido em suas mãos, em seus pés, em seus olhos e em sua boca, a ponto de tornar-se essa Força da Natureza que hoje é. Porque, meus filhos, os atuais descendentes do pobre bicho-homem são hoje uma Força da Natureza. O que ele tem feito é prodigioso. Milagres sobre milagres. Milagres que deixam a perder de vista o que ele, na sua ingenuidade religiosa, chama milagres.

Era hora de dormir. Emília rematou a noitada com uma asneirinha a que ninguém deu atenção porque todos estavam de olhos muito abertos, pensativos. As palavras de Dona Benta haviam enchido a cabeça das crianças com um panorama tremendo — e nos sonhos daquela noite houve até pesadelos. Narizinho sonhou que seus pés também se tinham transformado em mãos, o que a deixava atrapalhadíssima. "Como andar agora?" E Emília, que estava perto, asneirou: "Sentada em cima de Rabicó; com os quatro pés do Marquês e as quatro mãos nasais, você vira um novo "tipo de vida", capaz de tomar conta do mundo — vira um *Rabicauro*". "Que história é essa, Emília?" — perguntou a menina; e o diabrete — respondeu: "Assim como a combinação de homem e cavalo produziu o Centauro, a combinação de você com Rabicó produzirá um *Rabicauro*..."

Essa asneira da Emília foi classificada como a Asneira Nº 1.

Capítulo II
DA PELE AO ARRANHA-CÉU

No serão do dia seguinte Dona Benta continuou:

— Meus filhos, todas as invenções humanas têm um objetivo comum: *poupar esforço*, fazer as coisas com o mínimo trabalho possível. Desse modo o prazer do homem aumenta, porque o esforço é sempre desagradável. Se eu posso levar aquela pedra dali da porteira até a casa do compadre com um esforço igual a dez, meu prazer se torna dez vezes maior do que se eu tivesse de levá-la fazendo um esforço igual a cem. Isto é claro como a água do pote.

Daí vem dizer-se que a *Lei do Menor Esforço* é a lei que rege o progresso humano. No começo o homem tinha de fazer tudo unicamente com a força dos seus músculos, e o esforço era penosíssimo, era doloroso. Progresso quer dizer isso: fazer as coisas cada vez com menor esforço e, portanto, cada vez com maior prazer. E para libertar-se do esforço o homem foi aumentando a sua eficiência.

— Como?

— Pelo aperfeiçoamento, pelo desenvolvimento das suas faculdades naturais, isto é, da faculdade de falar, de andar, de ouvir, de enxergar. Se eu dobro a força dos meus olhos com um invento qualquer (com um vidro de aumento, por exemplo), estou aumentando a eficiência, ou o poder dos meus olhos. Se multiplico a minha capacidade de andar usando o trem ou o automóvel, aumento a eficiência dos meus pés. De modo que todos os progressos humanos não passam da multiplicação do poder dos olhos, da boca, dos pés, das mãos e dos ouvidos e — da resistência da pele.

— Da pele também, vovó? — admirou-se Narizinho.

— Pois decerto. Esse aumento da resistência da pele foi dos mais importantes, porque garantiu a *sobrevivência* do homem. Se hoje encontramos o homem no mundo inteiro, seja nas regiões frigidíssimas do círculo ártico, seja nas zonas tórridas do Equador, isso se deve ao aumento da resistência de sua pele.

— Mas não há tal aumento de resistência, vovó, — disse Pedrinho. — Se a gente levar um esquimó para a África, ele morre; como morre um negro da África se o pusermos nos gelos.

— Não morrerá nem um nem outro, se se utilizarem das invenções que o homem fez para garantir a pele. A invenção da roupa manterá a vida do negro lá na região ártica, e a invenção dos refrescos e ventiladores manterá a vida do esquimó lá na África.

— Mas se puserem os dois nus, o negro no gelo e o esquimó no forno africano? — lembrou Emilia.

— Nesse caso ambos morrerão; mas esse caso não é o nosso caso. O nosso caso é o do homem *aumentado* pelas suas invenções. Sem essas invenções o esquimó e o negro morreriam; mas com as invenções ambos sobreviveriam.

Desde o começo da vida dos animais na Terra o estado de nudez ficou sendo a regra. Nenhum teve a lembrança de dobrar a resistência da pele botando em cima do corpo uma pele suplementar. O bicho-homem teve essa ideia. Isso lhe deu a vitória, permitindo-lhe invadir todos os climas e desse modo tomar conta do globo.

Quando vinham os frios duma estação invernosa, todos os outros animais só sabiam fazer uma coisa: esconder-se nas cavernas, ou lugares mais abrigados. O bicho-homem foi adiante. *Dobrou* sua pele, metendo-se dentro duma pele tirada dum animal peludo, como o urso. O pelo da pele dos ursos e dos outros animais era a defesa única que eles tinham contra o frio — defesa dada pela natureza, não inventada por esses animais. O homem inventou botar sobre o corpo a pele dos ursos, multiplicando assim a sua capacidade de resistência ao frio. Foi ou não foi inteligente?

— Inteligentíssimo, vovó! Estou já me entusiasmando com a esperteza dos nossos brutíssimos antepassados, — disse Pedrinho.

— Mas era uma coisa tão simples... — observou a menina.

— Para nós hoje, que já estamos com a inteligência muito desenvolvida, parece simples. Lembre-se, porém, de que essa ideia só ocorreu a uma espécie animal das milhares de espécies existentes no mundo. Só ao bicho-homem! E é fácil imaginar que espantos causou aos seus irmãos o primeiro que fez isso — que apareceu na caverna envolto numa pele de urso. Talvez espanto maior que o causado pelo primeiro automóvel, isto é, pelo primeiro carro sem cavalos que passou pelas ruas duma cidade. Todos deviam ter aberto a boca, atônitos.

Mas como ele se risse e — dissesse que estava quentinho, enquanto os demais tiritavam de frio, o *espírito de imitação* fez que todos saíssem em busca de peles.

E desde então o homem trocou o estado de nudez pelo estado de vestido, *aumentando* enormemente o poder de resistência da pele.

Da pele de urso pela primeira vez usada pelo bicho-homem — e, portanto, invenção sua — saíram todos os maravilhosos tecidos que usamos hoje — de linho, de seda, de algodão, de lã, de rayon...

No começo o vestuário era constituído somente de peles nem sequer curtidas; secavam-nas ao sol simplesmente — e é fácil imaginar o horror dos guarda-roupas da época. Fedentina medonha: com a umidade as peles apodreciam infeccionando as cavernas; e com o sol ressecavam, tornando-se incômodas e quebradiças. Isso fez que tratassem de descobrir coisa melhor que a pele crua — e desse *tratar de descobrir* veio toda a maravilha dos tecidos modernos.

Antes de aparecerem esses tecidos, porém, o homem descobriu o meio de transformar a pele crua no que chamamos couro curtido. Sabe o que é curtir couros, Pedrinho?

— Sei vovó, e até já estive num curtume. Eles mergulham o couro cru num tanque d'agua misturada com *tanino*, e depois de vários dias de banho o couro fica diferente — fica curtido. Não apodrece mais com a umidade e torna-se macio.

— E que tanino é esse? — quis saber a menina.

— O tanino é uma substância que existe em certas plantas. Lá no curtume em que eu estive eles usavam a casca duma árvore chamada *barbatimão*, que é muito rica em tanino. Eu mordi um pedaço dessa casca. Tem um gosto ácido de banana verde.

— É que a banana verde contém muito tanino, — explicou Dona Benta. — Pois os nossos antepassados fizeram logo essa invenção. Tratando as peles cruas em banhos de tanino, transformavam-nas em couro curtido, que é macio e não apodrece. Todas as peles que usamos hoje são curtidas.

Mas a pele dos animais não bastava para vestir tantos homens que já havia, além de que em muitos pontos as peles rareavam. Foi necessário descobrir substitutos. No Egito, e naquela Mesopotâmia famosa, os homens tanto experimentaram fazer tecidos desta ou daquela fibra de planta, que por fim descobriram o linho. Chama-se linho a fibra duma planta classificada pelos botânicos de *Linum usitatissimum*. A gente de lá não tinha de defender o corpo contra o frio, mas sim contra o calor, pois são regiões quentíssimas. O linho resolveu o problema. Veste o corpo com toda a maciez e afasta o calor. Mas o que estou contando em meia dúzia de palavras, quantos anos levou para ser realizado? Quantos milhares de anos não levou o homem a usar peles enquanto não achava substitutos?

— Eu calculo em 2500 anos, — sugeriu Emilia.

— Não seja boba, — disse Narizinho. — Continue vovó.

— Logo que um invento desses era feito, espalhava-se por toda a parte, de modo que a aplicação do invento se ia *generalizando*. Os chineses descobriram que com o fio do casulo duma lagarta também era possível fazer tecidos — e apareceu a seda e a criação do bicho da seda. O homem ficou com o linho e a seda. O algodão também já era conhecido...

— Onde surgiu o algodão?

— Um antiquíssimo historiador grego, Heródoto, fala que veio da Índia, mas não temos meios de saber com certeza. É antiquíssimo, embora só modernamente sua cultura tomasse a grande extensão que tomou. Hoje a base do vestuário humano é o algodão. Mais que a lã, mais que a seda, que o linho, que tudo.

    Os povos naqueles tempos eram vitimados por calamidades constantes. Cada inverno rigoroso dava lugar a hecatombes, sobretudo de crianças. O problema do vestuário ainda não estava bem resolvido. Só seria bem resolvido com a lã – e a lã apareceu. Os homens tiveram a esperteza de domesticar um animalzinho que os romanos chamavam *ovis* e nós chamamos ovelha ou carneiro – um animal muito tímido, de muito bom gênio, que só sabe fazer três coisas: obedecer ao pastor, pastar capim e produzir lã. Todos os anos tosavam-lhe a lã e com ela teciam um vestuário quentinho, o melhor de todos para as regiões frias.

    — E onde começou isso?

    — No centro da Ásia. Foi do Turquestão que a indústria da lã se espalhou para a Grécia, para a Roma e para o resto do mundo, chegando até àquelas ilhas nevoentas que hoje chamamos Ilhas Britânicas. As Ilhas Britânicas se tornaram mais tarde o maior centro mundial dos tecidos de lã. Ainda hoje quem veste o mundo, com a lã dos carneiros que se criam na Austrália e em outras colônias, é a Inglaterra. Os ingleses construíram máquinas aperfeiçoadíssimas para limpar, alisar e tecer a lã. Ficaram os reis da lã, os mestres. Quando a gente diz "casimira inglesa", todos tiram o chapéu.

    — É por isso que entre nós há tantas casimiras inglesas, — observou Pedrinho, — ainda que tenham o cheirinho do Brás[18] onde são fabricadas...

    — O que a Inglaterra fez com a lã, a China fez com a seda. Foi na China que se desenvolveu a cultura do *Bombix mori*, uma lagarta que para enrolar o casulo tira das suas glândulas quase mil metros dum fio finíssimo. Os homens tomam esses casulos e desenrolam o fio, formando as meadas de seda com que tecem os mais lindos tecidos que existem.

    Os chineses consideravam a seda como de origem divina, e uma rainha de nome Si-lung, esposa do grande imperador Huang-ti, que reinou mais de mil anos antes de Cristo, foi a primeira pessoa que fez um estudo científico do maravilhoso bichinho.

    — Mas então o *Bombix* era também um grande inventor, — disse Narizinho: — Inventou um casulo feito de fio de seda enroladinha.

    — Perfeitamente. Mas fez esse invento e parou. Se tivesse a faculdade inventiva tão grande quanto a do homem, teria ido além. Parou no fio. O homem tomou o fio e dele tirou as maiores maravilhas que há em tecidos — os crepes, os cetins, os veludos, os tafetás, as musselinas, etc.

    Os chineses conservaram essa indústria em segredo por mais de vinte séculos. Era um segredo sagrado. Por fim o Japão conseguiu importar de lá umas chinesinhas na posse do segredo e também se fez grande produtor de seda. Mais tarde uma princesa da China fugiu para a Índia, levando escondidos no penteado sementes da amoreira e ovos do *Bombix* — e na Índia a indústria da seda também se desenvolveu. A folha da amoreira constitui o alimento exclusivo da lagarta.

    — Quer dizer então que a seda não passa de folhas de amoreiras transformadas em fios pelas glândulas da lagartinha maravilhosa? — perguntou a menina.

---

18 Bairro industrial de São Paulo.

— Isso mesmo. Mas a seda foi por muito tempo uma preciosidade que só os príncipes ou os grandes magnatas podiam usar. Era caríssima. Um dia dois monges persas, de viagem pela China, conseguiram atravessar as fronteiras com mudas da amoreira e ovos do *Bombix* ocultos num canudo de bambu, e vieram orgulhosos oferecer o régio presente ao imperador de Constantinopla. Anos depois estava Constantinopla transformada no centro das sedas do mundo ocidental.

Quando os Cruzados saquearam essa cidade levaram de lá canastras e mais canastras de peças de seda, espalhando-as por toda parte como grande novidade, isso trinta séculos depois da criação da indústria na China. A seda ficou então conhecidíssima, mas sempre como coisa preciosa. Um príncipe da Borgonha contava com orgulho que no enxoval da sua filha figurava um "par de meias de seda". E mais tarde a Imperatriz Josefina quasi arruinou o seu marido Napoleão, tanta era a seda que encomendava para o seu vestuário.

A fúria das mulheres europeias em usar sedas foi crescendo a ponto de já não haver Bombix que chegasse. Seda! Seda! Seda! era o grito universal das elegantes. O gênio inventivo do homem, então, pôs-se em campo para resolver o problema. Tinha de inventar a seda artificial, barata — e a seda artificial surgiu. Com a mesma matéria prima com que se faz o papel, chamada celulose, os químicos criaram o rayon, ou seda artificial. Liquefazem a celulose e deixam-na escorrer em fiozinhos, que secam, ficando com o mesmo brilho e a mesma flexibilidade da seda natural. Infelizmente não possuem a mesma resistência e duração. Por mais esperto que seja o homem, o Bombix ainda se ri da seda que o homem faz.

Mas reparem que tudo isto não passa de desenvolvimento da primitiva ideia do bicho-homem, de cobrir o corpo com uma pele de urso. O difícil foi ter essa ideia. O resto veio naturalmente, como consequência forçada. E assim com todas as invenções. O difícil é sempre o primeiro passo. Dado o primeiro passo, o resto vem naturalmente.

Tia Nastácia entrou nesse instante, muito aflita, dizendo que Emília estava brigando com o Quindim.

— Já sei, — disse Dona Benta. — Com certeza quer convencê-lo a andar vestido. Que se arrumem por lá. São nove horas e quero dormir. Fica o resto para amanhã.

Capítulo III
DA PELE AO ARRANHA-CÉU
(Continuação)

No outro dia, quando Dona Benta abriu o livro de capa preta, Narizinho — disse:
— Com que então, vovó, aquele vestidinho meu, duma gaze tão linda, que a senhora me fez para o casamento da Joyce Campos, não passa da evolução duma pouco cheirosa pele de urso?

— Isso mesmo. Nem aquele vestido, nem o sobretudo novo de Pedrinho, que ele com tanto orgulho chama *overcoat*, nem os vestidos magníficos da Gloria Swanson em suas fitas, nem os vestidos das princesas de verdade que se casam com príncipes de sangue real, nem o macacão azul com que os mecânicos trabalham, nem o vestuário elétrico dos aviadores, nada disso é mais que uma pele de urso evoluída. Veja você o que é o mundo!

— Que vestuário elétrico é esse? Nunca ouvi falar...

— Os aviadores que voam a grandes alturas sofrem do terrível frio que reina por lá e não havia roupa de, por mais acolchoada que fosse, que lhes prestasse. Tiveram então a ideia de fazer o macacão elétrico, isto é, um vestuário aquecido pela corrente elétrica à temperatura desejada. Desse modo, usando uma roupa muito mais leve que os grossíssimos capotões de lã que usavam, os aviadores riem-se dos tremendos frios das alturas.

— Que engraçado!

— E ainda há mais, minha filha. Já se cogita de fazer roupas assim para toda gente. O freguês que as vestir leva no bolso um acumulador elétrico pequenininho mas de grande força — e a eletricidade contida nesse acumulador aquecerá a roupa na temperatura desejada. E se num passeio ou viagem o acumulador se descarregar, basta que entre numa casa qualquer e o carregue de novo, ligando o fio à tomada do ferro elétrico ou do rádio.

Tia Nastácia, que vinha entrando, deu uma risada gostosa.

— Isso é impossível, sinhá! — exclamou ela convencidamente.

— Também era impossível ouvirmos neste sertão o que falam e cantam lá em Pittsburgh e no entanto todas as noites o rádio nos resolve o problema.

— E a senhora pensa que eu acredito? — disse a preta piscando o olho. — Não vou nessa, não! Por mais que digam o contrário, estou convencida de que há qualquer coisa dentro dessa caixa, que fala, canta e toca música. De lá tão longe é que não pode vir.

Todos se riram da coitada e Dona Benta continuou:

— Bem. Já vimos um dos inventos do homem para proteger a pele contra o frio excessivo ou contra o demasiado calor — a roupa. Mas essa invenção em benefício da pele não foi a única. Temos outra importantíssima embora de gênero diverso: a casa. Apenas com a roupa o homem não se defenderia do mau tempo — nem defenderia as crianças novas que têm de ficar por vários anos ao abrigo do mau tempo. E defender os filhotes é para todos os animais coisa muito importante, porque disso depende o que os sábios chamam a *perpetuação da espécie*. Se os adultos só pensassem em si, deixando que as crianças morressem, a espécie humana extinguir-se-ia rapidamente.

A casa serve sobretudo para nos defender das chuvas, que às vezes se prolongam durante meses inteiros. Como apareceu a casa? Primeiramente, o bicho-homem fez o que faziam todos os animais: abrigou-se nos ocos das grandes árvores e nas cavernas das pedreiras. Semelhante morada tinha terríveis inconvenientes; os ocos eram muito acanhados; e as cavernas, além da escuridão perpétua de lá dentro, viviam cheias de outros animais que também as procuravam para refúgio, grandes morcegos, aranhas, cobras, isso sem falar nos terríveis tigres de dentes de sabre, tão abundantes naqueles tempos. E leões, e quanta fera existe. Os homens que tomavam conta duma caverna tinham de dar pulos para afastar dali tão perigosos inquilinos. O número de batalhas tremendas que foram obrigados a travar contra as feras invasoras não tem conta — e quantas vezes não foram vencidos e devorados?

— E a sujeira, vovó! — lembrou Narizinho fazendo cara de nojo. — Suponho que essas cavernas deviam ser um horror sem conta.

— E eram. Nas que os sábios têm descoberto, a quantidade de ossos reunidos lá dentro espanta. Ossos dos animais com que os nossos antepassados se alimentavam. Quando frescos, e ainda com muchibas e restos de carne grudados, imaginem o mau cheiro que não punham nas cavernas! Hoje nem para casa de porcos serviriam — e no entanto lá viveram os antepassados dos maiores gênios da nossa espécie — os avós de Shakespeare, de Miguel Ângelo, de Edison, de Santos Dumont...

O horror das cavernas naturais, aquela escuridão eterna, fez que o homem tratasse de construir outros abrigos sem aqueles inconvenientes — e a casa começou.

— Como eram as primeiras?

— De muitos jeitos, minha filha. De todos os jeitos, podemos dizer. Havia as escavadas em blocos de gelo, nas regiões geladas. Havia as construídas sobre árvores, com paredes de paus e teto de ramos secos. Depois vieram as feitas de barro, como ainda hoje o joão-de-barro têm as suas. E vieram as casas lacustres, ou construídas dentro da água dos lagos.

— Dentro?

— Em cima, sobre estacas bem fincadas. A maior preocupação do bicho-homem era construir um abrigo que o livrasse do mau tempo e das feras. As casas construídas sobre a água tinham diversas vantagens; não somente os punham a salvo do ataque dos tigres e leões, como também lhes forneciam um banheiro fácil. E ainda alimentação fácil — peixes.

— Que coisa gostosa, vovó! — exclamou Pedrinho. — Imagine a gente pescando da janela!... Por que a senhora não arranja uma casa lacustre?

— Se eu fosse arranjar todas as maluquices que vocês imaginam, acabaria no hospício... Mas o fato de os moradores da casa lacustre terem o banho à mão, é muito importante; porque uma das caraterísticas do homem é lavar-se e lavar coisas. Hoje temos pias e banheiros comodíssimos, com água corrente, quente ou fria à vontade. Isso, entretanto, é coisa moderna. Grandes metrópoles antigas, que hoje veneramos em suas ruínas, eram porquíssimas. Em Atenas os suínos andavam pelas ruas, encarregados da limpeza pública. Em Marselha, ainda em nossos tempos, certos hotéis anunciam *eau courante* — água corrente, dando ideia de que água corrente ainda seja novidade digna de anúncio.

Mas, como eu ia dizendo, as casas passaram-se a construir sobre a água, ou perto d'água. Hoje mesmo, quando um caboclo aqui da roça vai escolher lugar para sua casinha de sapé, a preocupação maior é a proximidade duma aguada, não só para beber e cozinhar, como para a limpeza doméstica. Daí a importância das margens dos rios. Na minha geografia acentuei isso. Por quê? Vamos ver quem sabe. Por que os homens procuravam as margens dos rios para erguer suas cidades?

— Por tudo, vovó, — respondeu Pedrinho. — Para terem água em abundância para banhos e limpeza da casa, lavagem da roupa, das panelas, etc. Para terem peixe fácil. Para terem um meio de transporte cômodo, já que os rios são estradas que caminham por si mesmas. Para terem boas terras de cultura, visto que as das margens são sempre frescas e além disso fertilizadas pelo húmus durante as enchentes anuais.

— Isso mesmo. A casa, portanto, servia para livrar os homens das feras, dos raios do sol, das chuvas e das ventanias, das geadas e da neve — e servia também para dar às famílias esse "à vontade" que tanto nos agrada. Quem está em sua casa está como quer; quem está fora de casa têm que estar como os outros querem. O maior encanto da casa é justamente essa intimidade — esse estar longe das vistas ferozes e mexeriqueiras dos vizinhos. Imaginem uma cidade em que as casas fossem de vidro bem transparente. Que horror não seria a vida lá dentro...

— Eu pintava logo as paredes com piche, para não dar o gosto à gentarada de fora, — disse Emília.

— Quer dizer que você restabelecia com o piche a intimidade que deve ter uma casa — e dessa vez não fazia nenhuma asneirinha... Pois foi essa intimidade da casa que tornou possível a vida de família, algumas bem felizes, como a nossa, com Tia Nastácia fazendo quitutes lá na cozinha, com Quindim filosofando no quintal enquanto masca capim, com o senhor Marquês de Rabicó sempre farejando gulodices, com a Emília a abrir e fechar a sua célebre torneirinha, comigo aqui a contar histórias históricas e geográficas — e com vocês dois a aprenderem mil coisas brincando.

— A senhora esqueceu o Visconde, vovó! — lembrou a menina.

— Sim, e com o Visconde fazendo... o que mesmo? Que anda ele fazendo agora?

Narizinho — cochichou ao ouvido de Dona Benta o grande segredo: "O Visconde está escrevendo as *Memórias* da Marquesa de Rabicó. Emília dita e ele escreve, naquela letrinha toda cheia de sabuguices".

Dona Benta arregalou os olhos, pois aquilo era novidade grande. Em seguida voltou ao assunto.

— Depois da *casa singular*, isto é, duma casa para cada família, apareceram em Roma as *casas coletivas*. Era nelas que viviam os escravos. Aqui também tivemos as célebres senzalas, e hoje temos casas de pensão, hotéis, quartéis, conventos, internatos, isto é, grandes casas onde moram numerosas pessoas. Mas as pessoas que moram desse jeito estão sempre pensando em morar na sua casinha isolada. Se vivem assim é por economia ou outra qualquer razão — não por querer.

— As casas dos operários nas grandes cidades também não têm grande intimidade, vovó, — lembrou Pedrinho que havia visto em New York e Londres os chamados *tenements*, ou casas de apartamento dos pobres.

— Sim. Entre os males que a excessiva aglomeração de gente em certos bairros trouxe, veio também esse. Mas está no fim. A tendência moderna é para acabar com as tristes habitações coletivas em que os pobres vivem. Em certos países o operário já possui casas de um conforto e intimidade que até aqui eram privilégio exclusivo dos ricos. Um dia no mundo inteiro será assim. Esperemos.

Foi essa vida horrível nas sórdidas gaiolas das grandes cidades que criou a emigração, ou a fuga dos homens pobres para outras terras menos povoadas, onde lhes fosse possível ter a sua casinha própria. Quem emigra, quem sai para trabalhar em outras terras, é porque não encontra na sua condições de vida agradáveis. Foi graças à má vida do pobre na Europa que a América se povoou — e que também se vão povoando a Austrália e tantas outras terras chamadas coloniais.

Mas a invenção da casa não resolvia todos os problemas. Nos países em que no inverno a neve cobre tudo com o seu manto de gelo, mesmo dentro de casa o homem arcava com os horrores do frio. O remédio era acender fogo. O fogo aquece o ar, o que é agradável; esse prazer fez que se fossem aperfeiçoando os meios de aquecer o ar dentro das casas. Inventou-se o fogão para substituir as fogueiras primitivas que enfumaçavam tudo. No fogão a fumaça é levada para fora por meio dum tubo vertical que chamamos chaminé. Foi um passo gigantesco e até hoje tal sistema é usadíssimo. Depois vieram os aperfeiçoamentos do fogão — vieram os radiadores.

— Que é isso?

— Um meio de fazer o calor penetrar nas casas sem nenhum fogão visível. Constroem-se nos porões umas fornalhas que evaporam a água, e o vapor vai por encanamentos escondidos dentro das paredes até umas serpentinas de ferro. Essas serpentinas são os radiadores. O calor aquece o ferro da serpentina e irradia-se pelas salas e quartos.

— Mas isso é muito moderno, não, vovó?

— Menos do que parece, meu filho. No palácio de Cnossos, na ilha de Creta, já havia radiadores mil anos antes de Cristo. E as casas construídas pelos romanos (as casas dos ricos, está claro) já usavam um sistema de aquecimento por meio de ar quente. Mas veio aquela invasão dos bárbaros que destruiu a civilização dos gregos e romanos, dando começo à triste e fria Idade Média, em que era moda desprezar o corpo, como se não fossemos corpo. A arte do aquecimento desapareceu, isto é, voltou para trás. Resumiu-se à fogueira dentro de casa. Os pobres medievais, coitados, viviam entanguidos. E mesmo depois, já quase nos tempos modernos, o frio muito martirizou a humanidade.

Aquele célebre rei de França, que os basbaques chamaram Rei-Sol, morava num palácio enorme, impossível de aquecer-se com as simples lareiras ou fogões então usados. Muitas vezes a comida se congelou na mesa real. Vinha daí o seu hábito de não tomar banho. Como tomar banho, sobretudo no inverno, tempo em que a água se congelava nas torneiras?

O fogão, ou lareira com chaminé, se generalizou. Parece tão simples uma chaminé, não acham? Pois demorou a vir. No começo havia apenas um buraco no teto para dar saída à fumaça. A ideia de construir um tubo que levasse a fumaça do fogão ao telhado custou a aparecer.

Unicamente no fim do século passado os homens retomaram a arte do aquecimento do ar, inventada pelos gregos e romanos. Voltaram os radiadores, aquecidos a água quente ou vapor. Nas grandes cidades em que há invernos fortes o aquecimento é hoje obrigatório. Quem faz uma casa têm que construir a aparelhagem de aquecer o ar. Nas grandes casas de apartamentos, assim que chega a data oficial do começo do inverno as fornalhas se acendem nos porões para um fogo que só se apagará na data oficial do fim do inverno.

— E os aquecedores elétricos?

— Esses são o ideal. O aquecimento a vapor ou ar quente exige dispendiosas instalações de fornalhas nos porões, e canalização, e uma trabalheira para manter o fogo sempre aceso. Com o aquecimento elétrico, nada disso. Basta um aparelhinho radiador em cada cômodo. Liga-se o fio à tomada elétrica e pronto. Aquilo fica incandescente, inundando o cômodo dum agradabilíssimo calor.

Infelizmente a eletricidade ainda é cara. No dia em que a tivermos por preço razoável, então o aquecimento elétrico eliminará todos os outros sistemas, do mesmo modo que a iluminação elétrica deu cabo de todos os lampiões de querosene ou azeite. Havemos de lá chegar.

— E o fogo, vovó? Não foi também uma grande invenção?

— Das maiores, meu filho. Para mim foi a invenção que permitiu tudo ao homem. A civilização que temos hoje, com suas locomotivas poderosíssimas, seus automóveis, seus navios gigantescos, suas fábricas de tudo quanto existe, é uma filha do Fogo. Mas sobre isto já conversamos. Já contei que o primeiro fogo foi obtido pela fricção de dois paus, um duro e outro mole. Depois o homem aprendeu a fazer fogo aproveitando a faísca que sai de certas pedras, quando batidas com um pedaço de ferro.

— É o isqueiro da roça, que os caboclos sempre usaram...

— Isso. E depois veio a invenção do fósforo, que revolucionou o mundo. Toda gente passou a trazer fogo no bolso, em caixinhas. Só riscar um pauzinho e pronto. Parecia que isso fosse o final e não foi. Apareceu ultimamente o acendedor automático. Maquinazinha muito simples e engenhosa. A gente aperta a mola e o acendedor dispara, arrancando uma faísca que vai acender a mecha embebida de gasolina. O reinado do fósforo está hoje se dividindo em dois pedaços, como aconteceu com o Império Romano. O fósforo fica, mas tem de repartir os seus domínios com o acendedor automático.

— E como nasceu o fósforo?

— No começo era *fósforo* mesmo. Os homens observaram que essa matéria fosforescente, isto é, luminosa, chamada fósforo, tinha a propriedade de dar fogo quando batida com uma pedra, e esse fogo era comunicado a uma isca em que entrava o enxofre. Um meio complicado e de mau cheiro. Mais tarde, em 1827, um inglês de nome John Walker inventou o fósforo de esfregar. Em vez de bater, bastava esfregar um pedaço de fósforo num esfregador preparado para esse fim. Vinte anos mais tarde o sueco Lundstrom, natural da cidade de Jonkoping, inventou o fósforo que usamos hoje, pequenino e cômodo, sem mau cheiro e não venenoso como o fósforo feito de fósforo.

— Então o fósforo de hoje não é feito de fósforo?

— Não, e por isso não é fosforescente. Contém vários corpos químicos misturados de modo que pela fricção na lixa da caixinha produzam fogo, sem envenenar os pulmões de quem os acende. O curioso é que quando os cômodos fósforos de Jonkoping apareceram a resistência do público foi grande. O homem acostuma-se ao que tem e refuga as novidades que apresentam progresso. Tolice, porque as novidades acabam sempre vitoriosas — e ai do mundo se não fosse assim!...

Hoje temos por aqui muitas fábricas de fósforos, marca *Olho*, marca *Pinheiro*, etc. Tempos houve, porém, em que só usávamos o fósforo vindo da Suécia, por sinal que excelente. Lembro-me perfeitamente deles. Um letreiro amarelo em língua sueca e a palavra Jonkoping em baixo. O povo dizia que eram fósforos do João dos Copinhos...

Tia Nastácia entrou nesse momento para arrumar o lampião belga da sala, que estava reinando. Tirou o vidro, aparou o pavio com uma tesoura e graduou a luz convenientemente.

— Pois é isso, meus filhos. Nós cá no sítio ainda estamos atrasados em matéria de luz. Ainda usamos o querosene. Mas deixe estar. No dia em que o café subir, eu compro um dínamo para aproveitamento da queda d'água da cachoeirinha do pasto. E havemos de ter luz elétrica excelente e força elétrica para o nosso rádio, em vez dessas baterias incômodas, e para mover minha máquina de costura, e para um batedor de ovos na cozinha, e para um ventilador, e para um ferro elétrico, e para uma geladeira, e para um aspirador de pó, e para uma enceradeira. Quanta coisa! Tudo isso lá se está perdendo naquela cachoeirinha do pasto...

Capítulo IV
A MÃO

— Pois é isso, — começou Dona Benta no dia seguinte. — Da pele que um peludo bicho-homem usou pela primeira vez saíram todos os maravilhosos tecidos com que nos vestimos hoje, e do primeiro abrigo de pau tosco e ramos saíram todas as casas modernas, inclusive aquele arranha-céu que vocês tanto admiraram em New York.

— O *Empire State Building!* — exclamou Pedrinho, com os olhos brilhantes. — Que colosso, vovó! Trezentos e oitenta metros de altura! Quando parei diante dele e vi aquela imensidade que subia para o céu, senti um arrepio na pele. Um orgulho! O orgulho de ser homem, de pertencer à mesma espécie dos que haviam construído o colosso...

— Pois o *Empire* começou da maneira mais modesta. Sem aquele primeiro passo que foi a miserável cabana de pau tosco e palha, imaginada pelos peludos para substituir a caverna de mau cheiro, não teríamos esse assombro do arranha-céu, que de fato, como diz Pedrinho, nos causa arrepios de orgulho. Mas chega de Pele. Hoje vamos tratar da Mão. Quem sabe o que é mão?

— É isto! — respondeu Emília espichando a munheca — e os outros puseram-se a olhar para as suas como se as estivessem vendo pela primeira vez. Só notaram uma coisa: que estavam bem sujinhas...

— A mão, — explicou Dona Benta, — é a evolução *duma pata dianteira*. Todos os quadrúpedes possuem patas dianteiras que empregam para andar e também para fazer muito desajeitadamente o papel de mãos. Repare o gatinho. Quando pega qualquer coisa, pega com os dentes, procurando auxiliar-se com as patas dianteiras. Infelizmente para ele essas patas dianteiras não possuem os dedos que temos em nossas mãos; e o auxílio que prestam ao gatinho é bem pequeno. *A grande coisa que aconteceu com a mão do homem foi o encompridamento dos dedos e a colocação do polegar em oposição aos outros quatro.* Ficou assim transformada num maravilhoso instrumento de agarrar. A torquês ou o alicate é uma mãozinha de ferro com dois dedos apenas, um oposto ao outro; se esses dedos estivessem um ao lado do outro, de nada valeriam. O importante é estarem em posição oposta pois que isso permite agarrar.

Com a disposição oposta do polegar, a mão do homem tornou-se prodigiosamente hábil para mil coisas impossíveis aos animais, cujas patas dianteiras tem os dedos semelhantes aos dos pés. O dedo polegar! O mata-piolho! Eis o grande progresso. Se reduzirmos nossas mãos a dois dedos apenas, sendo um o polegar, ainda podemos fazer mil coisas; mas se cortarmos o polegar deixando os outros quatro, babau! Não podemos fazer quase nada com eles.

    Os animais utilizam-se das patas dianteiras para cavar buracos e ajudar os dentes no agarramento das coisas – exceto os símios, que, como estão mais próximos de nós, já tem mãos que são verdadeiras mãos. De modo que a mão do homem significa o mais importante instrumento natural que ele adquiriu – e ao qual se devem todas as maravilhas que vemos hoje no mundo.

    Mas a mão sozinha, embora valesse muito, servindo para agarrar, despedaçar a caça, colher frutas etc., não fez grande coisa até o dia em que o primeiro peludo teve a ideia de *aumentar o poder dela* por meio dum pedaço de pau ou pedra.

    — Mas isso é tão simples, vovó! Essa lembrança, se eu fosse peludo, me acudiria imediatamente, — observou Pedrinho.

    — Acredito. Com a inteligência que você tem, nada mais natural que a ideia acudisse imediatamente. Mas quantos milhares de anos não levaria o peludo para descobrir o que a você parece tão simples? Descobriu-o, afinal. *Um deles começou*. Em vez de agarrar a caça com as mãos, como faziam todos, teve a ideia de segurar num pau ou numa pedra e bater com ele ou ela na caça. E todo um mundo novo abriu-se-lhe diante dos olhos. Esse genial peludo verificou que o seu poder aumentava grandemente. Outro gênio do mesmo tipo descobriu que segurando uma pedra e arremessando-a conseguiria atingir um objeto que estivesse longe de si. Outro progresso imenso, do qual iam sair até os canhões de hoje.

    — Como, vovó?

    — Espere. Sem que eu explique você irá compreendendo. Antes de aprender a arremessar a pedra, o homem tinha o poder dos músculos limitado ao comprimento dos braços. Quer dizer que só *podia*, no raio de um metro mais ou menos.

    — Não estou entendendo muito bem esse raio aí...

    — Raio é a metade do diâmetro dum círculo. Isso você sabe. Pois bem: antes de aprender a arremessar a pedra, o peludo era como se estivesse no centro dum círculo de dois metros de diâmetro, seus braços formavam os raios desse círculo, de modo que ele só podia atingir o que estivesse dentro dum raio do comprimento do seu braço, isto é, um metro.

    — Bom, agora entendi.

    — E quando aprendeu a arremessar a pedra, esse homem passou a poder muito mais. O raio do círculo em redor dele (do círculo que ele podia atingir com a pedra) passou a ser muitíssimo maior do que o raio que ele podia atingir apenas com as mãos. Se, por exemplo, jogava a pedra a vinte metros de distância, seu poder aumentava vinte vezes mais. Com as mãos ele só *podia* dentro do raio de um metro. Jogando a pedra, ele passou a *poder* dentro do raio de vinte metros, suponhamos. Antes ele só podia atingir um veado que estivesse a um metro de distância; com a pedra atingia o veado que estivesse a vinte metros. Compreendeu?

    — Não há o que a gente não compreenda quando a senhora explica, vovó, — observou Narizinho.

    — Muito bem. Temos aqui o peludo *aumentando* de um para vinte o *alcance* do seu poder. Depois vieram as outras invenções, que aumentaram ainda mais o poder das suas mãos. Veio o arco que lança uma flecha a duzentos metros de distância — e o poder do homem passou a ter um raio de duzentos metros. Depois veio a carabina, que lança uma bala a dois mil metros — e o raio do poder do homem passou a ter dois mil metros. Depois veio o canhão que alcançou cem mil metros — e o raio do poder do homem passou a ter cem mil metros.

Como vocês veem, o progresso foi imenso. O peludo, que ainda não sabia jogar pedras, só alcançava o que estivesse a um metro de distância do centro do seu corpo, isto é, só alcançava o que estivesse ao alcance do braço. No entanto, com o canhão Berta os alemães, na Guerra de 1914, alcançaram Paris duma distância de cem mil metros. Quer dizer que esses alemães podiam cem mil vezes mais que o peludo primitivo.

— Interessante isso, vovó! — murmurou Pedrinho pensativamente.

— Hoje vemos nos museus os martelos de pedra que os peludos faziam para aumentar o poder das mãos. Parecem coisas muito simples. Mas, se refletirmos um pouco, temos de nos curvar com toda a reverência diante dessa invenção, como nos curvamos diante duma velhinha que é mãe dum grande homem. Inumeráveis máquinas que aumentam prodigiosamente a eficiência do homem moderno procedem desse martelo. São filhas dele.

E quanto tempo levou o peludo para ter a ideia de botar um cabo na pedra? Quantos milhares de anos não passou batendo com pedras sem cabo? Um dia, um dos gênios que sempre surgem entre os homens teve a ideia do cabo — e com espanto viu que a pedra encabada possuía força muitíssimo maior que a pedra sem cabo. Estava inventado o martelo, esse preciosíssimo instrumento que é de todos o que mais uso tem. Pelo menos aqui em casa...

Aquilo era alusão a Pedrinho, cujo martelo já estava desbeiçado de tanto prega-prega. Até a Emilia tinha o seu martelinho.

— Do martelo de pedra saiu o machado. Com certeza foi descoberta feita sem querer. Ao malhar com o martelo, a pedra lascou de bom jeito, por si mesma, virando lâmina de machado, e com espanto o peludo viu que em vez daquele martelo amassar ou esmigalhar, como fazem todos os martelos, cortava... Ora, cortar era coisa utilíssima para quem já fazia cabanas de madeira. Podia ele agora cortar os paus do mesmo tamanho. E o machado começou a aperfeiçoar-se. O peludo escolheu pedras próprias, que dessem bom corte. Encontrou o sílex e outras. E veio vindo, veio vindo de aperfeiçoamento em aperfeiçoamento, até chegar às modernas lâminas Gillete que hoje se usam para cortar os fios de cabelo do rosto, vulgo barba.

É fácil imaginar a lentidão com que surgiram tais aperfeiçoamentos, e a alegria do primeiro peludo que, esfregando a pedra do seu machado contra outra, conseguiu avivar novamente o corte. Era a arte de amolar que nascia. Antes dela tinham de aproveitar o machado enquanto durasse o corte natural da pedra lascada; logo que o corte ficava rombudo, punham fora o machado e faziam outro. Imaginem a trabalheira!

E dessa pedra lascada que virou machado saiu a faca, a serra, a lança, a tesoura, a espada, a picareta, a enxada, o canivete — todos os inúmeros instrumentos que têm cabo e cortam. Por isso, quando vocês, num museu, derem com aqueles toscos machados de pedra dos nossos antepassados peludos, tirem respeitosamente o chapéu.

— E eu que faço, vovó, eu que não uso chapéu? — perguntou a menina.

— Você tira o sapato, — asneirou Emília.

Ninguém achou graça e Dona Benta continuou:

— A tesoura, por exemplo, que é a combinação de duas lâminas opostas, custou muito a aparecer. Dizem os sábios que os egípcios, gente de civilização tão adiantada, desconheciam a tesoura. Começam a aparecer em Roma, onde as usavam para cortar a grama dos jardins e tosar a lã dos carneiros. Antes disso sabe o que faziam? Arrancavam a lã dos coitadinhos.

— Que horror! Quer dizer que se os carneiros fossem mais agradecidos deviam ajoelhar-se diante de cada tesoura encontrada...

— Sim, porque a tesoura veio libertá-los duma terrível tortura. Infelizmente, se esse par de facas opostas, chamado tesoura, veio libertar os carneiros dum suplício, não aconteceu o mesmo para os próprios homens com a invenção dos instrumentos cortantes. Em vez de usá-los apenas para o que lhes era bom, transformaram-nos em instrumentos de guerra — e foi na própria carne humana que tais invenções mais trabalharam. Surgiram as espadas, as lanças, os cutelos, as adagas, os iatagãs, as cimitarras, as baionetas e outros cruéis instrumentos de cortar a carne dos homens nas lutas. Veio a guilhotina, cuja função era cortar a cabeça dos que não pensavam de acordo com os dominantes do momento.

— Eu sempre tive horror às facas, — disse Narizinho — isto é, às facas de ponta, porque as facas de mesa são até bem boazinhas. Para passar manteiga numa fatia de pão, nada melhor. Verdade é que quando muito amoladas elas também cortam o dedo da gente...

— A culpa não cabe à faca, minha filha, mas ao uso que fazemos dela — e o mesmo se dá com todas as invenções humanas. Prestam benefícios sem nome, quando bem empregadas; e também causam horrores sem nome, se mal empregadas. A dinamite, por exemplo. Que serviço não presta na demolição duma pedreira? E que horror não é quando jogada dum avião sobre uma cidade?

Infelizmente a estupidez ou maldade dos homens tem até aqui estado de cima, sobre a inteligência e a bondade. A grande arte que ainda hoje os homens cultivam com maior carinho é a arte de matar cientificamente. Se vocês compararem o que os povos modernos gastam no aperfeiçoamento da arte de matar com o que gastam na educação do povo e outras coisas de benefício geral, hão de horrorizar-se. Os homens não fizeram progresso nenhum em matéria de bondade e compreensão. Chegaram ao ponto de crucificar Jesus só porque Jesus queria implantar na terra o reino da bondade. A maldade ainda é a soberana absoluta neste grão de poeira que gira em redor do sol...

Mas deixemos isto. Vamos ver agora o que aconteceu com outra grande invenção dos peludos — a enxada.

— Acha a senhora que também a enxada seja uma grande invenção?

— Sem dúvida, minha filha. E com certeza foi invenção feminina, porque naqueles tempos as mulheres tinham sobre si os trabalhos mais pesados. Eram as bestas de carga dos homens. Incumbia-lhes cuidar da casa, da comida, das plantações, de tudo que era penoso; e com certeza foi uma "gênia" que, cansada de cavar a terra com as unhas, teve a ideia luminosa de botar cabo numa pedra cortante. Reparem que a diferença entre o machado e a enxada está apenas na posição da lâmina. No machado a lâmina tem o fio na mesma direção do cabo; na enxada tem o fio colocado verticalmente. Só isso. Mas foi preciso que surgisse uma "gênia" para fazer essa modificação!

— Se a gente pudesse saber o nome dela... — murmurou Narizinho.

— Havia de chamar-se Enxadia, — lembrou Emilia. — Enxadia da Silva.

Ninguém achou graça e Dona Benta continuou:

— Pois essa mulher fez uma grande coisa. A enxada primitiva representou imenso progresso para a agricultura, e até hoje, em muitos países, entre eles o nosso, a base da agricultura está na enxada. Se dum momento para outro todas as enxadas do Brasil se evaporassem misteriosamente, meses depois estaríamos morrendo de fome.

Mas a primitiva enxada de pedra, tão tosca e rude, foi se civilizando nos filhos que teve. E que maravilhosos netos apresenta hoje! Os arados de disco, as grades, as ceifadeiras...

— Essas não, vovó. Essas são filhas da faca.

— Pode ser. Mas as pás, as grandes pás mecânicas movidas a motores elétricos, ou melhor, as escavadeiras que vocês já viram nas cidades, abrindo alicerces para os grandes prédios, são filhas da enxada. E as dragas? Sabem o que são?

— Dragas! eu sei! — disse Emilia. — São as irmãs das Drogas.

— As dragas são as filhas da enxada que trabalham dentro d'água. Usadíssimas em muitos portos para mantê-los com a profundidade necessária ao calado dos navios. No porto de Santos podem ser vistas. Vivem perpetuamente dragando o lodo que se acumula no fundo do canal — e o navio dragador, depois que enche seus reservatórios com a lama tirada do fundo, vai despejá-la longe no mar. Se a dragagem dos portos fosse interrompida, que grande calamidade para o mundo!

— Por quê?

— Porque os vapores não poderiam entrar ou sair dos portos, e as nações que têm necessidade de coisas produzidas fora ver-se-iam grandemente atrapalhadas. Se os vapores não pudessem entrar em Santos, por exemplo, S. Paulo ficaria sem poder vender fora o seu café, as suas laranjas, o seu algodão — e igualmente não poderia receber as máquinas e mais coisas, indispensáveis à nossa vida, que nos vêm do exterior. Agora, uma coisa interessante. A enxada teve um filho que vocês não são capazes de imaginar.

— ?

— O escafandro, esse aparelho dentro do qual o homem desce dentro d'água.

— Como, vovó? Isso me está cheirando a absurdo...

— Pois não é. As invenções saem umas de dentro das outras, às vezes diretamente, às vezes indiretamente. A enxada teve aquela filha Draga, de que já falei, e dona Draga teve o filho Escafandro. Logo, o Escafandro é neto da Enxada.

— Como?

— Nos trabalhos de dragagem dos portos encontravam-se muitas vezes no fundo da água rochas que impediam o trabalho das dragas. Atrapalhado com aquilo, o homem teve de inventar um meio de descer lá para rebentá-las. Dessa necessidade nasceu o escafandro. É um vestuário impermeável que permite ao homem descer ao fundo d'água sem molhar-se, nem morrer afogado; a respiração se faz por um tubo que liga o vestuário à superfície, permitindo que o ar alcance o nariz do escafandrista, isto é, do homem que desce dentro do tal vestuário impermeável.

No começo esse tubo era de cobre, imaginem! Depois fizeram-no de couro; hoje é feito de borracha. Dentro do escafandro o homem pode descer até certa profundidade e trabalhar no fundo com picaretas, ou o que seja, destruindo os rochedos que atrapalham as dragas.

— Mas como faz a draga para recolher o lodo dos fundos?

— A draga é um maquinismo que move uma corrente armada de grandes canecos. Nas máquinas de beneficiar café vocês vêm isso: aquelas correias com canecos de distância em distância, que mergulham nas moegas onde está o café em coco e sobem cheias; quando chegam em cima, giram sobre uma roda e despejam o café dos canecos numa bica inclinada que o leva ao descascador. A draga está baseada nesse princípio. Os canecões descem ao fundo, fazem uma volta no lodo, enchem-se e sobem; quando dão a segunda volta em cima despejam o lodo nos reservatórios.

— Compreendo, — disse Pedrinho, que gostava muito de ver trabalhar a máquina de beneficiar café do coronel Teodorico. — E' uma correia sem fim armada de canecos grandes — só isso.

— Mas não são os escafandros também usados para pescar ostras? — perguntou a menina.

— Sim. Usam-nos para todos os trabalhos no fundo do mar. As ostras portadoras de pérolas ainda são em muitos lugares apanhadas pelos mergulhadores. Mas um mergulhador, coitado, não pode ficar debaixo d'água senão muito pouco tempo. Um minuto, um minuto e meio no máximo. Dentro do escafandro, porém, um homem poderá ficar horas dentro d'água.

— Está aí, uma coisa que eu queria ter, — disse Pedrinho. — Um escafandro! Deve ser interessantíssimo andar num fundo d'água. Quanta coisa esquisita! E no fundo do mar, então? Que maravilha!...

— Infelizmente a pressão da água vai crescendo com as profundidades, de modo que os escafandristas, mesmo nos aparelhos mais aperfeiçoados, ainda não conseguiram descer a mais de duzentos metros de fundo. Mesmo assim já dá para ver e fazer muita coisa.

Mas estou fugindo ao meu assunto de hoje. O assunto é a Mão, e a multiplicação do poder das mãos por meio das invenções. Entre essas invenções aumentadoras do poder das mãos houve uma tremenda, talvez a maior que o homem fez — a alavanca.

— Como, vovó? — exclamou Pedrinho admirado. — A alavanca, uma coisa tão simples...

— Por simples que seja, suas consequências foram tremendas. A alavanca permitiu a construção de todas as máquinas, porque o que chamamos máquina não passa duma aplicação da alavanca.

Meus filhos, todas as modificações que o homem fez na superfície da terra, os canais, as pirâmides, os monumentos de toda espécie, as casas enormes de pedra ou cimento armado, as estradas de ferro, os navios gigantescos, nada disso seria possível sem o uso da alavanca. Que é uma alavanca? Em princípio não passa duma barra rígida, de certa extensão. Uma barra de borracha não é alavanca, porque não é rígida — verga. A alavanca não verga. Numa das extremidades o homem aplica a força do braço; a outra extremidade ele coloca debaixo do peso que quer levantar; há depois um ponto de apoio onde ele encosta a barra. Esse ponto de apoio quanto mais longe está da extremidade que o braço segura, melhor.

— Por quê?

— Porque quanto mais longe estiver do braço, mais multiplica a força do braço. Experimente.

Pedrinho foi buscar um sarrafo de peroba e veio fazer a experiência na sala. Colocou a ponta do sarrafo debaixo do armário e com uma pedra fez o ponto de apoio. E notou que com muito pouca pressão na outra ponta do sarrafo ele erguia aquele armário pesadíssimo. Notou também que quanto mais perto do armário estivesse a pedra, menos pressão precisava fazer para erguê-lo.

— E' mesmo! — gritou. — Este armário, que naquele dia foram precisos dois camaradas peitudos para movê-lo, eu agora com uma forcinha à-toa ergui de quase meio palmo.

— E por um triz que não me despenca a pilha dos pratos, — disse Dona Benta mandando parar com a experiência. — Pois está aí a grande invenção. Com a alavanca o homem aprendeu a multiplicar tremendamente a força do braço — e foi essa multiplicação que lhe permitiu erguer as pedras enormes com que levantou as pirâmides do Egito, e escavar o canal do Panamá, e construir tudo quanto há de grande no mundo. Não existe máquina nenhuma que não seja baseada no princípio da alavanca — e é por isso que as máquinas têm tanta força.

— Então, quando me perguntarem o que é máquina posso responder que é... que é...

— Responda que é uma aplicação da alavanca — e o perguntante ficará entupido.

Outra invenção também de grande valor foi a corda de levantar pesos, donde saíram os modernos guindastes. Se você amarra uma corda a uma grande pedra e faz a corda passar por uma roldana atada a uma certa altura, puxando a ponta da corda pode fazer a pedra subir até junto da roldana. Essa invenção permitiu mil coisas, como é fácil de imaginar. Os navios são carregados e descarregados assim, com a corda que gira sobre a roldana, ou com os guindastes poderosíssimos que nasceram dessa corda com roldana. Na Índia os ingleses metem elefantes a bordo dos navios por meio dos guindastes. Passam-lhes sobre o ventre umas barrigueiras de corda. O guindaste segura-as e lá ergue os imensos elefantes, depondo-os no convés dos navios. Para desembarcá-los, a mesma coisa. Até locomotivas são postas ou tiradas dos navios assim.

Eu falei na roldana; mas que é a roldana senão uma roda? Foi outra grande invenção, a roda, sob a qual temos que conversar. Não hoje. O relógio já bateu nove horas e Narizinho está "pescando". Olhem o jeitinho dela...

Capítulo V
MAIS MÃO

— Ontem vimos, — continuou Dona Benta, — várias invenções que aumentam o poder da mão do homem. Falamos da draga, engenhoso meio de levar a mão do homem ao fundo das águas. Falamos do guindaste, meio de dar à mão força capaz de erguer até locomotivas. Vimos as armas, meios de fazer as mãos alcançarem o inimigo ou a caça ao longe. Hoje vamos ver outras maravilhas que saíram do precioso membro desenvolvido na extremidade do braço do homem.

— Realmente, vovó, — disse Pedrinho. — Esta noite perdi o sono e estive pensando em várias mãozices. Quando a gente quer apanhar uma laranja lá do alto, pega duma vara e aumenta o alcance da mão. Para tomar banho, para coçar as costas, para arrancar espinhos, para fazer um desenho.

— Para tirar ouro do nariz, — acrescentou Emilia.

— ... para tudo, tudo, tudo, é a mão. Realmente, a mão é a maravilha das maravilhas, — concluiu o menino, lançando um olhar terrível à boneca.

— E ainda há mais coisas que saíram das mãos, — disse Dona Benta. — Pensem nisto: quando vocês querem beber água duma fonte, que fazem?

— Apanhamos a água na cova da mão.

— E se querem juntar areia ou tirar um bocado de arroz do saco?

— A mesma coisa. Juntamos as duas mãos em cuia e pronto — podemos tirar uma mãozada que vale meio litro.

— Perfeitamente. A ideia da vasilha de guardar coisas sólidas ou líquidas veio desse emprego das mãos em forma de cuia, ou dessas mãozadas, como diz Pedrinho. O homem começou tirando coisas com a mão e guardando-as na mão. Mas esse guardar era temporário, porque a mão não podia ficar parada toda a vida com as coisas dentro. Veio então a ideia de fazer mãos artificiais em forma de cuia — e surgiram todas as vasilhas de guardar coisas — pratos, bacias, peneiras, gamelas, panelas; e depois, caixas, gavetas, malas, canastras, armários, etc. Estamos de tal modo acostumados às vasilhas que não lhes prestamos a menor atenção, embora sem elas fosse impossível vivermos neste mundo. Há necessidade de guardar coisas para o dia de amanhã, e onde guardar senão em vasilhas? Imaginem uma casa sem vasilhas. Não poderíamos tirar o leite das vacas, por não termos onde pô-lo. Não podíamos ter água de beber ou de lavagem, pela mesma razão. Não podíamos nada. Só o vasilhame, cuja variedade não tem fim, é que torna possível a nossa vida. Não há povo selvagem, por mais primitivo que seja, que não use vasilhas. Ora, a vasilha não passa da evolução da mão em forma de cuia...

— Está aí uma coisa que eu nunca seria capaz de imaginar, — observou Narizinho, olhando para suas mãos postas em forma de cuia.

— Nem é capaz de imaginar qual foi a primeira vasilha que o homem usou...

— ? ?

— Foi o crânio dos mortos.

— Que horror, vovó, — exclamou a menina fazendo cara de nojo. — Como isso?

— Muito simplesmente. Durante milhares de anos os mortos eram deixados sobre a superfície da terra, como sucede com os animais. Sendo o hábito de enterrar os mortos relativamente recente, a abundância de esqueletos espalhados pela superfície da terra foi se tornando cada vez maior. Ora, cada crânio era uma vasilha natural de primeira ordem, já prontinha e feita duma substância de grande duração. A ideia de aproveitá-los veio logo — e nas cavernas e cabanas dos tempos primitivos passaram a abundar crânios, como hoje em nossas casas abundam xícaras, copos e latas. Tornou-se comum esse hábito a ponto de entrar nas religiões do norte da

Europa; os deuses nórdicos usavam os crânios dos inimigos como taças para vinho. Matar um inimigo para fazer do seu crânio uma taça virou a ambição de todos os jovens guerreiros.

— Que porcaria! — exclamou a menina.

— Esse sentimento de repugnância que você demonstra, minha filha, é moderno. Para nossos antepassados, nada mais natural. Quanta menina do nariz arrebitado daquela época não tomou seu leite em crânios, sem fazer a menor careta?

— E depois dos crânios?

— A suposição dos sábios é que depois do crânio os homens começaram a usar cestos, isto é, vasilhas feitas com as varas flexíveis de certas plantas. Como o vime fosse abundante nas margens dos rios e lagos, houve um gênio peludo que um dia, pela primeira vez teceu com ele uma desajeitadíssima cesta. E nasceu a arte do cesteiro, porque quem faz um cesto faz um cento, diz o ditado. O progresso foi grande. Usando o vime, o homem podia ter vasilhas muito maiores que os crânios, e do formato que quisesse.

Depois o cesto começou a evoluir. Outro gênio teve a ideia de forrá-lo de couro — e nasceu, entre outras coisas, o bote de couro. Fazendo a armação de vime e revestindo-a, tornavam os botes impermeáveis. Também tiveram a ideia de tecer com vime escudos que os defendessem das pedras e flechas dos inimigos. Um escudo de vime bem forrado de couro era defesa de muito valor — e tanto, que persistiu até à descoberta da pólvora. Só desapareceu depois que as armas de fogo vieram torná-lo inteiramente inútil.

Outra modificação importantíssima introduzida nos cestos foi revesti-los por dentro com uma camada de barro. Ficavam próprios para muitos mais empregos do que os cestos simples, cheios de vãos. Mas não serviam para guardar líquidos — o líquido derretia o barro. O acaso veio resolver o problema. O acaso tem sido o pai de tantas invenções que se eu fosse dona do mundo mandava erguer-lhe um monumento.

Certo dia incendiou-se uma cabana onde havia vários cestos revestidos de barro. Quando tudo ficou reduzido a cinzas, o dono veiu examinar os escombros; viu que só tinham escapado à destruição os tais cestos. Mas com espanto notou que as chamas haviam devorado o vime exterior, deixando intacto o barro interno. E notou também que esse barro havia mudado. Estava duro como pedra, não se derretendo com a água.

Foi maravilhosa a descoberta. O homem aprendeu que o barro cozido ao fogo muda de propriedades. Torna-se duríssimo e impermeável. E assim nasceu a Cerâmica.

— Sempre pensei que cerâmica fosse a arte da cera, — disse Pedrinho.

— Não. Em grego, a argila ou barro tem o nome de keramos; é desta palavra que vem a palavra cerâmica. Com o aparecimento da cerâmica os cestos perderam metade da importância. Ficaram apenas para guardar coisas secas; para guardar coisas líquidas entrou em cena a vasilha de barro cozido.

— E como se fazem as vasilhas de barro?

— No começo o homem amassava a argila e ajeitava-a com as mãos. Depois veio a ideia de colocar a bolota de argila amassada sobre um disco horizontal. Dando-se movimento giratório ao disco, a bola de barro vira sobre si mesma e torna-se então facílimo fazer uma vasilha bem redondinha e do formato que se deseja. Os nossos utensílios de barro, moringas, potes, panelas, pichorras, alguidares e o mais são até hoje feitos assim. No começo o homem girava com a mão esquerda o disco, enquanto com a direita ia conformando a argila. Depois introduziu uma novidade que ainda perdura: virar a roda com o pé, num movimento de balança, como o do pedal das máquinas de costura; desse modo ficava com as duas mãos livres para o trabalho da modelagem.

Depois de modeladas, as vasilhas são postas a cozer num fogo bem forte. Ficam endurecidas e impermeáveis. Mas não bem impermeáveis. Muito lentamente a água vai atravessando os poros do barro. Uma invenção surgiu para suprimir esse inconveniente: o vidramento. Reparem que as nossas panelas são vidradas por dentro.

Eu suponho que o primeiro poteiro, o tal descobridor casual da arte de cozer a argila, quando tratou de reproduzir novamente o fenômeno fez outra cabana, encheu-a de vasilhas de vime e barro, e deitou fogo a tudo. Havia de imaginar que para conseguir aquele efeito era necessário repetir as coisas exatinho como da primeira vez...

— Que asno! — exclamou a menina.

— Não, minha filha. Esse termo não se aplica a um dos maiores inventores que existiram, embora sua invenção fosse obra do acaso, como tantas. O cérebro daqueles nossos avós não tinha as qualidades do nosso, e nada mais lógico que desejando reproduzir um mesmo fenômeno repetissem fielmente todas as condições anteriores. Talvez fosse um segundo gênio quem descobriu não ser necessário queimar uma cabana para cozer as cestas de barro. Tudo se faz passo a passo, no caminho do progresso.

Mas a arte da cerâmica desenvolveu-se grandemente em vista dos serviços que as vasilhas de barro prestavam. Os chineses ergueram-na a um estupendo grau de perfeição. Descobriram novos barros de grã muito fina, como o caulim, e criaram a arte maravilhosa das porcelanas. Em vez de vasos simples, ornavam-nos com desenhos, tornando-se inexcedíveis nisso. Todos os grandes museus do mundo possuem uma sala destinada unicamente às porcelanas chinesas — e os visitantes são obrigados a nela se demorarem mais que em muitas outras, tais as maravilhas que têm diante dos olhos.

Os fenícios, aquele povo de mercadores que viveu nas costas do Mediterrâneo, foram os espalhadores dos produtos cerâmicos. Não se dedicavam à arte de fazer vasilhas, mas mobilizavam as vasilhas que outros povos modelavam. Compravam-nas dos oleiros para revendê-las por toda parte, de modo que em breve não houve casa, de qualquer país, em que o vasilhame não fosse de argila.

Veio depois o vidro, outra grande invenção, ou, melhor, uma descoberta feita igualmente por acaso. Dizem os cronistas gregos e romanos que o seu autor foi um mercador fenício que atravessava o deserto da Síria. Havendo acampado em certo ponto, fez fogo para preparar o jantar. Mas fez fogo na areia, em cima duns blocos de pedra, ou duma substância esbranquiçada que ele julgou ser pedra e não passava de blocos de potassa ou soda. Ao levantar acampamento na manhã seguinte, com assombro verificou que entre as cinzas brilhava uma substância desconhecida, dura, quebradiça, transparente, Era o vidro!

— Então vidro é potassa derretida?

— O vidro é uma substância amorfa, isto é, sem forma definida, que resulta do derretimento da areia misturada com potassa ou soda e um pouco de cal. Tem a propriedade, enquanto está muito quente, de ser moldável, isto é, de tomar a forma que a gente lhe quer dar. De modo que com o vidro ainda em estado pastoso podemos fazer objetos e vasilhas de mil formatos diferentes. E soprando por canudinho dentro duma bola dessa massa, a bola estufa, ficando oca por dentro. Assim fabricamos garrafas e garrafões.

— Que engraçado!

— Pois o vidro foi um sucesso tremendo. O tal mercador levou consigo a maravilhosa substância achada nas cinzas e vendeu-a aos pedacinhos, como pedras preciosas. Nasceu daí a indústria das contas de vidro, que dura até hoje. Não há na roça cabocla faceira que não tenha ao pescoço um colar de contas, ou missanga, como se diz.

A Fenícia era vizinha do Egito, de modo que a arte do vidro logo invadiu o Egito, onde muito se aperfeiçoou. Os fabricantes não tinham mãos a medir no fabrico de colares, pulseiras e berloques de todos os tipos. Em Roma o vidro fez furor. O luxo da época passou a ser o uso de vasilhame de vidro em vez de barro. O vasilhame de barro ficou para os pobres. O rico só usava o vidro. Vieram aperfeiçoamentos. Foi introduzida a cor. Artistas de talento inventaram formas harmoniosas — e com isso a vida humana se embelezou. Mais tarde, na república de Veneza, a arte do vidro atingiu grande perfeição. Não há museu que não mostre com orgulho os famosos vidros de Veneza.

E tudo vinha da mão! A arte de tecer vimes, arte de cerâmica, arte do vidro — tudo aperfeiçoamentos da mão em forma de cuia! Mas a mão não serve apenas para guardar. Serve também para tirar coisas dum lugar e pôr noutro — e também surgiram aperfeiçoamentos maravilhosos da mão que tira daqui e põe ali.

Vieram as "cegonhas", ou máquinas de tirar água dos poços para o serviço da casa ou da irrigação das terras. Inúmeros campos impróprios para a agricultura, por muito secos, foram aproveitados. Irrigando-os, os homens tornavam-n'os ótimos — e para irrigá-los havia as cegonhas. Que é a cegonha? É o desenvolvimento da mão que colhe água numa fonte.

Depois vieram as bicas e aquedutos, por meio dos quais os homens passaram a conduzir água dum ponto para outro: isso foi de grande vantagem para as cidades, pois lhes permitiam ter água pura para beber, trazida das montanhas. Antes deles os homens tinham de trazer a água em vasilhas. Entre nós, na roça, e mesmo nos bairros pobres das cidades pequenas, ainda há o uso de carregar água em potes ou latas de querosene. Por isso todas as velhas cidades possuem chafarizes públicos.

Outro aperfeiçoamento da mão, ou outras invenções para substitui-la, sabem quais foram? As taramelas, as fechaduras, as trancas de porta e os trincos.

— Como isso, vovó? Não estou entendendo...

— Pense um pouco. Depois que o homem aprendeu a ter cabana, surgiu um problema. Na cabana ele guardava suas coisas — coisas sempre cobiçadas pelos vizinhos. Era preciso fechar a porta de modo que os vizinhos não entrassem quando ele estivesse fora. Para fechar a porta utilizava-se da mão, e para mantê-la fechada tinha de ficar com a mão ali, encostando-a. Mas se assim procedesse teria de permanecer feito estátua, preso dentro de casa. Que fazer? A necessidade põe o cérebro a caminho. O homem pensou pensou e inventou os fechos de porta. Primeiro os fechos internos — taramelas, trancas e trincos. Depois, o fecho externo — a fechadura de chave. Deu um jeito de, do lado de fora, mover as trancas de dentro — e lá se ia com a chave no bolso.

Hoje as fechaduras, apesar de aperfeiçoadíssimas, seguem o mesmo princípio. É uma trancazinha de ferro que a gente faz mover de fora por meio da chave. Antigamente as chaves eram enormes. Pareciam martelos. Hoje são minúsculas e chatinhas. Um homem pode sair levando no bolso todas as chaves da casa. Um que quisesse fazer isso antigamente precisava alugar um carrinho... Em casa do meu avô lembro-me de uma que teria palmo e meio de comprimento e pesaria um quilo... Que é uma chave?

— Eu sei, vovó — gritou Pedrinho, tapando a boca da menina que também queria falar. — É um dedo mecânico que entra por um buraco e vai mover um ferrolho lá dentro.

— Está certo. Como o dedo natural do homem não podia fazer isso, ele inventou esse prolongamento, ou desenvolvimento do dedo, graças ao qual mantém sua casa livre da visita dos amigos do alheio. Quem quiser entrar em casa fechada tem de arrombar a porta, o que é difícil e perigoso.

E mil coisas mais saíram das mãos. Coisas boas e más, porque a mão não tem coração. É uma escravazinha que obedece. Faz o que mandam. Daí as coisas inventadas para pô-la a serviço do mal. Os ladrões inventaram gazuas e pés de cabra. Os guerreiros matadores de gente inventaram armas, isto é, meios de dar um terrível poder ofensivo às suas mãos — as facas de ponta, os punhais, as lanças, as baionetas, as espadas. Por meio dessas invenções a mão do homem tem suprimido milhões de vidas humanas nas guerras. E na paz os assassinos têm suprimido milhares.

E há as invenções para apanhar animais destinados à alimentação. Anzóis de pescar peixes, fisgas, arpões de espetar baleias. Redes de pesca, armadilhas, ratoeiras...

— Redes de pesca, vovó?

— Sim. Que é uma rede senão a mão do homem sob forma de malha que coa a água para apanhar os peixes? Se numa água rasinha e empoçada queremos apanhar os guarus ali presos, a primeira ideia que nos vem é correr a mão pela poça, com os dedos levemente entreabertos de modo que a água se escoe e os peixinhos fiquem. Pois a rede de pesca não passa do desenvolvimento desse artifício.

A ratoeira, que é senão a mão que fica engatilhada até que o bobo do ratinho se ponha ao alcance dela, atraído pela isca? De repente, *nhoc*! a mão fecha-se e o ratinho está preso. Reproduza esse artifício numa maquinazinha feita de arame e eis a ratoeira — e todas as mais armadilhas.

O laço de laçar cavalos e bois bravos, que é senão a mão projetada ao longe por meio duma corda? Uma das faculdades da mão é agarrar. O laço agarra. E a mão agarra para dois fins: para simplesmente pegar ou para estrangular. A mão que agarra uma galinha pelo pescoço, um coelho ou qualquer outro animal e o estrangula, também teve larga aplicação para estrangular criaturas humanas. A forca não passa disso. A forca é mão de corda que agarra um pobre diabo pelo pescoço e o dependura no espaço até que a vida o abandone.

— Que horror a forca, vovó! — exclamou a menina, que nem podia ouvir essa palavra.

— Realmente. E no entanto até hoje, e em países dos mais adiantados, esse cruel meio de dar morte às criaturas ainda subsiste. Na antiguidade os romanos usavam-no muito. Os gregos não. Eram artistas até nesse ponto. Se queriam condenar alguém à morte, usavam o veneno, como fizeram com Sócrates. Muito mais decente. Já os romanos usaram grandemente da forca; e depois dos romanos, quando a Europa caiu naquele tétrico período da Idade Média, os homens inventaram meios de matar cem vezes mais cruéis. Inventaram os suplícios da Inquisição e da Justiça Pública, coisa que ainda arrepia a gente. A crueldade chegou a tal ponto que a forca foi reabilitada. Só eram enforcadas as pessoas importantes, dignas de consideração. Os outros...

— Pare, vovó! — gritou a menina. — Não toque nisso que me faz mal...

Dona Benta mudou de assunto. Passou a falar das armas de arremesso. Contou das máquinas que projetavam grandes pedras contra o inimigo. Falou do arco.

— Está aqui uma invenção notável, — disse ela. — No arco o homem aproveita a força que vem da elasticidade de certas madeiras. Se você encurva uma vara, ela tende a voltar à posição primitiva logo que deixa de ser contrariada. O aproveitamento dessa elasticidade permitiu ao homem arrojar projéteis a grande distância. O arco devia ter começado como bodoque, isto é, como lançador de pedras. Depois o homem verificou que lançando pedras a pontaria não era segura, e inventou a flecha, que lhe permite melhor pontaria. Certas tribos selvagens ficaram amestradas no lançamento de flechas a ponto de os seus atiradores rivalizarem com os nossos modernos mestres da carabina.

O homem sempre viveu em guerra, de modo que as invenções para melhorar a "mão que mata" foram inúmeras. Mas sempre que aparecia uma invenção nova surgia também um novo meio de defesa. Você lança flechas, não é? Pois vou armar-me de um escudo. É como hoje a luta entre o canhão e a couraça dos navios. Quanto mais cresce o poder ofensivo dos canhões, mais cresce o poder defensivo das couraças.

Por muitos milhares de anos o único meio que o homem tinha de arremessar coisas contra o inimigo foi a multiplicação da força dos seus músculos. Com o arco ele somava a força dos músculos com a elasticidade da madeira e lançava uma flecha a duzentos metros de distância, coisa impossível com os músculos apenas. Mas era pouco. Tornava-se necessário inventar uma força maior que a elasticidade da madeira. E essa invenção veio e revolucionou o mundo: a pólvora.

Os chineses, e depois um frade alemão de nome Schwartz, ou quem quer que seja, — observou que a mistura do enxofre, do carvão moído e do salitre tinha a propriedade de explodir com grande violência. Quer dizer que quando se punha fogo a essa mistura ocorria uma reação química que a transformava subitamente em gás.

— Como?

— Sim. De substância sólida que é, a mistura passa subitamente à forma de gás. A rapidez dessa passagem dum estado para outro lança o gás violentamente em todas as direções. Ora, se a gente fechar a explosão num canudo de modo que o gás só possa sair por uma das extremidades, a força dele se canalizará numa certa direção e com enorme violência. E se pusermos um corpo sólido tapando a extremidade do canudo, a força do gás fará que esse corpo seja expulso dali com grande velocidade, para lhe abrir caminho. Esse corpo sólido é a bala. De modo que nas armas de fogo o que lança a bala não é mais a elasticidade da madeira, como no arco, e sim a fúria do gás que quer fugir de dentro do canudo.

Pronto! O homem havia inventado a arma de maior poder destruidor possível. Surgiu a espingarda, a carabina, o morteiro, o canhão, a metralhadora. O canhão é uma carabina de cano muito grosso, que atira balas enormes. Apenas um aumento da carabina. A metralhadora é a mesma carabina com maior velocidade de tiros. Em vez de a mão do homem carregá-la com pólvora e bala para cada tiro, os tiros já vêm arrumadinhos dentro dos cartuchos, e os cartuchos vêm enfileirados numa fita, às centenas. A fita encartuchada corre por dentro dum mecanismo, que outra coisa não faz senão ir explodindo aqueles cartuchos com a maior rapidez, um atrás do outro.

Depois vieram as armas modernas do ar e do mar. Veio o torpedo, em que o explosivo está acondicionado dentro dum charuto de ferro que caminha na água movido por um maquinismo. Apontam-no e soltam-no em direção do navio inimigo e ele lá vai caminhando por si mesmo até bater no alvo. Explode, então, abrindo enorme rombo no casco do pobre navio.

E vieram as bombas dos aviões, que são torpedos verticais, sem mecanismos propulsores. A força que os leva contra o alvo é o próprio peso, ou a força da gravidade.

Mas chega de armas de guerra. Amanhã continuaremos a passar em revista as outras invenções com que o homem aumentou o poder das mãos — mas invenções benéficas, construtivas, e não horrendamente destruidoras como as armas de guerra.

Capítulo VI
Ainda a mão

— Tive um sonho horrível, — disse no dia seguinte Narizinho, logo que todos se reuniram em redor de Dona Benta. — Sonhei com uma infinidade de forcas com cadáveres pendurados, que o vento balançava...

— E eu sonhei com Tamerlão, aquele terrível conquistador tártaro, ajuntou Pedrinho

Dona Benta riu-se.

— Você, minha filha, sonhou com a Justiça Humana, e Pedrinho sonhou com o Herói na forma em que a humanidade mais o venera e admira. Os cadáveres pendurados das forcas eram de pobres degenerados que pelo impulso irresistível da sua degenerescência furtaram ou mataram. Se tivessem saqueado um país inteiro, e matado milhões de criaturas, em vez de estarem nas forcas estariam na Glória, babosamente admirados pelo mundo.

Mas deixemos de lado as filosofias tristes. Continuemos a ver o que tem saído da mão do homem. Já observei que uma das primeiras artes que a mão aprendeu foi esmagar coisas com o auxílio de pedras. Pois disto vieram grandes desenvolvimentos.

A vida do bicho-homem naqueles tempos era muito incerta. O fato de viver da caça punha-o na dependência dos animais existentes numa certa zona. Se os animais escasseavam, sobrevinha a fome e muitos homens morriam. Daí o hábito do nomadismo, isto é, de andarem sempre mudando de zonas. Mudavam de zona arrastados pela necessidade de encontrar caça fácil. Mas aquele muda-muda tinha graves inconvenientes; os peludos não só esbarravam muitas vezes com inimigos novos, como ainda não podiam possuir nada, cabanas, utensílios, comodidades. Nas mudanças só levavam o estritamente indispensável, abandonando muita coisa já produzida pelo trabalho. Ah! se encontrassem um meio de alimentação que substituísse a caça!...

Entre as plantas eles já haviam descoberto várias que produziam sementes alimentícias. Isso, porém, não bastava. As sementes vinham uma vez por ano e só nos lugares onde tais plantas cresciam à lei da natureza. Um peludo — talvez uma mulher — teve a lembrança de enterrar um punhado desses grãos — e a agricultura surgiu. Agricultura é isso: plantar num certo ponto certas plantas. O novo sistema veio melhorar grandemente as condições de vida dos peludos. Colhiam grãos em abundância e guardavam-nos. Quando a caça se tornava rara, já não eram obrigados a morrer de fome ou emigrar.

Mas o grão das plantas colhidas era duro. Se o quebrassem, podiam comê-lo com maior facilidade — e começou a moda de quebrar os grãos em pedacinhos. Para isso colocavam os grãos sobre uma pedra e batiam em cima com outra.

— Devia espirrar grãos de todos os lados! — observou o menino.

— Sim, e semelhante inconveniente levou o homem a escolher pedras côncavas; e para bater o grão escolheu pedras convexas. Nasceu daí o pilão — essa grande coisa, pois foi invento que contribuiu muito para melhorar as condições de vida dos peludos. Só tinha dois defeitos: exigir enorme esforço físico e ser de fraco rendimento. Imagine a trabalheira para pilar os grãos necessários aos estômagos de toda uma tribo! As pobres mulheres (porque todo trabalho bruto era feito por elas) deviam nesse tempo levar o dia inteiro pilando, pilando, pilando.

A necessidade põe a lebre a caminho. Uma das mulheres — lembrou-se de esmagar os grãos entre duas pedras chatas, girando uma sobre outra. O esforço exigido era menor e o rendimento maior. Dessa ideia genial nasceu o moinho que ainda hoje usamos.

— Mas os moinhos de hoje são movidos a água, — advertiu o menino.

— Perfeitamente. Podem ser movidos por meio da água, da eletricidade, do vento ou dos animais. O princípio, entretanto é o mesmo. Sempre duas pedras planas entre as quais os grãos se trituram. No começo eram movidas exclusivamente à força de braços. Ainda no tempo dos romanos a moda consistia em escravizar homens na guerra para pô-los o dia inteiro movendo as pedras dos moinhos. Por fim, mesmo lá entre os romanos, nasceu a ideia de aproveitar a força da água para substituir o músculo dos escravos.

Esse imenso progresso permitiu que o moinho de água se espalhasse pelo mundo inteiro. Possuía um defeito: só ser possível nas terras montanhosas onde as águas têm sempre queda. Nas planícies não podia ser usado. Como fazer? Surgiu a ideia de aproveitar outra força da natureza — o vento. E o moinho de vento apareceu.

— Aquele que Dom Quixote tomou por um gigante?

— Esse mesmo. Armado de grandes asas, como as ventoinhas, trabalhava de graça, silenciosamente, sempre que havia vento, prestando serviços inestimáveis. O moinho de água, entretanto, é o preferido, porque não falha nunca, não para. O de vento está sujeito a paradas, por ocasião das calmarias.

— Mas a água também para, — observou Pedrinho. — No Ceará a água acaba durante as secas.

— Em alguns pontos do mundo isso acontece. Mas no geral as águas correm sempre, sempre, sempre. Com maior volume na estação chuvosa, com menor volume durante o inverno — mas correm sempre.

Hoje é a Holanda o país que mais aproveita a força do vento. Aquilo lá não passa duma planura chata como mesa de bilhar, sem florestas que produzam lenha, sem quedas d'água que produzam força, sem carvão ou petróleo. A única fonte de energia natural é o vento — e os holandeses souberam aproveitá-la maravilhosamente. Não há vista da Holanda em que não apareçam os seus famosos moinhos de grandes asas. Empregam-nos para tudo — para serrar madeira, para moer trigo, para descascar arroz, para produzir eletricidade, para irrigar as terras de cultura, para esvaziar diques.

Por muito tempo as duas fontes de energia mecânica que o homem encontrou, capazes de substituir a energia dos músculos, foram a água e o vento. O vento, com o defeito da irregularidade — ora mais forte, ora mais fraco, ora nenhum. A água com o defeito de estar localizada num certo ponto. Eu, por exemplo, tenho aqui ótimas águas para mover quantas máquinas queira; já o compadre Teodorico vive se queixando de falta d'água. Era preciso aparecer uma nova fonte de energia sem esses inconvenientes — e apareceu o carvão de pedra.

— Por que dizem carvão de pedra? É de pedra mesmo?

— Não. Apenas madeira fóssil, isto é, que ficou soterrada por muitos milhões de anos. Dizemos de pedra porque tem a aparência da pedra, e também para distingui-lo do carvão de madeira. Em muitos pontos do globo esse carvão mostrava-se em veios à flor da terra. Os romanos deram-lhe o nome de *carbo*, donde vieram as palavras carbono e carvão. Os gregos chamavam-lhe *anthrax*, donde veiu a palavra antracite, que designa uma qualidade de carvão. Os antigos povos do centro da Europa chamavam-lhe *kol*, donde surgiu a palavra inglesa *coal*, que é como lá chamam ao carvão.

— Mas por que o carvão produz energia?

— Espere. Houve tempo em que em muitas zonas da terra a quantidade de árvores era imensa, por causa da muita umidade do clima. Isso há milhões de anos. Depois, nos grandes terremotos que houve, imensas florestas foram soterradas e a madeira se transformou no tal carvão fóssil. Para queimar, os gregos e romanos aproveitavam o carvão encontrado à flor da terra. Era pouco. Foi acabando. Começou-se então a escavar o chão para extrair o que estava mais profundo. Sobretudo na Inglaterra, cujo subsolo era todo ele um imenso bloco de carvão. Mas quando os buracos chegavam a certa profundidade...

— Já sei, — disse Pedrinho. — Aparecia água. Aqui no sítio, um buraco de cinco metros já dá água.

— Isso mesmo. O aparecimento de água nas primitivas minas de carvão veio atrapalhar o homem. Ele teve de inventar a bomba. A bomba é um instrumento para elevar até à superfície a água que se acumula nos buracos. Mas a bomba precisa ser movida, e onde a força para mover tantas bombas, dia e noite? Primeiro usaram a força dos músculos do homem e dos animais. Ficava muito caro. Tão caro que a tirada do carvão começou a não compensar. Tornou-se preciso descobrir força mais barata para mover as bombas. E toca o homem a escarafunchar o cérebro.

— Essa é que é a verdadeira mina, vovó, — observou Narizinho. — Sempre que o homem fica atrapalhado, cavoca o cérebro e tira uma ideia.

— Foi o que aconteceu no caso do carvão. Atrapalhados com a água das minas, os ingleses começaram a estudar. Leram na História que os antigos da cidade de Alexandria tinham inventado uma máquina de fogo que trabalhava melhor que os escravos. Mas com a destruição do Império Romano essa máquina se perdeu. Ninguém sabia como era, nem em que princípio se baseava. Só sabiam que fora inventada. Privados de qualquer informação, tornou-se necessário inventá-la de novo.

Não há vista da Holanda em que não apareçam os seus famosos moinhos de grandes asas.

Aqui entram em cena duas forças contrárias. Dum lado, a inércia da grande maioria dos homens, que são como as árvores, os peixes, os animaizinhos caseiros. Não querem mudanças, têm medo das novidades e combatem-nas, chamando loucos aos que pensam de modo contrário. Se sempre vencesse a ideia dessa gente inerte, o mundo jamais mudaria em coisa nenhuma. Do outro lado estão os pioneiros, isto é, os homens de ideias, amigos da novidades, os que inventam, os que criam coisas novas. O pioneiro é sempre combatido pela carneirada inerte, difamado, insultado, perseguido. Mas quando vence e realiza a sua invenção, a carneirada inteira corre a aproveitar-se dela.

Os pioneiros ingleses, que procuravam inventar a máquina que substituísse o músculo, a queda d'água e o vento, não descansavam. Dia e noite pensavam naquilo, estudando, experimentando, consumindo a vida numa luta sem tréguas. O problema era aproveitar a força do vapor d'água. Queimando o carvão, obtinha-se calor. O calor evaporava a água O vapor d'água era uma força. Como, porém, escravizar essa força? Como fazê-la mover as rodas duma máquina?

Entre os numerosos pioneiros empenhados nisso houve um que venceu: James Watt. Inventou um sistema de pistões que iam e vinham movidos pelo vapor, e nesse ir e vir movimentavam uma roda.

Pronto! Estava criada a máquina a vapor que iria revolucionar o mundo, libertando o pobre músculo do homem e dos animais de certos trabalhos pesadíssimos. Já as bombas de esgotar a água das minas podiam trabalhar dia e noite a um custo baratíssimo; o calor necessário para produzir o vapor dessas bombas era produzido pelo próprio carvão das minas. O problema ficou maravilhosamente bem solucionado.

Surgiu então a grande Inglaterra, o país da máquina a vapor. Como possuísse ferro e carvão em abundância, construiu máquinas inúmeras, para tudo — navios, locomotivas, locomóveis, tecedeiras, teares — e em poucos anos tornou-se a rainha dos mares e das terras. O imenso Império Britânico, que tem hoje quinhentos milhões de habitantes, foi formado à custa do ferro e do carvão transformados em máquina e energia.

Mas o carvão começou logo a mostrar os seus inconvenientes. Muito sujo. Borrava de preto a paisagem. Encardia os homens. Negrejava as casas. Não há nada mais triste que uma região mineira, isto é, uma região onde o principal trabalho dos homens consiste em extrair carvão do fundo da terra. Além disso, como o carvão fosse ficando cada vez mais fundo, os operários das minas iam se degradando. Já não eram homens — eram minhocas de pernas. Sua vida tornava-se uma noite permanente. Subiam à superfície à noitinha e na manhã seguinte desciam antes de romper o sol. Não viam mais o sol. Não tomavam sol. Começaram a virar toupeiras — e aos milhares.

Além desses havia outros inconvenientes. O carvão requeria muito transporte e, como estivesse ficando cada vez mais fundo, ia logicamente encarecendo. E vinham greves dos mineiros, e lutas e desesperos. Era necessário inventar coisa melhor. Começaram então a aparecer o petróleo e a eletricidade.

O petróleo é como um carvão líquido. O fato de ser líquido tem vantagens imensas. Sobe lá do fundo da terra por si mesmo ou por meio da sucção das bombas. Não tem que ser carregado. Depois de chegar à superfície, segue por dentro de canos para as refinarias, como se fosse água. E tem muito maior valor que o carvão, porque produz mais calor. E é muito mais limpo. E pode ser levado em latas para todos os pontos do globo. Uma lata de gasolina, por exemplo, que é? É uma certa quantidade de força enlatada. Remetida para qualquer ponto da terra, o homem solta-a no ponto em que precisa produzir força — e ela então se transforma em energia mecânica para mover os automóveis, os tratores, as máquinas de qualquer espécie.

— Mas gasolina é petróleo?

— Não. Petróleo é o óleo bruto como sai da terra. Nas refinarias é refinado, isto é, transformado em vários produtos de mais valor, como a benzina, a gasolina, o querosene, o óleo combustível usado nos motores Diesel, óleo lubrificante que serve para engraxar os eixos das máquinas; em *flit*, que serve para matar mosquitos; em piche e asfalto, que servem para calçamento das ruas; e em mais trezentos produtos de menor importância.

— Trezentos, vovó? Que colosso! Mas então o petróleo é realmente uma substância maravilhosa...

— E por isso a luta entre os povos modernos gira sempre em torno dele. Guerras tremendas já foram causadas pela disputa dos terrenos petrolíferos. A Guerra do Chaco, por exemplo, na qual morreram setenta mil homens, não teve outra origem.

Mas ao lado do petróleo vai crescendo a forma ideal de produzir energia — a eletricidade. Isso é que é a maravilha das maravilhas.

— Como se produz a eletricidade? Ou, melhor, que é eletricidade?

— Não sabemos, meu filho. É uma força que anda no ar e que o homem conseguiu tornar sua escrava. Desde os tempos mais antigos já era conhecida. Aquele Tales de Mileto, de que falamos na Geografia, observou que, esfregando com uma lã um pedaço de âmbar, esse âmbar ficava carregado duma força que atraía pequenos corpos. Era a eletricidade. O esfregamento de certos corpos, ou a fricção, concentra essa força num certo ponto, tornando-a aproveitável. Era preciso inventar a máquina esfregadora — e o sábio inglês Faraday inventou o Dínamo.

— Que é?

— Uma roda que gira de modo a produzir muita fricção e que portanto produz muita eletricidade. Para mover o dínamo temos de usar uma força mecânica qualquer, a força do vapor ou a força da água. O dínamo o que faz é transformar essa força mecânica em força elétrica.

— Qual a vantagem?

— Grande. A força elétrica não é aplicada unicamente no ponto onde é produzida, como a força do vapor. Pode ser enviada para muito longe, a centenas de quilômetros. Vai por um fio de cobre, invisível, quietinha, limpinha, sem sujar coisa nenhuma, sem cheiro, sem sabor, sem nada.

— Sem nada, não. Tem faíscas. Se a gente mexe nela de mau jeito, Nossa Senhora! Fica danadinha e espirra fogo.

— Sim, ela quer andar sempre em ordem, dentro dos seus fios. Não tem culpa de que os desastrados a irritem. Respeitando-lhes as leis, fazemos dela a mais humilde e prestimosa das escravas, tanto para mover as locomotivas enormes como as nossas máquinas de costura e batedeiras de ovos. Mas, desrespeitando suas leis, ah, ela reage da maneira mais violenta, fulminando as criaturas, incendiando as casas...

Nesse ponto Dona Benta foi interrompida pela entrada de Tia Nastácia.

— Que é isso hoje? — resmungou a negra. — Nove e meia já e tudo ainda acordado, a conversar bobagens...

Dona Benta olhou para o relógio. Eram de fato nove e meia.

— Você tem razão. Para a cama, todos! Amanhã acabaremos com a Mão do homem...

Capítulo VII
Últimas Mãozadas

No dia seguinte Dona Benta continuou:

— Ontem, quando falei da invenção da máquina a vapor por aquele James Watt, deixei de mencionar alguns pioneiros que já vinham trabalhando nela com grande ardor. Um deles foi o francês Papin, que muito se impressionara com uma chaleira de água a ferver. A tampa da chaleira dançava ao impulso do vapor e desse modo revelava a existência de uma força aproveitável. Outros foram os italianos Dela Porta e Giovanni Branca, o marquês de Worcester, e um de nome Fiske, nos Estados Unidos. Este chegou a suicidar-se quando viu que não resolvia o problema.

As primeiras locomotivas a vapor aparecidas diante dos olhos do público provocaram indignação. O povo, que ia ser tremendamente beneficiado com aquilo, só pensou numa coisa: destruir tais "artes do diabo", aqueles horrores que caminhavam por si mesmos, sem a ajuda dos músculos humanos ou da força dos animais.

— Interessante, vovó, como a inteligência dos homens é desigual. Nuns, tão grande que inventam coisas; noutros, tão pequena que se revoltam contra as invenções...

— Realmente, minha filha. A distância entre a inteligência dum Newton e a dum homem comum do povo é talvez maior que a distância entre a inteligência desse homem do povo e a de um boi de carro. Daí o sofrimento dos homens de alta inteligência. Em regra não são compreendidos. Ainda hoje vemos isso a cada instante. Nos jornais aparecem artigos de pessoas que se julgam inteligentes pelo fato de serem bem falantes e bem escreventes, as quais culpam as máquinas de todos os males dos tempos modernos. Como cada máquina nova vem diminuir o número dos operários comuns, essas pessoas querem acabar com a Máquina. Esquecem-se que se a máquina nova diminuiu um certo número de operários comuns, isso apenas significa que libertou um certo número de homens do trabalho que até então faziam e que de agora em diante passa a ser feito pela máquina.

Cada máquina que aparece liberta do trabalho penoso um punhado de escravos. No dia em que tivermos máquinas para tudo, e em tremendas proporções, nesse dia a humanidade inteira estará redimida do trabalho. Em vez de estafar-se no doloroso esforço muscular, o homem passará a dirigir as máquinas, como antigamente os feitores dirigiam os escravos. E teremos então o treze de maio da Humanidade.

O serviço mais penoso que há é o de cavar a terra. Aqui no sítio tenho uma turma de cinco homens que não fazem outra coisa; passam a vida a abrir valos, consertar caminhos, fazer buracos para moirões de cerca, etc. Trabalho duro, estúpido, que os deixa no fim do dia exaustos e com dor de costas. Quando aparecer a máquina que faça todos esses serviços, eu deixo um deles dirigindo a máquina e dispenso os outros.

Os inimigos da máquina não percebem que a minha máquina veio libertar os meus atuais cinco escravos, cavadores de terra. Um deles passou de escravo a feitor, ficando a dirigir, sem nenhum esforço, a máquina. Os outros foram despedidos, O inimigo da máquina só olha para a situação de momentâneo desarranjo de vida dos quatro despedidos. Não olha para a humanidade. Não percebe que a humanidade ficou beneficiada com a redenção de mais quatro escravos cavadores e com a supressão de mais quatro cansaços diários e de quatro dores de costas vitalícias. Não vê nada disso. Só enxerga o momentâneo desarranjo daquelas quatro vidas.

Quando estavam construindo a primeira linha de tubos para a condução do petróleo, os inimigos da máquina enfureceram-se, e destruíram a obra, alegando que aquilo vinha deixar sem emprego milhares de carregadores de petróleo. Não percebiam que aquilo vinha apenas libertar milhares de criaturas do trabalho penoso de carregar o petróleo com a força dos músculos. O fato de momentaneamente serem dispensados do serviço centenas de carregadores não tem a mínima importância para a humanidade; tem importância unicamente para os carregadores e só no momento, porque logo se arrumam em outros serviços.

O berreiro de hoje contra a máquina chega a ser grotesco; porque a máquina é a forma concreta do que chamamos progresso, e progresso quer dizer caminhar para a frente. Ora, como nada para no mundo, como tudo marcha — e marchar é caminhar para a frente e não para trás — havemos de ter cada vez mais maquinas. E os primeiros a se beneficiarem são justamente os que mais as condenam. Todos os artigos e livros contra a máquina são escritos em máquinas de escrever; compostos em linotipos, ou máquinas de compor; impressos em prelos, ou máquinas de imprimir; distribuídos por automóveis; ou máquinas de andar. O inimigo da máquina esquece que se ele tem o lazer necessário para escrever contra a máquina é unicamente porque já existem milhares de máquinas a serviço do homem — cada uma das quais foi a libertadora dum grande número de inimigos da máquina.

Inteligência, meus filhos, é compreensão, coisa mais rara do que se supõe. Inúmeros homens *parecem dotados* de inteligência; parecem apenas, como uma borboleta de papel parece borboleta, como a barulhada de certas bandas de música da roça parece música. Mas ficam no parece...

— Como eu pareço gente, — disse Emilia.

Dona Benta riu-se.

— Você não parece gente, Emilia. Você já é na verdade uma gentinha — e das boas. Acho injustiça viverem a chamar você de asneirenta. Você não diz asneiras, não. Asneiras são essas acusações contra a máquina. Você o que é, é muito independente de ideias, muito corajosa. Diz sempre o que pensa, sem escolher ocasião ou palavras. Se certas pessoas condenam esse modo de falar sem papas na língua, achando-o "impróprio", é porque elas não passam de "bichos ensinados". Como lhes ensinaram que isto ou aquilo não se deve dizer, aceitam o mandamento como coisa infalível e passam a vida a respeitar o que lhes ensinaram, sem nunca examinarem por si mesmas se o tal ensino tem ou não tem razão. Com você dá-se o contrário. Você é rebelde a tais imposições. Com essa cabecinha sua você vai pensando com uma liberdade que espanta a gente. Por isso andam todos curiosos por ler as tais "Memórias da Emília" que não saem nunca. Como vão elas?

Emília, toda gangenta com o elogio, respondeu, rebolando-se:

— Vão indo bem, muito obrigada. Mas devagar. Meu secretário (o visconde) briga muito comigo e faz greves. Eu ordeno: "Escreva isto". Ele, que é um "sabugo ensinado", escandaliza-se. "Oh, isso não! É impróprio". E vem o "fecha" e o livro vai se atrasando...

— E que diz você nesse livro?

— Digo o que me vem à cabeça. Vou dizendo o que quero, sem dar satisfação a ninguém, porque não sou "boneca ensinada..."

Dona Benta riu-se de novo e continuou:

— Pois é isso, meus filhos. Estamos vivendo num período muito interessante do mundo. A mão do homem adiantou-se demais neste nosso século, desenvolveu-se demais, multiplicou de tal modo a sua eficiência que o cérebro ficou na bagagem, lá longe. Há miolo já muito adiantado nos grandes homens, isto é, nos inventores, nos pioneiros e nos que compreendem; mas a massa geral do cérebro humano está hoje séculos atrás da mão. Van Loon diz que mecanicamente vivemos neste ano de 1935, mas espiritualmente, ainda muito perto dos peludos. É que a mão pioneira veio correndo com a velocidade, suponhamos, de 100 quilômetros por hora e o cérebro das massas caminha com velocidade de 10 apenas. Noventa e cinco por cento dos homens de hoje são peludos que andam de automóvel e ouvem músicas pelo rádio. Só isso explica horrores como a Grande Guerra. Nessa guerra, que é que o homem revelou? O mesmo peludo que nos tempos antigos andava de machado de pedra em punho a partir o crânio dos semelhantes. O ato foi o mesmo. Só variaram os meios de realizá-lo.

Em vez de tacapes, machados, flechas e lanças com que o peludo aumentava o poder agressivo das suas mãos, o homem moderno se estraçalhou durante quatro anos por meio de canhões, metralhadoras, gases venenosos, torpedos, bombas aéreas, na maior matança da História.

E por muitos séculos as coisas ainda continuarão assim. A mão não cessa de aperfeiçoar-se com velocidade sempre maior, mas o progresso moral tem a lentidão das lendas. Havemos de ter outras matanças ainda mais terríveis. A futura guerra mundial vai pôr num chinelo a de 1914, porque de 1914 para cá a mão tem feito progressos tremendos — e o progresso moral até parece que diminuiu a velocidade da sua marcha de lesma.

— Mas isso é um horror, vovó!

— E que tem que seja horror? É o que é. É o que pode ser. É o que tem de ser. E quanto mais horroroso for, melhor. O meio de dar velocidade ao cérebro das massas é cotucá-lo vivamente com o espeto de um grande horror. Lembre-se daqueles horríveis derrames de gelo dos períodos glaciais. Foi o melhor chicote para o cérebro do peludo. Aprendeu a pensar mais depressa. Progrediu. Os horrores da guerra moderna e das crises econômicas causadas pela estupidez da mentalidade reinante, são verdadeiros períodos glaciais que hão de produzir os mesmos efeitos.

Mas os períodos glaciais eram catástrofes resultantes da natureza. Hoje a natureza está completamente dominada pela mão do homem. Contra o frio temos as mil coisas que a mão criou para nos abrigar. Contra a fome temos os transportes rápidos que levam os alimentos dum país para outro, por mais afastados que sejam. A Argentina pode alimentar com seu trigo uma cidade dos antípodas onde haja escassez de alimento. Em dias um vapor despejará nessa cidade o trigo argentino. Contra as pestes temos a higiene. Contra todas as calamidades naturais temos as defesas criadas pelas invenções.

Entretanto, contra as calamidades que o cérebro ainda atrasado desencadeia a mão nada pode fazer, porque o cérebro, como senhor dela que é põe essa pobre escrava a serviço da sua estupidez e maldade.

— Qual o jeito, então?

— O jeito é tornarem-se essas calamidades tão grandes que o cérebro humano abra os olhos e veja — e compreenda, afinal!...

Mesmo assim a vida do homem de hoje não se compara com a vida do homem de outrora. Os benefícios das invenções já se estendem a quase todos os habitantes do planeta. O mais humilde operário moderno goza de comodidades que seriam sonhos para os antigos reis. A escuridão, que era um dos pavores do peludo, está se acabando. Todas as casas iluminam-se à noite. Temos as ruas clareadas pelas lâmpadas elétricas — e nos países mais adiantados até as estradas de rodagem são iluminadas à noite. O rádio está ao alcance de todos...

— Como, ao alcance de todos, se só quem tem dinheiro pode comprar um rádio?

— Mas não é preciso ter dinheiro para ouvi-lo. Sempre que o nosso apanha as músicas de Pittsburgh, as famílias do Zé Pichorra, do Totó, do Quizumba — todas que moram e trabalham aqui no sitio — vêm sentar-se aqui no terreiro e ouvem-no tão bem quanto nós. Se o imperador Carlos Magno quisesse ouvir um concerto executado em outro continente, poderia?

— É verdade, vovó. E os camaradas aqui no sítio ainda tomam sorvetes nas tardes de calor, e recebem cartas pelo correio, e vão ao cinemas aos domingos. O pobre Carlos Magno nunca viu sorvete, nem fita...

— Sim. Nas casas mais humildes encontramos sempre alguns dos tais produtos da invenção humana que tanto facilitam a vida. Aqui, por exemplo, na nossa, que é uma simples casa de sítio. Quanta comodidade as invenções nos trouxeram! Temos, além desse maravilhoso rádio, o lampião belga, a batedeira de ovos de tia Nastácia, as ferramentas de Pedrinho — as verrumas, a maquinazinha de furar ferro, o rebolo em que ele "desamola" as minhas tesouras; temos as tesouras; o ferro de abrir latas; a máquina de costura; a pena, a tinta e o papel por meio dos quais fixamos nosso pensamento e Emília escreve as suas memórias; o facão da cozinha...

— Temos os livros!

— Sim, os livros onde os homens de imaginação e cultura fixaram suas ideias. Temos a *Enciclopédia Britânica*, onde toda a ciência humana está concentrada. Temos os quadros das paredes — a arte. Temos a máquina fotográfica de Pedrinho, que me obriga volta e meia a posar com cara de riso. Temos os jornais que o correio nos entrega todos os dias com as novidades do mundo inteiro.

— Temos o varal de roupa...

— Sim, temos esse fio de ferro chamado arame, recoberto duma camada de estanho para não enferrujar. Temos os pregos que Pedrinho prega...

— Temos o visconde, que é um sabugo científico...

— E temos finalmente a Emília, — concluiu Dona Benta. — O poderoso monarca que foi o pobre Carlos Magno, se ressuscitasse e entrasse aqui, havia de assombrar-se da nossa riqueza, ficando bobo diante do rádio, do ferro de abrir latas, do jornal, da Emília, de tudo...

Isso mostra que graças às invenções a vida humana vai sempre ganhando em comodidades e facilidades. Somos riquíssimos, se nos comparamos ao mais rico dos romanos. O que há é que ainda não acertamos um meio de vida que faça as invenções beneficiarem a todas as criaturas igualmente.

E a maior das invenções humanas vai ser essa: um sistema social em que todos tenham de tudo.

Bem. Até aqui falamos das invenções que vieram aumentar o poder, o jeito, a astúcia da mão humana. Vamos agora passar em revista as que aumentaram o poder do pé.

— O pé também, vovó?

— Como não? O pé do homem igualmente se desenvolveu com tremenda velocidade, graças às invenções que lhe aumentaram a eficiência.

— De que jeito?

— Ora, ora! Reflita um pouco. Para ir daqui á cidade, que fazia o peludo?

— Ia caminhando a pé.

— E que fazemos nós?

— Vamos de automóvel.

— Pois aí está a resposta. O automóvel foi uma das invenções que aumentaram a eficiência do pé do homem. Permite que esse pé vá daqui à cidade — vinte quilômetros — em quinze minutos e sem se cansar. Para fazer o mesmo trajeto o peludo tinha de dar quarenta mil passos, isto é, tinha de mover os músculos da perna e do pé quarenta mil vezes. Logo, o automóvel foi uma invenção que aumentou tremendamente a eficiência do pé humano.

Capítulo VIII
O PÉ HUMANO

Entre todos os membros do corpo o pobre pé sempre foi o burro de carga, o mártir. Sempre em contacto com o chão, sofria os maiores horrores — topadas em pedras, espinhos, estrepes. E além da parte do corpo mais judiada, era a mais sobrecarregada de trabalho.

— Bem verdade, isso, vovó! — exclamou a menina. — Só ter de sustentar o peso do corpo a vida inteira...

— Sustentar o corpo e carregá-lo, fazendo-o mover-se dum lugar para outro. Se o pé humano escrevesse suas memórias, como está fazendo a Emília, não haveria leitor que não chorasse. E nós sabemos disso melhor que os outros, porque moramos numa terra em que o pé ainda padece muito. O Brasil é um pais onde ainda há milhões de pés descalços, exatamente no estado de nudez do pé do peludo. Não tem conta aqui no sítio o número de cortaduras de pés, que eu curei; de estrepes, que eu tirei; de topadas de arrancar unha, que eu tratei. Pobres pés! Feios, sujos, de sola grossíssima, toda rachada, dedos cheios de cicatrizes... Como é triste o pé do brasileiro da roça, que nu nasce, nu vive e nu morre!...

— E vítimas do bicho, vovó, — acrescentou Pedrinho. — Na casa do Quizumba, por causa daquele chiqueirinho de porcos que eles têm no quintal, os pés das crianças dão dó. É bicho que não acaba mais — e cada "morango"...

— E notem que o pé do homem padeceu mais que o dos outros viventes. No começo eram quatro patas, mas como duas se libertaram, transformando-se em mãos, as duas restantes tiveram de duplicar de trabalho...

A primeira função do pé e sustentar o peso do corpo; a segunda é andar, ou levar o corpo daqui para ali. Esta é a pior, porque, andando, o trabalho se torna duplo. Tem ao mesmo tempo de sustentar o corpo e de carregá-lo.

Carregar o corpo, no tempo dos peludos, era horrível, porque como havia numerosas feras perseguidoras o pé tinha constantemente de correr, isto é, de carregar o corpo depressa, sem olhar para o chão. Havia espinhos? Pedras pontudas? Estrepes? Pior para ele. O corpo não queria saber de nada. Só queria que os pés o levassem depressa, correndo com a maior velocidade possível. E quando o corpo alcançava um refúgio seguro, ai! os pobres pés estavam em miserável estado.

Viagens, emigrações para terras afastadas, correrias de defesa... Foi tanto o trabalho dos pés que o cérebro do peludo teve de vir em seu socorro — e começaram as Invenções que poupam o trabalho do pé, aumentando-lhe a eficiência. Uma das primeiras ideias foi "desapertar para a esquerda", como diz Pedrinho; foi aproveitar-se dos pés de outros animais de menos cérebro — e o peludo aprendeu a montar em cavalos. Até descobrir que o cavalo era cavalgável, havia de levar bom tempo. Com certeza experimentou a animalada inteira. Este, não se deixava montar. Aquele, mordia. Aquele outro, pinoteava demais. Por fim deu com o cavalo, cuja docilidade é espantosa. E o peludo domesticou o cavalo, isto é, começou a criá-lo para desde pequeno fazer dele um carregador.

Isso acresceu enormemente o poder do peludo. Sendo animal de muita força, o cavalo o levava no lombo por toda parte, devagar ou rapidamente, poupando desse modo os pés do cavaleiro.

No começo o homem só se utilizava do cavalo para locomover-se. Depois que começou a juntar coisas em casa, a cultivar a terra e guardar cereais, pôs o cavalo a carregar essas coisas — e surgiu o animal de carga. Ainda hoje o homem não dispensa o seu velho escravo de quatro pés. Aqui no sítio temos as bestas da tropa, que nos trazem o café do cafezal para o terreiro e depois o conduzem para a estrada de ferro.

Mais tarde veio a ideia de fazer o cavalo puxar uma armação de osso sobre o gelo, lembrança que deve ter ocorrido num daqueles períodos glaciais que enregelaram a terra. O gelo, como vocês sabem, é lisíssimo, de modo que um corpo duro escorrega sobre ele com a maior facilidade. Sobre tal armação os homens punham a carga a transportar. Nasceu assim o trenó, que ainda hoje é veículo usado nos países frios em que tudo se cobre de neve.

— Por que de osso e não de pau?

— A suposição dos sábios é que os primeiros trenós foram de osso por causa da abundância de ossos que havia sobre o chão. Ainda hoje os esquimós fazem seus trenós com ossos de baleia.

Mas o primeiro trenó correu muito bem enquanto havia sobre a terra uma camada de gelo. Quando, ao fim do inverno o gelo se derreteu, o trenó engasgou. Por mais que o peludo batesse no cavalo, o veículo não saía do lugar, por causa da irregularidade e aspereza do chão. Que fazer?

Eu imagino como não devia ter trabalhado a cabeça desse peludo! No primeiro momento irritou-se e deu no cavalo com um pau. Bateu no coitado até cansar o braço, convencido de que o animal não caminhava de birra. Nada adiantou a violência. Ele então procurou ajudar o cavalo, empurrando o trenó — e verificou que a coisa parecia mesmo ter criado raízes. "Ahn!" havia de exclamar, coçando a gaforinha emaranhada, ao ver que a culpa não era do animal. Como resolver o caso? Pensa que pensa, força daqui, força dali, com muito custo consegue que o veículo se mova um bocado para a frente. Súbito, o trenó desliza rápido por uns metros, para emperrar novamente. "Ué! Que aconteceu?"

O peludo para, limpa com as costas da mão o suor da testa, examina o chão e afinal descobre que o veículo tinha caminhado mais facilmente porque montara sobre um pedaço de pau roliço, casualmente por ali. Examina o rolete. Tem uma ideia. Coloca outra vez o rolete sob o trenó e toca o cavalo, e empurra — e com uma peludíssima risada no rosto bestial verifica que a giga joga de novo caminha com facilidade um ou dois metros. Mas o rolete, que ele pusera na frente, está atrás. O peludo, reflete. Seus olhos brilham de súbito. Muda o rolete para frente. Repete a manobra — e outra vez o trenó avança com facilidade mais um ou dois metros.

Pronto! Estava inventado o meio de fazer um trenó caminhar sobre o chão sem gelo...

Mas caminhava muito vagarosamente, exigindo a cada passinho que o rolete fosse mudado para a frente. Se houvesse um meio de deter o rolete sempre no mesmo ponto... O peludo pensa, pensa. Coça a gaforinha. Sorri. E se ele o segurasse de cada lado com um gancho de pau?... Experimenta. Dá certo. Os ganchos seguram o rolete sempre no mesmo ponto. Um grande problema fora resolvido.

Mesmo assim a tarefa de arrastar um trenó sobre o chão era muitíssimo mais penosa do que sobre o gelo. Muito atrito do rolete nos ganchos e na terra. O peludo pensou pensou e ficou na mesma. Um dia, porém, um pedaço de sebo grudou-se por acaso num dos ganchos, e quando o trenó foi posto a caminho o peludo viu logo que daquele lado o rolete girava com maior facilidade. Imaginando que o sebo fosse alguma substância mágica, botou sebo também no outro gancho — e a lubrificação foi inventada. Aqueles rudes ganchos são os antepassados dos aperfeiçoadíssimos mancais das nossas máquinas de hoje.

Os trenós ficaram desse modo um veículo que tanto andava no gelo como no chão de terra. Quando o gelo vinha, era só tirar fora o rolete e arrancar os ganchos; terminado o inverno, bota de novo o rolete no trenó!

Um dia sobreveio um desastre de extraordinárias consequências futuras. Um rolete, que durante o inverno fora posto de lado, perto do fogo, queimou-se no centro tomando a forma de um carretei tosco. Acabado o inverno, quando chegou o tempo de adaptar novamente o rolete ao trenó, o peludo ficou furiosíssimo de vê-lo queimado e deformado daquela maneira. Com certeza deu uma tremenda surra na mulher culpada de que aquilo acontecesse. E como de pronto não achasse um pau roliço com que fazer novo rolete, botou no trenó aquele mesmo — e saiu bufando. Pouco adiante, porém, sua raiva desfez-se em risada gostosa. Pois não era que com o raio do rolete queimado o trenó estava não somente mais macio, como muito mais rápido? A forma de carretei que o fogo casualmente dera ao rolete diminuía enormemente o atrito contra o chão.

Desde aí o peludo passou a só usar roletes queimados no centro — e isso até o dia em que um deles, mais audacioso, em vez de queimar o rolete deu-lhe a forma de carretel com o machado. Não era a magia do fogo que melhorava os roletes, era a forma com que ficavam.

E a coisa foi indo, o carretel foi se aperfeiçoando, até que a roda surgiu. A roda! Que maravilha!

— Uf! — exclamou Narizinho. — Que roda comprida, vovó! Quanto rodeio para chegar a uma coisa tão simples...

Capítulo IX
O PÉ QUE RODA: A RODA

— Minha filha, — respondeu Dona Benta, — o rodeio que dei para chegar à Roda foi bem menor que o caminho seguido pelo homem para inventar essa coisa que parece tão simples. Eu resumi o caso, fazendo que o mesmo peludo que descobriu o rolete fosse o descobridor das vantagens do rolete queimado em forma de carretel. Mas é provável que muitos séculos se passassem para chegar do rolete ao carretel. E quantos mais, para cortar o carretel ao meio fazendo dele duas rodas? Ou para ter a ideia de enfiar nessas rodas um eixo?

Mas a Roda afinal surgiu, sem que os peludos pudessem sonhar as consequências infinitas de tal invenção. Se possuímos hoje milhares de máquinas para tudo, devemo-lo à alavanca e à roda. Entre numa fábrica de tecido. Que vê você lá dentro? Rodas e mais rodas, de todos os tamanhos, de todos os tipos, lisas ou com dentes, inteiriças ou de raios. São essas rodas que distribuem a força, isto é, que movem todas as incontáveis máquinas de que se compõe uma fábrica.

— Já vi uma fábrica de tecidos, vovó, — disse Pedrinho. — A gente tonteia lá dentro. Tudo move, tudo gira. Uma trapalhada...

— Parece trapalhada, meu filho, mas a ordem é perfeita. Dum lado está a Casa da Força, onde fica a máquina geradora do vapor, composta da fornalha, onde se faz fogo e da caldeira, onde fica a água que o fogo evapora. O vapor d'água possui o que se chama *força de expansão*; quer dizer que ao ser produzido alarga-se, procurando ocupar um espaço muito maior que o ocupado pela água. Essa tendência constitui a força que o homem aproveita.

Saindo da caldeira o vapor penetra num cano onde está o pistão. Sabem o que é pistão?

— É uma pista grande, — respondeu Emilia

— É um tampão, uma espécie de rolha de aço colocada dentro do cano; não está pregado nele — está apenas bem ajustado e bem engraxado, de modo que pode ir e vir. Quando um jacto de vapor entra pelo cano, o pistão é tocado para a frente até o ponto em que uma abertura deixa escapar o vapor; nesse ponto o pistão para. A manobra repete-se do outro lado. Entra novo jacto de vapor, e empurra para trás o pistão que parou e também escapa pela abertura. E assim fica o pistão a ir e vir dum lado para outro, ora empurrado pelo jacto de vapor de cá, ora empurrado pelo jacto de vapor de lá.

— Verdadeiro jogo do empurra, — disse Pedrinho.

— Bem. Temos aqui o principal. Temos a força do vapor fazendo o pistão ir e vir sem parar. Foi essa a grande coisa que James Watt inventou. A força expansiva do vapor transforma-se num movimento de vaivém. Resta agora transmitir esse movimento a uma roda, o que se consegue por meio duma haste que liga o pistão a um ponto da roda afastado do centro. Tudo muito bem calculado, de modo que, quando o pistão vai para diante, a roda também vai para a frente impelida pela haste, dando meia volta; quando o pistão vem para trás, a roda é puxada pela haste e dá outra meia volta. Meia volta com mais meia volta forma uma volta inteira — e aí está a roda a rodar. E enquanto o vaivém do pistão não para, a roda também não para de girar.

A Casa da Força é isso. É a produção do vapor para o movimento duma roda principal. Essa roda principal move, por meio de correia, outra roda colocada fora da Casa de Força, já no grande salão onde se acham as máquinas de lidar com os fios a tecer. Em geral há nesse salão, dum extremo a outro, um grande eixo perto do forro. Numa das extremidades do eixo fica uma roda ligada pela correia à roda mestra da Casa da Força. E pelo eixo afora ficam numerosas outras rodas, maiores ou menores, cada uma delas com uma correia que desce e vai virar a roda mestra da máquina que está em baixo. O vapor move o pistão; o pistão move a roda grande; a roda grande move a roda mestra do salão; esta roda mestra faz o eixo virar; o eixo virando, também viram todas as demais rodas a ele ligadas; estas rodas virando, também viram todas as rodinhas de todas as máquinas distribuídas pelo salão. E pronto: aquele maquinário complicadíssimo, cheio de alavancas e ferros engenhosos que se mexem de todos os jeitos, de todos os lados, com todas as velocidades, entra a mover-se com a maior harmonia, executando o trabalho que o homem quer. Uma, desembaraça as fibras do algodão bruto. Outra, torce esse algodão em fios; outra, enrola os fios em carretéis. Outra, tece os morins, os algodõezinhos, as toalhas felpudas. Outra dá um banho de goma no morim. Outra corta o tecido de tantos em tantos metros para formar as peças. Outra passa-o a ferro para que fique bem lisinho. Outra dobra-o em peças. Outra gruda as etiquetas.

O homem apenas dirige aquela infinidade de escravas de ferro, que não se cansam, não dormem e só se alimentam de óleo lubrificante. Ah, isso elas não dispensam. Se dum momento para outro todo o óleo lubrificante do mundo desaparecesse, imediatamente todas as fábricas, trens, automóveis, aviões, navios — tudo que é máquina parava. Nesse ponto são exigentíssimas.

— Pois olhe, vovó, — disse Pedrinho, — quando visitei a tal fábrica fiquei tonto e não entendi nada. Agora, tudo me está claro como o dia. Hei de voltar lá de novo.

— É que quando a visitou ainda não sabia ler o que estava escrito naquelas rodas e eixos e correias. Agora você já conhece o alfabeto da língua mecânica. Assim também com os livros.

Para tia Nastácia um livro não passa duma porção de folhas de papel. Mas para quem sabe ler, um livro é um mundo de ideias. Quando voltar à fábrica de tecidos você vai ler nela como lê num livro — e há de maravilhar-se.

Antes de haver grandes fábricas o sistema era outro. Os operários não trabalhavam reunidos. Os patrões lhes forneciam o material e lhes alugavam a ferramenta — e eles que trabalhassem em suas casas. Os inconvenientes do sistema fizeram que surgissem as fábricas, isto é, grandes casarões onde os operários se juntam para o trabalho em comum. Com o aparecimento da máquina a vapor e da eletricidade, todos os serviços pesados passaram para o lombo das máquinas. O operário apenas as dirige, fazendo-as andar ou parar, lubrificando os mancais, consertando o que se desarranja, etc.

Tudo isso, porém, graças ao vapor que produz a força, e graças à roda e à alavanca que distribuem essa força de mil modos diferentes, conforme as necessidades do trabalho. Lá vemos uma força enorme que ergue pesos, que corta ferro, que serra madeira; aqui vemos forcinhas delicadíssimas que lidam mimosamente com o mais fino fio de seda. Não existe serviço, por delicado que seja, que a máquina não faça — e o faz sempre do mesmo jeito, sempre igualzinho. Não erra.

Numa fábrica de relógios, por exemplo. É admirável a precisão com que a máquina fabrica todas as rodinhas e engrenagens quase microscópicas dum minúsculo relógio de pulseira — todas absolutamente iguais. Com a mão seria impossível.

— Mas a máquina não é mão?

— É a mão do homem mecanizada, aperfeiçoada. Na máquina de costurar, por exemplo. A lançadeira combina-se com a agulha que sobe e desce de modo que os pontos saiam absolutamente iguais. Que mão de carne seria capaz de fazer isso — e com aquela velocidade?

A natureza deu ao homem a Mão, que é uma perfeita maravilha. O cérebro deu à Mão a eficiência mecânica, que é mil vezes mais maravilhosa ainda.

Mas estou me afastando do assunto de hoje. O assunto é o pé, não a munheca. Estávamos na roda, não é assim?

— Estávamos no carretel tostado ao fogo, que virou duas rodas — advertiu a menina.

— Isso mesmo. A roda começou assim, tosca, brutíssima, pesadona — um mostrengo. Mas começou, e isso é tudo. O que começa não para mais. Segue aperfeiçoando-se até o infinito.

A roda começou permitindo a multiplicação da força do pé. Sem aquele rolete que o fogo queimou não teríamos os Fords e os aviões.

— Que tem o avião com a roda?

— Tem tudo. É movido por meio duma hélice, que não passa duma roda com pás dum certo jeito. Entre as várias filhas da roda está a hélice.

Mas a roda não se generalizou nos tempos antigos como está generalizada hoje. Houve povos que a ignoraram. As populações primitivas da América, por exemplo, desconheceram-na completamente. Quando os primeiros colonizadores introduziram aqui os veículos de roda, o espanto dos índios foi grande.

A roda, ou antes o veículo de rodas exige uma superfície lisa em que possa rodar; isto é, exige boa estrada. Ora, isso de estrada boa é coisa que só existe em certos países, de maneira que ainda hoje em muitos pontos do mundo há menos veículos de roda do que veículos de quatro pés: o burro que leva carga ao lombo.

Os dois grandes veículos dos países sem boas estradas são a "tropa" e o "carro de boi".

O carro de boi tem a propriedade de dispensar estradas. Não há por onde não passe. Sobe morros, atravessa lameiros horríveis, onde atola até aos eixos. Duma lentidão extrema e duma capacidade de transporte mínima; no entanto seguríssimo. Chega sempre ao seu destino.

As rodas do carro de boi são rodízios maciços, forma ainda conservada por causa dos atoleiros. Se em vez de maciças fossem de raios, como as de carroça, ficariam presas na lama. Em cada carro encangam-se às vezes até vinte juntas de boi — e lá vai pela estrada afora aquela animalada imensa, aquela procissão de bois puxando um carrinho que não transporta mais de 600, 700 quilos. Um caminhão automóvel carrega toneladas. Em matéria de rapidez o carro de boi mal ganha das lesmas. Caminhada de duas léguas por dia já é boa. Um auto caminhão vence duas léguas em 15 minutos, e com carga cinco vezes maior.

Os egípcios, os romanos, os gregos, os babilônios, todos os povos da antiguidade civilizada tinham carros aos quais davam grande importância. Quando queriam representar a imagem dum deus punham-no de pé num carro de duas rodas. Era coisa nobre, distinta. E deviam ser relativamente raros, porque em matéria de estradas só os romanos se mostraram inteligentes. Foram os criadores das estradas bem-feitas, pavimentadas, com ótimas pontes de pedras.

— A senhora falou em ponte. É invenção da mão ou do pé? — perguntou Pedrinho.

— Do pé está claro. Que é uma ponte?

— Ponte? Ponte é... é um caminho aéreo...

— Isso mesmo. Quando uma estrada vai dar a um rio, tem que parar; mas como uma estrada que para não é estrada e sim beco sem saída, o homem teve de inventar um meio de projetar a estrada por cima do rio. A primeira ideia lhe foi sugerida pela natureza, porque não existe floresta cortada por um ribeirão em que não haja paus caídos duma margem a outra, formando pinguelas.

O homem copiou a natureza. Cortou o rio com um grande tronco de árvore, bem reto; e como os troncos são roliços, desbastou-o a machado na parte superior para que sobre ele seus pés pudessem caminhar com firmeza.

O tronco de pau, entretanto, só resolve o problema da passagem dos rios estreitos. E os largos? Aí o homem teve de fazer outra coisa. Teve de fincar dentro d'água fortes esteios que suportassem uma armação de madeira, ou troncos articulados. Os romanos foram além. Construíram pontes de pedra, maravilhosas de resistência, pois que duram até hoje.

A ponte, portanto, é pé. É o meio que permite ao pé atravessar os rios sem se molhar.

— E como veio o pé de ferro que corre — o trem?

— Ah, isso foi interessante. Depois de descoberta a máquina a vapor, vários ingleses tiveram a ideia de fazer essa máquina puxar carros pesados nas estradas comuns. Montavam num ponto da estrada uma máquina a vapor fixa, para, por meio de enrolamento de uma corda, puxar carros. Era complicadíssimo e de pouco resultado nas distâncias grandes. A boa ideia então ocorreu a Stephenson: e se em vez da máquina puxar os carros ela se puxasse a si mesma? Estuda que estuda, Stephenson resolveu o problema. Inventou a locomotiva, a máquina que se puxava a si própria. Mas que luta! Foi enorme a resistência do povo. Ninguém queria saber daquilo. O Cavalo de Ferro inspirava horror, como se fosse arte do diabo. O governo inglês botou os obstáculos que pôde, alegando os perigos desse cavalo de ferro solto pelas estradas. Chegou a passar uma lei tornando obrigatório vir na frente das locomotivas um homem a cavalo para avisar os transeuntes.

— Como? Não estou entendendo... — disse Pedrinho.

— Sim. A lei inglesa mandava que à frente das locomotivas seguisse pela linha um homem a cavalo com uma bandeirinha, "para evitar desastres"... Semelhante medida, está claro, impediu do modo mais completo o desenvolvimento da estrada de ferro. Além disso os sábios oficiais do tempo de Stephenson provavam com cálculos seguríssimos que aquilo era bobagem, não passava duma exploração do público...

Mas Stephenson — insistiu. Lutou anos, e em 1825 venceu, afinal. Conseguiu realizar sua ideia, isto é, montar sobre rodas a máquina a vapor.

Isso não era tudo. Para que tal máquina pudesse caminhar com rapidez tornavam-se necessários caminhos ótimos, bem calçados, bem nivelados, sem lama no tempo de chuva. E não havia tal coisa. Como resolver o problema? Stephenson imaginou os trilhos, isto é, duas estradinhas paralelas feitas de ferro, da largura que bastasse para as rodas da sua locomotiva — e hoje o mundo inteiro está cortado de norte a sul e de leste a oeste por maravilhosas estradas de ferro, filhas da estradinha do grande inventor inglês.

— O que eu admiro, vovô, é a coragem, a tenacidade dos inventores, — observou Pedrinho. — Por maiores que sejam os obstáculos eles não desanimam nunca.

— Tem razão de admirar-se, Pedrinho. Os inventores são criaturas excepcionais, diferentes em tudo das outras. Depois que escasquetam na cabeça uma ideia, não pensam em mais nada. Parece que a natureza os cria especialmente para aquele fim, como cria o pintor para pintar, o músico para compor músicas, o homem rotineiro para embaraçar o progresso do mundo. Os inventores, os pintores, os músicos suportam as maiores misérias, privam-se de tudo, contanto que possam realizar a sua invenção, o seu quadro, a música. E acabam vencendo.

A porcentagem dos inventores, pintores, músicos e artistas de outros tipos é mínima. Em cada cem criaturas haverá uma desse gênero, de modo que eles têm sempre contra si os noventa e nove restantes. O menos que esses noventa e nove dizem do um por cento que não pensa como eles, é que são loucos.

E são mesmo aloucados. O fato de sacrificar a vida para benefício futuro dos noventa e nove por cento de ingratos, é coisa mesmo de louco. Mas, que hão de fazer? Seu destino é produzir invenções e obras de arte, assim como o destino duma roseira é produzir rosas. A saúva tosa a roseira; o jardineiro poda-a sem dó; os meninos malvados batem-na com varas; as cabras que entram no jardim pastam-lhe as folhas. Por mais judiada e perseguida que seja, porém, quando chega o tempo próprio a roseira dá as suas lindas rosas. Inventores, artistas e roseiras judiadas pagam o mal com o bem.

— Mas as roseiras se defendem com os espinhos, — observou a menina.

— Está claro que se defendem, as coitadinhas. E os artistas, inventores e sábios se defendem com a misantropia, isto é, afastando-se dos homens comuns. Spencer, que foi um grande filósofo inglês, chegava a por algodão nos ouvidos quando obrigado a receber certas visitas.

— Para que isso?

— Para que as asneiras do visitante não fossem sujar seu maravilhoso cérebro, sempre ocupado com os grandes problemas da vida.

O navio a vapor foi uma consequência lógica da locomotiva de Stephenson. Assim como a máquina a vapor podia carregar-se a si própria em terra, poderia também carregar-se no mar. E Roberto Fulton, um americano, teve a ideia. Como não haviam de rir-se dele! O louco! O imbecil... Até Napoleão sorriu, quando Fulton afirmou ser capaz de construir um barco a vapor que atravessasse o canal da Mancha. Hoje não existe mar em que os navios de Fulton não deslisem por cima como baratinhas fumegantes.

— E antes do navio a vapor?

— Espere. O pé do homem já havia resolvido o problema de andar rápido sobre a terra sem se cansar. Tinha depois de resolver o problema de andar sobre a água. Um tronco boiante deu a primeira ideia da canoa. Mas um tronco não tem estabilidade; vira facilmente de um lado ou de outro. Foi preciso escavar esse tronco — e a canoa surgiu. Para escavá-lo o homem recorreu ao fogo lento; queimava com brasas o tronco até tê-lo na forma de canoa.

A canoa foi primeiramente movida pelas mãos, que iam empurrando a água para trás. Como não desse rendimento e cansasse muito, o canoeiro teve a ideia de encompridar a mão com o remo, que é uma palma de mão de pau posta num cabo. Pronto. Estava inventada a navegação. Da canoa vieram as galeras dos romanos e outros povos antigos. As galeras empregavam grande número de remos movidos por escravos.

Um dia um canoeiro que perdeu o remo longe da costa teve a ideia de erguer contra o vento um couro que trazia. A canoa delisou veloz. Estava inventada a vela. Era só fincar na canoa um mastro e amarrar nele um couro esticado, com as pontas seguras por meio de cordas.

Dessa humilde canoa de vela de couro saíram os navios veleiros com que os navegadores do século XVI puseram todas as terras do mundo em ligação umas com as outras. E saiu o comércio marítimo que consiste em levar os produtos dum país para outro. Do Brasil os navios de vela carregaram o pau brasil usado na tinturaria da época; das Índias traziam as famosas especiarias. Da África traziam escravos e da Europa trouxeram os colonos que formaram os nossos países da América.

Afinal surgiu o barco a vapor e a vela teve de ceder seu cetro de rainha dos oceanos. Graças à canoa, ao barco de vela e hoje aos grandes navios a vapor, o pé humano conseguiu o milagre de caminhar sobre a superfície dos mares tão seguramente como caminha em terra.

Outra invenção para dar eficiência ao pé foram os túneis, ou caminhos subterrâneos que varam as mais altas montanhas, ou passam por baixo de rios.

— E a escada, vovó? Não é também pé?

— Certamente. Com a escada o pé adquire meios de subir até certas alturas. Se houvesse uma escada da Terra à Lua, podíamos ir até lá a pé.

— Mas não chegaríamos nunca, — observou Pedrinho. — A distância eu sei qual é: 354.000 quilômetros. Cada degrau tendo um palmo, seriam... seriam...

Narizinho fez depressa a conta, dando a cada palmo 20 centímetros, e respondeu:

— Um bilhão e setecentos e setenta milhões de degraus.

Pedrinho não quis ficar trás; calculou depressa quanto tempo um homem levaria para subir todos aqueles degraus e disse:

— Se um homem subisse mil degraus por dia, tinha de levar 1.770.000 dias subindo, ou sejam 4.850 anos... Quer dizer que se com minha idade Júlio César começasse a subir essa escada, estaria hoje a pouco mais de meio caminho, apenas... Um absurdo, vovó, ir à Lua a pé.

Dona Benta riu-se daqueles cálculos, satisfeita de ver como o cérebro dos meninos já estava desenvolvido. Depois concordou:

— Realmente. A pé, com o nosso pé de carne, é impossível. Mas com o pé aumentado por alguma invenção, quem sabe? Esse pé de carne, que no tempo do peludo só vencia uma distância insignificante, já está hoje terrivelmente veloz. Por meio do avião atinge a velocidade de 600 quilômetros por hora. Quer dizer que, se formos à Lua com o nosso pé voador, levaremos... Façam a conta.

Emília ganhou a corrida. Foi quem respondeu primeiro:

— Vinte e cinco dias! Um avião a 600 quilômetros por hora vai daqui à Lua em 25 dias.

— Só! — exclamou Pedrinho — e ao concluir a sua conta, vendo que era aquilo mesmo, assombrou-se.

— Sim, meu filho. O homem já atingiu na terra velocidade que lhe permite ir à Lua em 25 dias. Mas por enquanto o voo é impraticável. Os aviões têm que abastecer-se de combustível pelo caminho e entre a Terra e a Lua ainda não existe uma só bomba de gasolina...

Capítulo X
O PÉ QUE VOA: O AVIÃO

No dia seguinte Dona Benta continuou a falar das invenções que vieram substituir o pé humano na função de caminhar. Antes disso referiu-se a inúmeras invenções menores que nasceram das grandes, como os ramos nascem do tronco da árvore.

— O que há de invençõesinhas numa locomotiva, nos carros que ela puxa e nos trilhos sobre os quais corre, não tem conta. O apito da máquina; os sinais de aviso à beira da linha; os "jacarés" ou entrecruzamentos de trilhos; os freios pneumáticos que travam o trem com a força do ar comprimido; o carro-salão, o carro-restaurante, o carro-dormitório... Se todas essas invenções fossem mencionadas dariam para encher um livro.

A mesma coisa nos navios. A invenção do leme, da âncora, da hélice, da bússola... A bússola foi de tremendas consequências, porque permite aos navegadores orientarem-se com a maior exatidão, qualquer que seja o estado do tempo. Antes da bússola eles só podiam guiar-se pelo sol ou pelas estrelas o que os punha atrapalhados nos dias de céu encoberto.

Por fim veio o navio a vapor, que resolveu da maneira mais completa o problema da navegação. O homem não ficava mais na dependência do capricho do vento. Houvesse ou não vento, o navio caminhava do mesmo modo. Só então ele conseguiu dominar completamente o mar. Restava o ar. Dono já da terra e dos mares, o ar ainda não era domínio do homem. Tornava-se preciso conquistá-lo.

— Que bichinho insaciável! — observou a menina. — Não há o que o contente...

— Justamente por isso o homem progride sempre. Sua ambição não tem limites. Mais, mais, mais! é o seu lema.

— Que ponto pretenderá atingir?

— Ninguém sabe. O homem avança para a frente movido por uma força misteriosa. Impossível prever até onde o levará essa corrida louca. Impossível também fazê-lo parar. O progresso lembra uma pedra que se despenhou do alto da montanha. Tem velocidade cada vez maior.

— Mas a pedra que desce da montanha tem de parar um dia, — observou o menino. — Na base das montanhas há sempre um vale, um abismo...

— Se você cochichar essa advertência ao ouvido da pedra que rola, nem por isso ela se deterá. Assim também com o avanço do progresso. Seja vale, seja abismo o que há pela frente (e nada podemos saber a esse respeito), sua marcha não pode ser detida por nenhum cochicho.

O ar, por exemplo. Durante milhões de anos o homem olhava para o céu como algo inacessível. Era o domínio das águias. Mas um dia resolveu voar. "Se as águias voam, por que não hei de voar também, eu que sou mais inteligente que as águias?"

A vida das aves fazia inveja ao homem. Não se arrastam pelo chão em movimentos de lagarta, como nós. São donas dessa maravilhosa estrada de rodagem sem poeira, sem buracos, sem lameiros que se chama "camada atmosférica". E como podem com a maior facilidade transportar-se dum ponto para outro, estão livres dos horrores do extremo frio e do extremo calor. Se o inverno chega, emigram para as terras quentes; se o verão está muito forte, voam para as terras temperadas.

Há séculos que o homem encasquetou a ideia de voar.

O papagaio de papel inventado na velha China mostra essa preocupação. Mas no papagaio ele apenas consegue fazer voar uma coisa construída por suas mãos; não consegue que essa coisa o leve pelos ares.

Entre querer e poder vai uma boa distância. O grande italiano de nome Leonardo da Vinci, um dos maiores gênios da humanidade, sonhou muito com isso e desenhou vários aparelhos voadores. Só tinham um defeito: voar apenas no papel. Faltava a Leonardo uma coisa: a energia mecânica de alta potência para mover as asas dos seus aparelhos. Com a força muscular dos braços era impossível. E naquele tempo as grandes invenções que aumentam o poder dos músculos do homem ainda não haviam aparecido.

Outra ideia surgiu mais tarde: fazer um balão que subisse com ar quente. O homem tinha notado que o ar quente é mais leve que o ar frio. Nas chaminés dos fogões vemos isso. O ar aquecido pelo fogo sobe pela chaminé.

A experiência foi pela primeira vez tentada em Lisboa por um brasileiro, Bartolomeu de Gusmão. O seu balão chamava-se Passarola. Subiu até o beiral dum telhado, no qual bateu, escangalhando-se. Vaia, risadas, e depois perseguições da "gente de juízo" da época, sob pretexto de que ele era um doido.

Mais tarde um francês tentou igual experiência e foi bem-sucedido. Montgolfier, que era papeleiro, construiu um grande balão de papel e o fez subir com ar quente, pelo sistema que vocês usam com os balões do dia de São João.

Foi um acontecimento. Toda gente ficou de nariz para o ar, assombrada; e quando o balão caiu, aconteceu o mesmo que hoje quando os balões de vocês caem.

Os camponeses perseguiram-no com seus gadanhos em punho para espetá-lo — para destruir o monstro aéreo. Os moleques de hoje repetem o impulso instintivo daqueles campônios, quando um balão começa a descer, correm em bando em sua direção, só sossegando depois que o estraçalham.

Estava feita uma grande descoberta. Construindo-se um balão maior e de material mais resistente, era possível levar pelos ares um homem. O caso foi resolvido.

Esses balões de ar quente, com uma barquinha pendurada de cordas onde o aeronauta podia acomodar-se, tinham vários defeitos. O principal: não ir para onde o homem queria. O vento o governava. Ora, balão que o vento governa pode ser muito bom para o vento; para nós não presta. E toca o homem a estudar meios de construir um balão governável por quem vai na barquinha.

A primeira ideia ocorrida foi mudar a forma. Em vez de esférico ou de em formato de pera, adotaram a forma do charuto — mas isso muitos anos depois do balão do papeleiro francês.

Os sábios oficiais meteram-se no meio, para atrapalhar. Com todo o peso da sua ciência garantida pelo governo e pelas academias, declararam absurdo isso de voar com direção. O mais que o homem podia fazer era voar para onde quisesse o vento. E na Academia de Ciências de Paris provavam essa impossibilidade com mil argumentos.

O balão sobe porque é mais leve que o ar. E se se construísse um aparelho voador mais pesado que o ar? As aves são mais pesadas que o ar e voam. Essa ideia louca deu de bulir com a cabeça de muitos loucos. Os sábios oficiais, chamados a dar parecer, riram-se e provaram por a + b que era um disparate sem nome. E como os governos e o povo dão grande importância à opinião deles, os experimentadores partidários do "mais pesado que o ar" nunca tiveram o apoio de ninguém. Ficou assente que eram loucos varridos.

Mas tais loucos preferiram ficar com a sua loucura a ficar com o bom senso dos sábios oficiais. Insistiram. Experimentaram. Muitos morreram de desastre — e cada vez que isso acontecia os sábios vinham para os jornais dizer: "Bem feito! Eu já não provei que um corpo mais pesado que o ar não voa?" E o povo repetia os dogmas dos grandes perus da ciência oficial.

Um dia Santos Dumont voou para onde quis. Voou de verdade. Encheu dum gás mais leve que o ar um balão em "forma de charuto; colocou no bico do charuto uma hélice movida por um motor de gasolina — e voou. Mas voou mesmo, de verdade, dando volta em torno da célebre torre Eiffel em Paris e vindo pousar no ponto de partida.

Foi um assombro. Não contente com isso, voou mais tarde no seu aviãozinho "Demoiselle", que era mais pesado que o ar.

O povo, já esquecido das palavras dos perus, aclamou-o com delírio. O grande acontecimento daquele ano na Europa foram esses primeiros voos de Santos Dumont.

— E os sábios oficiais, que fizeram?

— Encolheram-se, de bico caladinho. Enfiaram-se nas tocas, desapontadíssimos.

Também na América dois homens viviam a estudar o mesmo problema — os irmãos Wright; conseguiram voar, ou realizar o primeiro voo um pouco antes de Santos Dumont. De modo que essa tremenda invenção surgiu quase ao mesmo tempo na América e na Europa, sem que o inventor de lá conhecesse as experiências dos de cá, e vice-versa. Isso sucede frequentemente. Quando uma invenção está madura, sua tendência é brotar ao mesmo tempo em vários pontos.

— Por que estava madura a invenção do aeroplano?

— Porque a coisa dependia apenas do aperfeiçoamento dos motores de gasolina. No dia em que o homem dispusesse dum motor de pequeno peso e grande força, estaria na posse do elemento que faltou a Leonardo da Vinci. Ora, quando Santos Dumont e os Wright meteram mãos à obra, os motores de gasolina já estavam bem leves.

Desde então a arte de voar se foi aperfeiçoando com enorme rapidez. Inúmeros pioneiros a ela se dedicaram. Um francês, Bleriot, construiu um aeroplano com que atravessou o canal da Mancha. Os ingleses assombraram-se. Viviam na sua ilha seguríssimos de si, guardados pela mais poderosa esquadra do mundo. Só punha lá o pé quem eles quisessem — e quem entrasse pela porta da rua. Ora, Bleriot entrou sem pedir licença — e por cima da porta. Isso deixou os ingleses atordoados. "Se um homem entrou cá sem nossa licença, poderão entrar mil", foi como refletiram, vendo que a segurança da ilha, apesar de todo o poder da esquadra, já não era a mesma. E começaram a mudar de mentalidade. Começaram a aprender a voar.

A Grande Guerra veio confirmar aquele raciocínio. A famosa ilha já não era a antiga fortaleza inexpugnável. Não podendo entrar por baixo, o inimigo entrava por cima. A cidade de Londres foi muitas vezes bombardeada pelos Zeppelins vindos da Alemanha.

— E quem inventou os Zeppelins?

— Foi o conde Zeppelin, um sábio alemão. Enquanto os franceses, ingleses e americanos se dedicavam de corpo e alma ao "mais pesado que o ar", o conde Zeppelin pôs-se a aperfeiçoar o "mais leve que o ar", que havia sido mais ou menos abandonado. E conseguiu maravilhas. Os Zeppelins de hoje fazem proezas extraordinárias. São monstros aéreos feitos de alumínio, com capacidade para bastante carga e numerosos passageiros. Mas só os alemães sabem construir Zeppelins. As tentativas feitas pelos outros povos fracassaram. Hoje vemo-los flutuar no céu em viagens tão regulares como as dos navios transatlânticos.

Viajar de Zeppelin constitui uma das maiores novidades. Outro dia visitou-me um escritor paulista de que gosto muito — aquele que escreveu o "Professor Jeremias". Pois até ele já foi à Europa de Zeppelin; foi e voltou. Esse moço tinha fama de cético, isto é, de não acreditar em nada. Agora acredita no Zeppelin. Descreveu-me toda a viagem com as maiores minúcias. Que maravilha! A coisa é tão linda que, apesar de velha, eu não desisto duma viajada pelos ares.

Os meninos bateram palmas. Que beleza se fossem todos num Zeppelin, em viagem ao redor do globo...

— Isso, vovó! E havemos de ir o bando inteiro — até Quindim... Quando partimos?

— Talvez no dia de S. Nunca.

Os meninos ficaram de nariz comprido. Apesar disso Emília foi arrumar sua malinha, ajudada pelo visconde.

— Sabe do que mais vou gostar nesse passeio de Zeppelin? — perguntou aquele espirro de gente.

O embolorado sabugo científico fez cara de quem não sabia.
— De dar minhas cuspidinhas lá de cima... — confessou Emília.

Nota — Alguns anos depois sobreveio o horrível desastre do Zeppelin "Hindenburg" no momento de chegar aos Estados Unidos. A catástrofe horrorizou o mundo e ninguém mais quis saber dos dirigíveis.

Capítulo XI
A BOCA

Dona Benta ainda falou longamente da aviação. Contou que quanto mais alto sobe um aeroplano mais rápido pode ser o voo.

— Os homens andam agora a estudar a estratosfera, ou as camadas superiores da atmosfera. Zona ainda mal conhecida e que só nos últimos tempos tem preocupado os sábios. Entretanto, parece que é lá o paraíso dos aviadores. Sendo o ar muito rarefeito, oferece menos resistência ao voo, de modo que permite aos aviões alcançarem velocidades tremendas.

Mas chega de ar – ou de pé, porque agora todas estas invenções aéreas são coisas do pé. Vamos agora ver a Boca. Que é boca?

Pedrinho respondeu logo:

— É a parte mais importante do corpo, porque sem ela o corpo não vive. Com a boca é que a gente come.

— E fala, — acrescentou Narizinho.

— Mas o principal é comer, — insistiu o menino. — Um mudo não fala mas vive. Quem não come não vive. Ainda não houve um não comedor que vivesse.

Dona Benta riu-se da discussão.

— Esperem. Vamos por partes. A boca serve para comer, e isso garante a vida do corpo. Está certo. Mas nesse ponto não há diferença entre o homem e os outros animais. Onde o homem se distancia dos animais é no falar.

— Mas os animais também falam, vovó, — advertiu Pedrinho. — Nós é que não entendemos a linguagem deles. Duas formigas que se encontram falam entre si na linguinha delas e decidem coisas. Tenho observado isso muitas vezes.

— Sim, os animais também possuem linguagem, que nós não entendemos. É, porém, uma linguagem muito rudimentar, que de nenhum modo pode comparar-se à nossa. Eles também são inventores, mas em escala mínima. Em tudo somos mais, mais, mais, e em matéria de linguagem somos tremendamente mais.

Como nasceu a linguagem? Com certeza da necessidade de defender a vida. Quando um gavião passa por cima do galinheiro não há galinha criadeira que não dê sinal de aviso — e os pintinhos correm para debaixo das asas protetoras. O galo também avisa as galinhas. Eu imagino que o grito de medo ou pavor foi o começo da linguagem. O perigo nos faz gritar sem querer, com dois fins: espantar o perigo ou avisar outra criatura de que há perigo.

A vida na terra sempre esteve ameaçada de mil perigos; daí o desenvolvimento do grito de aviso, que, sendo comum a todos os animais, só no homem evoluiu dum modo tremendo.

Há duas sortes de perigos: o que a gente vê e o que a gente não vê. Este assusta mais, porque é misterioso. Vinha daí o pavor em que viviam as tribos selvagens. Receavam sobretudo a escuridão e o silêncio. O escuro era o mistério, o perigo. Qualquer barulhinho de noite até hoje nos incomoda. "Que será?" Os selvagens padeciam muito com o pavor das trevas, o que fez que sua imaginação inventasse deuses e diabos em quantidade enorme. Os deuses protegiam-nos e os diabos atropelavam-n'os.

— Aqui no Brasil ainda temos o saci, vovó, que é um diabinho duma perna só que atormenta os cavalos no pasto e a gente da roça.

— Sim, temos o saci, a caipora, o lobishomem, a mula-sem-cabeça, a bruxa e outros, tudo coisas do Capeta, que é o diabo. Quem botou essas crenças na cabeça do povo? O escuro. Numa grande cidade bem iluminada à noite, não há disso. As crianças crescem livres do medo ao diabo. Mas na roça, onde a única luz possível é a duma fumarenta lamparina de querosene, o diabo ainda tem grande importância.

Feras de dia e diabos de noite — eram os dois grandes pavores do homem primitivo. E o meio de defesa estava no grito. Como o grito muitas vezes espantasse as feras, eles aplicavam o mesmo processo para espantar os diabos.

Mas o grito requer muito esforço das cordas vocais. Tornou-se necessário inventar gritos mais poderosos, de defesa e de aviso, isto é, inventar gritos mecânicos de grande alcance — e o homem meteu-se a aperfeiçoar o grito.

O tam-tam dos selvagens, donde saíram os tambores modernos, foi o primeiro passo nesse caminho.

— Que é o tam-tam?

— Um tronco de pau oco sobre o qual pregavam, bem esticadinha, uma pele de animal. Batendo na pele o som aumentava pela ressonância dentro do oco — e o barulho assim feito era muito maior que o barulho produzido com a boca.

Em certas tribos os tam-tans trabalhavam sem descanso. Os selvagens batiam neles dias inteiros, às vezes semanas, quando os diabos se tornavam muito agressivos. A barulhada os mantinha à distância.

Depois vieram os sinos. Na Idade Média, tempo da mais crassa ignorância e portanto tempo de pavor geral, a função dos sinos era a mesma do tam-tam dos selvagens — afugentar para longe os diabos ou espíritos maus. Não havia cidade medieval em que o sino de bronze não tocasse de atordoar a população. Depois que o povo foi saindo daquela estupidez, a função do sino mudou. Passou a servir para o mesmo que ainda serve hoje — dar aviso de missas, marcar as horas, convocar reuniões do povo, anunciar incêndio e outras calamidades.

Já os seguidores da religião de Maomé nunca usaram o sino. Para chamar os fiéis à oração sempre empregaram a voz humana. Os seus sacerdotes, chamados muezins, gritam avisos do alto de esguias torres chamadas minaretes.

Depois que o medo aos espíritos decresceu, a função do grito, do tam-tam e do sino limitou-se a avisar.

Entre os avisados estavam os marinheiros dos navios que navegavam perto das costas. O perigo das rochas à flor d'água era grande, de modo que em certos pontos ficavam homens de plantão para gritar aviso logo que um barco se aproximava.

Para isso inventou-se um instrumento de aumentar o alcance da voz — o megafone. É uma corneta dentro da qual o som ressoa, crescendo de volume.

Dos desenhos encontrados nos tijolos da Babilônia vê-se que já naquele tempo era conhecido esse meio de aumentar o som. Os feitores de obras usavam-no para de longe darem ordens aos escravos, de modo que todos ouvissem.

Já era alguma coisa, mas pouco diante do que precisava ser. Numa noite de tormenta em que o vento uivasse, era impossível aos navegantes ouvirem o aviso do megafone — e lá davam os navios sobre as rochas, naufragando. Foi preciso inventar coisa melhor e adotou-se o aviso por meio da luz.

— Os faróis!

— Isso mesmo. No começo, simples fogueiras acesas de noite nos promontórios. Depois, torres com uma luz permanente em cima. Entre os faróis ficou célebre o de Alexandria, construído 300 anos antes de Cristo. Foi considerado uma das sete maravilhas do mundo — e devia ser, porque resistiu de pé durante dezesseis séculos, acabando destruído pelo furor dum terremoto.

Os romanos foram mestres na arte dos faróis. Construíram muitos com grande habilidade. Depois da queda dos romanos, veio a triste Idade Média em que os homens só cuidavam de rezar — e os faróis ficaram reduzidos a ruínas, ou foram transformados em capelas. O mundo escureceu duma vez.

— Mas iluminou-se de novo, — advertiu Pedrinho.

— Sim. Depois de longo marasmo os homens da Europa retomaram o progresso no ponto deixado pelos gregos e romanos — e reconstruíram os faróis indispensáveis à navegação. Entrou em cena o petróleo como fonte de luz. Mais tarde adotaram a luz elétrica, muito mais poderosa.

Infelizmente o farol tem o grave defeito de nada valer nos dias de nevoeiro. Para resolver o problema o homem teve de voltar ao grito, porque, se a luz não atravessa os nevoeiros, o grito atravessa — e apareceram as máquinas de gritar, entre elas o apito a vapor e a sereia.

A sereia é terrível. Dá um grito de ouvir-se a quilômetros de distância. E a coisa ficou assim. Tempo limpo? Luz. Nevoeiro forte? Grito de sereia.

Hoje tudo mudou com o rádio. Os navios podem ser avisados do perigo sem grito, nem luz nenhuma. Basta uma comunicação lançada ao ar. Os navios a apanham onde quer que estejam e ficam sabendo o que há. Por meio dele os homens em terra podem comunicar-se constantemente com os que estão no mar.

Mas quanto tempo e quantos passos até chegarmos a este ponto! Para dar sinais ou pôr-se em comunicação, o homem lançou mão dos meios que já vimos e ainda de outros. O pombo correio, por exemplo. Essas aves possuem um extraordinário senso de orientação que lhes permite voltar para casa de onde quer que sejam soltas. O homem utilizou-se desse senso de orientação para transformar os pombos em correios, ou portadores de recados.

Aqui já é a vista auxiliando a boca. Um recado escrito corresponde a uma falação sem sons.

Foram usadíssimos os sinais que se dirigiam aos olhos, cujo alcance é muito maior que o dos ouvidos. No mar, antes do rádio, os navios comunicavam-se uns aos outros, ou com a terra, por meio de sinais semafóricos. Com várias bandeiras, erguendo-as ou acenando-as de vários jeitos, ora com uma ora com outra, conseguiam dizer o que desejavam. E na antiguidade os sinais visíveis aos olhos foram usados para transmitir com rapidez notícias ou ordens. Quando a cidade de Troia foi tomada pelos gregos, a notícia chegou a Atenas por meio de sinais de fumaça.

— Como isso?

— Acendiam um fogo fumarento num alto; de outro alto os homens que avistavam a fumaça acendiam outro fogo — e assim, de fumaça em fumaça, a notícia chegou a Atenas.

— E que tinha a fumaça com a tomada de Troia?

— Como os gregos contassem com a vitória, já haviam com antecedência combinado aquilo. Fumaça nos altos queria dizer vitória sobre os troianos.

Esse meio de telegrafar notícias era rudimentar demais e em tudo dependente do bom tempo. Bastava uma chuva para estragar o capítulo. O problema só foi bem resolvido depois que Morse, um pintor americano, inventou o telégrafo elétrico. Foi um passo gigantesco. Tornou-se possível, por meio de sinais que representavam letras, telegrafar dum extremo a outro dum país quantas palavras o homem quisesse. E mais tarde tornou-se possível telegrafar dum país a outro, dum continente a outro.

— Como?

— Por meio do telégrafo submarino. Encastoam muito bem o fio telegráfico e o fazem correr pelo fundo do oceano.

Hoje o telégrafo submarino está perdendo a importância. O rádio o substitui. A comunicação pelo rádio tem a vantagem de não exigir fios. Vem solta pelo ar.

— Está aí uma coisa que não entendo, — disse Pedrinho. — O telégrafo e o telefone entendo muito bem. As palavras caminham por um fio. Mas o rádio?

— Realmente, é de não se entender. Quem descobriu esse imenso campo novo foi um alemão, Hertz; daí chamarem-se "ondas hertzianas" as ondas que nos trazem os sons transmitidos pelo rádio. Hertz descobriu essas ondas e determinou as leis que as governam. Foi o grande passo. O resto teria de vir fatalmente — e veio por intermédio dum italiano, Marconi, o inventor do telégrafo sem fio.

Notem que uma invenção traz consigo outras. Depois do telégrafo sem fio veio o telefone sem fio, e agora já temos o rádio de ondas curtas. É a maior das maravilhas. Falam lá numa estação da Europa ou da Ásia e ouvimos tudo aqui com a maior comodidade. Mas o rádio não serve para falar segredos. O que um ouve, todos ouvem, de modo que os amigos do segredo têm de contentar-se com o telégrafo.

— E quem inventou o telefone?

— Muitos homens lidaram com isso. Quem, entretanto, resolveu praticamente o problema foi um professor escocês duma escola de surdo-mudos em Boston, nos Estados Unidos. Chamava-se Alexandre Graham Bell. *Bell* quer dizer sino ou campainha. Por isso as companhias telefônicas adotam o sino como marca.

— Ahn! — exclamou Pedrinho. — Bem que já vi isso, ali na estação telefônica da vila. Mas não sabia a razão. Esta cá me fica. *Bell*, sino...

— Pois esse professor fez que a boca humana adquirisse um grande alcance. Antes dele nossa voz só podia ser ouvida a pequena distância — dezenas de metros. Bell multiplicou tremendamente essas dezenas de metros. Podemos hoje falar daqui com uma pessoa lá na Europa — e tão bem que até lhe reconhecemos a voz.

As maravilhas da invenção humana acumulam-se de tal maneira que rapidamente nos acostumamos a elas, a ponto de não lhes prestarmos a menor atenção.

Ficam como se fossem coisas que existiram sempre. A escrita, por exemplo. Quem pensa, quem reflete sobre esse milagre que é a escrita? E que é a escrita?

— É o meio de fixar e transmitir o pensamento.

— E como apareceu?

— ?

— Os sábios têm quebrado a cabeça no estudo disso. Pensem um pouco. No princípio o homem desenvolveu a linguagem, isto é, a arte de se entenderem por meio de sons emitidos pela boca. Um grito queria significar uma coisa; outro grito significava outra. Depois vieram sons que não eram gritos e significavam outras coisas — e o que chamamos linguagem foi se desenvolvendo.

Mas esses sons que saíam da boca e significavam coisas não eram os mesmos em todas as tribos. Daí a diversidade das línguas, embora em todas as línguas as coisas que os sons significam sejam as mesmas. A arte da tradução veio mostrar como as palavras de línguas diferentes designando uma mesma coisa se correspondem.

— Isso é fácil, — disse Pedrinho. Se eu vejo um inglês apontar para uma pedra e dizer *stone*, fico sabendo que *stone* corresponde à nossa palavra pedra.

— Muito bem. E para fixar essa palavra? E para fixar os conhecimentos que os homens iam adquirindo, de modo que a experiência do passado aproveitasse ao presente e ao futuro? Isso é que foi o milagre.

A escrita começou com desenhos. Nas cavernas pré-históricas encontramos desenhos de animais e coisas feitos pelos peludos há milhares de anos. Era o começo. Com aqueles desenhos eles fixavam na pedra acontecimentos que seus filhos e netos entendiam.

Depois vieram os chineses com a invenção dum sinal para cada palavra. Resolvia o problema, mas dava aos estudiosos um trabalho infinito. Os chins possuem mais de 40.000 sinais diferentes — imaginem a trabalheira para um estudante decorá-los todos! Levava a vida inteira.

Os egípcios deram novo passo à frente. Inventaram os hieróglifos, em que há uma combinação de sinais formando palavras, o que tornou inútil haver um sinal para cada palavra.

Depois veio a grande coisa, o alfabeto inventado pelos fenícios, isto é, vinte e tantos sinais que servem para escrever todas as palavras que o homem usa.

— Como conseguiram isso?

— Eram os fenícios os maiores negociantes da antiguidade. Não faziam outra coisa senão comprar aqui para revender com lucro lá adiante. Tendo transações com muita gente, surgiu a necessidade de tomar apontamentos. Pegaram então os hieróglifos e os foram aperfeiçoando e simplificando, até transformá-los nesse maravilhoso instrumento que é o alfabeto.

O alfabeto dos fenícios veio permitir a maior perfeição na escrita, isto é, no meio de fixar e perpetuar o pensamento. Foi um progresso gigantesco. Graças ao alfabeto um homem de hoje pode ler o que Platão escreveu há séculos, e os meninos do ano 3000 poderão ler as futuras "Memórias da Marquesa de Rabicó"...

Emilia rebolou-se toda.

— Antes do alfabeto o homem fixava os fatos com o desenho. Nas cavernas pré-históricas encontram-se, junto às ossadas que as enchem, pedrinhas com sinais. Os sábios ainda não conseguiram traduzir esses sinais, como o fizeram com os sinais hieroglíficos, rúnicos e assírios.

— Sinais rúnicos? Que é isso?

— São os sinais encontrados nas pedras do norte da Europa. Dinamarca, Suécia, Noruega, Islândia. Run, em língua da Islândia, quer dizer misterioso. Notou que a ideia de fixar os acontecimentos por meio de desenhos ia ocorrendo a todos os povos ao mesmo tempo, cada qual usando sinais seus.

Mas depois da invenção do alfabeto, a arte de fixar o pensamento pela escrita se desenvolveu rapidamente. Vieram os livros. Vieram os jornais. E em nossos tempos veio a máquina de escrever, o fonógrafo que guarda o som exatinho como foi ouvido pela máquina, e vieram ultimamente os processos que o cinema falado usa.

Vejam que maravilha está ficando o mundo, graças às invenções! O que um homem diz hoje, pode ser guardado e repetido daqui a mil anos. E pode ser jogado ao ar de modo que lá nos antípodas o ouçam. Podemos tudo. Podemos até transmitir daqui para a Europa um desenho, uma imagem qualquer.

— Como?

— Pelo telefone. Ali na *Enciclopédia Britânica* há a reprodução duma vista fotográfica transmitida da cidade de Cleveland, nos Estados Unidos, para a de Nova York. Perfeita. Pura maravilha. E esse serviço já está organizado por lá. Um banqueiro de Londres que quer transmitir com urgência um documento para Nova York, chega à estação telefônica e manda transmitir o documento fotograficamente. Instantes depois a cópia igualzinha está em Nova York.

Antes desses assombros o meio de reproduzir um desenho era pela gravura em madeira ou metal. O gravador gravava o desenho e depois imprimia-o no papel. Era caro, trabalhoso e não muito fiel, porque o gravador sempre variava na cópia do desenho. Apareceu então a gravura mecânica. Fotografa-se o desenho numa chapa de metal e, depois duns banhos químicos, obtém-se um clichê que pode ir para o prelo. Dá reprodução igualzinha ao modelo.

A fotografia foi outra invenção assombrosa e de consequências tremendas. Por meio dela o homem colhe a imagem das coisas e a fixa no papel. E como uma invenção sempre puxa outra, da fotografia nasceu o cinema, que é a mesma fotografia repetida milhares de vezes, de modo que ao desfilar diante de nossos olhos reproduza o movimento, a vida. E depois veio o cinema falado, que reproduz o movimento e também os sons.

— Isso é que é mesmo um assombro, vovô! Outro dia vi a *Baboona*, um filme da África tirado pelo casal Johnson. Fiquei idiota. A vida dos animais — leões, tigres, serpentes enormes, girafas, elefantes, flamingos aos milhões, macacada que não acaba mais — estava tudo ali, tão vivo, com todos os urros e barulhinhos, que era o mesmo que a gente estar em plena África. Viajar hoje é bobagem, porque a gente pode ver tudo, tudo, tudo, e ouvir todos os sons, sem sair de casa...

— Realmente, meu filho. As invenções vão mudando de tal forma a vida do homem na terra, que o cérebro mal tem tempo para adaptar-se. Essa grande coisa que era viajar, cada dia perde um bocado da sua importância. Viajamos para ver e ouvir. Era o único meio. Hoje vemos e ouvimos tudo sem sair de casa. Antigamente quem queria boa música, tinha de ir à cidade em dia de concerto. Hoje temos concerto de graça a toda hora. E escolhemos. Pulamos da música argentina para a alemã. E com uma torcidinha da chave do rádio pulamos para os sambas do Brasil. E se a música nos aborrece, *záz!* arrolhamos os fazedores de música. Eu, que sou velha e já conheci os tempos em que não havia nada disso, sei dar valor a essas invenções. Vocês, não. Já nasceram dentro delas...

Capítulo XII
O NARIZ

No outro dia Dona Benta falou do Nariz.

— Pobre nariz! Dos órgãos dos sentidos é o mais atrasado, o mais feio, o menos útil. Presta bem poucos serviços ao homem, comparado com os órgãos dos outros sentidos. E se por acaso fica inútil quando um resfriado nos "deixa sem nariz", nem sequer nos damos conta disso. O nariz, coitado, é um pobre diabo que temos na cara e cuja função é cheirar.

— E também cabide de óculos, — observou a menina.

— Sim. O coitado serve de cavalo para os óculos, uma invençãozinha de benefício não para ele, mas para os olhos. O nariz humano dia a dia perde de importância. Nos animais tem uma função muito mais séria. É o órgão do faro. Não há animalzinho das florestas que não possua um faro maravilhoso. De longe percebem o inimigo ou a caça de que se alimentam. Se lhes cortássemos o nariz ficavam aleijados, incapacitados de bem se defenderem. Mas nós, com ou sem nariz, viveríamos da mesma maneira. Não nos faz grande falta.

Infeliz em tudo, o nariz. Os poetas abrem-se em grandes elogios aos olhos, à boca, às mãos. Ao nariz, nada. Nenhum canta o nariz. Nenhum põe o nariz em sonetos. Só os médicos lidam com ele, porque o nariz vive doente com as corizas, os resfriados — pingando, fungando...

E não houve invenção nenhuma para aumentar o poder do nariz. O homem jamais cuidou dele. É a Gata Borralheira da cara. Mas Gata antes de ir ao baile. O príncipe dessa Cinderela está custando a aparecer...

Nesse momento Emília espirrou e puxou o seu lencinho.

Todos riram-se.

Capítulo XIII
O OUVIDO

— E o ouvido, vovó? — perguntou Narizinho.

— O ouvido também não é dos órgãos que tenham preocupado muito ao homem. Mesmo assim derrota o nariz longe. Várias invenções existem que lhe aumentam o poder, quase todas bem modernas. Há as cornetas acústicas, que permitem aos surdos ouvir alguma coisa. Há o microfone, que aumenta o volume do som, permitindo que o ouvido ouça coisas que sem ele seriam inaudíveis.

— Que é isso?

— Inaudível é o contrário de audível. Audível é o que se pode ouvir. Inaudível é o que não se pode ouvir. Certos barulhinhos microscópicos tornaram-se hoje perfeitamente audíveis graças ao microfone.

A aviação veio fazer o ouvido humano mais prestadio do que era. Há a necessidade de ouvir, do mais longe possível, a aproximação dum aeroplano inimigo, e o homem inventou aparelhos que permitem captar o ruído dos motores a uma distância enorme.

A água conduz muito bem o som, de modo que os homens d'o mar de há muito vinham aproveitando essa propriedade para transmitir sinais que pudessem ser ouvidos pelos marinheiros de outro navio. Qualquer pancada que se dê na parte submersa do casco, se transmite a grande distância.

Na medicina também existem instrumentos que permitem ao ouvido ouvir os sons internos dos órgãos do corpo. O médico ausculta. Auscultar é escutar medicamente. O estetoscópio é um desses instrumentos, usado para ouvir o som do ar nos pulmões, verificando assim se esse órgão está funcionando normalmente ou não. E é quase que só.

— Coitado! — exclamou Emilia. — Forma uma boa parelha com o nariz, não há dúvida...

Capítulo XIV
O OLHO

— Hoje que é? — perguntou Narizinho no dia seguinte, quando Dona Benta se sentou para o serão científico.

— Hoje é o olho — o mais maravilhoso órgão de que dispomos. O olho é o órgão da vista, e o que é a vista não preciso explicar. Quem quiser saber, basta que feche os olhos por alguns segundos. Isso ensinará melhor do que um livro inteiro o que é e o que vale a vista.

Os meninos fecharam os olhos por alguns segundos.

— Que horror! — exclamou Narizinho reabrindo os seus. — Que horror a cegueira, vovó!...

— E no entanto há animais completamente cegos que se arrumam muito bem na vida, — disse Dona Benta. — Mas possuem os outros sentidos apuradíssimos, de modo que conseguem equilibrar a ausência de olhos. Vamos ver o livro de capa preta.

Dona Benta correu os olhos pelo livro e falou:

— Van Loon começa dizendo que os homens vivem no fundo dum oceano de ar de tal profundidade que ninguém ainda conseguiu chegar à superfície. Durante certas horas do dia esse oceano gasoso está iluminado pelos raios de sol. Está cheio de luz — a luz solar que nos permite ver. Por que? Porque pertencemos a uma espécie animal dotada de olhos, isto é, de órgãos sensíveis à luz.

O mecanismo dos olhos é um mistério, meus filhos. Pura maravilha da natureza. Pois apesar disso um sábio alemão, especialista no conhecimento dos efeitos da luz, declarou que qualquer fabricante de aparelhos de ótica se envergonharia se de suas oficinas saísse um órgão tão imperfeito como o olho humano.

— Como se chamava esse monstro, vovó? — perguntou o menino, indignado.

— Helmholtz. E o interessante é que ele prova com muito bons argumentos que o olho humano podia ser infinitamente mais bem arranjado...

Os meninos danaram com o sábio alemão.

— O peludo, — continuou Dona Benta, aprendeu na prática que com os dois olhos que tinha no rosto ele se garantia dos perigos, vendo os perigos. Notou que se fechasse os olhos estava liquidado e à mercê das feras atacantes. Também notou que logo que o sol desaparecia atrás dos morros, era o mesmo que ele fechar os olhos. A noite corresponde a olhos fechados. Por isso, para fugir aos perigos que ameaçam as criaturas de olhos fechados, logo que a noite sobrevinha o peludo corria a esconder-se nas cavernas.

Depois que aprendeu a acender o fogo, observou que o fogo dava uma luzinha bem boa, capaz de tornar as noites menos perigosas. E veio o hábito de iluminar com fogueiras as cavernas. Sentia-se assim mais garantido; as feras não se aproximavam; limitavam-se a rondar por perto, intrigadíssimas com aquele mistério do fogo, que não compreendiam.

Começou então o aperfeiçoamento da arte de combater o escuro. Os peludos foram experimentando ora um, ora outro material combustível até acertar com o óleo, que tem a propriedade de embeber uma mecha, dando uma luz continua, isto é, que dura enquanto há óleo. A banha dos animais foi a primeira substância empregada.

Surgiu o archote. Se embebermos uma corda de fibra em óleo formaremos uma corda gordurosa, que se queima lentamente até o toquinho final. Os gregos usaram muito o archote. Nos poemas de Homero há archotes em penca.

Veio depois um progresso. Em vez de embeber a corda no óleo, colocavam nele uma cordinha — mecha ou pavio, e obtinha-se luz melhor. Esse sistema de iluminação perdura até hoje. Só tem variado o óleo. Usou-se o de baleia. Vieram depois os óleos vegetais, como o da mamona, e por fim o óleo mineral, ou petróleo, que é o mais barato.

Por milhares de anos o homem iluminou suas noites assim, apesar da incômoda fumaça desprendida por tais lâmpadas. Um progresso grande foi a vela, em que o pavio se reduz ao mínimo e fica dentro dum cilindro de matéria queimante. A cera passou a ser usada, e até hoje vemos nas igrejas — os círios. Apareceram depois as velas de espermacete, que é a massa que as baleias possuem na caixa craniana. Surgiu também a vela de sebo e finalmente as velas modernas de estearina, em que o espermacete e o sebo são substituídos por uma mistura graxa.

A luz das velas, porém, era muito fraquinha. Além disso cara. O homem continuou a procurar melhores meios de produzir luz. — Lembrou-se de queimar o gás do carvão de pedra.

Sabem como o gás entrou? Durante a Revolução Francesa os balões de ar quente tomaram um grande desenvolvimento na guerra, para observação dos acampamentos ou da marcha do inimigo. Um físico francês teve a boa ideia de enchê-los com gás em vez de ar quente. Usou o gás de carvão de pedra, que é também mais leve que o ar. Mas o gasômetro que ele construiu tinha um rendimento maior que o necessário — e o tal físico lembrou-se de canalizar para sua casa o gás que sobrava, empregando-o na iluminação.

O povo estranhou muito aquela "arte do diabo", mas, como outros começassem a imitar o físico, o medo foi acabando. Por fim todas as casas que se prezavam e as ruas das cidades importantes acabaram iluminadas a gás.

Parece incrível, mas a resistência foi grande. As autoridades da cidade de Colônia, na Alemanha, condenaram a luz do gás como ofensiva à religião e ainda por cima antipatriótica...

— Por quê?

— Ofensiva à religião, porque Deus havia criado o dia e a noite, e era heresia querer modificar isso. E antipatriótica, porque acostumava o povo com a luz durante a noite, desse modo impedindo-o de entusiasmar-se com a iluminação dos dias de festa nacional.

— Bem diz a senhora que a estupidez humana não tem limites, — comentou Pedrinho.

— Pois é. Houve grande resistência ao gás, o que não impediu que ele vencesse e se generalizasse. Todas as cidades de alguma importância passaram a iluminar-se pelo novo processo. No Estado de São Paulo tivemos uma cidade do interior que por muitos anos se iluminou com o gás extraído do xisto betuminoso, abundante nas margens do rio Paraíba.

— Que cidade foi essa?

— Taubaté.

— E ainda o usa?

— Não. Depois que a eletricidade entrou em campo, a iluminação a gás morreu completamente. Hoje, Taubaté e todas as cidades do mundo só usam a luz elétrica, muito mais econômica, mais limpa, mais tudo.

Esse novo hábito de ter luz de noite, entretanto, veio afetar os órgãos da vista. Quando a natureza fez os olhos não previu que o homem fosse a ponto de destruir as trevas noturnas em suas casas e cidades. Com a luz artificial começou o abuso de ler à noite, de trabalhar de noite, e os olhos se ressentiram. A vista enfraquecia mais depressa.

Toca a corrigir aquilo. Como? Inventando meios de aumentar o poder da vista enfraquecida.

— E vieram os óculos, — adiantou Narizinho.

— Isso. Atribui-se a invenção dos óculos a Roger Bacon, um antigo sábio inglês. A moda pegou. Toda gente queria usar óculos, precisasse ou não, por achar bonito. Muitos os adotaram para se impingirem como estudiosos. "Estão vendo? Fiquei com a vista fraca de tanto ler."

Mas hoje o número de pessoas que usam óculos porque de fato precisam é enorme. Entre os que leem muito, o uso é quase geral. Como também é geral entre os velhos. Os anos enfraquecem nossa vista, como aliás todos os outros sentidos. Eu, por exemplo, que nunca abusei dos meus olhos, já não posso ler sem estes vidros.

— Pois eu enxergo uma pulga no pelo da Grande Ursa lá no céu, — disse Emília gabolamente.

Emília vivia a proclamar o maravilhoso poder de visão dos seus olhinhos, deixando os meninos na dúvida. Seria verdade ou peta? Impossível verificar. Narizinho e Pedrinho enxergavam na perfeição, como em regra todas as criaturas ainda no começo da vida. Já Emília enxergava mil vezes mais, segundo vivia dizendo...

— Mas a eletricidade, — continuou Dona Benta, — além de acabar com as trevas dentro de casa e nas ruas, veio aumentar muito o poder dos olhos humanos. Graças aos holofotes, que são luzes fortíssimas que o homem projeta na direção que quer, conseguimos devassar os espaços, sobretudo na guerra. "Um avião inimigo pode ser visto a enorme distância, por mais escura que seja a noite.

A grande proeza dos olhos, porém, foi em relação ao céu. A infinidade de estrelas que enchem o espaço à noite sempre impressionou vivamente a imaginação humana. Surgiram os astrônomos, isto é, os homens que se dedicam aos estudos dos astros. Na Babilônia, no Egito, na Grécia, a ciência do céu alcançou grande desenvolvimento. Mas só usavam nesses estudos os olhos naturais.

— Há olhos artificiais, então?

— Há. Os instrumentos que dão grande poder aos olhos bem podem chamar-se olhos artificiais. Roger Bacon parece ter sido o primeiro a ter a ideia, mas foi na Holanda que os óculos de alcance apareceram. Povo de marujos, talvez a necessidade de ver ao longe os conduzisse a essa invenção.

A Holanda passou a fornecer óculos de alcance ou lunetas ao resto da Europa. Uma delas caiu na mão dum italiano de nome Galileu, que a estudou e transformou no telescópio, isto é, num poderosíssimo óculo capaz de aproximar tremendamente os astros que brilham no céu.

Estudando o céu, Galileu viu que as ideias aceitas pelos "sábios oficiais" da época estavam erradas. Eles queriam que a Terra fosse o centro do universo e que o Sol lhe girasse em torno. Galileu provou o contrário — e por um triz não foi queimado vivo. Teve de comparecer perante os tribunais religiosos, que o obrigaram a desdizer-se.

De nada adiantou essa estúpida violência. A verdade estava com o sábio italiano e hoje ninguém se anima a dizer que a Terra é fixa.

Galileu, portanto, inventou o meio de dar aos olhos o poder de estudar o céu e ver os astros invisíveis a olho nu. Hoje os telescópios estão aperfeiçoadíssimos. São máquinas gigantescas de altíssima potência. A Lua no telescópio fica pertinho — a alguns quilômetros apenas.

— Como é o telescópio?

— Não passa da combinação dum certo número de lentes, ou cristais com a propriedade de aumentar os objetos vistos através deles. Se esse instrumento aponta para o céu, é telescópio — engenhoca de ver longíssimo. Se aponta para baixo, vira microscópio — instrumento de ver pertíssimo todas as coisinhas invisíveis a olho nu. O telescópio só lida com as maiores coisas que existem — os astros. O microscópio lida com as menores — como os micróbios.

— Eu queria tanto ter um microscópio!... — suspirou Pedrinho.

— Deixe. Quando o café subir, comprarei um. É na realidade um instrumento maravilhoso. Graças a ele o olho humano consegue devassar o que os sábios chamam o *mundo do infinitamente pequeno*. E da mesma forma que o telescópio se aperfeiçoa constantemente, o microscópio não faz outra coisa senão aumentar de poder, aumentando desse modo o poder do olho humano.

— Eu queria ter um telescópio, — disse Narizinho. — Deve ser lindo passar a noite a descobrir astros invisíveis aos olhos de todo mundo...

— Realmente. Se tivéssemos aqui o famoso telescópio de Mount Wilson, nos Estados Unidos, o maior do mundo, com cem polegadas de diâmetro, vocês haviam de regalar-se. Esse tremendo olho artificial alcança astros à distância de 300 milhões de anos-luz. Com ele os astrônomos distinguem 100 milhões de vias-láteas tão grandes como a que vemos a olho nu.

— Cem milhões, vovó? Que colosso!... Então o Universo é mesmo um absurdo de grande...

— Ah, minha filha! Nem queira pensar nisso. É tão grande o Universo, que uma só dessas cem milhões de vias-láteas mostra oitenta milhões de vezes mais matéria do que a que compõe o Sol.

— Puxa! — exclamou Pedrinho, arregalando os olhos.

— O número de astros que o homem vê com o olho artificial é também oitenta milhões de vezes maior que o número das nebulosas. E sabem qual é o número das nebulosas conhecidas?

Dona Benta parou para tomar fôlego; depois disse:

— Quinhentos trilhões!...

— Nossa Senhora! — gritou a menina. — Isso até dá tontura na gente, vovó! Oitenta milhões de vezes quinhentos trilhões!...

Tia Nastácia entrou nesse momento com a peneira de pipocas.

— Está aí uma invenção de que a senhora não falou, — disse Emília, apontando para as pipocas. — E é das boas, porque Narizinho já está lambendo os beiços.

— Lábios, aliás, — emendou a menina. — Beiço é de boi...

Dona Benta falou ainda de inúmeras coisas inventadas pelos homens; depois discorreu sobre o muito que ainda era necessário inventar. A ideia do Mel Humano entrou em cena.

— Todas as nossas doenças, — disse ela, — vêm de erro de alimentação. Já conversamos sobre isto. O homem é o animal que não sabe comer. Daí as doenças. No dia em que inventarmos um alimento perfeito, como o mel o é para as abelhas, nesse dia as farmácias começarão a fechar as portas.

Espantoso o homem, meus filhos! Mede a distância entre os astros; pesa-os; descobre milhões de milhões de vias-láteas; torna visível o que é invisível; fala dum continente para outro; voa com velocidades espantosas; faz prodígios sobre prodígios — mas não sabe comer. Come tudo quanto encontra, e ainda comete o crime de destruir com o fogo o que há de melhor nos alimentos. Leite fervido, por exemplo, não é mais leite — é cadáver de leite. E todos nós sofremos as tremendas consequências desses erros, num mundo em que todos os animaizinhos chamados inferiores são mestres na arte de comer. As abelhas, por exemplo. Não é maravilhoso como acertaram com a sua comida? Chegam a ponto de "fabricar" as suas rainhas com uma simples modificação do alimento comum.

— Como?

— Se querem criar uma rainha nova, limitam-se a modificar a alimentação duma larva qualquer. As abelhas sabem que o animal se faz pela boca. O homem também sabe disso, mas só o aplica aos animais que cria — aos cavalos, aos bois, às aves domésticas. Quando se trata de si próprio, o homem falha lamentavelmente. Por isso, Pedrinho, não esqueça de realizar aquilo que prometeu: inventar o Mel Humano. Essa, sim, vai ser a maior das invenções.

— Fique descansada, vovó, — declarou o menino convencidamente. — Juro que hei de resolver esse problema.

— E eu? — perguntou Narizinho. — Que hei de inventar?

— Invente uma máquina de costurar que não precise de linha nem agulha, — disse Dona Benta, lembrando-se da tragédia que lhe era enfiar a agulha e da luta para achar o carretel. Com a nova mania de Pedrinho, de empinar papagaios, não havia carretel de linha que parasse na máquina de Dona Benta.

— Pois eu hei de inventar coisa muito melhor que o Mel Humano, que o rádio, que tudo! — gritou Emilia.

Todos ficaram atentos, à espera da asneirinha.

— Vou inventar a máquina de fazer invenções. Bota-se a ideia dentro, vira-se a manivela e pronto — tem-se a invenção que se quer.

Quindim, que estava espiando pela janela, fez *quó, quó, quó*...

Campos do Jordão, setembro, 1935.

Paradidáticos

História do mundo para crianças

Dona Benta era uma senhora de muita leitura; além de ter uma biblioteca de várias centenas de volumes, ainda recebia, dum livreiro da capital, as novidades mais interessantes do momento.

Uma tarde o correio trouxe-lhe a *Child's History of the World*, de V. M. Hillyer, diretor da Calvert School, de Baltimore.

Dona Benta leu o livro com cara de quem estava gostando; depois folheou e releu vários volumes da sua biblioteca que tratavam de assuntos semelhantes e disse consigo: "Bela ideia! A história do mundo é um verdadeiro romance que pode muito bem ser contado às crianças. Meninos assim da idade do Pedrinho e Narizinho estou certa de que hão de gostar e aproveitar bastante".

E, voltando-se para a criançada:

— Olhem, vamos ter novidade amanhã. Uma história nova que vou contar, muito comprida...

— De urso que vira príncipe? — quis saber a Emília.

— Não. A história que vou contar é a história do mundo, ou universal, como muitos dizem. Fiquem todos avisados e estejam aqui às sete horas em ponto.

— Todos? — repetiu Emília. — O rinoceronte também?

Os meninos riram-se. Dona Benta respondeu pachorrentamente:

— Não, Emília. Você bem sabe que o rinoceronte não cabe aqui dentro.

— Eu dou jeito de caber! — gritou a boneca, já assanhada. — Eu...

Mas não pôde terminar. Narizinho tapara-lhe a boca para que Dona Benta pudesse concluir:

— Pois é isso, — rematou a boa senhora. — De amanhã em diante, todas as noites, teremos a história do mundo, desde os seus comecinhos até o momento atual. Às sete em ponto, nesta sala, vejam lá, hein?

Capítulo I
COMO O NOSSO MUNDO COMEÇOU

Às sete horas em ponto, no dia seguinte, estavam todos reunidos na sala de jantar. Todos, menos três: Rabicó, que não queria aprender coisa nenhuma; o rinoceronte, que era muito grande para caber lá dentro, e o doutor Livingstone,[19] que já estava outro. (Com este sábio tinha acontecido um fenômeno maravilhoso: começara a mudar de aspecto, a transformar-se em outra pessoa, até que um dia amanheceu de novo virado no velho Visconde de Sabugosa!) E foi diante do bandinho quase completo que Dona Benta começou.

— Há muito, muito tempo, — disse ela, — há milhões e milhões de anos, não existia gente nesta nossa Terra e, portanto, não existiam casas, nem nenhuma das coisas que só existem onde há gente, como cidades, estradas de ferro, pontes, automóveis e tudo mais que se vê no mundo de hoje.

---

19 *Viagem ao Céu.*

— Que é que havia então? — perguntaram todos.

— Animais selvagens. Ursos e lobos, pássaros e borboletas, rãs e cobras, tartarugas e peixes. Mas milhões de anos antes, nem isso havia no mundo. Apenas havia plantas.

— E mais antes ainda não havia nem plantas, aposto! — gritou Pedrinho erguendo o dedo.

— Isso mesmo — confirmou Dona Benta. — Mais antes ainda, não havia no mundo nem gente, nem animais, nem plantas. Só havia rochas e águas. Pedra e água — só, só, só. O que não era água era pedra, e o que não era pedra era água.

— E antes desse tempo, vovó?

— Antes, muito, muito antes desse tempo, não havia nem pedra nem água; não havia nada, porque ainda não havia mundo — o nosso mundo. Havia, entretanto, estrelas no espaço, isto é, enormes massas de fogo — enormes bolas de metais derretidos, refervendo. O Sol, este nosso Sol de todos os dias, era uma das tais estrelas.

Mas naquele tempo o Sol não se apresentava tão sossegado como o vemos hoje. Estava ainda num período de tremenda fervura, com explosões de tal violência que por várias vezes enormes espirros da sua massa de fogo se despegavam, eram arremessados a grandes distâncias e ficavam no espaço, girando sozinhos, como se fossem outros tantos astros novos. Assim se formaram os planetas e, portanto, assim se formou o nosso mundo, que é um planetinha. Compreenderam?

— Compreendemos tudo muito bem, — disse Narizinho com os olhos no Visconde. — Mas ali o nosso amigo Sabugosa parece que tem dúvidas. Está se remexendo tanto...

— Não são dúvidas, não! — declarou Emília tirando o Visconde do lugar onde estava e ajeitando-o em outro. — É que Pedrinho o sentou bem em cima da almofadinha de alfinetes de Dona Benta!

— Nesse caso continuemos, — disse Dona Benta rindo-se. — Esse pedaço de Sol, que se destacou da grande massa e veio a ser a nossa Terra, não passava a princípio duma bola de matéria em fusão. Com o andar dos séculos foi-se resfriando de fora para dentro, e por fim transformou-se numa bola de pedra, envolta em espessa camada de vapores. Continuando o resfriamento, esses vapores foram se condensando em chuvas, e as águas das chuvas foram se acumulando nas depressões das rochas e formaram os oceanos. E a Terra ficou isso: pedra e água. O que não era oceano era pedra nua — e vice-versa.

Nessas águas começaram a aparecer as primeiras formas de vida — corpúsculos microscópicos. Apareceram primeiro na água; depois, aprendendo a viver fora da água, passaram-se para as pedras. Apesar de muito pequenininhas, essas iscas de vida foram a origem de todos os seres existentes hoje.

As pedras ou rochas nuas iam aos poucos se esfarelando e formando o que chamamos chão, terra ou solo. Nesse solo as iscas de vida deram-se bem e cresceram, e foram variando de forma até virarem o que chamamos plantas. Mas não todas. Muitas, em vez de virarem plantas, viraram animais.

— Que está dizendo, vovó! — exclamou Narizinho admirada. — Então um elefante veio duma dessas iscas de vida?

— Espere. Algumas dessas iscas de vida, em vez de se virarem logo em plantas, transformaram-se numa espécie de geleia que não era nem planta nem animal, mas que foi virando animal. Depois essa isca de animal foi "evoluindo", como dizem os sábios; isto é, foi se transformando em organismos, ou seres, cada vez mais complicados. E desse modo, lentissimamente, com espaço de séculos para que pequenas mudanças se dessem, surgiram os vermes, os insetos da água e terra, os peixes, as rãs que tanto vivem na água como na terra e os monstruosos lagartões que já não existem mais.

— Por que não existem mais, vovó? — perguntou Pedrinho.

— Porque eram monstruosamente grandes e quanto maior um animal, tanto mais dificuldades tem para sobreviver. Imagine a quantidade diária de alimento que cada um deles devorava! Qualquer perturbação acontecida na zona em que viviam, e que ocasionasse diminuição de alimentos, era o bastante para lhes dar cabo da raça.

E depois dos lagartos vieram as aves, que começaram sendo lagartos de asas e que, como os lagartos, punham ovos. E vieram depois os animais que chamamos mamíferos, porque criam os filhos dando-lhes de mamar. E depois vieram os macacos. E depois dos macacos viemos nós, gente — ou os Homens.

Tudo veio vindo lentamente, passo a passo, uma coisa saindo de outra, através de milhões de milhões de anos, compreenderam? Resuma lá o que eu disse, Pedrinho.

Pedrinho pensou um momento e, tirando do bolso o lápis, escreveu numa folha de papel o seguinte:

ESTRELA-SOL
SOL-ESPIRRO DO SOL
ESPIRRO DO SOL-TERRA
TERRA-VAPOR
VAPOR-CHUVARADA
CHUVARADA-OCEANOS

— Muito bem! — exclamou Dona Benta correndo os olhos pelo papel. Está certo. E depois?

Pedrinho pensou de novo e escreveu:

OCEANOS-PLANTAS
PLANTAS-GELEIAS
GELEIAS-INSETOS
INSETOS-PEIXES
PEIXES-SAPARIA
SAPARIA-RÉPTEIS

— Até aí está direito, — disse Dona Benta. — Vamos ver para diante. Como foi a coisa depois dos répteis?

Pedrinho olhou um instante para o forro, com a ponta do lápis na língua; em seguida escreveu:

RÉPTEIS-PÁSSAROS
PÁSSAROS-MAMÍFEROS
MAMÍFEROS-MACACOS
MACACOS-GENTE COMO NÓS

— Muito bem! — repetiu Dona Benta. — Está certo. Sabemos o que veio vindo desde o começo do mundo até nós. Mas quem poderá prever o que virá depois de nós?

— Eu prevejo! — gritou Emília lá do seu cantinho. — Depois dos homens virão as bonecas. Eu já sou uma amostra do que está para vir...

— Será verdade, vovó? — perguntou Narizinho impressionada com a ideia.

— Como saber, meus filhos? Emília acaba de apresentar uma hipótese, aliás muito interessante. Mas não percamos tempo com isto. Continuemos.

Capítulo II
NO TEMPO DAS CAVERNAS

— Mas como a senhora sabe que as coisas se passaram assim? — perguntou Emília. — Quem viu?

— Há dois modos de saber, — explicou Dona Benta. — Um é vendo, pegando, cheirando, quando as coisas estão diante de nós. Outro é imaginando, ou adivinhando, ou inferindo. Também há duas espécies de adivinhações. Uma com base e outra sem base. Se eu digo: adivinhe em que mão tenho o níquel e apresento as minhas duas mãos fechadas, trata-se dum caso de adivinhação que é puro jogo. A pessoa perguntada pode acertar ou errar na resposta. Questão de sorte.

Mas se o chão está molhado de chuva e com marca de sapato que andou na lama, eu adivinho, ou infiro, que por ali passou gente, porque sei que os sapatos não caminham por si e sim com gente dentro. Esta adivinhação não é mais jogo, pois não passa de pura aplicação do nosso **bom senso**, ou **senso comum**.

Pois muito bem: é raciocinando com base nos vestígios encontrados, que o nosso senso comum adivinha muita coisa que se passou há milhares de séculos atrás.

— Aposto que vovó vai falar em machado de índio, — cochichou Pedrinho para o Visconde, que estava mudo como um peixe.

— Nas escavações feitas em muitos lugares, — continuou Dona Benta, acharam-se pontas de flechas e de lanças e também machados (Pedrinho piscou para o Visconde). Não de ferro, como os de hoje, mas de pedra. Poderiam esses objetos provar a existência, naqueles tempos, de leões, jacarés ou avestruzes?

— Não, vovó! — gritaram os dois meninos. — Só podiam provar a existência de homens, porque só os homens usam tais objetos.

— Muito bem, — aprovou Dona Benta. — E o fato de esses objetos serem de pedra prova que o ferro ainda não se achava descoberto. E o fato de estarem enterrados muito fundo, com espessíssimas e velhíssimas camadas de terra em cima, prova que isso foi muitos séculos antes da descoberta do ferro. Também foram encontrados ossos de homens dessa era, os quais morreram milhares de anos antes que a humanidade principiasse a ter história. Guiados por tudo isso, nós hoje sabemos que vida levavam esses nossos antepassados da Idade da Pedra, como dizem os sábios.

Eram puros animais selvagens, dos mais ferozes e brutos. Diferença única: andavam sobre dois pés. Fora daí, peludos como os lobos e cruéis como todas as feras. Não dormiam em casas. Quando a noite vinha, o chão lhes servia de cama. Mais tarde o frio os obrigou a morarem em cavernas de pedra, onde estavam mais abrigados dos rigores do tempo e da sanha dos outros animais. Homens, mulheres e crianças eram, pois, simples bichos de caverna.

Passavam o tempo caçando viventes mais fracos ou fugindo de outros mais fortes. Na caça usavam o mundéu, isto é, um buraco feito no chão, disfarçado com galhos secos, folhas e terra em cima. Ou então empregavam flechas de ponta de pedra e machados também de pedra. Em certas cavernas por eles habitadas foram encontrados desenhos dos animais que costumavam caçar, desenhos feitos na pedra.

— Com que lápis, vovó? — perguntou Narizinho.

— Tais desenhos eram evidentemente feitos com ponta de pedras lascadas. Por mais que a gente dê tratos à bola não consegue descobrir outro lápis possível em tal época. Esses homens alimentavam-se do que podiam apanhar — de caça, de castanhas, de mel, de frutas, de ovos furtados aos ninhos. E tudo comiam cru, pois que o fogo ainda não fora descoberto. Deviam ser de uma ferocidade sem par.

— E que língua falavam, vovó? — perguntou Pedrinho.

— Expressavam-se por meio de grunhidos. No entanto, foi desses bárbaros grunhidos que provieram todas as línguas modernas. Como roupas usavam sobre o corpo a pele dos animais caçados — não peles curtidas e macias como as temos hoje, mas cruas e com mau cheiro. Horríveis e desagradabilíssimos, esses nossos antepassados! O meio de conseguir mulher não era namorar uma rapariga e pedi-la em casamento. Nada disso. O pretendente marcava na caverna próxima uma que lhe agradasse e de repente entrava lá de cacete em punho, amassava a cabeça da menina, ou dos pais, caso a defendessem, e a levava sem sentidos, arrastada pelos cabelos. Uma pura caçada.

Eram homens de luta permanente. Atacar, roubar, matar o mais fraco, bem como fugir do mais forte, constitui a regra de vida que vem da primeira lei da Natureza: **cada qual por si**. Ou mata ou é matado; ou rouba ou é roubado. Nós somos descendentes dessas bárbaras criaturas e por isso temos no sangue muito de sua selvageria. Apesar da educação que o progresso geral trouxe, inúmeros homens hoje ainda agem como os da Idade da Pedra. Por isso é que existem tantas cadeias e forcas e cadeiras elétricas.

— Você queria ser nascida na Idade da Pedra, Emília? — perguntou Narizinho à boneca.

— Queria, sim, só para ter o gosto de ver uma noiva arrastada pelos cabelos.

— Boba! Não valia a pena. Uma menina daquele tempo não tinha banheiro para tomar banho de manhã, não tinha escova para escovar os dentes, nem pente para pentear os cabelos. Um horror de vida...

— Além disso, — continuou Dona Benta, — por falta de talheres tinha de comer com os dedos numa grande e feiíssima panela de barro, única para toda a caverna. Nada de cadeiras e camas ou redes. Para dormir e sentar, chão duro. Nada de livros, lápis, e papel para escrever. Os dias sempre iguais e completamente vazios. Uma menina como você teria de passar as horas brincando com os irmãos de fazer pelotas de barro, ou coisa semelhante. As cavernas eram escuríssimas e úmidas, cheias de aranhas e morcegos. Vestuário, quando havia, era a pele duma onça morta pelo papai — pele que só abrigava parte do corpo. Nos dias de inverno, como não houvesse fogo, era aguentar-se encolhidinha dentro de tal pele. E comida, então? Algumas frutas do mato e um naco de carne crua, isso para o almoço. Para o jantar, a mesma coisa. Amanhã, depois de amanhã e sempre — a mesma coisa, a mesma coisa! Nada que fazer durante o dia senão estar permanentemente de guarda contra os tigres e ursos. Não havendo portas nem cercas, os tigres perseguiam os homens até no fundo da caverna. Que tal essa vida, Emília? Ainda desejava ter nascido na Idade da Pedra?

— Sim, — declarou a teimosa.

— Por quê? — inquiriu Dona Benta com pachorra.

— Para conversar com as aranhas e morcegos das cavernas.

Narizinho danou.

— Não perca tempo com esta boba, vovó, — disse ela, fulminando Emília com um rancoroso olhar de menina da Idade da Pedra. — Continue.

Capítulo III
O FOGO!

— A primeira e a maior descoberta do homem foi o fogo, — disse Dona Benta.

Pedrinho protestou.

— A primeira pode ser, vovó, mas a maior, não! — disse ele. — Onde a senhora põe a invenção da pólvora, da imprensa, do rádio e tantas outras?

— Sem a descoberta do fogo, nenhuma das invenções que você citou se teria dado; a descoberta do fogo foi o maior dos acontecimentos porque permitiu tudo mais. A descoberta do fogo trouxe logo a do ferro e foi do ferro que saiu toda a nossa civilização de hoje. Nada existe nela que não tenha por base o fogo e o ferro.

Pedrinho ficou na dúvida, pensando. Dona Benta provocou-o.

— Aponte-me uma só coisa de hoje que possa ser produzida sem a ajuda do fogo e do ferro.

— Uma casa... — disse ele por dizer.

— Que mau exemplo, Pedrinho! Não vê que numa casa as telhas e os tijolos são cozidos ao fogo, e todo o madeiramento é trabalhado com toda sorte de instrumentos de ferro — machados, serras, plainas, formões, etc.?

— É verdade! É verdade! — exclamou Pedrinho como que iluminado. — Mas um livro, vovó?

— Um livro é feito de papel e impresso em prelos. O papel faz-se com o machado de ferro que corta a árvore, com a máquina de ferro que mói a madeira, com a máquina de ferro que desdobra a pasta de madeira em camadinhas finas, com as calandras de ferro que imprensam essas camadinhas, tudo isso sempre ajudado pelo calor — isto é, pelo fogo. Esse papel, assim feito graças à ajuda do fogo e do ferro, vai em seguida para as tipografias, onde é impresso em prelos de ferro, é dobrado em dobradeiras de ferro, é grampeado em grampeadeiras de ferro e é remetido para as livrarias em veículos de ferro — automóveis, carroças ou trens.

— Basta, vovó! — disse Pedrinho com ar pensativo. — Já vi que a senhora tem toda a razão. Não existe nada, absolutamente nada, de tudo quanto o homem faz no mundo de hoje, que não tenha por base o fogo e o ferro. Logo, a senhora tem razão: a primeira e a maior de todas as descobertas foi o fogo. — E voltando-se para Narizinho: — Mas não vá dizer isso para Tia Nastácia. A boba, que nunca fez outra coisa na vida senão lidar com o fogão, vai ficar muito cheia de si e convencida de que foi ela quem descobriu o fogo...

— Pois é isso, meus filhos. O fogo foi a grande descoberta que o homem fez. Tudo mais vem daí. O homem o descobriu de dois modos: na ação do raio que despedaça e incendeia uma árvore (como aconteceu a Robinson em sua ilha) ou por meio de fricção de um pau contra outro.

— Nessa não acredito! — disse Pedrinho. — Li num livro que os índios obtinham fogo esfregando dois pauzinhos. Fiz a experiência. Cansei-me de esfregar dois pauzinhos e nada obtive — nem fumaça.

— Espere, — disse Dona Benta. — Talvez esse livro não explicasse bem. Que eu saiba, o fogo produz-se pela fricção da ponta de um rolete de madeira dura numa panelinha aberta num pedaço de madeira mais mole e bem seca. O rolete é girado entre as mãos, no movimento de quem enrola massa para bolinho de milho. O atrito produz o grau de calor necessário para incendiar alguma mecha que se ponha na panelinha — algodão, musgo bem seco, certas cortiças.

— Ahn! — exclamou Pedrinho. — Isso pode ser. Mas a tal história de esfregar dois pauzinhos...

— Em geral o fogo era aceso entre pedras. Um dia os nossos avós notaram que dum dos fogaréus um fio líquido escorria, o qual endureceu ao esfriar, transformando-se numa substância que jamais tinham visto. Estava descoberto o metal! As pedras que aqueles homens haviam juntado para servir de fogão, eram blocos de minérios, dos quais o calor extraíra o metal existente — cobre ou estanho. Primeiramente descobriram o cobre e o estanho, de fusão mais fácil que a do ferro. Este veio depois.

— Isso mesmo, — aprovou Pedrinho. — Eu já derreti um pedaço de cano de chumbo no fogão de Tia Nastácia. O chumbo é parente do estanho.

— O primeiro cobre ou o primeiro estanho obtido devia ter causado muita surpresa aos nossos antepassados, graças ao brilho e às estranhas formas que tomam. Com o tempo verificaram a utilidade daquilo para o fabrico de armas e mais coisas. E como na fusão às vezes se misturava o cobre ao estanho, os homens aprenderam a produzir o bronze, que não passa duma mistura dos dois, embora de maior dureza do que cada um deles. Por muito tempo, séculos e séculos, o metal usado pelo homem foi o bronze. Por fim aprenderam a produzir o ferro — que até hoje não foi suplantado.

— Suplantado quer dizer vencido por outro — explicou Pedrinho com a maior importância.

Dona Benta riu-se e continuou:

— A descoberta do cobre e do estanho e a invenção do bronze marcaram uma era nova para o homem. Cessou a longa Idade da Pedra para começar a era mais curta da Idade do Bronze. Depois da descoberta do ferro iria começar a era em que ainda estamos — a grande Idade do Ferro.

— E a Idade do Ouro, vovó? — perguntou Pedrinho. — Já li uma história onde se falava muito na Idade do Ouro...

— Nunca houve nenhuma Idade do Ouro, meu filho. Para trás só temos a da Pedra e a do Bronze. Estamos na do Ferro. A do Ouro poderá aparecer no futuro, se aparecer...

Capítulo IV
UM VOO DE AVIÃO

— Os homens da Idade do Bronze estão muito perto de nós e são bastante nossos conhecidos, — disse Dona Benta. — Eles imaginavam que o mundo era chato e não passava daquele pedacinho de terra no qual viviam. Quem se afastasse muito, era certo chegar a um ponto onde um grande precipício mostraria o fim do mundo — "ou pelo menos uma das suas beiradas". Tinham ideia de que lá longe havia uma terra que era a última — e por isso se chamava a Última Tule — talvez a Noruega.

Se nós pudéssemos dar uma volta de avião por cima dos lugares onde viveram os primeiros povos que se civilizaram, havíamos de ver um quadro assim — e Dona Benta desenhou este mapa:

— Esses dois rios que aí vemos, o Tigre e o Eufrates, são os nossos mais velhos conhecidos, os primeiros nomes que aparecem na história. Como se vê no desenho, eles correm por muito tempo no mesmo sentido, até que se juntam e despejam no Golfo Pérsico. As terras compreendidas entre os dois rios são famosas, porque nelas muitas civilizações se formaram e por fim acabaram destruídas. Mesopotâmia, chama-se essa região. Vamos ver quem **decompõe** esta palavra.

Pedrinho olhou para a menina, a menina olhou para a boneca, a boneca olhou para o Visconde. Mas nenhum abriu a boca.

— **Meso**, em grego, — explicou Dona Benta, — quer dizer entre, e **potamos** quer dizer rio. Terra entre rios é o que significa a palavra Mesopotâmia. Se agora olharmos para oeste, veremos um mar chamado Mediterrâneo, que banha um país chamado Egito. Que quer dizer Mar Mediterrâneo, Pedrinho?

— Isso eu sei. Quer dizer mar entre terras.

— Realmente é assim, — confirmou Dona Benta. — Esse mar não passa dum grande lago que se liga ao Oceano Atlântico pelo Estreito de Gibraltar. Muitos sábios sustentam que na Idade da Pedra o Mediterrâneo ainda não era mar, e sim um extenso vale onde vivia muita gente. Foi nas terras banhadas pelo Mediterrâneo que as mais importantes civilizações ocidentais se desenvolveram — como a grega, a egípcia, a romana.

No Egito há também um rio de muita importância na história da humanidade — o Nilo. Mais tarde veremos por que.

Todos os povos que viviam na Mesopotâmia eram pertencentes à raça branca e dividiam-se nas três famílias, ou ramos, que deram origem a todos os atuais povos brancos. Havia os Indo-europeus, também chamados arianos. Havia os Semitas e havia os Hamitas. Essas raças estão hoje muito espalhadas até aqui entre nós. Você, Pedrinho, só porque se chama Pedro já sei que é ariano. O filho do nosso fornecedor de sabonetes e pentes, como se chama, Pedrinho?

— Salomão Nagib!

— Bom, pelo nome é um menino pertencente à raça semita. E se ele se chamasse Ramsés, ou Shufu, teria grandes probabilidades de ser um hamita.

— Qual a principal dessas raças, vovó? — perguntou a menina.

— A ariana, evidentemente, embora eu seja um tanto suspeita para afirmar isso. Se eu fosse semita, é possível que tivesse uma opinião diversa. Em todo caso os arianos foram os primeiros a domesticar o cavalo selvagem, o boi e o carneiro. Conseguiram assim criar as bases da civilização pastoril. O cavalo resolvia o problema do transporte rápido; as vacas davam leite e assim melhoravam grandemente a alimentação, e os carneiros, com sua lã, permitiam que em vez de peles o homem pudesse vestir-se de tecidos. Até hoje não encontramos coisa melhor do que a lã para abrigo do nosso corpo contra o frio.

Pedrinho interrompeu-a nesse ponto.

— De tudo quanto a senhora disse, vovó, vejo que a grande coisa que o homem antigo fez foi pegar o fogo, o ferro, o cavalo, a vaca e o carneiro.

— Perfeitamente. Com esses cinco elementos tornou-se possível a criação de todo o nosso mundo moderno, com tudo quanto nele se contém.

— Menos a Emília! — gritou Narizinho. — Ela não é nem de fogo, nem de ferro, nem de crina de cavalo, nem de leite de vaca, nem de lã de carneiro. É pura e simplesmente de algodão por fora e de asneira por dentro.

— Bravíssimo! — exclamou o Visconde de Sabugosa, que ainda não havia esquecido a esfrega da canastrinha, na viagem ao País das Fábulas.[20] Mas falou tão baixo que nem Emília, nem ninguém ouviu. De medo!

---

20 *Reinações de Narizinho*.

Capítulo V
Começa a história

— A vida dos homens antes de haver História, — continuou Dona Benta, — pertence à Pré-História. Pré-História quer dizer antes da História. A História realmente começou com os hamitas, aquela família humana que encontramos a morar nas terras banhadas pelo Tigre e o Eufrates. De lá se mudaram, ou emigraram para o Egito.

Para emigrar não fizeram como se faz hoje: simples e rápida viagem de vapor, com bagagem e passaporte. Aquele povo propriamente não emigrou para o Egito, porque o Egito não existia — eles é que o iam formar. Existiam as terras do futuro Egito, com o Rio Nilo no meio. Os hamitas emigrantes moravam em tendas. Armavam-nas em certo ponto e ali ficavam enquanto pelos arredores havia o que comer. Logo que o alimento escasseava, mudavam de acampamento. E assim foram indo até chegarem às terras irrigadas pelo Nilo, tão férteis que quem as alcançava não necessitava nunca mais emigrar.

— Por que era esse Egito tão fértil, vovó? — perguntou Pedrinho. — Dizem que por causa do Nilo — mas não me consta que os rios andem fertilizando as terras. Se fosse assim, todos os países seriam muito férteis, porque todos os países são banhados por numerosos rios.

— O Nilo, — respondeu Dona Benta, é um rio diferente dos outros. Na estação das chuvas recebe tanta água nas suas cabeceiras que transborda e inunda as planícies que lhe ficam lado a lado. Inunda-as numa grande largura, durante toda a estação chuvosa. A consequência é que, quando vem a vazante e o rio volta ao nível normal, as terras alagadas mostram-se mais férteis do que antes. O humo que vem em suspensão na água transbordada fica em depósito na planície. Se não fosse está anual inundação do Nilo as terras do Egito não passariam de simples desertos de areia, onde planta nenhuma poderia crescer, nem nenhum animal criar-se. Tanto as plantas como os animais não dispensam a água.

— Seriam, então, mais ou menos, como o deserto do Saara, que não fica longe, — disse Narizinho, que estava com os olhos num mapa.

— Perfeitamente, minha filha. Se o Saara fosse atravessado por um grande rio que todos os anos transbordasse, também no Saara se criaria uma faixa de terra fértil, onde uma bela civilização poderia desenvolver-se. Além das facilidades de cultura nas margens do Nilo, o clima era quente, exigindo pouca roupa. Essas vantagens fizeram que os hamitas se fixassem por lá — e assim começou o Egito que a História conhece. O primeiro rei do Egito cujo nome chegou até nós foi Menés, do qual quase nada sabemos. Supõe-se que construiu algum dique, ou barragem, para melhor aproveitamento das águas do Nilo.

— Em que ano viveu esse Menés, vovó? — perguntou Pedrinho sempre amigo de datas.

— Calcula-se que vivesse a uns 4.200 e tantos anos antes de Cristo.

— Que história é essa de antes e depois de Cristo, vovó? — quis saber a menina.

— Muito simples. Os povos cristãos, entre os quais estamos nós, começam a contagem dos anos a partir do nascimento de Jesus Cristo. O ano em que Jesus nasceu ficou sendo o ano I. Mas como a História alcança período muito anterior ao nascimento de Cristo, os acontecimentos dessas épocas são contados para trás. O ano 100 A. C., por exemplo, (A. C. é a abreviação das palavras **Antes de Cristo**) marca exatamente um século antes do ano I, que foi o do nascimento de Cristo. Compreendeu?

— Isso até Quindim compreende, — disse Emília.

Capítulo VI
OS HIERÓGLIFOS

— Os homens da Idade da Pedra, — prosseguiu Dona Benta, — sabiam falar, mas não sabiam escrever. A primeira ideia de arranjar uns sinais que significassem palavras e sons só apareceu muito mais tarde no Egito.

Foram os hieróglifos, ou desenhos figurando animais e coisas — leão, touro, ave, chicote, espada, etc., correspondendo cada um a um som. O nome da Rainha Cleópatra escrevia-se como está a seguir. Notem a cercadura. O nome dos reis e rainhas traziam sempre cercaduras para os destacar dos outros. Os egípcios usavam para a escrita um papel feito da casquinha fina de uma tabua muito abundante por lá — o papiro.

— Papiro, papel — parecido, vovó! — observou Pedrinho.

— Natural, meu filho, porque a palavra papel vem de papiro. Nesse papiro os egípcios escreviam com canudinhos de capim cortados em bico, usando como tinta, fuligem dissolvida em água. Os livros egípcios não lembravam os nossos. Eram em forma de rolos — como os rolos de papel de forrar paredes.

O nome de Cleópatra

A história dos seus reis, bem como a notícia das grandes batalhas e mais acontecimentos importantes, eram gravadas na pedra dos monumentos, de modo que muitas dessas inscrições chegaram até nós. Foi uma bela ideia.

— Mas como podemos ler os hieróglifos, vovó?

— Muito tempo passaram os sábios sem conseguir obter a **chave** dos hieróglifos. Os habitantes do Egito moderno pouco tinham com os antigos egípcios e não lhes guardavam as tradições. De modo que os sábios ficaram atrapalhados diante dos hieróglifos, cuja leitura seria preciosa para o conhecimento da antiguidade. Um dia a **chave** apareceu.

— Como, vovó?

— O Nilo, como vocês sabem, despeja por diversas bocas no Mar Mediterrâneo.

— Eu sei! — gritou Pedrinho. — Quando chegam perto do mar, as águas abrem-se em leque e formam o delta do Nilo. Alfa, Beta, Gama, Delta — A, B, C, D, em grego. A letra Delta, ou D, tinha a forma de um triângulo e por isso os geógrafos chamam delta aos leques que certos rios formam quando desembocam no mar.

Todos se admiraram daquele acesso de ciência de Pedrinho. O Visconde chegou a levantar-se do seu canto para vir examiná-lo de perto, da cabeça aos pés, voltando depois para o seu lugar.

— Muito bem, — disse Dona Benta. — Pedrinho está afiado como uma lâmina Gillette. Vamos ver agora se sabe o nome das duas principais bocas do Nilo.

Desta vez o menino engasgou. Não sabia.

— Roseta e Damieta, — disse Dona Benta. — Pois bem. Perto de Roseta é que a chave dos hieróglifos foi casualmente descoberta. Um homem, que estava cavando o chão, encontrou uma pedra de túmulo com uns hieróglifos, que ele, como era natural, não entendeu. Embaixo, porém, vinha outra inscrição em grego, que o homem pôde ler. Os sábios vieram examinar a pedra e tiveram a ideia de que a inscrição grega podia muito bem ser a tradução dos hieróglifos. Estudaram o assunto e viram que era. Conseguiram assim achar a pista para a decifração completa de todos os sinais hieroglíficos. Isso custou muito; só a um desses estudiosos consumiu trinta anos de paciente esforço. Mas o problema foi resolvido de modo a tornar possível o conhecimento de toda a história do Egito até milhares de anos antes de Cristo. A Pedra de Roseta como é hoje conhecida, está em Londres, no Museu Britânico, como uma das mais famosas pedras do mundo — talvez a que mais contribuiu para o desvendamento do passado humano.

— E que é que os sábios souberam do Egito depois que aprenderam a ler as inscrições? — perguntou Narizinho.

— Muita coisa. Souberam que tinha sido um país governado pelos Faraós — os reis lá deles. Souberam que o povo se dividia em classes, de modo que o filho dum pedreiro tinha de ser pedreiro e o filho dum escriba tinha de ser escriba. Ninguém podia sair de sua classe, a não ser em casos excepcionais.

A classe mais elevada era constituída pelos sacerdotes, que não se assemelhavam aos sacerdotes de hoje. Tinham uma função diversa. Eram legisladores; faziam as leis e estabeleciam regras que todos tinham de obedecer. Eram também doutores, advogados e engenheiros. Eram os únicos, em suma, que recebiam educação e que aprendiam a ler e a escrever os hieróglifos. Formavam o cérebro, a parte pensante do país.

A classe imediata era a militar. Depois vinham os agricultores, negociantes, pastores, mecânicos, etc., e por último os guardadores de porcos.

— Coitados! — exclamou Emília. — Eram os bagageiros.

— Os egípcios não adoravam a um deus só, mas a centenas deles, masculinos e femininos. Possuíam um deus para cada coisa — um deus dos campos de cultura, um deus do lar, um deus das chuvas, um deus do fogo. Deuses bons e maus. Tanto os bons como os maus recebiam as mesmas homenagens e adorações. Osíris, casado com a deusa Ísis, era o principal. Presidia à agricultura e julgava os mortos. Tinha um filho, Horo, com cabeça de gavião.

Muitos dos deuses egípcios apresentavam corpo de gente e cabeça de animal — isso porque os animais eram sagrados. O cachorro, o gato, o íbis — espécie de jaburu — e até o besouro eram sagrados. Se alguém matava uma vaca ou um besouro, recebia como castigo a morte, pois que era crime muito maior matar um animal sagrado do que matar uma criatura humana.

Capítulo VII
AS PIRÂMIDES

— Que mania tinham os egípcios de construir pirâmides, vovó? — observou Narizinho. — Nunca vejo pintada uma cena do Egito sem uma palmeirinha dum lado e uma pirâmide do outro.

— É que eles se preocupavam muito com a morte. As pirâmides não passavam de túmulos. Os egípcios acreditavam que depois da morte a alma ficava perto do corpo, a fim de reentrar nele no dia do comparecimento perante Osíris para serem julgados. Por isso embalsamavam os corpos de modo que pudessem de novo abrigar a alma, e os enterravam rodeados das coisas de que podiam precisar quando despertassem — móveis, espelhos, pentes, jogos, joias e comida.

— E como faziam para embalsamar os cadáveres? — perguntou Pedrinho. — Já havia ácido fênico naquele tempo?

— Tinham lá os seus processos — e processos tão bons que muitas múmias, isto é, cadáveres embalsamados, chegaram até nós e figuram nos grandes museus da Europa e da América. Eles extraíam as entranhas e os miolos do cadáver e o embebiam de líquidos adequados; depois o enrolavam com faixas de linho. No começo só os reis eram mumificados; depois o costume se estendeu a todas as classes, com exceção das mais baixas. Também animais eram muitas vezes embalsamados — vacas e até besouros.

— Que gracinha! — exclamou Emília.

— Quando um egípcio morria, seus parentes, depois de lhe embalsamarem o corpo, punham-no em lugar próprio, com um monte de pedra em cima para evitar desenterramento pelos chacais e hienas. Mas um rei, que é mais que um homem comum, não podia contentar-se com um simples montinho de pedras; exigia um montão. Foi essa a origem das pirâmides. De medo que depois de morto não lhes tratassem o cadáver como era preciso, os reis começaram, ainda em vida, a cuidar dos próprios túmulos, e foram construindo as pirâmides. Sobreveio o espírito de emulação. Um queria ter uma pirâmide maior que a do outro. O Faraó Quéops construiu a maior de todas, chamada a Grande Pirâmide, isso 2.900 anos antes de Cristo.

— Devia ser um trabalho horrível, erguer monstros de pedra daquele tamanho! — observou Pedrinho.

— E era, — confirmou Dona Benta. — Hoje os construtores dispõem de engenhosas máquinas de erguer peso — os guindastes. Mas os pobres egípcios tinham de transportar e erguer os enormes blocos de pedra, de que eram feitas as pirâmides, sem o auxílio de máquina nenhuma, tudo à força de músculos. Dizem que na pirâmide de Quéops trabalharam cem mil homens durante vinte anos. Os blocos de pedra eram cortados em pedreiras distantes; depois, transportados; depois, colocados no lugar definitivo. Calculem a trabalheira! Havia blocos do tamanho de pequenas casas.

— E dentro das pirâmides?

— Dentro ficavam os cômodos do morto. Na pirâmide de Quéops apenas morcegos foram encontrados em tais cômodos. Tanto a múmia do rei como os tesouros ali recolhidos tinham sido roubados.

— Que pena!

— Realmente, é caso de lastimar-se. Nestes últimos anos foi descoberto, em perfeito estado de conservação, o túmulo do Faraó Tutancâmon. Ao lado dos riquíssimos móveis e objetos de uso pessoal do soberano, na maioria de ouro, viam-se montes de pão. Pelo que foi achado no túmulo desse faraó podemos avaliar o que se perdeu com o saque do túmulo de Quéops, o qual goza a fama de ter sido o mais opulento faraó egípcio e o mais amigo do luxo.

— E as esfinges, vovó? — perguntou Narizinho. — Vejo sempre uma esfinge perto das pirâmides.

— Perto da pirâmide de Quéops há a Esfinge, uma enorme estátua de leão com cabeça humana, esculpida num bloco único de pedra que a Natureza havia posto ali como de propósito. A Esfinge representa o deus da manhã e sua cabeça reproduz a do faraó que construiu a pirâmide mais próxima da de Quéops. As areias do deserto, trazidas pelos ventos, estão enterrando essa estátua colossal; embora os homens as removam periodicamente, os ventos insistem em recobri-la. Dela, só aparece hoje a parte superior do corpo.

— Eu dava um beliscão nessa areia, — disse Emília.

— Cale-se, boba! Não atrapalhe vovó.

— Os egípcios, — continuou Dona Benta — gostavam muito da escultura e deixaram numerosíssimas estátuas. Infelizmente os sacerdotes não davam aos escultores a liberdade de copiarem os modelos; por isso as estátuas egípcias não variavam de atitudes. Lembram-se daquele dia em que o Zequinha da Nhá Chica foi ao fotógrafo tirar o retrato? Ficou todo esticadinho, de pernas juntas e braços muitos tesos, colados ao corpo. Assim posavam os modelos egípcios para os escultores daquela época.

Os egípcios eram um povo amigo do grandioso. Em seus templos aparecem fileiras de colunas na verdade gigantescas. Ao pé dessas colunas um homem ficava reduzido a anão. Esses templos, bem como as pirâmides e caixões onde guardavam as múmias, eram decorados com desenhos e pinturas do mesmo estilo da escultura. Os artistas não reproduziam a Natureza com o realismo da arte moderna. Na pintura, por exemplo: se tinham de dar tom ao corpo dum personagem, empregavam as tintas que mais bonitas lhes parecessem, sem nenhuma atenção à cor que esse personagem possuísse em vida. Um pintor egípcio pintaria o retrato de Narizinho todo verde ou azul. O fato de ser ela dum lindo moreninho cor de jambo, de nenhum modo o preocuparia.

A história parou ali. Tia Nastácia veio chamá-los para o chá.

Capítulo VIII
A BABILÔNIA

— Diga-me uma coisa, Pedrinho: por que é que há tanto pássaro no pomar? — perguntou Dona Benta no dia seguinte.

— Não é preciso ser um sábio para responder, vovó. Há tanto passarinho no pomar por causa da abundância de frutas.

— O mesmo se dá com os homens, — concluiu Dona Benta. — Quando em certo lugar a terra é fértil e o clima bom, logo se junta ali muita gente. Foi o que aconteceu na Mesopotâmia. Tão bons eram os campos entalados entre o Tigre e o Eufrates, que várias civilizações ali se desenvolveram. Na parte próxima à junção desses dois rios nasceu a Babilônia; na parte onde eles despejam no Golfo Pérsico, surgiu a Caldeia; e na parte mais próxima às nascentes, brotou a Assíria.

A Babilônia era um país muito próspero, graças à fertilidade da terra, mantida pelas inundações dos dois rios. O que era o Nilo para as terras do Egito, eram o Tigre e o Eufrates para a Mesopotâmia. Dois Nilos! Imaginem que boas terras não eram! Nelas se cultivava o trigo, o mais precioso cereal que o homem "domesticou" — e certos sábios julgam que foi na Babilônia que a sua cultura teve começo. Também a tâmara, fruto duma palmeira, era muito abundante lá, tendo importância igual à do trigo.

— Conheço a tâmara e gosto muito, — disse a menina lambendo os beiços. — Na semente há a gravação dum pequeno "O", já repararam?

— Você conhece apenas a tâmara conservada em açúcar. Lá onde ela é nativa usam-na fresca, para papas, como fazemos com a aveia. Além do trigo e da tâmara, abundante na zona, os dois rios sempre foram muito piscosos. Nada mais era preciso para a prosperidade do povo. A famosa Torre de Babel de que vocês já ouviram falar, foi construída na Babilônia. A explicação desta torre, dada pelos sábios, é a seguinte.

As gentes que formaram a Babilônia provinham das regiões montanhosas do norte, onde estavam acostumadas a ter os seus altares no mais alto dos morros, perto das nuvens. Emigrando para uma região plana como era a Babilônia, tiveram logo a ideia de construir um morro para altar. A chamada Torre de Babel pode ser considerada mais morro do que torre. Em vez de escada havia um caminho em caracol, que ia do sopé ao topo. Existiam várias torres assim na Babilônia.

— De que eram feitas?

— Não havia na Mesopotâmia abundância de pedras, como no Egito. Por isso os habitantes construíram suas torres, bem como todos os demais monumentos, de adobes, isto é, blocos de argila secos ao sol. A argila seca ao sol é material de construção pouco durável; por isso o que hoje resta dos monumentos babilônicos não passa de montões de adobes desfeitos pelo tempo.

— Também usavam hieróglifos?

— Não. Tinham outra espécie de sinais, que os sábios chamam **caracteres cuneiformes**. A falta de papiro para escrever, ou de pedra em que gravar sinais, fez a gente da Babilônia usar blocos de argila, ou tijolos, onde escreviam quando ainda moles. Escreviam por um sistema de marcas acalcadas, em forma de cunha. Daí a palavra **cuneiforme**, que quer dizer exatamente — em forma de cunha.

Parece que os babilônios foram os primeiros homens que observaram os astros e viram que eles se comportavam sempre da mesma maneira, isto é, que seguiam leis. Chegaram a tornar-se grandes astrônomos; 2.300 anos antes de Cristo já profetizavam que em tal hora de tal dia de tal ano ia haver um eclipse do Sol — e acertavam. Sabe o que é um eclipse, Pedrinho?

— Sei, vovó — e até já vi um eclipse total do Sol. O eclipse se dá quando um astro tapa outro. Quando a Lua fica exatinha entre a Terra e o Sol, acontece um eclipse do Sol para nós e um eclipse de Terra para o Sol. Mas depois? Continue a história dos babilônios.

— De tanto estudar os astros, prosseguiu Dona Benta, começaram os babilônios a adorá-los. O Sol, a Lua e as estrelas viraram os seus deuses. Daí as torres, os altos de montanha onde tinham os altares. Queriam elevar-se o mais perto possível das divindades.

— Grandes bobos! — exclamou Emília. — Como se subindo ficassem mais perto. Nem que subissem ao Himalaia.

— O primeiro rei da Babilônia do qual sabemos alguma coisa foi Sargão I, que viveu mais ou menos no tempo da construção das pirâmides do Egito. Outro nosso conhecido, pelas leis que fez e que chegaram até nós, foi o Rei Hamurábi. Suas leis chegaram até nós, porque em vez de serem escritas em tijolos foram gravadas em pedra. Sargão e Hamurábi: guardem estes nomes, que são os mais remotos que temos da Babilônia.

— Vou batizar com eles os dois cabritos que nasceram esta semana, — disse Pedrinho. — Não há melhor meio de conservar nomes exóticos.

Capítulo IX
OS JUDEUS ERRANTES

— Ur!... — exclamou Dona Benta depois duma pausa. — Sabem o que quer dizer Ur? Ur foi o nome duma cidade da Caldeia, país vizinho da Babilônia. Nesta cidade, 1.900 anos antes de Cristo, vivia um homem chamado Abraão, chefe de numerosa família e dono de muito gado. Abraão adorava um deus único, ao passo que os seus vizinhos babilônicos adoravam muitos — o Sol, a Lua, as estrelas. Por esse motivo Abraão aborreceu-se daquela gente, a qual por sua vez não gostava dele, tendo-o na conta de maluco. E Abraão mudou-se. Um dia chamou a família, reuniu o gado e lá se foi em direção a uma terra situada à beira do Mar Mediterrâneo, chamada Canaã. Em Canaã prosperou grandemente.

Um de seus netos, Jacó, teve doze filhos, dos quais José, um menino inteligente e bonzinho, ficou logo o favorito do pai. Os outros enciumaram-se e um dia esconderam José num poço; e depois o venderam a um bando de egípcios que iam passando. Em casa mentiram que as feras o tinham devorado.

— E Jacó acreditou?

— Não vendo o filho reaparecer, era natural que acreditasse. Mas sabem o que aconteceu a José no Egito, para onde os seus compradores o levaram como escravo? Também virou favorito, não mais do pai, mas do faraó, e acabou ocupando um dos mais altos cargos do governo, como hoje o de Primeiro-Ministro na Inglaterra. E isso num país onde ninguém saía duma classe para entrar noutra — país de **classes fechadas**, como se diz.

— Que danadinho!

— Por esse tempo houve uma falha nas colheitas de Canaã, e veio a fome. Os filhos de Jacó (os israelitas), foram mandados ao Egito em busca de trigo. Nenhum sabia o que acontecera ao irmão; estavam talvez certos de que ele não existia mais. Imaginem, pois, como abriram a boca ao chegarem lá e darem com José governando o Egito!

— Estou a imaginar mas é a vingança de José! — disse o menino.

— Errou, Pedrinho, José não tomou vingança nenhuma, como seria natural. Era realmente generoso. Em vez de vingar-se, encheu os irmãos de trigo e belos presentes, e — disse-lhes que trouxessem toda a família de Abraão para o Egito; ele se encarregaria de acomodá-la nas excelentes terras de Gosén, onde as colheitas nunca falhavam.

— A senhora — disse **israelitas**, vovó. Por que se chamavam assim?— — perguntou a menina.

— Porque Jacó tinha um segundo nome — Israel. Foi deste segundo nome que veio para os seus descendentes o nome de israelitas; depois foram também chamados judeus. Os israelitas consideravam-se como o povo eleito de Jeová, ou Deus, e tinham muito orgulho disso. Em Gosén viveram em paz enquanto José foi governo; mas depois da morte de José passaram por muitas tribulações. Os faraós, que não gostavam da gente semita, deram de implicar-se com eles e maltratá-los. Esse estado de coisas durou quatro séculos. Por fim subiu ao trono o Faraó Ramsés, o

Grande, que resolveu dar um golpe de morte na tribo israelita. Para isso ordenou que todas as criancinhas fossem trucidadas. Os carrascos obedeceram e mataram todas as criancinhas, menos uma. Escapou numa cesta de vime, solta nas águas do Nilo, um menino chamado Moisés, que ia tornar-se o maior homem do povo de Israel.

— Não é isso a tal Matança dos Inocentes de que Tia Nastácia tanto fala?

— Exatamente, minha filha. Mataram as pobres crianças — todas, exceto Moisés. Esse Moisés, depois que virou homem, assumiu o comando da sua gente, e a primeira coisa que fez foi providenciar para que todos saíssem do Egito — uma terra inimiga onde já estavam com mais de quatro séculos de "judiação". Saíram. Essa saída é famosa na história hebraica (hebreu = judeu; hebraica = judaica); e tem o nome de **Êxodo** — saída.

— E para onde foram?

— Atravessaram o Mar Vermelho — e a lenda diz que as águas se abriram à sua passagem. Depois andaram perdidos pelos desertos da Arábia, até que acamparam ao sopé dum monte chamado Sinai. Ali Moisés os deixou e subiu ao alto para meditar — ou conversar com o Senhor, como ele dizia. Mais dum mês esteve lá. Quando desceu, trazia as Tábuas da Lei, isto é, duas pedras onde escrevera dez regras de conduta chamadas os Dez Mandamentos da Lei de Deus. O povo de Israel teria dali em diante de seguir aqueles preceitos.

— Tábuas de pedra! — cochichou Emília para o Visconde. — Isto só mesmo lá...

Dona Benta fingiu que não ouviu e continuou:

— Mas quarenta dias era muito tempo para a paciência dos judeus. Cansados de esperar pelo chefe que havia subido ao morro para conversar com a divindade, resolveram adorar um deus egípcio que estava mais ao alcance — o Bezerro de Ouro. Quando Moisés desceu e viu aquilo, ficou furioso. Mas soube explicar-se, e breve os pôs novamente adorando o Deus de Abraão, cuja Lei ele em pessoa acabava de receber no alto do Monte Sinai.

— Mas recebeu mesmo, vovó?

— Se Moisés não afirmasse ter recebido a Lei das mãos de Deus, ninguém lhe daria importância... Depois da morte de Moisés os judeus peregrinaram ainda algum tempo pelo deserto, e por fim regressaram às terras de Canaã. Lá sossegaram.

Os judeus não tinham reis como todos os outros povos. Eram governados por juízes, homens de vida simples e em tudo iguais ao comum. Mas isso não os contentava. Queriam ter reis, como os seus vizinhos, e então Samuel, que foi o último juiz, ungiu Saul, que foi o primeiro rei.

— Ungiu!... Que história de ungir é essa, vovó?

— Uma cerimônia simbólica. Samuel ungiu Saul derramando-lhe sobre a cabeça um pouco de óleo de oliva e assim o transformou em rei. A história deste povo acha-se escrita num livro que com o nome de Velho Testamento faz parte da Bíblia — o Livro Sagrado dos povos cristãos.

— E como se chamava o Deus dos judeus, vovó?

— Chamava-se Jeová.

(A história dos judeus foi interrompida neste ponto por causa duma barulheira na cozinha. Emília correra para lá e fora para o quintal com a lata de azeite doce. "Para que isso, Emília?" — perguntou Tia Nastácia. "Para ungir Rabicó" — respondeu a diabinha. "Talvez que depois de ungido ele se torne menos guloso...")

Capítulo X
OS DEUSES GREGOS

No dia seguinte Dona Benta esqueceu dos judeus e pegou nos gregos.

— Também em terras banhadas pelo Mediterrâneo — disse ela — outro povo apareceu, de muita importância na história do mundo: os Helenos ou Gregos. Tinham o nome de helenos porque foi um homem chamado Heleno, de origem ariana, que se estabeleceu naquelas terras e formou o povo. Hélade, era o nome da terra dos helenos.

Começa-se a ouvir falar desta gente ali pelo ano 1.300 antes de Cristo, tempo em que os hebreus estavam deixando o Egito. Os gregos não tinham um deus único, como os judeus, nem adoravam os astros, como os babilônios. Possuíam doze deuses principais e um certo número de deuses menores, que moravam no Monte Olimpo, a mais alta montanha da Grécia. Lá viviam uma vida muito semelhante à dos homens, porque os deuses gregos eram humaníssimos, isto é, tinham o mesmo temperamento e as mesmas paixões das criaturas humanas. A única diferença era que, como deuses, **podiam mais** do que os homens. O alimento deles chamava-se *ambrosia* e sua bebida, *néctar*.

— Que gostoso devia ser! — exclamou Pedrinho. E não se sabe hoje o que eram esse néctar e essa ambrosia, vovó?

— Para mim, a tal ambrosia era pamonha de milho verde — murmurou Emília ao ouvido do Visconde.)

— Não, meu filho, — respondeu Dona Benta. Não se sabe hoje, nem se soube nunca. Se os deuses permitissem que os homens lhes desvendassem todos os segredos, os homens acabariam virando deuses. Por isso castigavam os abelhudos, como um tal Prometeu que furtou o fogo do céu para o dar aos homens. Como castigo, Zeus, o dono do fogo, amarrou o ladrão a uma montanha de nome Cáucaso, onde um abutre lhe vinha bicar o fígado todos os dias.

— Bicar só, vovó? Por que não o comia duma vez?

— Sim; o castigo era esse — um bicamento do fígado que durasse eternamente.

— Eternamente? Quer dizer que ele ainda está no Cáucaso?

Dona Benta riu-se.

— Não, meu filho. Aquele tremendo Hércules, cuja lenda você sabe, foi lá e libertou-o. Mas os deuses gregos eram os seguintes: **Zeus, ou Júpiter**, o pai de todos e o mais poderoso. Sentava-se num trono com uma águia aos pés, tendo na mão o raio, isto é, um ziguezague de fogo. Quando queria vingar-se de alguém, arremessava esse raio, seguido dum trovão — como um índio arremessa a lança. Depois vinha **Hera, ou Juno**, mulher de Zeus e a primeira das deusas; Juno trazia sempre consigo um pavão. Depois vinham os outros.

— Diga o nome de todos, vovó, — pediu Narizinho.

— Havia **Posseidon**, ou **Netuno**, que era irmão de Zeus e governava os mares num carro puxado por uma parelha de cavalos-marinhos, tendo na mão o tridente — enorme garfo de três pontas. Netuno provocava tempestades, ou fazia as tempestades cessarem com uma simples pancada do tridente nas ondas. Havia **Hefesto** ou

Vulcano, o deus do fogo. Era um ferreiro manco, que trabalhava numa oficina dentro da Terra. A fumaça da sua forja saía pela cratera dos vulcões — que se chamaram assim por causa dele, Vulcano.

Havia **Apolo**, que era o mais belo de todos e governava a luz e a música. Todas as manhãs Apolo aparecia no horizonte guiando o carro do Sol e dava volta no céu para iluminar o mundo. Havia **Ártemis** ou **Diana**, irmã gêmea de Apolo, deusa da Lua e das caçadas. Diana vivia de arco e flecha em punho, perseguindo os animais. Havia **Ares** ou **Marte**, o terrível deus da guerra, que só estava satisfeito quando via os homens a se matarem uns aos outros. Havia **Hermes** ou **Mercúrio**, o mensageiro dos deuses, o leva-e-traz. Tinha asas no capacete e usava uma vara mágica de paz, que posta entre duas pessoas em luta imediatamente as fazia amigas.

— Já vi um retrato de Mercúrio, — disse Pedrinho, mas a vara mágica tinha duas cobras enroladas.

— Sim, isso foi duma vez em que topou duas cobras engalfinhadas e interpôs a vara mágica para as separar. Em vez de se separarem, as cobras enlearam-se na vara e nunca mais dali saíram. Chamava-se **caduceu**, essa vara mágica de Mercúrio.

— A senhora já falou de oito deuses. Faltam ainda quatro, vovó.

— Havia **Atena** ou **Minerva**, a deusa da sabedoria, que nasceu dum modo muito especial. Júpiter teve uma dor de cabeça horrível, que não passava com aspirina nenhuma. Desesperado, chamou Vulcano para que lhe rachasse a cabeça com um golpe de malho. Vulcano obedeceu; mas em vez de ficar a cabeça de Júpiter em papas, deixou escapar, armada de escudo e lança, a sua filha Minerva!

— Que beleza! — exclamou a menina.

— Havia **Afrodite** ou **Vênus**, a deusa do amor. Vênus era a mais bela das deusas, como Apolo era o mais belo dos deuses. Nascera da espuma do mar e tinha um filhinho de nome **Eros** ou **Cupido**, habilíssimo em flechar corações com flechas invisíveis. Havia **Vesta**, a deusa do lar e da família. Havia **Deméter** ou **Ceres**, deusa da agricultura. Havia **Plutão**...

— Pare, vovó! — gritou Pedrinho. Com Ceres já contei doze. Esse Plutão é demais na dúzia.

— Eram doze no Olimpo, — explicou Dona Benta, mas havia ainda este Plutão, irmão de Júpiter, que tomava conta do inferno. A dúzia era realmente de treze. Isto falando só dos graúdos, porque com os deuses menores e os semideuses eram mais. Lembro-me das Três Parcas, das Três Graças, das Nove Musas. Só aqui temos quinze.

A religião grega nada tinha de semelhante à dos hebreus ou egípcios. Era alegre e poética. Em vez de adorarem os deuses, os gregos invocavam-nos sempre que tinham necessidade de auxílio. Também lhes faziam **sacrifícios**, isto é, ofertas de animais ou coisas. Matavam o pobre animal e o queimavam numa pira, ou altar, para que a fumaça fosse enternecer o nariz dos deuses no Olimpo. Durante esses sacrifícios prestavam atenção a tudo quanto se passasse em redor, a fim de descobrir algum indício de que o deus estava se agradando ou não. Esses indícios chamavam-se **presságios**. Um bando de aves que voasse no momento, um trovão que trovejasse, um raio que caísse — tudo eram presságios, bons ou maus, conforme a interpretação dada.

— E os oráculos, vovó? — perguntou a menina. — Tio Antônio disse outro dia que a senhora para ele era um oráculo.

— Pobre de mim! — exclamou Dona Benta com modéstia. — Apenas sei um bocadinho mais do que ele, porque sou mais velha. Que é oráculo? Vamos ver isso. Perto da cidade de Atenas, que era a principal da Grécia, erguia-se, nas encostas do Monte Parnaso, uma cidadezinha de nome Delfos. Em seus arredores havia uma racha na montanha donde escapava um gás, tido como o hálito de Apolo. Esse gás deu origem à instituição do famoso Oráculo de Apolo em Delfos.

— Como era isso, vovó?

— Assim. Uma sacerdotisa, ou pitonisa, sentava-se numa trípode, ou banqueta de três pernas, colocada no mais forte do gás. Passados uns minutos, a ação do gás a fazia cair em estado de delírio. Era então consultada por um sacerdote, e suas respostas, em geral confusas ou sem sentido como as de todas as criaturas fora de si, eram **interpretadas**, valendo como respostas do próprio deus Apolo. Vinha gente de muito longe consultar o afamado Oráculo de Delfos, que na maior parte das vezes dizia as coisas de modo a tanto poder ser carne como peixe. Um rei, por exemplo, o consultou sobre o resultado da guerra declarada a outro rei. O oráculo — respondeu: "Um grande reino está prestes a cair." O rei ficou na mesma. Que reino ia cair, o seu ou o do inimigo?

— Bem espertinha a tal pitonisa! — murmurou Pedrinho.

Capítulo XI
A Guerra de Troia

— As guerras, — prosseguiu Dona Benta, — constituem os principais acontecimentos da vida dos povos. Com elas as nações nascem e morrem. A história dos gregos principia a ser conhecida com a Guerra de Troia, que se deu cerca de mil e duzentos anos antes de Cristo, nos começos da Idade do Ferro. Há muito de lenda na história desta guerra, porque os gregos eram criaturas ricas de imaginação. Mas vale a pena ser contada. Querem ouvi-la, seja verdade ou não?

— Queremos! — exclamaram todos.

— Pois ouçam lá, — disse Dona Benta. — Houve uma vez uma grande festa entre os deuses do Olimpo, e estavam todos banqueteando-se quando uma deusa, que não fora convidada, resolveu vingar-se dum modo especial — lançando à mesa um pomo de ouro com estas palavras: "À mais bela!"

A deusa que teve esta lembrança era a deusa da briga, e não fora convidada justamente para que reinasse paz na festa. Pois com a ideia do pomo, a malvada conseguiu imediatamente despertar a vaidade de todas as deusas ali reunidas visto que cada qual se julgava a única merecedora da fruta.

O meio de resolver o caso foi mandar vir da Terra um pastor de nome Páris, que decidisse qual a mais bela. Imediatamente as deusas trataram de seduzir o juiz. Juno prometeu fazê-lo rei; Minerva prometeu dotá-lo de grande sabedoria e Vênus, a deusa da beleza, prometeu-lhe o amor da mulher mais bela do mundo.

Páris não era um simples pastor e sim filho de Príamo, o rei de Troia, uma cidade que ficava perto da Grécia, do outro lado do mar. Em menino fora abandonado numa montanha para morrer no dente dos lobos; mas um casal de pastores o salvou. Agora estava no Olimpo, como juiz desempatador num concurso de beleza.

— Por quem será que vai decidir-se? Eu aposto em Juno, — disse Pedrinho.

— E eu em Minerva, — disse Narizinho.

— E eu em Vênus, que é a mais esperta, — berrou Emília.

— Emília ganhou! — disse Dona Benta. — Entre ser um rei ou um sábio, e ser marido da mulher mais bela do mundo, Páris não vacilou — e, portanto, entregou o pomo a Vênus. Essa sentença deu origem a uma série de calamidades, cujo desfecho foi a destruição de Troia. A mulher mais bela entre os mortais era Helena, que já estava casada com Menelau, rei de Esparta, uma das cidades da Grécia. Vênus aconselhou Páris a raptar Helena.

Páris foi a Esparta, onde Menelau o recebeu principescamente. Apesar disso fugiu de noite com Helena e atravessou o mar, de rumo a Troia.

Menelau e todos os gregos, furiosíssimos com aquilo, prepararam uma expedição contra a cidade de Troia, para se vingarem de Páris e arrecadarem a princesa fugitiva. Naquele tempo as cidades eram cercadas de muralhas, e como não houvesse canhões nem pólvora, tornava-se difícil penetrar nelas. Os gregos sitiaram Troia durante dez anos, sem que nada conseguissem. Por fim, resolveram recorrer a um estratagema.

— Já sei, inventaram o Cavalo de Troia!

— Isso mesmo. Construíram um enorme cavalo de madeira, que puseram junto aos muros, em seguida retiraram-se com armas e bagagens, dando todos os sinais de que desistiam de tomar a invencível Troia. Logo que os gregos desapareceram, os troianos abriram as portas e foram admirar o cavalo. Imediatamente surgiu a ideia de o recolherem dentro da cidade. Um sacerdote de nome Laocoonte opôs-se, alegando que o cavalo de nada adiantava na cidade, além de que podia ser um embuste. Os troianos, porém, que estavam ansiosos por ver o cavalo enfeitando como um troféu de guerra uma das suas praças, não lhe deram ouvidos. Logo depois Laocoonte com mais dois filhos foram enlaçados e asfixiados por duas enormes serpentes saídas do oceano. O povo viu nisso sinal de que até os deuses estavam danados com ele por não querer o cavalo dentro da cidade — e sem mais vacilações recolheram o animalão de pau. Para isso tiveram de derrubar um pedaço da muralha.

Tudo correu muito bem; mas à noite uma portinhola na barriga do cavalo se abriu e por ela começaram a sair soldados gregos dos melhores. Saíram e correram a tomar conta das portas. Ao tempo em que isso acontecia, as forças gregas, que se haviam retirado, principiaram a voltar.

Pela manhã atacaram a cidade, entraram pela brecha feita para dar passagem ao cavalo e trucidaram todos os seus defensores e habitantes. Depois lançaram fogo às casas e retiraram-se para a Grécia, levando consigo a fugitiva Helena.

— Agora compreendo a expressão — **presente de gregos!** — disse Pedrinho. — Quer dizer presente de inimigo, presente de alguém que não merece confiança.

— De fato assim é, meu filho. Quem aceita um presente de gregos, está perdido. A história minuciosa da guerra entre gregos e troianos encontra-se em dois poemas de grande fama. Um deles chama-se **Ilíada** nome que vem do segundo nome de Troia, **Ílion**. O outro chama-se Odisseia. Neste conta-se o que, depois de terminada a guerra, se passou com um dos heróis gregos, Ulisses ou **Odisseu**. Sabem qual foi o poeta que compôs estes poemas?

— Camões! — gritou a burrinha da Emília.

— Homero, — ensinou Dona Benta. — Homero era um rapsodo, quer dizer, um pobre diabo que andava pelas ruas cantando versos para viver, como fazem hoje os homens do realejo. Além do mais, cego, o coitado, e por isso nunca escreveu os seus poemas. Foram escritos por outras pessoas que de tanto ouvi-los os guardaram de cor. Só depois da morte é que Homero ficou famoso. Nove cidades gregas passaram a disputar a honra de ter sido o berço do cego que em vida andava de porta em porta, declamando seus poemas em troca de esmolas.

— Coitado! — exclamou Narizinho. — Nem teve o gosto de saber que ia ficar célebre...

— Homero ficou mais que célebre — ficou celebérrimo, como também aconteceu a certo rei de Israel...

Dona Benta tomou fôlego e prosseguiu.

Capítulo XII
Os reis dos judeus

— Enquanto o pobre Homero cantava os seus versos pelas ruas das cidades gregas, o segundo rei dos judeus compunha em Canãa admiráveis salmos, isto é, cânticos sagrados. Chamava-se Davi este rei e tinha sido simples pastor no tempo de Saul, o primeiro rei dos judeus.

— E como foi que ficou rei, vovó? — perguntou Narizinho. — Subir de pastor a rei não me parece fácil.

— Numa batalha que os judeus travaram com um povo vizinho, Davi matou, com uma pedrada na cabeça, um gigante chamado Golias. Pedrada de funda. Se alguém não souber o que é funda, informe-se com Pedrinho, que é o entendido em armas nesta casa.

— Eu sei! — gritou logo o menino. — Funda é, por exemplo, um lenço que eu dobro em diagonal, só deixando duas pontas; seguro as duas pontas juntas e ponho uma pedra no "balanço", depois giro tudo no ar e de repente largo **uma** das pontas. A pedra sai ventando e se pegar a testa dalgum gigante, já se sabe, virou rei!

— Isso mesmo, — confirmou Dona Benta. — O jovem Davi matou o gigante Golias e como era natural ficou célebre e invejado. A filha do Rei Saul apaixonou-se por ele e com ele se casou. Desse modo, pela morte de Saul o antigo pastorzinho acabou virando rei. O mais interessante é que foi o maior rei que os judeus tiveram e um dos mais célebres mencionados na História.

— Parece conto de fadas! — comentou a menina.

— Até o reinado de Saul a vida dos judeus havia sido das mais simples. Basta dizer que não tinham uma capital e que o rei morava em tenda de campanha. Davi resolveu mudar de sistema e dar uma capital ao seu povo. Ora uma capital, uma cidade importante só pode ser conseguida de dois modos — ou por construção ou por apropriação duma já existente. Foi o que fez Davi. Conquistou uma cidade próxima, chamada Jerusalém, e fez dela a capital do seu povo. Nas horas de folga ele compunha versos religiosos, ou salmos, tão bem feitos e cheios de sentimento que chegaram até nós; compunha-os ou colecionava tais salmos (o que parece mais certo). Apesar de escritos há quase três mil anos, os salmos de Davi ainda hoje são cantados por milhões de pessoas em milhares de igrejas de muitos países.

Davi teve um filho, Salomão, que depois de sua morte ocupou o trono. Diz a lenda que quando Salomão virou rei, Deus, em sonho, lhe perguntou o que mais desejava possuir. Em vez de pedir riquezas e poder, Salomão pediu sabedoria — e ficou de fato um rei que era um livro aberto de tanta sabedoria. Há um caso dele que é célebre. Duas mulheres compareceram à sua presença com uma criancinha nova, que cada qual alegava ser sua. "É meu filho", dizia uma. "Mentira! É meu", gritava a outra. Como decidir? Salomão resolveu sabiamente o caso. "Soldado", disse a um dos guardas, "tire a espada e corte este menino pelo meio; assim cada uma destas mulheres levará a metade." "Não o cortem!", gritou uma delas, desesperada. "Prefiro que o entreguem inteiro à outra." Esse grito, saído do fundo do coração, mostrou ao rei qual das duas era a verdadeira mãe.

— Sim senhora! — admirou-se Narizinho. — A espertezadele era de bom tamanho. Se não ameaçasse matar a criança o caso não se decidiria nunca.

— Esse Salomão ficou tão célebre que não há aqui na roça matuto que o não conheça. E fez uma coisa importante para os israelitas. Davi lhes dera uma capital. Salomão ia dar-lhes um templo. Mas quis um templo da maior magnificência, construído com a madeira dos famosos cedros do Monte Líbano e com mármores raros. Depois de terminado o templo, Salomão ergueu para si um palácio tão grandioso que vinha gente de longe admirar a maravilha. Entre esses visitantes a história guarda o nome da Rainha de Sabá, que fez penosa viagem através da Arábia só para ouvir a palavra do sábio rei e conhecer o riquíssimo palácio onde ele morava. Nada resta hoje do templo e do palácio. Nem vestígios. No entanto sabemos, e muitas vezes repetimos, os famosos provérbios do Rei Salomão.

— Por que, vovó?

— Porque encerram grandes verdades — que eram verdades naquele tempo e continuam verdades hoje. O que é verdade vive sempre.

Capítulo XIII
O POVO QUE INVENTOU O A B C

De Salomão Dona Benta pulou para a Fenícia.
— No tempo em que ninguém sabia escrever, — disse ela, — porque o alfabeto ainda não fora inventado, vivia numa aldeia um carpinteiro de nome Cadmo. Era fenício,

isto é, natural da Fenícia, uma nação de comerciantes muito espertos, estabelecida nas costas do Mediterrâneo. Cadmo estava um dia trabalhando no seu banco de carpinteiro, a certa distância de casa. Súbito notou a falta duma ferramenta qualquer, que esquecera de trazer. Fez então uns rabiscos num cavaco de madeira e disse a um escravo: "Fulano, leve isto à minha esposa e traga o que ela der". O escravo levou o cavaco. A mulher de Cadmo leu o sinal escrito, tomou a ferramenta pedida e — disse: "Aqui está o que ele pede". O escravo abriu a boca, e ainda mais quando ao entregar a ferramenta ouviu o patrão dizer que era aquilo mesmo. Seu assombro diante do cavaco mágico foi tamanho que pediu licença a Cadmo para o trazer pendurado ao peito, como bentinho.

— Coitado! — exclamou a menina.

— O que há de verdade nisto, não sei. Mas o fato é que o alfabeto nos veio da Fenícia, inventado por esse Cadmo ou por quem quer que seja. Em grego as duas primeiras letras chamam-se **Alfa** e **Beta** — daí o nome de **alfabeto** que ficou para o conjunto de todos os sinais ou letras. Já pensaram vocês, por um minuto, na invenção maravilhosa que foi o alfabeto?

— Ainda não — disse Pedrinho. — Vamos começar a pensar nisso de hoje em diante, porque só agora vovó nos abriu os olhos.

— Pois pensem. Se não fossem os fenícios, ou melhor, se o alfabeto não tivesse sido inventado, estaríamos hoje num grande atraso, talvez ainda usando os hieróglifos ou os caracteres cuneiformes dos babilônios. Vejam que desgraça. Ou estaríamos como os chineses, que ainda usam o sistema de um sinal para cada palavra, de modo que quem quer aprender a ler na língua deles tem de passar a vida inteira aprendendo, e quando começa a saber já está velhinho de cabelos brancos e morre. A causa do atraso da China e de todos os seus males está nisso: não ter adotado o maravilhoso sistema fenício de escrever seja que palavra for com o uso apenas de vinte e tantos sinais. Com vinte e seis sinais, por exemplo, os ingleses escrevem as 550.000 palavras que existem na sua língua. Pelo sistema chinês seriam precisos 550.000 sinais diferentes...

— Estou compreendendo, vovó. Estou compreendendo muito bem a importância da invenção do alfabeto, — disse Pedrinho. — Mas as letras, ou sinais, adotados pelos fenícios, eram as mesmas que usamos hoje?

— Algumas letras não sofreram mudança, como o A, o E, o O e o Z. Mesmo assim o A era deitado e o E tinha a abertura voltada para a esquerda. As outras letras mudaram. Mas isto da forma dos sinais não tem a mínima importância. O que importa é haver um sinal para cada som, de modo que possamos escrever milhares de palavras com alguns sinais apenas.

— Como na música, vovó! — sugeriu Narizinho.

— Exatamente. Na música temos sete notas, ou sete sinais. Com esse bocadinho de elementos, os músicos compõem maravilhosas músicas, desde o "Vem cá Vitu" até às célebres sonatas de Beethoven. As sete notas são o alfabeto da música.

— Quem eram esses tais fenícios, vovó? Da mesma raça dos gregos?

— Eram um ramo da raça semita, localizado perto dos judeus, ao norte. Tiveram um grande rei de nome Hiram que viveu no tempo de Salomão, do qual foi amigo. Hiram chegou a mandar para Jerusalém muitos dos melhores operários da

Fenícia a fim de trabalharem na construção do grande templo, apesar de não crer no deus de Salomão.

— Em que deus acreditava?

— Os fenícios adoravam deuses terríveis, verdadeiros monstros como um tal Baal e um tal Moloch, que diziam deuses do Sol. Também adoravam uma deusa da Lua, de nome Astarté. Eram deuses cruéis, aos quais eles faziam sacrifícios de crianças. Vejam que horror!

— Que sacrifícios eram esses? — perguntou Pedrinho.

— Queimavam-nas vivas... Num romance de Flaubert, **Salambô**, há um terrível capítulo sobre uma queima de crianças na cidade de Cartago... E há um ainda mais horrível no romance **O Nazareno**, de Sholem-Asch. Mas ainda é cedo para a leitura desses romances. Você tem que crescer e aparecer...

Narizinho revoltou-se contra os tais fenícios e foi contar a Tia Nastácia a história da queima das crianças. Dona Benta continuou:

— Os fenícios, — disse ela, — cuidavam mais de negócios do que de religião. Só queriam saber de dinheiro. Contanto que o dinheiro viesse, os meios não tinham importância. Fabricavam muita coisa, que forneciam aos povos da costa do Mediterrâneo, logrando os compradores sempre que podiam. Um povo de mascates.

Entre as suas indústrias estavam a de belos tecidos, a da vidraria e a da ourivesaria de ouro e prata. Também conheciam o segredo de extrair dum molusco, muito abundante nas praias de Tiro, uma preciosa tinta vermelha, a célebre púrpura de Tiro, com a qual os reis tingiam os seus mantos.

Tiro e Sidon eram as principais cidades da Fenícia e talvez as de maior movimento do mundo antigo. Os fenícios não se contentavam de produzir coisas; saíam a vendê-las em pequenos navios, por eles mesmos construídos. E não só percorriam todo o Mediterrâneo como atravessavam o Estreito de Gibraltar e penetravam no Oceano Atlântico, indo até às Ilhas Britânicas. Sabem como se chamava o Estreito de Gibraltar naquele tempo?

— Eu sei, eu sei, vovó! — exclamou Pedrinho. — Chamava-se Colunas... Colunas...

— Colunas de mármore cor-de-rosa, com veios azuis, verdes e amarelos, — disse Emília muito lampeira.

— Colunas de Hércules, vovó! — berrou Pedrinho lembrando-se.

— Isso mesmo. Colunas de Hércules. Para os povos antigos ali se acabava o mundo. Mas os fenícios verificaram que não. Seus naviozinhos, construídos com o famoso cedro do Líbano, atravessaram as colunas de Hércules e navegaram em pleno Oceano Atlântico. Eram colonizadores. Onde encontravam um bom porto, logo desembarcavam e plantavam uma colônia que lhes viesse facilitar o comércio com as tribos dos arredores. E com tais tribos faziam muitos negócios de ciganagem, trocando metais preciosos, pedras e outras coisas de valor por pedaços de pano tinto de púrpura e berloques e colares de vidro.

Uma destas colônias ficou importantíssima e teve seu papel na história da humanidade. Chamava-se Cartago.

Capítulo XIV
AS LEIS DE ESPARTA

— Antes de falar em Cartago, vovó, fale dessa Esparta, para onde os gregos da Guerra de Troia levaram a Helena fujona. Que era Esparta?

— Era uma cidade da Grécia de costumes bastante especiais. Escutem. Novecentos anos antes de Cristo, por lá apareceu um homem de nome Licurgo, que sonhou fazer de Esparta a mais poderosa cidade do mundo. Para isso saiu a viajar, correndo os países que pôde para ver as causas da força de uns e da fraqueza de outros. Viu que os povos que só davam importância aos prazeres da vida eram fracos ao passo que os que punham o trabalho acima de tudo e cumpriam os seus deveres, fossem agradáveis ou não, eram fortes.

Voltando a Esparta, começou Licurgo a organizar a vida dos espartanos conforme as lições que aprendeu. Fez um código de leis severíssimas, que pegava o espartaninho ao nascer e ia até o fim da vida a governá-lo com toda a dureza. "É de cedo que se torce o pepino", devia ser a divisa desse código. Se os recém-nascidos eram fracos, ou possuíam qualquer defeito físico, a lei mandava abandoná-los numa montanha, para que morressem. Licurgo não queria que houvesse um só aleijado de nascença em Esparta.

— Sistema de Tia Nastácia com os pintinhos, — observou a Emília. — Ela torce o pescoço de todos que não prometem bons frangos.

— As mães ficavam com os filhos por pouco tempo. Aos sete anos tinham de pô-los numa escola de treinamento, onde permanecessem até aos dezesseis. O treinamento consistia na educação do corpo, de modo a fazer do rapaz um perfeito e fortíssimo soldado. Regime duro como vocês não imaginam! De vez em quando os rapazes entravam na chibata, não por haverem cometido algum deslize, mas para acostumar o corpo ao sofrimento. E quem chorasse no castigo, ficava desmoralizado pelo resto da vida. Durante os exercícios todos tinham de conservar-se em forma, sem dar a menor mostra de cansaço, ainda que estivessem morrendo de fome, sono ou dor. Também os acostumavam a comer as piores comidas, a aguentar as piores sedes, e a andar sem agasalho nos piores dias de inverno. E assim por diante. Chamavam a isso **disciplina espartana**.

— Tudo não prometo, — disse Pedrinho, — mas alguma coisa do que Licurgo mandava fazer hei de seguir — para ficar a criatura mais forte aqui das redondezas!

(Emília, que fora proibida de falar em vista das muitas asneiras que andava dizendo, cochichou ao ouvido do Visconde: "Quero ver se ele fica tão forte como o Quindim". "Que Quindim é esse?" perguntou o Visconde. "O rinoceronte" disse Emília. "Não sabe que batizei o rinoceronte com esse nome?" E foi a partir daquele momento que o rinoceronte passou a ter um nomezinho tão mimoso.)

— A vida dos espartanos, — continuou Dona Benta, — era bem dura. Simplicidade na comida, ausência de conforto e supressão completa de tudo quanto fosse luxo.

Isso os transformou num povo extremamente rijo. Eram ensinados até a falar com energia e economia, dizendo o máximo com o mínimo de palavras. Como se chama este modo seco de falar, Narizinho? Eu já ensinei.

— Lacônico, — respondeu a menina.
— Muito bem. E donde vem tal palavra, Pedrinho?

O menino engasgou.

— Vem justamente da Lacônia, a província da Grécia de que Esparta era a cidade principal. Modo de falar lacônico quer dizer o mesmo que modo de falar espartano — mas só a primeira expressão é usada. Certa vez um rei vizinho enviou aos espartanos uma carta ameaçadora dizendo que se eles não fizessem tal e tal coisa, ele rei marcharia com os seus exércitos e destruiria a cidade, escravizando toda a população. Os espartanos leram a carta e incontinenti deram a resposta com uma só palavra "Se...".

— Bonito, vovó! — exclamou o menino entusiasmado. — Não pode haver nada melhor do que essa resposta lacônica! Se... Imaginem a cara do rei! Mas diga-me uma coisa, vovó: o sistema de Licurgo deu bom resultado?

— Deu e não deu, meu filho. Deu num ponto e não deu noutro. Licurgo errou cuidando mais dos músculos do que da cabeça, e apesar de todo aquele esforço Esparta nunca teve a importância de Atenas, a cidade grega que lhe ficava perto. Os atenienses também cuidavam do corpo, mas como não desprezavam o espírito, tornaram-se o povo mais culto e artista da antiguidade. Cultivavam os bíceps nos ginásios, e fora deles, a música, a poesia, a retórica, a pintura e a escultura. Em algumas artes ainda não foram excedidos até hoje. Licurgo não conseguiu que Esparta suplantasse Atenas.

Uma vez, numa festa esportiva, um velho que entrara à última hora pôs-se a procurar assento na parte das arquibancadas que os atenienses ocupavam. Nenhum lhe cedeu o lugar. Vendo isso, os espartanos, que estavam do outro lado, chamaram o velho e ofereceram-lhe o melhor lugar. Os atenienses aplaudiram com palmas o belo gesto dos espartanos. Estes comentaram laconicamente: **Sabem, mas não praticam,** querendo dizer que os atenienses sabiam o que era direito mas não o faziam — de ruindade.

Capítulo XV
A COROA DE LOUROS

— Os gregos, tanto rapazes como raparigas — continuou Dona Benta — gostavam e cultivavam toda sorte de esportes ao ar livre. Naquele tempo não havia futebol, mas havia a corrida, o salto, a luta que chamamos romana, o boxe e o lançamento de rodelas, ou pesados discos de ferro.

Periodicamente se realizavam disputas nas diferentes cidades da Grécia, para tirar-se a limpo quais os campeões; mas a grande prova era a que se repetia de quatro em quatro anos na cidade de Olímpia, ao sul da Grécia. Com o tempo esses Jogos Olímpicos se tornaram a coisa mais importante da vida grega, neles entrando em competição os melhores atletas de todas as cidades.

As olimpíadas, isto é, a temporada de jogos em Olímpia, duravam cinco dias. Cinco dias de feriado nacional, porque os jogos eram oferecidos a Zeus ou Júpiter.

Vinha gente de todas as cidades assistir às festas, como hoje vem gente de todos os países quando nalgum deles é inaugurada uma exposição universal. Mas só os gregos podiam tomar parte nos jogos — e só os que nunca houvessem cometido crimes, ou infringido qualquer lei.

Tinham enorme importância para os gregos esses jogos. Tanta importância, que se por acaso coincidia estarem em guerra entre si ao tempo de começar a festa, interrompia-se a luta. Só depois de findos os jogos a guerra continuava.

— Que bom sistema!

— Os rapazes gregos, que pretendiam tomar parte nos jogos, treinavam durante quatro anos; e nove meses antes das provas mudavam-se para Olímpia, a fim de se aperfeiçoarem nos ginásios ao ar livre, junto ao estádio. Depois dos cinco dias de provas, havia paradas e sacrifícios religiosos aos deuses, aos quais se erguiam estátuas em redor do estádio.

— Que bonito, vovó! — exclamou Pedrinho. — Estou me simpatizando muito com os gregos. Se tivesse de escolher um país antigo para morar, não queria outro senão a Grécia.

— E tem razão. A Grécia desse período foi um maravilhoso país. O esporte virara verdadeiro culto. Todos tinham de respeitá-lo. Quem trapaceasse numa prova, era posto de lado por toda a vida. Havia o que chamamos hoje **espírito esportivo**. Quem ganhava não se vangloriava e quem perdia não discutia.

— Ahn! — exclamou Pedrinho. — Agora compreendo o que quer dizer espírito **esportivo**!... É não roncar quando ganha nem dar mil explicações, de que perdeu por isto ou por aquilo quando perde.

— Sim — disse Narizinho — mas não faça como os atenienses da festa que **sabiam mas não praticavam**. Pratique, como os espartanos...

Aquilo era uma indireta a Pedrinho, que na véspera havia dado mil explicações do por que e como perdera uma corrida apostada no pomar.

— O resultado de tudo, — continuou Dona Benta, — foi não existir maior glória na Grécia do que vencer nos jogos olímpicos. Os vencedores não recebiam prêmios, dinheiro ou coisa que o valha, só recebiam uma coroa de louros. Os poetas compunham versos em sua honra e os escultores lhes imortalizavam os corpos em estátuas de mármore.

As competições não consistiam apenas em provas esportivas. Havia-as também de ordem artística: os concursos de música e poesia. Os vencedores desses concursos, em vez de receberem coroas de louro, eram carregados em triunfo pela multidão.

A primeira corrida em Olímpia, registrada pela História, foi 776 anos antes de Cristo — e a partir desse ano começaram os gregos a contar o tempo. De modo que o ano 776 antes de Cristo passou a ser o ano I dos gregos.

— E hoje, vovó, ainda há jogos olímpicos?

— Estes jogos estiveram interrompidos por muitos e muitos séculos, mas há poucos anos atrás, em 1896, recomeçaram, já não em Olímpia, sim em Atenas. Depois ficou assentado que seria cada vez num país diferente, podendo tomar parte neles os atletas de todas as nações do mundo.

— E antigamente quem era que vencia mais jogos, vovó?

— Ah, eram os espartanos! Nesse ponto a vitória de Licurgo fora completa. Os atletas de Esparta faziam verdadeiras coleções de coroas de louro.

(Emília, que ainda estava proibida de falar, — cochichou para o Visconde: "Imagine que regalo para Tia Nastácia se morasse lá! Ela gosta tanto de pôr louro na comida...".)

Capítulo XVI
A LOBA ROMANA

No serão da noite seguinte Dona Benta começou assim:

— Quem lança os olhos para o mapa da Europa, vê uma perfeita bota a enfiar-se pelo Mar Mediterrâneo adentro.

— É sabidíssimo isso, vovó, — disse Narizinho. — Essa bota chama-se Itália.

— Pois bem: ali pelo tempo da primeira Olimpíada começou a nascer no meio da bota uma cidade que se chamaria Roma e representaria um grande papel no mundo. Os começos de Roma, como em geral os começos de todas as cidades antigas, são obscuros e lendários, isto é, pertencem mais ao domínio da fábula do que ao domínio da História. Mas vale a pena conhecê-los.

— Conte, conte, vovó!

— Eu já falei na Odisseia, o grande poema que o poeta Homero compôs sobre as aventuras de Ulisses, um dos heróis da Guerra de Troia. Mais tarde, outro grande poeta de Roma, de nome Virgílio compôs outro poema sobre as aventuras de outro herói da mesma guerra — Eneias. Mas este não era grego, era troiano.

Quando viu a sua cidade em chamas, Eneias fugiu de Troia em procura de nova pátria — porque Troia ia acabar duma vez. Andou errante por muito tempo, até que foi parar na Itália, perto da foz dum rio de nome Tibre, onde encontrou Lavínia, a filha do homem que mandava lá. Desse encontro saiu casamento e vieram filhos, os quais mais tarde governaram a Itália e tiveram por sua vez outros filhos que também governaram a Itália e foi indo assim até que nasceram os célebres gêmeos Rômulo e Remo.

Ao tempo em que esses gêmeos nasceram, já outro rei havia tomado a Itália, ou conquistado, como se diz. Mas tendo medo que os meninos crescessem e o expulsassem de lá, esse rei mandou pô-los num cesto de vime e soltá-los no Tibre.

— Se ele conhecesse a história de Moisés não faria isso, — disse a menina.

— Por quê?

— Porque sempre que soltam crianças nos rios dentro de cestinhas de pão, elas se salvam. Moisés salvou-se. Vão ver que esses gêmeos também se salvaram...

— De fato, salvaram-se, — disse Dona Benta — e dum modo muito curioso. O cestinho desceu o rio ao sabor da correnteza e foi encalhar numa praia onde estava uma loba. A loba tirou os meninos da água e os amamentou juntamente com a sua ninhada de lobinhos e com a ajuda de um pica-pau que lhes trazia amoras do mato. Por fim um pastor encontrou-os, levou-os para casa e criou-os.

— Essa história é lenda, — disse Narizinho. — Só em contos da carocha uma loba é capaz de salvar duas crianças, em vez de comê-las.

— E o tal pica-pau com as amoras? — observou Emília. — Quem come amora é o bicho da seda, não é pica-pau nenhum...

Narizinho tapou-lhe a boca. Dona Benta continuou:

— Todos os começos das velhas cidades são lendários, mas a História menciona tais lendas porque são lendas históricas. A loba salvou os meninos e criou-os.

Quando Rômulo e Remo ficaram homens, resolveram construir uma cidade. Discutiram o assunto e não chegaram a acordo. Por fim Rômulo resolveu a divergência dum modo simples — matando Remo. Depois deu começo à formação duma cidade perto do Rio Tibre, exatamente no ponto em que haviam sido salvos pela loba. E opôs-lhe um nome tirado do seu — Roma.

Mas era preciso povoar a cidade, pois sem gente não há cidade possível. Rómulo teve a ideia de anunciar que receberia todos os ladrões e facínoras que andassem perseguidos nas diferentes cidades próximas. Desse modo a sua vila povoou-se rapidamente. Mas povoou-se só de homens. Como arranjar mulheres?

Para tal gente tudo era fácil. Resolveram o caso da seguinte maneira. Convidaram para uma grande festa um povo que havia perto, os Sabinos, e recomendaram-lhes que trouxessem as respectivas mulheres. No meio da festa, quando os sabinos já estavam bastante influídos pelo vinho, um sinal foi dado. Imediatamente os romanos se ergueram e, agarrando as sabinas ao ombro, sumiram-se com elas pelo mato adentro.

Furiosos com o rapto das suas mulheres, os sabinos se prepararam para guerrear os romanos. Mas quando a guerra irrompeu e os dois grupos combatentes se enfrentaram, as sabinas puseram-se no meio, gritando para os antigos esposos que não combatessem os atuais, visto estarem muito satisfeitas com a troca.

— Engraçado! — — exclamou Pedrinho. — A história desses romanos promete. Começa com um fra-tri-cí-di-o (nesta palavra Emília tossiu, com uma piscada para o Visconde) e segue com um roubo de mulheres...

— Rapto, aliás, — corrigiu Narizinho. — As mulheres não são furtadas, são raptadas.

— Era realmente um terrível povo que ali estava se formando, — disse Dona Benta. — O mundo inteiro iria saber disso mais tarde. Os crimes que eles cometeram, porém, não podem ser julgados com as ideias de hoje. Não se esqueçam de que ainda estavam muito perto da barbárie primitiva. Também não se esqueçam de que os deuses dos romanos eram os mesmos deuses gregos — e o exemplo que esses deuses davam aos seus adoradores não era dos melhores. No Olimpo, que era o céu dos deuses gregos e romanos, faziam-se patifarias de toda ordem. Mais tarde havemos de ver o papel que os romanos representaram no mundo. Agora temos de dar um pulo ali à Assíria para conhecer os reis de barba de saca-rolhas.

Capítulo XVII
OS ASSÍRIOS

— Como barba de saca-rolhas? — interpelou Narizinho. — Não estou entendendo...

— Barba cacheada como vemos nas estátuas de pedra que chegaram até nós. Roma ia ser a cidade mais importante do mundo, mas naquele tempo ainda não passava dum ninho de piratas. A cidade mais importante do mundo naquele tempo era Nínive, a capital da Assíria. Que era a Assíria? Um dos países que brotaram como cogumelos na terra fértil da Mesopotâmia.

Os reis assírios viviam, ou tinham sua corte em Nínive. Apesar de usarem a barba toda cacheada, como os cabelos daquela menina que veio aqui outro dia, eram uns homens terríveis, que andavam em guerra constante com os vizinhos para tomar-lhes as terras e o mais. Esses reis deixaram fama de crueldade sem-par. Tratavam horrivelmente aos prisioneiros. Cortavam-lhes as orelhas, furavam-lhes os olhos, arrancavam-lhes a pele — faziam tudo quanto era malvadez. Os povos vencidos tinham não somente de entregar-lhes o que possuíam, como ainda de acompanhá-los nas guerras.

Desse modo a Assíria tornou-se tão poderosa e forte que quase acabou dona do mundo. Apossara-se de todas as terras da Mesopotâmia e de outras que ficavam ao norte, a leste e ao sul; também se apossou da Fenícia, do Egito e mais terras do Mediterrâneo, com exceção da Grécia e da Itália.

Ficou um grande império, governado pelos reis que em Nínive viviam com a maior magnificência. Esses soberanos construíram palácios grandiosos, ornamentados de enormes leões com asas e cabeça de gente.

— Leões esfingéticos, — cochichou Emília para o Visconde.

— Quando os reis assírios não estavam na guerra, estavam na caça. Gostavam muito de atirar com arco e flecha, fazendo-se retratar, ou esculpir a cavalo, ou em carros próprios, caçando leões. Quando apanhavam vivos os leões, traziam-nos para o palácio a fim de que o povo ainda mais lhes admirasse a coragem.

Tinham nomes muito esquisitos — para nós. Senaqueribe, por exemplo, cujo fim foi trágico. Cerca de 700 anos antes de Cristo estava ele em guerra contra Jerusalém quando, uma noite, qualquer coisa de estranho aconteceu com seu exército. De manhã todos os soldados e cavalos apareceram mortos. O poeta inglês Byron...

— Escreve-se como se pronuncia, vovó? — quis saber Narizinho.

— Não. Pronuncia-se Báiron e escreve-se Byron. Pois esse poeta Byron escreveu um belo poema sobre o assunto — **A Destruição de Senaqueribe**.

— Que seria que aconteceu, vovó?

— A História não conta, mas o bom senso nos diz que só podia ter sido uma coisa: envenenamento em massa. Envenenamento da água, talvez.

Assurbanipal foi outro rei que reinou lá pelo ano 650 A. C. Era um grande guerreiro, mas também grande amigo do estudo, pois fundou a primeira biblioteca do mundo.

— Como biblioteca, vovó, se não havia livros?

— Não havia os livros de papel como os temos hoje, mas havia as tais placas de argila, ou tijolos chatos de que já falei, onde eles escreviam em caracteres cuneiformes.

— Oh, que interessante uma biblioteca de tijolos! — exclamou a menina.

— Dá licença de falar, Dona Benta? — gritou lá do seu canto a boneca.

— Não pode ainda — respondeu Narizinho. — Mais tarde.

— Os livros de argila, ou, melhor, as tabletes de argila, — continuou Dona Benta — não eram acomodadas em estantes, como os nossos livros. Eram empilhadas no chão, como os tijolos dos pedreiros; mas com muita ordem e obedecendo a números, de modo que o povo podia consultá-las sem atrapalhar a arrumação.

A assíria atingiu o apogeu da sua força e grandeza no reino de Assurbanipal, durante o qual a cidade de Nínive nadou em tantas riquezas que a era recebeu o nome de Idade de Ouro. Idade de Ouro lá dentro de Nínive e só para os ninivitas, porque pelo resto do mundo aquele tempo foi a Idade do Horror. Por toda parte os exércitos assírios levavam a morte, a extorsão, o saque, a miséria.

Mas tudo tem fim. O rei da Babilônia aliou-se a um povo ariano muito valente, chamado os medos, com o fim de juntos, darem cabo dos assírios. E deram. Babilônios e medos atacaram a cidade de Nínive e a varreram da superfície da terra. Isso no ano 612 A. C.

Capítulo XVIII
A MARAVILHOSA BABILÔNIA

— Depois que o rei da Babilônia destruiu Nínive, — continuou Dona Benta, — a sua ambição pegou fogo. Quis que Babilônia ficasse uma cidade ainda mais maravilhosa do que havia sido Nínive. Para isso começou a fazer o que os assírios faziam — invadir os outros países e conquistá-los — e desse modo a Babilônia se tornou a dona do mundo.

Quando o rei que arrasou Nínive morreu, subiu ao trono o seu filho Nabucodonosor. Este nome em caracteres cuneiformes escrevia-se assim. Venha, Pedrinho, copiar deste livro estes garranchinhos.

Pedrinho copiou e deu isto:

Nome de Nabucodonosor em caracteres cuneiformes

Dona Benta comentou:

— Nós dizemos Nabucodonosor, mas parece que a ortografia mais correta é Nabucadnezar. Escolham. E, para facilitar, daqui por diante direi Nabuco, simplesmente.

— Chame logo Joaquim Nabuco, — observou Emília, que já tinha recebido licença para falar.

— Feche a torneira, Emília! — gritou Narizinho. — Continue, vovó.

— Nabuco meteu mãos à tarefa de fazer de Babilônia uma cidade como jamais existira outra. Queria botar a fama de Nínive num chinelo — e botou. Diz a história que essa cidade chegava a cobrir uma área correspondente à das duas maiores metrópoles modernas juntas — Londres e Nova Iorque. Nabuco a cercou duma muralha cinquenta vezes mais alta que um homem.

— Espere, vovó, — disse Pedrinho, sacando do bolso um lápis com ponta feita a dente. Quero fazer o cálculo em metros. Um homem terá em média 1 metro e 70 centímetros. Isso multiplicado por 50 dá — deixe-me ver... cinco vezes sete, trinta e cinco; ponho cinco e vão três; cinco vezes um, cinco; mais três, oito. Oitenta e cinco metros! Já é altura, vovó!

— E tão larga que uma carruagem podia correr por cima como se corresse em rua. Com enormes portas de bronze que davam entrada à cidade.

Nabuco não achou na Babilônia uma donzela de beleza suficiente para ser rainha. Em vista disso foi procurar esposa na Média, o país que havia ajudado seu pai a dar cabo dos assírios. Lá encontrou o que queria e casou-se.

— Que maravilhosa moça não devia ser! — exclamou Narizinho pensativamente.

— A Média era um país montanhoso e a Babilônia era um país plano. A esposa de Nabuco, que estava acostumada com as montanhas de sua terra, estranhou a nova pátria e começou a ficar triste. Sabem o que fez o rei?

— Mandou-a pentear macacos! — gritou Emília.

Ninguém riu, nem respondeu. Tinham resolvido deixar que Emília dissesse o que quisesse, fingindo ignorar a existência dela.

— O rei ordenou a construção duma montanha, — prosseguiu Dona Benta. — Sabem onde? sobre o teto do palácio. E nessa montanha fez um lindo jardim que até bosques tinha, para que a princesa matasse as saudades das suas florestas natais. Esses jardins, conhecidos como os Jardins Suspensos da Babilônia, figuravam entre as sete maravilhas do mundo.

— E por falar, vovó, quais eram as outras, seis? — perguntou Narizinho.

— As pirâmides do Egito; o Templo de Diana na cidade de Éfeso, na Grécia; a estátua de Júpiter em Olímpia; o Mausoléu do Halicarnasso; o Colosso de Rodes e o Farol de Alexandria.

Pedrinho tomou nota em seu caderno.

— Os deuses da Babilônia, — continuou Dona Benta, — eram monstros horrendos, como aquelas divindades fenícias que devoravam crianças assadas. Um dia Nabuco entendeu de fazer o povo de Israel adorar esses monstros, e ainda lhe impôs pesados tributos. Os judeus recusaram-se. Consequência: Nabuco invadiu a terra dos judeus, destruiu Jerusalém e escravizou toda a gente. O cativeiro dos judeus na Babilônia iria durar cinquenta anos.

— E afinal, vovó?

— Afinal?... Afinal a Babilônia tornou-se a cidade mais majestosa do mundo — e a mais cheia de vícios. Os seus habitantes só queriam saber de prazeres e festas. Havia o dia de hoje; o dia de amanhã era como se não fosse existir. O excesso de riqueza faz mal. O excesso de poder também. Nabuco ficou de tal modo poderoso que enlouqueceu. Na sua loucura considerava-se touro e passava os dias de quatro, pastando na grama.

— Mas afinal, afinal, afinal?...

— Afinal? Afinal a Babilônia teve também o seu fim. Foi por sua vez conquistada, apesar da tremenda muralha que a defendia. Amanhã veremos como. São horas de dormir.

Capítulo XIX
A SURPRESA DOS BABILÔNIOS

No dia seguinte Dona Benta falou da pátria da mulher de Nabucodonosor.

— Eu já me referi à Média, — disse ela, — aquele país onde o rei da Babilônia descobriu a princesa que desejava. Medos e persas eram ramos da família ariana que havia emigrado para uma região a leste da Mesopotâmia. Tinham a mesma religião, vinham do mesmo sangue e acabaram fundidos num só povo.

— Que religião era a deles, vovó?

— Uma diferente da dos judeus, dos gregos, dos fenícios, dos egípcios e dos babilônios. Entre os persas apareceu um homem de tanta sabedoria como Salomão. Chamava-se Zoroastro. Esse homem passou a vida no meio do povo, ensinando preceitos de moral e cantando hinos — e tudo quanto disse foi reunido num livro que ficou sendo a bíblia dos persas.

Zoroastro ensinava que o mundo era governado por dois espíritos — o do Bem e o do Mal. O Espírito Bom era a Luz e o Espírito Mau era o Escuro — ou as Trevas, como dizem os poetas. O nome do Espírito Bom era Masda, em honra do qual os persas conservavam um fogo sempre aceso. Imaginavam eles que Masda residia ali naquele altar de fogo que certos homens não deixavam que se apagasse nunca. Estes homens chamavam-se Magi, e o povo os supunha capazes de fazer as mais maravilhosas coisas. Daí vieram as palavras magia, mágico e mágica. Magia é a arte de fazer mágicas. Mágica é qualquer coisa de maravilhoso que não parece natural. Mágico é o homem que faz mágicas.

Agora é preciso que vocês saibam que os persas daquele tempo eram governados por um grande rei de nome Ciro.

— Casado com a Rainha Cera, filha da Princesa Sara, neta do Imperador Sura — disse Emília lá do seu canto.

A diabinha parecia resolvida a sabotar a história de Dona Benta e por isso vinha sempre com suas graças muito sem graça. Mas todos tinham combinado fingir que ela não existia, de modo que a sua sabotagem de nada adiantava. Dona Benta continuou:

— Mas antes de prosseguir, temos de dar uma espiada em outra terra que ficava perto de Troia, a Lídia. Era um país pequeno, mas muito rico. Seu rei, Creso, tinha fama de ser o homem mais opulento do mundo.

— Até hoje, vovó, esse nome de Creso é aplicado aos ricos, — disse Pedrinho. — Ainda ontem li num jornal "Rockefeller, que é um dos Cresos modernos...".

— Perfeitamente. E o Rei Creso era mesmo rico. Possuía todas as minas de ouro da Lídia e ainda arrecadava tributos de todas as cidades próximas.

Creso fez uma coisa muito importante para o mundo. Até então não havia dinheiro. Para comprar mercadorias usava-se o sistema da troca. Se eu, por exemplo, tinha ovos e queria comprar trigo, trocava ovos por trigo. Mas isso era um grande transtorno, porque quem tivesse trigo poderia não precisar de ovos — nem de nada que eu tivesse. Fazia-se necessário haver moeda, isto é, uma coisa de valor fixo que a gente pudesse trocar por tudo quanto quisesse.

No tempo de Creso o ouro já estava sendo usado para facilitar a troca, mas só quando o objeto tinha muito valor. Um cavalo, por exemplo, era trocado por uma certa quantidade de ouro. Mas para coisas pequenas, as comprinhas de todo dia — verdura, pão, toucinho, etc. — como fazer? Levar à padaria um saquinho de ouro em pó para que o padeiro tirasse de dentro a pitada correspondente a um pão? Impossível.

Creso teve então uma grande ideia. Cunhou o ouro, isto é, dividiu-o em pedacinhos dum peso certo, que vinha marcando no metal; também vinha marcando o seu nome, para mostrar que o rei garantia aquele peso. Desse modo tudo se facilitou enormemente, porque em vez de estar a cada instante pesando ouro em pó, a gente podia usar ouro já pesado. Moeda quer dizer isso — um peso certo.

— Ahn! Agora compreendo porque a moeda da Argentina se chama peso!

— É por isso, sim. Em toda a América Latina o povo chama peso ao dinheiro. Nos próprios Estados Unidos os latino-americanos que lá moram dizem peso em vez de dólar.

Mas esse Creso, apesar de haver prestado um grande benefício ao mundo com a introdução da moeda-ouro, não recebeu nenhum prêmio — antes pelo contrário. Suas riquezas despertaram a inveja de Ciro, o rei da Pérsia, o qual logo movimentou os seus exércitos para atacar a Lídia.

Creso foi correndo consultar o Oráculo de Delfos, para conhecer o resultado da luta. O célebre Oráculo respondeu com a esperteza do costume: "Um grande reino vai cair". Creso pensou consigo que tal reino só podia ser o da Pérsia e pulou de contente.

Mas não foi. Foi o seu. Com a maior facilidade Ciro conquistou a Lídia: "Que bom negócio!" — pensou ele vendo a dinheirama que pegou. Aquela vitória lhe serviu de aperitivo e Ciro resolveu conquistar também a famosa Babilônia, que vivia cada vez mais atolada nos vícios, certa de que, com as muralhas erguidas por Nabuco, ninguém punha o pé lá dentro.

— E acho que tinha razão, — disse Pedrinho. — Porque afinal de contas uma muralha daquela altura e largura não podia ser pulada, nem furada, nem destruída assim sem mais nem menos.

— É; mas eles se esqueciam de que para atravessar a cidade o Rio Eufrates tinha de passar por baixo das tais muralhas. Ciro notou esse ponto fraco. Onde passa um rio, passa um exército, disse ele.

— Como?

— Desviando o curso do rio e marchando pelo leito seco. Foi o que fizeram os persas. Enquanto lá dentro o jovem Rei Baltasar se regalava num banquete sem fim e todos os babilônios sorriam da hipótese de alguém conseguir transpor as muralhas. Ciro desviou o rio e entrou! Desse modo invadida, a Babilônia rendeu-se sem luta no ano 538 antes de Cristo. Quem lucrou foram os judeus. Dois anos mais tarde Ciro os libertava, permitindo que voltassem para suas terras.

— E hoje, vovó, que resta dessa grande Babilônia do tamanho de Londres e Nova Iorque juntas?

— Resta o nome na memória dos homens, e no lugar onde ela existiu um amontoado de terra — da terra a que se reduziram os tijolos com que fora construída. Jardins Suspensos, muralha, Torre de Babel — tudo virou terra solta...

Capítulo XX
O OUTRO LADO DO MUNDO

Tia Nastácia veio dizer que as pipocas estavam na mesa. Quando havia pipocas, ninguém queria saber de História — e lá se iam aos pinotes. Dona Benta deixou o resto para o dia seguinte.

— E hoje, vovó? — perguntou Narizinho no dia seguinte, logo que Dona Benta se sentou em sua cadeira de pernas serradas. — Temos mais Babilônia?

— Não, minha filha. Chega de Babilônia. Hoje vamos mudar de tecla. Até aqui só temos tratado dos povos do Mediterrâneo e da Mesopotâmia, mas o mundo não era só isso. Do outro lado, a sul e leste da Ásia, viviam povos muito importantes, como os indianos, os chineses, os japoneses. Vinte séculos antes de Ciro, um ramo da família ariana havia emigrado da Pérsia para a Índia, onde dera origem a um povo numeroso. Esse povo foi se desenvolvendo a seu modo e acabou dividido em classes. Com o correr do tempo essas classes viraram castas, impedidas de ter qualquer espécie de ligação entre si. Um homem duma casta não podia casar-se com mulher de outra. Criança duma casta não podia nem brincar com criança de outra. Se uma criatura estivesse tinindo de fome, tinha que morrer antes de aceitar comida das mãos duma de outra casta. Nem esbarrar nela podia. Separação absoluta, como se fossem leprosos.

— Que horror! — exclamou Narizinho. — Parece incrível tanta burrice e maldade na vida dos homens.

— Assim é, minha filha, e nenhuma burrice tão dolorosa como esta distinção de castas que até hoje faz a desgraça da Índia. Entre as castas indianas, a mais alta de todas era a dos Guerreiros e Governadores, que quase se confundiam, porque para ser governo era preciso ser guerreiro. Depois vinha a casta dos brâmanes, com funções muito semelhantes às dos sacerdotes egípcios; eles eram o que hoje chamarmos homens profissionais — médicos, advogados, engenheiros, etc. Depois vinham os agricultores e comerciantes — os padeiros, os vendeiros, os fruteiros.

Depois vinha a gente baixa — isto é, gente ignorante que só sabe fazer serviços brutos — carregar coisas, cortar paus, capinar o chão. E por último vinha a casta dos Párias desprezada por todas as outras. Pária quer dizer gente na qual não se pode tocar nem com a ponta do dedo — por isso são também chamados os Intocáveis.

— E parece que até hoje é assim, não, vovó? — observou Pedrinho.

— Até hoje é assim, meu filho, por mais que os ingleses dominadores da Índia tudo façam para mudar a situação. Anda lá agora um grande indiano querendo destruir o terrível preconceito de casta.

— Gandhi, — adiantou Pedrinho, que lia os jornais diariamente. — O Mahatma Gandhi...

— Ele mesmo. Mas sua luta vai ser enorme, porque o preconceito de casta é velhíssimo e as coisas muito velhas adquirem cerne, tal qual as árvores.

Mas os indianos acreditavam num deus chamado Brama; daí a sua religião ser chamada Bramanismo. Segundo o bramanismo, quando uma pessoa morre a alma passa a habitar o corpo de outra pessoa ou dum animal; se a pessoa foi boa em vida, sua alma recebe promoção, indo para o corpo de uma criatura de casta superior; se foi má, é rebaixada — vai até para os corpos dos bichos comedores de carniça, como o crocodilo ou o urubu.

Os mortos não eram enterrados e sim queimados. Se o defunto fosse homem casado, também queimavam a viúva. As coitadas não tinham direito de continuar a viver depois da morte do marido...

— Que desaforo! — exclamou Narizinho indignada. — Quer dizer que mulher nesse país não era gente — não passava de lenha...

— Por muito tempo foi assim, mas se era a mulher que morria, o viúvo, muito lampeiramente, ia arranjando outra...

— Por que em toda parte essa desigualdade das leis e costumes, vovó? Por que tudo para o homem e nada para a mulher?

— Por uma razão muito simples. Porque os homens, como mais fortes, foram os fabricantes das leis e dos costumes — e sempre trataram de puxar a brasa para a sua sardinha. Mas voltemos à Índia. Os templos bramânicos abrigavam uns ídolos verdadeiramente horrendos de feiura. Deuses de diversas cabeças, deuses com seis e oito braços e outras tantas pernas; deuses com tromba de elefante; deuses com chifre de búfalo.

— Mas a senhora disse que eles só tinham um deus, vovó...

— Um deus supremo. Os outros eram deuses menores — espécie de santos. Povo nenhum se contenta com um deus só. São precisos vários, mesmo para os que seguem as religiões chamadas monoteístas.

— **Mono**, um; **teos**, deus. Religião monoteísta quer dizer religião dum deus só — berrou, com espanto de todos, Pedrinho, que por acaso havia lido aquilo um dia antes.

— Perfeitamente! — aprovou Dona Benta. — Você às vezes até parece um dicionário...

— Dê-lhe chá de hortelã bem forte que ele sara, Dona Benta. Isso são bichas, — gritou lá do seu canto a pestinha da Emília.

Ninguém achou graça e Dona Benta — continuou:

— Lá pelo ano de 500 A. C. nasceu na Índia um príncipe de nome Gautama, que se revoltou contra o que via em redor de si — tanta miséria e sofrimento por causa de ideias erradas. E apesar de nascido na grandeza, tudo abandonou para trabalhar pela melhoria do pobre povo, começando a pregar por toda parte os seus princípios. Ensinava o homem a ser bom, a ser honesto, a ajudar os infortunados. Tão altas eram as ideias desse príncipe, que o povo entrou a chamar-lhe Buda, que quer dizer Sábio, e por fim o adorou.

Uma nova religião nasceu daí. Muitos que seguiam o bramanismo abandonaram os horrendos ídolos desse culto para se tornarem budistas.

Por essa época outra religião, também muito importante, se formou na China. Um grande mestre de nome Confúcio começou a ensinar ao povo o que se deve e o que não se deve fazer. As ideias de Confúcio não podiam ser mais elevadas. Pregava a obediência aos pais e mestres, e o culto dos antepassados. Uma das suas regras de moral tornou-se famosa: "Não façais aos outros o que não quereis que vos façam". Bastaria que a humanidade seguisse esse preceito para que o mundo virasse um paraíso. Infelizmente, o mandamento pregado por Confúcio há vinte e cinco séculos é apenas citado e admirado. Na prática quase toda gente faz o contrário.

Capítulo XXI
Ricos e pobres

A Índia e a China são os maiores aglomerados humanos existentes no mundo, e ambas já passaram por fases de altíssima civilização. O que houve de arte, de filosofia, de sabedoria e de requintes nesses dois mundos é tanto, que nem falando a vida inteira eu diria metade. Confúcio e Buda! eis dois cumes dos mais elevados da cordilheira humana. E o Rei Acbar, o Grande, da Índia, foi realmente grande. Não existe um só rei do Oriente que lhe chegue aos pés. Era na verdade o rei dos reis.

Mas a história que estou contando é a dos povos mais chegados a nós; isso me obriga a pular por cima da Índia e da China — embora reconhecendo que a nossa civilização — que é a ocidental — está para a civilização da velha Índia e da velha China, como aquele pé de caqui lá do pomar está para o nosso jequitibá da Grota Funda. O caquizeiro tem cinco anos; o jequitibá tem no mínimo cem. Do caquizeiro apenas tiro caquis, mas quando vou à Grota Funda e me sento na raiz daquele jequitibá é como se entrasse num templo. Raras vezes, porém, vou lá — e com o caquizeiro estou lidando sempre, porque está aqui pertinho de mim e faz parte do meu pomar. Eis porque vou deixar de lado dois jequitibás da Ásia e voltar ao caquizeiro europeu. Vou falar dum aspecto da velha luta entre o pobre e o rico — como essa luta se desenrolou na nossa querida Grécia.

Depois dessa tirada Dona Benta começou:

— Sempre que um bando de moleques está brincando na rua, surgem disputas terríveis. "Assim não vale!" é a frase mais repetida, porque logo se formam dois grupos e um procura lograr o outro. Torna-se necessário um juiz que resolva as questões.

Lá em Atenas as coisas estavam assim. O povo dividira-se em dois lados, os ricos e os pobres, os aristocratas e a gente comum, cada lado procurando passar a perna no outro. Como arranjar quem decidisse os casos com justiça?

Atenas já havia experimentado reis, mas os reis decidiam sempre a favor dos ricos, de modo que Atenas acabou com os reis. Ali pelo ano de 600 antes de Cristo a situação ficou tão má que tiveram de escolher um homem de nome Drácon para fazer leis que ambos os lados aceitassem. Esse homem produziu o célebre Código de Drácon, cheio de penas terríveis contra quem infringisse os seus preceitos. O furto, por exemplo, era punido com a pena de morte. Não tinha importância o valor do furto; podia ser furto dum pedaço de pão ou dum tesouro; o que Drácon punia era o furto em si, o ato de furtar.

— E um homem que matava outro, que pena tinha?

— Também a de morte, embora Drácon julgasse que quem matava merecia mais que a morte. Eram severas em excesso as suas leis. Até hoje, quando queremos dizer que uma lei é terrível dizemos que é — draconiana. Tudo que é demais não dá certo. O Código de Drácon não deu certo. A vida em Atenas foi-se tornando impossível, e surgiu a necessidade de ser chamado outro homem que fizesse outro código. Apareceu Sólon, que ficou famoso pela grande sabedoria com que legislou. Quem hoje quer elogiar um deputado ou senador diz — é um Sólon.

— Mas eram essas leis de Sólon boas ao mesmo tempo para os pobres e para os ricos? — perguntou a menina.

— Os ricos queixavam-se de que elas favoreciam muito aos pobres e estes queixavam-se de que elas favoreciam muito aos ricos. A mesma queixa dos dois lados prova a imparcialidade das leis; fosse como fosse, Atenas passou a ser governada por elas.

Lá pelo ano 560, porém, um homem de nome Pisístrato resolveu tomar conta de Atenas e dirigi-la a seu modo, sem que o povo o tivesse escolhido para tal fim. Pisístrato elegeu-se a si próprio e como era poderoso, ninguém piou. Casos como esse aconteciam de vez em quando, recebendo os homens que se elegiam a si próprios o nome de tiranos. Pisístrato virou tirano.

Hoje, a palavra tirano quer dizer outra coisa. Quer dizer déspota, homem que governa pela violência e fora de todas as leis. Em Atenas não era assim. Os tiranos governavam com as leis e, portanto, sem violência nenhuma. Foi o que sucedeu com Pisístrato. Governou muito bem, aplicando as leis de Sólon e melhorando a cidade e a vida do povo. Entre os seus feitos mais dignos de nota há um que vocês não esperam...

— Qual foi, vovó?

— Mandou que se pusessem por escrito os poemas do velho Homero, que até então eram conservados de cor. Depois de Pisístrato pai, Atenas foi governada por Pisístrato filho. Por fim os atenienses fartaram-se de Pisístratos e expulsaram toda a família.

A luta entre os dois partidos reacendeu-se. Surgiu um novo tirano, de nome Clístenes, para servir de juiz do jogo, e foi quem fez a lei que dá direito a cada homem, seja rico ou pobre, de votar para a escolha dos governantes. Soube comportar-se muito bem esse Clístenes. Entre seus atos há um interessante — a instituição do ostracismo. Sabem o que é ostracismo?

Ninguém sabia, exceto Emília, que veio logo com uma explicação muito boba, onde havia uma "ostra cismando" num rochedo à beira-mar. Dona Benta **ignorou** o aparte emiliano e prosseguiu:

— Quando, por qualquer motivo, o povo queria ver-se livre dum homem, bastava votar o seu afastamento da cidade. Os votantes escreviam-lhe o nome numa casca de ostra e a enfiavam na urna; se as cascas atingiam um certo número, o "votado" tinha de afastar-se de Atenas por dez anos.

— Por que numa casca de ostra e não num papel? — perguntou o menino.

— Porque havia muita casca de ostra no lixo da cidade e nenhum papel. O interior das cascas de ostras, branquinho e liso como é, presta-se muito bem para a escrita. Hoje ainda se usa do ostracismo, mas com o nome de exílio. A diferença é que agora quem exila são os governos. Nem o povo, nem as ostras metem o bedelho no assunto...

Capítulo XXII
ROMA ACABA COM OS REIS

— Vamos ver agora como estavam as coisas na nossa Roma, — disse Dona Benta. — Lá também andava o povo dividido em duas classes, ricos e pobres — ou plebeus e patrícios, como se chamavam. Os patrícios tinham o direito de votar e os plebeus não — o que muito os aborrecia, por não ser justo. Afinal, depois de muita luta, os plebeus conseguiram o direito de voto, a despeito da má vontade do Rei Tarquínio, que era o governante. Para isso os plebeus tiveram de erguer-se em massa e expulsá-lo do trono. Tarquínio foi o último rei de Roma. Com a sua saída teve começo a república romana, duma forma toda especial, com dois chefes em vez de um, tal o medo de que havendo um chefe só ele virasse rei.

Esses dois chefes tinham o nome de cônsules e eram eleitos por um ano apenas. Cada cônsul dispunha duma guarda, de doze litores, isto é, guardas que traziam como distintivo o fascio.

— Que é isso, vovó? — perguntou Pedrinho.

— O fascio consistia num feixe de varas com um ferro de machado no meio, ou na ponta. Significava que os cônsules tinham o direito de surrar com as varas quem não andasse direito, ou cortar com o machado a cabeça de quem andasse torto demais. Hoje o fascio serve apenas de emblema a várias coisas, bem como de ornato arquitetônico.

Um dos primeiros cônsules escolhidos foi um cidadão de muito bom nome chamado Bruto.

— Bom nome, vovó? — murmurou a menina torcendo o nariz. — Cáspite!

— Sim. Era um homem severíssimo de caráter. Logo que assumiu o governo foi descoberta uma conspiração para repor no trono o tal Rei Tarquínio, e Bruto revelou então a sua firmeza moral. Apareceram entre os conspiradores os seus dois únicos filhos. Pois apesar disso Bruto não amoleceu. Fez julgar os culpados e executá-los a todos, começando pelos próprios filhos...

— Que bruto! — exclamou lá do seu cantinho a Emília.

— Tarquínio, porém, não desanimava. No ano seguinte preparou novo golpe para retornar ao poder. Veio com um exército de etruscos atacar a cidade.

— Etruscos?...

— Sim, um povo vizinho dos romanos. Mas para entrar em Roma era necessário atravessar o Rio Tibre por uma ponte. Deu-se aí um caso famoso. Para evitar que os etruscos atravessassem a ponte, um romano de nome Horácio, que já havia perdido um olho em outra guerra, mandou que a derrubassem e, enquanto os machados trabalhavam na madeira dos esteios, ele e mais dois ficaram na cabeça da ponte, resistindo a todo o exército etrusco. Nisto a ponte estalou. Ia cair. Horácio fez que seus dois amigos passassem para o outro lado e ficou sozinho resistindo aos etruscos. A ponte afinal caiu. Ele então lançou-se à água, com armadura e tudo, e nadou para o lado dos romanos, onde chegou a salvo, apesar da nuvem de flechas que o inimigo lhe lançava. Tal bravura impressionou aos próprios etruscos, que lhe fizeram de longe uma grande ovação.

— Com que ovos? — perguntou Emília.

Dona, Benta mandou que Tia Nastácia levasse a atrapalhadeira para o quintal. Depois que se viram livres do diabrete, Pedrinho perguntou:

— E quem venceu a luta?

— Os romanos. A gente de Tarquínio não pôde atravessar o Tibre.

Anos depois outro exército inimigo veio atacar a cidade, num momento em que os romanos estavam sem chefe para os comandar. Procura que procura, lembraram-se dum tal Cincinato, que o povo tinha em alta conta pelas suas nobres qualidades. Cincinato vivia longe de Roma, cultivando uns campos. Correram a ele e convidaram-no para ditador, ou chefe supremo. Ditador chamava-se o homem que nos momentos de perigo Roma escolhia para salvar a situação.

Cincinato aceitou o convite, largou o arado, foi para a cidade, reuniu todas as forças deu combate ao inimigo e derrotou-o completamente — tudo isso em vinte e quatro horas! Sua ditadura durou um dia.

— Que lição para esses ditadores que se agarram ao poder como ostras! — observou Pedrinho.

— Os romanos tomaram-se de tanto entusiasmo por ele que o quiseram fazer rei. Cincinato recusou. Tratou de voltar para suas terras e retomar o arado, continuando a viver com toda a modéstia na sua casinha, em companhia da mulher e dos filhos.

— Bonito, vovó! Não resta a menor dúvida que esse Cincinato fez o maior dos bonitos. Se tivesse virado rei, com certeza ninguém estaria agora falando dele aqui neste sertão.

— Nem haveria uma cidade com o seu nome. Nos Estados Unidos há uma importante cidade do Estado de Ohio que se chama Cincinnati, em honra a esse austero romano nascido quinhentos anos antes de Cristo.

Capítulo XXIII
Pérsia vs. Grécia

Dona Benta escreveu num papel o título deste capítulo e perguntou ao menino o que significava aqueles vs. entre dois nomes. Pedrinho não soube responder.

— Simples abreviação da palavra latina **versus**, que quer dizer "**contra**." Pérsia contra Grécia — é o que está escrito aqui. Na notícia dos jogos de futebol os jornais usam muito esta palavra. "Realiza-se amanhã a luta do Narizinho Futebol Clube versus o Emília Torneirinha Clube..."

Pois naqueles tempos houve um verdadeiro **match** entre a Grécia e a Pérsia. Ciro, o rei dos persas, conquistara a Babilônia e outros países importantes, com exceção da Itália e da Grécia. O seu sucessor, o Rei Dario, quis dar à Pérsia a dominação do mundo, e viu que faltava pouca coisa. Faltava aquele pedacinho que era a Grécia e a tal bota italiana.

Ora, os gregos haviam fomentado uma rebelião na Pérsia, de modo que não faltou a Dario pretexto para a guerra. "Quero puni-los pelo que me fizeram e depois anexarei suas terras às minhas." E tratou disso. Construiu uma grande esquadra e preparou um exército que, sob o comando do seu próprio genro, fosse castigar os gregos. Mas uma tempestade destruiu a esquadra e o exército teve de voltar do caminho.

Furioso com o genro, com o mar e com os deuses, os maiores culpados do desastre, Dario decidiu ir ele próprio sovar os gregos, logo que nova esquadra e novo exército estivessem prontos. Enquanto isso, mandou mensageiros com intimação a todas as cidades gregas para lhe mandarem um punhado de terra e um pouco d'água como sinal de que se rendiam sem luta.

Tão forte e poderoso era por esse tempo o rei persa que muitas cidades gregas se apressaram em mandar a terra e a água exigidas. Atenas e Esparta, porém, recusaram-se, apesar de serem umas pulguinhas comparadas ao vastíssimo império de Dario. Os atenienses agarraram o mensageiro persa e o meteram num poço, dizendo: "Aí tens terra e água". Os espartanos fizeram o mesmo.

— Esparta com certeza limitou-se a jogar o mensageiro no poço sem dizer coisa nenhuma, — observou Narizinho. — Isso é que seria uma resposta bem **lacônica**...

— Realmente, minha filha. A uma resposta dessas poderíamos chamar o cúmulo do laconismo, porque nem uma só palavra seria necessária — bastava o ato... Mas era isso o que Dario queria — e os preparativos para a guerra foram intensificados. Fez ele construir grande número de trirremes.

— Que é trirreme, vovó?

— Uma embarcação de bom tamanho, movida de cada lado por três ordens de remos.

— Não entendo bem...

— Sim, três ordens de remos de cada lado — isto é, uma fileira de remos em cima, outra um pouco abaixo e a terceira ainda um pouco mais abaixo — e Dona Benta desenhou uma trirreme.

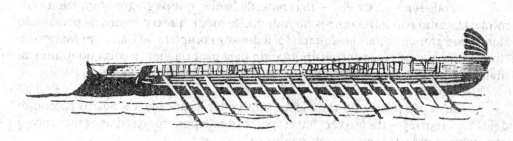

Trirreme persa

— Pois é, — continuou depois; — os persas construíram 600 trirremes, que levavam, cada uma, 200 soldados, além dos remadores. O exército inteiro tinha — quantos homens, Pedrinho? Depressa, de cabeça...

— Doze mil! — respondeu o menino.

— Cento e vinte mil! — emendou Narizinho, que era muito boa no cálculo rápido.

— Um milhão e duzentos milhinhos! — gritou lá do fundo a boneca.

— É isso mesmo, **Narizinho** — disse Dona Benta, fingindo não ter ouvido o cálculo da Emília. — Cento e vinte mil homens foram embarcados e, como não houvesse tempestade durante a travessia, todos chegaram sem novidade às praias da Grécia.

— Em que ponto desembarcaram?

— Numa planície de nome Maratona, a dezoito quilômetros de Atenas. Assim que os atenienses souberam da chegada dos persas, trataram de avisar o povo de Esparta. Esparta ficava a 240 quilômetros de Atenas. Se fosse hoje, não seria nada essa distância. Hoje manda-se uma comunicação daqui à China em alguns segundos. Mas naquele tempo não havia telégrafo, nem telefone, nem trem, nem avião — nada rápido. E parece que em Atenas nem bons cavalos havia, porque num momento de tanta gravidade o meio usado para se comunicarem com Esparta foi um mensageiro a pé, de nome Feidípedes. Feidípedes correu a noite e o dia inteiros, sem parar sequer para comer — e no segundo dia chegava a Esparta.

Mas não lhe valeu correr tanto, porque os espartanos declararam que, como estavam na lua minguante, não podiam partir em socorro de Atenas; tinham de esperar pela lua cheia... Havia em Esparta essa superstição, como nós temos aqui a da sexta-feira e a do pé esquerdo e mil outras.

Os espartanos podiam esperar pela lua cheia porque estavam longe dos persas, mas os atenienses não podiam esperar nem um minuto — e marcharam contra eles. O exército ateniense compunha-se de apenas dez mil homens, comandados por Milcíades; contava ainda com mais mil homens duma cidade vizinha, aliada a Atenas. Total: onze mil — ou menos de um para cada dez soldados persas.

— E aposto que os gregos vão vencer, — disse Pedrinho. — Quando os contadores de história começam com esses cálculos, é para preparar uma surpresa...

Dona Benta riu-se da finura do neto.

— Pode ser, — disse ela, — mas note, Pedrinho, que os gregos eram atletas admiráveis, como não havia outros no mundo, de modo que o número de persas não significava grande coisa. O resultado foi a derrota completa de Dario em Maratona. Note ainda que os gregos estavam lutando pela própria vida, e coisa nenhuma dá mais coragem aos homens do que isso. Não sabem a história do cão e da lebre?

Ninguém sabia.

— Um cão perseguiu uma lebre sem poder alcançá-la. Os outros caçoaram dele. "Esperem lá" — disse o cão. "Eu estava correndo por esporte, mas a lebre correu para salvar a vida. Era natural que ganhasse."

— E que aconteceu depois aos gregos, vovó?

— Aconteceu que os gregos ficaram numa grande alegria. Feidípedes, o mensageiro que levara o aviso a Esparta e também se batera em Maratona, logo depois da batalha partiu de carreira para Atenas a fim de dar a grande notícia. Mas ainda não estava refeito do grande esforço da primeira corrida, de modo que ao alcançar a Praça do Mercado deu a boa nova e caiu morto.

Em honra a esse herói foi instituída nos Jogos Olímpicos uma carreira com o nome de Maratona, na qual a distância a correr era exatamente a distância entre Atenas e Maratona.

— Em que ano foi isso, vovó?

— No ano de 490 A. C. A batalha de Maratona torrou-se a mais famosa da História. O rei persa teve de voltar para o seu reino, surrado e envergonhado. Mas a coisa não parou. O jogo ia continuar.

Capítulo XXIV
O SEGUNDO TEMPO

— Estou imaginando a cara desse Dario! — disse Pedrinho. — Apanhou de dez a zero...

— Realmente, meu filho. Ele, o soberano do maior império do mundo, derrotado por um punhadinho de gregos! Mas, não! A coisa não ficaria assim! O rei persa iria formar nova esquadra e novo exército — uma esquadra como jamais existiu outra e um exército de encher de assombro a todos e levar de vencida quantas Grécias surgissem. Dario jurou e rejurou e bufou como um tigre logrado por uma raposa. E vários anos passou a preparar o grande exército. Nisto, morreu.

— Morreu com certeza de raiva recolhida, — observou a menina.

— Seja do que for, morreu e foi substituído pelo seu filho Xerxes, que do pai herdara não só o trono como também o ódio aos gregos e a determinação de destruí-los. Xerxes continuou os grandes preparativos de guerra começados por Dario.

Mas os gregos, animados pela vitória, estavam mais do que resolvidos a não se deixarem bater em hipótese nenhuma, e como tinham a certeza de que os persas voltariam, prepararam-se da melhor maneira.

Por esse tempo o povo de Atenas vacilava entre dois chefes igualmente grandes. Temístocles e Aristides. O primeiro queria que por prevenção se construísse uma esquadra para a próxima guerra, e Aristides era de parecer contrário. A luta pegou fogo entre os partidos dos dois candidatos, mas como o partido de Temístocles se tornasse maior, Aristides acabou no ostracismo, apesar da sua grande fama de homem perfeito. Chamavam-lhe Aristides, o Justo.

No dia da votação um homem que não sabia escrever aproximou-se de Aristides com uma casca de ostra na mão e — pediu-lhe que escrevesse nela um nome. "Que nome?" — perguntou Aristides. "Aristides" — respondeu o homem. Sem dar-se a conhecer, o grande ateniense — perguntou-lhe: "Por que queres condenar este homem ao ostracismo? Cometeu ele por acaso alguma falta?" "Oh, não!" — respondeu o eleitor. "Ele não cometeu nenhuma falta, mas..." e suspirou. "Mas, quê?" — insistiu Aristides. "Mas estou cansado de ouvir o povo chamar-lhe sempre o Justo, o Justo..." — concluiu o homem.

Aristides conhecia o caráter dos gregos e, portanto, não se admirou daquela inconsequência. Limitou-se a escrever o seu próprio nome na casca da ostra. Concluída a votação, foi verificado haver na urna o número de votos necessários para a sua condenação — e Aristides foi para o ostracismo.

— Que grande injustiça! — exclamou Pedrinho indignado com os atenienses. — Isso é o cúmulo dos cúmulos!

— E que grande acerto político! — disse Dona Benta. — O afastamento de Aristides pôs toda a força do lado de Temístocles, que conseguiu, afinal, impor a sua ideia da esquadra e mais preparativos para a possível guerra. E Temístocles acertou. A guerra veio. Dez anos depois da batalha de Maratona os persas reiniciaram a sua marcha contra a Grécia. Desta vez não com cento e vinte mil homens, mas com dois milhões.

— Dois milhões, vovó? — exclamou o, menino, espantado.

— Parece mesmo um pouco meio muito, como diz o compadre Teodorico. Em todo o caso, é essa a contagem dos historiadores da época. Mas semelhante exército era em excesso numeroso para vir por mar. Seriam necessárias mais trirremes do que as havia no mundo inteiro. Por isso Xerxes determinou que a marcha fosse por terra, embora mesmo por terra houvesse um bocadinho da água a separá-lo dos gregos: o estreito que hoje se chama Dardanelos e naquele tempo se chamava Helesponto.

— De que largura era esse estreito, vovó?

— Apenas de um quilômetro e meio.

— E Xerxes passou?

— Quase. Xerxes construiu uma ponte de barcos, isto é, foi colocando barcos um encostado ao outro até alcançar o lado grego; depois estendeu por cima um tabuado como de ponte. Mas assim que concluiu a obra, uma tremenda tempestade sobreveio e arrasou tudo.

A fúria de Xerxes foi tamanha que pegou dum chicote e pôs-se a surrar o mar como se o mar fosse um dos seus escravos. Em seguida mandou fazer nova ponte. Desta vez não houve tempestade e o exército pôde avançar. Sete dias e sete noites levou passando, em massa cerrada. A esquadra, que era enorme, o seguiu. Quando as forças alcançaram a terra da Grécia...

Dona Benta teve de parar nesse ponto. O Visconde, que desde o seu "renascimento" não dissera ainda uma só palavra, tinha dado um grito. Correram todos. Que foi? Que não foi? "Foi Emília eu vi!" — disse Tia Nastácia aparecendo da cozinha com a colher de pau na mão. "A malvada deu em cima dele com um tal ostracismo. Não sei o que é, mas deve doer muito..."

Capítulo XXV
Ainda o segundo tempo

— Havia na Grécia, — disse Dona Benta no serão seguinte, — uma passagem muito estreita, ou desfiladeiro, conhecido como as Termópilas. Dum lado era o mar; doutro, a escarpa duma montanha. Por ali os persas tinham de passar na sua marcha rumo a Atenas.

— Termo, vovó, — disse Pedrinho, — significa...

— Quente. Águas termais, águas quentes. Termópilas queria dizer passagem quente, porque de fato havia por ali umas fontes de água quente. Mas os gregos acharam que em vez de esperar o ataque dos persas muito melhor seria atacá-los na passagem das Termópilas, onde um homem era capaz de fazer frente a muitos. E Leônidas, o rei de Esparta, foi escolhido para defender o desfiladeiro. Leônidas era um espartano digno do nome que tinha, porque Leônidas quer dizer igual ao leão. Tomou o comando de sete mil soldados bem escolhidos, entre os quais trezentos espartanos daqueles que tinham aprendido a não se renderem nunca. Mas era uma loucura jamais vista escorar tamanho exército com sete mil homens apenas.

Quando Xerxes percebeu que Leônidas estava ocupando as Termópilas com aquele punhadinho de homens, riu-se, e mandou-lhe intimação para entregar-se. "Venha buscar-nos" foi a lacônica resposta de Leônidas. Logo depois travou-se a luta, e durante dois dias os gregos sustentaram as suas posições, impedindo o avanço dos persas. Mas houve traição. Alguém foi contar a Xerxes que naquela montanha havia uma passagem secreta dando para a retaguarda de Leônidas, de modo que se os persas entrassem por lá os gregos seriam apanhados pelas costas.

Quando Leônidas soube que os persas tinham descoberto a passagem secreta e vinham vindo, compreendeu que tudo estava perdido. Falou aos seus homens. Contou o que se passava; — disse que quem quisesse retirar-se poderia fazê-lo e que quem ficasse tinha de contar com a morte.

— E retiraram-se muitos? — perguntou Pedrinho, ansioso.

— Seis mil. Ficaram apenas mil, entre os quais os trezentos espartanos. "Nós recebemos ordem de defender esta passagem", foi a lacônica resposta que deram ao general.

Leônidas e seus mil homens lutaram nas Termópilas até o fim, morrendo todos, um por um.

Depois que os persas atravessaram o desfiladeiro, a cidade de Atenas ficou em má situação, porque nada podia impedir o ataque. Era absurdo resistir, dada a desproporção entre atacados e atacantes. Os atenienses correram a consultar o Oráculo de Delfos.

O Oráculo — respondeu que a cidade de Atenas estava condenada a ser destruída, mas que os atenienses seriam salvos por muralhas de madeira.

— Que queria dizer com isso? — perguntou Pedrinho.

— Essa mesma pergunta acudiu a todos os atenienses. O Oráculo falava sempre dum modo enigmático, que exigia interpretação. Dessa vez Temístocles traduziu a seu jeito a resposta, dizendo que as tais muralhas de madeira significavam os navios da esquadra, e convidou o povo a abrigar-se nos barcos ancorados na Baía de Salamina. Os atenienses aceitaram o convite; abandonaram a cidade e meteram-se a bordo.

Quando os persas entraram em Atenas, só viram por lá casas vazias. Puseram-lhes fogo e depois marcharam para Salamina, onde a esquadra persa, ajudada pelas forças de terra, iria varrer dos mares os navios gregos. Para gozar esse espetáculo, Xerxes mandou erguer um trono no alto dum morro, donde se descortinava toda a baía.

A tal baía de Salamina assemelhava-se muito ao desfiladeiro das Termópilas; era uma faixa d'água, ou como um trecho de rio — e essa semelhança deu a Temístocles uma ideia. Fingindo-se traidor, como aquele que nas Termópilas havia revelado a passagem secreta, mandou dizer a Xerxes que se a esquadra persa fosse dividida em duas partes, ficando uma num extremo e outra no outro extremo da baía, os gregos, encurralados, nada poderiam fazer.

— E Xerxes caiu na esparrela...

— Como um patinho. Acreditou na nova "traição" e dividiu a esquadra em duas partes. Isso foi ótimo para os gregos, que com todos os seus navios puderam atacar cada metade por sua vez, e ainda, por meio de hábil manobra, conseguiram fazer que as duas metades da esquadra persa se chocassem, com perda de muitos navios.

O resultado final foi a completa derrota dos persas no mar, e a necessidade em que ficou o exército de terra de retirar-se para a Pérsia pelo caminho mais curto.

— Estou imaginando o acesso de raiva que havia de ter Xerxes no seu trono, lá no alto do morro! — disse a menina.

— E eu, os pulos de alegria de Temístocles! — disse Pedrinho. Esse chefe acertou em todos os pontos — até na decifração da fala misteriosa do Oráculo. Era um danado!

A consequência da admiração do menino pelo chefe grego foi o bezerro da vaca mocha, nascido na véspera, passar a chamar-se Temístocles, e não Gaveta, como queria a boneca. Gaveta! Aquela Emília tinha cada uma...

Capítulo XXVI
A IDADE DE OURO

— Já falamos nas Idades da Pedra e do Bronze — continuou Dona Benta. — Vamos ver agora um pedacinho duma verdadeira Idade de Ouro, ou época em que o bem-estar do povo trouxe um grande florescimento das artes e ciências.

Depois de terminada dum modo tão feliz a guerra com a Pérsia, os atenienses voltaram para Atenas e reconstruíram as casas. E como eram um povo de grandes dotes artísticos, aproveitaram a ocasião para fazer de Atenas a mais bela cidade do mundo. Tudo os ajudou — tudo concorreu para isso.

— Quem era nesse tempo o chefe de Atenas?

— Oh! Atenas tinha um grande chefe chamado Péricles. Esse homem não era rei, nem tirano, mas possuía tal inteligência, falava tão bem, mostrava-se tão hábil político, que os atenienses começaram a segui-lo em tudo — e durante muitos anos Atenas foi na realidade governada por ele. Péricles lembra um capitão de time de futebol altamente querido por todos os jogadores em vista de suas qualidades. Um capitão desses leva a equipe a operar prodígios — e vencer todos os jogos. Assim foi Péricles com a Grécia.

Surgiram por esse tempo grandes filósofos grandes escritores, grandes poetas, grandes escultores grandes arquitetos, grandes tudo.

— Pare um pouco, vovó, — disse a menina. — Eu vejo sempre falar em filósofo e até já tenho empregado essa palavra; mas na verdade não sei muito bem o que quer dizer. Para Tia Nastácia, filósofo é um sujeito de calça furada, que anda distraído pela rua, tropeçando nos sapos. Será isso mesmo?

— Não, minha filha. A palavra "filósofo" quer dizer "amigo da sabedoria". Os filósofos são o complemento dos cientistas. Estes vão até o ponto em que podem provar o que afirmam. Desse ponto em diante acaba-se a Terra da Certeza e começa a Terra do Pode Ser. Nesta Terra é que moram os filósofos. Se um filósofo provar por A+B a sua filosofia, mas provar de verdade...

— ... ali na batata... — ajudou Emília.

— ... provar experimentalmente, ele deixa de ser filósofo, passa a ser cientista.

— ... muda-se para a Terra do É... — ajudou de novo a Emília, e Narizinho advertiu-a de que Dona Benta não precisava de ajutórios.

— Pois é isso. Por causa da grande liberdade de pensamento floresceu em Atenas um grupo de filósofos dos mais notáveis. Até hoje o que os filósofos gregos ensinaram tem grande valor, porque é difícil haver inteligência mais penetrante e clara do que a deles. Ao lado dos filósofos apareceram grandes escritores, que compuseram notáveis peças de teatro.

— O teatro grego era como o de hoje?

— Não. Era coisa muito mais importante e muito diferente do de agora. Os espetáculos realizavam-se ao ar livre e só de dia, à beira de encostas de morro, cuja inclinação servia de arquibancada. Quase nenhum cenário, e em vez de orquestra havia um coro de cantores ou recitadores. Os artistas usavam máscaras cômicas ou trágicas. Ainda hoje, na ornamentação dos nossos teatros, vemos esculpidas essas máscaras ou caretas gregas.

Atenas tirara o seu nome do apelido grego da deusa Atena. Por esse motivo os atenienses resolveram erigir um monumento digno dela, no alto duma colina, o qual recebeu o nome de Partenão, ou templo da virgem. Guardem esta palavra, porque o Partenão é considerado como a mais perfeita obra-prima da arquitetura antiga.

— Ainda está de pé, vovó?

— Infelizmente, não. Subsistem ruínas. Dentro do Partenão havia uma estátua de ouro e marfim feita por um escultor chamado Fídias, o qual tem fama de ser o maior escultor da antiguidade. Essa estátua desapareceu. Foi uma perda de que o mundo artístico jamais se consolou.

Fídias ainda fez outras estátuas para ornamento exterior do Partenão; algumas ainda hoje são vistas nos museus da Europa, embora bastante mutiladas, esta sem cabeça, aquela sem braços. Tão célebre ficou Fídias com os seus trabalhos no Partenão, que foi convidado para esculpir a estátua de Júpiter erigida em Olímpia. Dizem os seus contemporâneos que essa estátua era um prodígio de beleza. E devia ser, pois foi incluída entre as Sete Maravilhas do Mundo.

Apesar de ser o maior escultor da época, Fídias morreu na prisão por um crime que hoje nos faz rir. Imaginem vocês que no escudo da estátua de Minerva ele reproduziu, numa das figuras de certa cena, a sua própria cara e noutra, a cara do seu amigo Péricles. Pois foi o bastante para ser denunciado como sacrílego, julgado e condenado à prisão — e na prisão morreu.

— Por falar em escultura, vovó, li ontem uma história de colunas jônicas e coríntias que não entendi. Explique-me isso.

— Nos monumentos gregos havia três espécies de colunas, a coluna dórica, a coluna jônica e a coluna coríntia. A coluna dórica era a mais simples; tinha no alto o que chamam capitel, formado como que de um ladrilho tampando um prato fundo; e embaixo, ou na base, nada tinha — enfiava-se diretamente na terra. A beleza deste tipo de coluna residia na simplicidade e na ideia de força que dava. Por isso foi considerada como de estilo masculino.

— Desaforo! — protestou Narizinho.

— A segunda coluna, a jônica, possuía uma base sobre a qual se assentava; e tinha no capitel, em vez do prato fundo tampado com o ladrilho, uns ornatos como voltas de caramujo. Era considerada como de estilo feminino.

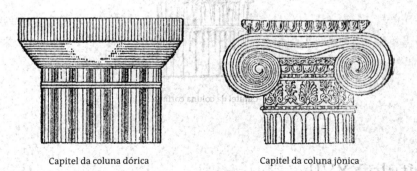

Capitel da coluna dórica   Capitel da coluna jônica

— Toma! — gritou Pedrinho piscando para a menina. — Quer dizer que vocês mulheres são caramujas.

— O terceiro estilo de coluna, — continuou Dona Benta, era o coríntio, o mais luxuoso, o mais enfeitado. A coluna coríntia tinha o capitel cheio de coisas, tais como folhas de acanto e outras.

— Acanto? Que é isso?

— Uma planta da Grécia que ficou célebre nas artes — uma espécie de serralha. Dizem que o capitel coríntio foi criado do seguinte modo. Um arquiteto, que andava desenhando colunas, passou um dia pelo cemitério e viu sobre um túmulo de criança qualquer coisa que o impressionou. Os gregos tinham o costume de depositar no túmulo das crianças cestas de brinquedos, em vez de coroas ou flores. Naquele havia sido depositada, meses atrás, uma cesta de brinquedos coberta por um ladrilho. Com o tempo, um pé de acanto nasceu por ali e envolveu a cesta em suas folhas, formando uma coisa linda. Tão linda que o arquiteto parou e copiou o jeitinho, para depois o aplicar no capitel duma coluna — que ficou sendo a coríntia.

— Que interessante, vovó! — exclamou Narizinho. — Veja como uma coisa puxa outra...

— Infelizmente, aquele glorioso período da vida grega não durou muito. Veio uma peste horrível, que dizimou os atenienses, não perdoando nem ao próprio Péricles. O grande homem dedicara-se demais ao socorro da cidade e tantos pestosos recolheu em sua casa, que também apanhou a peste e foi-se...

Capitel da coluna coríntia

Capítulo XXVII
OS GREGOS BRIGAM ENTRE SI

— Que pena, vovó, — exclamou Narizinho, que essa desgraça viesse estragar um tempo tão bonito!

— A peste não foi nada, minha filha, apesar da grande perda que causou com a morte de Péricles. Muito pior do que a peste foi o que veio depois...

— Será possível que haja alguma coisa pior que a peste? — admirou-se Pedrinho.

— Há, sim, meu filho. A Guerra é cem vezes pior, sobretudo a guerra civil, isto é, guerra dentro de casa, entre filhos do mesmo país. Pois logo que o horror da peste passou, os horrores da guerra vieram estragar a linda Grécia daquele tempo.

— Conte! conte! — pediram os meninos — e Dona Benta contou.

— A causa da desgraça foi o ciúme que depois da vitória sobre os persas, Atenas começou a inspirar. Os espartanos tinham um grande orgulho da superioridade dos seus soldados, que realmente eram os primeiros do mundo. Atenas, que também tinha excelentes soldados, depois da grande vitória da sua esquadra em Salamina ficou, sem querer, mais do que Esparta, pois possuía uma esquadra poderosa. A bela reconstrução de Atenas feita por Péricles e o florescimento de todas as artes não incomodavam Esparta, porque os espartanos não ligavam grande importância à cultura. Mas a esquadra ateniense incomodava. Esparta ficava no interior e por isso não podia ter esquadra, e como não podia ter esquadra não queria que Atenas a tivesse. Considerava desaforo. Daí nasceu a guerra.

— Mas não eram um mesmo país, Esparta e Atenas?

— Eram e não eram. Ambas faziam parte da Grécia, mas cada qual se governava como queria. Esparta estava situada num pedaço da Grécia chamado Pe-lo-po--ne-so, e por isso essa terrível luta entrou para a História com o nome de Guerra do Peloponeso. E sabem quanto tempo durou? Vinte e sete anos!

— Que horror, vovó! — fez Narizinho. — Vinte e sete anos! Imaginem...

— Foi uma luta horrorosa, com vantagem ora para este lado, ora para aquele, mas Esparta, que quase sempre ficava de cima, acabou tomando a cidade de Atenas.

Depois disto entrou na briga outra cidade grega Tebas, a qual conseguiu o milagre de vencer a invencível Esparta. Os espartanos ficaram muito admirados de ver forças inimigas em seu território, coisa que durante cinco séculos jamais acontecera.

Mais tarde, quando for tempo de ler uma história do mundo das grandes, vocês verão tudo quanto sucedeu nesses vinte e sete anos de luta. Por agora basta que saibam que a Guerra do Peloponeso enfraqueceu e arruinou quase todas as cidades gregas, pondo fim à importância da Grécia no mundo.

Durante esse tempo viveu em Atenas um grande filósofo de nome Sócrates, que é considerado o melhor e mais sábio homem que a humanidade produziu. Sócrates andava pela cidade ensinando os moços a pensar; mas em vez de ensinar como os outros filósofos, dizendo isto é assim ou assado, empregava outro sistema — fazia perguntas e ia indo até que por si mesmo o discípulo achasse a resposta exata. A esse sistema ficou ligado o seu nome. Chama-se método socrático.

Sócrates era muito feio; careca e de nariz arrebitado. Mas apesar de serem os atenienses grandes amigos da beleza, todos gostavam dele, porque se não possuía a beleza física tinha em compensação todas as belezas morais — e não há belezas que valham estas.

Sócrates era casado com Xantipa, uma verdadeira jararaca. Xantipa jamais compreendeu o marido, ao qual vivia xingando de vadio, de indolente, de traste inútil. "Este diabo leva a falar, a falar o tempo todo e nada de aparecer aqui com dinheiro" — devia ser a xingação diária dessa senhora. Certa vez ela o descompôs com tamanha fúria que Sócrates achou prudente fazer uma retirada estratégica. Assim que ia saindo, Xantipa jogou sobre ele um balde da água. O grande sábio apenas — murmurou: "Depois da trovoada vem a chuva" — e nada mais.

— Ah, se fosse comigo! — exclamou Pedrinho, arregaçando as mangas.

— Batia-lhe com um pau, não é verdade? — disse Dona Benta. — Pois seria um ato mui vulgar e reles. Não há brutamontes na roça que não faça o mesmo. Justamente porque em vez de bater em Xantipa, Sócrates respondeu de maneira tão fi-lo-só-fi-ca, é que estamos hoje a falar nele. Procure nunca ser vulgar, Pedrinho, que você acertará.

Sócrates não acreditava nos deuses gregos, embora nada dissesse em público, porque os gregos não admitiam que ninguém brincasse ou descresse de tais deuses. Mas um homem com a cabeça de Sócrates não podia tomar a sério o Senhor Júpiter nem a Senhora Vênus, e por isso, sem falar mal deles, também não falava bem. Calava-se. Era como se não existissem.

Foi o bastante para incorrer nas iras do povo, sendo denunciado como inimigo dos deuses e corruptor da mocidade. Resultado: condenação à morte.

— Que horror, vovó! Já estou ficando com ódio nos gregos. Por uma coisinha à-toa mataram Fídias, que era o maior escultor; agora vão matar Sócrates, o melhor e o mais sábio dos homens! Isso é demais. E com certeza o enforcaram...

— Felizmente não chegaram a essa monstruosa brutalidade. Intimaram-no a beber uma taça de chá de cicuta, planta venenosíssima. Sócrates obedeceu — e morreu a mais bela das mortes, rodeado dos seus queridos discípulos em lágrimas. Tinha então setenta anos. A morte de Sócrates é uma das cenas mais altas do drama da humanidade.

Emília declarou que ia plantar cicuta na horta.

— Para quê? — perguntou Narizinho.

— Para não ser preciso enforcar o Visconde, se algum dia ele for condenado à morte...

Capítulo XXVIII
A ESPERTEZA DA MACEDÔNIA

No outro dia Dona Benta falou dos meninos que começam "sapeando" um brinquedo e por fim se metem nele e acabam donos de tudo.

— Foi o que aconteceu na Grécia. Enquanto Atenas, Esparta e outras cidades se debatiam naquele terrível brinquedo de guerra, um Senhor Filipe, rei da Macedônia, espiava por cima do muro, esperando a ocasião de entrar no jogo. Filipe viu que Atenas e Esparta estavam exaustas da luta, a ponto de mal poderem consigo; logo, se ele pulasse o muro e entrasse no brinquedo quem virava o chefe seria ele. Ser rei da Grécia sempre fora o seu sonho. E como os gregos odiassem os persas por causa do incêndio de Atenas, o espertíssimo Filipe resolveu entrar por esse caminho.

— "Vossos antepassados", falou ele aos gregos, "fizeram os persas recuar; mas os persas voltaram para suas terras, muito frescos da vida, e nunca foram punidos pelo mal feito à Grécia. Por que não tomais vingança? Por que não organizais uma boa guerra contra eles, não só para castigá-los, como também para apanhar-lhes os grandes tesouros que possuem?"

E depois acrescentou um finalzinho que era onde estava o gato, isto é, onde estava escondida a ideia secreta de Filipe:

— "E eu, que sou o grande guerreiro que sabeis, eu me juntarei convosco para vos ajudar."

Ninguém pareceu perceber o que havia bem lá dentro da cabeça de Filipe, exceto um ateniense chamado Demóstenes.

— Não é o tal das pedrinhas, vovó?

— Sim, é o mesmo. Quando menino, Demóstenes revelou uma fortíssima vocação para orador, embora um defeito de nascença o estivesse avisando a cada passo "Seja tudo quanto quiser, menos orador." De... demós... tenes é... era ga... gago.

— E um gago a querer ser orador, é mesmo da gente dar com um gato morto em cima até que o gato mie, — disse Pedrinho.

— Pois Demóstenes não levou com gato em cima, mas deu com pedrinhas na gagueira e acabou com ela e ficou sendo o mais famoso orador da humanidade. Ainda hoje, quando a gente quer dizer que um fulano de tal é grande orador, diz: "É um Demóstenes!". Não se lembram daquela festinha do compadre Teodorico, no casamento da Miloca? Como foi que o Zezinho Xarope começou o seu brinde aos noivos, no jantar?

— Eu me lembro, vovó! — gritou Pedrinho, — e até decorei a frase, de tão bonita que a achei. Foi assim "Neste momento solene, em que ergo a minha débil voz para saudar os nubentes, eu queria ter a eloquência dum Demóstenes para, etc. e tal". Foi só palmas. Na volta para casa a senhora nos ensinou o que queria dizer nubentes. Recordo-me muito bem.

— Pois é. Demóstenes foi um orador tão famoso que até o Zezinho Xarope se lembra dele, neste fim de mundo onde moramos. Demóstenes entendeu de acabar com a gagueira. Diariamente ia a um ponto da praia onde as ondas se quebravam nos rochedos com grande barulho. E lá se punha a fazer discursos, com pedrinhas na boca.

— Por que pedrinhas?

— Para aumentar a dificuldade. Você compreende que assim embaraçado com as pedrinhas mais difícil ainda se tornava para aquele gago discursar no meio do barulho das ondas. Mas — insistiu, — insistiu até que venceu o embaraço de nascença somado com o embaraço das pedrinhas — e acabou falando com voz tão alta que dominava o barulho do oceano. As ondas furiosas eram para ele o público — um público insolente, que procurava impedir que sua voz fosse ouvida. Demóstenes venceu a gagueira à força de exercício, e foi aumentando o tom da voz até vencer também o rumor das ondas. Mais tarde, quando em vez de ondas tinha diante de si multidões de homens, também sua voz dominava o barulho das ondas humanas — e Demóstenes ficou o rei dos oradores. Quem o ouvia, era conquistado pela sua eloquência a ponto de rir ou chorar, conforme o desejo do orador.

Pois bem, este Demóstenes percebeu as intenções ocultas de Filipe naquele negócio da vingança contra os persas. "Ele o que quer é tomar conta da Grécia e virar nosso rei" refletiu, e desde esse momento passou a aplicar toda a força da sua eloquência contra o esperto Filipe. Fez contra ele doze discursos famosos, que se chamaram as Filípicas. Quando hoje um orador qualquer pronuncia contra alguém um discurso violento, todos dizem: "É uma filípica".

Sempre que os gregos ouviam uma arenga de Demóstenes ficavam com ódio em Filipe; mas depois iam esquecendo e de novo se deixavam enlear pelos projetos do paciente rei da Macedônia. Afinal, Filipe venceu. Acabou como queria — rei da Grécia; mas não pôde realizar o seu plano de guerra porque morreu assassinado por um dos seus generais.

— Isso quer dizer, vovó, que, embora a eloquência valha muito, a esperteza ainda vale mais, — observou o menino.

Mapa do Mediterrâneo

— Na verdade, meu filho, a esperteza é tudo na vida. Quem lê a história dos homens, vê que a esperteza acaba sempre vencendo. Vence até a força bruta.

Filipe tinha um filho chamado Alexandre, com vinte anos de idade nessa época, o qual passou a ser rei da Macedônia e da Grécia juntas e realizou os grandiosos planos do pai. Era uma criatura extraordinária esse Alexandre, com todos os dons da inteligência e da beleza. Quando ainda meninote, aconteceu-lhe um caso famoso, certa vez em que assistia a uns exercícios de equitação. Sabem o que é equitação?

— Sei! — gritou Emília, que tinha estado quieta uma porção de tempo. — Equitação é coisa de cavalo. Andar a cavalo, montar a cavalo, cair do cavalo, puxar o rabo do cavalo, dar milho para o cavalo, pentear crina do cavalo...

— Pare, que já errou! — disse Dona Benta. — Equitação é o nome da arte de montar nos cavalos — só isso. Puxar rabo de cavalo não é equitação — é reinação perigosa. Mas ao assistir àquelas provas, Alexandre viu que nenhum dos presentes conseguia montar certo ginete muito fogoso. Parecia assustadíssimo o animal, dando tais pinotes e corcovos que ninguém podia firmar-se na sela.

Percebendo que o cavalo estava assustado com a sua própria sombra, Alexandre disse ao pai: "Papai, dá licença que eu monte esse animal?". O Rei Filipe achou graça e riu-se gostosamente. "Que absurdo, meu filho! Pois não vê que cavaleiros velhos, peões de primeira ordem não conseguem fazê-lo sossegar?" "Pois eu conseguirei" — afirmou o menino. O pai, sempre a rir-se, deu a licença pedida, e Alexandre, dirigindo-se ao cavalo, virou-o de modo que ficasse de frente para o sol e, portanto, sem poder ver a própria sombra. Imediatamente o cavalo sossegou e deixou-se montar. Tão alegre ficou Filipe com a habilidade do filho, que lhe deu o cavalo como prêmio. Chamava-se Bucéfalo. Esse famoso corcel foi por muito tempo a montaria predileta de Alexandre; quando morreu teve estátua, e ainda várias cidades batizadas com o seu nome.

— Que danadinho, o tal Alexandre!

— Habilíssimo. Alexandre teve uma grande coisa consigo, que talvez explique tudo quanto fez de importante na vida: foi discípulo de Aristóteles, o maior professor que a humanidade possuiu até hoje.

— A humanidade, vovó? Não está achando isso meio muito? — observou Pedrinho com cara de dúvida.

— Não é muito, não. Este Aristóteles escreveu uma porção de livros importantíssimos sobre todas as coisas — sobre os astros...

— Astronomia! — gritou Pedrinho.

—... sobre os animais...

— Zoologia!

—... sobre as plantas...

— Botânica!

—... sobre política e sobre o modo da cabeça da gente funcionar, isto é, sobre o espírito, as ideias, a inteligência, etc. Como se chama esta ciência, senhor sabidão?

Pedrinho engasgou.

— Cabeçologia! — gritou lá de longe a boneca.

— Psicologia, — corrigiu Dona Benta, — estudo da alma, ou do espírito. Sobre todos estes assuntos escreveu Aristóteles, e tão bem que durante muitos séculos...

— Séculos, vovó?

— Séculos, sim. Desde o ano 384 A. C., data do seu nascimento, até hoje, temos 2.327 anos, ou mais de vinte e três séculos. Por todo esse tempo as obras desse famoso professor vieram ensinando a ciência aos homens. Antigamente, há um século atrás, os únicos livros de ensino existentes nas universidades eram os de Aristóteles. Únicos, hein? Hoje a coisa está mudada. Temos outros livros; mas tais livros não passam dos mesmos livros de Aristóteles, apenas melhorados com o que a experiência dos homens nos foi ensinando até aqui.

Este famosíssimo professor foi aluno de outro mestre de igual fama, chamado Platão, e este Platão foi discípulo daquele Sócrates que teve que beber cicuta. De modo que os três homens que maiores serviços prestaram à humanidade como mestres da ciência, foram... Vamos lá, Narizinho...

— Sócrates, Platão e Aristóteles!

— Muito bem. Quando vocês crescerem, não deixem de ler algumas das suas obras. Vão ficar admirados do vigor da inteligência dos três filósofos gregos. Sócrates não deixou obra escrita mas o seu discípulo Platão nos dá todas as suas ideias.

Capítulo XXIX
ALEXANDRE, O GRANDE

Depois de tomar fôlego, Dona Benta perguntou:

— Que é que você pretende ser quando tiver vinte anos, Pedrinho?

O menino ficou atrapalhado. Ele pretendia ser tanta coisa...

— Pois aos vinte anos o nosso Alexandre já era rei.

— Grande milagre, vovó! Eu também seria rei aos vinte anos, se tivesse nascido filho de rei.

— Sim, não há nada demais em ser rei aos vinte anos quando um homem nasce num trono. Mas o que esse reizinho de vinte anos fez é um assombro. Apesar de rei de dois países, a Macedônia e a Grécia, não se contentou. Alexandre queria ser rei do mundo.

Para isso deu andamento àqueles planos de conquistar a Pérsia, fazendo-a pagar a guerra que cento e cinquenta anos antes Dario havia feito aos gregos. E conquistou-a. Alexandre reuniu um excelente exército, atravessou o Helesponto e penetrou na Ásia, onde os persas não conseguiram embaraçar-lhe o caminho. Alexandre saía vencedor de todas as batalhas.

Na sua contínua marcha para a frente, passou por uma cidade onde havia um templo célebre. Sabem por quê? Por causa dum nó.

— Dum nó? Que graça! — exclamou Narizinho. — Um nó cego, aposto.

— Um nó cego, na verdade, minha filha, impossível de ser desatado. Era o célebre Nó Górdio, do qual um oráculo havia dito que quem o desatasse conquistaria a Pérsia. Quando Alexandre soube do caso, foi examinar o nó e imediatamente viu que era mesmo um nó cego. Puxou, então, da espada e cortou-o pelo meio, de um golpe...

— Ahn! — exclamou Pedrinho. — Só agora compreendo porque as pessoas que resolvem uma situação encrencada dizem: "cortei o nó górdio!".

— Pois é isso mesmo. Usamos tal expressão por causa do que Alexandre fez há vinte e três séculos. Mas o nosso Alexandre que não era de brincadeiras realizou a predição do oráculo: conquistou a Pérsia. De lá marchou para o Egito, que pertencia à Pérsia, e também o conquistou. Para comemorar a vitória ergueu uma cidade perto da boca do Nilo e deu-lhe um nome derivado do seu — Alexandria. Nessa cidade que iria tornar-se uma das mais importantes do mundo, fundou a mais célebre biblioteca dos tempos antigos.

— Como eram os livros?

— Escritos à mão, em tiras de papiro emendadinhas, formando rolos. Essa biblioteca foi acumulando tudo o que a humanidade havia escrito até àquela data e chegou a ter meio milhão de obras. Se séculos mais tarde não fosse queimada pelo Sultão Omar, seria hoje a mais preciosa e importante biblioteca do mundo.

— Por que esse indecentíssimo Omar destruiu uma coisa tão preciosa, vovó? — perguntou o menino, revoltado.

— Por puro espírito de fanatismo, meu filho. Omar que era um fanático da religião de Maomé, mandou incendiar a preciosa biblioteca por que: "Ou os seus livros dizem o mesmo que o Corão, e nesse caso são inúteis, ou dizem o contrário, e nesse caso devem ser destruídos". O Corão é o livro sagrado dos maometanos, como para os cristãos é a Bíblia.

— Imbecil! Não era lá que havia o tal farol?

— Sim. Nessa mesma cidade de Alexandria foi erguido esse monumento notabilíssimo. O farol, o gigantesco farol cuja luz alcançava muitos quilômetros longe. Foi levantado na Ilha de Faros — de cujo nome veio a palavra farol. Era uma torre de mais de trinta andares, coisa colossal numa época de construções de um e dois andares apenas.

Mas Alexandre não ficou à espera de que a biblioteca se enchesse de livros e a Torre de Faros se erguesse ao trigésimo andar. Deu ordens para que tudo se fizesse e tocou para a frente. Alexandre não podia parar. Ardia por conquistar novas terras, ver novas caras, novas coisas — e esqueceu-se completamente de sua Macedônia. Em vez de voltar para lá, ao menos a fim de matar as saudades, marchou para diante e foi conquistando todos os países que encontrou, até a Índia.

— Que homem "mais que os outros" era Alexandre, vovó! — observou a menina. — Desde meninote...

— Realmente. Alexandre era único e tinha o bicho carpinteiro no corpo. Não podia parar. Começou a ser rei aos vinte anos e desde aí até à morte jamais esquentou lugar. Morreu com trinta e três anos apenas — a idade de Cristo — e já era chamado Alexandre, o Grande. Havia-se tornado senhor de todo o mundo — pelo menos de todo o mundo então conhecido e habitado por povos civilizados. Só não se lembrou da Itália ou não teve tempo de conquistá-la. Mas naquele tempo a Itália não passava de uma porção de cidades pouco povoadas e sem nenhuma importância.

Quando Alexandre viu que nada mais restava que valesse a pena vencer, dizem que chorou...

— E como não tinha mais mundo para conquistar resolveu morrer, não é?

— Mais ou menos. Não vendo inimigos pela frente contra os quais lançasse o seu exército, Alexandre resolveu voltar para a Grécia; mas com muita preguiça, lentamente, parando pelo caminho para gozar a vida em festas. E assim alcançou a cidade da Babilônia, que já não era nem sombra do que havia sido nos tempos da grandeza. Lá morreu repentinamente durante um banquete, no ano 323 A. C.

Este Alexandre deveu muito e muito a Aristóteles. Foi Aristóteles quem lhe ensinou a ser um grande homem. Nas suas conquistas prestava grandes benefícios aos povos dominados. Ensinava-lhes a língua grega, de modo que pudessem cultivar o espírito lendo os únicos livros de valor existentes na época, os livros gregos; ensinava-lhes os esportes atléticos praticados em Olímpia; ensinava-lhes as artes — a pintura, a escultura, a música. Sua preocupação era melhorar a cultura dos vencidos. Podemos até dizer que com seus livros ninguém ensinou mais aos homens do que Aristóteles e com sua espada ninguém ensinou mais aos povos do que o seu discípulo Alexandre.

Alexandre casou-se com uma rapariga persa de grande beleza, chamada Roxana, e morreu antes de lhe nascer o único filho, de modo que a chefia do império coube aos seus generais.

— Aos quais?

— "O mais capaz que governe", tinha sido a recomendação de Alexandre. "Lutem entre si e vejam qual o mais forte. Esse deverá ser o meu sucessor." Os generais lutaram entre si, mas a vitória empatou entre quatro. Em vista disso o império de Alexandre foi dividido em quatro, cabendo cada parte a um deles.

Destes generais só um tinha realmente qualidades de chefe, ou rei — um chamado Ptolomeu. Governou o Egito sob o nome de Ptolomeu I e governou bem, formando uma dinastia, isto é, fazendo que seus filhos governassem depois dele. Os outros generais não souberam conservar os reinos recebidos, de modo que depois de alguns anos nada mais restava do grande império de Alexandre.

— Tal qual um balãozinho de elástico que a gente assopra, assopra, e ele enche e enche até que — **paf!** estoura e não fica coisa nenhuma — observou Pedrinho filosoficamente.

Capítulo XXX
Um novo campeão

— A vida entre os povos antigos — continuou Dona Benta — era isso que vocês estão vendo — um a conquistar o outro. Tal qual nos esportes de hoje, quando diversos clubes atléticos disputam um campeonato. Cada tempo o campeão é um; mas não "conta prosa" toda a vida, pois um novo lutador logo aparece, que o derrota e fica sendo o campeão. Vamos ver, Pedrinho, se você guardou o nome dos grandes campeões antigos — "os campeões do imperialismo", como dizem os sábios.

— O primeiro foi Nínive, mas veio a Babilônia e conquistou o primeiro lugar. Depois veio a Pérsia e bateu a Babilônia. Depois veio a Macedônia com Alexandre feito capitão, e bateu todos. Não foi assim?

— Perfeitamente. A ordem dos campeões é essa. Mas enquanto Alexandre marchava de conquista em conquista, sempre para o lado onde o sol nasce...

— O oriente! — berrou Pedrinho, que sabia orientar-se pelo sol.

— O oriente, sim, — confirmou Dona Benta. — Enquanto estava ele conquistando o oriente (e se mais não conquistou foi porque na Índia seus soldados se recusaram a prosseguir), perto da Macedônia um novo campeão ia se formando sem que os outros povos o suspeitassem: Roma. No tempo de Alexandre essa futura dona do mundo ainda era tão humildezinha que nem lhe deu nas vistas. Só cuidava de sobreviver, isto é, de impedir que os povos vizinhos dessem cabo dela. Não atacava ninguém, apenas se defendia.

Por fim criou força e, em vez de unicamente defender-se, passou a atacar. E atacou e venceu e tornou-se senhora de todas as outras cidades da bota italiana. Ia a caminho de virar a campeã do mundo. O primeiro inimigo forte que viu perto de si foi a cidade de Cartago, na costa do Mediterrâneo, bem defronte da Sicília.

— Essa ilha não é uma na qual o bico da bota italiana está dando um pontapé? — perguntou a menina.

— É, sim, — confirmou Dona Benta. — A cidade de Cartago havia sido fundada muitos anos antes pelos fenícios e tornara-se riquíssima e poderosa, dona duma grande esquadra mercante, que percorria todas as cidades do Mediterrâneo, repetindo assim o que tinham feito as velhas cidades de Tiro e Sidon.

Não convinha a Cartago o crescimento de Roma e Roma tinha ciúmes das riquezas e do comércio de Cartago; daí a preocupação dos romanos em arranjar um pretexto para atacá-la. Quando um não quer dois não brigam, diz o ditado. Mas ali os dois povos estavam com vontade de brigar, de modo que Roma não teve muita dificuldade em descobrir um pretexto — e a guerra começou, ou antes as guerras, porque entre Roma e Cartago houve três guerras, conhecidas na História como as Guerras Púnicas.

— Por que púnicas, vovó?

— Porque os cartagineses eram descendentes dos fenícios e a Fenícia também tinha o nome de Punic. Mas Cartago estava do outro lado do Mediterrâneo, de modo que sem navios Roma não podia alcançá-la. Ora, os romanos não tinham esquadra nem sabiam coisa nenhuma da arte de construir navios. Como fazer?

O acaso veio ajudar Roma. Um navio de Cartago naufragou nas costas da Itália e pode ser puxado para terra, onde serviu de modelo para a construção da esquadra romana. Em muito pouco tempo fez-se o primeiro navio, e depois outro, e finalmente toda uma frota de cento e vinte navios. Roma ficou desse modo habilitada a enfrentar Cartago — e enfrentou-a.

A tática da esquadra cartaginesa consistia em avançar para o inimigo e afundar-lhe os barcos, estando muito treinados nisto os seus marinheiros; já os romanos não possuíam nenhuma experiência daquilo. A força dos romanos só se mostrava na luta corpo-a-corpo. Mas como forçar Cartago a lutar com eles corpo a corpo?

Tiveram uma ideia. Inventaram um sistema de grandes ganchos, a que chamavam corvos. Quando um navio romano se encostava a um navio inimigo, em vez de procurar fazê-lo ir ao fundo apenas o segurava com os corvos, de modo que nada os pudesse separar. Em seguida invadiam o barco inimigo para a luta corpo-a-corpo.

O sistema do corvo deu ótimo resultado. A esquadra de Cartago foi destruída pela esquadra romana sob o comando de Duílio. Isto aconteceu em Miles, no ano 261 A. C. Mas essa primeira guerra de Roma com Cartago, embora vencida pela primeira, não ficou bem, bem, bem vencida, porque Cartago estava ainda de pé e poderia reerguer-se para vir incomodar Roma de novo.

— E com certeza, por causa da derrota, queimaram vivas uma porção de pobres crianças, — disse Narizinho. — Bem feito! Gostei dos romanos derrotarem aqueles monstros...

Capítulo XXXI
O PONTAPÉ DA BOTA

— Sim, mas os cartagineses se refizeram do desastre e se prepararam para a desforra. Viram que era inútil atacar Roma pela frente. Mas por trás? Quem sabe se um ataque pelos fundos não daria melhor resultado? E nasceu a ideia de invadir a Itália pelo lado dos Alpes. Vocês sabem que a Itália forma uma grande península atravessada por uma grande cordilheira de montanhas sempre cobertas de neve. Por ali os romanos jamais esperaram que nenhum inimigo entrasse, porque se a travessia das montanhas era dificílima para viajantes, muito mais para um exército que tem de conduzir uma bagagem enorme. Pois apesar de todas as dificuldades, os cartagineses entraram pelos Alpes.

— Que danados!...

— Para isso tiveram primeiramente de conquistar a Espanha a fim de abrir caminho para os Alpes. Cartago possuía nesse tempo um grande general chamado Aníbal, que por alguns anos constituiu a maior ameaça que Roma teve em toda a sua vida. Foi Aníbal quem realizou o prodígio de atravessar os Alpes à frente de um exército de 50.000 homens, com o qual marchou sobre Roma.

De todos os encontros Aníbal sempre saía vencedor; o mais importante ocorreu num lugar chamado Canas, onde os romanos em número de 80.000 foram derrotados pelos 50.000 de Aníbal, com perda de 70.000 homens. Mas depois da vitória parece que Aníbal errou; em vez de marchar imediatamente contra a cidade de Roma e sitiá-la foi acampar na Ilha de Cápua que ficava não muito longe — e lá perdeu um tempo preciosíssimo à espera de que Cartago lhe mandasse mais reforços.

Cartago nada mandou, nem podia mandar coisa nenhuma, porque Roma, vendo-se batida pela retaguarda, teve a ideia de não ficar só na defesa e atacar também. Roma atacou Cartago com a esquadra e retomou a Espanha, cortando assim a retirada ao exército de Aníbal.

Quem comandava as forças romanas era um grande general — Cipião, que depois recebeu o sobrenome de Africano. Cipião, o Africano, de fato retomou a Espanha e trancou o caminho por onde Aníbal tinha vindo. Em seguida foi para a África atacar a cidade de Cartago. Essa tática mudou o aspecto dos acontecimentos e transformou os desastres de Roma em vitória. Aníbal teve de regressar para defender sua pátria ameaçada, e quando as forças de Cipião se aproximaram teve de enfrentá-las num lugar chamado Zama, onde foi batido. Estava terminada a segunda guerra púnica, com a vitória do lado dos romanos pela segunda vez.

— Era um jogo de futebol, vovó! — disse Pedrinho. — No primeiro tempo, Roma venceu por um a zero. No segundo tempo Roma fez mais um **goal**, ganhando a partida por dois a zero.

— Não ganhara ainda. Esse jogo entre romanos e cartagineses não se dividiu em dois tempos, sim em três, porque houve a terceira e última guerra púnica.

— Quer dizer que o resultado final ia ser de três a zero, — lembrou o menino que era **goal-keeper** no **team** da sua escola.

— Exatamente. Os romanos venceram a segunda guerra púnica, tomaram a esquadra dos cartagineses e lhes impuseram pesadíssimos tributos. Mas como da primeira vez já haviam feito o mesmo e apesar disso Cartago renascera ainda mais forte, a ponto de vir atacar Roma pelos fundos do quintal, os romanos resolveram destruir para sempre tão terrível inimigo. E, sem causa nenhuma, a não serem umas mentiras que eles mesmos inventaram, invadem pela terceira vez o território de Cartago. "Que é que vocês querem afinal?" perguntam os cartagineses desesperados. "Que se mudem para o interior, a um mínimo de quinze quilômetros da costa" responderam os romanos.

Ora, isso seria o fim de tudo. Os cartagineses ficariam sem mar para exercer o comércio, sem meios de comunicação com o resto do mundo, sem nada. "Antes a morte!" retorquiram eles. E tiveram a morte. Por maior que fosse o heroísmo com que Cartago se defendeu, foi vencida. Quando Cipião a tomou, apenas 50.000 habitantes foram lá encontrados, dos 600.000 que constituíam a população antes do ataque.

Cartago foi queimada e arrasada; em seguida o terreno foi arado e recoberto de sal para que nem capim ali nascesse. O trabalho de destruição foi tão bem feito, que até hoje os arqueólogos discutem o lugar exato onde Cartago se erguia.

— Bem feito! — exclamou Narizinho. — Foi o que ganharam com a queima das pobres crianças...

Capítulo XXXII
O NOVO CAMPEÃO

— Imaginem vocês, — continuou Dona Benta, — a empáfia dos romanos depois disso! Estavam os campeões do mundo, os donos! Ser cidadão romano tornou-se, além de grande honra, uma garantia. Tal como hoje ser cidadão americano ou inglês. Roma então resolveu entrar pelo caminho das conquistas.

— Mas não era isso um crime, vovó? Isso de ir invadindo os outros países e destruindo e incendiando e roubando? ...

— Está claro que era, mas que quer você, minha filha? A história da humanidade não passa disso. Não passa de uma série imensa de crimes cometidos pelo mais forte contra o mais fraco. Por essa época o romano estava mais forte e, portanto, ia assaltar e roubar os outros, com este ou aquele pretexto, e iria fazer isso até que surgisse quem por sua vez lhe fizesse o mesmo.

Roma já estava senhora da Espanha e do Norte da África, com exceção do Egito. Gostou. Achou excelente negócio saquear as riquezas acumuladas pelos outros povos — e não parou mais. Por muitos séculos a sua grande indústria iria ser a pilhagem dos mais fracos.

Os romanos tinham espírito de organização. Eram diferentes dos gregos, que só pensavam em belas artes, escultura, pintura, arquitetura, poemas. Os romanos preferiam dedicar-se a coisas úteis, aos seus planos de tomar conta do mundo. Como para isso fosse necessário um serviço rápido de comunicações trataram de abrir estradas em todos os rumos, de modo que seus exércitos pudessem alcançar com rapidez qualquer ponto que conviesse. As estradas dos romanos não eram simples estradas de terra, das que ficam intransitáveis durante as chuvas. Eram estradas de pedra, muito bem construídas — tão boas que muitas ainda existem, apesar de feitas há dois mil anos.

E tantas e tantas léguas de estradas construíram, que até hoje está em uso uma expressão muito comum: "Todos os caminhos vão dar em Roma". Dizemos assim porque naquele tempo todas as estradas iam realmente dar em Roma.

E não demonstraram espírito prático somente nisso, mas em mil coisas. Nas águas, por exemplo. O uso em toda parte era o mesmo: carregar para as casas água do rio ou da fonte. Os romanos foram os primeiros na Europa que fizeram vir água para as cidades por meio de canalizações. O sistema de usar a água do rio mais próximo era mau, porque o povo se via forçado a beber águas duvidosas, impuras, contaminadas de germes.

Os romanos só bebiam água pura. Para tê-la construíam canalizações de pedra, que iam apanhar a água às vezes muito longe da cidade, a léguas de distância. Hoje essas canalizações se fazem com canos de ferro, ou manilhas de barro. Os romanos as faziam de pedra e cimento, com o nome de aquedutos, ou condutores de água. Quando o aqueduto tinha de atravessar um vale, ou um rio, construía-se uma ponte com arcos de pedra para o sustentar. No Rio de Janeiro temos um exemplo desse tipo de construção.

— Quer dizer que os romanos já estiveram no Rio de Janeiro? — observou Emília lá do seu canto.

Todos riram-se.

— Não, — disse Dona Benta. — Para construir um aqueduto não é obrigatório que o construtor seja romano. Quem fez o aqueduto do Rio de Janeiro foi o Conde dos Arcos, que era português. Hoje está abandonado, porque a cidade cresceu muito e as canalizações usadas são as de ferro.

Outra novidade dos romanos foi a construção de esgotos. Antes deles, cidade nenhuma possuía uma canalização especial para isso. Lixo e água suja eram lançados na rua, na porta do vizinho. Imaginem a porcaria das grandes cidades antigas, Nínive, Babilônia, etc.!

Tinham um grande espírito prático, os romanos. Roubaram, saquearam o mundo, foram crudelíssimos, mas em compensação fizeram muitas coisas boas que até hoje nos estão servindo. Leis, por exemplo, isto é, regras que todos têm de obedecer. Certas leis romanas eram tão bem feitas e sábias, que com pequenas mudanças vigoram ainda hoje nos países civilizados.

— E de que viviam os romanos, vovó?

— Das taxas ou impostos que cobravam dos vencidos. Todas as cidades tinham de lhes pagar tributos, de modo que Roma se tornou a mais rica cidade do mundo. Esse dinheiro era gasto na construção de monumentos, templos, banhos públicos, anfiteatros, festas e no sustento do povo.

— Como eram os tais anfiteatros?

— Como os estádios de hoje, os campos de futebol com arquibancadas. Em vez de futebol e outros jogos modernos, tinham eles a corrida de carros e as horríveis lutas dos gladiadores, entre si ou com as feras. Os carros de corrida eram de duas rodas e puxados por dois ou quatro cavalos, que o cocheiro guiava de pé.

— Que pena não haver mais luta de gladiadores! — exclamou Pedrinho, que havia visto uma gravura a respeito.

— Não diga isso, meu filho! Seria horroroso para a nossa sensibilidade de hoje. Os gladiadores não passavam de pobres escravos, homens fortes escolhidos entre os prisioneiros de guerra, que os romanos faziam lutar entre si, ou com as feras, para regalo do povo. Ah, meus filhos, a crueldade dos romanos, como aliás a de quase todos os povos antigos, arrepia a gente. Gostavam de ver espirrar sangue, de ouvir gemidos de dor. Os pobres gladiadores em regra lutavam na arena até à morte.

— Em regra? Quer dizer que às vezes escapavam?

— Sim, às vezes escapavam. Se durante a luta um deles, por qualquer motivo, caía na graça dos espectadores, estava salvo. A assistência erguia a mão, com o polegar voltado para cima. Isso queria dizer que o povo romano lhe concedia a vida. De modo que quando a luta chegava ao fim, o vencedor mantinha o vencido aos seus pés, à espera de que o povo decidisse se devia matá-lo ou não. Se milhares de braços se espichavam com os polegares erguidos, era sinal ou ordem para não matar; se os polegares se voltavam para baixo, era a morte.

Os romanos sempre se mostraram muito duros para com os povos vencidos. Além de lhes tirar todas as riquezas, escravizavam os homens e os traziam para trabalhar na Itália. Em consequência Roma tornou-se fabulosamente rica, porque a sua obra de pilhagem durou séculos. Mas a riqueza era só para os ricos; o povo vivia na miséria.

Riquezas assim roubadas acabam fazendo mais mal do que bem. Entre os próprios romanos ricos começaram a surgir protestos. Ficou célebre o caso dos dois irmãos Gracos, que sacrificaram até a vida para que os pobres tivessem um pouco mais do que estavam tendo. Eram netos do grande Cipião, o Africano, o tal que destruiu Cartago. Sua mãe chamava-se Cornélia. Conta-se que um dia, quando ainda meninos, Cornélia recebeu a visita duma orgulhosa dama, a qual, depois de lhe mostrar todas as preciosas joias que trazia no corpo, — pediu para ver as de Cornélia. Cornélia chamou os dois filhinhos, Tibério e Caio e apresentou-os à dama emproada, dizendo: "Eis as minhas joias".

— Aposto que vovó faria o mesmo, — disse Narizinho, — se alguém lhe pedisse para ver as joias...

— Está claro, minha filha. Vocês são as minhas joias.

— E eu? — reclamou Emília.

— Você não é neta de vovó, — disse Narizinho. — Não é joia nenhuma...

Emília fez bico, mas Dona Benta consolou-a.

— É, sim, Emília. Você é a minha joia número 3. E o Visconde é a quarta...

Emília botou a língua para Narizinho — **ahn**!...

Dona Benta continuou:

— Os dois Gracos foram as joias de sua mãe Cornélia, e depois de crescidos se tornaram as joias do povo romano. Ambos lutaram sem descanso para mudar a horrível situação da plebe. Queriam melhorar a sorte das classes pobres, cuja miséria chegara ao extremo numa cidade onde a riqueza não tinha limites. O mais que conseguiram foi acabarem assassinados pelos poderosos ricos.

— Que coisa esquisita, vovó! — observou Pedrinho. — Sempre que um homem quer fazer bem à humanidade, os poderosos dão cabo dele...

Capítulo XXXIII
César e Brutus

— No ano 100 A. C., — continuou Dona Benta no dia seguinte, — nascia em Roma uma criança destinada a um grande papel no mundo. Chamou-se Júlio César. Muito moço ainda já mostrou o que valia na luta contra os piratas.

— Que piratas eram esses, vovó? — perguntou Pedrinho, que achava a pirataria uma coisa romântica.

— Os piratas do Mediterrâneo. Depois que Roma se fez a senhora do mundo e obrigava todos os povos a lhe pagarem tributos, o Mediterrâneo vivia cheio de naves que vinham de todos os pontos carregadas de riquezas. Isso despertou a cobiça dos ladrões e o mar se encheu de piratas. Contra eles foi enviado o jovem Júlio César.

O trunfo, porém, lhe saiu às avessas. Em vez de aprisionar os piratas, os piratas é que aprisionaram Júlio César, exigindo em seguida o pagamento de enorme soma para o seu resgate. César não se intimidou. Embora soubesse que tinha a vida nas mãos daqueles bandidos, declarou que se fosse libertado viria de novo combatê-los — e havia de capturá-los a todos e castigá-los um por um.

Os piratas não levaram a sério a ameaça, e logo que o dinheiro do resgate chegou restituíram-no à liberdade. "Prosa dele", haviam de ter dito. "Já conheceu a nossa força e noutra não se mete." Mas erraram, porque César cumpriu o prometido. Mal se pilhou de novo em Roma, organizou uma boa esquadra e veio dar caça aos ladrões, conseguindo capturá-los a todos e levá-los para terra, onde foram postos na cruz. Era esse o modo de Roma tratar os ladrões.

— Interessante! — exclamou Narizinho com ironia. — Um castigo tão horrível para os que roubavam no mar *um bocadinho do colosso* que eles roubavam em terra na pilhagem dos outros povos! A mesma coisa é crime, se feita em ponto pequeno; e é glória, se feita em ponto grande...

— O mundo é isso mesmo, minha filha, sempre foi e talvez continue assim. Essa indignação que você sente é própria da idade. Quando crescer há de acostumar-se e achar tudo muito natural. É a vida. Mas voltemos a César. A sua luta contra os piratas trouxe-lhe crédito, porque foi bem feita e inteligente. Os romanos viram que havia nele a massa dum grande general. Por esse tempo, lá pelas partes mais afastadas do Império Romano...

— Que Império é esse, vovó? interrompeu o menino. É a primeira vez que a senhora pronuncia essa palavra.

— Império Romano, chamava-se o conjunto de todos os países que haviam sido subjugados pelos romanos e lhes pagavam tributos. Como hoje o Império Britânico, que compreende as Índias, o Canadá, a Austrália, grande parte da África, etc. Mas havia sempre nalguma das partes do Império Romano revoltas para a reconquista da liberdade: daí a necessidade de manter exércitos que não deixassem ninguém erguer a cabeça. Por aquele tempo a revolta contra os romanos estava acesa na Espanha e nas Gálias, que era o país donde ia nascer a França de hoje. César viu-se o escolhido para fazer com esses povos o que havia feito com os piratas.

Foi, e dominou-os completamente. Sobre tais campanhas escreveu uma primorosa obra chamada **Comentários**, ainda hoje usada para estudo nas aulas de latim.

— Por que é que a língua dos romanos se chama latim, vovó?

— Porque Roma havia sido fundada numa parte da Itália de nome Lácio, ou Latium, como eles diziam. Depois de submeter a Espanha e a Gália, César embarcou com o seu exército para as Ilhas Britânicas, que também conquistou.

César se havia tornado notável pelo modo de conduzir a guerra, e também pela maneira inteligente com que governava os vencidos. Além disso, era adorado pelas tropas. Tais vantagens despertaram o ciúme do seu amigo Pompeu.

— Quem era este?

— Um general romano que fora mandado fazer dos lados do oriente o que César estava fazendo dos lados do ocidente. César teve a sorte de fazer mais, de conquistar mais países, de tornar-se mais famoso, e Pompeu roeu as unhas, enciumado. Quando César, depois de submeter as Ilhas Britânicas, vinha de volta para as Gálias, Pompeu foi ao Senado convencer os senadores de que era preciso demiti-lo daquele comando. O Senado mandou ordem a César para que deixasse o comando das tropas e voltasse. César desconfiou da ordem. Refletiu muito. Por fim deliberou obedecer em parte. Iria, sim, a Roma, discutir o seu caso com os senadores — mas à frente do exército.

— Sim, senhora! Era o que nós aqui chamamos um "cabra escovado"! — disse Pedrinho.

Dona Benta riu-se do contraste daquela expressão chula com a dignidade do assunto e continuou.

— Muito bem. Assim resolvido, César tomou o caminho de Roma, sempre à frente do seu exército. Dias depois chegava às margens do Rubicon, um pequeno rio na fronteira da Itália. Era proibido que qualquer general atravessasse esse riozinho à frente dos seus exércitos, — para evitar que entrasse em Roma muito forte e lá impusesse a sua vontade, ou se tornasse rei.

Ao alcançar o Rubicon, César deteve-se por algum tempo, refletindo. Depois resolveu-se e disse: **Alea jacta est!** que significa — A sorte está lançada! — e atravessou-o. Até hoje usamos uma expressão que relembra esse fato. Quando, depois de vacilar algum tempo, alguém se decide de maneira irrevogável, dizemos que "atravessou o Rubicon".

Logo que a notícia da passagem do Rubicon chegou a Roma, Pompeu viu-se perdido, e escapou com suas tropas do lado da Grécia. César chegou e em poucos dias virou o chefe, não só da cidade de Roma, como de toda a Itália. Em seguida tomou o caminho da Grécia, onde derrotou as forças de Pompeu. Ficou então o chefe supremo do Império Romano.

— Sim, senhora, vovó! — exclamou Narizinho. — Não resta dúvida que o Sr. Júlio César sabia fazer as coisas.

— Sabia como ninguém, e novamente o iria mostrar na conquista do Egito. Este país era o único ainda fora do papo da insaciável Roma. César deliberou conquistar o Egito. Foi e não foi fácil. Foi fácil porque não houve luta brava; os egípcios não podiam resistir a Roma; não foi fácil porque no trono egípcio estava a célebre Rainha Cleópatra, que era uma rapariga do chifre furado. De tal modo soube engazopar César com os seus encantos que, embora o Egito passasse a ser província romana, ela continuou no trono, a governar em nome de Roma.

Por esse tempo houve um sério levante a leste do Império, e César teve de ir correndo acudir ao perigo. Largou Cleópatra e foi e chegou e viu e venceu, e tudo sanou em brevíssimo espaço de tempo. A mensagem que sobre os acontecimentos ele mandou a Roma ficou célebre pela concisão.

— Devia ser muito lacônica, — sugeriu Narizinho.

— Realmente, parecia uma mensagem de espartano. Dizia assim: **Veni, vidi, vici**. Três palavras apenas, significando: Cheguei, vi e venci.

Isso entusiasmou de tal modo o povo, que quando César reapareceu em Roma muita gente pensou em fazê-lo rei.

— Mas se César governava todo o Império, que era se não rei? — observou Pedrinho.

— Os povos têm certas superstições com as palavras, — explicou Dona Benta. — Os romanos, por exemplo, implicaram-se com a palavra rei, desde o caso daquele Rei Tarquínio que tiveram de botar fora. Veio daí o ódio à palavra rei, à palavra só, porque eram governados por homens que tinham todo o poder que um rei tem — ou mais, como esse César.

Mas o ódio à palavra rei era tal em certos romanos, que logo se formou uma conspiração para matar a César, de medo que realmente virasse rei. À frente dos conspiradores estava um tal Bruto, que até então havia sido o melhor amigo de César.

E mataram-no. Um dia em que ele entrava no Senado, os conspiradores o envolveram, armados de punhais. César quis defender-se, apesar de ter nas mãos apenas um estilo, que era a pena de escrever usada naqueles tempos. Súbito, percebeu entre os assaltantes o seu amigo Bruto. O choque foi grande e, desistindo de resistir, César murmurou a célebre frase: **Tu quoque Brutus!** que queria dizer: "Também você Bruto!" e caiu atravessado pelos punhais assassinos.

Foi um grande rebuliço, como se pode imaginar. Antônio, um dos bons amigos de César, fez ao lado do seu corpo ainda quente um discurso comovedor, cujas palavras calaram fundo no sentimento do povo. Se os matadores não foram reduzidos a frangalhos, é que já haviam desaparecido de Roma, como por encanto.

A palavra César escrevia-se em latim Caesar. Daí tiraram os alemães a palavra **Kaiser** com que nomeavam os seus imperadores. Os russos também adotaram o segundo nome de Júlio César para nomear os seus reis, e criaram a palavra **Czar** ou **Tzar**.

Nesse ponto Emília deu uma piadinha: "Acho que a morte de César foi uma brutalidade...".

Todos riram-se sem querer.

Capítulo XXXIV
O IMPERADOR DIVINIZADO

Pedrinho lembrou que um dos camaradas do sítio tinha um cachorrinho com o nome de César, e achou que era desaforo.

— Por que desaforo? — protestou Narizinho. — O cão é um ente como outro qualquer — e de melhores sentimentos que muitos homens.

A conversa recaiu sobre nomes. E nome vai, nome vem, Dona Benta começou a falar dum homem que deu o nome a um dos meses do ano.

— Dar o nome a uma rua, — disse ela, — já é alguma coisa. Dar nome a uma cidade como fez Alexandre à cidade de Alexandria, é bastante. Mas que me dizem de dar o nome a um mês do ano e, portanto, vê-lo eternamente repetido por milhões de criaturas? Pois foi o que aconteceu ao sucessor de César, um homem que subiu tão alto no conceito dos romanos que chegou a ser transformado em deus depois de morto.

— Quem foi ele, vovó?

— Espere. Depois da morte de César foram escolhidos três homens para conjuntamente governarem o Império; aquele Antônio, que fez o discurso sobre o corpo do seu grande amigo e Otávio, que era sobrinho de César. Do terceiro nem vale a pena lembrar o nome, pois foi logo posto de lado. A lei da Natureza quer que cada corpo tenha uma só cabeça. Três cabeças é absurdo, e duas também.

— Só minhoca, vovó, — lembrou Pedrinho. — As minhocas usam duas cabeças.

— Tem tão pouca importância uma cabeça de minhoca, que elas podiam até ter mil, que dava na mesma. Gente, ou bicho decente, dos que merecem atenção, só tem uma cabeça. Os povos também só podem ser governados por um rei, ou por um chefe único. Se botam no trono dois ou três em vez de um, há briga feia e o mais esperto acha logo jeito de ficar sozinho. Assim aconteceu naquele tempo. Otávio e Antônio botaram fora o terceiro e depois cada qual tratou de ficar só.

— A senhora está sendo injusta com as minhocas, — protestou Emília. — Bem inteligente que são. Os abrigos antiaéreos, quem é que os inventou? As minhocas... Quando há bombardeios de aviões, os homens suspiram de inveja delas...

Dona Benta riu-se daquela ideia e continuou:

— As coisas tinham sido arranjadas de modo que Antônio tomasse conta duma parte do Império e Otávio, de outra. A Antônio coube o pedaço no qual entrava o Egito — teria de morar em Alexandria, a cidade onde reinava a linda Cleópatra. Otávio, com residência em Roma, tomaria conta do resto.

Assim que Antônio chegou ao Egito, aconteceu-lhe o mesmo que a Júlio César: foi enleado pelo amor de Cleópatra, com a qual acabou casando-se, apesar de estar casado em Roma com a irmã de Otávio. Deu-se então o rompimento entre Antônio e Otávio, e a guerra veio. Foi guerra curta, na qual Otávio obteve vitória completa. Ao ver sua esquadra destruída, Antônio suicidou-se.

— Pobre bígamo! — exclamou Emília para mostrar ciência — mas errou na pronúncia: disse bigamo... Todos fingiram não ouvir, de dó dela.

— Cleópatra tentou fazer com o vencedor o que fizera com César e Antônio, mas desta vez os seus encantos falharam; Otávio era um espírito calculista, e de nenhum modo deixaria que uma mulher viesse atrapalhar os seus planos de tornar-se o maior homem do mundo. Ao ver que nada conseguia e que sua sorte tinha de ser a mesma dos outros prisioneiros — ser levada a Roma e mostrada ao povo — Cleópatra resolveu acompanhar Antônio no suicídio. Obteve que uma fiel escrava lhe trouxesse uma cesta de figos com uma pequena víbora dentro — uma viborazinha venenosíssima, chamada áspide. Tomou a áspide, deixou-se morder no seio — e morreu.

Estava Otávio como queria — sozinho no governo do Império, isto é, do mundo. Ao regressar a Roma o povo aclamou-o "imperador" e fê-lo trocar o nome de Otávio pelo de "Augustus Caesar", que é como quem diz — Sua Majestade César. Isto foi no ano 27 antes do nascimento de Cristo. Roma, que havia passado 509 anos sem rei, tinha agora um chefe supremo que era muito mais que um rei.

— Que idade tinha esse Otávio, vovó? Vinte anos, como Alexandre?

— Um pouco mais. Tinha trinta e seis.

— Oh, estava maduro! — exclamou Narizinho.

— E talvez por isso governasse bem. Tinha juízo; não se deslumbrou com o poder, como acontece aos que sobem ao trono muito cedo.

A cidade de Roma, como capital do mundo, havia desbancado em população e grandeza todas as cidades antigas. Mas faltava-lhe beleza. Augusto resolveu enchê-la de monumentos, e substituir as casas de tijolos por outras de mármore. Um dos notáveis monumentos construídos nessa época foi o Panteão.

— Não quer dizer o mesmo que Partenão?

— Partenão vem do nome da deusa Minerva — Athene Parthenos; e Panteão é palavra formada de duas outras — **Pan**, que quer dizer "todos" e **teon**, que quer dizer deuses. Era um templo erigido a todos os deuses. A cidade ficou grandemente embelezada, tal o número dos monumentos de mármore construídos pelos melhores artistas gregos e romanos. Daí lhe veio o nome de Cidade Eterna, que até hoje tem. Aos seus habitantes pareceu que aquilo estava tão sólido, de pedra como tudo era, que Roma jamais poderia ter fim.

— Que vontade de conhecer a Roma daqueles tempos! — exclamou Pedrinho.

— Você encontraria uma grande praça central, chamada Fórum, na qual gente vinda de todas as partes trazia toda sorte de coisas para vender. Em redor do Fórum erguiam-se templos, cortes de justiça, edifícios públicos, termas ou banhos.

Uma das novidades de Roma eram os arcos de triunfo, erguidos em várias ocasiões para comemorar as grandes vitórias. Os heróis que voltavam com as suas tropas vencedoras desfilavam através desses arcos.

O Circo Máximo era um estádio tão grande que podia abrigar duzentos mil espectadores. Foi demolido por Augusto a fim de abrir espaço para as novas construções.

— Não era o tal Coliseu, vovó?

— Não. O Coliseu foi construído alguns anos depois da morte de Augusto. Também imenso, como ainda podemos ver das ruínas que restam. Os viajantes que visitam essas ruínas sentam-se nos mesmos assentos onde se sentaram os césares, e ainda podem ver nas lajes manchas de sangue dos homens e animais que ali perderam a vida para regalo do povo.

— Está aí uma coisa que não me escapará, — disse Pedrinho. — Hei de passar um dia inteiro no Coliseu, quando crescer, para recordar as terríveis cenas ali passadas.

— Esse tempo de Augusto constituiu o apogeu de Roma, isto é, o ponto mais alto da sua grandeza. Até nas artes e nas letras nunca houve tantos nomes notáveis. Basta citar dois poetas que vocês hão de ler um dia — Horácio e Virgílio. Horácio compôs uns versos chamados odes, que ficaram sendo os modelos do gênero; e Virgílio escreveu um poema épico chamado **Eneida**, onde conta a história do troiano Eneias, remotíssimo antepassado de Rômulo e Remo, os fundadores de Roma. São esses os dois maiores poetas romanos.

Quando Augusto morreu foram-lhe erguidos templos onde era adorado como deus pelo muito que havia feito pela pátria. Seu nome entrou no calendário para designar o mês que ainda hoje nós chamamos Agosto; que os ingleses chamam August; os franceses Août; os espanhóis, Agosto; os italianos, Agosto e os alemães August — tudo formas do nome de Augusto.

— O chá está na mesa, — veio dizer Tia Nastácia.

Capítulo XXXV
J.N.R.J

No dia seguinte Dona Benta pulou de Augusto para Jesus Cristo.

— Augusto, — disse ela, — tinha sido o Senhor do Mundo. Havia encontrado uma Roma de tijolo e deixado uma Roma de mármore. Teve seu nome num dos meses do ano. Por fim, depois de morto, foi considerado deus.

Parece impossível que um homem pudesse vir a ser mais, e, no entanto, um que seria bem mais já era menino de quatorze anos quando Augusto morreu. Chamava-se Jesus e nasceu numa pequenina cidade da Judeia, de nome Belém. Filho dum pobre carpinteiro, Jesus trabalhava com seu pai José no mesmo ofício. Só depois que chegou aos trinta anos é que saiu pelo mundo a espalhar as suas ideias.

— Que ideias eram, vovó? — perguntou Narizinho.

— Ideias novas, minha filha, ideias que viriam mudar completamente a situação do povo romano — isto é, da grande massa de povo que trabalhava e sofria. Jesus ensinou que todos os homens eram irmãos e deviam amar-se uns aos outros. Também ensinou aquela regra de ouro de Confúcio: "Não façais aos outros o que não quereis que vos façam".

Para alívio e consolo dos pobres escravos, cuja vida era um inferno de sofrimento, Jesus ensinou que havia outra vida, onde os bons seriam premiados e os maus castigados.

Os judeus pobres ouviram as palavras de Jesus e acreditaram nelas, ficando certos de que ele iria libertá-los do odioso jugo dos romanos. Mas já os judeus ricos e poderosos, bem como os sacerdotes, tiveram receio daquelas ideias, em tudo opostas ao que eles ensinavam e queriam que fosse. Começaram então a conspirar contra ele.

Quem por esse tempo governava a Judeia era um enviado de Roma, o Procônsul Pôncio Pilatos, sem ordem do qual era impossível aos sacerdotes se desembaraçarem de Jesus. Foram queixar-se a Pilatos. Inventaram que Jesus queria ser rei dos judeus. Chamado a explicar-se, Jesus declarou que quando falava em reino se referia ao reino dos céus, não a nenhum reino da terra — e Pilatos compreendeu que Jesus estava pregando uma nova religião, coisa de nenhuma importância para um romano.

— Por quê?

— Porque os romanos tinham tão pouco preferência por esta ou aquela religião, que chegaram a erguer o Panteão, onde se viam reunidos todos os deuses existentes no mundo. Ora, uma religião a mais não queria dizer coisa nenhuma. Pilatos não podia, portanto, condenar Jesus à morte por um crime que para ele não era crime. Mas a despeito de pensar assim quis agradar aos judeus ricos e entregou-lhes Jesus, dizendo: "Vocês são todos judeus e portanto lá se arrumem". Era o que os sacerdotes queriam. Reuniram-se e condenaram Jesus a morrer crucificado.

No período em que andou pregando pela terra, Jesus havia reunido doze discípulos, que viraram os apóstolos. Depois de sua morte, estes doze apóstolos espalharam-se pela terra, ensinando aos povos as coisas que Jesus lhes havia ensinado. Muita gente aceitou tais ideias, e assim começou a crescer o número de partidários de Cristo — ou cristãos.

Quando o número dos cristãos aumentou de modo a dar na vista, os romanos impressionaram-se, convencidos de que eles procuravam criar um novo império, rival do de Roma — e o período das perseguições teve começo. Os cristãos viram-se forçados a só se reunirem em lugares desertos ou em subterrâneos. Mesmo assim as ideias cristãs continuaram a espalhar-se. Por fim, criando coragem, os seus chefes puseram-se a pregar à plena luz do dia, sem medo nenhum.

Se eram presos mostravam a maior coragem e grande desamor pela vida. Sentiam até prazer em se sacrificarem pelas ideias de Jesus.

No primeiro século depois do nascimento de Cristo inúmeros cristãos foram condenados a mortes horríveis, em vista das denúncias dos traidores. Eram chamados mártires. O primeiro mártir foi um homem de nome Estêvão, apedrejado no ano 33 A. D.

— A. D.? Que quer dizer A. D., vovó? — perguntou Narizinho.

— Quer dizer em latim, **Annus Domini** — Ano do Senhor. O nosso calendário conta os anos a partir do nascimento de Cristo. O ano do seu nascimento é o ano UM. Os que ficam para trás contam como vocês já viram — ano tal A. C. ou Antes de Cristo. Os que ficam para diante contam "em seco"; exemplo: 1947 — ou então com essas duas letras adiante: 1947 A. D.

Um dos homens que fez Estêvão morrer apedrejado chamava-se Saulo. Era um romano como todos os outros, cheio de orgulho, que considerava os cristãos como inimigos de Roma e os perseguia cruelmente. Em certo momento de sua vida Saulo pensou melhor e viu que estava errado. Aceitou as lições de Cristo e com o nome de Paulo transformou-se no seu maior campeão.

— É São Paulo?

— Sim. Paulo passou a pregar a religião de Cristo com o mesmo ardor e entusiasmo com que antes a havia perseguido — e acabou também condenado à morte. Como fosse cidadão romano, sua morte não podia ser na cruz. Gozaria do privilégio de ser decapitado — e foi decapitado. Depois de morto passou a ser um dos grandes santos do cristianismo. São Paulo e S. Pedro foram os mais notáveis cristãos desse período.

    A Pedro, que era um dos doze apóstolos, Jesus havia dito: "Eu darei a ti as chaves do reino do céu", que era o mesmo que dizer que ele seria uma espécie de seu sucessor na terra. Pedro foi lançado à prisão e condenado à morte na cruz. No momento do suplício — pediu que o pregassem de cabeça para baixo, pois não merecia a honra de receber morte igual à de Cristo. No lugar onde Pedro foi crucificado ergueu-se mais tarde a maior igreja cristã do mundo — a Catedral de S. Pedro de Roma.

    — E que significam aquelas letras que aparecem no alto da cruz de Jesus Cristo — J. N. R. J.?

    — Significam Jesus de Nazaré Rei dos Judeus. Os homens que o fizeram morrer na cruz acusavam-no de querer ser rei da Judeia e puseram aquela inscrição por ironia.

Capítulo XXXVI
O MONSTRUOSO NERO

— Como há gente ruim no mundo! — exclamou Narizinho. — Essa morte de Cristo, como a de Sócrates e a dos Gracos, até desanima a gente... Os verdadeiramente bons nunca são perdoados. Parece que o maior crime que existe é ser bom...

    — Por isso é que eu gosto das minhocas, — disse Emília. — Essas coitadinhas nunca deram cicuta a nenhum Sócrates de duas cabeças, nem crucificaram ninguém...

    — Como há gente má no mundo! — repetiu Narizinho, suspirando.

    — Se há! — emendou Dona Benta. — Mas o grande perigo é ficarem os maus em situação de poder ser maus à vontade, como aconteceu ao imperador romano que veio alguns anos depois do grande Augusto. Chamava-se Nero, essa bisca.

    — Ui! — exclamou Narizinho, que já conhecia alguma coisa da vida de Nero. — Só de lhe ouvir o nome já sinto um arrepio pelo corpo...

    — Nero foi mesmo uma ruindade completa, — continuou Dona Benta. — Matou a própria mãe. Matou sua mulher. Matou seu mestre, o velho filósofo Sêneca. Matou S. Pedro e S. Paulo. Incendiou Roma. Não há crueldade que esse diabo não tenha feito.

    O sofrimento dos outros causava-lhe prazer. Com que gosto ia ao circo assistir ao espetáculo das feras estraçalhando pobres criaturas humanas! O fato de um homem ser cristão era o bastante para que Nero o torturasse da maneira mais horrível. Deu uma festa em palácio, durante a qual iluminou os jardins com tochas vivas. Sabem o que eram as tais tochas vivas? Cristãos untados de graxa e amarrados em espeques. Foram acesos como se acendem archotes...

    — Ah! Um diabo desses é que merecia ser empalado num pau bem pontudo! — desabafou Emília.

    — Não havia crueldade que lhe bastasse, — continuou Dona Benta. — Para distrair-se mandou incendiar a cidade e enquanto a gigantesca Roma ardia ficou de harpa em punho, gozando o quadro ao som de músicas por ele mesmo compostas. O incêndio durou uma semana e destruiu metade de Roma. Foi aí que a malvadez de Nero chegou ao apogeu. Ele mesmo ordenou o incêndio e depois, sabem o que fez? — pôs a culpa nos cristãos!

— Que horror, vovó! Como pode uma criatura ser má assim?... — exclamou a menina, horrorizada.

— Pôs a culpa nos pobres cristãos a fim de persegui-los com maior ferocidade ainda.

— Quem sabe se não era um louco, vovó?

— Devia ser. Só a loucura pode explicar muitos atos de sua vida. Certa vez mandou construir um imenso palácio, forrado extravagantemente de ouro e madrepérola, tendo na entrada uma colossal estátua de si próprio, de dezessete metros de altura.

— De madrepérola também? — perguntou Emília ingenuamente.

— De bronze, que é sempre o material preferido para as estátuas que ficam ao ar livre. Esse palácio chamava-se a Casa de Ouro de Nero. Numa das invasões que Roma sofreu mais tarde, a estátua e o palácio foram arrasados, bem como a maioria dos monumentos existentes. O Coliseu, ou Colosseum, construído alguns anos depois, dizem que teve esse nome por causa da tal colossal estátua de Nero, que havia sido mudada para lá.

Nero tinha todos os defeitos, e entre eles o de uma vaidade sem conta. Imaginava-se grande poeta e grande cantor, gostando de recitar e cantar para os outros ouvirem. E ai de quem não abrisse a boca de admiração! Era o mesmo que condenar-se à morte.

Tais fez, que o povo romano, cansado de aturá-lo, decidiu dar o basta. Quando Nero percebeu que estava perdido, quis suicidar-se. Mas onde a coragem para isso? Não tinha. Era covarde, como em geral todos os homens ruins. Entretanto tinha de matar-se antes que os conspiradores, que já vinham perto, o matassem. Nero encostou o peito à ponta duma espada e tremeu, sem ânimo de enterrar-se nela. Um escravo, a seu lado, impacientou-se e prestou aquele grande serviço à humanidade: meteu-lhe a espada no peito. Roma e o mundo respiraram. Dizem que suas últimas palavras foram: "Que grande artista o mundo vai perder!".

— Cachorro! — exclamou Pedrinho, indignado.

— Não insulte os cães, — protestou Narizinho. — Inda está para haver um cachorro que tenha feito um milésimo das ruindades desse monstro, não acha, vovó?

— Está claro que sim, minha filha. Nero conquistou o campeonato da maldade e parece que até agora não cedeu o lugar a ninguém.

Mas continuemos. Tempos depois, estando no poder o Imperador Vespasiano, os judeus cansaram-se da dominação romana e revoltaram-se. Vespasiano mandou contra eles um exército comandado pelo seu filho Tito. Os judeus entrincheiraram-se na cidade de Jerusalém, que era a sua capital, mas foram vencidos. Tito destruiu completamente a cidade, matando cerca de um milhão de judeus, e saqueou o grande templo que lá existia. Tudo quanto era de valor foi levado para Roma.

A fim de celebrar o grande acontecimento ergueu-se no Fórum um arco do triunfo, através do qual Tito passou com suas tropas vitoriosas. Uma das esculturas que ornavam esse arco representava Tito saindo de Jerusalém com os ornamentos do templo, entre os quais um candelabro de sete braços que era famoso. Esse candelabro, ou castiçal, anda hoje reproduzido por toda parte. Lembro-me muito bem dum que havia em casa do meu avô.

— Coitada de Jerusalém! — exclamou Pedrinho. — Quantas vezes destruída! Parece até formigueiro que a gente desmancha com o pé e as formigas reconstroem de novo...

— De fato, os judeus reconstruíram Jerusalém mais essa vez; grande número deles, entretanto, abandonou a Judeia e espalhou-se pelo mundo para nunca mais tornar. Hoje, os holandeses vivem na Holanda, os franceses vivem na França, os alemães vivem na Alemanha — mas os judeus vivem em toda parte.

Tito passou a ser imperador depois da morte de seu pai, e apesar do que tinha feito para os judeus foi considerado como as "Delícias do Gênero Humano". Adotara a mesma regra de conduta dos escoteiros de hoje: Fazer pelo menos uma coisa boa cada dia.

— Como se explica isso, vovó, que um homem bom assim tivesse sido tão cruel com os judeus?

— É que os judeus se tinham revoltado contra a autoridade de Roma — e para Roma o maior dos crimes consistia justamente nisso. Tratava-se da legítima defesa do império, ponto em que os romanos se mostravam implacáveis.

No tempo de Tito aconteceu um desastre célebre. Com certeza vocês sabem o que é o Vesúvio...

— Sei! — gritou Emília, que acabava de entrar da cozinha onde estivera atropelando Tia Nastácia. — Vesúvio quer dizer: Tu **vês**, mas o u já **vio**.

Todos se entreolharam, sem no primeiro instante compreenderem aquela famosa asneirinha. Em seguida deixaram-na a explicar a charada ao Visconde e voltaram à história do Vesúvio.

— Pois é, — disse Dona Benta. — Há na Itália um vulcão chamado Vesúvio, que vive fumegando e de tempos em tempos dá uns horríveis estouros e vomita fogo, cinza e lava, isto é, pedra derretida. Quando o Vesúvio faz isso, diz-se que está em erupção.

No tempo de Tito existia perto do Vesúvio uma cidade chamada Pompeia, que estava para Roma como Petrópolis está para o Rio de Janeiro. Os romanos ricos tinham lá vilas, onde costumavam passar temporadas. Um belo dia, logo depois que Tito subiu ao poder, o Vesúvio começou de súbito a deitar fogo e cinza com enorme fúria, sem dar à gente de Pompeia tempo de fugir. Foram todos asfixiados pelos gases venenosos, e depois soterrados pela chuva de cinzas ardentes. Povo e casas — tudo ficou completamente recoberto, de modo a ser impossível adivinhar que uma cidade tivesse existido ali.

A violência do Vesúvio, porém, sossegou, e com o passar do tempo o povo esqueceu a grande tragédia; mas esqueceu-se de tal forma que séculos mais tarde — quase dois mil anos depois! — tratou de erguer no mesmo ponto outra cidadezinha. Estava um homem a cavar o chão para um poço, quando deu com uma munheca humana.

— Mão de carne e osso?

— Mão de estátua. A notícia logo se espalhou e todos se puseram a cavar a misteriosa terra. Encontraram mais coisas. Cavaram mais. Mais. Mais. O governo veio escavar também — e a extinta cidade de Pompeia foi completamente desenterrada, tornando-se uma das coisas mais curiosas existentes no mundo.

— Que interessante, vovó, visitar uma cidade que esteve enterrada durante quase dois mil anos! — exclamou Pedrinho. — Abençoado Vesúvio! Se não fosse ele, não teríamos jeito de saber como era uma cidade antiga. Só sinto que em vez de Pompeia não ficasse enterrada Nínive, ou Babilônia, ou Roma. Isso é que seria negócio.

— Mas que se vê nessa Pompeia desenterrada, vovó? — quis saber a menina.

— Oh! tanta coisa... Casas perfeitinhas, as tais onde os romanos ricos vinham passar temporadas. Lojas, templos, palácios, banhos públicos. Teatros e o mercado — ou Fórum, como eles dizem. As ruas mostram o calçamento antigo, feito de largas pedras, ainda com os sinais deixados pelas rodas dos carros. O assoalho das casas é de mosaico, todo feito de pedrinhas coloridas, formando desenhos.

No vestíbulo duma das casas desenterradas pode-se ver um mosaico representando um cachorro. Embaixo está escrito: **Cave canem**. "Cuidado com o cachorro!"

Quer isso dizer que até uma brincadeira feita há quase dois mil anos, lá ao pé do Vesúvio, se tornou nossa conhecida!

Ossos dos que morreram no desastre; corpos petrificados, ainda em posição indicativa do terror dos últimos momentos; joias e ornatos usados pelas mulheres; vasos e enfeites caseiros; lâmpadas, panelas e pratos — tudo conservado! O mais notável, porém, foi o encontro em certa casa dum prato de bolos em cima da mesa e dum pedaço de pão meio comido; nessa mesma casa, mais isto: carne preparada para ir ao fogo, caldeirão ainda com cinzas embaixo, feijão e ervilhas — e ainda — imaginem! — um ovo perfeitinho!...

— Um ovo? — repetiu a menina. Oh, com certeza é o ovo mais velho do mundo!

— E chocaram esse ovo? — perguntou Emília.

Dona Benta mandou que Tia Nastácia a levasse para a cozinha. Aquilo também era demais...

Capítulo XXXVII
UM BOM IMPERADOR E UM MAU FILHO

Naquele dia, antes que Dona Benta recomeçasse a contar a história do mundo, Pedrinho esteve a ler um artigo de jornal em que encontrou uma palavra desconhecida. A frase era assim: "... e o pobre homem a tudo resistiu estoicamente." **Estoicamente**, que quererá dizer isto? — perguntou ele a Narizinho, que ia entrando. A menina também não sabia.

— Só vovó sabe, Pedrinho. Vovó é um colosso! Não há o que não saiba.

Nisto entrou Dona Benta, que ia continuar a sua história do mundo.

— Antes de mais nada, vovó, — gritou Pedrinho, — quero que me diga o que é estoicamente. Estou engasgado com essa palavra, que li no jornal.

Dona Benta sentou-se na sua cadeirinha de pernas serradas e disse:

— Havia em Atenas um filósofo de nome Zeno...

— Espere, vovó! — interrompeu o menino. — A senhora esqueceu-se de responder à minha pergunta.

— Vai ver que desta vez ela não sabe, — cochichou Emília ao ouvido do Visconde. — Não sabe e está disfarçando com o tal Zeno...

Mas Dona Benta sabia, e sabia tão bem que desejava começar do princípio. Assim foi que disse:

— Estou respondendo, sim, Pedrinho. Mas para ser bem compreendida tenho de dar um pulo até Atenas e pegar esse filósofo. Zeno pregava uma teoria interessante. Dizia que o meio de sermos felizes neste mundo é não procurarmos os prazeres e aceitarmos com a mesma cara tudo o que vier, agradável ou não. Os homens que seguiam essa filosofia tinham o nome de estoicos. Esses **estoicos** praticavam o estoicismo, e foi do **estoicismo** que saiu o advérbio **estoicamente** — isto é, de modo estoico.

— Ah, compreendo agora! — disse Pedrinho. "... e o homem a tudo resistiu estoicamente", quer dizer que o pobre homem não ligava importância ao que lhe acontecia de mau. Compreendo. Continue, vovó.

— Pois essa filosofia de Zeno ficou muito na moda e teve entre os seus seguidores um grande homem — o Imperador Marco Aurélio. Isto se passou um século depois do reinado de Nero — e se este Nero foi o pior, Marco Aurélio foi o melhor de todos os imperadores romanos. Melhor de coração. Só há uma coisa que mancha a sua vida: ter deixado que no seu governo os cristãos continuassem perseguidos. Mas é necessário compreender que os romanos estavam mais que certos de que os cristãos eram inimigos do império. Isto explica o fato de imperadores de bons sentimentos, como este Marco Aurélio, consentirem nas perseguições.

— Mas qual era, afinal de contas, a religião dos romanos, vovó?

— Os romanos viram tantas religiões pelo mundo que ficaram atrapalhados e acabaram não seguindo nenhuma — ou antes, acabaram seguindo a de Cristo, mais tarde. Os seus deuses oficiais eram os mesmos deuses gregos, Júpiter, Juno, etc. Mas não tinham grande fé neles, conservando-os por força do hábito, e também "por via das dúvidas". Também "por via das dúvidas" os romanos passaram a respeitar quantos deuses havia pelo mundo, e para honrá-los erigiram aquele Panteão. A filosofia tinha para os romanos muito mais importância do que a religião. Cada homem seguia os ensinamentos dum certo filósofo. Uns acompanhavam aquele Zeno; outros acompanhavam outro também muito em moda, chamado Epicuro. Zeno pregava a indiferença a respeito de tudo, fosse prazer ou dor. Epicuro ensinava que na vida só devemos procurar o prazer.

— Estou com este filósofo, — disse Pedrinho. — Não vejo razão para a gente procurar o que não dá prazer.

— Perfeitamente, meu filho. Está certo. Mas cumpre distinguir o que é prazer. Há os prazeres que fazem bem à gente e aos outros; e há os prazeres que acabam fazendo mal à gente e aos outros. A sabedoria da vida está em separar estas duas espécies de prazeres. Epicuro, que foi um filósofo notável, queria que só procurássemos o prazer útil, o prazer de boa qualidade. Muita gente ruim, porém, faz quanta patifaria há e diz-se epicurista. O pobre Epicuro nada tem que ver com tais epicuristas. Mas, voltando ao meu assunto, Marco Aurélio foi o maior dos estoicos, um verdadeiro filósofo que os acasos da vida puseram no governo do mundo. Lembra Acbar, o famoso imperador da velha Índia. Quando estava com o seu exército em campanha, nunca esquecia de ter consigo a mesa de escrever, os pergaminhos, a pena e a tinta.

— Pergaminhos?...

— Sim, naquele tempo ainda não havia papel, de modo que a escrita era feita em pele de carneiro, bem curtida e muito alva a que chamavam pergaminho. Nos intervalos dos seus deveres de general, Marco Aurélio vinha para sua mesa, escrever pensamentos. A coleção desses pensamentos forma uma obra muito notável, hoje traduzida em todas as línguas — **Meditações**.

Um dos seus preceitos era o perdão dos inimigos, e parece que Marco Aurélio tinha até prazer em criar inimigos só para depois perdoá-los. Tudo quanto Cristo pregou, Marco Aurélio praticou — embora não fosse cristão. Nenhum dos imperadores cristãos que vieram mais tarde valeu em virtudes este pagão que perseguia os cristãos.

Pois bem, Marco Aurélio, que foi o que foi, teve como sucessor uma verdadeira peste chamada Cômodo — seu filho! Parece que as lições de moral do pai o aborreceram tanto na meninice que ele jurou fazer tudo pelo contrário, logo que fosse imperador. O pai tinha sido um estoico? Muito bem. Ele seria um epicurista — mas epicurista no mau sentido, dos que só procuram os prazeres perversos. Enquanto governou, Cômodo só fez o que lhe deu na cabeça, sem o mínimo respeito por coisa nenhuma. Só cuidava de si e dos seus prazeres, por mais desastrosos que fossem para os outros.

Era um verdadeiro atleta, de belos músculos e belo rosto — e tudo tinha de girar em torno da sua beleza física. Numa estátua colossal fez-se esculpir tão forte e musculoso como Hércules, e obrigou o povo a adorar a estátua.

Também tomava parte nos campeonatos de luta, ganhando sempre. Quem ousaria vencê-lo? Se ele mandava envenenar os que apenas o criticavam, imaginem o que não faria para quem o batesse na luta! Mas afinal foi vencido na luta — e não de brincadeira. Um lutador pilhou-o de jeito, agarrou-o e estrangulou-o, bem estrangulado.

— Toma! — exclamou Narizinho, que sempre se regozijava com o mau fim dos déspotas. — Vou botar o retrato desse lutador na parede do meu quarto. Limpou o mundo duma bisca...

Emília piou: "Que coisa incômoda para um império ser 'comodamente' governado!..."

Capítulo XXXVIII
IN HOC SIGNO VINCES

— Depois que Jesus Cristo foi crucificado, — continuou Dona Benta, — todos quantos seguiam sua doutrina — isto é, todos os cristãos — passaram a ser cruelmente tratados — isto é, perseguidos. Perseguidos, punidos e mortos só por essa causa — serem cristãos. Uns eram chibatados; outros, apedrejados; outros, despedaçados; outros, queimados vivos; outros, lançados às feras. Mas, apesar do horror dessas perseguições, o número de cristãos aumentava sempre. A morte não lhes metia medo, porque acreditavam em outra vida, lá no céu, muito melhor do que a que tinham na terra. Tal estado de coisas durou até que tomasse conta do poder o primeiro imperador cristão, lá pelo ano 300. Chamava-se Constantino.

— Nasceu cristão ou virou cristão, como aquele Paulo?

— No começo não era cristão. Adotava por força do hábito os mesmos deuses antigos, Júpiter, Marte, etc., aos quais parece que não dava muita importância. Mas tudo mudou depois de certa batalha. Antes de começar a luta Constantino teve um sonho no qual viu no céu uma cruz luminosa com estas palavras em latim: **In Hoc Signo Vinces**, o que queria dizer: "Com este signo vencerás". Aquilo o impressionou tanto que Constantino resolveu fazer uma experiência. Mandou que os soldados conduzissem como insígnia ou bandeira uma cruz — e a batalha foi ganha. Imediatamente Constantino fez-se cristão e transformou o Império Romano num império cristão — coisa fácil, dado o enorme número de cristãos já existentes.

Para celebrar a vitória de Constantino, o Senado Romano decretou a construção dum arco de triunfo no Fórum, como havia feito para Tito. Por ele passou o primeiro imperador cristão ao regressar a Roma.

A mãe de Constantino, que se chamava Helena, acabou santa — Santa Helena. Foi das primeiras que adotaram a religião cristã, depois da volta do filho. Seu natural piedoso a fez abandonar a vida da corte para dedicar-se a obras religiosas. Construiu uma igreja em Belém e outra no Monte das Oliveiras, lugar onde Cristo esteve com os apóstolos pela última vez. Dizem que de passagem por Jerusalém, Helena encontrou a cruz em que Jesus havia sido pregado três séculos antes, e que mandou para Roma um pedaço dela.

Também Constantino construiu muitas igrejas, uma das quais no lugar onde o apóstolo Pedro tinha sido crucificado.

Esta igreja foi mais tarde demolida para abrir espaço à Catedral de S. Pedro de Roma, que, como vocês sabem, é a maior igreja do mundo.

Constantino não gostava de Roma. Preferia viver numa cidade chamada Bizâncio, e acabou mudando-se para lá e dela fazendo a capital do império com o nome de Constantinopla ou cidade de Constantino.

— Isso sei eu, — disse Pedrinho. — Como sei também que Petrópolis, Florianópolis, Higienópolis, Anápolis, querem dizer cidade de Pedro...

— De Pedro não, — protestou Emília. — De Petro!...

— Pedrinho está certo, — disse Dona Benta. — Pétrus é a forma latina do nome Pedro.

O menino continuou:

— ... cidade de Floriano, cidade da Higiene, cidade de Ana.

— Ana Bolena? — perguntou Emília.

Narizinho gritou para Tia Nastácia que levasse a boneca para a cozinha, pois caso contrário a história de Constantino não poderia continuar. Dona Benta prosseguiu:

— Depois que Constantino mudou de crença, tudo mudou para os cristãos, como era natural. Foi como aqui na vila quando o partido oposicionista ganhou a eleição e tomou conta da câmara. Quem iria dar as cartas, mandar dali por diante, seriam eles. Mas surgiram logo brigas, porque um queria que as coisas da religião fossem dum jeito e outros queriam que fossem de outro jeito. O ponto mais grave da divergência: resolver se Jesus Cristo era igual a Deus ou não.

Constantino fez uma coisa. Convidou a todos os que estavam discutindo aqueles assuntos para uma grande reunião, ou concílio, na cidade de Niceia. "Agora discutam e assentem duma vez o que é e o que não é. O que a maioria decidir, ficará sendo." O concílio decidiu então que Cristo era igual a Deus. Também fez um resumo das principais coisas que um cristão deve crer, e esse resumo foi o Credo, que desde então todos aprendem de cor e repetem diariamente. Credo quer dizer — eu creio.

— Creio em Deus Padre todo-poderoso, senhor do céu e da terra... — murmurou Tia Nastácia, que havia entrado na sala para recolher Emília.

— Estão vendo? — disse Dona Benta. — Até Tia Nastácia, que é uma pobre negra analfabeta, sabe de cor o Credo de Niceia, isto é, o resumo da religião cristã feito pelo concílio lá reunido no ano 325, ou sejam 1621 anos antes deste ano de 1947 em que estamos hoje...

O concílio de Niceia também escolheu um dia da semana para ser dedicado à adoração de Deus. Foi assim que nasceu o domingo.

— Não havia então domingos antigamente, vovó? — perguntou a menina, muito admirada.

— Não. Em Roma todos os dias da semana eram iguais.

— Credo! Que coisa sem graça não devia ser! — murmurou Tia Nastácia, retirando-se para a cozinha com a boneca no bolso do avental.

Todos se riram. A pobre negra vivia dizendo: "Credo! Credo!" sem saber que usava essa exclamação por causa dum imperador romano chamado Constantino que havia reunido os principais chefes cristãos na cidade de Niceia no ano 325! ...

— Constantino, — continuou Dona Benta — foi o chefe do Império Romano só numa parte — a parte governo. Na parte espiritual ficou sendo chefe o bispo de Roma, com o nome de papa, ou Pai dos Cristãos. Por muitos séculos o chefe de todos os cristãos foi o papa. Era ele quem decidia tudo. Depois houve briga e formaram-se dois partidos, um que continuou a ter como chefe o papa e outro que ficou sem chefe. Os cristãos do primeiro grupo são os Católicos e os do segundo grupo são os Protestantes.

— Que interessante! — exclamou Pedrinho. — Está aí uma coisa que eu vivia querendo saber...

Capítulo XXXIX
Os bárbaros

— Mas o Império Romano, — continuou Dona Benta, — ia ter fim, porque tudo neste mundo tem começo, meio e fim. Já havia crescido demais e estava envelhecendo. Ia morrer.

— Os impérios então morrem, como gente, vovó? — perguntou Narizinho.

— Morrem dum modo especial. Espedaçam-se, e cada fragmento vira um país independente. A maior parte dos países modernos — a Inglaterra, a Alemanha, a França, a Espanha, a Itália, Portugal, etc., são pedaços do Império Romano que ficaram autônomos e tomaram o seu caminho na vida.

— E como foi que o Império Romano se despedaçou?

— Foi despedaçado pelos Bárbaros. Bárbaros eram chamados todos os povos não pertencentes aos grupos formados nas costas do Mar Mediterrâneo. Para que vocês compreendam o que eram os bárbaros vou contar a coisa como está explicada no livro de Mr. Hillyer. Diz ele que em sua meninice havia um bando de moleques que moravam atrás do gasômetro da cidade. Moleques esfarrapados, sempre sujos, que nunca estiveram em escola; mas terríveis para brigar. O chefe chamava-se Mug Mike, um nome que apavorava a meninada. De vez em quando Mug Mike invadia o bairro com o seu bando para fazer estragos — quebrar vidros de vidraças, dar surras nos meninos que vinham da escola, desafiar os soldados de polícia, etc. Diz ele que certa vez caiu na asneira de engalfinhar-se com o bando de Mug Mike — e apanhou tal sova que daí por diante bastava ouvir aquele nome para encolher-se todo.

— Lá na cidade também havia um menino assim — um tal Zé da Luz. Que peste, vovó! A senhora nem imagina. Até faca de ponta ele usava. Um dia chegou a dar em dois soldados — e até feriu um na barriga.

— Pois durante séculos, — continuou Dona Benta, pelas beiradas do Império Romano existiram Mugs Mikes e Zés da Luz em bandos enormes. Volta e meia atravessavam as fronteiras e vinham fazer estropelias nas províncias romanas — roubar, saquear cidades, matar. Isso obrigava os romanos a uma eterna vigilância. Júlio César, por exemplo, passou uma época de sua vida lutando e derrotando esses bárbaros invasores, que eram chamados Teutões, em geral.

Tinham cabelos louros e olhos azuis. Os romanos e todos os povos do Mar Mediterrâneo tinham cabelos pretos e olhos escuros; eram morenos, em suma. Vocês dois são morenos. Quer dizer que descendem da gente do Mediterrâneo. Já a Berta, filha do João Melado, é de olhos azuis e loura...

— Loura, vovó? Cabelo branco, de boneca, isso sim! "Melada" é o que Berta é.

— ... portanto, descende dos teutões. O verdadeiro nome de João Melado é João Muller; o povo pôs-lhe o apelido de Melado justamente porque ele tem a pele e os cabelos daquela cor.

Mas os teutões eram terríveis. Usavam peles de animais em vez de roupas de pano e viviam em palhoças como os índios. No entanto pertenciam à raça ariana, que se julga a melhor de todas. As suas mulheres plantavam, criavam animais — vacas e cavalos. Os homens dedicavam-se à caça e a certos ofícios ligados com a guerra, como por exemplo, o de ferreiro. Praticavam nesse ofício para terem armas — espadas, lanças e o mais. Era tão importante entre os teutões ser ferreiro, que a palavra ficou um dos nomes mais usados para batizar gente: João Ferreiro, Pedro Ferreiro, Henrique Ferreiro, Ernesto ou Carlos Ferreiro. Na língua deles ferreiro é **smith**, e por isso ainda hoje há tantos **Smiths** e **Schmidts** na Inglaterra e na Alemanha.

Na guerra os teutões usavam, em vez de capacetes, cabeças de animais — cabeças de lobos, de urso ou de touro com chifre e tudo. Isso para ficarem com o aspecto ainda mais feroz e assim meterem medo aos inimigos.

A maior virtude para os teutões consistia na **bravura**. Um homem podia ter todas as más qualidades — mentir, furtar, ser assassino — mas se era um bravo na guerra, estava perdoado e posto na classe dos homens bons.

Rei não tinham. Costumavam eleger, ou escolher um chefe, que devia ser sempre o mais bravo de todos. Esse chefe, porém, não tinha o direito de passar o poder para os filhos, como acontece com os reis. E isso era muito certo, porque o filho do mais bravo dos homens pode sair o mais poltrão de todos — e com que direito um poltrão governa um povo?

Tudo neles variava dos romanos. Os deuses, por exemplo, nada tinham que ver com os deuses da Grécia e de Roma, ou de qualquer outro povo do Mediterrâneo. Adoravam um feroz deus da guerra, chamado Woden, que era também o deus dos céus, uma espécie de Júpiter misturado com Marte. Woden vivia num maravilhoso palácio, lá em cima no azul, chamado Valhala. Além de Woden havia deuses menores como Thor, deus do trovão e do raio. Thor andava armado do malho com o qual venceu os enormes gigantes que viviam perto dos polos, nas regiões sempre geladas. Outro deus era Tiu e outro Freya. Pelo menos para uma coisa esses deuses serviram: dar nome aos dias da semana nas línguas teutônicas. Quarta-feira, em inglês, por exemplo, é **Wednesday**, que quer dizer dia de Woden. Quinta-feira é **Thursday**, ou dia de Thor.

— Thur ou Thor, vovó? — quis saber Narizinho.

— No começo era Thor, depois ficou Thur, por isso no começo dizia-se **Thorsday**. As palavras de todas as línguas vão mudando sempre. Tomemos as palavras "Nariz" e "Pedro." No tempo dos romanos, nariz era **násus** e Pedro era **Pétrus**. Mudaram ou foram mudando lentamente. No futuro é possível que em vez de nariz se diga **naiz**. Um dia havemos de conversar sobre esta contínua mudança das palavras que é assunto muito interessante. Agora temos de voltar aos teutões, porque eles têm muita importância na história do mundo.

— Por que, vovó? Uns bárbaros dessa ordem...

— Oh, porque foi deles que saíram os principais povos modernos — os ingleses, os franceses e os alemães. Eram bárbaros, selvagíssimos, mas possuíam inteligência e muita capacidade para aprender coisas depressa.

Lá pelo ano 400 começaram a inquietar seriamente os romanos com as suas invasões. Invadiram, por exemplo, a Britânia, aquela província que Júlio César havia conquistado — e lá ficaram para sempre. Os romanos acharam melhor retirar-se da Britânia e não mais pensaram nela. Esses teutões estavam divididos em numerosas tribos, cada qual com o seu nome. Os que se meteram na Britânia pertenciam à tribo dos Anglos. Daí ficar-se chamando esse país Angleland, terra dos anglos, ou como eles escrevem hoje: England. Nós em português dizemos Inglaterra, terra dos anglos.

Outra tribo de teutões, os Vândalos, invadiu a Gália e depois a Espanha, roubando, incendiando, destruindo tudo pelo caminho. De lá atravessaram o mar e foram para o norte da África. Tais estragos fizeram, que hoje a palavra "vândalo" é usada como sinônimo de destruidor.

— Então Rabicó é um vândalo, porque outro dia entrou na horta e comeu todo o canteiro de alface, — sugeriu a menina.

Dona Benta riu-se.

— Não, minha filha, Rabicó não passa dum porquinho de bom apetite — e de bom gosto, porque alface é um excelente vegetal, com várias vitaminas. Seria um vândalo se entrasse aqui na sala e me quebrasse os vasos e a mobília, tudo revirando de pernas para o ar. Então sim...

— Pipoca! Pipoca! — berrou lá na cozinha Tia Nastácia — e naquela noite ninguém mais quis saber dos teutões.

Capítulo XL
OS BÁRBAROS AMARELOS

— Os teutões eram bárbaros, mas de sangue ariano, ou brancos, — disse Dona Benta no dia seguinte. — Havia outros bárbaros ainda mais bárbaros do que eles, porém amarelos, de sangue mongólico. Chamavam-se Hunos, e iam por sua vez devastar a Europa. Donde vinham, ninguém sabia. Vinham das florestas de Leste, regiões inteiramente desconhecidas.

Tão terríveis lutadores se revelaram estes hunos, que até os teutões lhes tinham medo — e se estavam a invadir as províncias do Império Romano era para se afastarem dos hunos. Julgavam preferível bater-se contra os romanos a bater-se contra os amarelos.

— Hunos! — exclamou Pedrinho. — Essa palavra ainda nos arrepia hoje...

— Se arrepia hoje, imagine naquele tempo! Mais pareciam bichos ferozes do que gente. Vestidos de peles, nômades, montados em cavalinhos muito feios mas de extraordinária resistência, armados de arcos, formavam uma imensa multidão, que de repente aparecia como verdadeira nuvem de gafanhotos. Atrás daquela infinidade de cavaleiros vinham os carros com as mulheres e crianças. Esses carros eram suas casas. Os hunos entravam num país, devastavam tudo e ficavam vivendo nele até que não houvesse mais nada para roer. Depois tocavam para diante.

— Exatinho como os gafanhotos!

— Comandava-os um chefe de grande valor — Átila — que havia sido educado em Roma, onde aprendera muita coisa necessária à guerra. Guiados por Átila, os hunos tornaram-se poderosíssimos e foram levando de vencida os teutões e os romanos até às Gálias. Neste país deu-se a famosa batalha de Chalons, no ano 451. Teutões e romanos combateram desesperadamente — e pela primeira vez conseguiram derrotar o chefe huno. Átila, forçado a desistir da sua marcha para a frente, voltou às regiões desconhecidas donde havia vindo. Passou então vários anos a treinar os seus hunos na arte bélica de Roma, por ter verificado que a sua derrota em Chalons fora causada por falta de conveniente preparo militar. Átila, que tinha ódio aos romanos, jurara arrasar o Império.

Quando se sentiu preparado, invadiu a Itália e foi levando de vencida todas as forças romanas mandadas ao seu encontro. Uma por uma as cidades iam caindo em seu poder e dia a dia mais se aproximava de Roma.

— Impossível resistir. O imperador romano resolveu então negociar a paz e — pediu ao papa daquele tempo, Leão I, que se encarregasse de salvar o Império. O papa, com os seus cardeais e bispos, dirigiu-se, com todo o aparato, ao encontro do rei huno, que já estava bem perto da cidade. Tiveram uma conferência longa, os dois sozinhos, à beira dum rio. Terminada a conferência, Átila voltou para o seu acampamento e deu ao exército ordem de retirada. O papa voltou para Roma com a notícia de que tudo estava salvo.

— Que foi que eles combinaram?

— Ninguém sabe. Ficou sendo um mistério a conversa de Átila com o Papa Leão I. O que se sabe é que o Império Romano escapou por um triz de ter a cabeça cortada. Tomar a capital de um império é cortar-lhe a cabeça.

Mal havia Átila desaparecido da cena, vieram os vândalos, que depois da devastação das Gália e da Espanha tinham descido para o norte da África. Chegaram até Roma, que com a maior facilidade foi tomada e saqueada.

— Saqueada? — exclamou Pedrinho, admirado.

— Sim, aquela Roma que por séculos vivera do saque de cidades e da pilhagem de todos os países, foi por sua vez saqueada e pilhada. Os vândalos levaram tudo quanto quiseram.

Pobre Roma! Era o começo do fim. Tinha sido a campeã do mundo por muitos séculos, mas estava velha, reumática, enfraquecida pelos vícios e incapaz de resistir a ataques que nos bons tempos aguentaria brincando. Ia ser invadida por outros bárbaros e finalmente despedaçada por completo.

O último imperador romano chamou-se Romulus Augustulus — o mesmo nome do fundador da cidade, acrescentado de Augustulus, que queria dizer pequeno Augusto. Apesar da imponência desse nome, o coitado não pôde resistir ao assalto da gente do Zé da Luz daquele tempo. Era como um menino de família rica, criado no luxo dos palácios, que visse de súbito entrar pela sala adentro o terrível Zé armado de faca de ponta. O coitado só poderia fazer uma coisa — tremer de medo e sumir-se. Foi o que Romulus Augustulus fez. Tremeu e sumiu.

— Quando foi isso, vovó?

— No ano 476. O Império, que já estava dividido em dois — (o outro tinha como capital Constantinopla) — quebrou como um vaso de porcelana se quebra, e os chefes teutões ficaram donos dos pedaços. Desses pedaços nasceram todos os modernos países da Europa.

— E a outra metade do Império, a que tinha como capital Constantinopla?

— Essa iria ainda viver bastante tempo cerca de dez séculos. Mas era um pedaço muito menor, e de muito menor importância.

Esse ano de 476 foi considerado pelos historiadores como o fim da Idade Antiga. Ia começar a Idade Média, e depois da Idade Média teríamos a nossa, que é a Idade Moderna.

A Idade Antiga vem desde os tempos mais afastados até Romulus Augustulus. Durou, quantos séculos? Nem tem conta. Desde Menés, aquele rei do Egito que é o primeiro referido pela história. Durou, portanto, desde 4241 antes de Cristo até 476 depois de Cristo. Esse ano 4241 é a mais antiga data da história. Tudo somado dá...

— 4717 anos! — gritou Narizinho.

— Isto mesmo, — confirmou Dona Benta. Depois vieram os 700 e tantos anos da Idade Média, ou Idade Escura, como lhe chamam os ingleses. Essa idade escura durou até o fim da última cruzada, em 1270. Daí por diante temos a nossa era — a Idade Moderna.

— Por que chamam Idade Escura à Idade Média, vovó? — perguntou Pedrinho.

— Porque durante todo esse tempo os bárbaros e ignorantes teutões, gente que nem ler e escrever sabia, governaram a Europa — dominando povos que eram educados e haviam atingido uma alta civilização, como o grego e o romano. Imaginem vocês o estado a que ficaria reduzida uma grande escola superior, uma grande universidade, se fosse governada de maneira despótica por um bando de bugres do mato! Assim foi com a civilização ocidental durante cinco séculos.

Os bárbaros, porém, tinham inteligência e grandes qualidades naturais. Só não tinham cultura ou educação. Foram-se educando. Foram abandonando os seus deuses, tornaram-se cristãos e por fim viraram esses grandes povos modernos que hoje mandam no mundo.

Com a língua dos bárbaros aconteceu uma coisa curiosa. Eles tinham de aprender o latim para falar com os seus novos súditos, os romanos. Aprenderam mal aprendido, e disso nasceram diversas misturas de línguas bárbaras e latim. A mistura feita nas Gálias deu a língua francesa de hoje. A mistura feita em Espanha deu o espanhol. A mistura feita em Portugal deu o português.

— E na Bretanha, ou Inglaterra?

— Lá o latim não se havia ainda espalhado entre o povo, de modo que os anglos não misturaram a sua língua e continuaram a falar isso que é hoje o inglês. Também não mudaram de deuses. Continuaram com o Thor e Woden e os outros até o ano 600. Por esse tempo aconteceu um caso interessante, que até parece anedota.

— Conte, conte, vovó!

— Certa vez apareceram no mercado de escravos de Roma alguns rapazes ingleses de rara beleza. O papa os viu e perguntou quem eram.

— "São anglos", responderam-lhe.

— "Belos como anjos, isso sim, e merecedores de virarem cristãos", — disse o papa — e logo mandou para a terra dos anglos missionários que os convertessem. Não houve dificuldade. Os deuses antigos foram abandonados e a Inglaterra entrou para a lista dos países que seguem a religião de Cristo.

Capítulo XLI
NOITE ESCURA

— Lá pelo ano 500, — continuou Dona Benta, — a Europa ficou tal qual cidade com desarranjo na iluminação. Estava completamente às escuras. Os bárbaros, donos de tudo, não sabiam ler, não sabiam escrever — só sabiam lutar. Mas o pedaço do Império Romano que não fora destruído, e tinha como capital Constantinopla, esse continuava iluminado. O imperador de então, Justiniano, notou que havia leis demais no seu império, leis que estavam atrapalhando o povo, porque uma mandava fazer uma coisa e outra mandava fazer outra. Era preciso harmonizar aquilo.

Justiniano chamou vários jurisconsultos, isto é, homens que entendem muito de leis, e lhes deu ordem para que as arrumassem. Conseguiu assim botar em ordem todas as leis, de modo a não brigarem umas com as outras. Fez códigos. Código é isso — um conjunto de disposições legais sobre certo assunto. E tão bons e sábios ficaram os códigos de Justiniano que até hoje andam em uso.

Foi também Justiniano quem construiu a famosa Igreja de Santa Sofia, o mais belo monumento de Constantinopla. Essa igreja ainda existe, embora transformada em mesquita, que é o nome dado pelos maometanos aos seus templos.

— Quer dizer que os tais maometanos tomaram Constantinopla...

— Havemos de ver isso mais tarde. Tomaram, sim, e até hoje estão lá. Outra coisa muito importante que fez Justiniano foi o seguinte. Viajantes que tinham conseguido chegar até à China voltaram com histórias maravilhosas e também com objetos desconhecidos na Europa. Trouxeram, por exemplo, uns tecidos de deslumbrante beleza, feitos dum fiozinho finíssimo que certa lagarta produz. Era a seda. A gente da Europa, que jamais vira aquilo, abriu a boca. Ficaram todos assombrados com o mistério, a ponto de suporem, uns, que era tecido feito pelas fadas, e outros, que era coisa caída do céu. Justiniano conseguiu arranjar algumas daquelas preciosas lagartas tecedoras e fez criação, conseguindo assim introduzir a seda na Europa. Foi um acontecimento de grande importância para os países do ocidente.

— E fora do império de Justiniano, vovó?

— Fora, andavam os bárbaros teutões a governar como bárbaros podem governar. Mas por fim também se foram civilizando, embora levassem séculos nisso. Na França, por exemplo, que por ter sido apossada pela tribo dos Francos se chamou França em vez de Gália, quem governava, em certa época, era um Rei Clóvis, casado com uma Rainha Clotilde. Clóvis adorava os deuses **Woden**, Thor, **Tiu** e outros, mas Clotilde, que não tinha por eles grande simpatia, começou a prestar atenção no cristianismo. Estudou, viu bem como era e por fim se fez cristã, sendo batizada. Depois tratou de converter o marido. Certa vez em que Clóvis ia partir para a guerra, Clotilde o fez prometer virar cristão, caso vencesse. Clóvis venceu e cumpriu a palavra — também virou cristão, batizando-se e fazendo batizar todos os seus soldados. Foi este Clóvis quem transformou Paris em capital da França.

Mais ou menos por esse tempo a Inglaterra estava sendo governada pelo Rei Artur, sobre o qual correm muitas histórias maravilhosas. Uma delas se refere à espada Excalibur. Essa lâmina fora cravada fundo numa rocha, donde ninguém conseguia arrancá-la. Surgiu a crença de que o homem que a arrancasse da rocha seria rei da Inglaterra. Sabendo disso, Artur foi vê-la — e com a maior facilidade arrancou-a — e ficou rei da Inglaterra.

O Rei Artur reuniu na sua corte uma porção de fidalgos, que para discutir e beber se sentavam com ele em redor duma mesa-redonda. Daí vêm as famosas histórias dos Cavaleiros da Távola Redonda. Távola é o mesmo que mesa. Um dia hei de ler para vocês essas famosas aventuras do Rei Artur.

Capítulo XLII
OS MONGES DA IDADE MÉDIA

— E por que não agora? — perguntou Narizinho.

— Porque agora, minha filha, estou querendo falar dos monges da Idade Média, cujos bons serviços prestados à civilização merecem ser recordados.

A Europa estava o que pode estar uma terra onde só a valentia vale, porque os bárbaros que destruíram o Império Romano só queriam saber de valentias. A ignorância tornou-se pavorosa, — e a ignorância, como vocês sabem, traz consigo todos os males. A pior coisa do mundo é não saber. E eles não sabiam, porque não estudavam, não liam e nem sequer sabiam que é preciso saber. Por causa dessa ignorância grossa como o couro do Quindim, os séculos da Idade Média ficaram os mais feios da História, a ponto de serem considerados como a noite escura da humanidade. Só os monges se dedicavam a algum estudo; só eles liam e escreviam.

— Mas, afinal de contas, vovó, que vinha a ser um monge? — perguntou o menino.

— Eram homens que se retiravam do mundo para servirem a Deus lá do modo que imaginavam certo.

— E era certo o modo dos monges?

— Para eles era, desde que estavam convencidos disso. Para os teutões o certo era ser bravo. Para os atenienses o certo era cultivar a beleza. Para os estoicos o certo era não ligar importância a coisa nenhuma. Para os epicuristas o certo era cultivar o prazer. Para os mártires cristãos o certo era sofrer e morrer por Jesus Cristo. Foi desta ideia dos mártires que surgiram os monges. Estavam certos de que para bem servir a Jesus Cristo era preciso retirarem-se do convívio dos homens e viverem no deserto, ou num lugar isolado.

Um homem de nome Simeão Estilita, por exemplo, imaginou servir a Cristo dum modo muito especial. Subiu a uma pilastra de dezesseis metros de altura e nunca mais desceu. Viveu o resto da vida de cócoras no topo da pilastra, ao sol e à chuva, de dia e de noite, pelo verão e pelo inverno. Seus amigos e admiradores punham toda semana uma escada para lhe levar comida.

— E a polícia deixava, vovó? — exclamou a menina, surpresa.

— Tudo era diferente naqueles tempos, — explicou Dona Benta. — Hoje, de fato, se alguém quiser fazer isso numa praça pública, dá com os costados no hospício. Mas naquela época havia a ânsia de servir a Deus, e por mais estranho que pareça o modo escolhido por Simeão, era um modo como outro qualquer. Ninguém tinha o direito de intervir.

Mas esses homens que se retiravam do mundo para melhor servir a Jesus começaram a reunir-se em grupos e a formar uma sociedade muito especial. Nasceram assim os **mosteiros**, ou **abadias**, isto é, casas onde diversos monges se juntavam para viver em comum, debaixo da chefia dum deles — o abade.

No ano 529 um monge italiano, de nome Bento, imaginou que para bem servir a Cristo um homem não devia possuir dinheiro, nem coisa nenhuma, isso porque na Bíblia há uma passagem assim: "Se queres ser perfeito, vende tudo o que tens e dá o dinheiro aos pobres". Com esta ideia na cabeça, Bento formou uma ordem de monges obrigados a fazer três coisas: "Não ter dinheiro. Obedecer. Não casar". Esses monges chamaram-se — **beneditinos**.

— E houve gente que quis obrigar-se a isso? — perguntou Pedrinho, que planejava ser muito rico e casar-se com uma linda moça.

— Houve, e até hoje ainda há, porque até hoje existem beneditinos. Todos os que concordam em fazer as três coisas imaginadas por Bento vieram ter com ele e formaram a ordem.

Em regra os monges viviam em pequenas celas como as das prisões, e levavam a vida mais simples possível, rezando em horas certas e trabalhando noutras.

Alguns mosteiros foram erguidos em terrenos péssimos, que não serviam para coisa nenhuma — e justamente por isso haviam sido doados aos monges. Mas eles trabalharam de rijo, drenaram a terra, fizeram secar os brejos, araram, plantaram e transformaram esses maus terreiros em verdadeiros jardins, donde obtinham tudo quanto necessitavam para o sustento.

Esses homens assim retirados do mundo enchiam as horas de folga escrevendo ou copiando livros. Como ainda não fora inventada a imprensa, todos os livros tinham de ser feitos a mão, um por um. Às vezes vários monges escreviam enquanto um ditava. Esses livros, feitos em folhas de pergaminho, tinham o nome de **Manuscritos**, isto é, escritos à mão. Hoje valem muito dinheiro e andam guardados nas grandes bibliotecas das grandes cidades. Muitos eram ilustrados de lindos desenhos, com a primeira letra de cada capítulo toda floreada e as margens de cada página com ornatos de flores e pássaros — trabalho artístico que lhes vinha aumentar o valor. O serviço prestado à civilização pelos monges foi grande; sem eles, muitas das mais preciosas obras escritas pelos gregos e romanos estariam completamente perdidas.

Além dessas cópias os monges compunham livros contando o que se passava, e desse modo juntaram material que mais tarde muito serviu aos historiadores para escreverem a história da Europa. Não existindo jornais, como existem hoje, essas crônicas manuscritas dos acontecimentos da época adquiriram grande valor informativo.

Como eram os únicos que estudavam, os monges ficaram sendo os únicos homens educados desse período escuro da vida europeia. Só eles sabiam algumas ciências, e, portanto, só eles podiam ensiná-las aos que desejavam aprender. Os mosteiros faziam o papel das escolas superiores de hoje.

Também serviam de hospedarias aos viajantes, porque quem quer que pedisse pousada e comida era servido, pagasse ou não. Os monges ajudavam os pobres como podiam. Do mesmo modo socorriam os doentes que vinham até eles em procura de remédios ou conselhos. Não havendo hospitais, o serviço assim prestado era grande. O resultado foi que muita gente socorrida lhes fez mais tarde presentes de toda ordem. Inúmeros mosteiros ficaram desse modo riquíssimos, embora os monges continuassem com o mesmo voto de pobreza.

Só quem estuda por miúdo a história do horror que foi a Idade Média pode compreender a ação dos monges. Hoje tudo está mudado. Há escolas públicas. Há jornais e livros. Há hospitais. Há assistência aos pobres — e, portanto, a ação dos mosteiros e monges já não tem razão de ser. Mas naqueles tempos eram eles que faziam o papel da imprensa, da escola, do hospital e da assistência aos pobres. Foram, portanto, os mais úteis cidadãos da época. E dessa maneira serviram muito bem a Cristo, que tanto recomendou aos homens que se amassem uns aos outros.

— Coisa interessante a vida, vovó! — filosofou Pedrinho. — Eu, hoje, por nada no mundo seria monge, porque gosto da vida livre e do que é bom. Mas se vivesse naquele tempo, era bem capaz de ser monge. Parece que naqueles tempos eles estavam mais certos que os outros.

Nesse momento bateram na porta. Era um tropeiro que vinha falar com Dona Benta.

— Bom, — disse ela. — Fica o resto para amanhã. Tenho agora de combinar umas coisas aqui com este freguês...

Capítulo XLIII
O TOCADOR DE CAMELOS

No dia seguinte Dona Benta começou assim:

— Aquele tropeiro de ontem me fez lembrar a história dum famoso tocador de camelos.

Ao ouvir falar em camelos, Emília veio correndo sentar-se em seu lugarzinho. Bichos eram com ela!

— Tocador de camelos deve ser o mesmo que tropeiro de camelos, — disse Pedrinho.

— E é, — confirmou Dona Benta — e nunca houve um tropeiro que exercesse maior influência no mundo que o da história de hoje. Esse homem nasceu no século XI. Não era romano, nem grego, nem teutão, nem huno. Não era nem rei, nem general, nem papa, mas simplesmente um tocador de camelos. Lá nos países áridos, onde se usam camelos em vez de burros de tropa, há cameleiros, em vez de tropeiros. Esse cameleiro nasceu numa pequena cidade da Arábia chamada Meca.

— Já sei! — exclamou Pedrinho. — A senhora vai falar de Maomé.

— Exatamente. Esse Maomé devia ser um rapaz muito atrativo e insinuante, porque indo uma vez tocar uns camelos para uma rica dama árabe, deixou-a apaixonada por ele, e apesar de tratar-se duma dama rica e dum simples tropeirinho, acabaram casando-se. Depois disso Maomé largou os camelos e viveu no cômodo até à idade de quarenta anos.

Maomé tinha o hábito de ir frequentemente a uma certa gruta do deserto, perto da cidade, para estudar e pensar. Ele pensava muito...

— Devia então ser parente daquele papagaio que o caipira vendeu ao inglês, — disse Emília, referindo-se a uma anedota que ouvira contar dias antes. — Um papagaio que não falava, mas pensava muito...

Dona Benta prosseguiu:

— Um dia em que estava na gruta, Maomé dormiu e teve um sonho, no qual o Anjo Gabriel lhe apareceu com um recado de Alá, para que saísse pelo mundo a fim de ensinar ao povo uma nova religião. Alá em árabe quer dizer Deus.

Voltando para casa, Maomé contou o sonho à mulher, a qual piamente em tudo acreditou, tornando-se a primeira seguidora da nova religião. Depois se dirigiu a todos os seus parentes, aos quais também converteu. Mas quando foi fazer o mesmo a outras pessoas que não eram parentes, encontrou resistência. Viraram-lhe as costas. Chamaram-lhe louco. E como Maomé insistisse, consideraram-no louco perigoso e planejaram dar-lhe sumiço, ou mesmo matá-lo, se fosse preciso. O esperto Maomé percebeu o que o povo estava planejando e fugiu com a esposa para a cidade de Medina. Isso no ano 622, que ficou sendo o ano da Hégira. Hégira em árabe quer dizer fuga.

Parecia mesmo uma perfeita maluquice tudo aquilo; no entanto a sua nova religião foi crescendo, crescendo até ficar uma das mais espalhadas do mundo. Ainda hoje uma grande parte da humanidade a segue. Os seguidores de Maomé chamam-se maometanos, e para eles o tempo é contado a partir do ano de Hégira. Para os romanos era contado a partir da fundação de Roma. Para os gregos era contado a partir da primeira Olimpíada. Para os cristãos, a partir do nascimento de Cristo.

— Quer dizer que há no mundo vários anos I, — observou Pedrinho.

— Perfeitamente, e o ano I dos maometanos corresponde ao ano 622 nosso. Essa nova religião chamou-se a religião do Islã. Maomé, que sabia fazer as coisas, de quando em quando anunciava ter recebido uma mensagem direta de Alá, do mesmo modo que Moisés afirmou ter recebido ordens de Jeová no topo do Sinai. Nessas mensagens Alá lhe dava ordens para fazer isto e aquilo, ou esclarecia pontos da nova religião. Reunidas mais tarde em livro, formaram o famoso **Corão**, que é a bíblia dos maometanos.

— Era esse livro escrito em pergaminho? — perguntou Emília.

— Sim, — respondeu Dona Benta, sem saber onde ela queria chegar.

— E pergaminho não era um "courinho" de carneiro, muito fino?

— Sim. E que tem isso?

— Então... então... — disse a terrível atrapalhadeira, — então como é que esse livro se chamava Corão?

Dona Benta "passou" a graça e continuou:

— A cidade natal de Maomé tornou-se para os maometanos o que era Jerusalém para os cristãos. Para lá começaram a dirigir-se peregrinos — e até hoje todo maometano, pelo menos uma vez na vida, há de ir a Meca. E onde quer que esteja, faz sempre as suas orações com o rosto voltado para os lados de Meca.

As igrejas deles chamam-se mesquitas. Mas não rezam só nas mesquitas. Rezam cinco vezes por dia onde quer que estejam. Há nas mesquitas umas torres chamadas minaretes, onde uma espécie de sacerdotes, chamados muezins, sobem a certas horas para gritar ao povo "Só há um Deus, que é Alá. Rezai, rezai!". Ao ouvirem isso, os maometanos largam do que estão fazendo e, seja em casa ou na rua, ajoelham-se com o rosto dirigido para os lados de Meca, e oram, de cabeça inclinada para o chão. Muitos andam com um tapetinho enrolado — tapete de rezar — que estendem por terra cada vez que soa a voz do muezin.

Essa religião cresceu rápida, porque muita gente gostou das promessas que Maomé fazia para depois da morte. O paraíso por ele descrito era um lugar de todas as delícias, de modo que em poucos anos houve no mundo tantos maometanos como havia cristãos.

No começo os maometanos procuravam converter os povos por meio de argumentos, razões e provas de que a sua religião era melhor que as outras. Depois trataram de converter à força — à moda dos bandidos de estrada que dizem: "A bolsa ou a vida!". Eles diziam — "Bolsa, vida ou Corão. Escolha!" Ora, entre ser roubado ou assassinado e mudar de religião, a maior parte dos assaltados preferia a última hipótese — e desse modo o número de convertidos foi aumentando enormemente. Eles explicavam tal violência dizendo que Alá queria que todos os homens da terra virassem maometanos, não admitindo nenhum com outra crença. Agiam como os cristãos passaram a agir depois que ficaram de cima.

Maomé viveu apenas mais dez anos depois da Hégira. Morreu em 632. Apesar disso os seus discípulos não perderem tempo, e de espada na mão converteram meio mundo. Entre esses discípulos estavam os grandes chefes chamados **califas**. O segundo califa que houve, Omar, tomou a cidade de Jerusalém e construiu uma mesquita maometana justamente no sítio do famoso templo de Salomão — mesquita que ainda hoje está de pé.

— Ficaram então os maometanos com a cidade sagrada dos cristãos? — exclamou Pedrinho muito admirado.

— É a verdade. Conquistaram-na e só a perderam 463 anos depois. Mais tarde a retomaram, e até a Grande Guerra, Jerusalém esteve nas mãos da Turquia, que é um país maometano. Durante essa guerra, toda a Palestina (de que Jerusalém é a capital) foi conquistada pelos ingleses, que a transformaram na pátria dos judeus espalhados pelo mundo.

Os árabes maometanos dirigiram-se para os lados da Europa e foram conquistando e convertendo para a sua religião os povos vencidos. Quem se recusava, morria. Chegaram, sempre vitoriosos, até Constantinopla, que é a porta entre a Ásia e a Europa; mas os defensores dessa cidade souberam resistir. Os árabes então abandonaram aquela porta e trataram de entrar por outro lado. Seguiram pelo norte da África, atravessaram o Egito, que foi logo convertido ao Islã, e pelo Estreito de Gibraltar penetraram na Espanha. E foram seguindo, sempre vitoriosos, até entrarem na França, dando a impressão de que iam conquistar a Europa inteira. Junto à cidade de Tours, entretanto, foram detidos por Carlos Martelo.

— Detidos não, vovó, — disse Narizinho. — Foram pregados!...

— Ou isso. Esse Carlos Martelo era apenas o mordomo do palácio do rei da França — mas valia muito mais que o rei. Foi quem reuniu os guerreiros francos e barrou a marcha, até ali vitoriosa, dos califas. Essa batalha, de resultados tão importantes para a Europa, deu-se no ano 732, justamente 110 anos depois da Hégira — o que mostra a rapidez com que a religião de Maomé havia caminhado. Não conseguiu dominar a Europa, mas na Ásia e na África ficou de cima até hoje. Depois invadiram a Índia e arrasaram a civilização lá existente, implantando a sua. Quando estudarmos a história da Índia, havemos de travar conhecimento com os tremendos reis muçulmanos que reinaram naquele país.

— Muçulmano é o mesmo que maometano?

— É a mesma coisa, sim.

— Que bom! Quer dizer que a senhora vai falar das **Mil** e **Uma Noites**...

Capítulo XLIV
Mil e uma noites

Pedrinho e Narizinho conheciam os árabes das **Mil** e **Uma Noites**. O Príncipe Amede, Codadade, a Xerazade eram personagens bastante familiares no sítio de Dona Benta. Por esse motivo ficaram muito interessados em saber coisas históricas dos árabes.

— Gosto deles, vovó, — disse o menino, — e sinto muito que o tal Martelo não quebrasse o cabo quando martelou os árabes em Tours. Seria tão interessante se eles conquistassem a Europa...

— Que horror! — exclamou Narizinho. — Eram uns malvados com as mulheres. Não as deixavam sair à rua de cara descoberta, mas sempre enleadas num xale onde havia dois buraquinhos para os olhos. Imagine o mundo inteiro assim. Que horror!...

— Cada um de vocês tem uma parte da razão, — resolveu Dona Benta. — Os sarracenos possuíam grandes qualidades, e também grandes defeitos. Mas ninguém nega que foram um dos povos mais notáveis que apareceram no mundo. Tinham o gênio inventivo e muito amor ao estudo.

— Que é que inventaram?

— A numeração que usamos foi inventada por eles e nos tem prestado tantos serviços como o alfabeto. 1, 2, 3, 4, 5, etc., são algarismos árabes. Os romanos usavam letras do alfabeto em vez de números, um sistema que dificultava muito as contas. Escreva num papel, Narizinho, estes números romanos e some.

E Dona Benta ditou:

IV + XIV + XL + VII + MCVIII

— E você, Pedrinho, faça esta multiplicação:

MCMXL X XIV

Os dois meninos escreveram aqueles algarismos romanos e lutaram inutilmente para fazer as contas.

— Impossível, vovó! — disseram ambos ao mesmo tempo. — Isto é uma besteira.

— Não falem assim grosseiramente, — observou Dona Benta. — Digam que o sistema dos romanos era inferior ao dos árabes — e a prova disso é que hoje os algarismos romanos só são usados nos mostradores dos relógios e em certos livros para numerar capítulos. Em tudo mais em todas as escriturações que existem, quem falar em algarismos romanos faz papel de humorista — ou fazedor de graça.

Além disso, os árabes foram notáveis na arquitetura, criando um estilo inteiramente diverso do estilo grego, romano e egípcio. A principal diferença estava nas portas e janelas, que em vez de quadradas ou redondas em cima tinham a forma de ferradura. Nos cantos das mesquitas elevavam-se os elegantes minaretes, do alto dos quais os muezins davam aviso ao povo da hora de rezar. As paredes dos monumentos eram recobertas de belos mosaicos e desenhos.

Uma coisa curiosa nesses desenhos é que jamais representavam qualquer coisa existente na natureza — animal ou vegetal. Isso por causa dum mandamento do Corão, que diz: "Não farás nada que represente qualquer coisa que exista debaixo do céu, sobre a terra ou no fundo das águas". Os artistas árabes, não podendo copiar a natureza, como fazem os nossos artistas, inventaram o arabesco, isto é, um sistema de linhas retas e curvas que pinoteiam de todos os jeitos possíveis e imagináveis, sem copiar coisa nenhuma da natureza. Só com esses elementos, quero dizer, só com essas linhas, eles conseguiram ornamentações da mais rara beleza.

— Se eram artistas assim, — disse Pedrinho, — imaginem o que não fariam se tivessem a liberdade de copiar a Natureza!

— Realmente. Os árabes possuíam grandes dons artísticos, como provaram na arquitetura e na poesia, isto é, nas artes em que tinham alguma liberdade. Foram também os descobridores do café.

— Como isso, vovó?

— Há várias lendas a respeito. Uma diz que os árabes notaram que quando as cabras comiam as cerejas dum certo arbusto silvestre da Arábia ficavam mais espertas. Isso os fez experimentar de vários modos o uso das tais cerejas, até descobrirem que as sementes, depois de torradas e moídas, davam uma bebida preta, de sabor e cheiro muito agradáveis. Desse modo nasceu o café, conhecido hoje no mundo inteiro e que nós aqui produzimos em grande quantidade. Até eu sou produtora de café. O ano passado vendi 2.000 arrobas, que neste momento estão... Onde estarão? Em que país estará sendo bebido o meu cafezinho do ano passado?

— Quem sabe se na Arábia, vovó! — sugeriu Pedrinho.

— Pode ser. Como também pode ser que o estejam queimando lá em Santos...

Mas os árabes igualmente inventaram o álcool. Viram que fermentando o caldo de certas plantas açucaradas aparecia esse líquido transparente que pega fogo e que, bebido, deixa os homens fora de si, como loucos. Espantados com os efeitos do álcool, perceberam tratar-se dum veneno lento. Daí proibirem o seu uso da maneira mais terminante. Quer dizer que se os árabes houvessem conquistado o mundo, como pretendiam, talvez estivéssemos hoje livres do vício de beber, que tantos males tem causado à nossa pobre humanidade.

Também descobriram o algodão. Antes do algodão os homens só se vestiam de tecidos de lã. Mas isso de lã é coisa cara, porque é preciso tosar o pelo de vários animais para vestir um homem — e há ainda que criar os animais. Sai cara a lã e, portanto, só os ricos poderiam andar vestidos, se só houvesse lã no mundo. Já o algodão se planta, e tudo que se planta vem mais em conta, porque pode ser produzido em grandes quantidades. Hoje o mundo inteiro veste-se de algodão, graças aos árabes.

— Sim, — disse Narizinho, — mas se eles não tivessem descoberto o algodão, outros o teriam feito.

— Muito certo isso, mas os que primeiro o descobriram e utilizaram foram os árabes e, portanto, o benefício que a humanidade tirou da descoberta tem de ser creditado a eles. Foram os primeiros a produzir tecidos dessa fibra, muito lindos e duráveis. Também foram os inventores da estamparia, isto é, dos desenhos a cores impressos nos tecidos, coisa que muito veio alegrar o mundo. Quando você, minha filha, puser aquele seu vestido de chita de rosinhas, de que todos gostam tanto, lembre-se dos árabes. Seja agradecida...

— Vou ser, — disse a menina. — Estou começando a perdoar-lhes o modo de tratar as mulheres.

— Também inventaram, no campo metalúrgico, meios de temperar o ferro, fazendo o aço. O aço de Damasco, que era uma cidade da Arábia, e depois o aço de Toledo, uma cidade da Espanha por eles conquistada, ficaram os dois aços mais famosos do mundo. Até hoje os poetas falam nas "lâminas de Damasco ou de Toledo", referindo-se às espadas que vergavam como junco, sem se quebrarem. Esses aços adquiriam o corte fino das navalhas. Um fio de cabelo boiante na água podia ser cortado por um golpe de tais lâminas.

Perto do lugar onde outrora existiu a cidade de Babilônia os árabes construíram Bagdá...

Ao ouvir a palavra Bagdá, Emília assanhou-se. Já conhecia as histórias das Mil e Uma Noites e andava com a cidade de Bagdá na cabeça.

— Viva, viva Bagdá! — exclamou ela. — Quando eu crescer é onde vou morar. Hei de ter um tapetinho mágico para voar daqui para ali, dali para lá, de lá para ló, de ló para lu...

— Feche a torneirinha, Emília! — gritou a menina. — Deixe vovó falar de Bagdá.

— Bagdá era a capital de metade do império árabe; a capital da outra metade era Córdoba, na Espanha. Em Córdoba e em Bagdá foram fundadas duas grandes escolas, que valiam para aqueles tempos o que as universidades modernas valem para nós. Os árabes estudavam, liam muito e tornaram-se um povo de sábios e letrados — isto num tempo em que a Europa andava mergulhada na mais crassa ignorância. Tinham bibliotecas importantíssimas. Jogavam o xadrez, que é o jogo das pessoas que fazem uso do cérebro — e parece mesmo que foram os inventores desse jogo. Inventaram também o relógio.

— Como é que se marcava o tempo antes da invenção do relógio?

— De três maneiras. Uma, com a ampulheta, instrumento no qual se usava a areia; outra, com a clepsidra, em que se usava a água; e outra, por meio da sombra do sol. A ampulheta era enchida de areia na parte de cima, a qual se comunicava por um buraquinho com a parte debaixo. Quando acabava de cair na parte debaixo toda a areia da parte de cima era sinal de haver passado uma hora, por exemplo. Em seguida virava-se a ampulheta, para que a parte com areia ficasse de cima.

— Marcava uma fatia de tempo, não marcava o tempo inteiro, como os relógios, — observou Narizinho.

— Isso mesmo; tinham esse defeito. E os relógios de sombra tinham o grave defeito de não funcionarem em dia sem sol. Os árabes resolveram o problema com a invenção do relógio de pêndulo. Lembre-se deles, Narizinho, cada vez que o cuco da sala de jantar fizer **hu-hu**.

— Hei de lembrar-me, vovó. A senhora já me fez perdoá-los completamente.

— Não os perdoe completamente antes de ouvir mais um pedacinho a respeito do modo de tratarem as mulheres. Eles as consideravam como seres inferiores, boas para escravas do homem apenas, não para companheiras. Deviam pertencer aos homens como animais de luxo. Por isso cada homem podia ter quantas mulheres quisesse. Você agora resolva se lhes perdoa ou não.

Narizinho vacilou, indecisa, e quem resolveu o caso foi Emília.

— Que castigo para um homem ter muitas mulheres! — disse ela. — Uma só já os deixa tão tontos...

Todos riram-se e Narizinho perdoou aos árabes **completamente**.

Capítulo XLV
Uma luz no escuro

Dona Benta continuou:

— Durante cinco séculos foi aquela escuridão na Europa. No entanto, aqui e ali apareciam pontos luminosos — mas tão poucos que não davam para clarear muito longe. No ano de 768, porém, surgiu uma luz bem grande — um homem — um rei que, apesar de quase analfabeto, soube iluminar. Esse homem era um teutão, como se vê logo pelo nome Carlos, e neto daquele outro Carlos que martelou os árabes em Tours. Os franceses chamavam-lhe Charlemagne, que quer dizer Carlos Magno, ou Carlos, o Grande.

Carlos Magno foi um rei da França que não se contentou com isso. Achou a França pequena para ele — e conquistou a Espanha e a Alemanha e mudou a capital de Paris para a cidade de Aix-la-Chapelle, onde havia umas excelentes águas minerais; como ele gostasse de banhos, talvez fosse essa a razão da mudança.

Por esse tempo o papa, que governava a Itália, vendo-se atrapalhado com a rebeldia de certas tribos do norte, — pediu socorro a Carlos Magno. Carlos Magno o atendeu, e logo botou os rebeldes dentro da ordem. O papa, muito agradecido, quis dar-lhe um presente. Mas qual? Que presente pode ser dado a um rei como Carlos Magno? O papa ficou pensando.

Era costume dos tempos, virem os cristãos de toda parte em peregrinação a Roma, a fim de verem o papa e fazerem suas rezas na Catedral de São Pedro. No ano 800 apareceu entre os peregrinos, quem? Carlos Magno! E no dia de Natal estava o grande rei fazendo as suas rezas na igreja, quando o papa entrou de súbito e lhe pôs uma coroa na cabeça. A coroa da Itália! E como naquele tempo quem fazia e desfazia os reis era o papa, Carlos Magno ficou sendo o imperador da Itália. Foi o presente com que o papa lhe recompensou o auxílio prestado.

— Pobres povos! — exclamou Narizinho. — Dava-se um povo de presente como hoje nós damos um gatinho novo.

— A consequência disso, — continuou Dona Benta, — foi que Carlos Magno passou a governar um império tão grande como o Império Romano do tempo em que os bárbaros, aqueles tais vândalos o destruíram. Quer dizer que um novo Império Romano surgia, tendo desta vez à sua frente um imperador teutônico.

Carlos Magno não havia recebido educação, como em geral todos os teutões. Mas como dava grande valor ao saber, resolveu ilustrar-se. Para isso procurou um bom mestre. Não o achando em seus domínios, fez vir da Inglaterra um monge de nome Alcuíno, que tinha fama de grande sábio. Alcuíno ensinou-lhe latim, poesia grega, ciências; ensinou-lhe também a sabedoria dos filósofos antigos — e tudo Carlos Magno aprendeu muito depressa. Só não pôde aprender a ler e a escrever. Não houve meio, por mais que se esforçasse. Ler, ainda chegou a ler um bocadinho; mas escrever, só o seu próprio nome. E dizem que dormia com caderno e lápis debaixo do travesseiro, para exercitar-se nas horas de insônia. Tanto estudou, o coitado, que ficou o homem mais instruído da Europa.

— O analfabeto mais instruído da Europa, a senhora deve dizer! — lembrou Narizinho, que lia e escrevia muito bem e orgulhava-se disso.

— Seja, — concordou Dona Benta, — mas o fato é que Carlos Magno virou um grande foco de luz na escuridão de breu daqueles tempos. Embora fosse o homem mais poderoso da época, tinha hábitos modestos, vivendo com simplicidade. Educou as princesas suas filhas no trabalho. Todas sabiam tecer, costurar e cozinhar.

— Mas duvido que cozinhassem tão bem como Tia Nastácia, que é uma pobre negra da roça, — disse Narizinho. — Eu não tomava nenhuma delas como cozinheira...

— Pois o tal Carlos Magno, — continuou Dona Benta — era isso tudo, e no entanto deixava que na justiça empregassem o Ordálio...

— Ordálio? — repetiu Pedrinho franzindo a testa. — Que raio de coisa esquisita será essa?

— Uma prova judiciária, para saber se o acusado era culpado ou inocente. O desgraçado tinha de andar dez metros carregando uma barra de ferro em brasa, ou meter os braços num caldeirão de água fervendo, ou passear de pés nus sobre brasas vivas.

— Que horror, vovó!

— Se os acusados nada sentissem, é que eram inocentes. Se berrassem de dor e ficassem queimados, é que eram culpados...

— Que estupidez! — exclamaram os meninos, horrorizados. — Que museu de monstruosidades é a história!...

— Pois essa barbaridade durou séculos, e foi praticada, até no reinado de reis "luminosos" como esse Carlos Magno...

— Estou vendo que foi grande sorte nossa termos nascido nos tempos de hoje, vovó!

— E está vendo certo, meu filho. As garantias de que a vida humana está hoje cercada nos países democráticos são enormes. Inda há abusos, sim; mas por força da lei não se comete mais nenhuma monstruosidade como essa e tantas outras que a história menciona. Existiu no tempo de Carlos Magno, lá no mundo dos árabes, um califa que pela sabedoria e altas qualidades ficou tão célebre quanto o imperador teutônico. Foi o Califa Harum, que passou à História com o cognome de "al Raschid". Quando vocês lerem o nome de Harum al Raschid fiquem sabendo que significa Harum o Justo.

Embora fosse o chefe dum império sempre em luta com os cristãos, Harum al Raschid queria muito a Carlos Magno, chegando a mandar-lhe ricos presentes, entre os quais um maravilhoso relógio que fazia o imperador abrir a boca sempre que dava as horas. Foi talvez o primeiro relógio entrado na Europa.

Harum tinha o hábito de vestir-se como gente do povo e insinuar-se na multidão para ouvir opiniões francas a respeito de si próprio e do governo. Descobriu assim muitas injustiças perpetradas pelos seus ministros, e as corrigiu todas. Tinha a preocupação de ser justo e fazer tudo quanto fosse bom para o povo.

— E que aconteceu com o segundo Império Romano ressuscitado por Carlos Magno?

— Ah, levou a breca logo que o grande imperador morreu. Não foi encontrado outro homem que tivesse as mesmas qualidades e pudesse continuar sua obra.

— Vaso quebrado e remendado com cola-tudo é assim mesmo, vovó, — observou Narizinho. — Não aguenta.

Capítulo XLVI
OS COMEÇOS DA INGLATERRA

No dia seguinte Dona Benta recebeu um pacote de livros ingleses, e de noite a lição, muito naturalmente, recaiu sobre os ingleses.

— A grandeza dum país, — disse ela, — não depende do tamanho do território. Reparem que a Grécia era pequenina, que Roma era uma coisinha de nada. Não tinham território. Mas tinham certas qualidades que acabam dando tudo ao povo que as possui. Hoje vou falar da pequena ilha onde estava em formação o povo criador do maior império de todos os tempos.

— Aposto que vai falar dos ingleses! — disse Pedrinho.

— Justamente. Parece incrível que vindos de uns começos tão bárbaros, e habitando uma ilha de mau clima e sem fertilidade de terras, conseguissem os ingleses chegar ao ponto a que chegaram. O Império Britânico, com suas colônias e seus sócios, chegou a ocupar quase a quarta parte do mundo, com uma população de mais de quatrocentos milhões de criaturas. Ora, é interessante ver como esse povo começou, lá na sua ilhazinha perdida no mar.

Um século antes de Carlos Magno a Inglaterra teve um rei que ficou lendário — o Rei Alfredo. Em menino mostrou-se a princípio o mais rebelde da irmandade. Recusava-se a estudar, não queria aprender a ler. Certa vez, porém, sua mãe apareceu com um maravilhoso livro de figuras coloridas, que mostrou de longe a todos, dizendo: "Quem aprender a ler primeiro, ganhará este livro". Alfredo tomou a sério o desafio, estudou com o maior afinco e acabou aprendendo a ler e a escrever muito antes dos outros. Foi a primeira vitória que o futuro rei obteve na vida.

Quando Alfredo subiu ao trono encontrou a Inglaterra muito atormentada pelos terríveis piratas dinamarqueses. Os anglos já estavam um tanto civilizados e se haviam convertido ao cristianismo. Os tais dinamarqueses, porém, tribo teutônica da mesma família dos anglos, continuavam bárbaros e brutos. Vinham de suas terras em barcos velozes, desciam nas costas britânicas e saqueavam as cidades. Depois fugiam. Tal qual moleques que pulam muros para furtar mangas dos quintais e somem-se assim que os donos aparecem. Por fim, nem isso os dinamarqueses faziam; não sumiam quando os donos vinham. Punham-lhes a língua e os desafiavam.

O Rei Alfredo resolveu dar-lhes uma lição. Reuniu o exército, avançou e... levou uma surra tremenda, a ponto de ser obrigado a fugir a pé. Contam que nessa ocasião deu com os costados numa casinha de campônios perdida numa serra, onde encontrou a dona assando bolos ao forno. Vendo-o roto e sujo de lama, a boa mulher o tomou por um vagabundo qualquer, e em certo ponto lhe disse: "Olhe fique aqui tomando conta do forno enquanto vou tirar leite das vacas. Cuidado, hein? Não deixe o bolo queimar". O pobre Rei Alfredo, que só pensava no meio de libertar seu país dos dinamarqueses, ali se quedou rente ao forno, mergulhado em profundas reflexões. Resultado: os bolos queimaram-se. Quando a mulher voltou e viu o desastre, ficou furiosíssima e passou-lhe uma grande descompostura...

— E que fez ele?

— Nada, minha filha. Sorriu apenas. Mais tarde Alfredo compreendeu que sem navios de guerra lhe era impossível lutar contra os piratas e construiu uma boa esquadra. Com ela enfrentou-os e começou a ter vantagens. A esquadrinha do Rei Alfredo foi a origem da grande esquadra com que os ingleses conseguiram formar e manter o seu imenso Império. Tem pois mil anos de idade a atual esquadra britânica.

— Mil anos! — exclamou Pedrinho. — Por isso ninguém pode com ela. Parece a velha serpente Kaa, da história de Mowgli, o menino-lobo — sempre tão sábia e invencível. Continue vovó.

— A luta contra os dinamarqueses durou anos, apesar das coisas melhorarem muito depois da construção da esquadra. Por fim teve Alfredo a bela ideia de propor-lhes um negócio. Já que os ingleses e dinamarqueses eram primos, podiam muito bem viver na mesma terra — e, portanto, que viessem e ficassem duma vez na ilha. Os dinamarqueses aceitaram a ideia; vieram; localizaram-se nas terras oferecidas, viraram cristãos — e pronto!

— Sim, senhora! — exclamou Narizinho. — Está aí um meio decentíssimo de resolver uma pendenga. Não era à toa que esse Alfredo deixava queimar bolos no forno. Ele devia pensar muito e pensava certo.

— De fato, pensava bem. Fez leis muito severas, que foram cumpridas à risca pelo povo. Andou tudo tão em ordem no seu tempo que uma pessoa podia deixar um montinho de moedas no meio da rua sem que ninguém se atrevesse a furtá-las. Também mandou vir de outros países homens instruídos, que ensinaram aos meninos ingleses tudo quanto lhes convinha saber. Uma das escolas do Rei Alfredo virou com o tempo a famosa Universidade de Oxford, que é hoje das mais afamadas do mundo. Até coisas ele inventava. Inventou, entre outras, um meio de marcar o tempo, uma espécie de relógio.

— Como isso?

— Uma vela toda cheia de marcas. À medida que a vela ia se consumindo, as marcas iam indicando as horas.

— Ora, ora, ora! — exclamou Pedrinho. — Coisas assim até Rabicó inventa.

— Meu filho, naqueles tempos de ignorância crassa, inventar uma coisinha qualquer valia por notável acontecimento, e, portanto, Alfredo merece muito crédito pela sua vela-relógio. E também pela lanterna que imaginou.

— Lanterna?

— Sim. Teve a lembrança de pôr uma vela dentro duma caixa, feita de lâminas transparentes de chifre de boi. A isso se chamou a lâmpada de chifre — ou **lamphorn**. **Horn** em inglês quer dizer chifre. Invenções dessas nos fazem rir hoje. Mas devemos ter presente que uma coisa sai de outra, e que foi pelo fato de os nossos antepassados terem inventado coisinhas assim que nós pudemos depois inventar maravilhas, como o rádio, o avião e tantas outras mais. Esse Rei Alfredo merece toda a nossa simpatia. Soube dar começo à Inglaterra atual, que é o colosso que vocês sabem.

— A plantinha estava nascendo. Ele foi um bom jardineiro. As plantinhas novas exigem muito cuidado no começo. Depois encorpam e vão por si, — filosofou Pedrinho.

— E em que época foi isso, vovó? — quis saber a menina.

Capítulo XLVII
O FIM DO MUNDO

— Ah! Foi pouco antes duma das coisas mais curiosas da história humana: o ano 1000.

— O ano 1000? — repetiu Narizinho franzindo a testa. — Coisa curiosa por quê?

— Porque era o ano marcado para o fim do mundo. Por causa de certa frase da Bíblia a Europa inteira se convenceu de que o mundo iria acabar no ano 1000...

Para a maior parte dos europeus isso seria uma verdadeira felicidade, tal o estado de miséria em que viviam. Consideravam-se tão desgraçados, tão infelizes... Que bom se morressem todos de uma vez! Iriam direitinhos para o céu. Mas como para o céu só poderiam ir os bons, os que praticassem o bem na terra — toca toda gente a praticar o bem, com o olho ferrado na recompensa futura.

Outros havia, entretanto, nada ansiosos pelo fim do mundo: os ricos, os que possuíam alguma coisa e de nenhum modo se consideravam infelizes. Esses tratavam de aproveitar a vida, de gozar o mais possível, uma vez que tudo ia acabar-se.

O resultado dessa crença geral no fim do mundo foi um desastre. Ninguém mais queria trabalhar, nem estudar, nem começar qualquer obra nova. Para quê? Não estavam tão perto do fim de tudo?

— E afinal?

— Afinal chegou o tal ano 1000 — e nada aconteceu. O sol continuou a levantar-se pela manhã e a deitar-se à tarde. Veio a primavera; depois, o verão, o outono e o inverno — tudo como sempre. Foi um desapontamento geral.

— Desapontamento ou contentamento, vovó?

— As duas coisas. Mas surgiram logo os sabidões, que explicaram ter havido erro na contagem; o fim do mundo seria no ano seguinte. E o mundo toca a esperar mais um ano. Passou-se mais esse ano e nada. Nada do mundo acabar...

Outros sabidões apareceram, que explicaram que a data dos mil anos devia ser contada da morte de Cristo e não do seu nascimento — e toca todo o povo a esperar pacientemente que se passassem mais trinta e três anos — pois que a morte de Cristo se dera no ano 33. Correm os trinta e três anos e nada. O mundo continuava vivinho como sempre.

Houve novas explicações dos sábios, e novas esperas. Por fim a profecia do Milênio ficou desmoralizada e todos foram voltando ao trabalho.

— Que interessante! — exclamou Pedrinho. Eu queria estar lá para ver as ideias daquela gente, discutir com eles... Com que então, tudo parado?

— Sim. Só não ficou parado um povo da mesma família dos dinamarqueses. Chamavam-se normandos, ou vikings, esses teutões bem do norte que ainda não se haviam convertido ao cristianismo e tinham ideias muito diferentes das do resto da Europa.

Eram amigos do mar, os vikings. Viviam navegando, tal qual os antigos fenícios. Usavam embarcações dum tipo próprio criado por eles, sempre pintadas de preto, com caraças de monstros marinhos esculpidas na proa.

— Não são a essas caraças que o povo chama figuras de proa?

— Justamente. Figura de proa é isso, e quando dizemos que fulano ou sicrano é uma figura de proa, queremos significar que é um sujeito inútil, que apenas serve para figuração. Os vikings realizaram navegações importantíssimas, nas quais descobriram as terras da Islândia e da Groenlândia. Mais tarde chegaram às costas da América sob o comando dum chefe de nome Leif Ericson. Como nessas costas encontrassem parreiras selvagens, deram à terra o nome de Vinholândia — ou o correspondente a isso lá na língua deles. Mas não se afastaram da praia, nem suspeitaram estar pisando um imenso mundo desconhecido. Supuseram que fosse alguma ilha.

— Que grandes ignorantes! — berrou Emília. — Descobriram a América, e não perceberam. Por que não perguntaram a algum esquimó se a tal Groenlândia não fazia parte da América?

Narizinho fulminou-a com um olhar terrível. Positivamente Emília estava "mangando" com eles. Dona Benta riu-se e continuou:

— Mas aquela enorme ilha estava tão longe da Europa, e seus habitantes lhes pareceram tão feios, que os vikings não quiseram saber de histórias. Reembarcaram para a Europa sem a mínima intenção de voltar — e nunca mais voltaram. A América teve de ser novamente descoberta por Cristóvão Colombo 500 anos mais tarde.

— Grandes idiotas, os tais vikings! — exclamou Pedrinho. — Perderam a oportunidade de ter monumentos em todas as capitais da América, como tem Colombo.

— Isso não impede que a chegada dos vikings à América seja uma coisa maravilhosa. Lembrem-se que eles viajavam sem bússola — e parece até um milagre que sem bússola suas pequenas embarcações pudessem avançar tanto. Sem bússola, o navegante tem que limitar-se a seguir só por onde pode conservar terra à vista. Os vikings alcançaram a América uma vez. Se quisessem alcançá-la mais vezes, ou regularmente, como é preciso para a navegação comercial, não o poderiam. Isso só se tornou possível depois que a bússola, inventada pelos chineses, foi conhecida dos europeus.

Capítulo XLVIII
OS CASTELOS

Tanta coisa tinha Dona Benta para contar que às vezes pulava do assunto A para o assunto Z. Assim, pulou de navegação dos vikings para os castelos dos senhores feudais.

— Castelo! — disse ela. — Vamos ver quem sabe o que é um castelo.

Todos disseram que sabiam, porque andavam com as cabeças cheias dos castelos dos contos de fada; mas quando Dona Benta exigiu explicação mais minuciosa, ninguém soube dá-la.

— Durante a Idade Média, — começou Dona Benta, — a Europa encheu-se de castelos. Uma verdadeira vegetação de castelos, como há vegetações de chapéus-de-sapo em certos lugares de muito esterco. Por que isso? Ouçam.

Depois do despedaçamento do Império Romano, cada chefe teutônico tratou de estabelecer um reinozinho na parte que lhe coube. Mas a luta não parava, luta de um chefe contra outro. E sempre que um vencia, dava como recompensa aos seus generais pedaços do novo quinhão conquistado. Estes generais, por sua vez, distribuíam pedacinhos dos seus quinhões aos oficiais menores, que também os haviam ajudado. O território do antigo Império foi sendo assim cada vez mais dividido e subdividido.

Os donos dos pedacinhos menores ficaram sendo os **nobres**, ou **senhores feudais**. Tinham de obedecer ao chefe mais graúdo que lhes dera as terras com a obrigação de o servirem e lutarem ao lado dele sempre que fosse necessário.

Isso não era brincadeira, não! O nobre via-se obrigado a jurar da maneira mais solene obediência e serviço — e havia que repetir esse juramento todos os anos, de joelhos diante do graúdo. Chamavam a essa cerimônia, **prestar homenagem** ou **vassalagem**.

Recebido o seu pedaço de terra, o nobre tratava de construir um castelo que lhe servisse ao mesmo tempo de morada e fortaleza, porque como viviam em luta, sempre que podia um tomava a terra do outro. Por isso erguiam os castelos de preferência em lugares altos, topos de montanhas ou blocos de rochedos, de modo a dificultar o assalto dos inimigos. Também os rodeavam de fortes muralhas de pedras, às vezes com quatro metros de largura, e junto às muralhas abriam valos com água.

— E o povo? Que fim levou o povo? — perguntou Pedrinho.

— O povo ficava fora do castelo, morando em casebres humildes, a cultivar as terras de parceria com o senhor. Este dava ao povo o menos que podia e lhe arrancava o máximo. Quando o castelo era atacado, os homens do povo, ou servos...

— Servo não é o mesmo que escravo, vovó? — perguntou o menino.

— Quase o mesmo. A única diferença é que o senhor tinha o direito de matar ao escravo, mas não ao servo.

— Oh, então a diferença era enorme!

— Parece. Não tinha o direito de matá-lo, mas tinha o direito de castigá-lo de maneiras horríveis, piores que a morte. O servo que fugisse ficaria para sempre liberto se passasse um ano e um dia sem ser apanhado.

Mas se era apanhado dentro desse tempo, o senhor tinha o direito de surrá-lo quanto quisesse, de marcá-lo com ferro em brasa, de cortar-lhe as mãos...

— Que horror!

— Quando um castelo ia ser atacado, os servos recolhiam-se lá dentro com toda a sua quitanda: móveis, mantimentos e animais. Por isso eram os castelos tão vastos, com acomodações para centenas de famílias. Alguns até pareciam cidades. Tinham capela, armazéns de depósito, cavalariças, cozinhas comuns, mil coisas. Na parte principal ficava a moradia do senhor.

Todo castelo possuía a sua grande sala de jantar comum, ou comedouro, porque semelhante coisa não merecia o nome de sala de jantar. Verdadeiros estábulos, com cochos. Serviam de mesa tábuas postas sobre cavaletes, que depois das refeições eram retiradas. Os servos comiam sem garfo, sem colher, sem faca. Comiam com os dedos, e limpavam-nos na roupa. Quando muito, aparecia no fim da refeição uma gamela da água, para algum mais "enjoado" que quisesse lavar os "talheres." Por causa desta mesa formada de simples tábuas soltas, apoiadas sobre cavaletes, até agora os ingleses usam a expressão **boarding-house** para denominar as casas de pensão. **Board** em inglês quer dizer tábua.

Depois das refeições os servos de mais habilidade cantavam e tocavam instrumentos para divertir os amos. Esses servos cantadores chamavam-se **menestréis**.

— Os poetas daquele tempo...

— Sim, os poetas. Hoje os poetas vestem-se como toda gente e publicam os seus versos em livros. Mas os poetas daquele tempo não podiam publicar livros, e para viver tinham de pôr-se às sopas dos senhores feudais, fazendo-lhes versos em que diziam deles mil maravilhas. Os senhores "tinham" o seu poeta, como "tinham" o seu pajem ou o seu cozinheiro.

Quando o senhor e seus servos se fechavam no castelo, era muito difícil desalojá-los. Em primeiro lugar o inimigo tinha de transpor os fossos exteriores. Se o conseguiam, davam com o nariz nas muralhas de pedra, com uma só abertura de entrada, e essa mesma com **ponte levadiça**, isto é, uma ponte que podia ser erguida do lado de dentro, deixando o castelo sem entrada nenhuma. O meio então era romper a muralha. Mas como?

— Com dinamite! — berrou a Emília. — Garanto que com um cartucho de dinamite eu arrombava as muralhas de qualquer castelo.

— Mas onde dinamite naquele tempo, se nem a pólvora ainda fora inventada? Quando a ponte levadiça estava erguida, era um problema muito difícil tomar um castelo. Se o assediavam, o **assédio** podia durar anos, porque sempre havia nele muito mantimento acumulado. Entrar pelas janelas, impossível — os castelos não tinham janelas, e sim **seteiras**, minúsculas aberturas por onde os de dentro lançavam flechas. Se por acaso o inimigo ficava debaixo das muralhas, vinha lá de cima água fervendo, ou alcatrão em chamas. Mas mesmo assim muitos castelos eram tomados.

— Como, vovó? Não posso descobrir o meio, — disse Pedrinho.

— De vários modos. Às vezes o inimigo abria túneis, que passavam por baixo dos fossos externos e dos alicerces das muralhas, indo sair lá dentro. Outras vezes construíam uma pesadíssima máquina de arrombar muralha chamada **aríete**. Tais máquinas tinham esse nome, que vem do latim **aries**, carneiro, porque imitavam um carneiro a dar marradas, e ainda porque terminavam por uma cabeça de carneiro feita de ferro. Outras vezes os assaltantes usavam umas torres de madeira montadas sobre rodas, bem altas, que se aproximavam do castelo e permitiam que de cima os **besteiros** pudessem à vontade lançar flechas para dentro. Outras vezes usavam aparelhos de lançar à distância grandes blocos de pedra.

Emília deu uma risada.

— Que é, boba?

— Estou rindo desses besteiros que lançavam flechas. Eles deviam lançar **besteiras**...

Dona Benta explicou que os besteiros eram os homens que usavam **bestas**, um aparelho de lançar flechas muito diferente dos arcos que os índios usam para o mesmo fim.

— E por que não há mais castelos hoje? — quis saber Narizinho.

— Por causa da pólvora, minha filha. Depois que a pólvora apareceu na Europa, tudo começou a mudar. Veio a espingarda. Veio o canhão. As muralhas de pedra passaram a não valer coisa nenhuma. Com meia dúzia de barricas de pólvora podemos fazê-las voar pelos ares.

O mundo está sempre mudando por causa das invenções. A invenção da pólvora viria determinar mudanças ainda maior. Mas paremos aqui. São horas de dormir. O Visconde está "pescando". Olhem o jeitinho dele...

Capítulo XLIX
OS TEMPOS DA CAVALARIA

Antes do serão do dia seguinte, Dona Benta teve de passar um pito na Emília por causa dos bigodes retorcidos que ela desenhou nas figuras dum **D. Quixote** de Narizinho.

— Veja, vovó, como ficou meu livro! Tudo de bigode, até as mulheres — e os bigodes mais mal feitos do mundo. Os espanhóis não usam bigodes assim; isto é bigode de português de venda... e com a borracha foi desfazendo aquela reinação da Emília.

Dona Benta aproveitou-se do caso para falar da Cavalaria da Idade Média.

— Estes tempos que estou recordando, — disse ela, — são os chamados tempos da **Cavalaria Andante**, a qual deu assunto a tantos livros, inclusive o **D. Quixote**. Para a Europa dessa época só tinham importância duas coisas: as damas e os cavaleiros andantes. O resto da humanidade era composto dos **vilões**, isto é, do povo, gente sem direito a coisa nenhuma. Para os nobres, para os cavaleiros, tudo; para o povo nada. Ninguém cuidava dele.

— Nem escolas públicas havia?

— Escolas! — exclamou Dona Benta. — Isto é coisa dos nossos tempos, menina. Naquela época o povo era ensinado a trabalhar para os nobres, nada mais. Educação só a tinham os nobres. Oh, e estes a tinham primorosa!

— Primorosa, vovó?

— Sim, lá da moda deles. Educadíssimos em dois pontos: lutar e ser cavaleiro. Ser cavaleiro não era ser peão ou domador de cavalos, como vocês poderiam supor. Coisa muito mais importante.

O sistema de educar um fidalguinho era o seguinte. Até os sete anos ficava ele grudado às saias da mamãe. Chegando a essa idade virava **pajem** — e **pajem** permanecia, até aos quatorze anos. Ser pajem consistia em dedicar-se exclusivamente ao serviço das damas do castelo. Tinha de fazer tudo quanto elas mandassem — dar recados, levar encomendas, servi-las à mesa, etc. Também recebia as primeiras lições de equitação, de valentia e de cortesia.

Aos quatorze anos o pajem virava **escudeiro**, e escudeiro ficava até aos vinte e um. A obrigação do escudeiro era servir aos homens, como a do pajem era servir às damas. Tinha de lhes cuidar dos cavalos e ir com eles aos combates, levando de reserva um animal, lança e as mais armas que por acaso tais guerreiros pudessem precisar.

Se o rapaz dava boas contas de si como escudeiro, aos vinte e um anos era elevado a cavaleiro, isto com maior cerimônia do que a usada hoje quando um rapaz conclui os estudos e vira doutor. A primeira parte do cerimonial consistia num banho, bem esfregado.

— Um banho? — exclamou Pedrinho. — Então não tomavam banho todos os dias?

— Isso de banho todos os dias é coisa moderníssima, — observou Dona Benta. — Na Idade Média era feio tomar banho. Gente havia que passava anos sem saber que gosto tem a água na pele. Até reis e rainhas não se lavavam... Por isso a primeira parte da cerimônia resumia-se na coisa seriíssima e raríssima que era um banho. Depois vestiam o escudeiro de trajes novos em folha, e assim lavado e vestido tinha ele de passar uma noite inteira na igreja, rezando. Ao romper da manhã aparecia diante do povo reunido à porta da igreja e jurava solenemente quatro coisas: Ser bravo e bom; lutar pela religião de Cristo; proteger os fracos; honrar as damas. Só. Em seguida punham lhe à cintura um cinto de couro branco, e nas botas um par de esporas de ouro.

Desse modo arreado, o escudeiro ajoelhava-se e o seu senhor batia-lhe com o chato da espada no ombro, dizendo: "Eu te faço cavaleiro!".

— Tudo isso está no **D. Quixote**, vovó, — lembrou Pedrinho.

— Um cavaleiro, — continuou Dona Benta, — ia para a guerra vestido de armadura, composta de chapas circulares de ferro que se metiam umas pelas outras, ou de placas de aço ao jeito das escamas de peixe; na cabeça, levava um elmo, ou máscara de ferro que a recobria toda. A armadura o livrava das flechas e lanças do inimigo.

Ficavam de tal forma escondidos dentro das armaduras, que quando a peleja se travava era impossível distinguir o amigo do inimigo. Para evitar os desastres de semelhante mistura os cavaleiros usavam a **cota d'armas**, isto é, uma insígnia ou marca qualquer — um leão, uma rosa, uma cruz, uma ave. Tais marcas constituem hoje motivo de grande orgulho para os descendentes desses cavaleiros, que as usam sobretudo para enfeitar o papel de carta.

(Neste ponto Emília cochichou ao ouvido do Visconde, perguntando-lhe que marca tinha o sabugo que dera começo à ilustre família dos Viscondes de Sabugosa.)

— Como já disse, — continuou Dona Benta, — os cavaleiros eram especialmente ensinados a ser corteses com as damas; por isso hoje, quando vemos um sujeito muito amável com as mulheres, dizemos que é "um perfeito cavalheiro." Cavalheiro é uma forma elegante da palavra cavaleiro.

— E eu, vovó, que sempre pensei que "perfeito cavalheiro" queria dizer um domador que não cai do cavalo por mais bravo que seja! — confessou a menina. — Veja que boba fui!...

— Não é ser boba, minha filha, é não saber. Uma criança não tem culpa de não saber, e para que saiba uma porção de coisas úteis é que as vovós contam estas histórias do mundo. Mas a amabilidade dos cavaleiros com as damas chegava a ponto de, ao passarem por perto de uma, terem a pachorra de tirar da cabeça a horrível armação do tal elmo. Sabem para quê? Para significar que ele a considerava amiga, e, portanto, não necessitava estar com a cabeça na gaiola, como era de uso em presença de inimigos. Desse ato dos cavaleiros medievais veio o costume dos homens modernos tirarem o chapéu na rua quando passam por uma dama, ou por outros homens que eles respeitam.

— Que engraçado, vovó! — exclamou Pedrinho. A menor coisa de hoje que a gente faz sem pensar, tem uma explicação histórica...

— Está claro. Tudo tem a sua razão de ser. Até estes costumes dos cavaleiros da Idade Média, que hoje nos parecem ridículos, tinham a sua razão de ser, como vocês verão um dia, quando estudarem bem a fundo a História. Também tinham muita razão de ser os jogos em moda naqueles tempos.

— Quais eram?

— O principal consistia no **torneio**. O torneio na Idade Média correspondia aos Jogos Olímpicos da Grécia, às corridas de carros e lutas de gladiadores de Roma, às touradas da Espanha, ao boxe dos americanos e ao futebol nosso.

— Nosso, não. O futebol não é coisa daqui, veio de fora, — alegou Narizinho; mas Pedrinho, que era zagueiro do Picapau Futebol Clube, não concordou.

— Os sertanistas que estudaram os índios lá da Amazônia, — disse ele, — descobriram tribos nas quais o jogo era uma espécie de futebol, com bola de borracha maciça e regras muito parecidas com as do futebol inglês. Por isso acho que vovó está certa e podemos falar em "nosso" futebol.

— Mas quais os jogos em moda naquele tempo? — quis saber a menina. — Qual o principal?

— Havia a **liça**, correspondente à **arena** dos lutadores, ou ao **campo** dos jogadores de bola. A multidão rodeava a liça levando bandeiras para enfeitar o ar e trombetas para fazer barulho. Sem barulho jamais houve festa no mundo — daí os foguetes, as charangas, o visório, as palmas, o berreiro, as vaias. Na liça apareciam os cavaleiros, divididos em partidos contrários, a fim de se engalfinharem em lutas de mentira. Por isso traziam as pontas das lanças enchumaçadas, de modo que não ferissem gravemente os rivais. Dado o sinal, os cavaleiros, montados em cavalos também cobertos de armaduras, avançavam de lança em riste uns contra os outros, procurando derrubarem-se mutuamente das selas. Os vencedores recebiam como prêmio uma fita ou distintivo qualquer oferecido pelas damas — e estes prêmios, ou troféus, eram grandemente estimados. Os heróis nunca deixavam de trazê-los quando iam às batalhas de verdade. Hoje os prêmios são, sobretudo, taças — um costume que também tem a sua origem histórica.

Outra diversão favorita dos cavaleiros era a caça com o falcão — uma ave de rapina que se deixa amestrar. Ensinavam os falcões a caçarem certas aves e pequenos animais, como coelhos e lebres, e a trazerem-nos para os seus donos.

— Como os cachorros perdigueiros de hoje, vovó, — lembrou Pedrinho.

— Sim. Esses falcões faziam o papel de cachorros com asas. Eram levados ao campo presos por uma correntinha ao pulso do caçador e com a cabeça coberta por pequena carapuça. Assim que a caça era avistada — um pobre pombo ou uma pobre lebre — tiravam-lhes a carapuça e soltavam-nos. O falcão caía, qual flecha, sobre o coitadinho, e o agarrava nas terríveis unhas afiadíssimas; depois o trazia ao caçador, se era ave, ou ficava a segurá-lo no chão se era animalzinho. O caçador apanhava a caça, punha outra vez a carapuça no falcão e o prendia à corrente.

— Malvados! — exclamou Narizinho. — Estou vendo que a história do mundo podia muito bem chamar-se história da malvadez humana...

— As damas, apesar de serem muito sensíveis e todas cheias de não-me-toques-não-me-deixes, gostavam imenso das caçadas com falcão. Já os homens preferiam caçar o javali — um feroz porco-do-mato de dentuça terrível — por ser esporte mais perigoso e, portanto, mais próprio de homem.

— Hum, hum! — fez a menina.

— Hum, hum, por quê? — indagou Pedrinho.

— Estou me admirando da importância que os homens dão à valentia. Gostam desse esporte porque é mais perigoso. Hum, hum!...

— Os homens, — disse Dona Benta, — ainda estão muito próximos da barbárie primitiva. Isso explica o alto valor que ainda dão à coragem física. Quando Madame Curie, a descobridora do rádio, chegou a Nova Iorque foi recebida por pequeno número de pessoas, mas naquela hora uma enorme multidão estava recebendo, com uma trovoada de palmas e gritos, um famoso jogador de boxe — isto é, um brutamontes cujo mérito é quebrar o queixo de outro antes que esse outro lhe quebre o seu. Madame Curie valia um milhão de vezes mais que o jogador de boxe — mas o povo ainda não tem a cultura necessária para perceber que é assim...

Capítulo L
O NETO DO PIRATA

No dia seguinte Dona Benta falou novamente dos ingleses.

— Depois que o Rei Alfredo se arrumou lá com os piratas, — disse ela, — o rei da França resolveu fazer o mesmo com os normandos, que também se divertiam em piratear pelas costas da França, comandados por um terrível pirata de nome Rollon. Não podendo vencê-los, o rei negociou, autorizando-os a ocuparem um pedaço do território francês. Mas para guardar as conveniências era preciso que Rollon fingisse que agradecia o donativo do rei da França e lhe prestasse homenagem em público, beijando-lhe os pés.

Rollon, na realidade, não havia recebido presente nenhum. Havia conquistado. Presente à força não é presente — é conquista da boa. Assim, ao saber que tinha de prestar homenagem ao rei, refletiu lá consigo e respondeu que sim, que faria o que fosse necessário. Ele e seus homens beijariam o pé do rei.

Ao realizar-se a tal cerimônia, tudo começou muito bem. Os normandos desfilaram diante do trono, ajoelharam-se e beijaram o pé real. Mas ao chegar a vez de Rollon aconteceu uma coisa inesperada. Em vez de baixar-se como os outros para dar o beijo, o pirata ergueu o pé do rei à altura da boca — e lá o revirou, com o trono e tudo, de pernas para o ar!

— Espere, vovó! — gritou Pedrinho entusiasmado. — Quero tomar nota do nome desse pirata para nunca mais o esquecer. Está aí um homem que vale a pena! Virar um rei de pernas para o ar! Essa é de primeiríssima!

Emília, cujo sonho sempre fora ser mulher dum grande pirata, veio logo com a sua asneirinha.

— Ah, — exclamou ela, — se eu fosse Mme. Rollon havia de ir com ele a essa cerimônia, para virar também a rainha da França de pernas para o ar!

Depois que arrefeceu aquele entusiasmo, Dona Benta prosseguiu:

— A parte da França que havia sido dada aos normandos passou a chamar-se Normandia, nome que se conserva até hoje. Tornou-se uma terra muito curiosa pelos costumes e pela qualidade das gentes. Em certa época houve lá um duque, neto de Rollon, que dominava toda a província: Guilherme. Um homem levado da breca — muito forte de corpo e de vontade. No atirar flechas com o arco ninguém o batia, como também não havia ninguém que conseguisse dobrar o seu arco. Guilherme tinha abandonado o deus Woden para fazer-se cristão, mas era cristão só na aparência; nos atos parecia até o próprio deus Woden. Quando queria uma coisa, queria mesmo!

Um dia enjoou-se de ser apenas duque. Quis ser rei. Se outros menos fortes eram reis, por que não seria ele rei também? Ora bolas! Mas rei do quê? De que país? Pensou, pensou e afinal resolveu ser rei da Inglaterra, país separado da Normandia pelo Canal da Mancha. Andava com essas ideias na cabeça, quando um jovem príncipe inglês naufragou nas costas da Normandia, sendo salvo e levado à sua presença. Guilherme achou boa a ocasião para fazer um negócio: — obrigá-lo a prometer que quando subisse ao trono, ele, Haroldo (chamava-se Haroldo, o príncipe), faria a ele, Guilherme, presente da Inglaterra!

— Que graça! — exclamou Narizinho. — E Haroldo prometeu?

— Que remédio? Guilherme sabia arranjar as coisas. Para maior segurança fez Haroldo jurar diante de um altar do castelo. Logo que Haroldo jurou, Guilherme ergueu a tampa do altar e mostrou-lhe uma porção de ossos de santos. Jurar sobre ossos de santos era naquele tempo o maior e mais grave juramento possível, de modo que Guilherme não teve receio de que o príncipe jamais se atrevesse a quebrar tão solene jura.

Depois disso Haroldo voltou para sua terra, e mais tarde subiu ao trono. E agora! Que fazer? Entregar o país a um estranho era um absurdo; o povo inglês jamais o consentiria. Mas o juramento? Oh, o juramento não valia nada porque fora arrancado por meio de traição. Quando jurou não sabia que debaixo do altar estivessem ossos sagrados. E Haroldo resolveu continuar rei da Inglaterra e mandar Guilherme às favas.

Quando Guilherme soube disso, ficou furioso e imediatamente reuniu um exército para invadir a Inglaterra. Ao desembarcar nas costas inglesas aconteceu um pequeno acidente. O bote no qual Guilherme se dirigia à praia encalhou de súbito na areia, fazendo-o cair por terra. Esse tombo, tão fora de propósito, equivalia a péssimo sinal — ou mau agouro. Os generais e soldados normandos sentiram pelo corpo um arrepio de medo. Mas Guilherme enxergava longe e pensava rápido como o raio. Ergueu-se com as mãos cheias de terra, dizendo que caíra de propósito, para mostrar como iria cair sobre as Ilhas Britânicas e segurar com ambas as mãos todas as suas terras. Os soldados entusiasmaram-se com o dito e ninguém mais pensou no mau agouro.

— Que esperto, vovó! — exclamou Pedrinho. — Transformou o mau em bom enquanto o diabo esfrega o olho! Bem se vê que era neto de pirata!...

— Muito hábil, sim — concordou Dona Benta. — Era Guilherme, na realidade, o que um filósofo alemão chama super-homem, isto é, um homem que é mais que um homem. Logo depois o iria mostrar na batalha travada com o exército de Haroldo. Os ingleses, que estavam defendendo a sua terra, bateram-se com a maior fúria — e já iam vencendo, quando Guilherme os enganou a todos. Fingindo-se derrotado, deu ordem de retirada. No maior delírio de contentamento, os ingleses lançaram-se na perseguição dos normandos, sem ordem nenhuma, transformados em multidão que corre às cegas. Súbito Guilherme dá contra ordem; seus soldados voltam-se contra os ingleses e os destroçam completamente. Haroldo morreu com um dos olhos atravessado por uma flecha — e assim terminou a batalha de Hastings, que é das mais célebres da história pelas consequências que teve.

— Que azar tinha esse Haroldo! — exclamou Pedrinho.

— Guilherme, vencedor, fez o exército normando marchar *incontinenti* para Londres, onde se coroou a si próprio rei da Inglaterra no dia do Natal do ano de 1066. Desde então passou a ser conhecido como Guilherme, o Conquistador. Estava iniciada uma nova dinastia de reis, a dinastia normanda, que entroncava num chefe de piratas.

Os olhos de Emília brilhavam. A palavra "pirata" bulia com ela. Seu sonho era sempre o mesmo — ser a esposa dum pirata "para mandar num navio"...

— Guilherme dividiu a Inglaterra entre os nobres da sua corte, como se o país fosse um queijo. Tinham esses nobres de lhe prestar vassalagem, isto é, de lhe jurar obediência todos os anos e de lutar por ele quando chamados. De posse da sua fatia de queijo inglês, cada nobre normando tratou de construir nela um castelo. Guilherme levantou o seu em Londres, à margem do Rio Tâmisa. Nessa mesma margem havia Júlio César construído um forte, que desapareceu; o Rei Alfredo, depois, construiu lá um castelo, que também desapareceu; só ficou — e ainda lá está — a construção erguida por Guilherme. Chama-se a Torre de Londres, um dos monumentos mais célebres do mundo pelas numerosas tragédias que se passaram dentro dos seus muros.

— Vai para o meu caderno essa Torre, — disse Pedrinho. — Quando for a Londres, não deixarei de passar algumas horas lá dentro.

— Mas Guilherme era realmente um homem de valor, que bem merecia ser rei duma grande nação. Tinha o espírito prático. Uma das primeiras coisas que fez foi levantar a lista de todas as pessoas e propriedades do reino, lista que ficou servindo de base para o seu governo. Era a avaliação da Inglaterra, cálculo que pela primeira vez se fazia. Guilherme queria saber a quantas andava; queria ver claro. Assim como uma casa comercial dá balanço no negócio por meio dos guarda-livros, assim fez ele a escrita da Inglaterra inteira e deu balanço. No livro chamado o **Domesday Book** foi lançado tudo — desde o nome de cada habitante até o último porquinho que houvesse num quintal.

— Que danado! — exclamou a menina. — Que negociante!...

— E muito mais coisas fez o terrível normando. Estabeleceu, por exemplo, uma lei para evitar crimes e distúrbios durante a noite. A certa hora, quando os sinos tocavam, todos tinham de apagar as luzes e ir para a cama.

Uma das suas novidades causou grande ódio aos ingleses. Guilherme gostava muito de caçar, e como não houvesse boas matas perto, mandou destruir uma série de vilas e aldeias nas imediações de Londres, transformando a terra assim obtida num bosque ao qual deu o nome de Nova Floresta. Até hoje existe, sempre com o mesmo nome.

— Interessante, vovó! — observou Narizinho. As coisas que esse Guilherme fazia ficaram para toda a vida — o seu castelo, a sua floresta, a sua Inglaterra...

— Foi um construtor não há dúvida. Em seu governo fizeram-se muitas coisas sérias e úteis ao povo. Depois de Guilherme, a Inglaterra passou a ser um dos países do mundo mais seguros para viver — e daí vem ser o ano de 1066 considerado o ano I dos ingleses.

— E era neto dum pirata! — exclamou Narizinho, pensando em Cômodo, filho de Marco Aurélio, e outros filhos de reis que nunca prestaram para coisa nenhuma.

Enquanto os meninos comentavam os feitos de Guilherme, o Conquistador, Emília cochichava para o Visconde, combinando o levantamento da escrita e o balanço do sítio de Dona Benta.

— Mas há de ser trabalho muito bem feito, ouviu? recomendava a diabinha. É preciso que não escape nada, nem a porteira, nem os pés de couve, nem os cupins do pasto.

E piscando para o velho Sabugosa:

— Vai ver, Visconde, que eu ainda acabo a Rollona deste reino — e se você me escrever o Domesday Book do sítio bem direitinho, eu o farei cavaleiro andante — depois dum bom banho de água quente...

Capítulo LI
A AVENTURA DOS CRUZADOS

No jantar do dia seguinte Pedrinho perguntou a Dona Benta qual iria ser o assunto histórico daquela noite.

— Podemos falar dos Cruzados, — respondeu ela depois de refletir uns instantes. — É assunto dos mais pitorescos e foi coisa de muitas consequências para o mundo.

Pedrinho bateu palmas. Já conhecia alguma coisa dos Cruzados — e isso de guerras, invasões, caçadas de feras no Uganda ou na Índia era com ele. "Não sei por quem Pedrinho puxou esse espírito **belicoso**", vivia dizendo a menina. "De vovó não foi, porque vovó é pacifista." E porque o assunto ia ser de guerra, Pedrinho achou jeito do serão daquela noite começar dez minutos mais cedo.

— Ande, vovó, comece logo, que estou aflito.

E Dona Benta começou.

— As tais cruzadas, meu filho, vieram em consequência da exaltação do fanatismo religioso na Europa.

Havia na Idade Média tamanho entusiasmo de fé entre os cristãos, que de todos os cantos saíam viajantes com rumo à Palestina. Era lá a cidade de Jerusalém. Eles queriam ver com os próprios olhos a terra onde Cristo fora crucificado, e rezar diante de seu túmulo. Esses viajantes chamavam-se **peregrinos** — e a viagem que faziam era a **peregrinação**. Trazer de Jerusalém uma folha de palmeira, ou qualquer outra lembrança para mostrar aos amigos e pendurar nas paredes, constituía o ideal de toda gente.

A viagem durava meses, às vezes anos. Nada de trens, como hoje. Nada de hotéis pelo caminho e outras comodidades. Os peregrinos tinham de sujeitar-se a mil incômodos e padecimentos.

O pior, entretanto, era Jerusalém estar nas mãos dos turcos, povo maometano que detestava os seguidores de Cristo. Depois dos peregrinos vencerem as mil dificuldades da viagem, tinham ainda, quando chegavam, de sofrer os maus tratos dos turcos, ou **infiéis**, como eles diziam. Isso começou a desesperá-los; e como a situação fosse ficando cada vez pior, lá pelo ano 1099 o Papa Urbano, que era o chefe da cristandade resolveu reagir. E lançou uma proclamação convidando todos os cristãos a se reunirem em exército para expulsar os turcos de Jerusalém.

Um monge de nome Pedro, o Eremita, homem de grande eloquência, também se sentiu revoltado e saiu pelo mundo a pregar a guerra santa.

— Que quer dizer eremita, vovó?

— Quer dizer um homem que se aborrece dos outros e vai viver sozinho no deserto, ou nalguma caverna, onde possa rezar o tempo que queira sem que ninguém se implique. Pedro era desses. Vivia numa gruta, ou num **eremitério**, sofrendo toda sorte de privações — meio que ele achava o melhor para conseguir o reino dos céus. Pedro já havia estado em Jerusalém, donde voltara tinindo de indignação. Por isso começou a contar a todo mundo os maus tratos que os cristãos sofriam, frisando ainda o absurdo de estar o Santo Sepulcro nas mãos dos piores inimigos da cristandade. Falava ao povo nas igrejas, nas ruas, nos mercados, pelas estradas — onde quer que encontrasse ouvidos, e graças à sua eloquência conseguiu impressionar os ouvintes.

Não demorou muito tempo e os cristãos começaram a juntar-se aos milhares, moços e velhos, homens, mulheres e até crianças, com o fim de marchar para Jerusalém e arrancá-la das mãos dos turcos. Esses vingadores usavam como distintivo uma cruz de pano vermelho pregado ao peito. Daí o nome de **cruzados**, que receberam, e o nome de **cruzadas**, que tiveram as suas investidas em massa.

Quem partia para uma cruzada tinha bem pouca esperança de voltar, e por isso dispunha de todos os seus haveres — casa, mobília, gado, plantações. Seguia limpo. A maior parte dos peregrinos marchava a pé. Outros iam a cavalo — entre estes os nobres.

— Os nobres também iam?

— Como não? Até príncipes, e por fim até reis, como vocês vão ver. O plano do papa era organizar uma grande cruzada que partisse para o Oriente no ano de 1099; mas tal era a ânsia daquela gente por combater, que não houve meio de a segurar. Com Pedro, o Eremita, e outros chefes à frente, lá partiram os primeiros cruzados muito antes de estar completa a organização imaginada pelo papa.

Semelhante multidão, cuja ignorância de tudo era profunda, não tinha a menor ideia da distância a que ficava Jerusalém. Geografia para eles era coisa não existente. Mapa, não havia um para remédio. Informações, todas incompletas ou erradas. Ninguém pensava no modo de obter alimento e agasalho pelo caminho, nem nas coisas necessárias durante a marcha. Confiavam cegamente em Pedro, o Eremita, e o seguiam. Deus havia de olhar por eles durante a viagem.

"Para a frente, soldados de Cristo!" era o grito de guerra, a cujo som imensas massas humanas rolavam de rumo a Jerusalém. A quantidade dos que morriam pelas estradas não tinha conta, de fome ou doença. Iam indo, indo. Cada vez que avistavam ao longe uma cidade, inquiriam ansiosos: "Jerusalém?".

— Devia ser tal qual correição de formigas, — observou Pedrinho.

— De fato, era um formigueiro em marcha, às cegas.

— E os turcos, vovó? Que fizeram quando a notícia chegou lá?

— Quando os turcos souberam daquela marcha de milhares e milhares de homens, reunidos em exército para expulsá-los da Palestina, saíram-lhes ao encontro, bem armados e bem comandados. A matança feita nos cristãos foi tremenda. O próprio Pedro, o Eremita, não escapou. Acabaram todos destruídos.

Mas atrás deles vinham, muito mais em ordem, outras levas imensas, que haviam sido organizadas pelo Papa Urbano e partido no tempo que ele marcara.

Houve também mortandade grande pelo caminho, mas por fim chegaram a Jerusalém os sobreviventes. Quando se viram diante das muralhas da cidade sagrada, rompeu entre eles um verdadeiro delírio de alegria. Caíram de joelhos e rezaram e cantaram hinos, agradecendo a Deus o terem conseguido chegar ao termo daquela interminável e dolorosa jornada.

— E depois?

— Depois atacaram a cidade com fúria de assombrar aos próprios turcos. Nada pôde resistir ao ímpeto do assalto — e Jerusalém lhes caiu nas unhas. A matança que fizeram nos habitantes foi terrível. Pelas ruas da cidade de Cristo correram verdadeiros riachos de sangue. O principal chefe, chamado Godofredo de Bulhão, tomou conta da praça e estabeleceu um governo cristão — e desse modo terminou a primeira cruzada.

— Primeira, vovó? — perguntou Pedrinho. Houve outras, então?

— Sim, houve nove, isso no espaço de dois séculos, porque logo depois os turcos retomaram Jerusalém, massacraram todos os cristãos e nunca mais saíram de lá.

Narizinho fez cara de horror e piedade.

— Que coisa triste, vovó! Tão bom que foi Jesus Cristo, a ponto de morrer no suplício por amor a nós — e os seus seguidores, na própria cidade onde ele estava enterrado, diante do seu próprio sepulcro, a transformarem as ruas em riachos de sangue... Cada vez mais me horrorizo com a estupidez dos homens. Que imensos desgraçados...

Dona Benta calou-se.

Capítulo LII
OS REIS CRUZADOS

No dia seguinte Dona Benta continuou:

— Temos três reis metidos nas cruzadas: Ricardo, rei da Inglaterra; Filipe, rei da França; Frederico Barbirruiva, rei da Alemanha.

Jerusalém estava novamente nas mãos dos turcos, o que punha os cristãos na maior das cóleras. Não podiam admitir semelhante injúria. Era necessário lançar nova cruzada — e a segunda cruzada começou.

A segunda! Quantas ia haver ainda!... Por duzentos anos as cruzadas se fizeram como uma coisa espontânea, que nasce ninguém sabe como e acaba ninguém sabe por quê. Eram ondas que se quebravam contra um rochedo. Algumas se desfaziam antes de alcançar a Palestina. Em outras os cruzados alcançavam-na, retomavam por um momento Jerusalém e logo a perdiam.

Nesta segunda cruzada os três reis não tomaram parte. Estavam reservados para a terceira, que começou no ano 1189, quase cem anos depois da primeira.

— Três reis! Imaginem! Estou quase com dó dos turcos...

— Não perca o seu dó, Pedrinho, porque ainda é cedo. Esses três reis nada conseguiram. Frederico Barbirruiva...

— Que nome! interrompeu Narizinho. — Quem era ele?

— Parente de Barba-Azul com certeza, — gritou Emília.

— Não, — disse Dona Benta. — Barbirruiva era um rei da Alemanha, que tinha a sua corte naquela cidade de que Carlos Magno fizera a capital do império. Vamos ver quem se lembra...

— **Aix**... — começou Pedrinho; **la**... — continuou Narizinho: **Chapelle** — concluiu Emília.

— Muito bem. Aix-la-Chapelle. Mas no tempo de Barbirruiva essa cidade era apenas a capital da Alemanha e não de um império. Embora Barbirruiva quisesse formar um grande império como o de Carlos Magno, não o conseguiu, porque não tinha as qualidades de governo, ou o jeitinho do outro. Faltava-lhe juízo, e a prova foi meter-se na terceira cruzada, já idoso como era. Resultado: não chegou a ver Jerusalém, morreu no caminho — afogado. E ficaram em campo dois reis somente.

— É a primeira vez que encontro um rei que morre afogado, — disse Pedrinho. — Em geral morrem assassinados ou decapitados, como aquele Luiz XVI da França...

— O segundo rei, o tal Filipe, também não viu Jerusalém. Enchendo-se de ciúmes do seu companheiro Ricardo por vê-lo muito querido de toda gente, voltou para a França. O rei inglês ficou sozinho.

— Aposto que o inglês viu Jerusalém! — berrou Pedrinho.

— Viu, sim. Este Ricardo foi um grande rei — e ainda maior seria se tivesse ficado em casa cuidando do seu povo. Mas não resistiu à tentação da grande aventura. Era um homem querido dos homens e muito amado das mulheres — bondoso, inteligente, gentil; além disso, bravo e enérgico. Ficou na História com o nome de Ricardo Coração de Leão. O povo o amava, porque era duro com os malfeitores e muito justiceiro. Durante séculos existiu na Inglaterra o costume das mães meterem medo às crianças manhosas dizendo: "Quietinha, se não o Rei Ricardo vem te pegar!".

— Virou cuca depois de morto, o coitado! — exclamou Narizinho.

— Era querido até dos adversários, como se vê do que aconteceu entre ele e o Sultão Saladino, que reinava em Jerusalém por ocasião da terceira cruzada. Saladino estava sendo atacado pelas forças de Ricardo, mas tanta era sua simpatia pelo rei inglês que lhe propôs um acordo bom para os dois lados. Nesse acordo ficou assente que os turcos não mais maltratariam os peregrinos cristãos vindos a Jerusalém. Conseguido isso, Ricardo fez-se de volta para a Inglaterra, desse modo pondo fim à terceira cruzada.

No seu regresso aconteceu uma coisa que até parece fita de cinema. Foi raptado pelos ladrões! Raptado e oculto numa prisão que ninguém sabia onde ficava — e os raptores exigiram da Inglaterra uma grande soma em troca da sua liberdade. Mas como poderiam os seus amigos resgatá-lo, se não sabiam onde estava, nem podiam comunicar-se com os raptores?

— E então... — disse Narizinho.

— E então, — repetiu Dona Benta, — entrou em cena um Blondel, que era o menestrel favorito de Ricardo. Havia este Blondel, tempos atrás, composto uma canção de que o rei gostava muito. Quando o seu senhor desapareceu, teve Blondel a ideia de sair pelo mundo cantando essa canção por toda parte, junto às muralhas de todos os castelos, na esperança de que o rei a ouvisse e o reconhecesse.

Cantou, cantou Blondel e um dia, por acaso, cantou justamente ao pé da torre onde estava metido o rei. Ouvindo a canção querida, Ricardo logo reconheceu a voz de seu menestrel — e, também cantando, respondeu com o estribilho. Desse modo foi descoberto. Seus amigos pagaram o resgate e ele voltou muito lampeiro para a Inglaterra.

— Que engraçado, vovó! — exclamou Narizinho. — Afinal de contas a História não passa dum romance de capa e espada como aquele de Alexandre Dumas que a senhora nos leu...

— E assim é, minha, filha. Ricardo Coração de Leão voltou para a Inglaterra, mas não sossegou. Por esse tempo o famoso Robin Hood andava por lá pintando a saracura, sem que ninguém pudesse prendê-lo. Roubava os viajantes nas estradas e batia os soldados do rei sempre que eles se atravessavam no seu caminho.

— Eu já vi a fita de Robin Hood, — disse Pedrinho. Há lá um frade que é um número!...

— Ricardo danou e dispôs-se a dar cabo de Robin Hood. Para isso disfarçou-se em monge, dando jeito de fazer-se capturar por ele. Queria conhecer de perto quem era o tal Robin, para depois apanhá-lo, bem apanhado. Mas sabem o que aconteceu? Ricardo gostou tanto de Robin Hood, tomou-se de tais amores pelo bandido, que o perdoou, a ele e a toda a quadrilha!

— Que criatura extraordinária, vovó! — exclamou Pedrinho. — A senhora não imagina como gosto de homens assim, que fazem as coisas diferentes dos outros e sempre de sua cabeça! Esse Ricardo vai para meu caderninho. Espere aí...

— Então ponha também no seu caderninho que a **cota d'armas** de Ricardo trazia três cabeças de leão, uma em cima da outra — desenho que mais tarde entrou para o escudo da Inglaterra.

Pedrinho tomou nota de tudo, enquanto Dona Benta bebia água, tomava fôlego e prosseguia.

— Depois dessa terceira cruzada veio...

— A quarta! — berrou Emília.

— Está claro que a quarta, bobinha. Mas o que eu ia dizer é que veio uma no ano 1212 só de meninos.

— Meninos, vovó? — exclamaram todos, de olhos arregalados.

— Sim, meninos, criançada. Chamou-se mesmo a Cruzada das Crianças. Teve origem em França, com um menino de nome Estêvão que era, ou devia ser um maluquinho de marca. Começou ele a entusiasmar os seus amigos e conhecidos e a coisa pegou fogo. Surgiram de todos os cantos da França meninos que escapavam dos pais com a ideia de irem a Jerusalém surrar os turcos. Reunidos em grande bando, mais da 30.000, os cruzadinhos marcharam para as costas do Mediterrâneo, na esperança de que as águas se abrissem para lhes dar passagem, como a Bíblia diz ter acontecido no Mar Vermelho no tempo dos hebreus. Mas o Mediterrâneo ficou quieto, por mais intimações que recebesse para abrir-se. Nisto surgiram alguns marinheiros, que vieram conversar com os cruzadinhos e souberam de suas intenções. Esses marinheiros piscaram lá entre si e depois se ofereceram para levá-los de navio a Jerusalém. A meninada aceitou com entusiasmo. Dias depois apareceram os navios e grande número de meninos embarcaram... e foram levados para a costa da África e vendidos como escravos aos maometanos — justamente aos seus piores inimigos. Eram navios de piratas...

Narizinho assombrou-se.

— Estou vendo, vovó, que não existe nada de mais nos contos de Grimm, Andersen e outros. Que diferença entre a História e os contos de fadas? Aqueles reis, aqueles castelos, aqueles piratas — tudo a mesma coisa. A única diferença é que a História tem coisas ainda mais fantásticas do que os contos de fadas — como essa história dos cruzadinhos, por exemplo...

— Tem razão, minha filha. A realidade é às vezes ainda mais fantasiosa do que a fantasia dos escritores. Um puro romance. Mas voltemos às cruzadas. Houve ainda outras, e por fim veio a oitava, que levou como chefe o Rei Luís IX de França, o mesmo que mais tarde virou São Luís. Também está falhou, tendo o pobre rei morrido em caminho, de peste. Desse modo, apesar de todo o esforço dos cristãos durante duzentos anos, os turcos não foram desalojados de Jerusalém — e lá ainda estão até agora. Isto é, lá ficaram até 1918. Nesse ano os ingleses, em guerra com os turcos, armaram uma expedição contra Jerusalém — e a ocuparam.

— Quer dizer, vovó, que foram os ingleses que fizeram a última cruzada e a única vencedora? — sugeriu Pedrinho.

— Está com jeito de ser, — respondeu Dona Benta. — Mas os ingleses são um povo civilizado. Fizeram um acordo com os turcos, deixando-os lá — o mesmo que fez Ricardo Coração de Leão. Não houve matança ao sistema antigo — só mudança de governo.

— O que eu acho muitíssimo interessante, vovó, é todas essas matanças serem feitas em nome de Cristo!...

— Ah, minha filha, se Cristo voltasse ao mundo havia de horrorizar-se com os milhões de crimes cometidos em seu nome... Não há pior calamidade que o fanatismo religioso. A História é atravessada por um Amazonas de sangue derramado por causa desse fanatismo. Mas é preciso notar que nem todos os que tomavam parte nas cruzadas eram seguidores de Cristo...

— Nem todos, não, vovó! — protestou a menina. — Nenhum! Onde se viu um seguidor de Cristo andar matando gente?

— Sim, minha filha, mas eles ingenuamente se davam como seguidores de Cristo; além desses, inúmeros eram levados apenas pelo espírito de aventura, com olho no roubo e nos saques. Saquear cidades deve ser uma delícia, pois a maior recompensa que os grandes generais dão aos seus soldados é justamente isso — licença para saquear...

Apesar dos pesares, as cruzadas trouxeram o seu benefício, porque nada ensina tanto como viajar, ver novas terras, novas gentes, novos costumes. Os cruzados que morreram, morreram; mas os que voltaram vieram sabidíssimos, e ensinaram aos que não foram mil coisas novas. Para a ignorância espessa da Idade Média, isso valeu muito. Serviu para quebrar a crosta do "não sei". Serviu tanto, que depois delas começou a raiar nova luz na Europa. A derradeira cruzada marcou o fim da Idade Média.

Capítulo LIII
UM MAU REI

— Estou com saudades do Rei Ricardo, vovó, — disse Pedrinho no dia seguinte. — Conte mais alguma coisa dele.

— Eu bem disse que todos o amavam. Até você ficou caidinho, hein? E, no entanto, Ricardo tinha um irmão detestável, o Príncipe João. Quando Ricardo esteve fora, à frente da terceira cruzada, João fez uma tentativa para apossar-se do trono. Começou assim a mostrar quem era. Mais tarde, depois da morte de Ricardo, subiu ao poder e então pôde sossegadamente acabar de mostrar quem era.

Nas fitas de cinema há sempre um vilão — um sujeito ruim, que passa a vida a fazer ruindades e patifarias, recebendo o castigo no último ato. Também a História está cheia de vilões com a coroa real na cabeça. Infelizmente não aparece no último ato nenhum castigo para eles.

Logo que subiu ao trono, João fez matar, ou matou com suas próprias mãos, um menino chamado Artur, seu sobrinho, com medo de que dum momento para outro viesse a reinar.

— Devia ser um menino muito reinador, — disse Emília.

Ninguém achou graça e Dona Benta continuou:

— Logo depois desse horrível crime, teve uma desavença com o papa, lá em Roma. O papa era naquele tempo o chefe supremo da cristandade e, portanto, só a ele competia dizer faça isto, faça aquilo, em qualquer assunto da religião. Pois bem, o papa havia nomeado um bispo para a Inglaterra e o rei não reconheceu a nomeação. Queria que o bispo fosse um amigo seu, com certeza algum pândego da sua marca.

Era aquilo uma ofensa muito séria feita ao papa, o qual, em resposta, ameaçou de fechar todas as igrejas da Inglaterra. João sacudiu os ombros. Que fechasse! Então o papa foi e fechou todas as igrejas e mandou que ficassem fechadas até que o rei cedesse.

Nos tempos de hoje poucos compreendem o papel das igrejas na Idade Média. A igreja era tudo — mas tudo mesmo. Era o centro de reunião diária do povo para rezar e pedir benefícios a Deus; para aliviar-se dos remorsos, confessando os pecados; para pedir conselhos aos padres, únicos homens instruídos; para acender uma vela no altar da Virgem Maria, ou simplesmente para se encontrarem uns com os outros e darem a sua prosinha.

Também nela se batizavam as crianças e se casavam os noivos. Se a igreja se fechava, vocês compreendem que a vida de todos sofria um transtorno horrível; porque ninguém mais podia casar-se; e as crianças morriam sem batismo, não podendo entrar no céu; e as consciências ficavam sujíssimas de pecados; e os mortos ficavam privados de um enterro que lhes garantisse o sossego da alma.

Imaginem agora o desastre que para o povo inglês representava o fechamento de **todas** as igrejas. Daí o ódio que nasceu contra o causador daquilo. Ódio tão grande que o Rei João principiou a sentir medo. Por fim o papa ameaçou de colocar outro rei no trono — sim, porque era o papa quem fazia e desfazia os reis naquele tempo. Quando as coisas chegaram a esse ponto, o Rei João cedeu — abaixou a crista. Aceitou o bispo nomeado pelo papa e fez tudo mais que o papa quis.

Mas João não tinha conserto. A ideia que fazia do seu papel de rei era ótima para ele, mas muito má para a nação. Rei, para João, equivalia a ser dono de tudo, inclusive do povo. Este existia apenas para servi-lo, trabalhar para ele, ganhar dinheiro para ele, fazer tudo quanto ele mandasse, por mais absurdo e sem propósito que fosse. João tinha o costume, quando precisava de dinheiro, de exigir que os ricos lhe dessem grandes somas. Se a vítima se recusava, ia para a prisão, onde sofria torturas horríveis antes de ser morta.

E em vez de melhorar com a idade, o Rei João piorava sempre. Ficou uma tal peste que os seus barões, isto é, os homens importantes do reino, o prenderam numa pequena ilha do Rio Tâmisa, na qual foi obrigado a assinar uma declaração muito importante, escrita em latim, que se chamou a **Magna Carta** — ou a Grande Carta.

— Quantas páginas teria essa carta grande assim? — perguntou Emília.

— Carta aqui, — explicou Dona Benta, — não é o que você pensa. Era uma declaração solene — uma declaração de direitos.

— Que quer dizer isso de declaração de direitos, vovó?

— Quer dizer um papel onde o rei declarava que ele, e todos os outros reis que depois dele viessem, não podiam fazer tais e tais coisas, ou tinham o direito de fazê-las. Nessa Magna Carta foi declarado que todas as pessoas tinham o direito de ser as donas exclusivas do dinheiro que ganhassem, não podendo o governo, nem rei nenhum tirar-lhes à força nem um níquel. Uma pessoa tinha também o direito de não ser presa, ou castigada pelo governo, ou pelo rei, a não ser no caso de ter cometido algum crime, ou feito qualquer coisa que as leis proíbem. Eram esses os principais direitos **declarados** na Magna Carta, pois ainda havia outros.

O Rei João **teve** de assinar aquilo, embora espernease como criança que precisa, mas não quer, tomar óleo de rícino. E sabem como assinou? Com o seu selo real, isto é, um sinete de ouro com o qual carimbava sobre pingos de lacre derretido. Não sabia escrever nem o próprio nome, esse grandessíssimo João... Assinada a Magna Carta, foi solto, voltando para o trono.

— E cumpriu o que assinou?

— Não. Na primeira oportunidade desrespeitou a assinatura do seu carimbo de ouro. Mas desta vez não foi preciso que os barões o pusessem novamente na ilhazinha do Tâmisa. A Morte encarregou-se de levá-lo. Morreu João, mas a Magna Carta ficou e os reis que em seguida vieram começaram a respeitá-la cada vez mais.

Foi isto em 1215, uma data muito importante, porque a partir daí o povo deixou de servir aos reis e os reis começaram a servir ao povo. A Magna Carta foi a mãe do que hoje chamamos **Constituição**.

— Oh, já sei! — exclamou Pedrinho. — Compreendo agora. Constituição é uma declaração de direitos, haja ou não haja rei.

— Perfeitamente. Na sua Constituição, um povo declara como quer ser governado. Põe dum lado o que as pessoas têm direito de fazer e de outro lado o que os encarregados do governo têm direito de exigir das pessoas; e quando fulano ou sicrano desrespeita o que está ali combinado, cai sobre a sua cabeça um castigo. Ninguém hoje compreende que um povo possa viver sem Constituição, parecendo-nos até absurdo que durante séculos e séculos todos os países passassem sem ela.

Capítulo LIV
MARCO POLO

— Tenho notado uma coisa — disse Pedrinho. — A senhora só fala dos países da Europa, como se o mundo fosse apenas a Europa. E as outras terras?

— As outras terras não nos interessam tanto como as da Europa, ou do Ocidente. O Oriente, isto é, a parte onde estão os maiores países da Ásia, constitui para nós um verdadeiro mundo da lua. Hoje já não é tanto, porque há jornais e há o Japão. Os jornais, com a sua mexeriquice, contam o que se passa no mundo todo, e o Japão, depois que virou a Alemanha da Ásia, não para de fazer coisas que nos atraem os olhos. Mas naquele tempo não havia jornais, nem Japão moderno, de modo que ninguém sabia o que se passava lá longe.

Da Ásia os antigos europeus só conheciam aquela região entre o Tigre e o Eufrates, onde tanta coisa interessante se passou. O resto, para além desses rios, era uma terra muito vaga, que tinha o nome genérico de "lados de Catai".

Onde ficava esse Catai? Lá da outra banda do globo terrestre. Catai era antípoda da Europa. Sabem o que é antípoda?

— Sei, sim, — disse Narizinho — aprendi isso na história de **Alice no País das Maravilhas**. Antípoda é uma terra que está do lado oposto a outra.

— Pois bem, — continuou Dona Benta, — a terra de Catai ficava do lado oposto à Europa. Lá vivia um povo amarelo, de cabelos corridos — gente da raça mongólica. Hoje sabemos disso muito bem, e dessas terras recebemos muita coisa — leques de papel, cestinhas de bambu, caixas de charão, bichas de soltar no dia de Santo Antônio. Como também sabemos que lá ficam a Índia e a China — os dois povos mais **importantes** do mundo em antiguidade de civilização e requintes a que chegou tal civilização. Hoje os maiores sábios do Ocidente falam com o maior respeito desses dois povos, mas para a antiga Europa a Ásia praticamente não existia. A Europa começou a conhecer os amarelos quando eles vieram passear no Ocidente.

— Como passear, vovó? Não estou entendendo...

— Foi assim. Lá pelo século 12, uma das raças existentes na Ásia, os Mongóis ou Tártaros, despejou-se sobre o Ocidente, como avalancha de gelo ou nuvem de gafanhotos — e com tal fúria que ameaçou de arrasamento todos os países cuja história ando a contar. Vinham a cavalo, comandados por um terrível guerreiro de nome Gêngis Khan. Uma espécie de Átila e seus guerreiros eram uma espécie de hunos — mas piores.

Se fosse possível formar um exército de tigres e leões, não seria tal exército mais feroz que o de Gêngis Khan. Galopavam arrasando tudo, queimando cidades e povoados aos milhares, e trucidando homens, mulheres e crianças aos milhões. Ninguém podia resistir-lhes à fúria, de modo que tudo fez crer que a raça branca ia ser destruída — e com ela tudo quanto os brancos haviam criado.

Mas em certo momento Gêngis Khan parou. Estava já com um império que se estendia do Oceano Pacífico até junto da Europa, império maior que o romano ou o de Alexandre. Nisto, morreu.

— É o que vale, vovó! — disse Pedrinho. — É o que vale, haver a morte. Quando essas pestes ficam perigosas demais, vem a Magra com o seu garfo e **zás**! — fisga o monstro para o assar no inferno.

— Morreu, sim, mas as coisas não melhoraram, pois Gêngis Khan deixou um filho mais terrível que ele, o qual conquistou e arrasou novos países. Por fim a Morte fisgou também esse, e subiu ao trono o grande Kublai Khan. Apesar de neto de Gêngis, Kublai não havia herdado a sua ferocidade. Nascera com espírito criador, não com espírito destruidor. Foi quem fez de Pequim a capital da China e a encheu de monumentos. Tantos palácios e jardins maravilhosos levantou lá que obscureceu a glória de outros reis, como Salomão, por exemplo — reis amigos do que se chama **fausto**. Kublai Khan foi o maior rei que a China possuiu.

— Na Índia o maior foi Acbar, a senhora já nos contou.

— Sim, mas na China foi esse Kublai. Um belo dia apareceram por lá dois venezianos. Quem sabe o que é veneziano?

— O marido das venezianas! — gritou Emília apontando para as janelas da sala. Ninguém achou graça.

— Veneziano quer dizer um homem natural da cidade de Veneza. E Veneza? Quem sabe de Veneza?

Silêncio. Dona Benta explicou:

— Veneza era uma cidade muito curiosa da Itália, a única no mundo construída sobre água. As ruas não se pareciam — e não se parecem, porque Veneza ainda existe — com as ruas que todos nós conhecemos. Não são ruas, propriamente, mas canais. Em vez de carros, navegam nas ruas uma espécie de botes, chamados gôndolas. Pois bem, lá pelo ano de 1300 vivia em Veneza a família dos Polos. Dois deles encasquetaram a ideia de conhecer as regiões misteriosas de Catai. Puseram-se a caminho. Viajaram sem parar, sempre na direção leste, isto é, na direção do Oriente, e tanto andaram que foram parar diante dos maravilhosos palácios de Kublai Khan.

Quando o rei soube que dois homens brancos estavam de boca aberta diante do palácio, mandou que os trouxessem à sua presença. Os Polos apareceram, e longamente falaram, contando maravilhas da Europa, coisas inteiramente novas para Kublai Khan. Esses venezianos sabiam contar histórias, sabiam ser interessantes, de modo que o rei logo se agradou de ambos. Mandou que os hospedassem da melhor maneira para que todos os dias lhe viessem contar mais coisas. Depois os tomou a serviço e os empregou em altos postos do governo. Desse modo os Polos permaneceram na corte de Kublai Khan por vinte anos.

Um dia, sentindo saudades de Veneza, planejaram a volta. Estavam riquíssimos e sequiosos por contar aos parentes e amigos as suas extraordinárias aventuras. Mas Kublai gostava tanto deles que não quis deixá-los partir. Foi preciso prometerem que deixavam Catai por pouco tempo, voltando logo que as saudades de Veneza estivessem bem matadas.

Ao chegarem a Veneza ninguém os reconheceu. Todos duvidaram que eles fossem os dois Polos que haviam partido dali vinte anos atrás. Parecia impossível que aqueles dois sujeitos esfarrapados e sujos da longa viagem, além disso falando mal a língua italiana, fossem os homens que diziam ser.

Os Polos ficaram desapontados. As histórias maravilhosas do reino de Kublai Khan eram ouvidas como contos de fadas. Ninguém acreditou. Por fim eles fizeram como no cinema. Despiram as roupas esfrangalhadas e, abrindo as malas, tiraram de dentro os mais luxuosos trajes de seda — os de uso na corte de Kublai. Também abriram as caixas de rico charão, exibindo joias do mais fino lavor. Eram rubis e diamantes e esmeraldas e safiras em quantidade que dava para abrir uma joalheria. Os venezianos então arregalaram os olhos, vendo que era bem certo tudo quanto eles diziam.

Um dos Polos narrou mais tarde essas histórias a um homem que sabia escrever, e assim nasceu um dos livros mais famosos do mundo: **Viagens de Marco Polo**. Tais aventuras parecem contos de fadas, mas não são, embora muita coisa seja exagero de Marco Polo com o fim de espantar os leitores.

— Vovó, vovó! — exclamaram os dois meninos, — mande logo buscar esse livro para o lermos. Que lindo não há de ser!

— Nesse livro, — continuou Dona Benta, — Marco Polo descreve a magnificência dos palácios de Kublai Khan. Conta da enorme sala de jantar onde **milhares** de convivas podiam sentar-se à mesa ao mesmo tempo. Conta de uma ave tão grande que podia voar com um elefante no bico.

— É o Pássaro Roca! — berrou Emília. — Nosso velho conhecido.

— Conta ainda, — concluiu Dona Benta, — que ao passar pelo Monte Arará soube que a Arca de Noé ainda estava lá no alto, embora ninguém pudesse vê-la devido à imensa altura desse monte, todo de gelo do meio para cima...

— Que potoqueiro, vovó! — exclamou Pedrinho.

Capítulo LV
A AGULHA MÁGICA E O PÓ INVENCÍVEL

— Depois do regresso dos dois venezianos, — continuou Dona Benta, — os povos da Europa começaram a ouvir falar de duas coisas maravilhosas — uma agulha mágica e um pó invencível, trazidos de Catai.

— Há de ser o pó de pirlimpimpim! — gritou Emília.

— Era a pólvora. Até o ano de 1300 ninguém sonhava na Europa com espingardas e canhões. Os homens nas guerras matavam-se com as armas brancas, isto é, espadas, facas, lanças; ou com armas de arremesso, como flechas e máquinas de jogar pedras, armas todas elas de pequeno alcance. A espada, por exemplo, só vale à distância de um metro do soldado que a maneja — e com uma boa armadura o inimigo defende-se dos seus golpes. Também a flecha não vai muito longe. Mas com a espingarda ou canhão, a conversa fia mais fino. Diante da espingarda e do canhão as armaduras nada valem, as muralhas dos castelos não resistem. Isso fez que o uso da pólvora viesse mudar completamente muita coisa no mundo. A arte da guerra teve de ser reformada.

— Arte da guerra! — exclamou Narizinho. — Que monstruosidade isso de arte da guerra — arte de matar gente...

— Filosoficamente é assim, minha filha, mas na realidade a arte da guerra constitui a coisa a que os homens dão a maior importância. Defesa própria e conquista: essas duas expressões justificam a guerra.

— E acha a senhora que a guerra se justifica, vovó?

— Para mim não se justifica. Para Jesus Cristo também não se justificava. Mas eu não posso nada no mundo, e o próprio Cristo, cujas ideias tomaram conta do Ocidente, pôde tanto como eu em matéria de guerra.

Muitas houve em que os homens levavam à frente dos batalhões, como estandarte, a cruz de Cristo. O homem é mesmo aquilo que você diz, Narizinho. Continuemos.

Embora seja Marco Polo o suposto introdutor da pólvora na Europa, muita gente sustenta que a pólvora foi inventada pelo monge inglês Rogério Bacon. Este Bacon era um homem de ideias mais adiantadas que os outros e por isso foi considerado mágico e metido na prisão. Tinha parte com o diabo, diziam. Se houvesse nascido hoje, seria honrado com a admiração universal. Seria um Marconi, ou um Santos Dumont, ou um Edison, inventores do telégrafo sem fio, do aeroplano e do fonógrafo. Do mesmo modo que Edison, Dumont e Marconi seriam metidos em prisões caso tivessem nascido no tempo de Bacon. Tudo tem que vir a seu tempo. Rogério Bacon nasceu errado. Devia esperar para nascer agora.

Outros atribuem a invenção da pólvora a um químico alemão de nome Schwarz. Dizem que estava a fazer experiências, moendo umas drogas num pilãozinho de ferro...

— Diga logo almofariz que nós entendemos, vovó, — observou Pedrinho.

— Estava Schwarz moendo umas drogas num almofariz, ou gral, quando, de repente, a mistura explodiu, lançando para o teto a mão do pilãozinho. Schwarz assombrou-se e — repetiu a experiência, já com a ideia de utilizar na guerra a força daquela mistura — fazendo os pilões lançarem a mão contra o inimigo. E assim nasceram a espingarda e as mais armas de fogo.

— Que pena ter a mão do almofariz batido no teto em vez de bater na cabeça dele! — disse Narizinho. — Se naquela ocasião Schwarz tivesse levado — à breca, quem sabe se o mundo não estaria livre de espingardas e canhões?...

— Que mistura é essa que produz a pólvora, vovó? — quis saber Pedrinho.

— Uma mistura de carvão em pó, enxofre e salitre. Não digo a proporção de cada droga para que você não se meta a fabricante de pólvora cá no sítio.

— Muito bem para o pó invencível, vovó, mas a agulha mágica?

— A agulha mágica era a bússola. Os chineses tinham descoberto que uma agulha de ferro imantada, pendurada horizontalmente de um fio, tinha a propriedade de conservar-se sempre na mesma posição, com uma das pontas voltadas para o norte.

— Que coisa misteriosa, vovó!

— Que coisa importante, deve você dizer, pois foi graças a essa agulhinha que o homem — pode criar a grande navegação, e assim descobrir mundos novos, inclusive esta América onde vivemos.

Parece incrível que uma coisinha na aparência tão insignificante tivesse tamanho valor para a humanidade. Antes da bússola, a navegação só se fazia rente da terra. Se os navegadores perdiam de vista as costas, ficavam logo aflitos, como se houvessem perdido os olhos. Também pela posição do sol e das estrelas podiam guiar-se — mas quando o tempo estava encoberto e não havia sol nem estrelas? Cegueira pura. Guiados pela agulhinha, entretanto, podem cortar todos os mares com absoluta certeza de chegar ao ponto para onde se dirigem.

— Mas nesse caso, vovó, devemos uma grande coisa aos chineses! — disse Narizinho, muito admirada.

— Está claro que devemos, sobretudo nós aqui da América. Não fossem eles com a sua bússola, e quem lá sabe se nós existiríamos? Pelo menos não estaríamos aqui neste momento, pois embora a América pudesse ser descoberta, como o foi pelos vikings, não poderia ser colonizada, por impossibilidade de estabelecer linhas regulares de navegação. Tire o chapéu quando encontrar algum chinês pela rua, Pedrinho, porque é muito certo que você deve alguma coisa à China.

— Esta vai para o meu caderninho de notas, vovó!

E Dona Benta concluiu:

— Pois apesar de ser a bússola o que é, custou a ver-se adotada pelos marinheiros do Ocidente. Consideravam-na como arte do diabo, ou feitiçaria, e receavam que levada num navio causasse sérios transtornos...

— Nossa bússola vem vindo! — exclamou a menina ao ver Tia Nastácia aproximar-se. — Tia Nastácia também aponta sempre para o estômago...

— O chá está na mesa, — disse a boa criatura, muito admirada de receber o nome de "bússola beiçuda" que lhe deu a Emília.

Capítulo LVI
A GUERRA DOS CEM ANOS

No outro dia Dona Benta avisou Pedrinho de que ia dar um prato muito de acordo com a belicosidade dele — uma guerra de cem anos. Mas a menina protestou.

— Chega de matança, vovó! — disse ela fazendo cara de misericórdia. — Já ando cansada de mortandades...

— A história do mundo, minha filha, é a história das guerras e das invenções. Guerras e invenções vão constantemente mudando a face das coisas. Infelizmente as invenções, às quais devemos todas as melhorias da nossa vida, são, logo que aparecem, postas a serviço da guerra. Veja o aeroplano. Quando Santos Dumont o inventou, nem por sombras lhe veio à cabeça que o maravilhoso aparelho voador iria ser aplicado para matar gente e destruir cidades. E dizem que o que lhe apressou a morte foi ver sua máquina de voar planando sobre as cidades para jogar bombas lá de cima. Por isso, minha filha, apesar dessa carinha de enjoo que você está fazendo, vou contar alguma coisa da guerra dos cem anos.

— Pois conte, já que não há remédio...

— Começou com o Rei Eduardo III da Inglaterra, que não passava dum estúpido ambicioso. Entendeu de ser rei da França, visto considerar-se com mais direitos ao trono do que o rei que lá estava. E assim, no ano de 1338, declarou guerra à França, mandando contra esse país uma esquadra cheia de soldados. Logo depois do desembarque os ingleses travaram com os franceses a batalha de Crécy.

O exército francês era um exército de luxo, composto principalmente de nobres, possuidores de belos cavalos. Já o exército inglês só contava com peões, isto é, homens a pé, gente do povo, munidos duns arcos bastante reforçados, que lançavam flechas muito longe. Travada a batalha, os nobres franceses foram batidos.

Essa batalha tem fama na história por ser a primeira na qual se usaram canhões. Mas que canhões! Uns canhõezinhos que pareciam pistolões — **bum! pluf!** — e a bala caía perto, apenas espantando os cavalos. Esse engenho de matar e destruir, entretanto, iria aperfeiçoar-se constantemente até chegar a ser o que foi na Grande Guerra, em que o canhão Berta, dos alemães, lançou enormes balas de aço a cem quilômetros de distância.

A batalha de Crécy marcou o princípio da guerra dos cem anos, que tanto atraso trouxe para a Inglaterra e para a França. No ano seguinte rompia na Europa uma célebre peste, conhecida como a Peste Negra.

— Como aquela que arrasou Atenas no tempo de Péricles?

— Pior. A peste de Atenas ficou só em Atenas, mas a Peste Negra do ano 1339 espalhou-se por toda parte. Tinha vindo das bandas de Catai e ninguém pôde fugir dela. Matou quanto quis. Matou mais, talvez, do que todas as guerras juntas. Tinha o nome de Peste Negra porque começava com umas manchas negras pelo corpo dos doentes; a morte vinha às vezes em horas, outras vezes em dois, três dias. Como não houvesse remédio, muitos se suicidavam logo que as manchas apareciam.

Durou dois anos essa horrenda peste, que chegou a destruir cidades inteirinhas a ponto de não ficar quem enterrasse os mortos. Os pestosos caíam na rua, e onde caíam apodreciam. As colheitas perderam-se por falta de quem delas cuidasse — o que trouxe a fome. Cavalos e vacas andavam soltos, vivendo ao deus-dará, porque seus donos tinham deixado de existir ou nem sequer aguentavam consigo. Até para o mar foi a peste. Atacava às vezes tripulações inteiras. Talvez viesse daí a lenda dos navios fantasmas, que vagavam pelos oceanos ao sabor dos ventos, com esqueletos a bordo em vez de maruja.

Pois apesar desse horror imenso a guerra não parou. Assim que a peste dava uma estiada, os franceses e ingleses engalfinhavam-se de novo...

Dona Benta fez uma pausa para ver a cara de Narizinho. Estava vermelha de cólera ante a estupidez dos homens.

— Muitas batalhas, — continuou Dona Benta, — vieram depois dessa de Crécy. Os soldados de Crécy já não existiam mais; seus filhos estavam velhinhos — e a guerra continuava. Por fim ficaram os franceses em péssima situação. Seu rei não valia nada, não tinha pulso, não sabia querer. Tipo do rei que serve apenas para enfeitar o trono. Nisto um acontecimento maravilhoso veio salvar a França. Surgiu uma mocinha...

— Já sei, já sei! — gritou Pedrinho. — Joana D'Arc!...

— Isso mesmo. Surgiu Joana d'Arc lá dos fundas duma aldeia desconhecida — mas hoje muito conhecida porque ficou histórica. Domremy, chamava-se a terrinha de Joana. Era uma pastora de carneiros. Certo dia teve uma visão na qual vozes a chamavam para salvar a França. Sem demora Joana partiu para Paris, a fim de contar ao rei e aos nobres a visão que tivera. Ninguém lhe deu crédito, está claro. Uma pastora com visões, ora, ora! Mas como Joana insistisse, aqueles entupidíssimos nobres resolveram pregar-lhe uma peça. Vestiram um deles com a roupa do rei e o puseram no trono.

O rei verdadeiro, um imbecil de marca maior, ficou ao lado, para "gozar a peça". Fizeram em seguida a pobre rapariga entrar. Joana entrou sem embaraço nenhum e, com grande espanto dos engraçados, dirigiu-se ao rei **verdadeiro**, sem sequer olhar para o rei falso, que estava repimpado no trono. Chegou-se a ele e — disse: "Vim, senhor, para conduzir os vossos exércitos à vitória".

Impressionado com aquelas palavras, o rei deu-lhe uma armadura e o seu estandarte real. Joana foi então pôr-se em contato com as tropas. Os soldados franceses imediatamente criaram alma nova. Acreditaram que para conduzi-los à vitória Deus lhes havia enviado um dos seus anjos — e desde esse momento lutaram com tanto valor que os ingleses foram destroçados.

Se os soldados franceses consideravam Joana um anjo mandado por Deus, já o mesmo não acontecia com os soldados ingleses. Para esses a mocinha não passava duma terrível feiticeira mandada pelo Diabo.

Mas a guerra é cheia de azares, e um dia a heroica rapariga foi feita prisioneira. Aqui começa o drama: o rei de França, apesar de ela haver salvado o seu trono e a nação, nada fez em seu favor. Agora que tudo estava mudado, achou bom o momento para ver-se livre duma criaturinha que mandava na França mais do que ele próprio. Os soldados franceses, também, cansados de ser dirigidos por uma mulher, ficaram satisfeitos de se verem livres dela. Abandonada assim de todos, foi a coitadinha julgada por uns bispos muito estúpidos, que a condenaram a morrer na fogueira. E Joana d'Arc, a salvadora da França, acabou na fogueira, devorada pelas chamas...

Dona Benta olhou para Narizinho. A menina não dizia nada. Estava, porém, tão vermelhinha de cólera, e a bater o pé com tanta impaciência que Dona Benta gritou para Tia Nastácia que trouxesse água.

— Sossegue, minha filha, — disse a boa senhora, enquanto Narizinho bebia o copo da água. — O mundo é torto mesmo, e torto de nascença. Em compensação a humanidade inteira de hoje admira e venera essa rapariguinha heroica. Fizeram-na até santa. Hoje em França e na Inglaterra todos falam com o maior respeito de Santa Joana d'Arc.

— Triste consolo! — exclamou Narizinho, cuja fala havia desamarrado, afinal. — Assam uma criatura na fogueira e depois a fazem santa...

— E depois, vovó? — quis saber Pedrinho.

— Depois? Depois o ânimo que Joana havia dado aos soldados franceses persistiu, e eles acabaram pondo os ingleses fora. Terminou assim a guerra dos cem anos.

Capítulo LVII
SURGE A IMPRENSA

No dia seguinte Dona Benta começou sossegando a menina.

— Não temos guerra hoje, nem gente queimada viva. Vou contar a história da imprensa, inventada pelo Senhor Gutenberg depois de já ser muito velha na China. Até ao aparecimento desse homem não existia no Ocidente um só livro impresso, um só jornal, uma só revista. Estamos hoje de tal modo acostumados aos livros, ao jornal e à revista, que nos parece impossível que assim fosse!

Os livros que existiam eram todos feitos à mão, ou manuscritos. Ora, é fácil de compreender como isto os tornava caros. Só os reis e a gente muito rica podiam dar-se ao luxo de ter alguns. Uma Bíblia, por exemplo, custava tanto quanto uma casa. Por esse motivo as que havia nas igrejas, às ordens de quem as quisesse ler, eram presas a argolas por meio de correntes de ferro.

Medo de que as furtassem. Quem se lembraria atualmente de furtar uma Bíblia, hoje que os propagandistas andam a distribui-las pelo mundo, de graça e aos milhões?

Tudo iria mudar, porém. Em 1440 o tal Gutenberg imaginou o meio mecânico de fazer livros. Esculpiu em madeira separadamente, todas as letras do alfabeto, formando assim **tipos**. Com esses tipos formou palavras.

Prélo Antigo

Depois, passando tinta sobre os tipos e comprimindo-os contra um papel, obteve a primeira coisa impressa. Estava inventada a imprensa. O Ocidente conseguira, afinal, o meio de sair do estado de estupidez crassa em que vivia. Com o livro e o jornal impressos mecanicamente, aos milheiros e por preço ao alcance de todos, quem é ignorante hoje é porque quer. Meios de iluminar o cérebro não faltam.

Em 1440 Gutenberg imprimiu na Alemanha o primeiro livro — uma Bíblia em latim. Na Inglaterra o primeiro livro impresso, sabem qual foi? Um tratado sobre o jogo de xadrez, feito por um tal Caxton!...

O fato de antigamente ninguém saber ler vinha da impossibilidade de haver livros ao alcance da bolsa do povo. Se hoje, por um acaso, os livros subissem de preço, vindo a custar, digamos, dois contos de réis cada um, o povo rapidamente recairia na velha ignorância. Não basta querer ler, é preciso poder ler.

— Mas então querer não é poder, vovó? — perguntou Narizinho.

— Nem sempre. Por mais que um pobre diabo queira ir à lua, não fará essa viagem antes que haja uma linha de foguetes da terra à lua. Assim também a humanidade com a leitura. Antes de aparecer a imprensa, isto é, antes de surgir a arte de produzir livros na maior quantidade e a preços baratíssimos, a pobre humanidade não podia ler — e quem não lê não se instrui, fica asno a vida inteira.

A invenção de Gutenberg mudou tudo — daí o espantoso progresso que o mundo fez em pouco tempo. A marcha do progresso é hoje tão rápida que nem dá tempo ao homem de adaptar-se às novas condições que os inventos vão criando. Esse mal-estar em que anda o mundo, e a que chamam crise, vem disso — vem de que a marcha do progresso é mais veloz do que o passo do homem, e o coitado vai ficando na rabeira. Crise quer dizer ficar na rabeira. Quem está na frente, quem puxa fila, não sabe o que é crise.

Mas, voltando ao livro — quantos teremos aqui em casa?

— Uns duzentos, vovó, não contando os da Emília. (Emília tinha também a sua biblioteca, feita de pedacinhos de papel de jornal, cortados do tamanho de palhas de cigarro e presos com alinhavo muito mal feito...)

— Pois é, — disse Dona Benta.— Duzentos — e isso é nada, absolutamente nada. Há casas por aí com mil, dois mil livros. Na Idade Média quem possuía um livro já contava prosa. Quem tivesse duzentos, como eu, Nossa Senhora! Ficava célebre...

Estas coisas que venho contando são coisas mínimas, que qualquer pessoa hoje pode saber. Basta que compre um livro. Se não fosse Gutenberg e não houvesse livros, não estariam vocês ouvindo esta conversa da história do mundo. Estariam com certeza preparando-se para irem à vila ver enforcar algum desgraçado. Ver enforcar gente era um dos grandes divertimentos das épocas sem livros. Hoje, quem quer divertir-se abre um volume — e passeia pelo mundo, como estamos passeando pela História. E fica sabendo mil coisas que não sabia. Fica sabendo, por exemplo, que quando terminou a guerra dos cem anos, também terminou o Império Romano — isto é, o pedaço do Império Romano que ainda resistia.

— Como, vovó?

— Os turcos deram cabo dele. Esse pedaço do Império Romano estava como parede que fica em pé depois que o resto da casa desaba. Andava sempre cai, não cai. Vieram os turcos, deram um empurrão — e pronto!

— Mas como, então, essa parede pôde resistir aos árabes, que eram fortíssimos?

— Sim, os árabes atacaram Constantinopla e nada conseguiram. Do alto das suas muralhas os cristãos despejaram lhes um terrível fogo líquido, que os desbaratou.

Mas os turcos também vieram com o fogo — e de melhor qualidade. Vieram com a pólvora e adeus Constantinopla!

— Como foi?

— Usaram canhões muito mais poderosos que os empregados pelos ingleses na batalha de Crécy. Isso em 1453. As muralhas de mil anos, que pareciam invencíveis, vieram ao chão, e os turcos entraram pelas brechas, tomando conta da velha cidade de Constantino. A linda Igreja de Santa Sofia, erguida pelo Imperador Justiniano, foi transformada em mesquita — e ainda lá está.

Depois da tomada de Constantinopla todas as grandes matanças de gente, ou guerras, foram feitas com pólvora. Acabaram-se os cavaleiros metidos em armaduras e de gaiolas de ferro na cabeça. Acabaram-se as flechas. Acabaram-se os castelos. Surgiu no mundo a música nova do **bum! bum! bum!**

— Quer dizer então que...

— Que essas três invenções vieram mudar completamente a vida na terra — bússola, imprensa e pólvora. Notem a verdade do que eu já disse — que são as invenções que mudam tudo.

— Por falar, vovó, que diferença há entre invenção e descoberta?

— Invenção é a criação duma coisa nova que nunca existiu antes, como a pólvora ou a imprensa. Descoberta é o conhecimento duma coisa que já existia, mas que o homem ignorava, como as terras da América. Hoje só falamos de invenções. Amanhã falaremos de descobertas.

— E a dinamite? — perguntou Pedrinho. — É filha da pólvora?

— O princípio é o mesmo, meu filho. Tanto a pólvora como a dinamite, produzem, quando **deflagram**, uma certa quantidade de gases, os quais se expandem com a maior violência, produzindo o que chamamos explosão. E essa explosão arrebenta qualquer obstáculo que tente embaraçar a expansão dos gases. Os químicos foram inventando explosivos cada vez mais fortes — e é possível que esta pobre humanidade ainda venha a ser totalmente destruída por essas e outras invenções do mesmo naipe.

— E seria uma limpeza! — desabafou Narizinho. — A terra sem o bicho homem seria muito mais sossegada. Que outro animal queima uma Joana d'Arc, ou assa crianças vivas, como aquela gente de Cartago?

— Sim, minha filha. O emprego das invenções para a destruição das cidades e de tudo vai num tal crescendo, que um escritor inglês, Wells, admite o fim do **Homo sapiens**, vitimado pelos progressos da química. A terra já foi dominada por outros animais. Houve tempo em que os grandes sáurios eram os senhores do mundo. Afinal, desapareceram. Hoje é o homem que domina. Mas pode também desaparecer e entregar o cetro a outros dominadores.

— A qual deles, vovó?

— Ao besouro, por exemplo. Ou às formigas. Ou às abelhas...

— Eu queria que a dominadora do mundo fosse a minhoca, — disse Emília.

— Por que, bobinha?

— Porque ficavam lá dentro da terra e não incomodavam a gente, nem a animal nenhum. Ainda está para haver uma criatura qualquer que se queixe das minhocas. Delas nunca veio, nem virá mal ao mundo...

— Bom, chega por hoje, — disse Dona Benta. — Amanhã falaremos das descobertas. As minhocas da Emília! Ah, ah...

Capítulo LVIII
AS DESCOBERTAS

No dia seguinte Dona Benta começou assim.

— De que livro você gosta mais, Narizinho?

— Não sei, vovó. Gosto de tantos! Gosto de *Alice no País das Maravilhas*. Gosto de *Peter Pan*. Gosto de ...

— Eu, o livro de que gosto mais é um que vou escrever — disse Emília, que andava sempre com essa ideia na cabeça (e na verdade o escreveu com o título de *Memórias da Emília*).

— Pois naqueles tempos, — disse Dona Benta, — um livro que interessava grandemente às crianças era o das *Viagens de Marco Polo*. Um dos meninos que mais o lia e relia chamava-se Cristóvão — um italianinho de Gênova, cidade à beira-mar, com o porto sempre cheio de navios. Cristóvão ia sempre ao cais ver passar marinheiros, ou ouvi-los, porque de nada gostava tanto como de histórias. Depois que leu as *Viagens de Marco Polo*, virou a cabeça duma vez. Havia de ser marinheiro também. Havia de viajar, correr mundo, conhecer quanta terra exótica existe.

Aos quatorze anos entrou para um navio, no qual fez a sua primeira viagem. Depois fez outra, outra e outra, até à idade madura, sem que nunca pudesse alcançar as terras descritas por Marco Polo em seu livro.

A grande preocupação dos navegantes naquele tempo consistia em encontrar um caminho mais curto para as Índias, país que atraía a atenção de todos pelo negócio que era trazer de lá várias coisas de muita procura na Europa. O emprego da bússola permitia que se pensasse em caminhos novos.

Coincidia com isso o fato de já muitos livros impressos andarem a correr mundo, entre eles alguns escritos pelos grandes filósofos gregos. Uma das ideias que esses filósofos pregavam era a da redondeza da terra. Cristóvão Colombo leu tais livros, convenceu-se de que a terra era mesmo redonda e não chata como pensam os que não leem, e raciocinou assim: "Se a terra é redonda, um navio que parta daqui e vá sempre na direção leste, há de chegar lá. Quem sabe se fazendo assim não poderei descobrir o tal caminho para as Índias que todos procuram? Muito mais fácil deve ser alcançar as Índias por mar do que por terra, como fazem."

Com tal ideia na cabeça, Colombo nunca mais cuidou de outra coisa senão de realizar essa viagem. Toda gente ria-se dele. Loucura! diziam. Quanto mais se riam, porém, mais Colombo se firmava no seu propósito. Mas sendo um simples marinheiro, sem recursos para comprar um navio e sem crédito para impor-se aos armadores, isto é, aos donos de navios, como fazer?

Insistiu. Continuou a falar naquilo a toda gente e a propor o negócio a quantos encontrava. Não podendo conseguir na Itália quem lhe desse atenção, foi para Portugal, que nessa época andava a fazer o papel dos antigos fenícios. Portugal só queria saber de coisas do mar. Estava no trono um rei amigo de aventuras. Infelizmente esse rei não tinha imaginação suficiente para compreender as ideias de Colombo.

Colombo não desanimou. Dirigiu-se à Espanha, então governada por um casal de reis hoje famosos graças a Colombo — Fernando e Isabel. Colombo conseguiu ser recebido e expor-lhes os planos. Era mau o momento, pois a Espanha estava ainda em luta com os árabes dentro do seu próprio território; só depois de finda a luta, com a derrota dos árabes, pôde o casal de reis dar-lhe atenção.

Fernando não quis arriscar a partida, mas Isabel quis. Interessou-se tanto pelos projetos do marinheiro de Gênova, que ameaçou o marido de vender as suas próprias joias para adquirir navios, caso Fernando se recusasse a fornecê-los. Fernando, então, mandou pôr às ordens de Colombo três naviozinhos — as naus **Santa Maria**, **Pinta** e **Nina**. Estava Colombo vitorioso, graças à sua inabalável convicção e espantosa tenacidade.

— Nesse caso, — observou Narizinho, — querer foi poder...

— Foi, — concordou Dona Benta. — Colombo **pôde** à força de tanto **querer**. Mas as naus aprestaram-se, e lá um belo dia partiram do Porto de Palos, com cerca de cem tripulantes a bordo. Muitos eram criminosos, aos quais fora dado a escolher entre o cárcere e essa aventura arriscadíssima, onde havia tudo a ganhar ou perder. Colombo tomou rumo leste e meteu-se pelo Oceano Atlântico adentro, sempre na mesma direção, graças à preciosa bússola inventada pelos chineses.

Vocês, que ainda não viajaram, não sabem o que é ficar dias e dias dentro de uma casquinha solta sobre a imensidão das águas. De qualquer lado que a gente olhe, só vê água, água e mais água. O sol nasce, fica a pino, descamba, desaparece — e é só água, água e mais água, ora azul, ora verde, ora cor de chumbo. Às vezes sobrevêm temporais furiosos, que deixam o mar revolto; ondas enormes sobem e descem, levando consigo a embarcação, que por maior e mais forte que seja nunca passa duma simples pulguinha naquela imensidade.

— A senhora está me assustando, vovó! — disse Pedrinho. — Lembre-se que tenho de viajar muito...

— Pois Colombo não se assustou com a vastidão dos mares, e durante um mês inteiro navegou sempre no mesmo rumo, sem avistar coisa nenhuma afora água. Seus marinheiros começaram a impacientar-se e exigir volta. Estavam convencidos de que Colombo era um sonhador, ou melhor, um louco varrido. Se era louco e queria suicidar-se, que se suicidasse sozinho. Eles não estavam dispostos a acompanhá-lo naquela aventura sem pé nem cabeça. Bolas!

Colombo procurou convencê-los de todas as maneiras, mas inutilmente. Por fim tratou de ganhar tempo. — pediu que o acompanhassem apenas por uns dias mais; se não se avistasse terra dentro desse prazo, então regressariam. A maruja aceitou a proposta, resmungando. Apesar disso começaram alguns a conspirar com o fim de lançar Colombo às águas; voltariam então e diriam em Espanha que ele fora vítima de desastre, coisa muito comum no mar.

— Podiam fazer como os filhos de Jacó fizeram para José...

— No último momento, porém, quando já estava no fim do prazo que a tripulação concedera, um marinheiro viu um ramo de árvore flutuando sobre as ondas. Grande excitação! Para que tal ramo aparecesse ali era necessário que houvesse terra próxima. Ramo de árvore não cai das nuvens. Colombo encheu-se de ânimo e seus homens sossegaram. Logo depois, certa noite, foi avistada uma luzinha lá longe. Luz quer dizer gente. Gente quer dizer terra. A terra procurada estava perto! Na manhã do dia 12 de outubro de 1492 os três naviozinhos aproximaram-se duma costa. Colombo saltou e, antes de mais nada, ajoelhou-se para agradecer a Deus aquela grande vitória. Depois fincou no chão a bandeira da Espanha e batizou a terra achada com o nome de terra de S. Salvador.

— Não desconfiou então que havia descoberto a América? — perguntou Emília.

Todos se riram da asneirinha.

— Como havia de saber, Senhora Marquesa, se a América ainda não existia? Existiam aquelas terras desconhecidas e que, como acabei de dizer, receberam o nome de S. Salvador. Colombo supôs que havia chegado às Índias, mas na realidade tinha encontrado apenas uma ilha, onde viu estranhos homens nus, de corpo pintado e com enfeites de penas na cabeça. Tão certo estava de ter chegado às Índias que deu a esses homens o nome de **índios**, nome que apesar de errado ficou.

— E como se chamava essa ilha na língua dos índios?

— Guanahani. É uma das Ilhas Watlings, no Arquipélago das Bahamas ou Lucayas, nas Antilhas — pertencente aos ingleses.

— Aos ingleses? — admirou-se Pedrinho. — Isso é desaforo! Essa ilha não devia pertencer a ninguém. Devia ser um santuário americano, como a Meca dos árabes, e todos os habitantes deste continente deviam ir lá pelo menos uma vez na vida rezar pela alma de Colombo. Se não fosse ele, nós não existiríamos...

— E que fez Colombo depois da descoberta? — quis saber Narizinho.

— Explorou a ilha e as outras próximas em procura de ouro, que era a única coisa que interessava aos espanhóis. Não encontrou nada, nem viu nenhum dos portentos contados no livro de Marco Polo. Ele estava certo de que aquilo era a Índia ou a China.

— Bem pouco espertinho! — disse Emília. — Eu adivinhava logo. Os chineses têm rabicho e os indianos têm turbantes.

Dona Benta riu-se da ideia e continuou:

— Dias depois Colombo fez-se de volta para a Espanha, levando a bordo vários daqueles homens cor de cobre e também amostras de fumo, planta que a gente da Europa desconhecia. O fato de ver os índios fumando muito impressionara Colombo.

— Quer dizer, vovó, que o fumo é nativo da América?

— Sim. Antes da descoberta da América ninguém sabia o que era fumar — isso na Europa, porque os índios da América fumavam a valer.

Mas Colombo voltou, e a notícia da sua descoberta virou a Espanha de pernas para o ar. Só se falou nisso uma porção de tempo. A humanidade, entretanto, é volúvel. Logo apareceram murmuradores procurando diminuir o alcance da sua descoberta. "Grande coisa!" diziam. "Muito fácil, isso de descobrir terras novas. Basta entrar num navio e seguir para a frente." Assim rosnavam os invejosos até o dia em que num jantar de fidalgos Colombo lhes deu uma resposta célebre.

— Temos o ovo de Colombo! — adiantou Pedrinho.

— Justamente. Colombo tomou um ovo e perguntou quem era capaz de pô-lo de pé sobre uma das pontas. Todos os fidalgos experimentaram, inutilmente. "Impossível" — disseram por fim. Colombo então tomou o ovo e com uma pancadinha o firmou de pé sobre a toalha. "Oh, assim é fácil!" exclamaram os fidalgos. "Facílimo" — disse Colombo — "mas depois que eu o fiz. Do mesmo modo o Novo Mundo. Facílimo descobri-lo — mas depois que eu o descobri."

— Sim, senhora! Isso é que é responder.

— Três outras viagens fez Colombo para as terras novas, sem que jamais percebesse ter descoberto todo um continente. Numa delas chegou a desembarcar na América do Sul. Mas como não conseguisse levar para a Espanha o que os espanhóis queriam — ouro e pedras preciosas, sua descoberta foi perdendo a importância e ficando esquecida. Chegaram até a acusá-lo de crimes, numa das viagens à América, e prenderam-no e mandaram-no acorrentado para a Espanha. As correntes que teve no pulso Colombo as guardou por muito tempo em sua casa, como memória da maldade e ingratidão dos homens. Afinal morreu, quase completamente esquecido, não tendo sequer o gosto de ver o seu nome ligado ao continente que revelara. Um mais esperto — Américo Vespúcio — lhe empalmou essa glória.

— Mas há a Colômbia, vovó, — observou Pedrinho.

— Sim, unicamente a Colômbia, de todos os países da América, soube honrar o grande Colombo.

As consequências da sua descoberta foram imensas. Olhem que isto de aumentar o mundo de todo um continente não é brincadeira. Devemos, portanto, venerá-lo sempre. Num mundo tão cheio de grandes homens que outra coisa não fizeram senão matar, matar, matar, destruir, destruir, destruir, como esse lote de reis, césares, cãs, imperadores e generais que entopem a História, como alivia a gente encontrar um que, em vez de destruir, criou!...

— Viva Colombo! — gritou Emília.

— Viva! Viva!...

Capítulo LIX
MAIS DESCOBRIDORES

No outro dia veio a América novamente para a berlinda.

— Sempre que se abre uma loja nova ali na vila, — disse Dona Benta, — passa uma porção de tempo a chamar-se Loja Nova, antes que o povo aceite o nome de batismo dado pelo dono. A Loja dos Três Irmãos, por exemplo, levou meses chamando-se Loja Nova, apesar do letreiro que o Elias Turco botou na fachada.

— Mas que tem isso com a América, vovó? — perguntou Pedrinho franzindo a testa.

— Tem que a América passou a ser conhecida como Novo Mundo, e ainda hoje é designada assim. O nome de América só veio mais tarde.

— E como foi que o tal Vespúcio pôde passar a perna em Colombo?

— Assim. Américo Vespúcio, que também havia vindo à América depois de Colombo, teve a esperteza de escrever um livro a respeito do que viu, dando sempre o nome de terras de Américo às terras de Colombo. O povo leu avidamente esse livro, e por comodidade foi aceitando a denominação apresentada. E ficou América, em vez de Colômbia.

— Bem diz a Tia Nastácia que o bom-bocado não é para quem o faz e sim para quem o come! — observou Narizinho.

— Colombo não teve sorte. Fez a maior das descobertas geográficas e quase nenhum proveito tirou, a não ser a glória — e mesmo a glória só lhe veio mais tarde. Hoje Colombo ocupa o lugar que merece, mas em vida foi positivamente roubado.

— Companheiro da pobre Joana d'Arc...

— Colombo mostrou ao mundo que um navio podia avançar pelo oceano adentro sem perigo de cair num buraco. Depois disso os navegadores de toda parte puseram-se ao mar, com verdadeira fúria, atrás de terras novas. As imaginações ferviam. E os que não pensavam em terras novas, pensavam em descobrir o caminho das Índias, país cujas fabulosas riquezas punham comichões em todos os europeus.

Entre essas riquezas estavam as especiarias.

— Que vêm a ser especiarias, vovó?

— Chamavam especiarias a certos produtos das Índias, como o cravo, a canela, a pimenta, nozes de cheiro forte — temperos, em suma, que tinham excelente mercado na Europa. E sabem por quê? Ninguém adivinha!... Porque eram substâncias de gosto e cheiro concentrados.

— Ora esta! — exclamou Pedrinho. — Fiquei na mesma...

— Escutem. Naqueles tempos, ainda tão atrasados, não havia gelo, nem geladeiras, nem outro qualquer meio de preservar a carne e mais alimentos que se estragam depressa. Ora, os europeus haviam descoberto que essas especiarias **conservavam** esses alimentos. Não creio que seja certo. Essas especiarias apenas **disfarçavam** o mau cheiro dos alimentos já meio estragados, permitindo que fossem comidos...

— Será possível, vovó — fez Pedrinho com cara de nojo.

— Possibilíssimo, meu filho. O cravo, a canela e mais especiarias davam lucro aos negociantes; daí os elevados preços que obtinham. Serviam para ajudá-los a enganar o freguês. Tal qual gente que usa perfumes fortes para dispensar-se do banho.

— Sim, senhora! Essa vai para o meu caderno — disse o menino. — Estou vendo que os vendedores de hoje não são mais espertos que os seus colegas de dantes...

— Serve de fato para mostrar como as coisas se fazem no mundo. A ânsia de descobrir um caminho mais fácil para a Índia originava-se no interesse dos vendeiros em impingir gêneros estragados ao pobre público...

— E descobriram afinal esse caminho?

— Um português o descobriu — Vasco da Gama. Vasco da Gama teve a ideia de experimentar uma passagem pelo sul, em vez de seguir o rumo de Colombo, Vespúcio e os mais. Já outros, que haviam pensado nisso, tinham seguido pela costa da África; mas pararam a meio caminho, voltando com histórias pavorosas, muito parecidas com aquelas de Sindbad, o Marujo, que vocês leram nas **Mil e Uma Noites**. Contavam que dum ponto em diante o mar fervia que nem a caldeira de Pedro Botelho; que lá para o sul da África existia uma enorme montanha de pedra-ímã, que arrancava os pregos das embarcações, fazendo-as desconjuntarem-se; que havia um monstruoso redemoinho que tragava e levava os navios para o fundo do mar. Também contavam histórias de serpentes capazes de engolir uma caravela com a facilidade com que uma cobra engole uma rã. Nos **Lusíadas** do poeta Camões também se fala do horrendo gigante Adamastor, que tomava conta do Cabo das Tormentas, uma ponta de terra bem ao sul da África. Parece que antes de Vasco da Gama alguns navegadores haviam chegado até esse cabo — mas fugiram para trás, assustados com as barbas verdes do Adamastor.

A grande glória de Vasco da Gama foi ter dobrado o Cabo das Tormentas, que já tinha mudado o nome para Cabo da Boa Esperança.

— Que esperança boa era essa, vovó? — perguntou a menina.

— Está claro que era a esperança de encontrar a Índia logo adiante. Vasco dobrou o cabo, não viu Adamastor nenhum, nem encontrou nenhuma serpente que come navios, nem buracão, nem montanha de pedra-ímã. Camões diz nos **Lusíadas** que o tal Adamastor apareceu para Vasco da Gama, mas é peta. Os poetas têm licença de inventar coisas assim. É o que se chama "licença poética". Vasco da Gama dobrou o cabo e seguiu sempre na direção certa até alcançar as procuradíssimas Índias da pimenta e do cravo. Lá encheu com essas e outras especiarias os seus barcos e voltou para Portugal com a maior segurança. Isso em 1497.

— Sim, senhora! Fez um bonito! Salvou Portugal da vergonha de ter recusado três naviozinhos a Colombo, — disse a menina.

— Tinha sorte, esse Vasco. Tirou o máximo partido da sua descoberta, para si e para Portugal, e ainda por cima encontrou um poeta como Camões para escrever sobre as suas aventuras o mais célebre poema épico da língua portuguesa. Nos **Lusíadas**, Vasco da Gama é pintado como um herói de tal tamanho que até os deuses gregos descem do Olimpo para lhe render as mais comovedoras homenagens. Veio Júpiter, veio Marte, veio Vênus com um lote de ninfas formosíssimas. Mais tarde havemos de ler as aventuras de Vasco descritas por Luís de Camões e vocês verão que grande negócio é ter como amigo a um poeta de gênio.

Esse período da vida da Europa está cheio de descobertas. Cada dia vinha uma nova. Um inglês chamado Cabot partiu da Inglaterra para também descobrir alguma coisa. Falhou na primeira viagem. Na segunda descobriu o Canadá, donde desceu pela costa dos Estados Unidos, tomando posse de tudo em nome da Inglaterra. Não teve sorte. Só cem anos mais tarde os ingleses começaram a ligar importância à sua descoberta.

A parte central da América, ou América Central como se chama agora, foi explorada por um espanhol de nome Balboa, que atravessou o istmo do Panamá e foi sair do outro lado, no Oceano Pacífico, ao qual erradamente batizou de Oceano do Sul.

Nenhuma dessas viagens, porém, vale a do português Magalhães, que muito mais do que Vasco merecia um poema de Camões. A ideia de Magalhães era achar um caminho para as Índias através da América; as terras americanas estavam ainda muito pouco exploradas, e, portanto, podia muito bem haver uma passagem pelo **meio delas**. Com Magalhães aconteceu o mesmo que com Cristóvão Colombo: nada conseguiu na sua terra. O rei de Portugal não lhe deu ouvidos — nem navios, obrigando-o a ir ter com o rei de Espanha, do qual tudo obteve.

— Que azar! — disse Pedrinho. — Por causa da sovinice de dois reis, Portugal, além de perder o maior negócio do mundo, que era descobrir a América, perdeu também a glória desse Magalhães que... que ainda não sei o que fez.

— Realmente, os reis portugueses foram duma inépcia lamentável, mas estas coisas a gente só vem a saber depois. Voltemos a Magalhães. Obteve os navios — e logo cinco! A experiência do acontecido com Colombo havia deixado a Espanha esperta... Obtidos os navios, avançou ele mar adentro, rumo à América. Lá chegando, seguiu pela costa em procura da sonhada passagem. Perdeu logo um navio. — continuou a viagem com quatro. Vogou, vogou — e nada. Nada de passagem. Por fim encontrou, bem ao sul, uma passagem muito difícil, que recebeu, e ainda conserva, o nome de Estreito de Magalhães. Nesse ponto um dos seus navios desertou. Magalhães prosseguiu na viagem com os três restantes, e com eles alcançou o Oceano Pacífico, então batizado por Balboa de Oceano do Sul. "Sul nada" — disse Magalhães. "Oceano Pacífico, sim, pois não veem como está calmo?" E para a frente seguiu.

A viagem já se tinha prolongado demais. Água e munição de boca esgotavam-se. Doenças dizimavam os marinheiros. Magalhães, porém, que era de ferro, não arrepiou caminho. Para a frente! Sempre para frente! Acabaram-se afinal os mantimentos. Veio fome horrível. Seus homens tiveram de devorar quanto rato havia a bordo, e depois dos ratos comeram o que era de couro. Para a frente! Para a frente! Um dia avistaram terra...

— Que alegria! — exclamou Narizinho. — Estou imaginando o delírio de alegria de Magalhães ao dar com o porto da salvação...

— Pobre Magalhães! Depois de tamanhos sofrimentos e sacrifícios não encontrou naquela terra a salvação que esperava — e sim o túmulo...

— Como, vovó?

— Morreu com mais 40 espanhóis num combate contra os nativos. Ilhas Filipinas, vieram a chamar-se essas terras.

— Que monstros, esses selvagens! — murmurou a menina compadecida. — Até parecem europeus...

Dona Benta riu-se.

— Os tripulantes que sobreviveram, — continuou ela, — não davam para os três navios. Em vista disso queimaram um e seguiram nos dois restantes. Seguiram para a frente. Logo depois um deles extraviou-se. Ficou um único, o **Vitória**. E, heroicamente, penosamente, a nau **Vitória** vogou sozinha, arrostando tempestades horríveis, doenças e fome. Um dia, afinal, três anos depois da partida, essa gloriosa nau entrou exatamente no porto de Espanha donde havia saído. Restavam a bordo dezoito homens — se é possível dar o nome de homens a dezoito esqueletos com uns restinhos de vida...

— Sim, senhora! — exclamou Pedrinho. — Estão aí dezoito heróis de verdade. Vou já tomar nota disso no meu caderno.

— Espere um pouco. Saiba ainda que para a ciência essa viagem pode ser tida como a mais importante que já se fez, pois provou da maneira mais absoluta a redondeza da terra. Todas as dúvidas cessaram. Ficou demonstrado que saindo de um ponto e seguindo sempre na mesma direção, um navio volta a esse mesmo ponto. Logo, a terra é redonda. Vá agora tomar as suas notas no caderno, que eu vou dormir.

Capítulo LX
AS TERRAS ENCANTADAS

No outro dia Dona Benta continuou a falar das terras americanas.

— Entre elas, — disse a boa senhora, — surgiu o Brasil. Os portugueses, que haviam perdido a maravilhosa oportunidade de descobrir a América, desforraram-se em parte, alguns anos depois, por obra do acaso. O Almirante Cabral fora enviado para as Índias em busca de especiarias. Em certo ponto da viagem afastou-se demais do caminho usual e... descobriu uma terra cheia de palmeiras e índios nus, da qual logo tomou conta para o rei de Portugal. Deu-lhe o nome de Terra de Santa Cruz, nome que não pegou. Iria pegar o nome de Brasil, por causa da madeira vermelha que mais tarde começou a ser levada para a Europa a fim de ser usada na tinturaria.

— Já sei disso, — declarou Pedrinho. — Nas **Aventuras de Hans Staden** a senhora explicou esse negócio de tinturaria e das anilinas que hoje a indústria tira do carvão-de-pedra.

— Isso mesmo. Folgo muito que essa cabecinha guarde as coisas que conto. Aquela Terra de Santa Cruz e todas as demais da América começaram a impressionar profundamente a imaginação dos europeus. Diziam-se delas maravilhas. Que havia por lá uma Fonte da Mocidade remoçadora dos velhos. Que era por lá o Eldorado, uma cidade inteirinha de ouro maciço. Tais lendas puseram fogo na cabeça dos homens de imaginação.

Um deles, um tal Ponce de Leon, que para lá se dirigiu em busca da Fonte da Mocidade, acabou descobrindo a Flórida, hoje uma das partes dos Estados Unidos. Não viu nenhuma fonte de águas encantadas; viu apenas índios, que o mataram a flechaços.

— Coitado do velho gaiteiro! — exclamou Narizinho. — Em que deu a sua vaidade...

— Outro foi um tal Soto, que saiu em procura do Eldorado. Em vez do Eldorado encontrou o maior rio do mundo, chamado Mississipi, no qual apanhou febre e morreu.

Perto da Flórida ficava um grande território chamado México, habitado pelos índios astecas. Esses índios possuíam uma civilização já bastante adiantada; moravam em casas, possuíam palácios, templos, estradas de rodagem e aquedutos muito parecidos com os aquedutos romanos. Eram governados por um rei de nome Montezuma, e adoravam ídolos, aos quais sacrificavam vidas humanas. Essa civilização desapareceu...

— Como? Por quê?

— Porque havia nas cidades astecas muito ouro. Mas muito mesmo. Eram imensos os tesouros de Montezuma. O ouro foi a desgraça dos astecas. Logo que souberam disso os espanhóis resolveram apossar-se dele, mandando para lá forças comandadas por um homem terrível, de nome Cortez.

Que tragédia foi essa expedição para a gente de Montezuma! Os astecas não conheciam os homens de pele branca. Quando os viram chegar em naus, donde desembarcavam vestidos de armadura com penachos na cabeça, os pobres índios abriram a boca. Eram deuses com certeza, pois só deuses podiam viajar dentro daquelas estranhas aves de asas brancas — os navios! Deuses que andavam em cima de animais nunca vistos — os cavalos.

— Não conheciam o cavalo?

— Não. O cavalo foi introduzido na América pelos europeus. Ora, com algum esforço de imaginação vocês podem compreender como ficou a cabeça dos pobres astecas diante de tais novidades. E quando esses deuses falaram, isto é, quando dispararam os canhões? O terror foi completo. Os deuses brancos traziam consigo o trovão e o raio...

Cortez pôs fogo aos navios em que viera para que seus homens não pensassem em retirada; depois marchou contra a cidade do México, capital do reino de Montezuma, construída numa ilha dentro dum lago. Os nativos defenderam-se heroicamente; mas que podiam fazer pobres homens da Idade da Pedra, armados apenas de arcos contra soldados que vestiam armaduras e usavam canhões?

Montezuma quis entrar em acordo com os deuses brancos e enviou a Cortez, entre outros presentes, carros cheios de ouro; e o tratou como hóspede, não como inimigo, depois que o espanhol entrou na cidade. Cortez procurou converter Montezuma ao cristianismo, contando da bondade e mansidão dos seguidores de Cristo. O rei asteca, porém, estava vendo coisa muito diversa e achou que se aqueles homens seguiam a Cristo então esse deus Cristo não valia mais que os deuses astecas. Subitamente Cortez aprisionou Montezuma — e a luta recomeçou terrível. O rei foi morto, afinal, e o México dominado, porque os pobres astecas não puderam resistir à violência das armas de fogo, manejadas por homens ferocíssimos. E começou o saque. Tudo quanto era ouro ou de valor foi remetido para a Espanha. Era assim que aqueles grandes homens espalhavam a religião de Cristo.

— Se Cristo voltasse ao mundo, eles eram capazes de o crucificar de novo! — observou a menina.

— A conquista da América pelos europeus foi uma tragédia sangrenta. A ferro e fogo! era a divisa dos cristianizadores. Mataram à vontade, destruíram tudo e levaram todo o ouro que havia. Outro espanhol, de nome Pizarro, fez no Peru coisa idêntica com os incas, um povo de civilização muito adiantada que lá existia. Pizarro chegou e disse ao imperador inca que o papa havia dado aquele país aos espanhóis e ele viera tomar conta. O imperador inca, que não sabia quem era o papa, ficou de boca aberta, e muito naturalmente não se submeteu. Então Pizarro, bem armado de canhões, conquistou e saqueou o Peru.

— Mas que diferença há, vovó, entre estes homens e aquele Átila, ou aquele Gêngis Khan que marchou para o Ocidente com os terríveis tártaros, matando, arrasando e saqueando tudo?

— A diferença única é que a história é escrita pelos ocidentais e por isso torcida a nosso favor. Vem daí considerarmos como **feras** aos tártaros de Gêngis Khan e como **heróis**, com monumentos em toda parte, aos célebres "conquistadores" brancos. A verdade, porém, manda dizer que tanto uns como outros nunca passaram de monstros feitos da mesmíssima massa, na mesmíssima forma. Gêngis Khan construiu pirâmides enormes com cabeças cortadas aos prisioneiros. Vasco da Gama encontrou na Índia vários navios árabes carregados de arroz, aprisionou-os, cortou as orelhas e as mãos de oitocentos homens da equipagem e depois queimou os pobres mutilados dentro dos seus navios.

— Que bárbaro! — exclamou a menina horrorizada. — E que diz a isso Camões em seu poema?

— Camões não toca no assunto. Era tanta orelha que ele achou melhor pular por cima...

— Que pena, vovó, terem essas feras destruído as civilizações americanas! lamentou Pedrinho. Como tão mais interessante e variado seria o mundo, se esses povos tivessem podido seguir seu caminho...

— Na realidade, meu filho. Mas que quer você? Tais gloriosos conquistadores não passavam de insignes piratas de audácia igual à daqueles normandos que invadiram a França e a Inglaterra. O pretexto era a necessidade de introduzir no Mundo Novo a religião de Cristo — do meigo e infinitamente bom Jesus. Foram infames até nisso, de esconderem a insaciável cobiça sob o nome do homem tão sublimemente bom que até virou deus. O sarraceno pregava o Corão com a espada em punho. O cristão pregava a Bíblia com o arcabuz, engatilhado. O diabo decida entre ambos... e os tenha a todos no maior dos seus caldeirões.

Capítulo LXI
NOVA AURORA

Dona Benta bem mostrava ser avó de Narizinho. Apesar da idade, que traz filosofia, nunca deixou de indignar-se diante da brutalidade humana. De modo que lhe foi um alívio quando, após as atrocidades do europeu na América, passou a falar do Renascimento.

— Renascimento! Renascença! — começou ela. — Sabem o que significam estas palavras?

— Renascimento, — disse Pedrinho, — deve ser nascer de novo. Não entendo, porque o que morre, morre e não nasce mais.

— É um modo de dizer, — explicou Dona Benta. — Na realidade, nada nasce outra vez — mas pode parecer que nasce. Foi o que se deu. Aquele período da Grécia, no tempo de Péricles, em que surgiram tantos artistas maravilhosos, renasceu na Itália ali pelo século 16. Apareceram grandes arquitetos, que construíram monumentos belos como os dos gregos. Apareceram escultores que se igualaram a Fídias. Apareceram pintores que ficaram os mais célebres do mundo.

O povo abriu os olhos. As obras dos filósofos gregos foram publicadas e voltaram a ser lidas. Tudo como se aquela Atenas de Péricles tivesse saído do túmulo para de novo iluminar a terra.

Um dos maiores artistas da Renascença foi Miguel Ângelo, perfeito tipo do que se chama gênio. Grande pintor, grande escultor, grande homem. Como escultor, não tinha pressa de acabar suas estátuas. Levava a trabalhar nelas o tempo que fosse preciso, até satisfazer a si próprio. Mas também quando dizia: "Pronto!" o mundo abria a boca, de admiração.

Hoje os escultores costumam fazer as estátuas primeiro em barro para depois fundi-las em bronze. Miguel Ângelo, não. Esculpia diretamente no mármore. Quando trabalhava, dava a ideia de que havia dentro do mármore uma figura, ou grupo de figuras escondidas, e que ele ia descascando a pedra até deixar essas figuras à mostra. Um dia parou em frente de um bloco de mármore estragado por outro escultor. Olhou para a pedra e viu dentro dela Davi, aquele jovem atleta que matou Golias com uma pedrada. Miguel Ângelo pegou no martelo e no escopro, que é o formão com que os escultores desbastam o mármore, e tirou de dentro do bloco a maravilhosa escultura que todo mundo hoje conhece como o **Davi** de Miguel Ângelo.

Outra estátua que esse gênio esculpiu e ficou sendo uma das maravilhas da arte, foi o **Moisés**, atualmente numa igreja de Roma. Parece tão vivo que diante dele a gente tem a sensação de estar diante do próprio **Moisés**. Dizem que quando acabou de esculpi-la ele mesmo se impressionou com a vida do seu Moisés, e pregando-lhe uma martelada no joelho — exclamou: "Fala!". Os guias que hoje conduzem os visitantes dessas obras-primas da arte italiana mostram o sinal da martelada no joelho da estátua.

Um dia o papa quis que Miguel Ângelo pintasse o forro da sua capela particular, chamada Capela Sistina. A princípio ele recusou-se, alegando não ser pintor, ou não gostar de pintar. Mas como o papa insistisse, cedeu. Quando Miguel Ângelo se entregava a um trabalho, era de verdade. Absorvia-se nele, sem querer saber de mais nada. Assim, quatro anos levou pintando o forro da capela, trepado numa plataforma sobre andaimes. Lá lia a Bíblia e as grandes obras poéticas, lá comia, lá vivia, em suma, sem deixar que ninguém o fosse aborrecer. Chegou a proibir a entrada na capela a quem quer que fosse.

Mas o papa sentiu curiosidade de ver o andamento da obra e, pilhando a porta aberta, entrou, apesar da proibição do artista. **Quem quer que fosse** não podia referir-se também a ele, papa, dono de tudo e o homem mais poderoso da Europa. Pois não é que Miguel Ângelo quase mata o papa? Do alto da plataforma deixou cair os martelos e outros instrumentos pesados bem em cima da cabeça do chefe supremo da cristandade. O papa escapou arranhando; retirou-se furiosíssimo, mas só voltou à capela depois de concluída a obra.

Os turistas de hoje, isto é, a gente rica que anda pelo mundo a ver as coisas notáveis, vão para lá em romarias admirar a beleza daquelas pinturas — mas já sem medo de que lhes caiam martelos na cabeça. Olham as pinturas do teto por meio de espelhos refletores. Miguel Ângelo morreu aos noventa anos quase. Sempre viveu completamente afastado dos homens. Não queria saber de ninguém. Seu gosto era estar no meio dos deuses e anjos por ele esculpidos, ou entre os blocos de mármore donde tais deuses e anjos brotavam.

Outro grande artista desse tempo foi Rafael — o oposto de Miguel Ângelo. Rafael gostava da sociedade dos homens. Andava sempre rodeado de gente. Todos lhe queriam bem, graças ao seu gênio bondoso e afável. Os jovens artistas tinham por ele verdadeiro fanatismo. Não perdiam uma só das suas palavras, um só dos seus gestos. Um grupo de cinquenta discípulos, ou mais, o acompanhava constantemente, até nos passeios.

Rafael pintou grande número de quadros representando sobretudo a Virgem Maria. Essas pinturas são conhecidas como as **Madonas** de Rafael. Naquele tempo quase que a única coisa que os pintores pintavam eram retratos dos santos. Uma das Madonas de Rafael está na lista das doze mais famosas pinturas do mundo: a Madona da Capela Sistina. Foi feita para uma pequena igreja do interior, e hoje está no Vaticano, o palácio dos papas, sozinha numa grande sala — a maior homenagem que se possa prestar a um quadro.

Rafael morreu muito moço, deixando apesar disso grande número de telas. Tinha o costume de pintar as partes mais importantes, como o rosto e as mãos; seus discípulos faziam o resto. A pintura de Rafael é suavíssima; revela o que os críticos chamam graça feminina. Já as obras de Miguel Ângelo revelam a força masculina.

— Que quer dizer críticos? — perguntou Narizinho.

— Críticos são os homens sabidões que nos dizem o que é bom e o que não presta. São os nossos cicerones, ou guias, em assunto de arte.

Leonardo da Vinci foi o terceiro grande gênio desse tempo, apesar de canhoto. Era o que se chama um homem dos sete instrumentos, com a diferença que os homens de sete instrumentos nunca tocam bem um só e Leonardo mostrou-se genial em todos. Escultor, pintor, engenheiro, cientista, poeta. O primeiro mapa do mundo no qual a América aparece foi desenhado por ele. Pintou poucos quadros, por falta de tempo. Mas os seus poucos quadros valem por milhares. Um deles é a **Ceia de Cristo**, que a gente vê reproduzida em cores em todas as casas. Deve ser o quadro mais conhecido do mundo, tantas são as cópias que andam por aí. Infelizmente Leonardo o pintou numa parede, de modo que com o tempo se foi descascando; tem sido retocado e, de tanto retoque, o que hoje existe já quase não é o que ele pintou.

Da Vinci fez um retrato duma dama de nome Mona Lisa, que forneceu rios de assuntos aos críticos. Muitos o consideram a melhor pintura feita. Mona Lisa está sorrindo de leve — está sorrindo um sorriso que cada crítico quer que signifique uma coisa. O retrato de Mona Lisa pertence ao Museu do Louvre, em Paris, tendo sido comprado pelo rei de França, Francisco I.

— Não é a tal **Gioconda**, vovó, que a senhora nos disse ter sido roubada desse tal Louvre? — perguntou Narizinho.

— É o mesmo. **La Gioconda**, que significa a jocunda ou a risonha, é o nome popular do retrato de Mona Lisa.

Capítulo LXII
Briga entre os cristãos

— Que fim levou a Emília? — perguntou Dona Benta no serão do dia seguinte. — Duas noites já que não me aparece por aqui.

— Brigou comigo, vovó, — respondeu Narizinho. — Está "de mal" como diz ela.

Dona Benta riu-se filosoficamente.

— Não me admira que vocês vivam brigando e ficando de mal um com o outro, porque as gentes grandes, cuja história ando contando, também faziam o mesmo. E na Europa, naquele período de Renascença, metade dos cristãos ficou de mal com a outra metade — e até hoje não fizeram as pazes.

— Conte isso, vovó! — pediu a menina, ajeitando-se na sua cadeira, muito contente de saber que gente grande também fica de mal.

Dona Benta contou.

— Até esse tempo, — disse ela, — na Europa só havia uma classe de cristãos — os católicos. Todo mundo era católico. Isso de católicos e protestantes, como se vê hoje, começou desde a tal briga e pelo seguinte motivo. O papa estava construindo uma igreja destinada a ser a maior e a mais bela do mundo. Para isso mandou derrubar a que existia desde o tempo dos romanos naquele sítio onde haviam crucificado S. Pedro de cabeça para baixo. Grandes artistas andavam trabalhando nela, como Miguel Ângelo e Rafael. Mas um monumento de tal grandeza exige muito dinheiro — e não havia dinheiro que chegasse. O papa, então, mandou que os padres de todos os países fizessem aparecer dinheiro por vários processos — e houve grandes abusos. Foi o que declarou um monge da Alemanha, de nome Martinho Lutero. Era um homem decidido e franco. Se não gostava duma coisa, dizia. Não gostou do que o papa estava fazendo e escreveu num papel todos os pontos em que não concordava com ele, pregando esse papel na parede da igreja da sua cidade. Juntou-se logo gente para ler aquilo — e todos acharam que Martinho Lutero tinha razão. O assunto foi discutido pela cidade inteira e dela passou às cidades vizinhas. A maior parte do povo dava razão ao monge.

O papa, lá em Roma, soube daquilo e enviou a Lutero uma carta em que o chamava à ordem. Lutero leu essa carta em público e depois a queimou no meio da rua. Aquela coragem encheu de entusiasmo os seus partidários — e começou a briga. Por fim a desordem chegou a tal ponto que o papa se queixou a Carlos V, rei de Espanha e também imperador dum vasto império que abarcava a Alemanha, a Áustria e as terras da América.

Carlos V mandou Lutero apresentar-se na cidade de Worms para ser julgado, prometendo que nenhum mal lhe seria feito. Lutero foi; mas nada adiantou, porque não quis desdizer o que havia dito e escrito. Os nobres da corte insistiram para que o imperador o mandasse imediatamente queimar vivo; Carlos V, porém, soube guardar a sua palavra e deixou-o ir-se embora em paz. Os amigos de Lutero, então, com medo de que os católicos o matassem, esconderam-no ou prenderam-no por um ano em lugar seguro — e foi nessa prisão que o cabeçudo monge verteu a Bíblia para a língua alemã, coisa que não havia sido feita ainda. Lutero queria que o povo da Alemanha lesse com os seus próprios olhos a Bíblia e assim visse que era o papa quem andava torto, e não ele.

As pessoas que acompanhavam Lutero começaram a ser conhecidas como **protestantes**, porque haviam **protestado** contra as ordens do papa. Esse nome ficou até hoje. A religião dessas pessoas era o mesmo cristianismo baseado na Bíblia, mas sem o papa e sem os acréscimos feitos nos concílios. Queriam seguir a Bíblia e fazer o que ela manda mas sem que nenhuma outra pessoa, fosse papa ou não, se metesse a dizer que era assim ou assado. E como isso significava uma **reforma** na religião cristã, a religião dos que seguiam Lutero tomou o nome de religião reformada. Quando vocês ouvirem falar na **Reforma**, já sabem que se trata desse movimento que dividiu os cristãos em dois grupos.

Hoje uma pessoa pode ser católica e dar-se muito bem com outra que é protestante. Naqueles terríveis tempos não era assim. O católico havia de ser inimigo de morte do protestante e vice-versa. Cada qual se julgava com a razão, e, portanto, fazia guerra ao outro.

— Quer dizer que os maometanos iam ficar sossegados, — observou Narizinho. — Os cristãos com certeza passaram a matar-se entre si.

— Assim aconteceu, minha filha. A divergência foi piorando cada dia mais e acabou numa luta horrorosa. O que houve na Europa de católicos massacrados por protestantes e de protestantes massacrados por católicos, é de arrepiar os cabelos. Parecia que os dois partidos tinham apostado para saber qual o mais feroz. O curioso, entretanto, é que a horrenda carnificina se fazia em nome de Cristo —

justamente do homem infinitamente bom que passou a vida pregando o **Amai-vos uns aos outros**. Os cristãos agiam como se em vez de "amai-vos" Jesus houvesse dito "massacrai-vos uns aos outros"...

Tudo isso aborreceu tanto o Imperador Carlos V que ele resolveu deixar o trono para viver sossegado no Mosteiro de Yuste. Quando um rei, ou imperador, larga o trono, diz-se que abdicou. Carlos V, pois, ab-di-cou — mas por livre vontade, porque há outros que abdicam à força.

— Esses são abdicados, vovó, — caçoou o menino. — E nos outros países, que aconteceu?

— Varia. Uns ficaram com o papa, outros ficaram com Lutero. A Inglaterra, por exemplo, passou-se para Lutero dum modo muito interessante. Era rei lá o famoso Henrique VIII.

— Pare um pouco, vovó, — disse Narizinho. — Eu queria saber por que é que os reis são numerados.

— Porque o orgulho das famílias reais faz que eles tenham quase sempre os mesmos nomes, de modo que é preciso numerá-los, como se faz às casas, para distingui-los uns dos outros. Esse Henrique VIII, por exemplo.

Seu nome era Henrique Tudor; mas houve antes dele sete reis com o mesmo nome. Por isso numeraram-se, ficando este o número 8. Mas este Henrique Tudor, que era um fervoroso católico a ponto de o papa ter-lhe dado o título de Defensor da Fé, quis um dia divorciar-se da rainha para casar com Ana Bolena. Nesse tempo só o papa podia conceder um divórcio, de modo que Henrique se dirigiu a ele. "Não" — respondeu o papa; "não acho que seja caso de divórcio."

O Rei Henrique ficou furioso, e disse que nenhum homem de outro país, fosse papa ou não, tinha o direito de meter-se nos negócios da Inglaterra. Era ele o rei da Inglaterra e, portanto, não admitia que um italiano lhe ditasse ordens. Não obedeceria a papa nenhum, e dora em diante seria ele mesmo o papa da Inglaterra, isto é, o chefe de todos os cristãos ingleses. Fez-se assim papa e concedeu o divórcio a si próprio. O povo inglês teve de decidir-se entre Henrique VIII e o papa italiano. Decidiu-se por Henrique VIII — e a Inglaterra desde então ficou sendo protestante.

Esse rei, que tinha um caráter muito especial e era bastante decidido, teve duas filhas, Maria e Isabel... Amanhã veremos o que aconteceu a ambas.

Capítulo LXIII
O "REI" ISABEL

Eram duas irmãs, Maria Tudor e Isabel Tudor, começou Dona Benta no dia seguinte, e ambas foram rainhas da Inglaterra. Primeiro esteve no trono Maria, que era católica. Seu maior cuidado foi desfazer tudo quanto o pai havia feito. Tinha ele transformado a Inglaterra num país protestante? Muito bem. Ela a faria católica, outra vez. Com essa ideia na cabeça, o seu reinado se resumiu em perseguir os protestantes da maneira mais atroz. Mata, mata! Até parecia aquela rainha do livro **Alice no País das Maravilhas**, que volta e meia gritava: "Cortem-lhe a cabeça!".

— Que bisca, vovó! — exclamou Narizinho. — E chamava-se Maria essa peste, o mesmo nome da mãe de Jesus...

— Maria Tudor matou tanta gente que recebeu o cognome de Sanguinária. Maria, a Sanguinária. Para maior desgraça do mundo era casada com um homem sinistro, um espanhol de nome Filipe, filho do Imperador Carlos V, o tal que... Que o quê, Pedrinho?

— Que ab-di-cou, — respondeu o menino.

— Muito bem. Esse Filipe, ou Filipe II, estava empenhado em fazer no resto da Europa o que Maria andava a fazer na Inglaterra — dar cabo de todos os protestantes. Agarrava-os e castigava-os da maneira mais horrível, por meio do Tribunal do Santo Ofício — ou Inquisição. Bastava uma pessoa ser suspeita de protestantismo para ir para o martírio — martírio ainda mais cruel do que o infligido aos primeiros cristãos pelos romanos. Uns eram pendurados pelos braços, com grandes pedras aos pés; outros despedaçados numa roda de despedaçar gente; outros... O melhor é não recordar esses horrores, que até nos causam vertigem. Isso, para os suspeitos de serem protestantes. Para os protestantes sabidos como tais, o castigo era o fogo. Queimavam-nos aos bocadinhos para prolongar o mais possível o sofrimento. Não se contentavam com tirar-lhes a vida; haviam de matá-los na tortura lenta.

— Que ninhada de monstros é a tal humanidade, vovó! — exclamou a menina, com um arrepio pelo corpo.

— O povo que este Filipe mais perseguiu foram os holandeses. Como a Holanda fizesse parte do vasto império de Carlos V, estavam os holandeses sob o governo dos espanhóis. Filipe queria acabar com o protestantismo de lá por meio do fogo. Não acabou. Surgiu um grande homem, chamado Guilherme, o Taciturno, que lutou furiosamente contra os generais de Espanha, derrotando-os e por fim expulsando-os de sua pátria. Graças a ele ficou a Holanda livre de semelhantes monstros. Filipe entretanto, que era tão cruel como infame, mandou traiçoeiramente assassinar o grande herói.

— Chega, vovó! — pediu Narizinho, com cara de asco. — Não fale mais em semelhante criatura. Fale da outra rainha.

— Sim, minha filha. Não falarei mais dela, nem do Tribunal da Santa Inquisição, a coisa mais horrorosa que houve no mundo. Foi um monstruoso tribunal criado pelo papa a fim de "defender a fé" — isto é, torturar ou queimar vivos todos os homens que ousassem pensar pelas suas próprias cabeças, em vez de pensar como os papas queriam. Milhares e milhares de inocentes foram queimados nas horrendas fogueiras da Inquisição — mas não vou tocar nesse assunto porque é repugnante demais e Narizinho não o suportaria. Só direi que foi depois que os papas perderam a força e tiveram de fechar o tal tribunal é que o mundo pôde respirar e voltar a progredir, até chegar ao que somos hoje. Mas, voltando às filhas de Henrique VIII, direi que Isabel soube governar com pulso forte, como aquele Guilherme, o Conquistador, que tomou conta da Inglaterra nos começos. Tinha grande tino de estadista. Infelizmente era má, como demonstrou no caso da rainha da Escócia. A Escócia estava sendo governada por uma rainha católica, de nome Maria Stuart. Isabel a fez prender sob pretexto de que Maria andava conspirando para apossar-se do trono da Inglaterra, e conservou-a presa durante dezoito anos. Por fim, mandou cortar-lhe a cabeça.

— Que bisca!

— Eram farinha do mesmo saco, ela e a Sanguinária. Mas Isabel apesar de má, tinha outro valor e por isso a História a considera como uma das grandes rainhas que o mundo conheceu. Soube fazer grandes coisas para o seu país.

Filipe II, furioso com Isabel, resolveu dar-lhe uma lição. Mandou construir uma enorme esquadra a fim de invadir a Inglaterra. Uma esquadra tão grande e poderosa que mesmo antes de ser experimentada já recebeu o nome de — a **Invencível Armada**.

A esquadra inglesa compunha-se de navios menores, e em batalha regular certamente que seria batida. Os ingleses, porém, usaram duma estratégia: atacaram a Invencível Armada por trás, e foram afundando um por um os navios que se iam atrasando. Depois capturaram vários deles, incendiaram-nos e soltaram-nos na direção do grosso da esquadra inimiga. Os navios espanhóis tiveram de dispersar, ou fugir daquelas fogueiras flutuantes. Parte tomou caminho da Espanha, parte seguiu de rumo à Escócia. Nisto uma terrível tempestade sobreveio, que deu cabo de todos eles. E assim chegou às praias inglesas a Invencível Armada: aos pedaços e com a tripulação reduzida a cadáveres.

— Bem feito! — exclamou Pedrinho. — Desta vez o feitiço virou-se contra o feiticeiro, como diz Tia Nastácia.

— Castigo sofreu o pobre povo espanhol, que pagou as despesas da festa e perdeu no desastre tantos homens. O rei causador de tudo, esse sacudiu os ombros. Que é a vida dalguns milhares de homens para um rei?

Depois do desastre da Invencível Armada as coisas mudaram na Europa. Subiu a Inglaterra e desceu a Espanha. O primeiro lugar no mundo entre as nações, que fora ocupado pela Espanha, passou a ser ocupado pela Inglaterra, que ia ser nos tempos modernos o centro de um novo Império Romano em tamanho, mas em bases diferentes.

Capítulo LXIV
A ÉPOCA DE ISABEL

— A história da Inglaterra, — continuou Dona Benta, — mostra o caso de duas rainhas notáveis — essa Isabel e uma Rainha Vitória que reinou muitos anos depois. O reinado de ambas soma 109 anos; Isabel 45 e Vitória, 64. O curioso é que foi justamente no governo das duas que a Inglaterra mais cresceu de importância no mundo.

— Toma! — fez Narizinho pondo a língua para o menino. — As mulheres sabem governar melhor que os homens.

— Não sei se sabem governar melhor, — disse Dona Benta. — Mas o fato é que essas duas souberam, e por isso são veneradas pelos ingleses.

Havia no tempo de Isabel um moço fidalgo de nome Walter Raleigh que ficou célebre. Certa tarde de chuva viu ele a rainha vacilando em atravessar uma rua onde havia uma poça de lama. Walter precipitou-se e cobriu a poça com a sua riquíssima capa de veludo, de modo que a rainha pudesse pisar sobre ela como num tapete. Isabel apreciou grandemente aquele gesto de galantaria e o fez "Knight", ou cavaleiro que era o primeiro degrau da nobreza, e também se tornou grande amiga sua.

Raleigh foi o primeiro inglês que se interessou pelas terras do Novo Mundo, anos antes apossadas pelo tal Cabot. — observou que assim como os espanhóis e portugueses estavam tentando organizar colônias na América, a Inglaterra podia fazer o mesmo, e foi reunindo lotes de ingleses e mandando-os para a Ilha de Roanoke, nas costas da Virgínia. Chamava-se Virgínia toda a costa americana que ia da Flórida ao Canadá, em homenagem a Isabel, que, como fosse solteira, era também conhecida como a Rainha Virgem.

Essa primeira tentativa de colonização falhou. Parte dos homens voltou para a Inglaterra e o resto perdeu-se por lá. O notável da expedição foi o nascimento em terras do Novo Mundo da primeira anglo-americana, a qual recebeu o nome de Virgínia Dare.

— E na América Latina, vovó? Não se sabe o nome do primeiro latino-americano?

— Não. Infelizmente os espanhóis, portugueses e franceses não tiveram a ideia de tomar nota disso. Outra novidade da tentativa de Sir Walter Raleigh foi a vinda para a Inglaterra dos primeiros fardos de fumo. Causou muita impressão o fumo, e mais ainda ter ele virado fumante de cachimbo. Contam que estava uma tarde tirando suas baforadas na varanda, sossegadamente, quando um criado novo, ignorante do que fosse aquilo e certo de que o patrão **começava a incendiar-se**, veio com um balde d'água e lhe despejou na cabeça.

— Que graça! — exclamou Narizinho. — Até parece aquele caso que o tio Antônio nos contou — da cozinheira que ao ouvir pela primeira vez o rádio veio da cozinha e quis "abrir a caixa para salvar a pobre moça que estava berrando lá dentro". Para ela, cantar era berrar...

— E que a senhora acha do fumo, vovó? — perguntou Pedrinho. — Faz ou não faz mal à saúde?

— Não há coisa mais sabida: o fumo é um veneno lento. Os sábios de hoje provam isso, mas naquele tempo era o contrário. A opinião geral tinha o fumo como ótimo para a saúde — "é o que prolonga a vida daqueles índios da América, que parecem múmias, de tão velhos", diziam. E o exemplo de Sir Walter pegou. Os ingleses começaram a adquirir o vício do fumo. Mas veio o "contravapor", como diz Pedrinho. O Rei Jaime, que sucedera a Isabel no trono, lançou um livro contra o fumo e proibiu que os ingleses fumassem. Nada adiantou. Os ingleses fumam hoje tanto quanto os índios da América.

Mas o coitado de Sir Walter pagou com a vida a amizade que Isabel lhe tinha. Logo que esta morreu, foi ele encarcerado, sob o pretexto de estar conspirando contra o novo Rei Jaime. Depois de treze anos de prisão na célebre Torre de Londres, cortaram-lhe a cabeça, em companhia, de muitos outros nobres acusados do mesmo crime.

— Com que facilidade cortavam cabeça de gente na Europa antiga! — observou Narizinho. — E não tinha este nem aquele. Fosse lá de quem fosse, as cabeças nunca estavam seguras nos pescoços...

— Sim, os costumes ainda eram muito brutais. Eram tempos de grande crueza — e apesar disso foi o tempo do grande Shakespeare.

— O tal do **Romeu e Julieta**?

— Sim. Foi um poeta e teatrólogo que a crítica mundial põe nas nuvens como autor de grande número de obras primas.

— Primas de quem? — perguntou Emília reaparecendo e sentando-se bem longe de Narizinho. A menina protestou contra a presença da "atrapalhadora".

— Emília finge-se de boba, vovó, e agora deu para fazer graça, — e que graças sem graça, meu Deus! Ela bem sabe o que é obra prima, porque tem o exemplo consigo. Emília é uma obra prima de bobagens. Olhem a cara dela...

— O melhor é vocês fazerem as pazes — disse Dona Benta. — Do contrário pegam a implicar-se uma com a outra e não prestam atenção às minhas histórias. E a história deste William Shakespeare é interessante. Dizem que ele só esteve na escola pouco tempo, e quando veio morar em Londres empregou-se como tomador de conta de cavalos dos nobres que vinham assistir aos espetáculos. E de segurador dos cavalos à porta dos teatros passou a grande escritor de peças de teatro. Hoje há uma teoria muito interessante: Shakespeare não era o autor das peças que trazem o seu nome; apenas as assinava. O verdadeiro autor era Francisco Bacon, um grande gênio político e literário da época.

— **Romeu e Julieta** o que é, vovó? — quis saber Pedrinho. — Drama ou comédia?

— É uma tragédia, baseada em assunto italiano — a luta entre duas famílias importantes. Não há no mundo quem não conheça a história desses dois namorados infelizes. Outro drama famoso é o **Otelo**, história dum general mouro que era o rei dos ciumentos e de tanto ciúme matou a sua linda esposa Desdêmona. E há **Hamlet**, que é a história dum príncipe dinamarquês que vivia indeciso. E há o **Rei Lear**, um velho rei lendário cujas filhas foram ingratíssimas. E há o **Mercador de Veneza**, onde aparece o terrível usurário, Shylock. E há o **Júlio César**, onde se descreve o assassínio desse famoso romano. Oh, são inúmeras as peças de Shakespeare, e todas célebres.

— E quando havemos de lê-las, vovó?

— Quando souberem inglês, porque Shakespeare é desses que só devem ser lidos no original.

Dona Benta tomou fôlego e depois disse:

— Para os ingleses, não há nome maior que o de William Shakespeare. Mil obras se escreveram sobre ele e suas peças. No fim da vida retirou-se para a pequena cidade de Stratford, onde tinha nascido. Lá foi enterrado. Muitos anos depois os ingleses quiseram remover seus ossos para uma grande catedral de Londres, mas ao mexerem no túmulo, deram com estas palavras inscritas na pedra: Maldito seja quem tocar em meus ossos. Todos recuaram. Ninguém teve ânimo de contrariar a sua última vontade — e Shakespeare continua a dormir na igrejinha de Stratford.

Capítulo LXV
UM REI QUE PERDEU A CABEÇA

No dia seguinte continuou a briga entre Emília e Narizinho. Logo que se sentou para ouvir a história daquela noite, a menina disse:

— O que ela precisava era de uma Rainha Isabel...
— Ela quem, minha filha?
— Emília.
— Por quê?
— Porque a Rainha Isabel resolvia seus problemas dum modo muito simples: cortando a cabeça dos atrapalhadores...

Dona Benta riu-se. Devia ser muito séria a zanga de Narizinho, para até pensar no sistema da "decapitação", e tomou isso como assunto da noite.

— Cada povo tem o seu sistema de matar gente, — disse ela. — Na Espanha medieval matavam-se as criaturas pelo fogo — queimando-as em fogueiras. Em muitos países matavam-nas na forca. Na Inglaterra o uso também era a forca e o machado — cortavam a cabeça das vítimas num cepo. E até houve um rei que perdeu a cabeça dessa maneira.

— Um rei, vovó?... — exclamou Narizinho. — Os reis cortaram a cabeça a tanta gente que não é demais tenha acontecido o mesmo a um deles... Quem foi esse rei?

— Chamava-se Carlos I, e havia subido ao trono depois daquele Jaime, inimigo do fumo. Do mesmo modo que seu pai, Carlos I acreditava no Direito Divino dos reis.

— Que quer dizer isso?

— Quer dizer que acreditava que os reis governam os povos, não por vontade e no interesse dos povos, mas porque Deus lhes dá o direito de fazer dos povos gato e sapato. Têm os povos de servi-los em tudo, como o escravo serve ao senhor; se alguém pia, cabeça fora do pescoço!

Mas o povo inglês não concordou com isso, e em vez de agarrá-lo e prendê-lo naquela Ilha do Tâmisa, como fizeram ao Rei João, tomaram armas para o botar fora do trono. Carlos resistiu, e reuniu um exército de nobres com as mesmas ideias dele. Como ia ser luta dentro do mesmo povo, os dois exércitos adotaram trajes opostos. Os homens do rei vestiam-se luxuosamente, com golas e punhos de renda, chapéu de aba larga e longas cabeleiras cacheadas. Os contrários usavam o cabelo cortado, chapéu em funil e roupas modestíssimas.

Para fazer qualquer coisa o povo tem de ter quem o represente, de modo que o Parlamento inglês, isto é, o Congresso dos Deputados, tomou a chefia da guerra contra o rei. E a guerra começou. Logo no princípio surgiu um homem de nome Olivério Cromwell, filho do povo, com grandes qualidades de general. O primeiro regimento por ele preparado mostrou tal disciplina que recebeu a denominação de "Ironsides", como quem diz homens de ferro. Enquanto Cromwell preparava as forças do Parlamento, os fidalgos de Carlos bebiam e dançavam. Resultado: foram batidos em todos os encontros, até que por fim o rei caiu nas mãos de Cromwell.

O Parlamento organizou então o processo de Carlos I. Houve longos debates e muita briga; por fim surgiu a sentença, considerando Carlos como traidor e criminoso de muitos outros crimes e condenando-o à morte.

— Ora, graças! — suspirou Narizinho.

— E o decapitaram no ano de 1649, numa praça pública. Isso, porém, impressionou os ingleses de diferentes modos. Parte do povo achava que o rigor fora demasiado, que o Parlamento devia ter exilado o rei, apenas. Em todo caso, o que estava feito, feito estava.

Cromwell tomou conta do poder e governou a Inglaterra durante vários anos. Era homem de grande rigidez de caráter, severo, positivo, inimigo de falsidades. Um dia, em que estava posando para um pintor (naquele tempo ainda não fora inventada a fotografia), o artista o fez sem uma verruga que ele tinha na cara. Cromwell encolerizou-se. "Pinte-me como sou, com verruga e tudo!"

— Mas havia ficado rei da Inglaterra?

— Havia e não havia. Cromwell governava a Inglaterra como se fosse rei, embora não tivesse tal título. O título que lhe escolheram foi o de Protetor da Inglaterra.

Quando esse grande homem morreu, foi substituído pelo seu filho Ricardo, que só "protegeu" a Inglaterra durante meses. Não tinha a energia, nem as qualidades do pai. Era bem intencionado, mas...

— Que coisa curiosa, vovó! — observou Narizinho. — Os filhos dos grandes homens nunca dão nada...

— Assim tem sido, e assim foi no caso deste Ricardo, que deixou o governo cair novamente nas mãos dos nobres. O povo parecia cansado do rigorismo de Cromwell e com saudades dos seus antigos reis — e deixou que o filho de Carlos I subisse ao trono.

Mal esse Carlos II tomou o poder, tudo mudou. Foi-se a severidade da era de Cromwell. A vida virou uma festa permanente. Carlos só queria saber de pândega, para si e para os outros. Não tomava nada a sério. Só tomou a sério a perseguição dos membros do Parlamento que haviam votado pela morte de seu pai. Vingou-se horrivelmente, fazendo-os morrer nas piores torturas. Até dos mortos se vingou. Mandava tirá-los dos túmulos, pendurá-los em forcas e depois decapitá-los. Fez isso até com o cadáver do próprio Cromwell.

Logo depois sobreveio uma horrível peste. O povo tomou-a como castigo do céu por causa da ruindade de Carlos.

— Essa é boa! — exclamou Narizinho. — O mau era o rei e quem recebia o castigo era o povo! Não entendo...

— Nem eu. Mas o povo pensava assim. E depois da peste veio o grande incêndio de Londres, que devorou milhares de casas e centenas de igrejas.

— Castigo ainda?

— Eles achavam que sim...

— Mas o tal Carlos continuava firme, não é?

— Sim — e só morreu quando chegou ao fim da vida. Veio então o famoso reinado de Guilherme e Maria.

— Por que famoso?

— Justamente por isso, por marcar o fim da luta entre o povo e o rei. No ano de 1688 o Parlamento votou uma segunda Magna Carta com o nome de Declaração de Direitos, que Guilherme e Maria assinaram. Que assinaram e respeitaram. Desde então nunca mais o povo inglês brigou com os reis, nem estes com o povo. Quem passou a governar a Inglaterra foi o Parlamento, isto é, os deputados do povo. Os reis reinariam apenas. "O rei reina; não governa", ficou sendo a divisa inglesa.

Capítulo LXVI
Os Luíses

— Chega de Inglaterra, vovó, — disse Pedrinho no dia seguinte. — Conte também dos outros países — da França, por exemplo.

— Oh, — exclamou Dona Benta, — na França tivemos um rosário de Luíses e pelo meio deles umas "contas" de outro nome. Henrique IV, por exemplo, que foi talvez o melhor rei da França. Subiu ao trono quando o país estava arrasado pelas horríveis guerras de religião e arranjou um excelente ministro chamado Sully. Os dois governaram muito bem, deram anos de paz ao povo, diminuíram os impostos, ajudaram com boas leis aos agricultores, construíram estradas e canais e endireitaram as finanças. Mas de nada valeu a Henrique ser um grande rei. Acabou assassinado a punhal por um fanático.

— Interessante isso! — filosofou Narizinho. — Esse que era bom, morre assassinado. Já os maus morrem de velhice... E os tais Luíses da França? O Visconde fala muito num tal Luís XIV.

— A França teve dezoito Luíses. Os de menos sorte foram aquele Luís IX que morreu de peste na última cruzada e o Luís número XVI, que teve a cabeça cortada na guilhotina. No reinado de um deles, Luís XIII, deu-se a Guerra dos Trinta Anos.

— Que horror vovó. Mais guerra, e logo de trinta anos...

— Paciência, minha filha. Estamos num mundo habitado por homens, não por anjos. Esta guerra foi diferente da dos Cem Anos. Foi uma guerra entre católicos e protestantes. Luís XIII havia entregado o governo da França ao seu ministro Richelieu, um grande politiqueiro. A França era um país católico, e Richelieu, na sua qualidade de cardeal, mais católico ainda; apesar disso, ele tomou o partido dos protestantes.

— Que coisa! Por quê?

— Porque os protestantes dos outros países estavam guerreando a Áustria, e Richelieu achava muito bom para a França que a Áustria saísse perdendo. A Guerra dos Trinta Anos degenerou em horrível calamidade por causa do longo tempo que durou. Um dia, porém, os povos cansados de luta deram o basta. Foi assinado um famoso tratado de paz, que a História conhece como o Tratado de Vestfália. Nele todos concordaram que os países teriam a religião que os seus reis tivessem.

— Que absurdo, vovó! Que disparate! — exclamou a menina. — Um povo inteiro a depender dum homem só para crer ou não crer em certas coisas! Como os reis abusavam...

— Oh, essa luta entre o povo e os seus dirigentes parece que vai ser eterna. Por melhor que seja um homem, logo que sobe ao poder fica de cabeça virada e só procura uma coisa: firmar-se lá para sempre, seja por que meio for. Não há problema mais difícil do que o governo dos povos.

Depois de Luís XIII veio Luís XIV, que foi o rei mais vistoso que ainda existiu. Costumava dizer: "L'État c'est moi" (o Estado sou eu), e pensava do mesmo modo que os reis ingleses que se diziam mandados por Deus para governar a nação. Um puro vice Deus.

Luís XIV era muito amável e cheio de mesuras. Sua corte tornou-se a mais rica da Europa. Só festas e passeios e banquetes, com todo mundo girando em torno da sua divina pessoa. Daí o nome que teve de Rei Sol. Outra coisa não fez senão representar, como num teatro, o grande papel de rei. Seu reinado de setenta anos foi isso — uma luxuosa representação, caríssima, que reduziu o povo francês à mais negra miséria. Luís usava espartilho, cabeleira cacheada e sapatos de salto alto — com meio palmo de altura. E vermelhos ainda por cima. Inventou o salto alto a fim de parecer de maior estatura do que na realidade. As mulheres gostaram da moda e até hoje ainda a seguem.

Luís XIV tinha finura de espírito e outras qualidades, mas tudo estragado pela eterna mania de grandeza. Provocou e sustentou inúmeras guerras contra países vizinhos para lhes tomar territórios — e tomou-os, deixando a França o país mais importante do continente.

O seu amor ao luxo o fez construir o Palácio de Versalhes, célebre pela vastidão e magnificência das galerias de mármore, dos imensos espelhos onde ele se admirava constantemente e dos parques belíssimos, cujas fontes ganharam fama no mundo. O Palácio de Versalhes constituía uma verdadeira cidade encantada, feita exclusivamente para gozo da corte. Nele se reunia tudo quanto pode recrear o homem e tornar agradável a vida.

Luís XIV soube rodear-se de todos os grandes escritores e artistas do tempo, pondo-os ao serviço da corte. Vem daí o renome que adquiriu. Em troca dos favores recebidos, esses homens pintaram-no como o maior monarca da terra. Esqueceram-se de olhar para o estado de infinita miséria do resto do país — miséria tão grande que poucos anos depois ia rebentar na mais terrível revolução que houve.

A França inteira só existia, só pinoteava para um fim: pagar as contas da luxuosa representação de Versalhes em torno do Rei Sol. A corte era tudo. Quem não fazia parte dela não valia coisa nenhuma. Os nobres, isto é, os parasitas enfeitados de veludos e rendas que rodeavam o Rei Sol, como moscas rodeiam não sei o quê, olhavam do alto, com soberano desprezo, para os que trabalhavam. Trabalhar constituía a maior das vergonhas. A glória, a grande coisa era ser mosca dourada...

— E como foi que o povo botou Flit nessas moscas, vovó? — perguntou a menina.

— Outro dia trataremos disso. Quero amanhã dar um pulo à Rússia para ver o que um xará de Pedrinho anda fazendo por lá. Cama, criançada!

Capítulo LXVII
A Península Ibérica

— E a Espanha, vovó? — lembrou Narizinho. — A senhora ainda não nos disse nada desse país. Fale dele antes de falar da Rússia.

— Sim, minha filha, e há muito que dizer da Espanha e de Portugal, porque nós, latino-americanos, aqui da América, somos um produto desses dois países. Onde ficam, Pedrinho?

— Na Península Ibérica, vovó, — respondeu sem hesitação o menino.

— Isso mesmo. A Península Ibérica foi uma das mais agitadas e fermentadas regiões da Europa. Os povos primitivos que lá habitavam eram os iberos, donde vem o nome de ibérico, os quais se misturaram com os celtas, que foram a raça primitiva das terras vizinhas, hoje ocupadas pela França. Lá viviam eles, como povos primitivos que eram, até que chegaram os fenícios e descobriram a Espanha.

— Descobriram como, se aquilo já existia?

— Descobriram para o mundo civilizado daquele tempo, que era formado pelos gregos e romanos. Com aquela mania de navegar e andar metendo o nariz por toda parte, os fenícios percorreram as costas da terra dos iberos e deram-lhe o nome de **Spanija**, o qual pegou. Os fenícios fundaram lá várias colônias. Depois vieram os gregos e também fundaram colônias. Depois vieram os romanos e tomaram conta de toda a península, que dividiram em duas partes, Espanha Tarragona e Espanha Bética. E a coisa ficou assim até que no reinado de Augusto a Espanha Bética foi dividida em duas províncias — a Bética e a Lusitânia...

— E Portugal começou!

— Exatamente. Começam aí as origens de Portugal. Houve diferenciação política e também de língua. Na Bética e na Tarragona o latim dos romanos foi dando origem à língua espanhola e na Lusitânia foi se formando a língua portuguesa. Mas depois de muito tempo de dominação romana vieram outros invasores — vieram os godos e visigodos e venceram os romanos já decadentes e fracos, mas como fossem mais bárbaros que eles, acabaram adotando a língua e a religião dos romanos.

— Que salada não era essa península — observou Narizinho.

— Realmente, minha filha. Aquilo por lá virou o que os ingleses chamam um "melting pot" — uma panela de misturas. E não ficou aqui a salada. Estava faltando alguma coisa, e vieram os mouros.

— Esses fizeram o papel de azeitonas, — berrou Emília. — Foram a azeitona do pastel.

Dona Benta riu-se da comparação e concordou.

— Sim, os mouros são de pele bem queimada e deram um tom tostadinho aos peninsulares, porque há sempre mistura de sangue nessas invasões. Os mouros eram uma raça muito diligente e capaz, como já haviam mostrado em outras terras, e à Espanha deram um grande impulso no comércio, nas artes e na ciência. Mas não podiam conciliar-se num ponto: a religião, e por causa disso os espanhóis lutaram até expulsar de lá os mouros. Quando o último reduto mouro foi dominado, começou a aparecer na História a Espanha de hoje. O vencedor dos mouros foi Fernando, o Católico, rei de Lião, um pedaço da Espanha já libertado do domínio árabe.

Fernando casou-se com Isabel, rainha de Castela, outro pedaço da Espanha também libertado, e os dois pedaços se fundiram na Espanha de hoje.

Esse Fernando foi um dos homens que mais influíram no Ocidente. Se a mentalidade dele houvesse sido outra, a História não mostraria hoje uma das suas mais horríveis manchas. Foi ele quem instituiu o Tribunal da Inquisição, de horrenda memória e que tanta dor trouxe para tantos milhares de seres humanos. Foi o reino das torturas, das fogueiras em que se queimavam criaturas vivas — um horror de que nem gosto de me lembrar, tudo consequência do fanatismo religioso. Mas Fernando teve sorte, porque foi em seu reinado que surgiu Colombo, o descobridor da América, — e a Espanha que era um pequeno país da Europa ficou senhora de quase um continente inteiro. Quando Carlos V subiu ao trono...

— Aquele que abdicou?

— Exatamente. Quando Carlos V subiu ao trono, a Espanha era a maior potência mundial. Não só dominava a política europeia como possuía os milhões de quilômetros quadrados de território que hoje constituem as repúblicas latino-americanas.

Com Carlos V a Espanha atingiu o apogeu da grandeza, da riqueza e do poder. Era o Império Britânico daquele tempo, mas o Império Espanhol entraria logo em decadência. Depois dele subiu ao trono Filipe II, um rei sinistro e mais fanático que todos os outros. A Inquisição em seu reinado não apagou nunca o fogo das suas fogueiras — mas com isso conseguiu que o império herdado fosse se desmoronando. A sua tentativa de destruir a Inglaterra por meio duma invasão falhou. Filipe construiu a Invencível Armada com o fim de invadir e dominar a Inglaterra, mas nada conseguiu. Uma tempestade dispersou os seus navios e a esquadra inglesa deu cabo do resto. Esse desastre marcou o fim da grandeza da Espanha.

Derrotada no mar, a Espanha também foi derrotada na política: as suas colônias da América foram se rebelando e se tornando independentes. Essa série de repúblicas da chamada América Latina são o produto da desagregação do Império de Carlos V. A Espanha ficou de novo reduzida ao que era antes de Colombo, e o que se salvou do imenso império — umas ilhas — também ela as perdeu mais tarde. A Ilha de Cuba rebelou-se e com a ajuda dos americanos se libertou e virou república. As Ilhas Filipinas foram tomadas pelos Estados Unidos depois da guerra hispano-americana. E tudo isso por quê? Porque os espanhóis não souberam usar da sábia política colonial dos ingleses, os quais vão eles mesmos dando liberdade às colônias à medida que elas chegam no ponto de poderem governar-se por si mesmas.

O fanatismo religioso prejudicou os espanhóis em tudo — até na arte. Se houvesse na Espanha aquela mesma liberdade de pensamento que fez do século de Péricles na Grécia o período mais luminoso da História, a Espanha teria sido outra Grécia, porque nunca houve povo mais bem dotado para a arte. Mesmo assim a pintura em Espanha apresenta grandes nomes, como Velasquez, Murilo, Zurbarán, El Greco e modernamente uma infinidade deles, como Sorolla, Zuloaga, Cubells. Na literatura a Espanha tem a honra de ser a pátria de Cervantes, o autor da obra **mais imortal** que existe — **D. Quixote de La Mancha**.

— Por que mais imortal, vovó? — quis saber Narizinho.

— Porque não sei de nenhuma que se haja popularizado tanto, e sido tão traduzida, e lida, realmente lida, em tantas línguas, e que seja mais citada e gozada.

D. Quixote e Sancho Pança constituem os dois tipos mais frequentemente lembrados e citados de todas as criações literárias de todas as literaturas. Raro o dia em que na conversa diária não dizemos: "Isso é uma quixotada" ou "Você é um Sancho Pança". D. Quixote é o símbolo do homem idealista, que sonha coisas impossíveis ou muito altas para um mundo ainda grosseiro como o nosso; e Sancho é o tipo do "homem prático", que só pensa na barriga e em vantagens materiais. Como o mundo é composto de idealistas e realistas, temos de recorrer a esses dois símbolos todos os dias e em toda parte.

Outra arte que muito floresceu na Espanha foi o teatro, no qual o maior nome é Lope de Vega, autor de 1.500 peças.

— Mil e quinhentas, vovó? — admirou-se Pedrinho. — Então esse homem dava peças como a nossa jabuticabeira dá jabuticabas...

— Exatamente. Fecundíssimo. E do mesmo tipo foi o seu sucessor Calderón de la Barca. Naquele tempo o teatro era a mais importante de todas as formas de arte e em país nenhum floresceu tanto como na Espanha.

— Devia ser como o cinema hoje, — lembrou Narizinho e Dona Benta concordou.

— E Portugal, vovó?

— Portugal, apesar de ser um país muito pequeno em território, pois tem menos de 100 mil quilômetros quadrados, conseguiu derramar-se pelo mundo, pegar um colosso de terras dos outros e formar um império como o espanhol. Por falta de gente para manter as conquistas foi perdendo essas terras, mas mesmo assim conservou muitas. O império português, sobretudo formado de terras da África, tem ainda mais de 2 milhões de quilômetros quadrados — e a Espanha, coitada, só tem um pedaço do Marrocos. Entre as terras que Portugal colonizou está o Brasil, com oito e meio milhões de quilômetros, e destinado a ser um dos grandes países futuros. Apesar de tão pequenininho, Portugal conseguiu duas grandes coisas no mundo: criar uma língua que está se expandindo e deixar no mundo um filho agigantado territorialmente e que também poderá vir a ser um gigante em civilização. Foi portanto um país criador e dos que deixaram fortes marcas na História.

Capítulo LXVIII
PEDRO, O GRANDE

No outro dia Pedrinho mostrou-se ansioso por ouvir a história do seu xará, que ele ainda não sabia quem era.

— Quem é o meu xará? — perguntou logo que Dona Benta apareceu. — Estou curioso de conhecer o meu ho-mô-ni-mo.

— Foi o russo que construiu os alicerces da Rússia moderna, — disse Dona Benta. — A Rússia era um imenso país situado entre a Europa e a Ásia, do qual muito pouco se soube até o ano de 1700. Apesar de ser o maior país da Europa, estava ainda em quase completo estado de barbárie. Os russos formavam um ramo da grande família ariana, chamado eslavo. Embora fossem brancos, viviam tão perto da China e outros povos da raça amarela que foram amarelando com o tempo. Não na cor, mas nos costumes. O terrível Gêngis Khan invadira a Rússia com os seus mongóis e a governara por muito tempo; isso fez que os russos se tornassem muito diferentes dos outros europeus. Os homens usavam grandes barbas e compridas túnicas com cintos. As mulheres vestiam-se à moda turca. O sistema de fazer contas era o chinês, consistente num rosário de bolinhas de madeira enfiadas numa vara.

Pouco antes de 1700 nasceu lá um príncipe batizado com o mesmo nome que você, Pedrinho. Uma criatura de caráter muito especial. Em criança tinha um pavor invencível pela água — não água de beber, mas água rio, água lago ou mar.

— Sei, — disse o menino, — água onde a gente se afoga.

— Isso mesmo. Mas sentiu-se de tal modo envergonhado com esse medo, que resolveu curar-se.

— E foi para a praia com pedrinhas na boca! — disse Emília, lembrando-se de Demóstenes.

— Não. Pedra na boca pode curar gagueira, não cura medo da água. Medo da água só se cura com água. A fim de curar-se, Pedro ia brincar todos os dias num lago, fazendo navegar barquinhos, por maior medo que sentisse. Por fim acostumou-se e ficou tão amigo da água que resolveu aprender a arte de construir navios.

O Príncipe Pedro tinha grandes ambições. Havia encasquetado na cabeça a ideia de fazer da Rússia o país mais importante da Europa. "Por que motivo", pensava ele, "um país tão vasto e rico não há de ser importante? Tenho de civilizar esta gente." Assim pensando, resolveu correr mundo a fim de tomar lições de civilização. Foi primeiro à Holanda, disfarçado como trabalhador comum, e lá se empregou num estaleiro, que é onde se constroem os navios. Por diversos meses trabalhou com os demais operários, vivendo a mesma vida, preparando ele próprio as suas refeições, remendando suas roupas. Enquanto isso, aprendeu a arte de construir navios e outras artes auxiliares, como a do ferreiro, a do caldeireiro, etc. Aprendeu até a remendar sapatos e a arrancar dentes.

Da Holanda foi para a Inglaterra, onde também aprendeu o que pôde. Pedro só cuidava de aprender coisas que mais tarde pudesse ensinar aos russos. Por fim regressou ao seu país — e como estava um sabidão de marca, dispôs-se a ensinar à Rússia.

— Que lindo! — exclamou Pedrinho. — Que lindo isso de ensinar mil coisas a um país inteiro!...

— E ensinou muita coisa aos russos. Ensinou-os, primeiro, a construírem navios para que tivessem uma esquadra igual à dos outros povos. Mas... que é da água? Não pode haver esquadra sem água e a Rússia não tinha água, isto é, não possuía um bom porto de mar. Pedro olhou para o mapa e resolveu tomar um pedaço de costa dum país vizinho — a Suécia.

— A senhora nada nos disse ainda desse país, vovó.

— Vou dizer agora. A Suécia era um pequeno país muito ao norte da Europa, governado por uma fieira de Carlos. Doze Carlos! O rei que reinava naquele tempo era exatamente o número doze — Carlos XII. Como fosse ainda muito jovem, Pedro julgou fácil fazer-lhe guerra e tomar-lhe o pedaço de costa de que necessitava. Mas enganou-se. Carlos XII possuía qualidades extraordinárias; um verdadeiro gênio da guerra e, além disso, duma educação das mais aprimoradas. Sabia e falava correntemente várias línguas, estudara todas as ciências, andava a cavalo como um gaúcho, aguentava os maiores trabalhos e não tinha medo de coisa nenhuma. Tão atrevido e intemerato, que os povos escandinavos, isto é, os povos daquela parte da Europa, lhe chamavam o Louco do Norte. E Pedro estrepou-se na guerra declarada à Suécia. Seus exércitos foram derrotados.

— Bem feito! — exclamou Narizinho. — Eu, se fosse a História, derrotava todos os reis que invadissem terras alheias...

— Mas Pedro não se incomodou muito. Disse apenas: "Não faz mal. Carlos é um bom professor da arte da guerra e aos poucos irá ensinando os meus russos a lutar; aprende-se mais nas derrotas do que nas vitórias".

Realmente, não podia haver melhor professor de guerra do que Carlos. Tais sovas deu nos russos e nos outros povos vizinhos, que a Europa principiou a incomodar-se, imaginando haver surgido um novo Alexandre, capaz de conquistar o mundo inteiro. Mas não foi assim. A paciência de Pedro acabou vencendo o ímpeto de Carlos — e a Rússia ficou com os portos de mar que desejava.

A capital da Rússia era Moscou, boa cidade, mas com o defeito de ficar muito no centro. Pedro queria uma capital mais próxima do mar, de onde pudesse dirigir a construção da esquadra. Resolveu erguer nova capital numa região que era só água — isto é, num pântano. Para isso botou lá 300.000 homens no serviço de aterramento do pântano e depois construiu em cima a bela cidade de São Petersburgo, ou cidade de São Pedro, em honra do apóstolo Pedro.

— Esse nome não está hoje mudado, vovó? — perguntou a menina.

— Sim. Os revolucionários russos mudaram o velho nome pelo de Petrogrado, e depois pelo de Leningrado, em honra a Lenin, que foi o principal chefe da revolução russa.

Mas Pedro, além da esquadra e da nova capital, melhorou muito as leis, criou inúmeras escolas, construiu fábricas e hospitais e ensinou aritmética ao povo, acabando com o velho sistema de fazer contas no rosário de bolinhas chinesas. Também mudou a moda de vestir dos homens e das mulheres acabando com as grandes barbas. Os russos passariam a vestir-se como todos os demais europeus. Houve resistência. Os camponeses de grandes barbas consideraram uma vergonha andar sem elas. Muitos chegaram a guardá-las em cofre, para pregá-las de novo na cara no dia da ressurreição. Assim respeitariam as ordens de Pedro sem se envergonharem diante de Deus.

— Que engraçado!

— E muito mais coisas fez Pedro, conseguindo afinal pôr os seus russos em pé de igualdade com o resto da Europa e transformar a Rússia numa grande nação que nada tinha a invejar às demais. Daí veio o ser chamado Pedro, o Grande, Pai da Pátria.

Um dia apaixonou-se por uma camponesa órfã, de nome Catarina, e com ela se casou. Catarina não havia recebido nenhuma educação; como, porém, fosse muito viva e bem-dotada, rapidamente se educou e deu conta do seu recado de rainha. O povo murmurou. Isso de um rei casar-se com uma moça que não pertencesse a alguma outra família de reis, constituía o maior dos escândalos. Pedro não deu importância às murmurações, porque era muito feliz com a sua rainha camponesa. Quando ele morreu, Catarina subiu ao trono e soube governar muito bem.

— Eu também governaria na perfeição se fosse rainha, — disse Emília. — Tão fácil...

Narizinho deu uma risada gostosa.

— Você, Emília, dava uma rainha tal e qual aquela da **Alice no País das Maravilhas**...

Capítulo LXIX
FREDERICO, O GRANDE

— Da Rússia à Prússia, — disse Dona Benta, — a distância é pequena.

— É um P na frente, apenas.

— E na Prússia também havia surgido um grande homem, que entrou para a História com o mesmo cognome de Pedro: Frederico, o Grande.

— Que fim levou essa tal Prússia, vovó? Não ouço mais falar nela.

— Foi incorporada à Alemanha, isto é, reuniu-se com outros paisezinhos que falavam a língua alemã para formar um império com o nome de Império da Alemanha. Esse império está hoje virado em república. Mas voltemos ao nosso Frederico. Seu pai era um dos homens mais brutos que a História conheceu. E maníaco também. Entre suas manias ficou célebre a de colecionar gigantes.

— Gigantes? Que graça!...

— Sim, homens de estatura acima do normal. Onde quer que existisse um gigante, o pai de Frederico o mandava buscar. Com eles formou o batalhão dos maiores soldados do mundo — em altura. A severidade desse rei ia até à maluquice. Tratava os filhos como cães, especialmente ao coitadinho do Fritz, que era o apelido do pequeno Frederico. Nos momentos de cólera batia-lhe com a bengala, atirava-lhe com pratos à cara, punha-o de castigo por uma semana inteira a pão e água. Tais fez que o menino fugiu de casa. Ah, imaginem a cólera da fera quando o fujãozinho foi apanhado! Foi tão grande que resolveu matá-lo, mas matá-lo mesmo, de verdade, não de brincadeira. E só não cometeu esse crime porque no último momento teve um clarão de lucidez.

Pois bem: essa criança judiada tornou-se um dos mais famosos reis e um dos maiores generais do mundo. Frederico possuía uma grande inteligência. Gostava muito de poesia, chegando a compor várias, e também de música. Tocava flauta com primor. Seu maior prazer era conversar com os grandes homens. O célebre francês Voltaire foi por muitos anos seu amigo, vindo morar com ele no palácio.

Frederico tinha a mesma ambição de Pedro, o Grande: tornar a Prússia, que era um paisinho sem importância, a mais poderosa nação da Europa — e conseguiu-o. Para isso precisava aumentá-la de território. Como fazer? Tomar à força terras. Frederico escolheu a Áustria para vítima. Por esse tempo era a Áustria governada pela Rainha Maria Teresa. O pai de Frederico havia prometido que a Prússia jamais faria qualquer coisa contra a Áustria, pois não achava decente que se lutasse contra uma mulher. Ao subir ao trono Frederico não quis saber de nada. Não quis saber se Maria Teresa era mulher ou homem — e foi cortando da Áustria o pedaço que lhe convinha.

Rompeu a guerra, na qual logo se envolveram outros países amigos da Áustria. Frederico, porém, soube ir surrando-os a todos um por um, sem largar o pedaço de terra que lhe fazia conta. E por fim venceu.

Maria Teresa não se conformou. Com muita habilidade teceu uma vasta conspiração contra a Prússia, na qual tomavam parte vários países — e rompeu nova guerra que iria durar sete anos. Frederico venceu novamente e desta vez derrotou a Áustria da maneira mais completa, realizando assim a sua ideia de fazer da Prússia o país mais poderoso da Europa.

A Guerra dos Sete Anos foi lutada também no nosso continente. A Inglaterra, que havia tomado o partido da Prússia, atacou as colônias francesas da América visto ter o rei de França tomado o partido da Áustria. Quando a Prússia venceu na Europa, os ingleses venceram na América. Foi, portanto, por obra e graça de Frederico que a América do Norte está como está. Se ele houvesse perdido a guerra, tudo seria muito diferente. Em vez de povos de raça inglesa, teríamos por lá povos da raça francesa.

Frederico não tinha o menor escrúpulo em arrancar de outros países o que convinha à Prússia. Por meios decentes ou indecentes, ia puxando a brasa para a sua sardinha. Mas tratava o povo da Prússia com grande amor e justiça. Perto do seu palácio havia o moinho dum pobre moleiro que muito afeava o lugar. Frederico propôs-se a comprá-lo com o fim de o demolir. O moleiro recusou-se a vender. Frederico dobrou, triplicou a oferta; ofereceu muitíssimo mais do que o moinho valia. O moleiro, que era cabeçudo, não cedeu. Pois bem apesar de ser o homem mais poderoso da Europa, Frederico resignou-se. Podia mandar prender o moleiro, podia até mandar matá-lo. Podia tomar-lhe o moinho, como fizera aos territórios da Áustria. Entretanto, nada fez. Conformou-se. "O moinho é dele; já que não quer vendê-lo, paciência." Esse moinho até hoje ainda está no mesmo ponto, rente ao palácio real.

— Deve ser então o moinho mais famoso do mundo, — lembrou a menina.

— Claro que sim. Além disso constitui o mais belo monumento ao espírito justiceiro do grande rei.

— Interessante, vovó. Capaz de tanta justiça em casa, e tão pirata com os outros povos! — observou a menina.

— É que, na sua qualidade de filósofo, Frederico sabia muito bem que nas relações de povo a povo é assim, com essa brutalidade, que todos agem, e, portanto, não tinha com eles a menor consideração. Foi um grande rei por isso. Primeiro, porque tratou com a maior justiça e como melhor pode à sua gente; depois, porque tratou as outras nações como elas mereciam.

— Não há dúvida, vovó, Esse Frederico vai para o meu caderno, — rematou Pedrinho.

Capítulo LXX
OS LIBERTADORES DA AMÉRICA

No outro dia Dona Benta falou dos libertadores da América.

— Sim, — disse ela, — os reis da Europa tomaram conta destas terras que hoje são nossas, destruíram com a maior barbaridade os pobres índios, raparam quanto ouro havia e depois... depois quiseram que as novas colônias ficassem suas escravas toda a vida. Mas as colônias acabaram revoltando-se e tornando-se países independentes. A coisa começou na América do Norte.

As colônias dos ingleses já haviam crescido bastante, e o Rei Jorge III, que reinava na Inglaterra, não as soube tratar como era preciso. Só queria uma coisa: tirar delas todas as vantagens. Lançava impostos e cobrava-os. Quanto à aplicação do dinheiro, isso não era da conta dos colonos. Estes indignaram-se. "É desaforo", — disseram. "Nenhum de nós se recusa a pagar impostos mas queremos que o dinheiro seja empregado aqui mesmo na abertura de estradas, em escolas e mais coisas de que precisamos."

— E pensavam muito bem, vovó, — observou Pedrinho. — Imposto cobrado num país e aplicado noutro, me parece ladroeira.

— Está claro que pensavam bem, meu filho. Mas o rei da Inglaterra não concordou. Havia nessas colônias um homem de nome Benjamim Franklin, respeitadíssimo e queridíssimo pela sua grande bondade e sabedoria. Tinha saído do nada, e à custa do próprio esforço transformou-se no ídolo de sua terra. Foi quem montou o primeiro prelo e imprimiu o primeiro jornal em nosso continente. Foi também o inventor do para-raios. Os colonos mandaram Franklin a fim de conversar e convencer o rei. Inutilmente. O Rei Jorge queria dinheiro, não queria conversa. Em vista disso os colonos resolveram tomar à força o que por bem não conseguiam obter — e a guerra da Independência Americana rompeu.

— Mas podiam esses colonos lutar contra um país tão forte?

— Não podiam, mas puderam. O entusiasmo pela independência substituía tudo quanto lhes faltava; ademais, tiveram a sorte de descobrir num homem de nome George Washington o chefe de que precisavam. Washington era, além de muito esforçado, de espírito reto, justiceiro, verdadeiramente patriota — e honestíssimo. Contam que certa vez, muito criança ainda, cortou com um machadinho que lhe haviam dado uma cerejeira plantada por seu pai. Naquele tempo havia uma lei punindo com pena de morte quem cortasse uma cerejeira. Pois bem, quando seu pai chegou e — perguntou: "Quem cortou a cerejeira?" o bom menino não vacilou na resposta. "Não sei mentir, meu pai. Fui eu", — disse ele. Faria você o mesmo, Pedrinho?

— Eu... eu... — gaguejou Pedrinho.

— Não minta! Faça como Washington. Não minta!

— Eu... eu não sei, vovó. As coisas dependem das circunstâncias. Tudo depende.

— Pois eu mentia! — declarou a boneca. — Se essa tal terra tinha essa tal lei mandando matar quem cortasse essa tal árvore, eram todos uns grandes idiotas, e bem merecedores de que a gente lhes mentisse na cara com todo caradurismo. Eu mentia!

— E você, Narizinho?

— Comigo não era possível acontecer nada, pois em caso nenhum eu iria cortar uma cerejeira. Se vivo plantando sementes de árvores aqui no sítio, por que iria destruir uma já grandinha?

— Pois é isso. Desde muito cedo Washington revelou um caráter que jamais se desmentiu. Foi realmente um grande homem — grande general, grande patriota, grande presidente. Logo que os americanos conquistaram a liberdade e transformaram as colônias na República dos Estados Unidos da América, foi ele o escolhido para presidente.

— E como se deu a luta?

— Foi uma luta longa, de oito anos. Washington tinha um exército que, além de pequeno sofria da falta de armas, roupas e o mais. Esse exército padeceu horrores. Num inverno muito forte perdeu muitos soldados, entanguidos de frio. Além disso, apanhou muitas sovas. Washington, entretanto, jamais desanimou, e por fim deu uma grande surra nos ingleses na batalha de Saratoga. Daí por diante as coisas mudaram. A França, que vivia em guerra com os ingleses, mandou uma esquadra ajudar os americanos. Veio também o General La Fayette, que lutou debaixo das ordens de Washington.

Por fim, vendo que não podia ganhar a guerra, o Rei Jorge propôs paz. Surgiu então para o mundo uma nação nova, que iria com o tempo tornar-se a mais rica e a mais poderosa de todas.

Os americanos jamais esqueceram o auxílio que a França lhes prestou. Na guerra de 1914-18, em que a Alemanha e a Áustria desafiaram o resto do mundo, a pátria de George Washington tomou o partido dos aliados. No dia em que as primeiras forças do exército americano chegaram à França, o General Pershing, seu comandante, dirigiu-se ao cemitério onde se ergue o túmulo de La Fayette e disse: "La Fayette, aqui estamos!".

— Linda fita, vovó! — exclamou o menino, abrindo o seu caderno. — Está aí uma frase que há de ser sempre recordada. E nas outras colônias da América?

— Nas demais colônias o desejo de independência surgiu logo depois, por influência do exemplo dos norte-americanos. Apareceu na Venezuela outro grande chefe, de nome Bolívar. Soube muito bem dirigir seus soldados e acabou expulsando de lá os espanhóis. Depois cuidou de libertar os povos vizinhos, do Peru, do Equador e da Bolívia e ficou sendo o Libertador da América do Sul.

— Isso, não, porque o Brasil também faz parte da América do Sul e não foi libertado por ele.

— Sim. No Brasil a independência não teve necessidade de guerra. A colônia portuguesa que era o Brasil daquele tempo estava sendo governada por um príncipe filho do rei de Portugal. Em certo momento esse Príncipe, D. Pedro, resolveu proclamar a independência da colônia e o fez por ocasião duma viagem a cavalo da cidade de Santos à de São Paulo. Havia ele chegado à beira dum riacho de nome Ipiranga, junto a São Paulo, quando recebeu o correio com a correspondência de Portugal. O Príncipe parou e leu as cartas. Sua cara enfarruscou-se. Eram más as notícias. Portugal queria que ele fizesse coisas que em consciência achava não dever fazer. Pedro refletiu uns instantes. Depois — disse: "Isto não pode continuar assim, o melhor é ficarmos independentes" — e deu o seu célebre grito "Independência ou Morte!". E em São Paulo foi aclamado Imperador e Defensor Perpétuo do Brasil, com o nome de Pedro I.

— Bravos a D. Pedro! — gritou Pedrinho. — Era Pedro, e os Pedros não negam fogo...

— Desse modo, — concluiu Dona Benta, — todas as terras americanas tornaram-se países independentes, com exceção do Canadá, das três Guianas e algumas ilhas, que continuaram amarradas à Inglaterra, à França e à Holanda.

Capítulo LXXI
O LIBERTADOR

— Eu queria saber, vovó, a história desse Bolívar que tem estátua em tantas capitais da América, — disse Pedrinho. — Quem foi ele?

— Ah, meu filho, esse Bolívar — Simão Bolívar — foi a maior figura política da América Latina. Aparece na história do nosso continente como o Aconcágua aparece na geografia dos Andes. Daí o ser conhecido como **El Libertador**. Foi um grande criador de nações. O que fez George Washington para os Estados Unidos fez Bolívar para uma série de países da América do Sul — libertou-os do domínio espanhol.

— Era boliviano? — perguntou Emília.

— Não, bobinha, Bolívar deu o seu nome à Bolívia, e não a Bolívia a ele. Simão Bolívar era venezuelano, nascido em Caracas, em 1830. Estudou na Espanha, viveu cinco anos na França e de volta à Venezuela deteve-se por algum tempo nos Estados Unidos para estudar a organização daquele país, que era uma república. Foi lá que lhe veio a ideia da luta pela independência da América do Sul, transformando em repúblicas as colônias espanholas.

Chegando à Venezuela, começou a conspirar. Rompeu logo uma revolução em que ele tomou parte e de que era a alma. Não foi feliz. Os espanhóis derrotaram os venezuelanos e Bolívar teve de fugir para a Ilha de Curaçau.

— Aquela donde vem um licor tão gostoso?

— Sim. Nessa ilha holandesa fabricam com cascas de laranja esse famoso licor. E lá Bolívar — continuou a conspirar. Voltou para chefiar nova revolução e pôs-se à frente do pequeno exército com que derrotou os espanhóis em várias batalhas — e por fim entrou em sua cidade natal como um triunfador. Seu carro foi puxado por doze das mais lindas moças da cidade de Caracas.

— Que gosto! — exclamou Pedrinho. — Está aí um espetáculo a que eu desejava assistir...

— E foi proclamado Libertador e Ditador. Infelizmente não durou muito a sua vitória. Os espanhóis se juntaram e retomaram Caracas. Bolívar teve de fugir novamente. Andou pelas Ilhas da Jamaica e do Haiti e por fim voltou à Venezuela para continuar a luta. Já se havia revelado grande general e grande homem. Chegou, assumiu o comando dos revolucionários e proclamou a liberdade dos escravos negros.

— Muito bem! aplaudiu Narizinho. — Já estou gostando desse homem. Escravidão é coisa que me faz mal aos nervos...

— E tais coisas fez Bolívar, que acabou derrotando completamente os espanhóis e proclamando a independência de duas repúblicas, a da Colômbia e a da Venezuela. Podia contentar-se com o que havia feito, mas não se contentou. Não bastava libertar a sua pátria, queria libertar toda a América do Sul — e empreendeu a campanha para libertação do Equador e do Peru. Derrotou os espanhóis na batalha de Pichincha e entrou em Quito, capital do Equador. Surgiu então a República do Equador! Empreendeu depois a campanha pela independência do Peru — e libertou o Peru, entrando em Lima debaixo de palmas. Os espanhóis reagiram, retomaram Lima — mas Bolívar os derrotou de novo na batalha de Junin e depois na de Acayucho.

— E a Bolívia?

— Dum pedaço central daqueles territórios fez ele uma nova república, a que os patriotas, em sua homenagem, deram o nome de Bolívia.

— Que bonito! Só a Bolívia e a Colômbia têm nomes tomados de grandes homens. E depois?

— Ah, meu filho! A vida do grande Bolívar foi uma luta sem fim. Criou essas quatro repúblicas e muito contribuiu para a criação de mais duas — Argentina e Chile. Governou todas elas direta ou indiretamente, deu-lhes constituições democráticas, impediu-as de se desintegrarem na desordem. Em sua alma havia o mais belo dos sonhos: a criação dum país único, a grande República Pan-Americana. Foi, portanto, o criador desse ideal a que chamamos hoje pan-americanismo.

— Fazer uma república só com a soma de todas?

— Sim. Isso é um ideal imenso. As desgraças do mundo, meu filho, vêm de a terra estar dividida em quase uma centena de países autônomos, cada qual hostil ao seu vizinho. No dia em que o mundo se transformar nos Estados Unidos do Mundo, nesse dia acabar-se-ão as guerras e a humanidade dará começo à sua Idade de Ouro. Todos os homens que trabalham para a unificação do mundo, estão trabalhando para a Felicidade Humana — e nesse sentido nenhum fez mais do que Simão Bolívar. Sua glória há de crescer cada vez mais, com o crescimento das nações por ele criadas. E no dia em que chegarmos à total unificação do mundo, nenhum nome brilhará mais que o seu. Em vez de ser apenas o maior cidadão da América Latina, será também o primeiro cidadão do mundo — porque enquanto todos os estadistas só pensavam em suas respectivas pátrias ele pensava numa imensa pátria comum a todos os homens.

Pedrinho bateu palmas.

— Irra, vovó! É a primeira vez que vejo a senhora se entusiasmar por qualquer coisa...

— Meu filho, — disse a boa velhinha, — é que eu também tenho no fundo do coração esse mesmo sonho de Simão Bolívar. Eu sonho com os Estados Unidos do Mundo como único meio de acabar com esse horroroso cancro chamado Guerra. A história do mundo, como tenho mostrado a vocês, não passa dum Amazonas de sangue e dor, de desgraças e horrores de toda sorte, tudo por causa da divisão da humanidade em pedaços inimigos uns dos outros. O remédio para esse cancro é um só: a unidade política do mundo.

Capítulo LXXII
A GRANDE REVOLUÇÃO

Pedrinho perdeu o sono naquela noite. As palavras de Dona Benta o haviam impressionado profundamente. Na manhã seguinte Emília procurou-o e disse:

— Nós precisamos endireitar o mundo, Pedrinho.

— Nós, quem, Emília?

— Nós, crianças; nós que temos imaginação. Dos "adultos" nada há a esperar...

— Dobre a língua, hein? Quando falar em "adultos", excetue vovó e Simão Bolívar.

Na noite daquele dia Dona Benta serenou e começou a falar em revolução.

— Isso de revolução dos povos, — disse ela, — é doença que pega. Houve a revolução americana, feita por Washington. A vitória dos norte-americanos animou os sul-americanos a fazerem o mesmo. E por fim até a Europa começou a libertar-se das velhas tiranias. Os triunfos obtidos pelos povos das Américas abriu os olhos ao povo francês.

A razão do povo francês revoltar-se foi o grau extremo a que chegaram os abusos da realeza e da aristocracia; os reis e os nobres tinham tudo — o povo não tinha nada. Na América os impostos não eram muito pesados, mas tinham o defeito de não se aplicarem lá; na França, os impostos esmagavam o povo, arrancavam o couro e o cabelo dos pobres.

Por esse tempo reinava na França o Luís número XVI, casado com uma princesa austríaca de nome Maria Antonieta. Muito boa gente, os dois, mas incapazes de compreender o que ia pelo país. Vivendo naquela festa contínua da Corte, imaginavam que a França fosse a Corte. Ignoravam o estado de infinita miséria em que trinta milhões de franceses haviam caído para que a festança de Versalhes continuasse a deslumbrar o mundo. Ficou tão pobre o povo, que a única coisa que tinha para comer consistia no chamado pão preto. Tudo quanto o seu trabalho produzia era arrancado para uso do rei e da nobreza. Se alguém se queixava, prisão com ele. Metiam-no em cárceres, onde o desgraçado ficava apodrecendo até morrer.

A ignorância do rei e da rainha a respeito do estado de pobreza do povo era absoluta. Um dia, em que disseram perto de Maria Antonieta que o povo estava sem pão para comer, ela replicou com toda a ingenuidade: "Pois se não tem pão, por que não come bolos?".

Para remediar o mau estado das coisas reuniu-se um congresso de representantes do povo, com o nome de Assembleia Nacional. Esse congresso começou a estudar o assunto e a propor remédios. O povo, porém, havia sofrido demais. Sua cólera contra o rei e os nobres começava a extravasar. Nada poderia conter-lhe a fúria de vingança. A revolta, afinal, rompeu na rua. O povo de Paris reuniu-se em massa para atacar a Bastilha. Os presos que lá se achavam foram soltos e os guardas assassinados: em seguida a multidão passeou pela cidade com as cabeças deles na ponta de paus. O número de presos soltos fora insignificante, pois só se achavam na Bastilha uma dúzia, de modo que essa famosa tomada da Bastilha só teve importância como sinal de que dali por diante o povo não mais respeitaria coisa nenhuma. Deu-se no dia 14 de julho de 1789, dia que marca o começo da grande Revolução Francesa. O General La Fayette, que por esse tempo já havia voltado da América, mandou mais tarde ao seu amigo Washington as chaves da Bastilha, como lembrança do movimento que libertara a França da tirania dos reis.

Luís XVI e Maria Antonieta moravam no belo Palácio de Versalhes rodeados daquele infinito bando de moscas douradas. Ao terem notícia do que se estava passando em Paris, as moscas compreenderam tratar-se de coisa muito séria e rasparam-se. O rei ficou quase sozinho. Criando coragem, a Assembleia Nacional votou uma declaração de direitos, chamada **Declaração dos Direitos do Homem**, que se assemelhava muito à **Declaração da Independência** dos americanos. Nela se dizia que todos os homens eram iguais e livres; que só o povo tinha o direito de fazer as leis e que essas leis obrigavam a todos sem exceção de ninguém. Tal declaração, portanto, acabava ao mesmo tempo com os reis por direito divino e com os privilégios dos nobres.

Logo depois da votação, o povo de Paris, esfaimado e em andrajos, organizou uma marcha a Versalhes, aos gritos de "Pão! Pão!". Ao chegar ao palácio real a multidão invadiu-o, a despeito da resistência dos guardas, e pondo na cabeça do rei um barrete vermelho, símbolo da revolução, conduziu-o, juntamente com a rainha, a Paris, onde foram guardados como prisioneiros.

Enquanto isso a Assembleia Nacional continuava os seus trabalhos de reforma, de tudo, e por fim votou a Constituição que dali por diante deveria reger a França. Mas por essa Constituição o rei continuava a governar o país.

O povo não quis saber disso. Estava cansado de reis. Queria a República — e a França acabou virando República. Em seguida, o casal de reis foi julgado e condenado à morte.

— E cortaram-lhes as cabeças como os ingleses fizeram a Carlos I?

— Sim. Um médico, chamado Guillotin, havia inventado uma máquina de cortar cabeças que recebeu o nome de guilhotina. As cabeças de Luís XVI e Maria Antonieta foram cortadas com essa máquina.

Mas o povo não sossegou com isso. Tinha receio de que os partidários dos reis conseguissem botar outro no trono; e como os partidários dos reis fossem os nobres o povo resolveu acabar com os nobres. Foi um período trágico. A guilhotina trabalhava sem cessar na sua horrível tarefa de cortar cabeças. Toda pessoa de mãos finas era considerada como pertencente ao grupo dos inimigos do povo e guilhotinada.

Esse horroroso período da Revolução Francesa recebeu o nome de Reino do Terror. Três homens dirigiam a grande matança — Marat, Robespierre e Danton. Marat acabou assassinado no banho por uma linda moça chamada Carlota Corday. Danton foi guilhotinado. Ficou Robespierre sozinho, como dono da França — matando, matando sem cessar. Se alguém dava o mais leve sinal de ter a menor simpatia pelos reis, era imediatamente guilhotinado.

Cometeram-se nesse tempo os maiores horrores e as maiores injustiças. Quem queria tomar vingança dum inimigo bastava denunciá-lo como amigo dos reis — e sem demora a cabeça do desgraçado rolava por terra. Não era preciso provar coisa nenhuma. A simples suspeita bastava. Ninguém se sentia seguro. A fúria de guilhotinar tornou-se tamanha que foi preciso construir ao pé da guilhotina uma canalização para o escoamento do sangue.

Por fim viram que a guilhotina era muito lenta para dar conta da tarefa. Começaram a matar os prisioneiros em massa. Amontoavam-nos em certos pontos e os matavam a tiros de canhão. O povo estava completamente fora de si, no seu ódio aos reis e à nobreza. Esse ódio voltou-se também contra a religião. Cristo era insultado, e se por acaso lá aparecesse, não escaparia da guilhotina. Na Catedral de Nossa Senhora de Paris, que é um dos mais belos monumentos dessa cidade, foi posta no altar uma linda mulher do povo em substituição aos santos. Era uma nova deusa — a Deusa Razão. As imagens de Cristo foram trocadas pelos retratos dos chefes revolucionários. A guilhotina substituiu a cruz. Os domingos foram suprimidos. A semana passou a ter dez dias, com um feriado no meio para fazer as vezes do domingo. O calendário foi mudado. Em vez de contar-se o tempo a partir do nascimento de Cristo, passou a ser contado a partir do ano de 1792, data da fundação da República.

Robespierre dominava sozinho. Nisto surgiu a suspeita de que ele queria virar um tirano de poder absoluto — e o agarraram e o levaram também à guilhotina. Sua morte marca o fim do Reino do Terror. A loucura do povo foi serenando e a pobre França, depois de anos de martírio, voltou a ser um país onde o bom-senso, e não o delírio da populaça imperava.

Capítulo LXXIII
O PEQUENO CAPORAL

— Afinal a Revolução acabou. E sabem quem a fez acabar? Um generalzinho de vinte e seis anos de idade e de um metro e sessenta de altura.

— Oh! — exclamou Pedrinho. — Tinha então a minha altura somada à da Emília!

— Para você ver que um grande homem nem sempre é um homem grande. Tem havido inúmeros grandes homens pequenininhos. Mas a Assembleia estava reunida no seu palácio quando a multidão das ruas começou a juntar-se para atacá-la. Esse jovem oficial foi encarregado da defesa. Imediatamente postou canhões em várias ruas que davam para o palácio e calmamente esperou pela multidão. Os desordeiros foram recebidos a bala; viram que outro galo estava cantando — e dispersaram-se. Chamava-se Napoleão Bonaparte, esse homenzinho que pela primeira vez fazia os revolucionários recuarem.

Bonaparte era natural da Ilha da Córsega, no Mediterrâneo, e nascera justamente algumas semanas depois da Córsega passar a pertencer à França.

Por um triz escapou de ter nascido italiano. Muito cedo foi mandado para uma escola militar da França, onde os meninos franceses o consideravam como estrangeiro. Bonaparte sempre ganhou muito boas notas em aritmética e álgebra.

Aquele modo decidido com que defendeu a Assembleia, pondo fim à Revolução, havia mostrado as suas qualidades de homem firme. Começou logo a subir de posto e foi longe.

A França havia pegado dos americanos a febre da revolução contra os reis e varrido com eles. Os reis dos outros países ficaram com medo que em seus povos também pegasse essa febre — e coligaram-se contra a França.

Bonaparte foi mandado com um exército combater a Itália. Tinha para isso de cruzar os Alpes, como Aníbal havia feito na guerra entre Cartago e Roma. Mas

Aníbal não levava canhões; com canhões, que pesam muito, parecia impossível atravessar aquelas montanhas. Bonaparte chamou engenheiros e mandou-os estudar o assunto. Os engenheiros — disseram que era impossível a passagem. "Impossível é uma palavra que só existe no dicionário dos idiotas" — replicou Bonaparte colericamente. Depois gritou: "Não há mais Alpes!" e — de fato os Alpes desapareceram diante do seu exército.

Na Itália o jovem general venceu uma porção de batalhas e, conseguindo assim dar conta da tarefa de que fora incumbido, voltou para a França transformado num grande herói. Surgiu o receio de que com tanta popularidade ele virasse rei. Bonaparte, porém, tinha planos secretos na cabeça. Não ficou na França. Propôs ao governo uma expedição para conquistar o Egito, que estava na posse dos ingleses; sua ideia era separar a Inglaterra das Índias.

— As Índias, então, não eram mais dos portugueses, vovó? — perguntou o menino.

— Não. Durante o reinado daquele Rei Jaime os ingleses se haviam apossado desse grande país. Isso lhes serviu de compensação pela perda das colônias da América. Mas o governo francês gostou muito do plano de Bonaparte, menos por causa do mal que podia ser feito aos ingleses do que por se verem livres dum jovem herói que já começava a causar preocupações.

Bonaparte desembarcou com o seu exército no Egito e rapidamente o conquistou. Numa das batalhas gritou, antes da peleja começar: "Soldados! Do alto daquelas pirâmides quarenta séculos vos contemplam!". Essa frase encheu de entusiasmo os franceses.

— E não apareceu por lá nenhuma Cleópatra para o atrapalhar?

— Bonaparte não era desses que se deixam levar pelas olhadelas das moças bonitas; por isso não teve a sorte de Marco Antônio. Mas enquanto estava conquistando o Egito, a esquadra francesa, que o esperava nas bocas do Nilo, foi destruída pela esquadra inglesa do Almirante Nélson.

Bonaparte ficou sem meios de voltar para a França com o seu exército. Deixou-o então no Egito sob o comando de outro general e seguiu sozinho. Estava ansioso por fazer parte do governo. Era essa a ideia que trazia escondida lá no fundo da cabeça. Quando chegou à França e encontrou os homens do governo brigando uns com os outros, deu jeito de meter-se no meio. Ele e mais dois foram escolhidos para formarem um novo governo. Tinham o título de Cônsules, sendo Bonaparte o Primeiro Cônsul. Logo depois arranjou jeito de ser promovido a Cônsul vitalício, isto é, por toda a vida. E daí a tornar-se imperador foi um passo. O pequeno corso estava finalmente como queria: imperador da França e rei da Itália!

— Sim, senhor! — exclamou Pedrinho. Isso é que se chama subir morro correndo!

— Bonaparte não perdia tempo. Fazia tudo depressa — além de que havia suprimido do seu dicionário a palavra impossível. Os outros países da Europa começaram a apavorar-se com o homenzinho, que naquele andar acabaria conquistando a todos. E ligaram-se contra ele. Uma nova guerra, ou antes, um terrível período de guerras ia começar. Napoleão planejou, antes de mais nada, a conquista da Inglaterra. E para esse fim fez construir uma grande esquadra. Infelizmente, para ele,

Nélson estava vigilante, e apanhando a esquadra francesa num sítio de nome Trafalgar, perto da Espanha, destruiu-a por completo.

— Que danado, vovó! Que ciência tinha Nélson para destruir esquadras francesas!

— Realmente foi um grande almirante, que sabia esperar os bons momentos e quando dava um golpe era de achatar o inimigo. Antes desta batalha Nélson fez uma proclamação aos seus marinheiros na qual resumiu tudo numa frase célebre: "A Inglaterra espera que cada um cumpra o seu dever". A vitória dos ingleses, porém, lhes custou cara. Nélson perdeu a vida no combate.

Essa derrota no mar fez que Bonaparte abandonasse a ideia de conquistar a Inglaterra. Tratou então de sovar os seus inimigos do continente. E sovou. Bateu a Prússia, a Espanha, a Holanda e a Áustria. Quase toda a Europa acabou pertencendo a ele, ou fazendo sem discutir o que ele mandava. Ficaram de fora só a vasta Rússia e a Inglaterra. Napoleão resolveu atacar a Rússia.

Foi o seu grande erro, porque a Rússia ficava muito longe e a invasão iria esbarrar no inverno, que é horrível lá. Com um exército de 600.000 homens marchou contra a Rússia, conseguindo chegar até Moscou, bem no centro.

Aí começou a desgraça. Os russos retiraram-se da cidade e depois a incendiaram inteirinha, de modo que Napoleão, em vez de apossar-se da capital da Rússia, apenas tomou posse duma fogueira. O único proveito que tirou foi passar uma semana "aquentando fogo" nas brasas. Nada mais podia fazer na Rússia. O inverno sobreveio rigorosíssimo. Neve por toda parte. Só neve. Tudo branco de neve. Mantimentos começaram a faltar, e não havia meios de os conseguir naquela imensidão branca. Seus soldados morriam aos milhares, e para maior desgraça os russos os acossavam ajudando a destruição do General Inverno. Por fim Napoleão deixou os restos dos seus soldados no meio do caminho e correu a Paris, para atender aos negócios do governo, que iam mal. Ao chegar a Paris viu que a sua sorte tinha virado. O desastre da campanha contra a Rússia reanimara toda a Europa, já erguida em massa para expulsá-lo do trono.

Seu exército estava destruído. Dos 600.000 homens que levara à Rússia apenas voltaram uns vinte mil. Ainda assim Napoleão conseguiu, num supremo esforço, levantar novo exército com o qual enfrentou as forças da Europa. Foi batido. Teve de assinar um papel em que abdicava o trono.

— Esse não abdicou à moda de Carlos V, — lembrou o menino. — Foi abdicado...

— Os seus inimigos vitoriosos deram-lhe uma ilha para morar — a Ilha de Elba, nas costas da Itália, perto da Córsega onde ele nascera. E puseram no trono francês um rei da família dos antigos Luíses.

O terrível homenzinho, porém, não sossegou. Começou a planejar, lá na sua ilha, um golpe por meio do qual reconquistasse o trono. Um dia, com grande surpresa do mundo, correu a notícia de que Napoleão escapara de Elba e havia desembarcado nas costas de França. O governo mandou contra ele um exército, com ordem de agarrá-lo e trazê-lo dentro duma gaiola de ferro. Mas esse exército virou-se a favor de Napoleão, que dias depois entrava em Paris vitorioso. O rei fugiu e Napoleão galgou o trono pela segunda vez.

Mas a Europa estava em pé de guerra. Imediatamente os exércitos de todos os países marcharam contra a França — e nos campos de Waterloo, na Bélgica, Napoleão deu afinal a sua última batalha. Foi derrotado pelos generais Wellington, que era inglês, e Blucher, que era alemão. Isso no ano 1815. Dessa vez os reis inimigos não lhe deram um palácio para morar; deram-lhe uma prisão vitalícia. Escolheram uma ilhazinha deserta, muito longe, no meio do mar, chamada Santa Helena, onde o puseram sob a guarda dum carcereiro inglês que era um perfeito buldogue. E ao fim de seis anos de aprisionamento o homem que tinha querido abarcar o mundo com as pernas morreu. Morreu e o mundo sossegou. Uf!

    Napoleão era um homem de gênio, isto é, um homem que possuía inteligência e outras faculdades em grau elevadíssimo. Graças a esses dons tornou-se o maior general de todos os tempos. Infelizmente a sua ambição sem limites fez que a sua passagem pela terra fosse marcada com ruínas e lágrimas. Três milhões de homens morreram por sua causa. Três milhões de mães e três milhões de pais choraram os filhos estraçalhados pelas balas. A França ficou como um animal de veias cortadas, de tanto sangue perdido. E ficou ainda menor do que era antes. Todos os territórios por ela conquistados foram devolvidos aos seus verdadeiros donos. Da obra do Pequeno Caporal só ficou a parte administrativa e legislativa.

    — Por que lhe davam esse apelido? — perguntou o menino.

    — Havia o posto caporal entre os mais inferiores do exército francês e como Napoleão fosse de baixa estatura, os seus velhos soldados, por brincadeira, lhe chamavam — o Pequeno Caporal.

Capítulo LXXIV
UM POUCO DE MÚSICA

Para satisfazer Narizinho, que ficou engulhada com mais aquelas guerras do Pequeno Caporal, Dona Benta no dia seguinte falou da música.

— A rã que faz, Pedrinho?

— Coaxa.

— E o gato?

— Mia.

— E o cachorro?

— Late.

— E o leão?

— Urra.

— E as aves?

— Botam ovo! — gritou Emília.

    — Não. As aves cantam. Só elas e o homem cantam. O homem, porém, faz mais. O homem, além do canto, faz música por meio de instrumentos. A música é uma das maravilhas criadas pelo homem na terra.

    No começo, lá muito longe, dizem que Apolo tomou uma caveira de boi e atou nos chifres sete cordas de tripa, bem esticadas. Assim nasceu o primeiro instrumento musical, chamado lira. Sete cordas apenas, entre chifres de boi, não davam instrumento muito aperfeiçoado e não deviam produzir belos sons. Apesar disso a lenda conta que Orfeu, filho de Apolo, conseguiu tanger a lira com tanta perfeição que quando tocava os animais todos, e até as árvores e rochas, vinham colocar-se em redor dele para ouvir.

Depois surgiu Pã, o deus das florestas, que inventou a chamada flauta de Pã. Consistia em canudos de vários tamanhos unidos entre si como dedos, que ele tocava soprando. A lira de Apolo e a flauta de Pã foram os primeiros instrumentos de música que o mundo conheceu. A lira tornou-se a mãe de todos os instrumentos de corda, e a flauta de Pã originou todos os instrumentos de sopro. As cordas mais grossas e os canudos mais largos davam as notas chamadas graves; as mais finas e os mais estreitos davam as notas agudas.

Esses instrumentos primitivos foram se aperfeiçoando e tomando formas novas até chegarem ao piano, que tem dezenas de cordas, e ao órgão, que é uma máquina de produzir os mais belos sons de sopro.

Sabemos hoje como eram os instrumentos de música dos antigos, mas ignoramos como era a sua música. Infelizmente não existia o fonógrafo para trazer até nós esses sons. Já os nossos netos daqui a mil anos serão mais felizes. Doravante os discos de fonógrafo vão conservar por séculos as músicas tocadas hoje.

Antigamente não se sabia escrever música. Era decorada, e assim passada de uns para outros. Mas ali pelo ano 1000 um monge italiano, de nome Guido, arranjou um meio de escrever as notas de música e batizou as sete notas que existem com os nomes de Dó, Ré, Mi, Fá, Sol, Lá, Si. Esses nominhos foram formados com as primeiras sílabas das palavras dum hino a São João, muito cantado por esse monge.

Outro italiano existiu, que recebeu o nome de Pai da Música. Chamava-se Palestrina. Foi quem escreveu as primeiras músicas religiosas, que o papa mandou fossem tocadas em todas as igrejas. O povo não as apreciou muito. Não era o que se chamava música popular. Só muito mais tarde, ali por 1700, o primeiro grande músico apareceu — isto é, o primeiro que compôs músicas que encantaram os homens. Chamava-se Haendel e nascera na Alemanha.

Seu pai, simples barbeiro, queria que ele fosse um grande advogado. O menino Haendel, porém, só pensava em música. Naquele tempo não havia piano — havia o pai do piano, com o nome de **clavicórdio** — um pianinho pouco aperfeiçoado. Com seis anos de idade Haendel conseguiu obter um clavicórdio e o escondeu em seu quarto, que era num sótão, lá perto do forro da casa. Depois que todos dormiam, punha-se ao clavicórdio e exercitava-se até altas horas, baixinho. Uma noite o pai e a mãe de Haendel perceberam aqueles estranhos sons no sótão. Assustaram-se e foram de lanterna em punho ver o que era. Encontraram o menino de camisolinha, sentado numa cadeira alta, tocando suas músicas.

— E deram-lhe uma grande sova, aposto! — disse Emília.

— Não. Apenas viram que seria tolice tentar fazer dele um advogado, já que a sua verdadeira vocação era a música. Arranjaram-lhe um mestre e logo Haendel assombrou a todos com a sua perícia. Mais tarde mudou-se para a Inglaterra e virou inglês. Quando morreu foi enterrado na célebre Abadia de Westminster, na qual vão dormir o sono eterno todos os grandes homens ingleses.

Do mesmo tempo de Haendel é o grande músico alemão chamado Bach, que tocava órgão tão divinamente como Haendel tocava clavicórdio. Ambos compuseram músicas imortais, e ambos ficaram cegos muito cedo. Ficar cego para um pintor é a maior das desgraças, mas para um músico não é tanto. Vivem eles no mundo dos sons, no qual a desgraça é ficar surdo.

Quase todos os grandes músicos revelam muito cedo esse dom da Natureza. Mozart, por exemplo, aos quatro anos já se mostrava admirável ao piano. Tocou muito menino ainda diante de reis, que o tratavam qual um principezinho. Compôs toda sorte de músicas, principalmente uma chamada ópera e outra chamada sinfonia, próprias para orquestras. Apesar disso ganhou pouco dinheiro e quando morreu foi enterrado na vala comum, isto é, no lugar dos cemitérios onde se enterram os mendigos. Mais tarde os homens sentiram remorsos de haver deixado em abandono um gênio daquele vulto e quiseram erguer-lhe a estátua em cima do túmulo. Mas nem sequer conseguiram descobrir o lugar onde Mozart dormia o sono eterno...

Um homem de nome Beethoven leu a história de Mozart e sonhou para o seu filho Luís uma glória igual à do "principezinho." Para realizar esse sonho forçava o menino, desde muito criança, a ficar horas e horas junto ao piano. O pobre Luisinho quase morria de canseira.

Chorava, chorava. Afinal tornou-se o maior músico de todos os tempos. Quando se punha ao piano, dos seus dedos saíam de improviso as mais maravilhosas composições. Com Beethoven aconteceu a grande desgraça que pode ferir um músico.

— Ficou sem dedos! — adivinhou Emília.

— Não; ficou surdo. Isso o entristeceu enormemente, embora não o impedisse de continuar a compor obras-primas. Compunha, sem poder ouvir o que compunha.

Outro grande músico alemão foi Wagner, que não tocava bem, mas compôs óperas que fizeram uma revolução no mundo musical. No começo todos caçoaram daquela música nova, que era, diziam os entendidos, muito barulhenta. Hoje o mundo inteiro admira Wagner, e o considera o que se chama um renovador, isto é, um homem que abre caminhos novos, ou que cria coisas que não existiam antes.

— Que pena os tais grandes guerreiros e conquistadores não terem sido músicos! — observou a menina. — Dos músicos não pode vir mal ao mundo; mas as tais pragas dos Gêngis Khans e Napoleões, o demo os leve...

— Tem razão, minha filha. Homens como Mozart e Beethoven aumentam o encanto da vida. Quem ouve suas músicas sente-se como que no céu. E hoje, graças à maravilhosa invenção dum americano chamado Edison, todos nós podemos ouvir tais músicas no momento em que desejamos. Esse prazer agora ao alcance de qualquer pessoa possuidora dum pouco de dinheiro era impossível, ainda para o mais poderoso rei, antes que Edison, que também foi mais surdo que uma porta, nos desse o seu maravilhoso aparelho de guardar a reproduzir os sons.

Dona Benta parou aí e mandou pôr na vitrola o disco da **Serenata** de Schubert, a música predileta de Narizinho.

Capítulo LXXV
A DAMA DA LÂMPADA

No outro dia Dona Benta disse:

— Há tanta coisa na história do mundo que eu às vezes fico tonta na escolha do assunto. Sobre que havemos de conversar hoje?

— Fale dos outros grandes inventores, — lembrou Emília. — Fale do homem que inventou os coelhinhos de lã, do homem que inventou a pipoca, do homem que...

— Pare, pare, Emília! — gritou a menina. — Vovó não precisa dos seus conselhos. Vovó vai falar de mais alguém que tenha feito coisas boas, porque se o mundo está cheio de pestes, também possui criaturas que valem a pena.

— Tem razão, minha filha. Vou falar duma mulher moderna, a criadora das mais preciosas coisas existentes em nossos tempos. Chamava-se Florence Nightingale, palavra inglesa que significa rouxinol. Mas antes temos de ver como estavam as coisas do mundo quando tal rouxinol apareceu.

Por esse tempo reinava na Inglaterra a grande Rainha Vitória, que foi muito amada pelo seu povo, do qual era verdadeira mãe. Vitória esteve no trono durante mais de meio século, período que recebeu o nome de Era Vitoriana. No seu reinado deu-se uma dura guerra entre os ingleses e os russos. A Rússia ficava muito longe da Inglaterra, de modo que foi uma grande dificuldade a remessa de soldados para lá, através do Mar Mediterrâneo, passando pela cidade de Constantinopla e pelo chamado Mar Negro. Numa península que entra por esse Mar Negro adentro é que a luta se travara — na península da Crimeia. Daí o nome de Guerra da Crimeia, dado a tal guerra.

Os soldados ingleses sofreram grandemente. As doenças os matavam aos milhares e os feridos em combate pereciam quase todos nos horríveis hospitais existentes. Ninguém para tratar deles. Ficavam lá amontoados à espera da morte. Os que se salvavam, salvavam-se ninguém sabia como nem por que.

Florence Nightingale soube desses horrores e resolveu acabar com eles. Desde menina havia mostrado grande bondade de coração e muito jeito para tratar de doentes. Fingia que suas bonecas quebravam a perna e as tratava com tanto cuidado que elas saravam. Se algum cachorro da casa adoecia, a menina o tratava como se fosse uma gente.

Florence teve notícia dos horrores passados pelos feridos da guerra e decidiu-se a cuidar deles, como havia cuidado das suas bonecas e cachorros. Falou com o governo, obteve autorização e, reunindo um grupo de companheiras, partiu para a Crimeia. À sua chegada tudo começou a mudar. Com a maior rapidez reorganizou os hospitais e os deixou como são hoje todos os hospitais modernos. Ela e suas companheiras cuidavam dos doentes com o máximo carinho e inteligência. A primeira coisa que Florence fazia ao entrar numa sala era escancarar as janelas. Ar! Ar! dizia. O primeiro remédio chama-se ar puro. Perto dela nunca houve janelas fechadas.

O resultado final foi que em vez de morrerem cinquenta em cada cem feridos entrados nos hospitais, morriam dois!

— Dois só! — exclamaram os meninos, admirados.

— Sim, apenas dois em cem, ou seja dois por cento! E Florence não se contentava de dar ordem e higiene aos hospitais. Ia aos campos de batalha dirigir o serviço de recolhimento dos feridos, para que não fossem maltratados. Andava de noite com uma lâmpada acesa, vindo daí o ser reconhecida entre os soldados como a Dama da Lâmpada.

Terminada a matança, voltou para Londres, feita a verdadeira heroína da tragédia passada na Rússia. O governo deu-lhe uma grande recompensa em dinheiro, que Florence aceitou não para si, mas para organizar a primeira escola de enfermeiras. Essa escola desenvolveu-se tanto, e prestou tantos serviços, que foi copiada por todos os países. Hoje não há terra nenhuma onde os doentes não contem com o auxílio das enfermeiras de profissão. Vieram completar o médico. O médico receita, mas não fica tomando conta do doente. E tomar conta de um doente não é serviço para qualquer. A enfermeira deve saber o que faz, e só quem aprende, quem passa por uma escola e estuda uma certa coisa, sabe o que faz.

Florence Nightingale é na minha opinião a mulher que até hoje mais fez pela humanidade. Se existe esse maravilhoso serviço chamado Cruz Vermelha, que corre em socorro desta pobre humanidade por ocasião de cada grande catástrofe — seja guerra, terremoto, incêndio ou inundação, à inglesinha da lâmpada o devemos. Vamos, Pedrinho, pegue no lápis e escreva o nome dessa mulher no seu caderno.

— Como é mesmo?

— Night-in-gale. Pronuncia-se — **Naitinguêil**.

Dona Benta fez uma pausa para falar com o japonês com quem andava em trato para a reforma do pomar. Depois que Tashiro se retirou, ela disse:

— Não falei ainda nada do Japão, um país da Ásia, de muita importância hoje. E agora que vamos ter um filho do Japão trabalhando aqui no sítio, é bom darmos um pulinho até lá.

O Japão consta dum grupo de milhares de ilhas perto da China. É velhíssimo. Já era um país civilizado antes da fundação de Roma, mas duma civilização muito especial, toda dele. Durante séculos viveu sossegado governado por uma fieira de reis da mesma dinastia, e sempre ignorado dos homens do Ocidente. Isso por ser o Japão um país completamente fechado aos estrangeiros. A entrada de homens da raça branca era proibida.

Mas em 1854, justamente no começo da Guerra da Crimeia, um oficial da marinha americana, o Comodoro Perry, entrou no Japão à força, e obrigou os japoneses a assinarem um tratado pelo qual todas as portas se abririam para os da raça branca. Isso veio mudar completamente a vida do país. Quando Perry lá esteve o Japão vivia do mesmo modo como tinha vivido milhares de anos atrás, sem nada conhecer das invenções e progressos do Ocidente. Mas depois que conheceu esses progressos, a mudança nele operada foi a mais rápida que ainda se viu no mundo. O Japão deu um pulo de milhares de anos, e em meio século igualou-se aos mais adiantados países da Europa. Armou-se logo de grande exército e de uma grande esquadra, fazendo guerra à China e à Rússia, para experimentar a força. E venceu-as.

— Que pena! — exclamou Narizinho. — Que pena ter ficado igual aos outros!

— Hoje é o Japão considerado uma das Grandes Potências do mundo.

— Que quer dizer isso?

— Grandes Potências são os países que dispõem de grandes exércitos e grandes esquadras e, portanto, podem provocar grandes guerras.

— Que tristeza o nosso mundo, vovó! — disse a menina. — Só a guerra tem importância e só são grandes os países e os homens que fazem guerra... os que destroem... os que matam...

Capítulo LXXVI
Lincoln e a princesa isabel

— E na América, vovó, que se passou de importante? — perguntou o menino.

— Na América o fato mais importante acontecido foi a libertação dos escravos. Logo que os europeus colonizaram estas terras, a primeira lembrança consistiu em escravizar os índios para metê-los no trabalho. Os índios, entretanto, possuíam um caráter rebelde a qualquer espécie de escravidão. Preferiam a morte. Em vista disso os europeus começaram a caçar homens da raça negra na África, para os botar aqui no eito. Foi a grande mancha da América.

— Mancha negra, — disse Pedrinho fazendo o que se chama um trocadilho.

Por causa dos negros desenrolou-se na América do Norte uma tragédia imensa. Os Estados Unidos dividiram-se em dois lados — um que queria conservar a escravidão, e outro que queria acabar com ela. Não havendo acordo possível, os Estados do Sul, partidários da escravidão, separaram-se dos do Norte. Daí veio a luta chamada Guerra de Secessão. Secessão significa separação. Durou quatro anos essa horrível calamidade, na qual perderam a vida dezenas de milhares de americanos.

Os Estados Unidos tinham nesse tempo um grande presidente de nome Abraão Lincoln. Lincoln viera do nada. Nascido numa choupana, cresceu na pobreza e teve quando moço várias profissões humílimas, inclusive a de barqueiro. Mas estudava. Não perdia ocasião de estudar; quando não tinha dinheiro para comprar velas, lia de noite na sua cabana à luz de nós de pinheiro. Foi também empregadinho de armazém. Um dia vendeu a uma mulher um pacote de chá com falta no peso; depois que verificou o engano, fechou o armazém e andou a pé vários quilômetros até encontrar a freguesa e restituir-lhe a diferença.

— Era então um homem de bem. Dos verdadeiros, — observou o menino.

— Dos mais honestos que ainda existiram. Lincoln foi durante toda a vida um modelo de honradez em tudo, a ponto de ganhar o nome de — o Honesto Abe. Abe é abreviatura de Abraão. Estudou de rijo e tornou-se doutor em leis. Virou um advogado de muita fama, acabando eleito presidente do seu país. Foi no seu governo que rompeu a guerra civil. Lincoln, que odiava a guerra, teve de fazer a

Guerra de Secessão toda — talvez a única no mundo que a gente possa justificar. E acabou vencendo os Estados do Sul, os quais foram obrigados a ficar na federação e a libertar todos os escravos.

O prêmio que Lincoln teve foi morrer assassinado por um sulista louco. Mas nenhum homem no mundo é hoje mais venerado e honrado. Lincoln e Washington são os dois semideuses do povo norte-americano.

Aqui no Brasil tínhamos também esse cancro da escravidão — e para vergonha nossa fomos o último país no mundo a acabar com ela. Quem assinou o decreto de 13 de maio de 1888, dando liberdade a todos os escravos do Brasil, foi a Princesa Isabel, filha do grande Imperador Pedro II. Isabel fez isso durante a ausência de seu pai, então a passeio na Europa. Por esse motivo entrou para a História com o nome de Isabel a Redentora, isto é, a Libertadora.

Pedro II foi um dos grandes monarcas que existiram, sendo considerado pelo poeta Vítor Hugo como um neto de Marco Aurélio — o famoso imperador-filósofo que governou o Império Romano. Apesar disso, Pedro II teve também uma terrível guerra durante o seu reinado — a Guerra do Paraguai, que o Brasil se viu obrigado a sustentar durante cinco anos contra o Ditador López, verdadeiro dono absoluto daquele país. O Paraguai foi vencido e ficou reduzido a ruínas. Até hoje é um país onde há mais mulheres do que homens, pois quase toda a população masculina pereceu nessa horrível luta.

— E que fim levou Pedro II?

— Os republicanos o baniram do Brasil, achando que o que é bom demais não presta.

Capítulo LXXVII
PAÍSES NOVOS

— E na Europa, vovó, que aconteceu depois que Napoleão foi para a Ilha de Santa Helena?

— Depois que o terrível guerreiro foi encarcerado nessa ilha, os franceses tiveram que arranjar um novo chefe. Escolheram um rei da mesma linhagem dos seus velhos reis — ou da família Bourbon, como se chamava. Mas esse rei não deu sorte, e os franceses arranjaram outro, e depois um terceiro. Vendo por fim que o sistema de reis não ia mais com as ideias do povo, viraram a França em República novamente.

Nas repúblicas os chefes do governo são eleitos pelo povo e só governam por um certo número de anos, quatro ou seis. Nas monarquias os reis passam o governo aos filhos, ou aos parentes próximos, quando não há filhos.

Na eleição para presidente realizada em França foi eleito — adivinhem quem? Um sobrinho de Napoleão Bonaparte, de nome Luís Napoleão. Esse homem vivia conspirando para ser rei da França, e afinal foi escolhido para presidente.

Entretanto, não se contentou com isso. Quis ser imperador, como o seu tio, de modo a governar toda a vida e legar o trono aos descendentes. Com esse belo plano na cabeça, deu um jeitinho e lá um belo dia virou imperador com o nome de Napoleão III.

— E Napoleão II? A senhora não falou dele.

— Nunca existiu. Houve um filho de Napoleão I que ao nascer foi feito rei de Roma. Esse menino nunca reinou, mas mesmo assim foi considerado o Napoleão número dois.

Napoleão III valia muitíssimo menos que o primeiro. Não era gênio, e sim um aproveitador da fama do tio. Julgou-se capaz de grandes coisas e tentou fazê-las. Mandou, por exemplo, invadir o México e transformar essa república num império, pondo lá como imperador um excelente príncipe austríaco. Essa ideia de Napoleão III saiu como o nariz dele. Os mexicanos pouco depois se revoltaram e fuzilaram o pobre Imperador Maximiliano na cidade de Querétaro.

Outra ideia desastrada de Napoleão III foi querer abaixar o topete da Prússia, país que estava dando muito na vista por causa do capricho da sua organização militar. Napoleão começou a tecer intrigas contra a Prússia e a preparar-se para lhe fazer guerra. Mas o feitiço virou-se contra o feiticeiro. A Prússia tinha no governo um homem chamado Bismarck, que via longe. Bismarck convenceu o rei da Prússia da necessidade de declarar guerra à França antes que a França declarasse guerra à Prússia. E assim foi feito.

Com fulminante rapidez os prussianos invadiram a França, derrotaram os franceses em todos os combates e aprisionaram o pobre Napoleão III. Depois entraram em Paris e exigiram uma grande indenização em ouro, além de duas províncias, a Alsácia e a Lorena.

A rapidez e o feliz sucesso desta guerra deu enorme prestígio à Prússia, e Bismarck aproveitou-se da oportunidade para reunir todos os pequenos países de raça alemã num só grande império, com o nome de Império da Alemanha. O primeiro imperador recebeu o nome de Kaiser — ou César, e foi coroado no Palácio de Versalhes, enquanto os exércitos prussianos ainda estavam dentro do território francês.

Depois desse desastre a França abandonou mais uma vez a forma de governo monárquica e adotou a republicana. Desde então elege um presidente cada sete anos — e vai vivendo.

Por essa época a Itália, que era também uma coleção de pequenos países como havia sido a Alemanha, foi reunida num só. O rei dum desses pequenos países chamava-se Vítor Manuel e tinha como primeiro-ministro um homem de grande capacidade, chamado Cavour. Também tinha do seu lado um herói popular muito romântico, de nome José Garibaldi. Este Garibaldi já havia sido fabricante de velas em Nova Iorque e tinha estado no Brasil, ajudando a revolução dos republicanos do Sul — e lá se casou com uma gaúcha de grande heroísmo, Anita. Onde quer que rebentasse uma luta do povo contra a tirania dos reis, para lá ia Garibaldi. Nascera para lutar pela liberdade dos povos.

Esses três, o Rei Vítor Manuel, Cavour e Garibaldi, conseguiram vencer todos os obstáculos e transformar aqueles pequenos países num só, com o nome de Reino da Itália. Surgiram assim no mundo, quase ao mesmo tempo dois grandes países novos — a Alemanha e a Itália.

Capítulo LXXVIII
A ERA DOS MILAGRES

— Quando foi a era dos milagres? — perguntou Dona Benta no dia seguinte. — Vamos ver quem sabe.

— Foi no tempo de Cristo, — respondeu Narizinho.

— Foi no tempo das fadas, — respondeu Emília.

Pedrinho calou-se. Não deu opinião.

— A era dos milagres não foi, — disse Dona Benta. — **Está sendo** agora. Estamos nós vivendo em plena era dos milagres, sem que prestemos a menor atenção a isso!

— Como, vovó?

— Sim. Imaginem que um homem do tempo antigo ressuscitasse agora. Poderia compreender as coisas que temos e às quais não ligamos a mínima importância?

Estou imaginando as aflições do coitado! Vira-se para cá, e dá com uma pessoa falando pelo telefone com um amigo morador em outro continente — e logo julga que são dois mágicos que conversam. Vai ao cinema e vê desenrolar-se uma fita americana de bandidos moderníssimos, que se atacam uns aos outros com metralhadoras. O nosso homem não entende nada e fica certo de que há gente representando atrás do pano. Vai espiar. Não encontra ninguém e abre a boca.

Nisto uma vitrola põe-se a reproduzir um disco de falação. O nosso homem, já meio tonto, vai ver quem está debaixo da mesa. Nada encontra e arregala o olho.

Agora é o rádio que entra a funcionar. O pobre homem põe-se a tremer. Corre à janela para tomar fôlego. No céu desliza um imenso pássaro que ele nunca supôs existir, o aeroplano. "Será verdade então", pensa ele, "que existe mesmo o Pássaro Roca?"

Na rua vê bondes e autos, isto é, veículos que andam sem cavalos. O homem acaba enlouquecendo, porque não pode de maneira nenhuma entender coisa nenhuma de coisa nenhuma.

A idade dos milagres é esta. De momento a momento novas maravilhas saem dos laboratórios científicos. As invenções se atropelam.

Homens quase dos nossos dias, como Washington e Napoleão, nunca viram uma locomotiva, ou navio a vapor, ou sequer uma caixa de fósforos. Nunca usaram o telégrafo. Nunca suspeitaram da lâmpada elétrica. São coisas moderníssimas, de ontem, podemos dizer. Em nossa era o progresso corre mais rápido num mês do que na antiguidade corria em séculos.

Um dos primeiros mágicos que revolucionaram o mundo com as suas invenções foi o escocês Jaime Watt (**Uôt**.) Um dia, em que estava observando uma chaleira da água ao fogo, impressionou-se com a dança da tampa levantada pelo vapor. "Se esse vapor ergue uma tampa de chaleira, pode erguer tudo mais" pensou Watt. E dessa ideia saiu a máquina a vapor, na qual o vapor da água move um pistão, que por sua vez move uma roda. A máquina a vapor causou verdadeira revolução industrial no mundo.

"Se a máquina a vapor move uma roda", pensou outro inglês de nome Stephenson, "por que não há de mover-se a si própria?" e dessa ideia nasceu a locomotiva, que é uma máquina a vapor que se move a si própria.

"Se a máquina a vapor se move na terra", pensou um americano de nome Fulton, "por que não há de mover-se também no mar?" e dessa ideia nasceu o navio a vapor que iria mudar todo o sistema de navegação.

O povo riu-se da primeira máquina de Watt, da primeira locomotiva de Stephenson e do primeiro navio a vapor de Fulton. Eram, na realidade, grotescos e de muito pequeno rendimento. Mas aperfeiçoaram-se com rapidez, e hoje constituem verdadeiras maravilhas da mecânica.

Antes da invenção do telégrafo, para uma pessoa comunicar-se com outra tinha de procurá-la, ou mandar carta. Um pintor americano, de nome Morse, teve a ideia de construir um aparelhinho que marca um ponto ou um traço cada vez que recebe um pouco de eletricidade. Estava inventado o telégrafo.

— Como é o telégrafo, vovó? — quis saber Pedrinho.

— Suponha uma bobina tendo no centro uma barrinha de ferro; essa bobina está colocada lá em casa do compadre Teodorico e tem um fio de arame que chega até aqui. Cada vez que daqui você fizer a eletricidade correr pelo arame a bobina recebe a eletricidade e transforma a barrinha em ímã. Este ímã, então, atrai outro ferrinho, o qual, com o movimento, marca num papel um ponto ou um traço, conforme o tempo que dura a imantação. Depois você faz uma combinação de pontos e traços que correspondam às letras do alfabeto, assim:

A .—
B —....
E .
H ....
T —

E pronto. O compadre fica habilitado a receber lá todas as letras que você transmitir.

— Que interessante! — exclamou o menino. — Vou fazer uma linha telegráfica ligando o meu quarto ao pomar.

— Faça, — aconselhou Dona Benta. — É fazendo certas coisas que outras coisas nascem, como no caso do Professor Bell, outro americano. Graham Bell começou a estudar o meio de fazer os meninos surdos ouvirem — sua própria mulher era surda — e acabou inventando o telefone. O telégrafo transmite pontos e traços; o telefone transmite diretamente a voz, qualquer que seja a distância. Hoje temos linhas que nos permitem falar dum continente para outro.

As invenções vão aparecendo graças ao concurso de muitos inventores. Um faz um bocadinho. Outro faz outro bocadinho. Vem um terceiro, reúne os dois bocadinhos e consegue uma grande coisa que ninguém esperava. Assim nasceu o motor elétrico, e depois dele esse maravilhoso motor dos automóveis, chamado motor de explosão. O pistão, que na máquina de Watt é movido pela força do vapor da água, é aqui movido pela explosãozinha dum gás da gasolina, do álcool ou de qualquer outro líquido próprio.

A luz elétrica das nossas casas foi invenção do maior inventor que ainda existiu — Tomás Edison, um americano falecido há vários anos. Entre as suas grandes e pequenas invenções existem mais de setenta! Daí o nome de "Wizard" (Uízard) ou Mágico, que lhe deu o povo da América. Foi um menino pobre, que começou a vida vendendo jornais nos trens. Um dia o professor da escola que Edison frequentava levou-o à sua mãe, dizendo que não podia tê-lo mais lá. "Por quê?" "Por que é muito burrinho e não aprende nada" — explicou esse grande professor.

— Com que cara ficaria ele, vovó, depois que o menino burrinho virou o grande Edison?

— Não sei, mas devia ter ficado com um carão de bom tamanho. Edison, em menino, não cessava de fazer reinações que já eram começos de invenções. Certa vez, quando vendia jornais nos trens, escondeu-se num carro de bagagens a fim de fazer reinações nos momentos de folga. E tais fez que pegou fogo no carro! O chefe do trem veio de lá e pregou-lhe um tremendo tapa no ouvido que o pôs surdo para sempre.

— Que cavalo! — exclamou a menina.

— Este, sim, — continuou Dona Benta. — Este Tomás Edison, sim, é o verdadeiro tipo do grande homem que todos devemos venerar. Enquanto os celebérrimos reis e generais faziam guerras e destruíam, Edison criava um mundo inteiro novo. Foi quem iluminou a terra com a luz elétrica. Foi quem inventou o fonógrafo. Foi quem aperfeiçoou o cinema.

— Viva Edison! — gritaram os meninos.

— Outro grande inventor que realizou um dos sonhos da humanidade foi Santos Dumont. Os homens sempre quiseram imitar os pássaros e voar, mas todas as tentativas nesse sentido falhavam. Afinal veio o motor de explosão, e a coisa se tornou possível. Santos Dumont, que desde menino sempre tivera a mania da navegação aérea, inventou afinal o dirigível, que é um aparelho mais leve que o ar, e depois inventou o aeroplano, que é um aparelho mais pesado que o ar. Infelizmente a sua invenção, feita em Paris, onde morava, veio quase ao mesmo tempo que a feita pelos irmãos Wright na América, de modo que a glória do grande feito se acha dividida entre três.

— Que três?

— Santos Dumont e os dois Wrights.

— Mas quem inventou o aeroplano primeiro?

— Os dois ou os três. Um não sabia o que o outro estava fazendo. A maravilhosa máquina de voar surgiu ao mesmo tempo na América e em Paris. Outro notável inventor é o italiano Marconi, inventor do telégrafo sem fio, do qual nasceu o rádio.

— Mas será que as invenções melhoram a vida, vovó? — perguntou a menina.

— Melhoram a vida, sim, embora não melhorem o homem. A nossa vida hoje podemos dizer que é riquíssima, se a compararmos com a de um século atrás. Entretanto o homem é o mesmo animal estúpido de todos os tempos. Abra o jornal e leia os principais telegramas. Só falam em miséria, em crimes, em guerras. A humanidade continua a sofrer dos mesmos males de outrora — tudo porque a força da Estupidez Humana ainda não pôde ser vencida pela força da Bondade e da Inteligência. Quando estas ficarem mais fortes do que aquela, então, sim, teremos chegado à Idade de Ouro.

Capítulo LXXIX
O MUNDO CONTRA A ALEMANHA

— Tivemos a prova disso há uns poucos anos atrás, na horrível guerra que estraçalhou o mundo pelo espaço de quase cinco anos. A estupidez reinou como soberana absoluta — e o resultado foi uma calamidade como jamais existiu semelhante.

— Como foi que começou?

— Na pequena cidade de Serajevo, capital da Bósnia, um estudante sérvio atirou e matou o príncipe herdeiro da Áustria. A coitada da Sérvia apresentou logo todas as desculpas, prometendo julgar sem demora e castigar o culpado. Nada adiantou. A Brutalidade Humana havia tomado conta do caso. O Imperador da Áustria não aceitou as desculpas. Achou que a Sérvia inteira devia pagar o crime do estudante, e logo mobilizou o seu exército para castigar a Sérvia, isto é, arrasar cidades e matar milhares de inocentes que nada, absolutamente nada, tinham a ver com o crime.

E a Áustria — declarou guerra à pequena Sérvia. Mas a Sérvia tinha amigos políticos, entre os quais a Rússia, que logo se pôs ao lado dela. Também a Áustria tinha aliados, que vieram ajudá-la. E a coisa foi indo até que o mundo inteiro se achou envolvido na guerra.

A Europa por esse tempo estava dividida em dois grupos: a Alemanha e seus amigos dum lado e a França e seus amigos de outro. No grupo da França entravam a Rússia e a Inglaterra. No da Alemanha entravam a Áustria e a Itália. Quando a luta rompeu, a Itália passou-se para o grupo da França, e a Turquia e a Bulgária entraram para o grupo da Alemanha.

Engalfinharam-se todos. Os alemães, que eram fortíssimos, atravessaram a Bélgica e invadiram a França, levando tudo de vencida até às portas de Paris. Lá pararam. Haviam perdido o ímpeto do ataque. Sendo a resistência dos franceses e ingleses cada vez maior e não podendo continuar o avanço, os alemães entrincheiraram-se. Ia começar um longo período de guerra nova para o mundo — a guerra de trincheiras, na qual os soldados se metem pela terra adentro, qual minhocas, e combatem a tiros de canhão sem que um exército veja o outro.

Mas a Alemanha, com o fim de destruir o poder marítimo da Inglaterra, havia iniciado uma terrível campanha no mar por meio de submarinos. Essas baleias de aço seguiam invisíveis pelo fundo das águas, metendo a pique os barcos inimigos, de guerra ou mercantes. Depois começaram a afundar todo e qualquer navio encontrado, inimigo ou não. Quando as coisas chegaram a esse ponto, mais um grande país entrou na guerra — os Estados Unidos. As forças então se desequilibraram e a Alemanha entregou-se.

Nisto rebentou uma revolução na Rússia, muito semelhante à célebre Revolução Francesa. O Czar Nicolau e toda a sua família foram assassinados, os nobres foram apeados da sua nobreza e o governo caiu na mão dos trabalhadores. Os revolucionários russos, tendo como chefe um homem de nome Lenin, destruíram o sistema social lá existente e deram começo a um novo sistema chamado comunismo. Neste sistema ninguém tem o direito de ter certas coisas. Quem tem essas coisas é o Estado. O Estado é quem educa as crianças, possui as fábricas, explora as minas, etc.

— E deu bom resultado o sistema, vovó?
— Ainda é cedo para julgarmos os russos. Eles estão fazendo uma experiência em enorme escala, que todos os outros povos devem acompanhar com o maior interesse. Se no fim der melhor resultado que o sistema existente nos outros países, muito bem. Esses outros países poderão adotar o sistema russo. Se os resultados forem piores, muito bem. Esses outros países estarão dispensados de repetir a experiência russa. Esperemos...

Capítulo LXXX
A SEGUNDA GUERRA MUNDIAL

— E a última guerra, como veio? — quis saber Pedrinho.
— Ah, meu filho, as guerras saem umas das outras... A primeira Guerra Mundial provocou a Revolução Russa, com a vitória ao Comunismo. De medo ao Comunismo as grandes nações capitalistas permitiram que a Alemanha se armasse, porque Hitler, o chefe da nova Alemanha, era um mortal inimigo do Comunismo. Mas quando Hitler viu a Alemanha novamente poderosa, não atacou a Rússia, como os outros queriam, e sim os países que a ajudaram — e assim teve começo a Segunda Guerra Mundial, a mais horrenda de todas. Começou com exigências em cima de exigências, e quanto mais lhe davam, mais queria. Depois atacou a Polônia, e invadiu e ocupou a Bélgica, a Holanda, a Noruega, a França, a Áustria, a Romênia, a Bulgária, a Iugoslávia, a Grécia, a Tchecoslováquia. Aliou-se à Itália, então sob a ditadura de Mussolini, e acabou invadindo a Rússia.

A guerra de 1939-1945 foi ainda pior que a de 1914-1918 porque a aviação estava muito desenvolvida e os bombardeios aéreos não pouparam as mais belas cidades. Nunca o mundo viu tanto horror. Metrópoles antiquíssimas e importantíssimas, cheias de monumentos históricos, foram reduzidas a escombros. O bombardeio da Inglaterra durou meses, e Londres ia sendo demolida e incendiada. As vitórias de Hitler acumulavam-se, até que, deslumbrado, cometeu o mesmo erro de Napoleão quase século e meio antes: atacar a Rússia.

— Por que erro, vovó?
— Porque os países territorialmente muito grandes são invencíveis — e a Rússia, além de ter um território igual ao do Brasil e dos Estados Unidos juntos, possui uma grande população de mais de 200 milhões de almas. Napoleão não levou isso em conta: invadiu a Rússia e foi destruído. Com Hitler se deu o mesmo. Seus exércitos avançaram até às portas de Moscou e Leningrado; e ao sul até Stalingrado — mas foram detidos. E a volta foi a mais terrível derrota que um país jamais sofreu. Os russos, aliados aos ingleses e americanos, expulsaram a Alemanha de todos os territórios ocupados. E por fim, em maio de 1945, teve ela de render-se incondicionalmente, depois de perder quase todas as suas cidades importantes, inclusive Berlim, que foi arrasada e ocupada pelos russos.

— E a Itália?

— Muito mais fraca que a Alemanha, a Itália rendeu-se antes, depois de perder suas ilhas fortificadas, suas colônias africanas, seus navios, tudo. Perdeu até o seu ditador. O próprio povo italiano, exasperado pelas desgraças que Mussolini atraiu sobre a Itália, agarrou-o, fuzilou-o e pendurou-o pelos pés numa praça pública, para escarmento.

— E Hitler?

— Esse desapareceu nos escombros de Berlim. Mas a guerra não terminou aí. Por causa dum traiçoeiro ataque da aviação japonesa a Pearl Harbour, um porto da Ilha do Havaí, a grande união americana também se achava envolvida na luta. O que os Estados Unidos fizeram em matéria de improvisação de exércitos, esquadras e aviões foi o assombro dos povos. Nunca o mundo viu um esforço maior e mais bem organizado. A consequência foi a que tinha de ser: depois da vitória aliada sobre os alemães na frente europeia, a vitória americana sobre os japoneses no Pacífico, meses depois, em agosto.

Capítulo LXXXI
HIROSHIMA

No dia seguinte Dona Benta terminou a história da Segunda Guerra Mundial.

— Meus filhos, — disse ela, — tenho a impressão de que esta última guerra vai encerrar o período histórico a que chamamos **Idade Moderna**. A recente descoberta da energia atômica tem condições para mudar completamente o rumo da Humanidade. E eu não me espantarei de que a data da destruição da cidade de Hiroshima, no Japão, vítima da primeira bomba atômica, venha a marcar o começo da IDADE ATÔMICA — a sucessora da Idade Moderna.

Narizinho deu um suspiro.

— E com certeza teremos também guerras atômicas, vovó. A História é só guerras, guerras e mais guerras. Nem bem o mundo sai de uma e já começa a preparar-se para outra...

— De fato, minha filha, a vida do homem na terra tem sido uma luta constante entre os povos. Mas sabe a razão disso? Criancice. Falta do juízo que só a madureza traz. A humanidade é ainda muito criança. Está ainda no período dos meninos de escola que depois das aulas vêm para a rua engalfinhar-se pelos motivos mais fúteis. Por que é que gente grande não briga na rua? Porque tem juízo, apenas por isso.

A admiração que o mundo mostra pelos grandes generais, pelos Napoleões, Aníbais, Alexandres e outros, é a mesma que os meninos de escola mostram pelos que têm mais força e dela abusam, surrando os mais fracos. E isso continuará assim por muitos e muitos séculos ainda, até que a humanidade amadureça e entre na idade do juízo.

— De modo que temos de esperar...

— Sim. Temos de aceitar as coisas como elas são. Seria tolice minha, por exemplo, querer que Pedrinho se comportasse como o compadre Teodorico, tão grave e sério. Pedrinho está na idade dos brinquedos, das brigas de rua, das arteirices de todas as crianças. Mas dia há de chegar em que ele vira aí um homem de bigodão na cara, sério, incapaz de fazer o que fez sábado passado para o coitadinho do Zeca da Ponte.

— Mas foi ele quem me provocou, vovó! — defendeu-se Pedrinho.

— Provocou porque também é um menino. Quando ambos crescerem, nem o Zeca provocará você, nem você, ainda que provocado, fará a coisa feia que fez.

— Mas, vovó, ele me xingou duma porção de nomes e depois me jogou na cara uma caneca da água!...

— Coisas de menino. Xantipa também xingou muito o seu marido Sócrates, e em seguida lhe lançou à cara não uma caneca, mas todo um balde de água. Que fez Sócrates? Bateu nela? Achatou-lhe o nariz, como você fez ao Zequinha? Não. Apenas — disse: "Depois da trovoada, vem sempre chuva...".

Assim se comportam os filósofos, isto é, os homens de juízo. Tenho esperanças de que também a Humanidade, quando alcançar a era do juízo, resolva todas as suas questões com a filosofia dum Sócrates, em vez de resolvê-las, como até aqui, a tiro e facadas. O tempo, só o tempo pode curar o grande defeito da Humanidade — que é ser muito criança ainda.

Assim terminou Dona Benta o seu apanhado da história do mundo.

PARADIDÁTICOS

O MINOTAURO

Maravilhosas aventuras dos netos de Dona Benta na Grécia Antiga
Illustrações de **ANDRÉ LEBLANC**

Capítulo I
UMA AVENTURA PUXA OUTRA

Os leitores do "O Pica-pau Amarelo" fatalmente desapontaram com o desfecho da história. A grande festa do casamento do Príncipe Codadad com Branca-de-Neve acabou violentamente interrompida pelo ataque dos monstros da Fábula. Dona Benta, Pedrinho, Narizinho, Emília e o Visconde conseguiram salvar-se pela fuga, a bordo de "O Beija-Flor das Ondas"; mas a pobre Tia Nastácia, que se distraíra nas cozinhas do palácio com o assamento de mil faisões, perdeu-se no tumulto. Fora atropelada, devorada ou aprisionada pelos monstros? Ninguém sabia.

Só depois do desastre é que Dona Benta e os meninos puderam ver o quanto a estimavam. Que choradeira! Quindim derrubou o focinho... O Burro Falante desistiu da sua habitual ração de fubá. Só não choraram Emília e Pedrinho; Emília porque "não era de choros"; e o menino, porque andava com uma ideia de bom tamanho.

— Nada de lágrimas, pessoal! — dizia ele. — O que temos a fazer é organizar uma expedição para o salvamento de Tia Nastácia. Se está viva nas unhas de algum monstro, havemos de libertá-la, custe o que custar.

Tamanho rasgo de atrevimento entusiasmou Emília.

— Bravos, Pedrinho! Você é um herói de verdade.

Dona Benta teve de concordar com a ideia da expedição. Não havia outro remédio. Em vista disso, começou a dispor tudo para uma longa ausência.

O Conselheiro foi confirmado no posto de tomador de conta do sítio, e Quindim no de guarda, mas depois duma severa advertência pelo seu cochilo no caso do Capitão Gancho.

— Eu cochilei sem querer... — desculpou-se o paquiderme.

— As boas sentinelas não cochilam nunca, — disse Dona Benta. — Espero que para o futuro vosmecê saiba justificar a confiança que tenho na sua inteligência, na sua lealdade e no seu chifre.

O rinoceronte prometeu pôr em prática a receita da Emília: "Cochile com um olho enquanto espia com o outro; depois cochile com o outro e espie com o primeiro".

Tudo acertado, Dona Benta partiu com os meninos para a Grécia, a bordo de "O Beija-Flor das Ondas".

Mas para que Grécia? Há duas — a Grécia de hoje, um país muito sem graça, e a Grécia antiga, também chamada Hélade, que é a Grécia povoada de deuses e semideuses, de ninfas e heróis, de faunos e sátiros, de centauros e mais monstros tremendos, como a Esfinge, a Quimera, a Hidra, o Minotauro. Oh, sim, lá é que era a grande Grécia imortal. A de hoje só tem uvas e figos secos — e soldados de saiote.

Enquanto "O Beija-Flor" singrava os mares, Dona Benta ia derramando pingos de História na cabeça das crianças.

— A Grécia de hoje, meus filhos, é um dos pequenos países da Europa, com 116 mil quilômetros quadrados e menos de 5 milhões de habitantes.

— Só isso? — admirou-se Pedrinho.

— Só, meu filho; e a famosa Grécia antiga também não foi mais que isso. A importância dum país não depende do tamanho territorial, nem do número de habitantes. Depende da qualidade do povo. Pequenina foi a Grécia em tamanho — e tornou-se o maior povo da antiguidade pelo brilho da inteligência e pelas realizações artísticas. Tão grande foi o seu valor, que até hoje o mundo anda *impregnado* de Grécia. Mesmo aqui neste nosso continente americano, que era só bugres no tempo da Grécia, sentimos a impregnação grega. A língua que falamos está toda embutida de palavras gregas.

— "Geografia", por exemplo — disse Narizinho. — E "gramática" também. Quindim disse que gramática é palavra grega.

— E é. Não tem conta o número de palavras de origem grega que usamos a todo instante, ou na forma que tinham lá ou como ficaram depois das modificações do tempo. Mas não é só na língua que vemos por aqui a Grécia — é em tudo. Recorda-se, Pedrinho, daquele célebre discurso do promotor, no casamento da filha do juiz?

— Se me recordo! Começava assim: "Neste momento solene, eu queria ter a eloquência dum Demóstenes, etc.".

— Isso mesmo. Pois esse discurso está cheio de coisinhas gregas. Logo no começo aparece Demóstenes, que foi o máximo orador da Grécia. Depois vem aquele pedacinho de ouro: "A galante Candoca vai unir-se ao Doutor Filogênio pelos laços sagrados do himeneu". Que é himeneu?

— Casamento?

— Sim. Hoje quer dizer casamento; mas na Grécia antiga era o nome do deus do casamento — filho de Baco e Vênus. O orador também se referiu ao "carro de Apolo"; Apolo foi o deus grego da música, das artes e da eloquência. Falou ainda em "aurora"; Aurora era a deusa grega da manhã, que abria o dia no seu carro puxado por corcéis de asas, com uma estrela na testa e um archote aceso na mão. Se fossemos catar todas as reminiscências gregas do discurso do promotor, vocês se admirariam da quantidade.

— Ele também falou em "mel do Himeto" e em Eros, — disse Pedrinho. — Devem ser coisas gregas.

— Sim, Himeto era um monte famoso pelo seu mel e pelos seus mármores. E Eros não passa do nome grego de Cupido.

— Que história é essa? — berrou Emília. — O tal deusinho do amor, afinal de contas, é Eros ou Cupido?

— É Eros na Grécia e Cupido entre os latinos. Com a mudança para Roma, depois que Roma conquistou a Grécia, os deuses gregos mudaram de nome. Zeus, o pai de todos, virou Júpiter; Ártemis virou Diana; Palas-Atena virou Minerva; Héracles virou Hércules — e assim por diante.

— Que maçada! — exclamou Emília.

Dona Benta não entendeu o pensamentinho dela e continuou

— Pois é isso. Na conversa comum, todos os dias vivemos a usar palavras e expressões gregas. Até a pobre Tia Nastácia de vez em quando vem com uns greguismos, como daquela vez em que disse: "Quando na pedreira a gente faz 'oh', o eco responde lá longe". Ela sabe que tem o nome de eco a voz que bate num obstáculo e volta, mas não sabe que a palavra se originou do nome da ninfa Eco, uma que falava pelos cotovelos e de tanto falar incorreu na ira da deusa Hera, a qual a transformou em voz sem corpo, isto é, no que chamamos eco.

E no pensamento, então? A maior parte das nossas ideias vem dos gregos. Quem estuda os filósofos gregos encontra-se com todas as ideias modernas, ainda as que parecem mais adiantadas.

— Então, vovó, a Grécia foi mesmo uma danadinha...

— Se foi! Por isso falam os sábios do "milagre grego". Acham que aquilo foi um verdadeiro milagre da inteligência humana. Um foco de luz que nasceu na antiguidade e até hoje nos ilumina. A arte grega, por exemplo: não há nas nossas cidades fachada de prédio que não tenha formas, ou enfeites, inventados pelos gregos. Os mais lindos monumentos das capitais modernas são gregos, ou têm muito da Grécia. O monumento do Ipiranga, em S. Paulo, é grego dos pés à cabeça. As colunas, os capitéis das colunas com as suas folhas de acanto...

— Serralha! — berrou Emília. — Eu sei.[21]

— ... as frisas e arquitraves, as cornijas e triglifos, tudo é grego. Vou desenhar alguns desses elementos para que vocês vejam com que frequência eles aparecem na frontaria dos nossos prédios.

Dona Benta desenhou, como o nariz dela, umas coisas assim:

— Com que então estas coisas se chamam "elementos?"

— Sim. Elemento é uma parte duma coisa. Quindim é um dos elementos do sítio. Rabicó, outro...

— Quindim é o elemento paquidérmico — lembrou Emília. — Rabicó é o elemento suíno.

— E você é o elemento lambeta, — disse Narizinho.

Emília fez o seu focinho de pouco caso, murmurando: "Fedor!".

— Pois é isso, — continuou Dona Benta. — A Grécia está no nosso idioma, no nosso pensamento, na nossa arte, na nossa alma; somos muito mais filhos da Grécia do que de qualquer outro país. Até Quindim é bastante grego, apesar de ter nascido na África, já que e paquiderme e rinoceronte. Paquiderme, é uma palavra que vem do grego *pachy*, grosso, e *derm*, pele ou couro.

— Casca grossa, — disse Emília.

— E rinoceronte é palavra que vem do grego *rhinoceros*: — *rhino*, nariz; e *ceros*, chifre. O bicho de chifre no nariz.

Enquanto Dona Benta discorria sobre a Grécia, o "Beija-Flor das Ondas" singrava mansamente de rumo a Atenas. O Visconde ia no comando, com o Marquês de Rabicó a servir de Imediato. A escassez de tripulantes obrigou-o a dar aquele posto ao Marquês, apesar da sua muito conhecida malandragem.

---

21 *História do Mundo para as Crianças*.

A tarde ia caindo. Nuvens debruadas de cobre estendiam-se no céu como charutos compridíssimos. De vez em quando um peixe-voador pulava da água, voava dezenas de metros e sumia-se de novo no oceano.

— Por que é que eles voam, vovó? — perguntou Narizinho.

— Para fugir à perseguição dos inimigos, os peixes maiores que querem devorá-los. Como a vida no mar é um pega-pega terrível, cada qual inventa a sua defesa. Uns aprendem a mudar de cor, para se confundirem com as pedras; o inimigo passa e não os vê. Outros aperfeiçoam-se na velocidade — e escapam fugindo. Estes voadores aprenderam a voar. No começo o voo deles não era voo, apenas um salto; mas viram logo que ajudando o salto com as asas natatórias podiam chegar mais longe. E foram se aperfeiçoando nisso até o ponto em que estão hoje — que é um salto voado, o salto prolongado por um voo muito diferente do das aves.

A brisa morrera completamente, de modo que a superfície do mar se transformara num imenso espelho.

— Que lindo, vovó! Veja que lisura de água. Nem a menor ondinha. O mar virou a perfeita cópia do céu.

De fato, o céu, com todo o seu azul e todas as suas nuvens, estava duplicado com a maior perfeição no imenso espelho líquido. Pedrinho notou que quando um peixe pulava da água um desenho aparecia assim:

Prestando bastante atenção, compreendeu o fenômeno.

— Já sei, vovó. Com o movimento de sair da água, ele forma aquela série de círculos maiores. Mas como sai molhado, a água que leva no corpo pinga imediatamente — pinga um pingo maior no começo e mais três ou quatro em seguida, cada vez mais distanciados; e cada um desses pingos forma o seu sistemazinho de círculos concêntricos.

Dona Benta sorriu.

— Você falou que nem um matemático. O "sistema de círculos concêntricos" está bem. Nem o grande sábio Einstein diria melhor. "Círculos concêntricos" quer dizer círculos que têm o mesmo centro. E "sistema de círculos concêntricos", neste caso, quer dizer a série de círculos formados por cada pingo. Muito bem. Se Tia Nastácia estivesse aqui, você ganharia uma cocada.

— A pobre! — suspirou Narizinho. — Por onde andará neste momento?

— Para mim, o Minotauro a devorou, — disse Emília. — As cozinheiras devem ter o corpo bem temperado, de tanto que lidam com sal, alho, vinagre, cebolas. Eu, se fosse antropófaga, só comia cozinheiras.

Narizinho teve vontade de jogá-la aos tubarões.

Capítulo II
RUMO À GRÉCIA

No intervalo de duas manobras do iate, Dona Benta tomou fôlego e disse:

— Vocês já sabem que há duas Grécias, a antiga e a de hoje; mas só a antiga nos interessa. Surge o problema: como penetrarmos na Grécia Antiga?

— Pulando por cima da de hoje, vovó! — resolveu Pedrinho com a maior facilidade. — Resta saber qual dos períodos antigos o mais interessante.

— Para mim foi o tempo de Péricles, — disse Dona Benta; — mas para a gana de heroísmos que vejo em meus netos, deve ser um tempo ainda muito anterior, em que aquilo por lá era uma coleção de pequeninos reinos, de tribos em luta, de famílias poderosas; o tempo da guerra de Troia que Homero descreve na *Ilíada*; e o tempo dos heróis tebanos, da viagem dos Argonautas, dos monstros fabulosos, como a hidra de Lerna e outros.

— É exatamente o que desejamos, vovó, mas com uma paradinha antes para a senhora regalar-se com o tal Péricles. Quem era ele?

Dona Benta tomou fôlego.

— Ah, meu filho, esse Péricles foi um homem de tantos méritos que chegou a dar o seu nome ao século. Ninguém fala da antiguidade sem referir-se ao *século de Péricles*, que foi o quinto século antes de Cristo.

— Faz então mais de dois mil anos que ele viveu?

— Sim. Péricles nasceu no ano de 495 antes de Cristo.

Narizinho fez imediatamente a conta.

— Coisa extraordinária, vovó, um homem ser falado depois de 2.432 anos do seu nascimento!...

— Prova do seu imenso valor, minha filha. A história de Péricles foi contada pelo famoso "contador de vidas" Plutarco, e quem a lê admira-se de encontrar num mesmo homem tantos e tão grandes méritos. Só no físico não foi perfeito, por falta de regularidade na forma do crânio. Péricles tinha uma cabeça como a do Totó

Cupim, isto é, com uma bossa no cocuruto. Por isso se deixava retratar de capacete na cabeça. Tirante esse pequeno defeito, era um homem de grande beleza física, dessas que se aproximam da beleza olímpica.

— Que tipo de beleza é esse?

— A beleza olímpica é a que se caracteriza pela serenidade da força e o perfeito equilíbrio de tudo. *Sentimos* tal beleza diante das estátuas que representam os deuses do Olimpo.

— E que Olimpo era esse?

— Um monte que havia na Tessália.

— E que Tessália era essa?

Dona Benta suspirou. Para chegar a uma coisa tinha de dar mil voltas explicativas de outras. Os meninos faziam questão de tudo muito bem esclarecidinho.

— A Tessália era uma das partes da Grécia, a qual, como vocês sabem, se compunha de diversos estados independentes mas unidos pela mesma língua, mesma cultura e a mesma religião. Havia a Tessália, o Peloponeso, a Helas e o Epiro, partes, por sua vez, divididas em pequenas repúblicas, como a famosa Ática, de que Atenas era a capital, e a terrível Esparta.

— Bem, continue com o Olimpo.

— Como eu ia dizendo, o Olimpo foi até certo período a morada dos deuses gregos, porque no fim eles acabaram mudando-se para o céu. O governador supremo do Olimpo chamava-se Zeus, que era o deus dos deuses, e mais tarde virou Júpiter, em Roma.

— Isso a senhora já nos contou na *História do Mundo para as Crianças*. Doze deuses, etc. "Passo".

— Muito bem. Estes deuses compunham o estado-maior das divindades gregas e habitavam a tal montanha do Olimpo. E como eram deuses, isto é, criaturas imortais e em tudo superiores aos homens, tinham o seu tipo especial de beleza — justamente a chamada beleza "olímpica", isto é, a beleza serena de quem vive liberto das preocupações, do medo. Um "mortal", por mais belo que seja, rarissimamente poderá revelar a beleza olímpica, porque tem o físico marcado pelas preocupações morais e materiais do mundo, filhas do medo. Com os deuses não era assim. Preocupações morais, nenhumas; eles estavam acima da Moral e do Medo. Cuidados materiais, também nenhuns; eles desconheciam as doenças e alimentavam-se da maravilhosa ambrosia. Para bebida tinham o néctar.

— Como era essa tal ambrosia e esse tal néctar? — perguntou a menina.

— Não sei; mas no nosso mergulho na Grécia Antiga vocês poderão ficar sabendo.

— Não quero só saber, — disse Emília, — quero ver e provar. Para mim, o néctar há de ser qualquer coisa como o mel das abelhas — o mel dos deuses. Já a ambrosia não imagino o que seja.

— Pois é — continuou Dona Benta. — Como os deuses viviam dessa maneira, sem cuidados, sem temor, sem a nossa terrível pressão da luta pela vida, foram adquirindo um tipo de beleza que não é da terra: a beleza olímpica. Entre nós aparecem às vezes criaturas que lembram os deuses gregos — e dizemos que têm a beleza olímpica. O poeta francês Teófilo Gaultier foi assim. Parecia um deus.

— E Péricles também?

— Pelo que Plutarco e outros disseram, Péricles tinha a majestade dos deuses do Olimpo. Isso, por fora. Por dentro, a mesma coisa. Sua inteligência revelava a profundidade das verdadeiras inteligências.

— Há inteligências *não verdadeiras*, vovó?

— É o que mais vemos neste mundo, meu filho. Inteligências de muita vivacidade, muito brilho, mas pouca penetração. Como o ouro-besouro, que tem *só* aspecto exterior, não as qualidades do ouro verdadeiro. A inteligência de Péricles pertencia à classe das verdadeiras, das que penetram no fundo das coisas e *compreendem*. Por isso foi o maior homem de seu tempo, o maior orador, o maior estrategista, o maior estadista que governou Atenas por vontade expressa do povo. Nas mais livres eleições que ainda houve no mundo, saía sempre triunfante. Pois apesar de tão longo tempo de ditadura, mas ditadura à moda grega, consentida pelo povo, anualmente renovada por vontade do povo — Péricles teve a glória de dizer o que disse na hora da morte.

— Que foi?

— Ele estava moribundo, com os amigos em redor de sua cama. Todos o elogiavam; um falava na sua grandeza como orador; outro gabava os seus dotes de estadista; outro louvava a sua capacidade como general. Em dado momento Péricles interrompeu-os para dizer: "Vocês esquecem a coisa mais notável da minha vida, que é que vou morrer sem que nenhum ateniense haja posto luto por culpa minha".

— Que beleza para o mundo se na hora da morte todos os chefes de estado pudessem dizer o mesmo!... — observou a menina.

— E além de ter sido esse chefe ideal, — prosseguiu Dona Benta, — foi o maior amigo das artes. Graças a Péricles, Atenas se transformou numa obra-prima de arquitetura e escultura.

— Que maravilha! — exclamou Pedrinho. — Agora compreendo porque ainda hoje tanto se fala na Grécia. Mas uma coisa estou sem saber vovó: a verdadeira causa desse povo ter chegado a essa altura. Deve existir um segredinho.

— Liberdade, meu filho. Bom governo. A coisa teve início quando um legislador de gênio, chamado Sólon, fez as leis da democracia. Antes disso a Grécia estava em plena desordem, com o povo escravizado a senhores. Sólon endireitou tudo; e como era poeta, deixou o justíssimo elogio de sua própria obra nuns versos que todas as crianças gregas sabiam de cor.

— Como eram?

— "Aos que sofriam o jugo da servidão e tremiam diante dum senhor, eu dei a independência. E tomo o testemunho dos deuses ao afirmar que a terra da Grécia, à qual arranquei os grilhões, hoje é livre." Isso quer dizer que as leis de Sólon deram aos gregos a verdadeira liberdade, a maior que um povo ainda gozou. Consequência: tudo se desenvolveu de modo felicíssimo.

— Por quê?

— Porque para o homem o clima "certo" é um só: o da liberdade. Só nesse clima o homem se sente feliz e prospera harmoniosamente. Quando muda o clima e a liberdade desaparece, vem a tristeza, a aflição, o desespero e a decadência.

O melhor exemplo disto temos lá em casa. Como dou a vocês a máxima liberdade, todos vivem no maior contentamento, a inventar e realizar tremendas aventuras. Mas se eu fosse uma avó má, das que amarram os netos com os cordéis do "não pode" — não pode isto, não pode aquilo, sem dar as razões do "não pode" — vocês viveriam tristes e amarelos, ou jururus, que é como ficam as criaturas sem liberdade de movimentos e sem o direito de dizer o que sentem e pensam. A Grécia, meus filhos, foi o Sítio do Pica-pau Amarelo da antiguidade, foi a terra da Imaginação às soltas. Por isso floresceu como um pé de ipê. A arquitetura e a escultura chegaram a um ponto que até hoje nos espanta. O pensamento enriqueceu-se das mais belas ideias que o mundo conhece — e deu flores raríssimas, como a sabedoria de Sócrates e Platão...

— Que coisa gostosa viver na Grécia daquele tempo! — exclamou Pedrinho com um suspiro de nostalgia.

— Sim, meus filhos. A vida lá era um prazer — era o prazer dessa mesma liberdade que vocês gozam no sítio. O prazer de sonhar e criar a verdade e a beleza. Nunca houve no mundo tão intensa produção de beleza como na Grécia — e o que ainda há de beleza no mundo moderno é pálida herança da vida de lá.

— Viva o sítio do Pica-pau Amarelo da antiguidade, — berrou Emília — e as ondas do mar, como um eco repetiram: Viva! Viva!...

Capítulo III
Desembarque na Grécia de Péricles

"O Beija-Flor das Ondas" já havia penetrado em mares gregos. Pelo binóculo Emília pôde ver a linha das costas.

— Terra! Terra! Estamos chegando...

Uma hora depois o iate entrava no porto do Pireu e descia a âncora. Os meninos olharam. Um porto como todos os portos. Moderno. Carregadores, automóveis, fardos e caixões, guinchos de máquinas, tudo muito desenxabido. Não interessou.

— Nem vale a pena descer vovó, — disse Pedrinho. — O verdadeiro é darmos daqui mesmo o mergulho no século de Péricles.

Todos concordaram e, fechando os olhos, fizeram *tchibum!* Foram sair lá adiante, em plena Grécia de Péricles. Tudo mudou como por encanto. O porto ainda era o mesmo, mas estava coalhado de navios muito diferentes dos de hoje. Nada de chaminés fumacentas; só mastros, com muito cordame e velas branquinhas.

Dona Benta desceu ao cais com os netos, a Emília e o Visconde fardado de comandante; e a primeira coisa que notou foi a moda da gente do porto.

Tudo diferente das modas modernas. Nada de calças e paletós para os homens, e blusas e saias para as mulheres. Os homens vestiam uma túnica de nome chiton.

— Será daí que veio o nome de chitão? — perguntou a Emília.

Dona Benta riu-se.

— Não é "chiton" com som de "x" e acento no "on", Emília. É "quíton". O "ch" no grego tem o som do nosso "q". Esse *chiton*, ou túnica, que você está vendo, constitui uma peça do vestuário dos dois sexos. Roupa de baixo. Por cima vem esse manto, que eles chamam *peplo*.

Os meninos viram que de fato todos os homens e mulheres traziam por cima do chiton o tal peplo, que não passava dum pedaço de pano quadrado, elegantemente preso ao corpo com alfinetes ou broches.

Emília observou o peplo dum homem que estava parado de prosa com outro, e viu que era de lã.

— Notem que há peplos de lã, algodão e seda, — disse Dona Benta, — e não só brancos, mas de todas as cores. Aquele ali, de formato um pouco diferente, chama-se *clâmide*. É o usado pelos elegantes.

As mulheres vestiam uma túnica sem mangas sobre outra peça de vestuário de nome *chitonion*, que corresponde à camisa das mulheres modernas. E para saírem à rua punham o *himation*, que era o nome do peplo feminino.

— Oh, — exclamou Narizinho, — alguns são lindamente bordados. Olhem aquela moça ali...

Ia passando uma linda jovem com um *himation* primorosamente bordado a seda. Não usava meias, e nos pés trazia elegantes sandálias.

— E olhe o calçado dos homens, — disse Pedrinho. — São borzeguins amarrados com fios.

O movimento urbano não lembrava o das grandes cidades modernas. Nada do tumulto que vemos nesses horrores a que chamamos "ruas centrais". Quase toda gente a pé, caminhando em sossego. De quando em quando, uma liteira trazida por escravos.

— Que diferença, vovó! — disse Pedrinho. — Lá nas cidades modernas a gente anda com o coração nas mãos, porque esbarra num, recebe um tranco de outro; e se vamos atravessar uma rua, dez automóveis fedorentos precipitam-se para nos esmagar. Aqui, este sossego. Que maravilha! Agora compreendo porque esta gente pensou tantas coisas bonitas — é que não vivia atropelada, como nós, pelas horríveis máquinas que o demônio do progresso inventou.

Narizinho pensava a mesma coisa.

— Esta nossa vinda ao Pireu, vovó, me recorda uma impressão do Rio. Quando a gente sai daquela inferneira da Avenida Rio Branco e penetra na calma e velha Rua do Ouvidor, parece que muda de mundo — porque ali não há máquinas. Pode-se andar livremente pelo asfalto sem a tortura dos automóveis e ônibus infernizantes — e até se ouve o rumor dos passos no chão, um *tchá, tchá, tchá* arrastadinho, que é uma delícia. Que pena o tal progresso do mundo...

Dona Benta concordou que o progresso mecânico só servia para amargurar a existência dos homens. As ruas, feitas originariamente para os pedestres, foram invadidas pelas máquinas de correr e de empestar o ar com o fedor da gasolina — máquinas tremendamente destruidoras, que fazem mais vítimas num ano do que as fizeram na Grécia Antiga todos os Minotauros e Quimeras.

— Só nos Estados Unidos morrem por ano oito mil crianças esmagadas pelos automóveis.

— Oito mil, vovó? — espantou-se a menina.

— Sim, minha filha. Imagine quanto sofrimento criado por essas hecatombes de tantos milheiros de Narizinhos e Pedrinhos. Com duas vovós, para cada um, temos dezesseis mil vovós que anualmente perdem os netos, devorados pelos minotauros mecânicos...

— Mas então, vovó, o progresso mecânico é um erro, — observou Pedrinho.

— Talvez seja, mas não podemos fugir dele porque é também uma fatalidade. Com as suas invenções constantes, o progresso nos empurra para a frente — para delícias e também para mais tumulto, mais aflição, mais correria, mais pressa, mais insegurança, mais inquietude, mais guerra, mais horror. Essa é a razão de a loucura estar tomando conta dos homens. Comparem a expressão sossegada destes gregos com a dos homens que vimos nas grandes capitais modernas, de cara amarrada, toda rugas, muitas vezes falando sozinhos.

— Sim, vovó, todos aqui me parecem olímpicos.

— É que todos estão livres do atropelo e cultivam uma sábia ginástica, de modo que adquirem esses corpos cheios de força e beleza que vocês estão vendo. Até as roupas que eles usam deixam os modernos envergonhados.

— Os homens modernos, — disse Emília, — vestem-se de canudos de cores tristes. Dois canudos para as pernas — as calças. Dois canudos para os braços — o paletó. E há o colete e a mania dos bolsos. Naquele sujeito que esteve lá no sítio contei dezesseis bolsos. Cada bolso para uma coisa. Carregam um bazar consigo: tesourinha, canivete, lenço, carteira, porta-níqueis, relógio, piteira de filtro, algodão para piteira, cigarros, óculos, fósforos ou acendedor de gasolina, caneta-tinteiro, lápis, selos, caderno de endereços, alfinetes, papéis, listinhas de jogo do bicho, etc. Os homens modernos são verdadeiras bestas de carga. Já aqui, nada disso. Estes gregos não carregam nada — só trazem para a rua a sua beleza, o seu sossego e a sua serenidade, coisas que não precisam de bolsos. Agora é que estou compreendendo como é grotesco o vestuário moderno...

— Você tocou num ponto interessante, minha filha. Na verdade, só nesta Grécia as criaturas humanas acertaram com a arte de vestir. Usam roupas que não ofendem as formas do corpo humano, que não deformam grotescamente as linhas do nosso corpo. Quando fazemos desfilar as modas masculinas e femininas que vão desta Grécia até nós modernos, ficamos assombrados da imbecilidade e mau gosto dos que se afastaram dos gregos. As modas medievais, as modas da Espanha, da Inglaterra do tempo da Rainha Isabel, as modas do tempo dos Luíses em França e as nossas grotescas modas modernas são coisas que nos fazem pensar pensamentos tristes, porque, provam como vamos perdendo o senso da beleza. A feiura moderna é um caso sério...

— Se é! — exclamou Emília. — Naquela festa do casamento da Candoca eu me regalei de rir com a tal feiura moderna. Aqueles homens de casaca!... Uma vestimenta preta como carvão, curtinha na frente e com dois rabos atrás... Quando eles andam, os dois rabos vão abanando... Dois rabos! Os chimpanzés bisavôs dos homens modernos tinham um rabo só — os seus netos modernos inventaram mais um... Rabos de pano preto, que feiura! E quando saem para a rua, põem na cabeça uns canudos de chaminé chamados cartolas — e mostram-se orgulhosíssimos com os rabos atrás e o pedaço de chaminé na cabeça, o mesmo orgulho dos selvagens africanos que se enfeitam de penas de rabos de avestruz, só que um rabo de pena é muito mais decente que um rabo de pano preto. A senhora tem razão: a feiura do vestuário moderno é um caso sério...

E a falarem na feiura dos rabos modernos, Dona Benta e os meninos entraram por uma rua de maior movimento, onde sem querer deram na vista dos passantes. Diversos curiosos rodearam-nos. Aquela velha vestida dum modo exótico, de saia e paletó de quartinho, acompanhada de crianças esquisitas, causou-lhes espécie. Estavam acostumados a ver estranhas criaturas vindas da Ásia, mas aquelas constituíam novidade. Perguntaram-lhe donde vinham.

— Estamos chegando do Pica-pau Amarelo, — respondeu Dona Benta.

A resposta deixou os gregos na mesma. Ninguém desconfiava onde pudesse ser o tal "país" do Pica-pau Amarelo. Dona Benta ponderou que se fosse explicar tudo direitinho, ficaria ali muito tempo. Teria de fazer um verdadeiro curso de história; contar todo o desenvolvimento do mundo desde o ano 438 antes de Cristo, que era aquele, até 1939 depois de Cristo, que fora o da sua partida do sítio; e narrar a descoberta da América pelo Senhor Cristóvão Colombo; e a do Brasil pelo Senhor Cabral; e esclarecê-los sobre todas as invenções realizadas, desde a da pólvora até a da televisão — e explicar o automóvel, o cinema, o rádio, o telefone, o fósforo, o açúcar, as geladeiras, a correria moderna, a aflição dos povos, a guerra da Espanha e da China, os aviões que lançam bombas nos inocentes, os submarinos que afundam navios de passageiros — tudo, tudo, tudo. E tudo inútil, porque aqueles gregos não compreenderiam nada de nada. Em vista disso, Dona Benta limitou-se, a dizer:

— Somos de fora, dum país distante, e queremos fazer uma visitinha ao Senhor Péricles. Poderão dizer-nos onde ele mora?

Um dos curiosos deu a informação pedida.

— Mora em Atenas, a 40 estádios daqui.

— Quanto é isso, vovó? — cochichou Pedrinho.

— O estádio, meu filho, é uma medida de distância dos gregos, correspondente a 200 metros. Ora, se Atenas está a 40 estádios do Pireu, temos de caminhar a pé oito quilômetros, porque não estou vendo aqui nenhum veículo que nos conduza.

Mas os "pica-paus" eram rijos na marcha, de modo que em pouco mais de uma hora entraram em Atenas, onde novamente indagaram de Péricles.

Um passante informou:

— A senhora segue por aqui, e a meio estádio adiante vira à esquerda e passa pelo Ágora. Lá pergunta de novo. Fica perto.

Dona Benta agradeceu a informação e pôs-se em marcha com o bandinho. Seguiu por aqui, virou à esquerda lá adiante, chegou ao Ágora.

— E agora? — disse Pedrinho.

— Agora temos de perguntar de novo, meu filho. Isto por aqui é o Ágora, a sala de visitas da cidade, onde os gregos se reúnem para debater os negócios públicos e particulares.

Os meninos olharam. Era uma praça cheia de edifícios públicos, templos, casas de negócios. O coração cívico da cidade.

— Ótima coisa, — disse Pedrinho. — Foi pena as cidades modernas não terem conservado este sistema de ágoras. Aqui está tudo que é comum a todos; o resto da cidade é particular. Até lojas — vejam...

Sim, era ali também o centro comercial, com as tendas de tecidos, vasos, gêneros de alimentação e todas as mais coisas que se vendem. As compras eram feitas pelos escravos; os cidadãos atenienses nunca perdiam tempo com isso. A vida deles era conversar, discutir filosofia, dizer mal de Péricles; gozar o presente, em suma. Também era no Ágora que se realizavam certas votações.

— Muito bem, — disse Dona Benta depois de visto o Ágora. — Temos agora de saber onde fica a residência do Senhor Péricles — e pediu informação a um grego de bela presença que vinha passando.

— Vou justamente para lá, minha senhora, — respondeu ele. — Tenha a bondade de acompanhar-me.

— Como são polidos! — observou Narizinho. — Deve ser um gosto viver nesta cidade.

Dona Benta seguiu ao lado do gentil ateniense, com os meninos atrás. Emília disfarçadamente apalpou-lhe a barra da clâmide, para ver de que fazenda era.

— Também de lã — cochichou para Narizinho, piscando.

Dona Benta ia ferrada na prosa.

— Pois é. Chegamos hoje dum país remotíssimo e fazemos questão de conhecer o grande Péricles. Sua fama é a dum homem de méritos excepcionais.

— Sou suspeito para falar, — disse o grego, — porque o tenho na conta do meu maior amigo; mas de coração subscrevo suas palavras, minha senhora. Péricles é um homem perfeito.

— É amigo dele? Que bom...

— Sim, e graças a Péricles estou dirigindo a construção do templo de Palas-Atena e de todos os mais monumentos da cidade.

Dona Benta quase desmaiou ao ouvir essas palavras. Deteve-se, atônita, e disse, com os olhos fitos no grego:

— Será possível, meu Deus? Será possível que eu esteja diante de Fídias, o maior escultor de todos os tempos?

O grego sorriu.

— Não sei, minha senhora, se está diante do maior escultor de todos os tempos; mas diante de Fídias está, porque Fídias sou.

O assombro da boa velha não tinha limites. Olhava e reolhava para o famoso grego como se quisesse devorá-lo. Depois chamou os netos.

— Pedrinho, Narizinho, venham cá! Quero que vocês façam uma coisa que nenhuma criança moderna ainda fez: que conheçam Fídias, o maior escultor de todos os tempos. Ele está agora dirigindo a construção do Parténon, ou o templo de Palas-Atena, que é, como já expliquei, a grande obra-prima da arquitetura grega.

Os meninos plantaram-se diante de Fídias e regalaram-se de vê-lo. O escultor fez uma festinha no queixo de Narizinho — e teve de fazer outra no de Emília, que muito lambetamente foi logo espichando o seu.

Fídias estranhou o Visconde.

— Quem é este ente, minha senhora?

Nada mais difícil do que explicar a um Fídias quem era o Visconde de Sabugosa, de modo que para sair-se da dificuldade Dona Benta limitou-se a dizer que era também seu neto — um neto vegetal. Fídias não entendeu. Apenas disse, com os olhos postos no "sabinho":

— Extraordinário! Dos confins da Ásia aparecem-nos aqui, às vezes, uns tipos bastante curiosos no físico e nos trajes, mas como este senhor ainda não vi nenhum.

— Ele é sabugo! — berrou Emília.

O grego ficou na mesma, porque naquele tempo ninguém sabia de sabugos. O milho só se espalhou pelo mundo depois da descoberta da América, da qual é originário. Dona Benta explicou isso ao grego, e ainda estava a falar das várias espécies de milho existentes, inclusive o de pipoca e o que dá o bom fubá mimoso, quando chegaram diante duma bela residência. Fídias parou.

— É aqui, minha senhora, — disse ele. — Vou avisar o meu amigo. Tenha a bondade de esperar um minutinho. Infelizmente, a dona da casa não está. Aspásia fez viagem. Só volta amanhã.

Lá dentro Fídias encontrou Péricles no seu gabinete de trabalho.

— Então? — disse este erguendo-se. — Já decidiu sobre aquela prega do peplo de Atena?

— Depois falaremos disso. Vais agora atender a uns visitantes que me parecem absolutamente extraordinários — uma velhota com umas crianças. São metecos.[22] Encontrei-as no Ágora, de boca aberta para tudo; e como me perguntassem de tua casa, respondi-lhes que me seguissem. Vim conversando com a velha. Interessantíssima! Parece doida. Só diz coisas absurdas, loucas, mas duma loucura perfeitamente raciocinante. Vale a pena atendê-la.

Péricles foi em pessoa receber Dona Benta. Fê-la entrar com os netos para um agradável pátio de mármore, com bancos também de mármore e uma fonte no centro, de água muito límpida a cair por uma boca de leão dentro dum tanque retangular. Formosas estátuas viam-se por ali, e vasos, e pinturas murais.

Ao avistar-se com o grande homem que dera o nome ao século, Dona Benta sentiu as pernas moles. Que sonho! Ela, a humilde Dona Benta Encerrabodes de Oliveira, lá do sítio do Pica-pau Amarelo, ali — ali no ano 438 A. C., naquele pátio de mármore, diante do maior estadista da antiguidade!... Felizmente o hábito de viver no mundo das maravilhas tinha-a deixado muito segura de si. Do contrário, nem ânimo de falar teria.. Mas falou — e muito bem.

— Senhor Péricles, — disse Dona Benta com a maior calma, — grande estranheza vos deve causar a presença em vossa casa duma pobre velhinha seguida de seus netos, e pela prosa que já tive com o Senhor Fídias vejo que é difícil para criaturas modernas, como nós, fazerem-se entendidas de um grego da Idade de Ouro. Porque eu sou modeníssima, Senhor Péricles, sou do ano de 1939 da Era Cristã, e venho dum continente que só daqui a 1930 anos será descoberto pelo navegador genovês Cristóvão Colombo...

Capítulo IV
EM CASA DE PÉRICLES

Ao ouvir tais palavras, Péricles olhou para Fídias com ar de quem não estava entendendo coisa nenhuma. Era Cristã? Novo continente? Cristóvão Colombo? A resposta do escultor ao olhar de Péricles foi um sorriso que Dona Benta compreendeu: estavam a julgá-la de miolo mole. E tentou explicar:

---

22 Estrangeiros

— Sim, Senhor Péricles, reconheço que estamos numa situação bem estranha. Aqui tudo é presente; é o ano 438 antes de Cristo; mas é o "seu" presente, Senhor Péricles, não o meu. O meu presente é o ano de 1939 depois de Cristo, e sou dum país que para os gregos de hoje só daqui a dezenove séculos começará a existir — o Brasil.

Péricles sorriu e disse:

— Sua cronologia não está certa, minha senhora. O ano que corre não é nenhum 438 antes de Cristo — sim o 3º da 85ª. Olimpíada. Contamos o tempo pelas Olimpíadas, sabe o que é?

— Sim, são os jogos atléticos que de quatro em quatro anos se realizam na cidade de Olímpia.

Péricles não se admirou de Dona Benta saber aquilo, porque era coisa que ninguém ignorava; mas arregalou os olhos ao ouvi-la dizer que essa contagem do tempo iria ser substituída no futuro por outra, em que o ano 1º seria o do nascimento de Cristo.

— Quem é esse Cristo? Algum novo Milon de Crótona?[23]

— Não, Senhor Péricles. Cristo foi o homem que veio pregar a ideia nova de que a nossa alma é imortal e nossa vida na terra não passa dum momento. Foi o filho de Deus.

Os deuses gregos eram os do Olimpo, humanos demais e duma vida muito cheia de escândalos, de modo que os homens de alta inteligência, como Péricles, interiormente se riam deles, considerando-os simples criações da imaginação do povo. Ao ouvir Dona Benta falar em Deus e filho de Deus, Péricles sorriu. Imaginou estar diante de uma velha mística que sonhava um novo deus — e mudou de assunto.

— E que a traz por aqui, minha senhora?

— O desejo de conhecer um momentinho da Idade de Ouro da Grécia, justamente a que coincide com o governo do Senhor Péricles. Toda esta sua Atenas de hoje vai desaparecer, destruída pelas guerras de invasão. O maravilhoso Parténon, que o Senhor Fídias está construindo, será cruelmente maltratado. Um dos vossos sucessores na chefia do partido popular, Senhor Péricles, será o primeiro profanador desse templo, daqui a 140 anos. Laquerés, chamar-se-á ele.

Péricles sorriu para Fídias, que se conservava muito atento. Dona Benta continuou:

— Para acudir às despesas militares, Laquerés tirará todo o ouro que ornamenta a estátua de Atena. Mas a cidade de Atenas será sitiada por Demétrio Poliorcete, um dos generais que sucederão a Alexandre, o Grande — e será tomada. Laquerés fugirá. Demétrio instalar-se-á no Parténon e transformará o santuário da deusa em teatro das suas orgias...

A segurança com que a velhinha anunciava tais coisas provocou um certo mal-estar nos dois gregos. Dona Benta prosseguiu:

— A estátua de marfim e ouro de Palas-Atena desaparecerá aos pedaços, perder-se-á para sempre. Durará menos de século e meio a vossa obra-prima, Senhor Fídias, mas a fama dessa escultura ficará eterna.

— E depois desse começo de destruição, minha senhora? — indagou Péricles

---

23 O mais famoso atleta grego, seis vezes vencedor nos jogos Olímpicos e sete vezes nos jogos Píticos. Certa ocasião deu a volta ao estádio com um touro ao ombro, e ao chegar ao fim matou-o com um soco e comeu-o inteirinho durante o dia. Célebre não só pela sua desmesurada força física como pela inteligência e cultura. Foi um dos grandes matemáticos da escola de Pitágoras.

— O Parténon será no século 7º da era de Cristo transformado na igreja de Santa Sofia, — respondeu Dona Benta. — Sofrerá deformações horrendas. A arte desse tempo já não será mais esta puríssima arte de hoje, sim o barbarismo bizantino. Se pudésseis ver como ficará o vosso primoroso templo, certo que choraríeis de desespero e vergonha, meus senhores. E a desgraça não parará aí. Atenas ficará nas mãos dos turcos, que por sua vez transformarão a igreja de Santa Sofia em mesquita muçulmana. Os ornamentos de mármore, essas maravilhas de hoje, serão arrancados, destruídos... No ano de 1867 Atenas será bloqueada pelos venezianos, e bombardeada. Uma bomba cairá no Parténon, pondo fogo à pólvora que os turcos depositarão lá. A frisa de oito colunas do pórtico norte e mais seis colunas do pórtico sul desabarão. O chefe dos venezianos vencedores prosseguirá na obra da pólvora; arrancará da frontaria os cavalos e o carro de Atena, e tão desastradamente, que os reduzirá a farelo. Logo depois um nobre inglês, Lord Elgin, retirará sessenta e tantos metros de esculturas da frisa e quase todas as estátuas dos frontões, bem como as métopes, e as venderá ao governo inglês, por 35.000 libras esterlinas. O Museu Britânico, em Londres, passará daí por diante a ser o possuidor desses fragmentos imortais...

Aquelas palavras surpreenderam enormemente aos dois gregos; breve, porém, o cepticismo lhes voltou, e foi sorrindo que Péricles disse:

— Nunca imaginei encontrar uma vidente da sua força, minha senhora. As pitonisas que temos usam a linguagem vaga, nunca descem a pormenores de tanta precisão, nem citam nomes e datas.

— Não sou vidente, meu senhor, — disse a boa velha. — Os videntes veem o que está por vir; mas eu acabo de chegar do futuro, isto é, do que para os senhores vai ser o futuro e é o presente para mim. Os fatos que anunciei, e os senhores tomaram como previsão do futuro, são para mim velhíssimas coisas já realizadas, porque estão localizadas entre o "meu" presente e o presente dos senhores. Não estou *visualizando o futuro — estou recordando o passado...*

Era impossível aos dois gregos a aceitação de semelhante teoria; e, pois, continuaram na sua atitude de cepticismo, embora no íntimo fortemente abalados.

— Já que a senhora "sabe" o futuro, — disse Péricles, — conte-nos qual vai ser o resultado da guerra do Peloponeso.

Dona Benta respondeu sem vacilação:

— Durará vinte e sete anos e será o fim do período áureo da Grécia. Sereis acusados de promotor dessa luta desastrosíssima, Senhor Péricles, mas a posteridade vos fará justiça, lançando-a à conta da velha rivalidade entre Atenas e Esparta. A guerra tinha de vir, como o pinto tem de sair da casca depois de finda a incubação do ovo. E a Grécia, combalida pelo esforço, não resistirá aos golpes de Alexandre da Macedônia — será escravizada...

— E qual o meu fim, minha senhora? — perguntou ainda Péricles.

— O grande Péricles manter-se-á no governo até o fim de seus dias, e morrerá vítima da grande peste que assolará Atenas. Sua morte será no ano 429 — daqui a 9 anos... e marcará também o começo da morte desta Atenas gloriosíssima. A cidade subsistirá por séculos e séculos, mas tão transformada em seu povo e em tudo, que se Péricles pudesse ver com os seus próprios olhos o que os meus viram hoje de manhã ao chegarmos ao porto do Pireu, não reconheceria na Atenas de 1939 esta maravilhosa Atenas em que estamos.

— ?

— Sim, porque nós dêmos um mergulho. Quando o iate ancorou no Pireu, Pedrinho e Narizinho desinteressaram-se imediatamente da Atenas moderna entrevista de bordo; e com o célebre *tchibum*! mergulharam nesta sua Atenas, Senhor Péricles, que a mim sempre me seduziu do modo mais singular.

— Mas... qual a verdadeira razão desse tchibum!, minha senhora? — balbuciou Péricles.

Dona Benta teve de contar toda a história do Pica-pau Amarelo, a mudança para lá dos personagens da Fábula e a grande festa do casamento de Branca-de-Neve., interrompida pela invasão dos monstros. [24]

— E nesse desastre, Senhor Péricles, tivemos a má sorte de perder a nossa querida cozinheira Nastácia. Os meninos supõem que ela tenha sido aprisionada por algum daqueles monstros e trazida para aqui...

— Para aqui? — espantou-se o grego.

— Não propriamente para aqui, Senhor Péricles, mas para a Grécia ainda mais antiga do tempo miceniano — a Grécia da era dos fabulosos heróis de Tebas.

— Mas se esses monstros, como a senhora — disse, estavam no tal Pica-pau Amarelo, como pensa encontrá-los num passado que até para nós, os gregos de hoje, já é tão remoto?

— Ah, meu senhor, a invasão dos monstros destruiu a nossa obra de mudança para o Pica-pau Amarelo de todo o mundo da Fábula.. Sumiram-se de lá aqueles príncipes, princesas e heróis — Codadad, Branca de Neve, Peter Pan, Capinha Vermelha, Aladino, Belerofonte e até o nosso bom amigo D. Quixote, com o seu leal escudeiro Sancho. As terras que comprei aos fazendeiros vizinhos para acomodação dos personagens da Fábula, e que num instante se encheram de castelos e palácios maravilhosos, reduziram-se de novo ao que eram antes — morraria nua, com muito sapé, barba-de-bode e formigueiros de saúva.

— E para onde foram tais personagens?

— Para as suas antigas moradas, evidentemente. Uns voltaram para os livros; outros, para o Oriente; outros, para a Grécia Antiga, donde tinham vindo.

— Quais eram esses?

— Inúmeros! Tive a honra, Senhor Péricles, de hospedar em minha casa ao herói Belerofonte e mais ao Pégaso — e também esteve em meu terreiro a triste Quimera de três cabeças. Mas nas novas terras adquiridas ficaram morando os demais, e foi lá, no palácio do Príncipe Codadad, que se realizou a tal festa interrompida pela invasão dos monstros. Que cena! Estou a vê-la... Um bando enorme de centauros, faunos, sátiros, grifos, hipogrifos, hidras, esfinges, minotauros, assaltou o palácio numa galopada louca. Fugi para o sítio com meus netos, mas a pobre Tia Nastácia se perdeu no tumulto. Resolvemos então empreender esta viagem à Grécia em procura da nossa boa cozinheira. Há de estar nas unhas dum daqueles monstros. Partimos no iate "Beija-Flor das Ondas", a antiga "Hiena dos Mares" do célebre Capitão Gancho — e de caminho paramos aqui para conhecer a Atenas do período áureo. Eis tudo...

---

24 *O Pica-pau Amarelo.*

Por mais incompreensível que fosse a história da velhinha, suas palavras causaram profunda impressão nos dois gregos. Péricles voltou-se para Fídias:

— Meu amigo, sou forçado a confessar que nem em sonhos jamais me defrontei com situação semelhante. O que esta vidente diz não forma sentido, mas impressiona-me, atordoa-me. Por quê? Haverá algum fundo de verdade em suas revelações?

Fídias também estava abalado. Tudo quanto ouvira era absurdíssimo, mas novo e impressionante, dessas coisas que nos empastelam as ideias e nos deixam de olhos muito abertos, parados...

— E estas crianças? São seus netos? — perguntou o estadista grego, para mudar de assunto.

— Sim. Esta aqui é a Narizinho; e este, o Pedrinho, filho da Antonica. E esta, a Emília, Marquesa de Rabicó — uma boneca de pano que Tia Nastácia fez e misteriosamente foi mudando até virar no que é hoje: gentinha de verdade.

Péricles olhou para Fídias. A linguagem da velha teimava em ser tão estranha quão ininteligível.

— E esse outro? — disse apontando para o Visconde.

— Ah, este é o Visconde de Sabugosa, um sábio. Está agora no comando do "Beija-Flor das Ondas", o navio que nos trouxe do Pica-pau ao Pireu — e contou a história inteira do sabuguinho científico.

Péricles não podia entender coisa nenhuma de coisa nenhuma, nem sequer o que fosse "sabugo", já que o milho era planta ignorada dos gregos.

— Suas palavras, minha senhora, — disse ele, formam sentido, mas as coisas que elas expressam não formam sentido nenhum. Sou um homem de bastante experiência, mas sinceramente confesso que nunca me encontrei num embaraço como o de hoje. Fico sem saber o que pensar, e muito duvidoso da minha inteligência...

— E é natural, Senhor Péricles, — respondeu Dona Benta. — Se as nossas posições se invertessem, eu estaria ainda mais tonta que o senhor. Isto é um caso de choque entre o Futuro e o Passado...

Capítulo V
DISCUSSÕES EM ATENAS

Enquanto se desenvolvia a conversa de Dona Benta com os dois gregos, os meninos examinavam as estátuas, os móveis, as pinturas das paredes.

— Coitados! — exclamou Narizinho. — Estão completamente tontos. Não entendem nada do que vovó diz.

— Pois eu estou entendendo tudo nesta casa, e estou até adivinhando que ali dentro é o lugar dos comes, — cochichou Emília, apontando para uma sala vizinha. — Vamos espiar?

Espiaram pela porta. Sala das refeições, sim. Uma escrava punha à mesa o almoço de Péricles — pão, queijo, mel, vinho, uvas e figos — daqueles maduríssimos que fazem vir água à boca.

Narizinho e Pedrinho lamberam os beiços. A servente sorriu e aproximou-se com três figos na mão, um para cada um.

— Quem no mundo vai acreditar, — disse Narizinho abrindo o seu, — que já comemos figos na casa de Péricles? E que bom está! Um melado...

A escrava não entendeu — nem podia entender, mas levou-os para dentro, a mostrar a casa. Móveis lindos, mas discretos. Tudo muito elegante e sóbrio. Pedrinho achou graça nas lâmpadas de azeite.

— Isto é o tal candeeiro que vovó conta que havia na casa do pai dela. Aqui a gente põe o azeite, aqui é a mecha. Engraçado, não?

— Não é assim também na terra onde vocês moram? — perguntou a escrava.

— Foi assim, — respondeu Pedrinho. — Hoje temos a eletricidade — a luz elétrica.

— É algum azeite especial?

Pedrinho deu uma risada gostosa e bobeou-a:

— Sim, é um azeite feito de vibrações do éter.

A pobre escrava ficou na mesma.

Narizinho estranhou muito o sistema de mesas dali. Baixinhas, tendo em redor, em vez de cadeiras, coxins. Os gregos comiam reclinados em coxins.

— Só que não vejo talheres. Que é dos talheres, escrava? — perguntou Emília.

A escrava não entendeu — nem podia entender, porque naquele tempo todos comiam com as mãos.

Ao saber disso, a ex-boneca berrou:

— Ché! Quando vem à mesa um peru assado, como se arranjam?

A escrava não sabia nada sobre o peru, que Pedrinho lembrou ser originário da América do Norte e, portanto, desconhecido dos gregos.

— Mas pavões há por aqui, — disse Narizinho vendo uma pena de pavão espetada na parede.

— Sim — disse a escrava, — e lindos. Querem ver? E levou-os a visitar a meia dúzia de lindos pavões do aviário de Péricles.

Lá no pátio o grande heleno continuava de prosa com a velha. Discutiam política.

— Vencemos a aristocracia, minha senhora, — dizia ele. — Hoje a Grécia é positivamente governada pelo povo. Sólon revelou gênio ao conceber a nossa forma de governo. Não há imposição dum homem. O governante é escolhido pelo povo. Eu, por exemplo, executo o que o povo deseja — e por isso me reelegem.

— O senhor é um caso excepcional, — argumentou Dona Benta; — diz que segue os desejos do povo, mas na realidade a sua inteligência e os seus excelentes discursos é que fazem o povo desejar isto ou aquilo. Quem realmente governa é o senhor, não o povo.

— Vejo que a senhora possui um alto descortino psicológico, — disse Péricles sorrindo. — O povo tem muito das crianças. Quer ser conduzido — mas com aparências de que é ele quem de fato conduz e manda. O meu sistema, entretanto, é nada querer em contrário aos interesses do povo. Sou o intérprete desses interesses — e o esclarecedor da cidade. Esta minha ideia de fazer de Atenas uma obra-prima de arte é hoje a ideia de todos os atenienses. Consegui passá-la do meu cérebro para o de todos — e sinto grande satisfação ao ver o orgulho dos atenienses quando os visitantes se deslumbram com a nossa cidade.

— Noto um erro nas suas palavras quando se refere a "povo", Senhor Péricles. Não é o povo quem governa Atenas, sim a pequena classe dos cidadãos. Povo é a população inteira e aqui há 400 mil escravos que não têm o direito de voto. Isto é injusto e será fatal à Grécia.

Péricles muito se admirou daquele modo de ver.

— Mas eles são escravos, minha senhora! Escravo é escravo.

— Engano seu, Senhor Péricles. Pelo fato de ser escravo, um homem não deixa de ser homem; e uma sociedade que divide os homens em livres e escravos, está condenada a desaparecer.

Essa ideia fez o grego sorrir.

— Acha então que pode haver uma sociedade sem escravos e senhores? Quem fará os trabalhos pesados?

— Uma sociedade justa não pode ter escravos, Senhor Péricles, e nela todos os trabalhos serão feitos por homens livres. Assim já é lá no mundo moderno donde vim. Bem sei que aqui todos pensam como o senhor, e até o grande filósofo Aristóteles, que para os gregos de hoje ainda vai nascer daqui a 54 anos, dirá na abertura de seu tratado sobre a Política, estas palavras absurdas: "Os homens dividem-se naturalmente em escravos e senhores". Está errado. Artificialmente é que é assim; naturalmente, não. Já no meu país também tivemos escravos, até o ano de 1888 que foi quando a Princesa Isabel, a Redentora, promulgou a Lei 13 de Maio, também chamada Lei Áurea. Foi o fim da escravidão no Brasil.

Péricles abriu a boca. Ele julgava perfeita a forma social de Atenas e aquela misteriosa criatura tinha o topete de dizer que não...

Dona Benta mudou assunto.

— Pois, Senhor Péricles, saiba que o problema de governar os povos talvez não seja resolvido nunca. Na era em que vivo, a 2.377 anos daqui, o problema continua cada vez mais ameaçador. Fazem-se experiências de toda sorte. Uns povos se inclinam para a democracia, que é como chamam esta forma grega de governar; outros estão sob as unhas da ditadura; outros tentam um comunismo que nada tem com o que Platão sonhou.

— Que Platão?

— Um grande filósofo que ainda está no calcanhar da avó e irá nascer justamente no ano da sua morte Senhor Péricles, em 429 A. C. Esse filósofo sonhou uma forma de governo adiantada demais para criaturas tão imperfeitas como os homens, mas mesmo assim os modernos do meu tempo tentam pô-la em prática. Outros povos experimentam uma coisa chamada "totalitarismo", em que o Estado é tudo e nós, as pessoas, menos que moscas. Neste regime o indivíduo não passa de grão de areia do Estado.

— Mas não há Estado, minha senhora! — disse Péricles. — Isso é uma ideia abstrata. O que há são criaturas humanas com interesses em conflito; a política não passa da arte de harmonizar esses interesses. Governar é manter o equilíbrio dos interesses individuais com um máximo de benefício geral. O meu governo não é mais que isso.

— O sonho é esse, Senhor Péricles, mas a realidade para a qual caminhamos afastar-se-á muito dessa sensatíssima concepção. A pobre humanidade, depois de tremendas lutas para escapar à escravização aos reis, caiu na escravização, pior ainda, ao Estado — à palavra Estado.

— Quer dizer que no futuro os reis de carne e osso serão substituídos por um "som" — o som "Estado"?

— Sim, e isso virá fazer mais mal ao mundo do que todos os velhos reis reunidos, somados e multiplicados uns pelos outros. Esta forma democrática de Atenas tropicará no meio do caminho. Será destruída pela palavra "Estado", que crescerá e dominará tudo até chegar à forma "totalitária" em que o som "estado" é total, e nós, os indivíduos, simples pulgas.

Péricles ficou meditativo. Aquela revelação vinha contrariar as suas ideias sobre a continuidade do progresso humano.

— Então... então a prova provada de que uma forma de governo é boa não tem valor nenhum? O progresso não é uma consolidação de conquistas?

— Nem na arte é assim, Senhor Péricles. Ao ver aqui em sua casa estas maravilhas da escultura grega, sinto pontadas no fígado.

— Por que, minha senhora?

— Porque o futuro vai afastar-se disto...

— Como? Não admite então que nestas estátuas há o máximo de beleza que os escultores já conseguiram?

— Admito, sim, mas "sei" que no futuro isto será motejado, e esta beleza substituída por outra, isto é, pelo horrendo grotesco que para os meus modernos constituirá a última palavra da beleza. Como prova do que estou dizendo vou mostrar um papel que por acaso tenho aqui na bolsa — e Dona Benta tirou da bolsa uma página de "arte moderna", onde havia a reprodução dumas esculturas e pinturas cubistas e futuristas.

Péricles olhou para aquilo com espanto, e mostrou-o a Fídias.

— Mas é simplesmente grotesco, minha senhora! — disse depois. — Estas esculturas lembram-me obras rudimentares dos bárbaros da Ásia e das regiões núbias abaixo do Egito...

— Pois não são. São as maravilhas que embasbacam os povos mais cultos do meu tempo — a 2377 anos daqui...

Os dois gregos ficaram literalmente tontos, sem saber o que pensar. Às revelações da estranha velhota vinham opor-se todas as suas ideias sobre a marcha indefinida do progresso humano. Totalitarismo, cubismo, futurismo... Pobre humanidade!

Capítulo VI
FÍDIAS NOCAUTE

O escultor grego, depois de dar um profundo suspiro, não teve ânimo de ouvir mais. Deixou Dona Benta engalfinhada com Péricles sobre um ponto da política de Atenas e foi conversar com os meninos lá no pátio dos pavões.

— Conhecem estas aves? — perguntou-lhes ao vê-los tão interessados na roda que os pavões abriam.

— Muito. Temos por lá quanta ave existe — pavões como estes, papagaios, periquitos, curiós, perus, — respondeu Emília. — A única novidade que Narizinho encontra em Atenas é o sossego, diz ela.

— Está então gostando de Atenas? — perguntou o grego à menina.

— Muito. Por mim, mudava-me para cá só pelo gosto de comer estes figos. Um mel!

— Atenas é uma cidade realmente gostosa, — disse Pedrinho. — Só isso da gente poder brincar nas ruas sem o menor perigo, quanto não vale?

— Lá na sua terra não é assim?

— Nem queira saber! As nossas ruas são sinônimos de inferno. Uma barulheira horrível de automóveis que não respeitam cara. Atravessar uma rua é um problema.

— Automóveis? Que é isso?

— Ah, são uns carros de ferro que andam sem cavalos, isto é, têm os cavalos dentro, H. P. ou *Horse-Power*, em inglês.

Fídias não entendia nada de nada.

— E que é que puxa esses carros?

— Não são puxados, são empurrados pelo motor que há interiormente.

— Como? Explique-me o mistério. Que motor é esse?

— Motor é uma máquina que usa as explosões da gasolina para produzir cavalos de força.

Fídias franziu a testa. Máquina? Explosões? Gasolina? Cavalos de força? Não entendia nada...

— Você, menino, fala uma linguagem que me é inteiramente nova. Não entendo palavra do que me diz.

Emília deu uma risada gostosa.

— Engraçado! Vivemos no nosso mundo moderno a falar da inteligência grega e no entanto os gregos não entendem nem o que qualquer negrinho lá do sítio entende...

— Isso nada tem que ver com a inteligência, — observou Narizinho. — É que a vida mudou muito por causa das invenções, e um homem daqui está claro que não pode entender a linguagem da vida moderna. Agora é que estou vendo como as invenções mudaram o mundo. À menor coisa que a gente diga, eles abrem a boca.

— Realmente, — disse Fídias, — a linguagem que vocês usam me deixa tonto.

Pedrinho riu-se.

— Ah, se o senhor aparecesse no nosso mundo, por um só dia que fosse... Que tontura, hein, Narizinho? Ele num cinema, num avião...

— Nem precisava isso, — respondeu a menina. — Ele num trem ou no bonde...

— Que trem ou que bonde, Narizinho! — berrou Emília. — Ele diante dum homem fumando. Bastava isso. Sabe o que é um cigarro, senhor "marmorista"?

O escultor fez cara de ponto de interrogação.

— Pois é um foguinho, uma brasa que os homens chupam. Sai uma fumaça...

— Fumaça?

— Sim. O cigarro é um rolinho de papel com fumo dentro...

— Papel?

— Ou palha de milho... Papel é uma espécie de papiro feito em fábricas. Os homens enrolam o fumo picado e acendem o roletinho com um tição, ou com fósforo, ou com o acendedor...

— Fumo? Fósforo? Acendedor?...

— Ou isqueiro. Na roça a caipirada só usa isqueiro — mais barato. Acendem. Fica uma brasinha na ponta. E chupam a fumaça, que sai, e soltam essa fumaça para o ar — assim! — e Emília imitou o gesto do fumante que solta uma baforada. Fídias estava cada vez mais bobo.

— E para que isso? — perguntou.

— À toa, — respondeu Emília. — Por gosto. Dizem que é gostoso, mas eu acho fedorentamente horrível. O fumo tem uma tal nicotina que é venenosa. Dizem que uma só gota na língua dum cachorro mata o cachorro.

— Quer dizer então que eles chupam a fumaça dum veneno?

— Tal e qual.

— E não morrem envenenados?

— Muitos até engordam. Os médicos dizem que a nicotina é um grande veneno, mas os fumantes respondem "Qual o quê!". Lá no sítio há o tio Barnabé, um negro de mais de noventa anos, que não tira o cachimbo da boca. Os médicos dizem que se ele não fumasse estaria já com cem anos.

— Cachimbo? — repetiu Fídias.

— Sim, é um cigarro de barro em vez de papel, — continuou Emília. — Um potinho de barro na ponta dum canudo — o canudo de pito. Tio Barnabé bota fumo picado no potinho e uma brasa em cima e chupa aquela fumaça fedorentíssima...

Fídias começou a suar, e mais ainda quando Narizinho lhe perguntou:

— E o rádio, então? Sabe o que é?

— ?

— Um sistema da gente falar aqui e ser ouvida no fim do mundo no mesmíssimo instante. E o cinema? E as fitas do Walt Disney? Nem queira saber, Senhor Fídias! *Branca de Neve e os Sete Anões* foi um assombro. Vi quatro vezes. A Emília ficou apaixonada pelo Dunga...

— Dunga? Disney? Fitas?...

Os meninos riam-se do atrapalhamento do grande homem. Por fim a ex-boneca achou que nem valia a pena conversar.

— Estamos perdendo o tempo, Narizinho. O "marmorista" só sabe abrir a boca e arregalar os olhos. Não tem a menor ideia do mundo em que vivemos — e afastou-se do grupo para ver se filava mais um figo.

Narizinho e Pedrinho tentaram explicar ao escultor muita coisa moderna; por fim desistiram. Ele sabia menos que um aluno de qualquer grupo escolar. Ignorava as coisas mais simples, como a redondeza da terra, o tamanho do sol.

— De que tamanho o senhor pensa que é o sol? — perguntou a menina.

Fídias suava, suava.

— Tivemos aqui um filósofo, — disse ele, — que afirmou ser o Sol do tamanho do Peloponeso — e por causa dessa asneira foi expulso da cidade.

— Pois mandem chamar esse homem e expulsem aos que o expulsaram, porque o sol é 334.500 vezes maior que a terra inteira, a qual é milhões e milhões de vezes maior que essa pulga do Peloponeso.

Fídias sorriu da ousada afirmação. Crianças, crianças...

— E como é a forma da terra, Senhor Fídias? — perguntou Pedrinho.

— A terra é côncava e montanhosa, e está sustentada nos ombros do gigantesco Atlante, segundo uns, ou sobre colunas, segundo outros. Na Índia cometem o erro de admitir que o mundo repousa sobre elefantes.

Os meninos deram uma gargalhada gostosa.

— A Terra é redonda, Senhor Fídias, e gira solta no espaço em redor do sol. Está mais que provado.

— Provado?

— Sim. A viagem de circum-navegação de Fernão de Magalhães provou pela primeira vez a redondeza da terra. Hoje até é bobagem falar nisso. Quem duvidar, que suba a um avião e dê a volta; é coisa de três dias. Voando, ou navegando sempre em linha reta, a gente chega ao mesmo ponto de onde partiu.

Fídias estava ligeiramente apatetado.

— E que é o fogo? — perguntou Pedrinho.

— É um dos quatro elementos que formam o mundo.

— Elementos, nada! O fogo é o resultado da combustão do oxigênio. E a água?

— Outro elemento.

— Elemento nada! A água é composta de elementos, isso sim. E de que elementos se compõe a água, vamos ver?

Fídias nem entendeu a pergunta.

— É composta de hidrogênio e oxigênio. A fórmula química da água é H_2O, aprenda. E o ar? Elemento? Olha a mania dos elementos!... O ar é uma mistura de gases — azoto, oxigênio e umas iscas de hélio, neônio, xenônio e outros gasezinhos vagabundos. E o que é... o que é...

— O que é um figo? — disse Emília que vinha entrando a comer o segundo figo filado.

— Uma fruta, — respondeu Fídias.

— Fruta o seu nariz, — disse a diabinha. — O figo é uma flor que abre para dentro. A parte que a gente come são os estames. E voltando-se para a menina:

— Olhe, Narizinho, se nós ficássemos aqui e abríssemos uma escola para ensinar mil coisas a esta gente, que tacada, hein? São atrasadíssimos...

Capítulo VII
Visita às obras do Parténon

Depois do almoço, na sala que as crianças já conheciam, Péricles convidou Dona Benta para um pulo ao Parténon, cujas obras estavam quase no fim. A inauguração ia ser naquele ano.

Foram todos, Péricles adiante, a tratar com Fídias de assuntos graves e a boa velhinha atrás, com as crianças. Narizinho falava em voz cochichada para que os dois gregos não ouvissem.

— São atrasadíssimos, vovó! Num instante deixamos "ele" nocaute — e indicou Fídias com o beiço. — Nem a forma e os movimentos da terra sabia, calcule...

— Não é assim, minha filha, — respondeu Dona Benta. — Os gregos de hoje sabem o que podem saber; claro que não podem saber o que os homens só vão descobrir séculos depois. Apesar disso, a primeira ideia da terra a girar em redor do sol nasceu nesta Grécia.

— Como, vovó? Pois se eu estou dizendo que ele não sabe...

— Fídias poderá não saber, nem Péricles, mas quem primeiro lançou a hipótese dos movimentos da terra foi Aristarco, um grego de Samos. Numa obra sobre astronomia, esse Aristarco observou que *"o sol é imóvel e a terra gira em redor dele numa curva elíptica, e é, além disso, dotada dum movimento de rotação em torno de seu próprio eixo"*. Afirmou mas não provou; só séculos depois, numa obra publicada em 1543, é que Nicolau Copérnico iria demonstrar isso. Os gregos adivinhavam as coisas.

Diante do Parténon todos pararam, Dona Benta sem fôlego por ter subido a pé uns cem metros da casa de Péricles até o alto da Acrópole. Acrópole era o nome da colina de pedra sobre a qual se erguia o templo. Dois homens lá estavam aguardando Péricles, o qual, voltando-se para Dona Benta, disse:

— Permita-me que apresente Ictino e Calícrates, os arquitetos do monumento. Fídias é o superintendente geral. Graças aos três, Atenas pode orgulhar-se deste primor de harmonia e graça que pretendemos inaugurar este ano. Veja. Observe o equilíbrio do conjunto. Não há a menor dissonância em suas linhas.

Dona Benta ergueu os olhos e viu. Viu o que nenhuma criatura moderna jamais viu. Viu o Parténon fresquinho ainda, com andaimes internos, cisco e lascas de mármore pelo chão. Viu e extasiou-se, porque era uma senhora de apurada educação artística.

— Belo, realmente! — murmurou depois de alguns instantes de contemplação. — O Parténon que eu conhecia em desenhos, isto é, as ruínas do Parténon que chegaram ao meu tempo, mal deixam entrever o que isto na realidade é. Belo, belo, sim...

Enquanto a boa velhinha abria a boca, Ictino, Calícrates e Péricles afastavam-se e penetravam no templo, a discutirem pormenores do assentamento da estátua da deusa Palas-Atena. Fídias ficou de prosa com a visitante.

— O futuro, — disse Dona Benta, — vai considerar estes mármores a maior obra-prima de todos os tempos, e os séculos venerarão o nome dos seus criadores. A própria fama de Péricles caberá em boa parte à circunstância de ter sido o promotor desta obra.

Fídias, que não sabia que o Partênon fosse tão importante assim, ficou admirado daquelas palavras e começou a falar da oposição de muitos atenienses.

— Apesar do que a senhora diz, quanta luta para chegarmos a este ponto! O povo é incontentável. Por muito que Péricles se esforce, a campanha contra ele não arrefece. A inveja lança mão de todos os meios para ofendê-lo, e não podendo alcançar a pessoa de Péricles, atira-se contra os seus melhores amigos. Eu que sou um deles, sinto contra mim uma surda corrente subterrânea. Damon, o mestre de Péricles, foi exilado. Anaxágoras, outro grande amigo e mestre de Péricles, foi denunciado como ímpio — e muito custou obter a sua absolvição. Mesmo assim a luta prosseguiu até forçá-lo a sair de Atenas.

— Anaxágoras, sim... — murmurou Dona Benta, recordando-se das profundas ideias desse filósofo sobre o universo.

Fídias prosseguiu:

— Há ainda o eterno caso de Aspásia. Como a senhora talvez saiba, Péricles divorciou-se da primeira mulher e muito teve de lutar para o segundo casamento. O amor ligou-o a Aspásia, desde o primeiro dia, mas as leis de Atenas opunham-se a que um ateniense se casasse com uma miletiana — e Aspásia era de Mileto. Por fim os obstáculos foram removidos e o casamento se fez, mas a mesquinharia de seus inimigos não dorme. O implacável Aristófanes persegue-lhe a esposa com infames ironias em suas comédias. Chegaram até ao ponto de conduzirem Aspásia aos tribunais sob acusação de impiedade. Isso deu um trabalhão a Péricles, que teve de defendê-la pessoalmente com todas as forças do seu gênio e do seu coração. Nesse dia até chorou — e foram essas lágrimas que a salvaram...

As crianças haviam penetrado no templo, onde remexiam tudo. Emília botava no bolso pedacinhos de mármore destinados ao seu célebre museu. Dando com uma escada tosca que servia aos pedreiros ocupados no teto, ela berrou

— Toca a espiar lá em cima, gentarada!...

Subiram todos, e descortinaram o panorama inteiro de Atenas. Emília chegou a ver lá longe, a oito quilômetros de distância, o porto do Pireu, com o "Beija-Flor das Ondas" a destacar-se da maneira mais estranha entre as trirremes da esquadra grega. Umas quatrocentas havia lá, segundo o cálculo da diabinha.

— A cidade não é grande em comparação com as modernas, — observou Pedrinho. — Uns quinhentos mil habitantes, no máximo.

— Mas linda! Veja quantas brancuras, — disse Narizinho. — Deve ser mármore. Quantos monumentos, hein?

— O mármore aqui é pedra à toa — lembrou Pedrinho. — Já li que há um tal de Pentélico. Hei de saber do escultor onde fica a pedreira.

— Do que mais gosto é de não ver chaminés de fábricas, nem uma! Que limpeza! Que ar claro e gostoso!

Péricles, que voltara sozinho do interior do templo, começou a explicar a Dona Benta as alegorias do frontão oriental.

— Temos ali, — disse ele apontando com o dedo, — a representação do nascimento de Palas-Atena, obra de Fídias. Veja que primor.

Dona Benta parecia deslumbrada.

— Maravilha! — exclamou. — Que dó não ter tal obra chegado aos tempos modernos! Estou notando uma coisa: a leve curvatura de todas as linhas retas, ou que deviam ser retas. Estas colunas convergem imperceptivelmente como se fossem reunir-se nas nuvens, e também noto leve curva nas arquitraves, no frontão, em tudo...

— Foi uma das audácias de Fídias, minha senhora, e parece-me que acertou. Dessa leve curva emana uma leveza que não encontro em nenhum outro monumento.

Péricles sentia-se feliz diante da profunda compreensão da misteriosa velhinha. Até as quase imperceptíveis curvas de Fídias ela apanhara! E passou a explicar o alegórico do frontão.

— Fídias transpôs para o mármore uns versos de Homero que todos os atenienses sabem de cor — disse ele — e recitou: "Começo cantando Palas-Atena, a deusa augusta, fértil em sábios conselhos, nobilíssima virgem de coração inflexível, guardiã das cidades, a forte diva que o prudente Zeus fez brotar de sua cabeça, toda revestida de cintilantes armas de ouro. Ao verem-na surgir, brandindo a lança aguda, os imortais pasmaram; o Olimpo estarreceu diante de sua força; a Terra soltou grandes gritos; os mares tumultuaram as ondas; e o filho de Hiperion susteve as rédeas de seus fogosos corcéis até que Palas-Atena depusesse as armas. Zeus irradiava de orgulho". Eis, minha senhora, os versos que Fídias pôs no mármore.

Dona Benta absorvia-se nas esculturas.

— Sim, vejo ali os corcéis do carro do sol estacados pelo empuxão das rédeas. E vejo a radiância de Zeus. E vejo Palas-Atena, sua filha cerebral, depondo as armas para sossego da Terra...

Péricles explicava, explicava.

— Quando o sol se ergue cada manhã, seus primeiros raios batem neste frontão. A cabeça dos cavalos estremece, e como que eles anunciam com relinchos o nascer do dia. O titã que os conduz retesa-se no empuxão das bridas. Quanta beleza nestes mármores!...

Dona Benta parecia transfigurada. Emudecera.

— E ali naquele ângulo, — continuou Péricles, — note como os corcéis da Noite surgem suavemente do velhíssimo Oceano. O grande Teseu os sustém...

Dona Benta volveu os olhos para o ponto indicado; Péricles continuou:

— E temos ali Deméter e Perséfone, sua inseparável filha. Note a graça com que Perséfone se apoia ao ombro materno. Ao lado está a inquieta e violenta Íris que anunciou ao mundo o nascimento de Atena. E há, ainda, aquela Vitória alada. E há o grupo das Três Parcas, que acho uma extraordinária manifestação do gênio de Fídias.

— Sim, — murmurou Dona Benta, — vejo ali as três parcas — Cloto, a fiandeira de vidas; Láquesis, a cortadeira do fio da vida; Átropos, a implacável medidora do comprimento dos fios...

Péricles não deixou de admirar-se do conhecimento da visitante.

— Elas representam Moira, o destino, — disse ele. — Estão sentadas e severamente vestidas. A mais moça reclina-se sobre os joelhos da irmã — e é a sorrir que corta o fio da vida dos mortais...

— Realmente!, — murmurou a boa velhinha. — Fídias deu ao grande mito das Três Parcas a melhor das representações.

E como essas figuras de mármore alvíssimo se destacam sobre o fundo vermelho!... Nós lá no mundo moderno sempre imaginamos a escultura grega uniformemente branca, mas aqui observo um sábio uso das cores. Já notei na frisa que as métopes são vermelhas e os tríglifos são azuis.

Depois de bem examinarem aquele frontão, passaram-se para o lado oposto, onde se via a luta entre Poseidon e Palas-Atena a propósito da Ática. Num irresistível ímpeto de dominação, Palas-Atena estarrecia com a sua presença os cavalos de Poseidon, o deus dos oceanos. Atrás de Atena figuravam as cecrópidas Aglaura e Hersé, e também o Ilissos — um dos rios que passam por Atenas. E atrás de Poseidon figuravam Tétis, a deusa do mar; Anfitrite, esposa de Poseidon; e a formosa Latona com suas filhas Ártemis e Afrodite. Dona Benta notou que o tridente de Poseidon e o escudo de Atena eram de metal.

— Bronze? — perguntou.

— Sim, — respondeu Péricles, — o bronze é o melhor companheiro do mármore nas esculturas. Foi Alcamenes o autor deste frontão. Considero-o o melhor discípulo de Fídias.

— Não há dúvida que são dois gênios, — disse Dona Benta. — A posteridade os consagrará — sobretudo ao último. A situação de Fídias na história das artes vai ser a de *primus inter pares*, e seu nome será mais popular e citado no futuro do que o é hoje.

Péricles sorriu com amargor.

— Hoje, minha senhora, o pobre Fídias é atacado e difamado — sobretudo por causa da amizade que nos une. Algumas de suas ousadias estéticas me causam apreensão. No escudo da estátua de Atena, que iremos ver, ele representou-se a si próprio e a mim em duas figuras centrais. Muito receio que o bom povo de Atenas se aproveite disso para uma nova acusação de impiedade...

Dona Benta *sabia* que ia ser assim, e que por causa daquela inocente bobagenzinha o maior escultor grego morreria na prisão. Mas calou-se. Não teve ânimo de o dizer a Péricles.

Antes de penetrar no templo passaram a examinar as frisas — que eram uma longa alternação de métopes e tríglifos, uma fita de esculturas fragmentadas mas ligadas pelo assunto.

— Quantas métopes, Senhor Péricles?

— Noventa e duas.

Dona Benta estranhou a altura do alto-relevo.

— Sim, — explicou Péricles, — vai até palmo e meio, para que as métopes fiquem harmonizadas com as saliências das cornijas e capitéis. Fídias possui o instinto das proporções justas. Este monumento não passa disto: justeza de proporções.

— E quem esculpiu as métopes?

— Os discípulos de Fídias, segundo seus desenhos. Note o ar de família dessas esculturas. Tudo é água da mesma fonte. Aqui temos o começo da procissão das Panateneias.

Dona Benta arregalou os olhos.

— Oh, a grande festa à deusa Atena! Sei, sei...

Não havia o que a diaba não soubesse!

— É a mais imponente das nossas festas — e se a senhora permanecer alguns dias em Atenas poderá assistir a uma. Está a chegar.

— Panateneia: a cerimônia em que os atenienses mudam o peplo da padroeira, — lembrou Dona Benta.

— Isso mesmo. Mas note com que finura, com que equilíbrio, os nossos escultores representaram a procissão do peplo. A cena começa aqui e vai se desdobrando até o fim. Abre com os preparativos para a procissão. Estes cavaleiros, montados em belos corcéis da Tessália, apressam-se em seguir os que já partiram. Aquele ali mostra-se ansioso por que lhe tragam o cavalo. Aquele outro enverga a túnica; aquele outro ata o calçado. Interessante o movimento de impaciência dos cavalos a sacudirem a crina...

— Os cavalos identificam-se com os nossos sentimentos tanto na guerra como na paz, — observou Dona Benta. — Até com os burros é assim, Senhor Péricles. Tenho lá no sítio o Conselheiro. Pois há de crer que esse burro está tão identificado com os meninos como se fosse um membro da família?

Péricles não entendeu e continuou a falar nas esculturas.

— Observe a arte com que os nossos artistas "resumiram" a impaciência dos corcéis, — disse ele. — Sente-se que há no ar moscas importunas.

— Mutucas...

— Só lá na outra extremidade da frisa é que aparecem os deuses, ladeando a entrada do templo. A procissão vai-lhes ao encontro.

Dona Benta, não tirava os olhos dos cavalos.

— Quem há de encantar-se com isto é meu neto. Pela-se por cavalos! Mas que fim levou Pedrinho — e os outros? Sumiram-se...

As crianças vinham descendo a escada dos pedreiros e breve apareceram fora do templo.

— Corram aqui! — gritou-lhes Dona Benta. — Estão perdendo uma coisa única no mundo — a frisa do Parténon explicada pelo Senhor Péricles.

Os meninos aproximaram-se.

— Que tal acha estes cavalos, Pedrinho? — perguntou Dona Benta. — São da Tessália.

O menino examinou-os com ares de entendido.

— Bons, sim, vovó. São "manga-larga" legítimos — só que têm o focinho muito fino. Os cavalos que eu conheço não são assim.

— Nem os daqui, — disse Péricles. — Os escultores não reproduzem a natureza tal como é. Modificam-na num certo sentido, com uma certa intenção. Arte é isso.

— Mas então o belo não é o natural "escarrado", vovó? — perguntou o menino.

— Não meu filho. Se fosse, os melhores museus do mundo seriam as escarradeiras, e a maior das artes seria a fotográfica, porque a fotografia reproduz exatamente a natureza. A arte é uma estilização, isto é, uma falsificação da natureza num certo sentido, como acaba de dizer o senhor Péricles. Você bem sabe que não é nas fotografias que encontramos o belo — é nos desenhos que modificam o real segundo o gosto do desenhista.

Fídias, que também se havia aproximado, estranhou aquela palavra "fotografia" e perguntou o que era. Dona Benta foi obrigada a desenvolver um verdadeiro curso a respeito da invenção de Niepce e Daguerre, e muito naturalmente também falou do cinema, ou a fotografia que reproduz o movimento. Essa revelação interessou profundamente aos dois gregos, embora lhes parecesse a coisa mais absurda do mundo.

— Será possível, minha senhora, que se possa fixar mecanicamente as imagens e reproduzir o movimento de um cavalo a correr, de um homem a andar?

— Possibilíssimo; tão possível que já foi realizado. Considero a invenção da fotografia a melhor que os homens fizeram, porque é a mais pacífica — uma pura invenção de paz. Isso porque há as invenções de guerra, isto é, mais empregadas na guerra do que na paz, como a aviação ou a pólvora.

— Que é pólvora? — quis saber Fídias, mas Dona Benta não teve ânimo de responder. Teria de iniciar novo curso, e naquela hora o que a interessava eram as figuras da frisa.

— E ali? — perguntou apontando para as métopes seguintes, fingindo não ter ouvido a pergunta do escultor.

— Ali, — respondeu Fídias, — são os carros que precedem os cavaleiros. Note que são conduzidos por mulheres.

— Que mulheres?

— Figuras simbólicas. Vitórias. Atrás de cada vitória pusemos um guerreiro de pé. Adiante dos carros temos aquele coro de moços e velhos, — explicou Fídias caminhando mais uns passos. — Estão tocando flautas e liras.

Emília, que os acompanhava muito alerta, meteu o bedelho.

— Lira não se toca — tange-se. Eles estão tangendo a lira. Tocar, Dona Benta diz que é só para sino ou galinha.

O grego não ouviu.

— E adiante, — continuou ele, — vemos os ascóforos, ou portadores de odres de couro — são os estrangeiros domiciliados em Atenas.

Emília fez nova graça..

— Se D. Quixote aparecesse, espetava com a lança todos esses odres de vinho.

Dona Benta espantou-a dali.

Capítulo VIII
A ESTÁTUA DE PALAS-ATENA

Péricles, que se afastara por uns instantes, voltou e retomou a palavra, explicando todo o desenvolvimento da extensa frisa até chegar à procissão das virgens atenienses, portadoras de vasos. E quanta coisa mais naquela frisa! Havia o grupo dos magistrados de Atenas; o dos pontífices, etc. Vinham por fim os portadores do novo peplo oferecido à deusa.

Dona Benta admirou grandemente aqueles primores, dos quais a posteridade só iria conhecer fragmentos.

— Tudo isto vai ter vida muito breve, — murmurou com tristeza. — Lá no meu tempo, que é a 2.377 anos de hoje, destes mármores só restará o que foi recolhido ao Museu Britânico, em Londres.

— Londres?

— Sim, a capital da Inglaterra.

— Inglaterra?

— Sim, um país que ainda vai nascer e formará o maior império moderno. O Museu Britânico abrigará estes mármores, ou a parte destes mármores que escapará ao martelo do fanatismo barbaresco. O mundo é um perene fazer e desfazer, Senhor Péricles. Aqui nesta Acrópole, o meu século só encontrará ruínas — colunas e lajes roídas pela erosão...

A "vidência" da velhinha possuía algo de impressionante. Os dois gregos sentiram um aperto na alma.

— Bem, — disse Péricles, — podemos agora ir ver o Parténon por dentro — e convidou Dona Benta a segui-lo.

Entraram no templo. Ainda havia por lá andaimes e operários entretidos nas decorações. Dona Benta chamou para perto de si os meninos e explicou:

— Aqui é a *pronáos*, isto é, a parte que vem antes da "*náos*". "*Náos*" é como os gregos chamam à *nave* de seus templos — duas palavras que também significam navio. Estas colunas são dóricas, reparem — o estilo mais severo de todos. Notem que saem do chão como troncos de palmeiras, sem que se apoiem em bases, ou *plintos*. Isto faz que o Parténon nos dê a impressão duma coisa naturalmente *brotada* do solo; se as colunas se apoiassem em plintos, a impressão seria outra — seria de uma coisa *colocada* sobre o solo.

Os meninos ficaram cientes — e o grupo transpôs o portal que se abria para a *náos*, ou o santuário da deusa. Dona Benta parou, estarrecida. Dez majestosas colunas erguiam-se de cada lado, cercando, como sentinelas, a maravilhosa Palas-Atena, a mais rica obra-prima da escultura grega. Uma estátua de doze metros de altura sobre um pedestal de três, toda de marfim e ouro. A padroeira de Atenas lá estava em atitude ereta, na sua túnica talar, isto é, que descia até aos pés e sobrava — túnica de preguamento muito bem estudado e toda de ouro. As partes nuas eram de marfim — os braços, os ombros e o severo rosto olímpico. A morna tonalidade do marfim translúcido dava a sensação da carne.

— Que maravilha! — exclamou Dona Benta deslumbrada. — Tudo ouro, marfim, pedras preciosas e arte — a mais requintada das artes... E pensarmos que este prodígio não chegará aos tempos modernos — será em caminho destruído pela bárbara rudeza dos fanáticos... Martelos e picaretas desfarão tudo isto, de modo que a posteridade só conhecerá esta maravilhosa Palas-Atena através das descrições. A obra de Fídias será vítima do muito ouro nela empregado...

Péricles, que a ouvia, deu uma informação curiosa.

— Só no vestuário empatamos 400 talentos de ouro.

— Quanto significa isso em moeda moderna, vovó? — quis saber Pedrinho.

— O talento é a medida do ouro e da prata destes povos. Tem variado de valor com o tempo e o lugar. Aqui, hoje, o talento ático vale 297 libras esterlinas.

— Cáspite! — exclamou Narizinho — e fez a conta de cabeça. — Quatrocentos talentos de 297 libras dão 118.800 libras — ou sejam 11.880 contos de réis na moeda do Brasil. Vestido mais caro, nunca houve no mundo.

— E as pedrarias? — observou Dona Benta. É o marfim? E o trabalho do artista?

— Repare nos olhos, — disse Péricles. — São feitos de duas enormes opalas cuja transparência copia o tom dos olhos humanos. Muito nos custou descobrir esse par de gemas...

Com efeito, os olhos de Atena davam a ilusão de vivos.

Dona Benta continuava em êxtase.

— Sinto-me como que diante duma constelação que reduz as obras d'arte a simples estrelas. Que riqueza! Que maravilha!...

Ao pé do escudo de Atena havia uma serpente de bronze enroscada no cabo da lança. Pedrinho, que já estivera com Fídias no interior do templo e se informara daquele detalhe, resolveu dar um "tombo" em Dona Benta.

— Vovó sabe tudo, — disse ele, — mas aposto que não sabe o nome desta serpente.

Dona Benta declarou que de fato não sabia.

— Pois é o Erectônio, — disse o menino todo lampeiro, — um filho de Hefesto e Átis, que ora é representado assim, sob forma de serpente, ora meio serpente, meio homem. Foi o criador da festa Panateneia e tinha no corpo duas gotas do sangue da Górgona, uma que matava, outra que fazia viver. Pelo menos foi isso que o Senhor Fídias nos contou. Desta vez vovó ficou nocaute, — concluiu ele piscando para Narizinho.

— E com o maior prazer, meu filho. Não há avó que não se delicie com os nocautes que leva dos netos, — respondeu Dona Benta sorrindo para Péricles.

O estadista grego fez várias observações sobre a inteligência daquelas crianças, e teve de ouvir da boa avó algumas passagens da vida deles lá no sítio.

— Imagine agora, Senhor Péricles, quando voltarem daqui! Os quinaus que vão dar em todos os "adultos" que tiverem o topete de falar em coisas gregas...

Em seguida Péricles explicou a significação das esculturas em alto relevo do pedestal.

— Temos aqui uma série de combates, porque foi em consequência destas lutas que Palas-Atena emergiu do crânio de Zeus. Nesta face a senhora vê a terrível refrega entre os deuses e os gigantes; nesta outra, o combate das amazonas; e nesta outra, a luta dos Lápitas, com os centauros.

Pedrinho, que andava com os instintos belicosos muito assanhados, quis saber que luta fora essa. Fídias explicou.

— Os Lápitas eram um antiquíssimo povo da Tessália, cujo rei, Pírito, ao casar-se com Deidâmia, caiu na asneira de convidar para a festa os Centauros, os quais, embebedando-se, tentaram raptar a noiva e as mais belas convidadas. Veio a medonha luta. Afinal, os perturbadores da festa foram vencidos e expulsos pelos Lápitas, ajudados pelo heroico Teseu. Eis a história.

— Muito bem — disse Pedrinho. — Na nossa "penetração" no fundo da Grécia, havemos de visitar e apresentar cumprimentos a esses Lápitas.

A palavra "penetração" causou espécie aos dois gregos.

— Ah, meus senhores — disse Dona Benta, — estes meninos são do chifre furado. Coisa nenhuma os contenta. Vão continuar pela Grécia a dentro esta viagem —

esta "penetração" no passado. Eu ia com eles, mas já estou de ideias mudadas. Prefiro ficar por aqui com a minha neta Narizinho, enquanto os outros fazem o tal mergulho.

Aquela resolução espantou os meninos.

— Sério, vovó?

— Sério, meu filho. Terei mais gosto em passar algum tempo nesta cidade de Péricles, estudando costumes e conversando com vultos eminentes, do que andar à aventura com os monstros da Fábula. Deixo isso para vocês, que estão no período heroico da existência.

— E esta! — exclamou Pedrinho voltando-se para a Emília e o Visconde. — Temos que afundar na velha Hélade sozinhos...

— E que tem isso? — animou Emília. — Você bem sabe que nas ocasiões difíceis Dona Benta não vale nada, até atrapalha. Ela que fique cocando estas artes de Atenas. Eu quero façanhas. Sou quixótica...

O Visconde, que nunca fora grande amigo de aventuras, gemeu desculpinhas para não ir.

— Porque afinal de contas, — disse ele, — o "Beija-Flor" não pode ser largado sem comando no porto.

— Olha o pulha! — exclamou Pedrinho. — Está com o célebre medo, é isso. Não se incomode com o iate. Rabicó está lá. Vovó o promove a comandante e pronto. Você não escapa, não, Visconde! Há de ir conosco para ver a hidra de Lerna, e os Centauros, e as Górgonas...

O sabuguinho científico suspirou resignadamente.

Péricles e Fídias não entenderam grande coisa daquela prosa, nem o suspiro do Visconde. Dona Benta teve de explicar, e falou das funções do velho fidalgo nas eternas aventuras dos meninos.

— Como é o único que é consertável, — disse ela — os meninos sempre recorrem ao Visconde nas ocasiões de maior perigo.

— Por quê?

— Porque se ele perecer, Tia Nastácia faz outro. Esse corpinho que os senhores estão vendo já é o terceiro ou quarto...

Os dois gregos entreolharam-se. Não entendiam coisa nenhuma.

O exame da estátua da deusa continuou.

— Note que Atena traz ao ombro e ao peito a égide, — disse Fídias.

— Sim, a égide, — repetiu Dona Benta recordando-se desse termo. — Primitivamente queria dizer a pele de cabra que os guerreiros punham ao ombro e ao peito como resguardo. A égide dos deuses era feita da pele da cabra Amaltéa que havia aleitado Zeus. Na égide de Atena o escultor colocara a cabeça de Medusa.

Depois de demorados comentários sobre a égide, os colares, os brincos e a túnica, todos se retiraram da *náos*, para irem ver a outra parte do templo que tinha entrada pelos fundos. Nessa parte havia dois recintos — um mais estreito, de nome Epistódomo, e outro mais amplo, de nome Parténon.

— Parténon? Então Parténon é o nome especial disto aqui? — admirou-se Dona Benta.

— Sim, — respondeu Fídias. — A parte central, onde está a deusa, é o Hecatómpedos; esta aqui é o Parténon — nome que já anda a denominar o templo inteiro.

— E para que servem estes recintos?

— Para depósito dos tesouros, das oferendas feitas à deusa.

— É a sacristia! — berrou Emília.

Os dois recintos ainda estavam sem função, vazios, com operários trabalhando em remates.

Dona Benta continuou nas suas expansões:

— Que pena, meu Deus! Que pena os modernos só conhecerem as ruínas deste primor! A estupidez humana! O fanatismo religioso! Quantas e quantas maravilhas, únicas no mundo, não foram boçalmente destruídas por esses dois cascos de cavalo...

Péricles contou a história do velho templo que existia naquele ponto e de como veio a ideia de levantar o atual, maior e infinitamente mais rico.

— Atenas entrou numa era de grande prosperidade, — disse ele, — e quer agradecer a proteção da deusa com uma obra de valor excepcional. Estamos a fazer isto sem olhar o trabalho e despesas. Estamos a fazer o máximo. Que melhor emprego poderíamos dar ao tesouro de Delos?

Na luta com a Pérsia, as repúblicas gregas haviam dado a Atenas o comando supremo. Para isso entregaram-lhe um grande tesouro comum, correspondente a dois e meio milhões de libras esterlinas de hoje. Mas Atenas saiu vitoriosa da luta sem ter necessidade de bulir no tesouro — e Péricles, muito sabiamente, o estava empregando no embelezamento da cidade.

— Ah, — exclamou Dona Benta, — se todos os tesouros de guerra, isto é, os destinados a destruir, fossem, como o de Delos, empregados em construir! Em que assombro não estaria transformado o mundo moderno...

Péricles olhou para o sol.

— Quase onze horas. Tenho de ir-me para casa.

Aquele "onze horas" pareceu esquisitíssimo a Pedrinho, pois o seu relógio de pulseira marcava quatro menos dez.

— Onze horas, nada! — disse ele. — Quatro menos dez, isso sim.

Péricles levou-o a uma clepsidra que havia ao lado do templo e apontou para o quadrante. A clepsidra marcava onze horas menos dez minutos.

— Não estou entendendo — disse Pedrinho. — O meu relógio marca pouco menos de quatro — e é um reloginho que não nega fogo.

Travou-se a discussão sobre o assunto, até que descobriram a causa do desencontro. Os gregos contavam as horas a partir do nascer do sol, de modo que o meio-dia moderno era para eles a sétima hora, não a décima segunda, como para nós de hoje. Assim sendo, as onze horas marcadas pela clepsidra do Partéon correspondiam às quatro do relógio de Pedrinho.

Aquele reloginho tornou-se um acontecimento. Péricles e Fídias examinaram-no com a maior atenção. Dona Benta explicou.

— É a nossa máquina moderna de marcar as horas. Há lá dentro um sistema de rodinhas e peças combinadas, postas em movimento por uma certa mola de aço em espiral. Aqui temos o mostrador, que corresponde ao quadrante da clepsidra.

O pequeno aparelho causou o maior assombro aos dois homens, que por mais que se esforçassem não conseguiam entendê-lo. Dona Benta suou para dar uma ideia do maquinismo.

Chegou por fim o momento de separarem-se.

— Pois, minha senhora, — disse Péricles, — muito gosto me deu a sua resolução de ficar em Atenas enquanto os meninos dão lá o tal "mergulho no passado", que não sei o que seja. E faço questão de tê-la como minha hóspede.

— Não sei como agradecer tamanha honra, Senhor Péricles. Não conheço aqui ninguém, nem sei de hotéis. Minha intenção era ficar a bordo do "Beija-Flor"; mas já que me oferece hospedagem, aceito. Ficarei em Atenas com a minha neta, enquanto os outros fazem a "penetração". Tenho agora de ir ao iate para uns arranjos. Mais tarde aparecerei em sua casa...

— Ótimo! — disse Péricles. — Esperá-la-emos para o jantar. Quero que conheça alguns dos meus amigos.

— Adeus, Senhor Péricles! Adeus Senhor Fídias! — disse Dona Benta afastando-se.

E lá se foi para o "Beija-Flor das Ondas", com a criançada a correr na frente.

Capítulo IX
O PÓ NÚMERO DOIS

Lá no Pireu o "Beija-Flor das Ondas" estava rodeado de pequenas embarcações repletas de curiosos. Os gregos não cessavam de admirar o estranhíssimo iate que misteriosamente aparecera no porto. Embora fosse barco de proporções muito modestas, parecia um colosso comparado às trirremes gregas e mais embarcações mercantes ali ancoradas.

Quando o bandinho de Dona Benta chegou ao cais, nenhum dos cinco pôde conter o riso. Sentado à proa do iate estava o Excelentíssimo Senhor Marquês de Rabicó, de boné de Imediato na cabeça e binóculo em punho. De vez em quando olhava ao longe, displicentemente.

— O malandro! — exclamou Pedrinho. — Vejam a importância dele, a bancar o almirante para todos estes basbaques...

A multidão dos curiosos não entendia nada de nada. Não entendia o iate e ainda menos aquele porquinho de boné, tão senhor de si, lá na proa.

As trirremes gregas chamaram a atenção do menino.

— Repare, vovó, que elegantes e leves são.

— Na realidade, meu filho, estas embarcações primam pela leveza. Basta dizer que já têm sido transportadas por terra dum ponto do mar a outro. Medem mais ou menos quarenta metros de comprido e cinco de largura, e são levadas por duzentos remadores dispostos em três filas, uma por cima da outra. Daí o nome de *trirremes*, ou barcos de três ordens de remos. Há ainda as *birremes*, com duas ordens de remos. São embarcações que calam muito pouco...

— Pouco? — berrou Emília. — Calam-se até demais. Estão caladíssimas, não ouço o menor som vindo delas.

— Em linguagem náutica, Emília, calar quer dizer outra coisa; quer dizer "afundar na água". Como são muito leves, as trirremes só afundam, ou só calam, um metro, mais ou menos. O nosso iate cala três metros.

— E a velocidade? — perguntou Pedrinho. — Quantas milhas fazem por hora?

— A história conta dum trajeto de 150 léguas em três dias feito pela trirreme de Teopompo, um corsário de Mileto que Lisandro despachou para levar a notícia duma vitória. Cento e cinquenta léguas são 900 quilômetros, o que dá 300 quilômetros por dia, ou 12 quilômetros e meio por hora, isto é, quase 7 milhas.

— Mas isso é marcha de lesma, vovó! — caçoou o menino.

— Não, meu filho. Para um barco de remo é velocidade ótima. Daí os triunfos dos gregos no mar. Na célebre batalha de Salamina, travada com a frota de Xerxes, rei da Pérsia, no ano 480 A. C....

— Sei, sei! — interrompeu Pedrinho. — Em Salamina Temístocles derrotou a esquadra persa. E por falar: se essa batalha foi em 480 A. C., ou a só quarenta e dois anos de hoje, ainda devem existir por aqui alguns veteranos de Salamina.

— Possibilíssimo. Qualquer desses marujos sessentões aqui no cais pode muito bem ter sido um guerreiro daquela época.

Pedrinho prestou bastante atenção num deles, para decorar-lhe a cara. "Quando voltar ao sítio posso afirmar que contemplei com meus olhos um veterano de Salamina."

Ao vê-los aparecer no navio, Rabicó perdeu imediatamente a importância.

— Que há de novo por aqui? — perguntou Pedrinho.

— Nada, tudo em ordem, — respondeu o "Imediato". — Só essa multidão de patetas que rodeiam o "Beija-Flor". Estão assombradíssimos. Nunca viram colosso maior.

Dona Benta e Narizinho foram arrumar as malas enquanto Pedrinho e os outros discutiam pormenores da "penetração".

— Eu levo a minha maleta, — disse Emília.

— E eu, só o bodoque, — disse Pedrinho. — Quanto menos carregarmos, melhor.

O Visconde não levava coisa nenhuma, porque jamais possuiu qualquer coisa além da célebre cartolinha. Agora, porém, estava de boné de capitão. Isso o atrapalhou. Que levar, a cartola ou o boné? Emília resolveu o caso.

— Leve a cartolinha. O boné pertence ao guarda-roupa de bordo.

O Visconde não discutiu; botou a cartolinha na cabeça e pronto. Dirigiram-se ao camarote de Dona Benta.

— Já estamos preparados para o mergulho, vovó! — disse o menino.

Dona Benta correu os olhos pelos três. Viu-os em ordem.

— Pois está bem, — declarou. — Podem partir. Mas, olhe, Senhor Pedrinho, muita cautela, hein? Não se esqueça de que já perdemos Tia Nastácia.

— *Provisoriamente*, vovó! — completou o menino. — Juro que hei de trazê-la, viva ou morta.

— Morta não quero. Enterrem-na por lá mesmo. E vocês também não me voltem mortos. Quero-os bem vivinhos e perfeitos. A viagem é das mais perigosas. Em todo caso, como até na lua já estiveram, tenho confiança em que ainda desta vez tudo correrá bem.

— Fique sossegada, vovó. Apesar daquilo lá ser um viveiro de hidras e heróis tebanos, eu aposto em mim mesmo. Hei de ir, ver e vencer — e trazer Tia Nastácia, ainda que seja de rastos. A senhora não me conhece, vovó...

Dona Benta riu-se de tanta bravura.

Tudo pronto, Pedrinho tirou do bolso um canudo de taquara com um pó dentro — um pó diferente do antigo pirlimpimpim, chamado "pó número 2". Despejou um montinho na palma da mão e dividiu-o em três pitadas — uma para Emília, outra para o Visconde, a última para si.

— Temos que aspirá-lo ao mesmo tempo, quando eu disser "Três". Vamos! Um... dois... e...

— Espere! — berrou Emília. — Ia me esquecendo duma coisa — e tirando do bolso um pequeno embrulho, entregou-o a Dona Benta: "Faça o favor de entregar este presentinho à escrava".

— Que escrava, Emília?

— A que nos deu aqueles figos. Pronto, Pedrinho! Podemos partir.

Pedrinho contou novamente — Um... dois... e TRÊS!

As pitadinhas de pó foram aspiradas a um tempo, sem perda de uma só isca — e como por encanto os três pequenos heróis desapareceram do iate.

Dona Benta sentiu a célebre pontada no coração.

— Ai, ai! Já estou arrependida de haver dado o meu consentimento. É capaz de acontecer qualquer coisa a Pedrinho...

— Claro que vai acontecer muita coisa, vovó, — disse a menina. — Mas que tem isso? Acontece e desacontece, como sempre. Eles sabem sair-se dos maiores apuros. Não se aflija à toa.

Dona Benta continuou a suspirar; dez minutos depois, entretanto, já se esquecera daquilo. A boa velhinha era bem como Tia Nastácia dizia: "Sinhá até parece mais criança que as crianças; credo!".

Bom. Restava agora irem para a residência de Péricles.

— E estamos na horinha, vovó. Lembre-se que ele nos espera para o jantar.

Dona Benta, que andara demais naquele dia, queixou-se de cansaço.

— Como há de ser para chegarmos até lá, minha filha? Meus pés já não aguentam.

— Não há táxis?...

— O veículo de Atenas é a liteira, mas são todas particulares. Não me consta que existam liteiras-táxi...

— Vamos descer, vovó. Lá em baixo resolveremos.

Desceram, com as malas no lombo de Rabicó.

Assim que puseram o pé no cais, um homem de corpo alentado aproximou-se respeitosamente.

— Minha senhora, o estratego manda pôr à vossa disposição a sua liteira, — disse ele apontando para uma liteira estacionada ali perto, ladeada de cinco latagões. Eram escravos de Péricles.

Dona Benta respirou. "Ora graças!" e encaminhou-se para o veículo.

Narizinho, porém, revoltou-se. Não podia admitir que seres humanos fossem usados como bestas de transporte.

— Não tenho coragem de entrar nisso, vovó! Desaforo. Gente como nós a nos carregar. Nunca! E ainda chamam a isto democracia...

— Menina, cada terra com seu uso, cada roca com seu fuso. Entre. Vá protestando mas entre...

Narizinho entrou, a resmungar.

Dona Benta foi-se reclinando na liteira ao modo da época. Lindo veículo, muito sóbrio, sem os exageros do luxo inútil. Em todas as coisas os gregos revelavam o seu fino senso da justa medida.

— *Estratego*, vovó? Que história de estratego é essa, que o liteiro disse?

— É o posto de Péricles no governo.

— Ele não é rei, então?

— É e não é. Não é, porque legalmente não há mais reis em Atenas; e é, porque realmente quem manda é ele. O nome de seu posto, entretanto, é "Estratego", uma espécie de general que também cuida dos negócios administrativos. Em Atenas existem ainda nove Arcontes, magistrados que substituíram o rei, embora não herdem o posto, nem sejam eleitos.

— Então como é?...

— São escolhidos pela Sorte, minha filha, um sistema que acho menos perigoso que o da eleição. Os Arcontes fazem como os reis da Inglaterra: reinam, mas não governam. Quem realmente governa são os estrategos, equivalentes aos modernos Ministros de Estado. Péricles corresponde a um Primeiro Ministro da Inglaterra.

O balanço da liteira era suave. "A gente até descansa nestes veículos — são camas que se movem", — observou Dona Benta.

— São mas é um grandíssimo desaforo — disse a menina. — Na primeira ocasião hei de reclamar do Senhor Péricles contra semelhante abuso. Gente como nós a carregar marmanjos! Onde já se viu isto?

As ruas de Atenas, embora bastante movimentadas, não tinham o atropelo das ruas modernas. A maioria dos pedestres era composta de escravos. Os cidadãos saíam quase sempre em suas liteiras.

— Como há escravos por aqui! — admirou-se Narizinho.

— Muitos, minha filha. Cerca de 400 mil.

— E cidadãos?

— Uns 30 mil no máximo.

A distância entre o porto e a residência de Péricles foi vencida em pouco mais de uma hora, sem nenhum cansaço para as "transportadas". A canseira na Grécia não cabia aos cidadãos.

Ao atravessarem o Ágora viram um homem a discorrer num grupo de moços. "Será Sócrates?" pensou consigo Dona Benta.

Dali à residência do estratego era um pulo.

— Que beleza, Atenas, vovó! Estátuas por toda parte, monumentos...

— Nunca houve no mundo, minha filha, um centro mais cheio de arte — e que arte! A de Fídias e seus grandes discípulos... O simples fato de ser Fídias o diretor geral da reconstrução de Atenas, quanto não representa? Que cidade no mundo já teve maior honra?

A liteira parou diante da casa de Péricles. Dona Benta, velhinha no cerne, pulou como se tivesse vinte anos. O mordomo Evangelus veio recebê-la e foi avisar o patrão, o qual apareceu e disse:

— Atenas inteira só fala no estranho navio ancorado no Pireu e na maravilhosa vidente que nos dá a honra de sua visita.

— Mas eu não sou vidente, Senhor estratego. Já expliquei...

Péricles sorriu.

— Há explicações duma inutilidade absoluta. Para nós a senhora é vidente porque vê ou sabe o que não vemos nem sabemos.

— E Dona Aspásia? Já veio?

— Sim, chegou hoje, e está a arder de curiosidade.

Péricles atravessou o pátio de braço dado a Dona Benta e de mão na mão de Narizinho. Dirigiu-se à sala de jantar, repleta de convidados.

— Meus amigos, — disse ele entrando, — tenho a honra de apresentar-vos Dona Benta Encerrabodes de Oliveira, do Pica-pau Amarelo, e sua gentil neta Narizinho...

Um "oh" grego escapou de todas as bocas.

Capítulo X
NOS CAMPOS DA TESSÁLIA

A ação do pó aspirado pelos três "penetradores" era muito semelhante à do clorofórmio. Eles perdiam a consciência e só acordavam quando atingiam o "tempo" a visitar. Naquele dia, o tempo em que desejavam acordar era o século XV antes de Cristo, justamente o em que se realizaram as famosas façanhas de Hércules.

O primeiro a despertar foi Pedrinho. Olhou. Tudo em redor lhe pareceu atrapalhado, girando, mas tudo se foi assentando, parando de girar, até que ele pôde ver onde se achava: um campo com montanhas azuis ao longe. Pedrinho examinou o capim: era diferente do de lá do sítio. O mato, os arbustos também eram diferentes. E aquelas manchas brancas no pasto? Firmou a vista. "Ah, carneiros, sim..."

A seu lado ainda jaziam no sono Emília e o Visconde. Só acordaram minutos depois.

O menino apontou para os carneiros.

— Onde há rebanho há pastor, — disse ele. — Temos de procurar o pastor daquele rebanho.

Levantaram-se os três e foram, e a duzentos metros dali descobriram o pastor sentado numa pedra tocando flauta. Assim que os viu, largou a flauta e arregalou os olhos, espantadíssimo.

— Somos amigos! — gritou Pedrinho de longe.

Era bem jovem esse pastor, aí duns vinte anos no máximo. Cabelos em caracóis, belo de rosto e de corpo, vestido rusticamente como todos os pastores dos poemas. Mas continuava de olhos arregalados, sem saber o que pensar. Aquelas três figurinhas surgidas diante dele em trajes tão exóticos estavam a atrapalhar-lhe as ideias.

— Somos amigos, — repetiu Pedrinho achegando-se e sentando-se. — Viemos de muitíssimo longe para uma visita a estas plagas e a estes tempos. Meu nome é Pedro Encerrabodes de Oliveira. Esta aqui é a Emília, Marquesa de Rabicó — e aquele ali, de cartolinha, é o Visconde de Sabugosa, um "sabinho".

O pastor nada dizia. Continuava no ar, tonto.

— Talvez seja surdo, Pedrinho, — lembrou Emília. — Berre mais alto.

Não era surdez, não; era espanto de achar-se na frente de criaturas incompreensíveis. Afinal, vendo-as desarmadas e com aspecto de boa paz, o pastor foi voltando a si e falou:

— Mas... quem são? Donde vêm?

— Já expliquei. Viemos do Pica-pau Amarelo. Somos exploradores do tempo graças a um pó mágico que nos leva a qualquer século que queiramos visitar. Que terras são estas aqui, que montanha é aquela acolá, quem é o rei deste país? Vamos fale.

O pastorzinho ainda gaguejou um pouco; por fim falou, contou que aquilo por ali era a Tessália, e a montanha azul era o Olimpo.

— O Olimpo? O monte Olimpo onde moram os deuses?

— Sim...

Os três "penetradores" arregalaram os olhos para a montanha azul.

— Que maravilha! — exclamou Pedrinho. — E que sorte a nossa! Acordamos exatamente onde queríamos acordar. Sabe, pastor, que a nossa intenção é, antes de mais nada, subirmos àquela montanha para uma visita à morada dos deuses?

O pastor fez cara de idiota.

Sim — confirmou Emília. — Vamos subir ao Olimpo para ver os deuses e esclarecer um ponto que nos está preocupando muito, que é saber a verdade a respeito do tal néctar e da tal ambrosia. O néctar eu imagino o que seja — mais ou menos um mel. Já da ambrosia não faço a menor ideia. Queremos ver, cheirar, provar essas maravilhosas substâncias.

O pastor deu uma risada gostosa.

— Que absurdo! Nunca, nunca, jamais, em tempo algum, houve mortal que subisse ao Olimpo e conhecesse a bebida e a comida dos deuses. Os raios de Zeus fulminariam instantaneamente o doido que em tal pensasse.

— Pois não somos doidos e pensamos nisso, — declarou Emília — e havemos de subir ao Olimpo e regalar-nos com o néctar e a ambrosia. Temos feito tanta coisa prodigiosa, que isso de subir ao Olimpo é o que lá no sítio chamamos "café pequeno".

— Mas é loucura! — gritou o pastor, apavorado.

Emília deu uma risada.

— Você não nos conhece, menino! Somos do arco-da-velha. Até ali o Senhor Visconde, que é um sabugo, já está célebre.

O Visconde suspirou.

— É verdade. Tenho realizado grandes prodígios, como este, por exemplo, de andar pelo mundo com a canastrinha da Senhora Marquesa às costas, ai, ai...

Emília explicou:

— Ele é um sábio, e os sábios só gostam de carregar coisas na cabeça. São assim porque as coisas que a gente carrega na cabeça não pesam. É a preguiça. Mas nestas expedições eu gosto de ter comigo certos "apreparos" que nos momentos de apuros nos são preciosos e por isso viajo com a minha canastrinha — e quem tem de carregá-la é ele, porque é o mais fraco de todos, e a lei do mundo é o forte desapertar para a esquerda, isto é, abusar do fraco. E a culpa, senhor pastor, é do Visconde mesmo, que nos andou ensinando as teorias dum Darwin, que disse que a vida é um combate que aos fracos abate e aos fortes e aos bravos só pode exaltar...

— Pare, Emília! — gritou Pedrinho. — Parece que o pó embebedou você. Isso não é Darwin, é um verso do poeta Gonçalves Dias. Pare de falar.

Emília parou, não em obediência ao grito, mas porque saíra a correr atrás dum cordeirinho desgarrado do rebanho.

— De quem são estes animais? — perguntou o menino.

— De meu pai, que é azeitoneiro no burgo próximo.

— Enlatador de azeitonas?

A palavra "enlatador" não foi compreendida pelo pastorzinho.

— Meu pai cultiva oliveiras, — disse ele.

— Que interessante! — exclamou Pedrinho. — O nome de minha família é Oliveira, o mesmo nome da árvore que produz a azeitona e com tanta abundância aparece aqui. Mas lá em nossa terra só existem azeitonas em latas.

— Latas? — repetiu o pastor.

Foi difícil ao menino explicar a significação de lata, pois naquele tempo as vasilhas eram quase que exclusivamente feitas de barro. Vasilhas de folha não existiam. A diferença de mentalidade entre ele e o pastor era tão grande, que a menor coisa reclamava explicações complementares — e inúteis, porque o pastor ficava na mesma.

Emília voltou, arrastando o cordeirinho pela orelha.

— Malvada! Largue-o. Não vê como a ovelha-mãe está berrando aflita?

— Balindo, — corrigiu Emília. — Quem berra sou eu — disse e sentou-se com o cordeirinho ao colo.

— E por falar, — murmurou Pedrinho dirigindo-se ao pastor: — não viu aqui uma preta velha, de lenço vermelho na cabeça? A razão da nossa viagem é justamente procurá-la — e contou toda a história da festa no palácio do Príncipe Codadad, o assalto dos monstros da Fábula e por fim o desaparecimento da tia.

— Sumiu-se, a pobre, no grande tumulto que houve. Mas temos esperança de que esteja viva, apenas aprisionada por algum desses monstros. Como é pretíssima e como os monstros gregos estão acostumados a só comer gente branca, talvez que...

— Que jeito tem essa criatura? — perguntou o pastor.

— Uma beiçuda, — respondeu Emília, — com reumatismo na perna esquerda, nó na tripa, analfabeta, mil receitas de doces na cabeça, pé chato, gengiva cor de tomate, assassina de frangos, patos e perus, boleira aqui da pontinha, pipoqueira, cocadeira...

— Pare, Emília! — gritou Pedrinho. — Estou vendo que o pó desandou você duma vez.

Foi inútil o berro. Emília estava mesmo desandada e continuou:

— Uma negra pitadeira dum pito muito preto e fedorento. Não sabe o que é pito? Ai, meu Deus do céu! Estes gregos não sabem nada de nada. Mas beiço o senhor sabe o que é, não? Pois basta isso. Não viu uma velha cor de carvão, de lenço vermelho de ramagens na cabeça e um par de beiços deste tamanho na boca? Se viu, é ela.

O pastor não vira ninguém assim.

— Pois atrás dela andamos, — continuou Emília — porque é a Palas-Atena lá da cozinha do Pica-pau Amarelo. Não erra no tempero. Quem come os quitutes de Tia Nastácia, lambe os beiços e repete a dose. D. Quixote até engordou vários quilos.[25] Pedrinho jurou encontrá-la e levá-la de volta ao Pica-pau, nem que seja arrastada pelos cabelos.

---

25   *O Pica-pau Amarelo.*

— Não repare, pastor, — disse o menino. — Emília é como certos despertadores que às vezes desandam.

O pastor ficou na mesma, porque não sabia o que era despertador.

Continuaram na prosa por longo tempo até que o sol começou a esconder-se atrás das montanhas azuis. A fome veio.

— Não haverá por aqui alguma coisa de mastigar?

A resposta do pastor foi abrir uma sacola e tirar um pedaço de pão e outro de queijo. Cortou várias fatias e distribuiu-as. Hum! Que gostoso! o queijo era forte, ardido — queijo de leite de ovelha; mas a fome fez que Pedrinho o achasse a delícia das delícias.

— E a dormida, pastor? Onde se dorme aqui?

— Tenho lá a minha cabana junto ao curral, — disse ele apontando para uma cabaninha que se via dali. — E podemos nos recolher, são horas.

Os três "penetradores" ajudaram-no a "tanger" o rebanho para o curral e depois correram para a cabaninha rústica, onde não viram móveis — só pelegos a um canto. O pastor tirou do monte três peles, dando uma a cada um.

— São as camas. Durmam sossegados e tenham bons sonhos.

Deitaram-se todos na lã macia — e minutos depois roncavam.

Pedrinho jamais esqueceu do sono dormido na cabana daquele pastor da Tessália, no século XV antes de Cristo. Foi — dizia ele sempre — "o mais belo dos meus sonhos".

Capítulo XI
O SONHO DE PEDRINHO

Pedrinho sonhou. Sonhou que estava sentado numa pedra, com os olhos nos carneiros do rebanho. Súbito, foram-se sumindo os carneiros e apareceu uma estrada que ia perder-se nas montanhas azuis.

Um vulto vinha vindo pela estrada. Um homem... Um velho de andar trôpego...

O velho chegou e sentou-se na pedra.

— É daqui? — perguntou-lhe Pedrinho.

— Sou de todos os lugares e de todos os tempos. Sou a História.

Pedrinho encarou-o, surpreso. O velho não era mais o velho, mas sim uma deidade semelhante a certa figura feminina que ele vira no Parténon, com a cara de musa.

— Como se chama isto por aqui, senhora musa?

— O nome das terras varia com o tempo. Hoje é a Tessália.

Pedrinho correu os olhos em volta, para *decorar* a Tessália. Um cavaleiro ao longe chamou-lhe a atenção, fazendo-o lembrar-se dos cavalos da frisa do Parténon.

— Será que os cavalos daqui têm o focinho fino como os de Fídias?

— O cavalo é o mais antigo dos companheiros do homem, — murmurou a musa. — Já os havia na Tessália quando os Pelasgos apareceram.

Não era resposta às palavras do menino. A musa falava para si mesma, como a recordar-se.

— Quatro mil anos! — murmurou em seguida. — Há quatro mil anos que apareceu por aqui a horda dos nômades vindos da Ásia...

Pedrinho pensou consigo que nômades queria dizer "criaturas que não esquentam lugar" — ciganos.

— Eram os Pelasgos, — prosseguiu a musa. — Mas o nômade só é nômade enquanto *procura*; quando *acha*, fixa-se. Gostaram os Pelasgos destas regiões e fixaram-se — e sua permanência iria marcar-se de modo indelével nos monumentos que eles ergueram. Foram os construtores das "muralhas ciclópicas", isto é, feitas de pedras tamanhas que só homens agigantados poderiam movê-las. Mas a terra é mesa indiferente sobre a qual rolam as ondas humanas. A onda pelásgica veio, espalhou-se e afinal quebrou-se em espuma. Uma onda mais forte a recobriu — a dos Helenos.

Um estranho brilho cintilou nos olhos de Pedrinho. Helenos! Hélade! Que lindo...

— Vinham do Cáucaso, — prosseguiu a musa — e ao falar nesse nome o seu rosto assumiu um ar de tragédia. — O Cáucaso... A sinistra montanha onde Zeus acorrentou o titã amigo dos homens.

— Prometeu! — exclamou Pedrinho.

— Sim... Os helenos traziam no sangue o eco da dor do titã encadeado e permanentemente bicado pela águia divina. Prometeu roubara o fogo do céu para dá-lo aos homens. Esse fogo nas mãos dos homens significaria libertação, dominação das forças da natureza — Civilização. O titã o sabia e o proclamava entre urros de dor, como diz o grande Ésquilo: *"Cairás, Zeus, do teu trono dos céus. O tridente de Poseidon será quebrado. Os homens farão do fogo arma de maior potência que o raio celeste. Vós todos, o deuses do Olimpo, morrereis!"*.

Pedrinho recordou-se do que, nos "Serões", Dona Benta — dissera sobre o fogo, esse pai das indústrias e artes.[26] Com as indústrias e as artes nascera a libertação do homem e desaparecera o terror inspirado pelos ferozes deuses antigos.

A musa continuou:

— Eram cruéis e vingativos os velhos deuses. Forçavam os homens à mais rasteira adoração. Os céus viviam toldados pelo fumo dos sacrifícios. A cólera divina só se aplacava com a visão do sangue das vítimas e com o cheiro da carne queimada. A grande preocupação da triste humanidade era uma só: aplacar a cólera divina. Foi a rebeldia de Prometeu que a libertou da sanha do Olimpo...

— Os Helenos...

— Sim, desceram da montanha os Helenos e derramaram-se por sobre os Pelasgos — como onda que cobre onda. E como onda nova que era, absorveu, assimilou, escravizou a onda velha, e por fim explodiu na mais opulenta floração humana. Os homens do Cáucaso, ensinados por Prometeu, vinham livres do "terror teogônico" da Ásia e África, como livre desse terror sempre fora a alma do titã. Uma palavra explica os Helenos: liberdade. Liberdade de pensar, de criar — de viver, em suma. "Homens somos, e à nossa imagem e semelhança faremos os deuses do Olimpo."

— Beleza! — exclamou Pedrinho.

---

26 *Serões de Dona Benta.*

— E assim foi. Os velhos deuses pelágicos eram brutos como as pedras com que esse povo construía os seus monumentos. Os homens novos tomaram tais deuses e humanizaram-nos — do mesmo modo como iam transformar em lindas estátuas a pedra bruta.

— Aí está uma coisa que eu não sabia: que os deuses helenos foram os mesmos deuses pelásgicos.

— Sim. Zeus, Posseidon, Hera, Atena, Deméter e Hefestos foram os rudes blocos de "rocha divina" que os helenos transformaram em deuses feitos à imagem e semelhança de si próprios. De igual maneira Fídias tirou das pedreiras do Pentélico as estátuas que tanto te seduziram, meu menino. As torvas divindades pelásgicas acabaram transfeitas em poesia pura.

— Que beleza! — exclamou de novo Pedrinho.

— Mas os Helenos tiveram a desdita de se desdobrarem em quatro ramos, ou tribos, com muitos pontos em comum e também muita diferenciação de língua, costumes e política. Isso os matou. Em meus sonhos de Musa perco-me às vezes a imaginar o destino que teria o mundo se o feixe helênico se mantivesse coeso. Desgraçadamente cindiu-se em quatro varas — os Aqueanos, os Eólios, os Dóricos e os Jônicos. A divisão gera o ciúme. O ciúme gera a guerra — e na Guerra do Peloponeso os quatro ramos helênicos mutuamente se destruíram. E os bárbaros vieram — e facilmente afogaram a primeira, a grande, a maior eclosão de beleza e pensamento que ainda iluminou o mundo...

Pedrinho suspirou.

— Eis, meu menino, — concluiu a musa, — o que foi, em suas origens, essa Grécia de lenda, que te chamou a estas paragens.

Ao recolher-se na noite anterior Pedrinho havia formulado mentalmente aquela interrogação "Como teria surgido esta Grécia?". A musa, no sonho, viera dar-lhe a resposta.

— Mas não há povo que não receba influenciação, — prosseguiu a musa. — Os helenos não fogem à regra. Do Egito vem Cécrops, que planta a civilização da Ática e funda Atenas. Da Fenícia vem Cádmus, que funda Tebas e introduz o alfabeto. Da Frígia vem Pélops, que dá o nome ao Peloponeso. São ôndulas de civilizações estranhas a interferirem na onda helênica, mas que em vez de a subverterem acabaram assimiladas e aproveitadas como fino material de construção. E desse modo começou o período a que a Posteridade chamaria — a Idade Heroica da Grécia. Nela estamos, meu menino...

Embora a linguagem da musa fosse das mais elevadas, e impróprias para menores da idade de Pedrinho, tudo compreendeu ele perfeitamente. Seu espírito era vivo como o dum heleno da idade de ouro. E Pedrinho exultou, porque estava justamente onde queria — em plena Grécia Heroica, ou melhor, na Hélade Heroica, visto como a palavra Grécia só muito mais tarde iria aparecer. O pastor com quem conversara no dia anterior não era ainda um grego, sim um puro heleno.

— E que há, musa, de mais importante para ver-se na Grécia Heroica?

— Não tem fim o número de acontecimentos de monta que as lendas fixaram. Lembrarei os Trabalhos de Héracles, ou Hércules. Lembrarei a instituição dos jogos Olímpicos, essa novidade à qual o mundo deve o culto da beleza plástica. E a expedição dos Argonautas, início dum devassamento dos oceanos que culminou na descoberta de Colombo. E o reinado do Rei Minos na ilha de Creta. E as façanhas de Teseu, o herói que enfeixou todos os burgos da Ática numa cidade só...

— E matou o Minotauro!

— Sim... E lembrarei também a Guerra dos Sete Chefes contra Tebas. E o reinado de Atreu em Argos. E a Guerra de Troia, que enche a Ilíada do grande Homero. E o estabelecimento das colônias gregas da Ásia Menor. E a supressão dos reis da Ática para preparo da democracia. Neste ponto a Lenda para e a História começa...

— Conheço Atenas, — disse Pedrinho. — Lá estive com vovó em casa do Senhor Péricles.

— Esse homem de gênio marca o zênite da civilização grega, — observou a musa. — Com a sua morte, por ocasião da peste de Atenas, começará a agonia da grande Grécia.

— Que dó!...

— Mas não morrerão nunca as formosas criações do espírito helênico. No sangue dos homens brilhará sempre a luz das ideias que a Raça Esplêndida soube gerar.

Pedrinho recordou-se das palavras de Dona Benta sobre a penetração do pensamento grego até em terras só conhecidas muitos séculos depois do desaparecimento da Grécia. O discurso do promotor no casamento da filha do juiz.[27] O nome e a classificação científica do Quindim...

A musa parou de falar. Foi-se esvaindo em fumo — e o velho reapareceu sentado na pedra. Ninguém se admira do que acontece nos sonhos. O menino não se admirou da mudança. Pôs-se muito naturalmente a conversar com o velho.

— Já sei onde estou, meu caro; só não sei que momento é este. Conte-me o que está acontecendo por aqui, as novidades do dia.

— Lá no burgo em que eu moro o povo discute muito uma propalada expedição de Héracles contra uma hidra, — respondeu o heleno.

— Sei! — gritou Pedrinho entusiasmado. — Esse Héracles é o homem de mais força do mundo, e será eternamente conhecido com o nome de Hércules. Onde está a hidra?

— Nos pântanos da Argólida, onde as Danaidas lançaram as cabeças de seus maridos degolados. Lá nasceu o hediondo monstro que anda a destruir os rebanhos das redondezas. Só Héracles poderá vencê-lo.

— Quantas cabeças tem esse monstro? Sete ou nove?

— Não sei ao justo. Há até quem fale em cinquenta. São cabeças que depois de cortadas renascem — e dizem que uma delas é imortal.

Pedrinho estava radiante. Ia ter ensejo de assistir à formidável luta do homem de mais força do mundo, o grande Hércules! E tal foi o seu entusiasmo que despertou também entusiasmo nos outros.

— Emília, Visconde, levantem-se! Temos que ir já para Lerna, a tempo de ver com os nossos olhos a grande luta de Hércules com a hidra.

Emília sentou-se no pelego, a esfregar os olhos

— Não quero! — berrou. — Primeiro, o Olimpo! Tenho de ver como é a história do néctar e da ambrosia.

---

27 *O Pica-Pau Amarelo.*

— Gulosa e mandona! — exclamou Pedrinho. — Pensa que está no sítio? Cá na Grécia quem manda sou eu — e eu quero, ouviu? Quero correr já para a Argólida.

Emília abespinhou-se todinha.

— Alto lá com esse negócio de "quero". Se estamos na Grécia, o que vale é o voto. Temos de botar o caso em votação — e olhou para o Visconde, que estava bocejando; olhou-o com olhos magnetizadores que pareciam os da Medusa, e disse. "Qual o seu voto, Visconde? Lerna ou OLIMPO?"

O Visconde nem sabia do que se tratava, mas leu tão grande nos olhos de Emília a palavra Olimpo que — repetiu, tontinho, tontinho — Olimpo.

Emília sorriu, vitoriosa.

— Está vendo? A assembleia decidiu que vamos primeiro ao Olimpo.

— Falta um voto! — gritou Pedrinho, lembrando-se do velho. — Mas... que é do velho?!...

— Que velho?

— O que esteve conversando comigo e contou da próxima façanha de Hércules. Onde está ele?

Procura, que procura, nada. O velho desaparecera.

— Ah! — gemeu Pedrinho num desconsolo. — Foi sonho...

Capítulo XII
EM MARCHA PARA O OLIMPO

A madrugada vinha rompendo. Os três "penetradores" levantaram-se dos pelegos e olharam em redor. Que é do pastorzinho? Já estava por fora.

— Bom dia, pastor! Gosta de madrugar, hein?

O pastorzinho sorriu, e contou que todas as manhãs se levantava muito cedo para assistir ao nascimento do sol. O sol naquele tempo não era simplesmente o sol, e sim o deus Hélios.

— A divina Aurora de dedos cor-de-rosa abandona todas as manhãs o leito de Hélios para trazer ao mundo a luz que a Noite recolheu na véspera. Ei-la, que chega em seu carro deslumbrante! — foi o que disse o pastor, com o dedo a apontar o céu.

Emília achou aquilo uma beleza, mas o Visconde fez ar de quem diz: "Passo". Era um cientista, e os cientistas pensam do sol de maneira muito diferente dos poetas. Acham que o sol é um astro como todos os outros, e que a luz é uma vibração dum tal éter que eles ignoram o que seja. Mas Emília barrou a preleção astronômica que o Visconde ia começando a impingir.

— Cale-se! — disse ela. — O que vejo lá em cima é a Aurora mesmo, com os seus dedinhos cor-de-rosa, a guiar o carro de fogo. Muito mais bonito assim.

O pastor e os três "pica-paus" assistiram ao nascer do sol como se estivessem num teatro vendo a fita de Branca de Neve — e Pedrinho declarou nunca ter presenciado cena de maior beleza.

— Parece incrível que só agora eu haja descoberto como é lindo o nascer do sol, uma coisa de todos os dias mas que bate quanta fita há no mundo. Que assombro!...

Emília também se extasiava.

— Olha aquelas nuvens de gaze, lá... Vão-se estirando como um fichu de musselina, mudando de forma e cor, passando dos tonzinhos ralos para os vermelhos vivos do fogo. Só mesmo uma alma de sabugo não admira este espetáculo...

Era indireta para o pobre Visconde, o qual fungou, muito desapontado.

Finda a festa do nascimento do sol, os meninos aceitaram a refeição que o pastor lhes ofereceu. Leite — leite só, tirado por eles mesmos das ovelhas com cria.

— Que regalo! — exclamou Pedrinho lambendo os beiços. Que leite divino! Lá nas nossas cidades a refeição da manhã é sempre aquela pretura de café, e tomado na mesa, sem este frescor do ar livre a nos envolver com os seus oxigênios picantes — e respirou a largos haustos o ar da manhã como se estivesse respirando a maior das novidades.

— Lá estão à nossa espera as montanhas do Olimpo...

O pastor riu-se da "ingenuidade".

— Continua com a ideia de subir ao Olimpo? — perguntou.

— Claro! — respondeu Emília. Não foi para outra coisa que chegamos até aqui.

— Que absurdo! mortal nenhum ainda conseguiu penetrar no Olimpo. Zeus fulmina com seus raios quem se atreve a pensar nisso.

Emília teve dó do heleno.

— Bem se vê que não nos conhece, pastorzinho! Não somos criaturas iguais às comuns. Somos do Pica-pau Amarelo, entende?

Está claro que o pastor não entendeu.

— Até pela Via-Láctea já andamos, — continuou Emília. — Até nos anéis do planeta Saturno estivemos brincando de escorregar.[28]

O pastor abriu a boca. A linguagem da estranha criatura era inteiramente nova para ele. Emília riu-se.

— Sua cara está que nem a do "marmorista" Fídias quando lhe contei aquela história do cigarro...

Depois de mais uns minutos de prosa, os três "pica-paus" se despediram do jovem pastor e tomaram a direção das montanhas azuis. O Visconde com a maleta da Emília às costas, seguiu resmungando. Para que quereria ela a maleta lá no Olimpo?

— Adeus, adeus, amigo pastor! — gritava Pedrinho de longe. — Na volta viremos dormir mais uma noite aqui nesta casa.

Foram andando, andando. No fim da planície começaram a galgar as encostas da montanha azul, que de perto não era azul coisa nenhuma, sim verde como todas as montanhas.

— Estou vendo que o tal azul é a maior das petas, — observou Emília. — Quando a gente se aproxima, ele foge.

O Visconde deu a sua opinião de sábio.

— O azul das montanhas e do céu não passa da cor do ar visto em quantidade. Só percebemos essa cor quando há uma grande quantidade de ar, como a camada atmosférica.

---

28 *Viagem ao Céu.*

Emília chamou a atenção de Pedrinho para um ponto.

— Já reparou, — disse ela, — como a ciência fica uma coisa sem graça aqui na Grécia? Tudo cá é poesia — e a ciência é prosa.

Foram andando, andando, sempre a subirem as encostas. Passaram por um grupo de oliveiras silvestres, carregadas de azeitonas. Pedrinho mordeu uma e cuspiu. Horrível! Só prestam depois de curtidas. Emília apenas murmurou de si para si: "Interessante, isto de azeitonas em árvore! Sempre imaginei que nasciam dentro de latas".

Foram subindo, subindo. Lá bem no alto detiveram-se. A natureza começava a mudar.

— E creio que estamos chegando, — observou Emília. — Notem o esquisito da vegetação. Parecem olímpicas. A morada dos deuses deve ser atrás daquele bosque maravilhoso que começa a aparecer lá em cima.

Acertou. Justamente atrás do bosque maravilhoso erguia-se a mansão dos deuses e eram eles — eles, os três "pica-pauzinhos" do Pica-pau Amarelo — as primeiras criaturas humanas que chegavam até lá...

Pedrinho ficou sério.

— Temos de pensar. O pastor insistiu muito nos tais raios com que Zeus fulmina os invasores do Olimpo. Temos de pensar muito bem, se não...

Puseram-se a debater o jeito de invadir o Olimpo sem ser vistos e fulminados. Cada um teve a sua ideia. A melhor, como sempre, foi a da Emília.

— Podemos nos disfarçar em arbustos. Amarramos folhagens em redor do corpo, como aquele "Bicho Folhagem" da história de Tia Nastácia, e vamos avançando devagarissimamente. Juro que os deuses nada percebem.

Pedrinho aprovou a ideia, e cortando uma porção de galhos bem folhudos atou-os com cipozinhos à cintura do Visconde e da Emília — e depois em si mesmo. A maleta às costas do Visconde atrapalhava a operação. Pedrinho danou.

— Esta sua mania de andar sempre com bagagem nos atrapalha, Emília. Você e eu estamos bem disfarçados. Viramos uns perfeitos arbustos. Mas o pobre do Visconde ficou um arbusto esquisito, de maleta de fora, como um corcunda.

— Não faz mal, — disse Emília. Ele fica sendo o Rigoleto da Floresta.

Rigoleto é o corcunda de uma das mais célebres óperas de Verdi, aquela que tem o pedacinho do "La donna é mobile...".

Os três arbustos foram-se movendo com a maior lentidão. Ainda que os imortais possuíssem binóculos melhores que o de Dona Benta, era-lhes impossível perceber qualquer coisa. E foi desse modo que os "pica-paus" chegaram à beira da mansão dos deuses, feita de nuvens, num ponto de onde podiam espiar à vontade.

E espiaram! E viram o que nenhum ser humano ainda havia visto! Viram o imponente Zeus em seu trono de ouro, a conversar com as demais divindades do Olimpo.

— Que esplendor de homem! — cochichou Emília dentro das folhas. — Parece mesmo o Teófilo Gautier que Dona Benta nos mostrou em retrato.

— O que acho formidável é o cabelo e a barba, — sussurrou Pedrinho. — Encaracolados. A verdadeira ondulação permanente é essa, porque é eterna. Agora estou compreendendo o que vovó disse da "beleza olímpica". É isso — essa serenidade de quem não vê nada acima de si.

— Repare na águia que ele tem à direita, — disse Emília muito baixinho. — É a tal que comia os fígados de Prometeu. E à esquerda há um feixe de raios em forma de ziguezagues.

Os deuses do Olimpo estavam a discutir coisas da terra — justamente o caso de Hércules, um dos mais complicados. Hércules, filho de Zeus e duma mortal de nome Alcmena, sempre fora muito protegido de Zeus, e muito perseguido pela deusa Hera, ou Juno, esposa de Zeus.

Juno, ciumenta e vingativa, não perdoava o filho de Alcmena. Logo que soube de seu nascimento, lançou contra ele duas horríveis serpentes. Os monstros penetraram no palácio de Alcmena e insinuaram-se no quarto onde estava o berço de Hércules. Um irmãozinho de Hércules, de nome Íficlos, viu-os e gritou. Alcmena acudiu, assustada, e com a maior das surpresas encontrou o pequenino Hércules segurando as duas serpentes pelo pescoço, uma em cada mão — a asfixiá-las!...

Tão assombrada ficou diante do estranho acontecimento, que correu à casa do famoso adivinho Tirésias. Queria saber o futuro daquela criança. Tirésias pensou, pensou, e disse: "O menino vai ser um herói invencível, que destruirá os mais horrendos monstros e derrubará os mais fortes guerreiros" — e muitas outras coisas disse, que com o tempo todas se confirmaram.

Hércules foi crescendo em idade e vigor, até que um belo dia deu começo à sua prodigiosa carreira de herói, mas nunca deixou de ser atrapalhado pela vingativa Juno. Não houve peça que a deusa não lhe pregasse. Um dos seus ardis foi colocá-lo na dependência de Euristeu, um rei que lhe obedecia cegamente, e Juno sugeriu a Euristeu impor a Hércules uns tantos trabalhos acima de todas as possibilidades humanas. Veio daí o plano dos "Doze Trabalhos de Hércules", isto é, doze façanhas verdadeiramente impossíveis. Fatalmente sucumbiria o homem que tentasse realizá-las.

O primeiro trabalho de Hércules foi a luta contra o terribilíssimo leão da Neméia, monstro fabuloso que supunham caído da lua. Mas era um leão invulnerável. O herói o percebeu imediatamente, quando viu que suas flechas nem lhe arranhavam o couro. Mas não desanimou. Abandona o arco e agride o leão com a sua poderosa maça, e tantos golpes lhe pespega no crânio que o monstro recua, foge, esconde-se num antro. Hércules entra no antro, fecha-o com um grande penedo e atraca-se com o leão em luta corpo-a-corpo. E acabou asfixiando-o em seus braços! A pele desse leão iria, por toda a vida, ser a égide do herói.

Esse primeiro trabalho produziu grande surpresa na Hélade. Por muito tempo em todos os burgos não se falou de outra coisa. Vinha daí o enorme interesse dos helenos pelo segundo trabalho de Hércules, já anunciado — a sua luta contra a hidra.

Os deuses do Olimpo estavam justamente a debater o assunto no momento em que os "três arbustos" começaram a espiar.

Juno parecia cheia de esperanças. Não ignorava que as mordeduras da Hidra eram venenosíssimas, de modo que o menor ferimento em Hércules ser-lhe-ia fatal. Ora, tendo a Hidra muitas cabeças, pelo menos de uma arranhadura não se livraria o herói — e era o bastante. A vingativa deusa sorria de íntima satisfação.

Zeus, entretanto, zelava pelo filho de Alcmena. Adivinhando o pensamento de Juno, chamou o deus Hermes, ou Mercúrio, que era o mensageiro do Olimpo.

— Hermes, — disse-lhe em voz baixa, — corra a Delfos e avise à Pítia que numa planta do Oriente está o remédio contra as mordeduras da Hidra. Se Hércules for ferido, fatalmente consultará a Pítia, que é a adivinha do Oráculo de Delfos.

Juno pôs-se a cismar. Que ordens teria seu esposo dado ao mensageiro do Olimpo?

Os "três arbustos" acompanhavam a cena com a maior atenção. Outra deusa apareceu, que foi imediatamente reconhecida por Pedrinho.

— Palas-Atena, ou Minerva! — sussurrou ele. — A tal que brotou da cabeça de Zeus armada de escudo e lança.

A esplendorosa deusa trocou breves palavras com seu pai. Juno mordeu os lábios. Percebeu que Minerva também favorecia o herói. O Olimpo estava dividido em dois partidos, um que apoiava Zeus, outro que apoiava Juno. Naquelas intrigas olímpicas Zeus acabava sempre triunfando, mas tinha de empregar muita astúcia. Se ele era o mais poderoso, os outros também dispunham de grande poder.

Juno disfarçadamente retirou-se. Foi conspirar em outro grupo.

— Que malvada!, — murmurou Emília. — Não desiste...

Mais um deus surgiu — belo, extraordinariamente belo.

— Apolo, juro! — exclamou Pedrinho, lembrando-se duma estátua de Apolo que ele vira em casa de Péricles. — Esse é o mais sábio de todos. Repare, Emília, como Zeus se mostra satisfeito com o que está ouvindo. Apolo é um danado para prever o futuro.

— E aquela? — perguntou Emília.

Vinha entrando uma deusa de formas enérgicas, com um arco na mão e carcaz de setas a tiracolo. Um galgo a seguia.

— Ártemis, ou Diana a caçadora, — disse Pedrinho. — Uma danada para perseguir animais ou gente. Vovó contou a trágica história das Nióbidas filhas daquela desgraçada Níobe, princesa da Lídia. Níobe, orgulhosíssima dos doze filhos que tinha, cometeu, certa vez, a imprudência de gabar-se da sua superioridade sobre a deusa Latona, que só tivera dois filhos: Apolo e Diana. Latona, irritada, mandou que Apolo e Diana lhe matassem os doze filhos. Apolo flechou os rapazes e Diana flechou as meninas. Tão grande foi a dor de Níobe, que Zeus, compadecido, a transformou em pedra.

Emília indignou-se.

— Quem os vê tão belos não imagina a dureza de seus corações! Vão matando os pobres mortais como quem mata pulgas, sem a menor cerimônia. Creio que já vi um grupo de mármore representando a cena.

— Viu, sim, lá no sítio. Vovó nos mostrou uma gravura em que Níobe está num desespero de louca. Esperem... Olhem quem vem vindo lá. Poseidon, também conhecido como Netuno. Que tipo exótico...

Netuno entrou majestosamente, a bater no chão com a ponta do tridente. Não revelava a beleza dos outros; parecia um monstro do mar sob forma humana. Pedrinho disse:

— Foi um dos que mais ajudaram Zeus na luta contra os titãs, e contam que também teve a ideia do cavalo de Troia e construiu as muralhas dessa cidade. Com aquele garfo de três dentes é que ele espeta os tubarões.

Netuno não conversou com Zeus sobre o caso de Hércules. Coisa da terra. O deus do mar só se interessava pelos assuntos do mar.

Depois que Netuno saiu, entrou um deus coxo — Hefesto, ou Vulcano. Pedrinho disse:

— O caso deste filho de Juno é interessante. Nasceu tão feio, o coitado, que sua mãe, furiosa, o arremessou do Olimpo à ilha de Lemnos.

— E ele quebrou a perna...

— Exatamente. Quebrou a perna, ficou manco para sempre, e não quis saber de voltar ao Olimpo. Estabeleceu-se na terra como ferreiro, abrindo uma enorme forja no monte Etna. O vulcão que há lá é a chaminé.

— Mas que faz aqui, então?

— O forjador dos raios de Zeus é ele. Aposto que vem trazer raios novos.

O menino acertou. Vulcano dirigiu-se ao feixe de raios que Zeus tinha à sua esquerda e substituiu os estragados por novos.

O Visconde riu-se lá dentro da sua folharada.

— Isso é raio de teatro! — murmurou ele. — O que chamamos raio não passa de faíscas elétricas.

— Elétricas ou não, quem fabrica os raios é este deus manquitola, — protestou Emília. Olhem... olhem quem vem vindo na direção dele... A mãe de Cupido...

Vênus, a maravilhosa esposa de Vulcano, acabava de entrar, seguida do pequeno Eros — o mesmo Cupidinho que já conversara com Emília.[29]

— O nome dela aqui é Afrodite, — explicou Pedrinho. — Em Atenas vi inúmeras imagens de ouro desta deusa, grandes e pequeninas. É a mais estimada no Olimpo e a que mais lida com as criaturas da terra. Intrometidíssima. Mete o bedelho em todos os negócios do coração.

A deslumbrante deusa trocou duas palavras com Vulcano; em seguida foi contar a Zeus as últimas travessuras do menino de asas, ao qual o deus dos deuses fez uma festinha no rosto.

Os "arbustos" estavam a regalar-se com a cena, quando tiveram a atenção atraída por um rapagote de grande beleza, mas que não dava a ideia de um deus. E não era. Era Ganimedes, o menino que Zeus raptou da terra para transformá-lo em garçom do Olimpo. Entrou com uma bandeja de ouro na qual se viam várias ânforas e taças.

— Chegou a hora! O garçom do Olimpo vai oferecer uma taça de néctar a Zeus.

Ao ouvir a palavra néctar, Emília ficou assanhadíssima, chegando a botar a cabeça fora, da galharada. Pedrinho teve de pregar-lhe um beliscão.

— O néctar! O néctar! — repetia a diabinha. — Olhem o regalo de Zeus! Que delícia não deve ser o tal néctar...

Depois de servir a divina bebida, Ganimedes apresentou os pratos de ouro com a ambrosia. Segundo assanhamento da Emília e segundo beliscão de Pedrinho. Ela queria por força correr até lá, ver, pegar, cheirar — devorar o alimento dos deuses.

Concluída a sua olímpica refeição o deus dos deuses mandou que Ganimedes servisse aos demais. Imediatamente Eros espichou a mãozinha e "pescou" uma dedada de ambrosia — e Emília, lá dentro da sua túnica, de folhas, lambeu os beiços. Seus olhos seguiam Ganimedes.

---

29 *O Pica-pau Amarelo*.

— Quero ver para onde ele vai depois de servir a todos.

Ganimedes serviu a todos e retirou-se para certo ponto do Olimpo, onde uma nuvenzinha cor de madrepérola servia de copa.

— É lá a copa do Olimpo, — sussurrou Emília. — É lá que guardam as ânforas de néctar e os pratos de ambrosia — e começou a arquitetar um plano. Assim que viesse a noite e os deuses ferrassem no sono, os três se aproximariam da nuvenzinha-copa e mandariam o Visconde furtar um pouco de néctar e de ambrosia.

O Visconde suspirou. Ele, sempre ele! Só se lembravam dele nos lances perigosos, ai, ai...

A impaciência de Emília aumentava, e por proposta sua foram-se afastando dali a fim de escolherem posição mais estratégica.

O novo ponto em que se colocaram revelou-se ótimo. Permitia-lhes ver todo o interior da copa e localizar o deslumbrante móvel, todo de ouro, em que Ganimedes guardava as divinas substâncias.

— É a geladeira do Olimpo, — disse Emília — e o garçom esqueceu-se de fechar a porta. Que bom...

Ah, como estava custando a anoitecer! A ex-boneca sapateava de impaciência. Punha os olhinhos no sol e dizia: "Mais depressa, Hélio! Deite-se hoje mais cedo".

O sol, afinal, deitou-se na sua cama do horizonte. A Noite foi desenrolando por sobre o mundo as suas peças de crepe. Os deuses recolheram-se cada qual à sua nuvem. Entrou a reinar um silêncio verdadeiramente olímpico.

— É hora, — murmurou Emília — e deu as últimas instruções ao Visconde, o qual as ouviu com o suspiro de sempre. "Agora desça a mala" — e depois que o Visconde arriou a maleta Emília abriu e tirou de dentro um vidro e um pires.

— Para que isso? — perguntou Pedrinho.

— É boa! Para pegar o néctar e a ambrosia.

— Ah, linda!...

— Claro. Costumo prever tudo. Se não fosse a minha ideia de trazer este vasilhame, como iríamos nos arranjar agora? Quando penso num caso, penso direito, penso até o fim, sem esquecer coisíssima nenhuma. Tome, Visconde, este vidro e este pires; encha o vidro de néctar e ponha no pires um bom pedaço de ambrosia — um bom pedaço, veja lá! Faça isso e volte correndo, porque se o garçom o pilha, faz como Juno fez para o Vulcaninho — arroja-o sobre a ilha de Lemnos.

O Visconde tomou o vidro e o pires e lá se foi, pé ante pé, para a nuvem-copa. Diante da geladeira executou as ordens recebidas — néctar no vidrinho e um bom pedaço de ambrosia no pires. E, olhando para todos os lados, voltou, no maior dos ressabiamentos.

Mal se reuniu aos companheiros, Emília quase lhe arrancou das mãos as duas preciosidades. Cheirou o vidrinho e provou o conteúdo na ponta do dedo.

— Ah, era o que eu pensava! Mel dos deuses, mas um mel mil vezes mais gostoso que o das abelhas. Não enjoa, não é doce demais. Prove, Pedrinho. Veja que suco...

Pedrinho provou o néctar e estalou a língua.

— Maravilhoso, Emília! Vale a pena ser deus só para chuchurrear este assombro de gostosura — e provou de novo, e daria conta do vidro inteiro, se Emília lhe não arrancasse das mãos. A previdente criaturinha arrolhou muito bem o vidro e guardou-o na maleta, dizendo: "Isto vai para Narizinho. Vejamos agora a ambrosia".

Tomou o pires, cheirou o alimento dos deuses, provou-o com a ponta da língua e fez cara de quem procura lembrar-se duma semelhança. Por fim exclamou:

— Curau de milho verde, Pedrinho! Curau do bom, mas muito melhor do que o de Tia Nastácia. Prove...

Pedrinho tirou uma dedada e levou-a à boca. Seus olhos se arregalaram.

— Sim, curau, não há dúvida. Mas que curau, Emília! Gostosíssimo — e tirou outra dedada.

Emília puxou o pires para continuar no exame do creme divino. Pensou:

— Se é da família dos curaus, não vale a pena levar, porque azeda. Que pena! Narizinho vai morrer de desgosto...

E como não valia a pena levar porque azedava, resolveram comer toda a ambrosia ali mesmo. O Visconde lambeu o pires.

Emília estava ainda a comentar o "gosto da gostosura", quando sua atenção foi despertada por um barulhinho. Alguém que se dirigia para a copa. Os "três arbustos" encolheram-se dentro da folhagem.

— Quem será que vem vindo? — pensaram os três.

Era o menino de asas. Era o travesso filho de Vênus, que se levantara da cama para vir furtar ambrosia. Chegou, abriu a geladeira e regalou-se. Em seguida escapou na pontinha dos pés.

— Que galanteza! — sussurrou Emília. — Tal qual Florzinha das Alturas.[30]

Depois que Eros desapareceu, o silêncio tomou de novo conta de tudo.

— Muito bem, — disse Pedrinho. — Acho que é hora de batermos em retirada. Já vimos o que queríamos ver e a prudência manda não abusar muito. Toca a recuar!

Os "três arbustos" foram recuando, recuando; mas como os deuses estivessem no melhor dos sonos, já não havia necessidade de grandes cautelas. A cem passos de distância Pedrinho parou.

— Podemos dispensar está galharada — e os três arbustos foram desmanchados. "E agora," — concluiu ele, "é abrirmos no pé até à casa do pastor".

Assim fizeram. Desceram a montanha no galope.

Estava uma noite de lua, só com as maiores estrelas no céu. O luar permitia-lhes ver o caminho tão bem quanto de dia.

Foram degringolando morro abaixo. Ao chegarem à planície, um coricocó coricocou ao longe.

— O galo do pastor! — disse Pedrinho. — Estamos chegados.

Capítulo XIII
EM PROCURA DE HÉRCULES

O pastor já estava desperto quando os três heróis lhe bateram à porta. Ergueu-se, assustado. "Quem será?" Correu a abrir.

---

30   *Memórias da Emília*.

— Viva! — exclamou Pedrinho. — Desta vez quem madrugou fomos nós.

O pastorzinho, surpreso, pediu explicações, e ao ouvir a história da subida ao Olimpo, sorriu. Tomou o caso como invenção das crianças.

— Não quer acreditar? — disse Emília tirando da maleta o vidrinho de néctar. Olhe para isto, cheire, prove...

O pastor olhou, cheirou, provou e ficou na mesma.

— Parece mel, mas um mel diferente de todos que tenho visto.

— Mel o seu nariz! Fique sabendo que é o legítimo néctar dos deuses. Entramos no Olimpo, sim e vimos tudo, e furtamos esta amostra de néctar e ainda um bom pedaço de ambrosia, que comemos regaladamente. Tal qual curau, uma coisa feita de milho verde, que você não conhece porque nem sabe o que é milho.

O espanto do pastor continuava. Parecia-lhe absurdo aquilo; mas tinha de ceder diante da prova provada. Um mel como o do vidrinho não era positivamente deste mundo, só podia ser coisa do mundo dos deuses. Além dessa prova concreta, os três heróis apresentavam outras, de ordem descritiva. O que disseram do Olimpo, os detalhes que deram de tudo lá em cima e sobretudo a reprodução da conversa dos deuses a propósito de Hércules, constituíam fatos surpreendentes, dos que nenhuma criança pode inventar. E o assombro do jovem pastor foi enorme.

— Será possível? Será possível?...

Os heróis gozavam o seu espanto.

— E agora — disse Pedrinho, — vamos para a tal terra onde existe o pântano da Hidra. Havemos de assistir de começo ao fim ao segundo trabalho de Hércules.

O pastorzinho ficou sem saber o que pensar. Parecia-lhe um sonho aquilo. Estava tonto — gago — bobo...

— Muito bem, — disse o menino. — Antes de mais nada, temos de remeter uma comunicação à vovó contando o que passou. Visconde, arrume o rádio!

O Visconde de Sabugosa, que era realmente um cientista, andou uns tempos lá no Pica-pau Amarelo estudando rádio, e tanto lidou que conseguiu introduzir nele um melhoramento prodigioso. O rádio que o mundo conhecia limitava-se a transmitir sons dum ponto da terra a outro, isto é, só *atuava no espaço*. O Visconde achou pouco. Achou que o rádio devia também transmitir sons no tempo, isto é, dum *momento do tempo a outro*. E tanto fez, tanto mexeu, que realizou a grande invenção. Construiu um aparelhinho muito simples, que pegava o som dum dado momento do tempo e o transmitia a outro momento do tempo, ainda que a separação fosse de séculos. De modo que Pedrinho podia do tempo em que se achava (século XV antes de Cristo) expedir mensagens para o século em que se achava Dona Benta (século IV antes de Cristo.) O aparelho emissor, pequeniníssimo, viera armado dentro da cartola do Visconde; o aparelho receptor ficara numa das cabinas do iate. Para chegar ao "Beija-Flor das Ondas", a mensagem de Pedrinho teria, portanto, de varar uma camada de dez séculos de tempo.

— Vamos, Senhor Visconde! — disse o menino. Prepare depressa o aparelho.

O Visconde tirou da cabeça a cartola e colocou-a no chão, de boca para cima. Depois sacou do bolso um rolinho de fios e fez as ligações. O pastor olhava, olhava, sem entender coisa nenhuma. Tudo pronto, Pedrinho curvou-se para a cartola e recitou a sua mensagem para Dona Benta, como se estivesse falando ao microfone.

— O. K.! — exclamou ao terminar. — Rabicó já deve ter apanhado a mensagem, e a mandará à vovó por um daqueles basbaques do Pireu. Podemos seguir viagem.

Para um heleno daquele período, tudo no mundo eram mistérios e mágicas, de modo que o nosso pastorzinho aceitou aquilo como tal — com a diferença apenas de ser mágica de cuja existência ele nem sequer tinha noção. Emília resolveu tomá-lo à conta.

— Meu caro, somos dum tempo em que as mágicas atingiram o apogeu. Moramos no Pica-pau Amarelo, a coisa mais mágica que existe no mundo. Tudo lá é mágica. A gente abre uma caixinha, tira um pauzinho cabeçudo e risca — e aparece o fogo! Chamamos a isto a Mágica do Fósforo. Linda, não?... Outra: a gente aperta um botão na parede e em vários pontos da casa surge uma luz mil vezes mais forte que a dos candeeiros daqui. Lindíssima, não?... Outra: a gente está com a mão suja; esfrega um tal sabão e a sujeira se dissolve. Utilíssima, não?... Outra: a gente abre a chave do aquecedor e um jorro de água quente começa a cair na banheira. Deliciosa, não?... Outra: a gente pega um pauzinho chamado lápis e escreve num papel; se saiu errado, a gente pega uma coisa chamada borracha e esfrega — e o erro desaparece...

A enumeração das mágicas do Pica-pau Amarelo deixou o jovem heleno totalmente tonto. Eram na verdade prodigiosas e acima de seu entendimento.

— Esse Pica-pau, — disse ele, — deve ser presidido por algum feiticeiro de espantosa força. A mágica do fósforo, por exemplo, só me parece possível a quem possua faculdades absolutamente extraordinárias.

Emília deu uma risada gostosa.

— Que engano! É a mais fácil de todas. Qualquer pessoa que compre uma caixa de fósforos pode fazer sessenta vezes a grande mágica. Cada caixinha tem sessenta pauzinhos de cabeça.

— Mas de onde vem o fogo que aparece?

— Da cabeça dos pauzinhos. Em vez de pensamentos, os tais pauzinhos têm fogo na cabeça — fogo recolhido. Mas eles não gostam de cafuné, isto é, não gostam que lhes cocem a cabeça. Nós, então, de maus, coçamos-lhes a cabeça, isto é, esfregamo-las numa lixa cor de chocolate que há nas caixinhas — e o desespero dos pobres fósforos é tamanho que explode no fogo...

O pastorzinho ficou a meditar sobre aquilo; e por muito tempo ainda, depois da partida dos três heróis, era naquilo que pensava em seus momentos de cisma. *"Coçam-lhes a cabeça e elas rebentam em fogo*! Que maravilha não deve ser!"

Pedrinho apressou os preparativos. Como a Argólida ficasse muito longe, iria recorrer a pitadinhas do velho pó de pirlimpimpim, o qual servia para a *locomoção no espaço*, isto é, dum ponto da terra a outro. O pó número 2, que haviam aspirado no iate, era para a *locomoção no tempo*, isto é, dum século a outro.

Aceitaram ainda uma vez o leite de ovelha que o pastor lhes ofereceu — menos Emília, que o recusou, dizendo: "Tenho medo que esse leite brigue cá dentro com a ambrosia". Por fim, despediram-se.

— Adeus, gentil pastor! — disse o menino. — Não esqueceremos nunca da sua amável hospitalidade.

Emília disse:

— Um dia, se houver jeito, mandarei a você uma caixa de fósforos.

O Visconde ergueu aos ombros a maleta e com um suspiro lá se foi. O pastorzinho ficou à porta da cabana, a segui-los com os olhos. Tinha as ideias completamente atrapalhadas.

— Que mistério será este, ó grande Atena!.. — murmurou apalpando uma imagenzinha da deusa que trazia ao pescoço; mas a deusa nada lhe disse; porque também não estava entendendo coisa nenhuma.

A cem passos de distância Pedrinho parou para distribuir o pó. Não o havia feito na cabana do pastor por um excesso de precaução. "A gente nunca sabe com quem lida. É preciso que ninguém aqui descubra a existência destes pós. Se me forem roubados, teremos de ficar na Hélade toda a vida."

Aspiraram o pó de pirlimpimpim e pronto: Argólida!

Correram os olhos em torno. A paisagem mudara. Eram outras as montanhas ao longe, e outra a vegetação. Pedrinho notou que as ervas da zona assemelhavam-se às que denunciam a proximidade das terras pantanosas. Solo turfoso, preto.

— Isto já deve ser a beiradinha do pântano de Lerna.

Olhou. Realmente um pântano estendia-se à direita, até alcançar uns feios penhascos, semelhantes a ruínas dum monte.

— Está me cheirando que a Hidra mora naqueles penhascos, — disse ele. — Todos os penhascos deste tipo têm cavernas. Vamos ver.

Foram. Deram volta pela beira do pântano, de modo a atingirem a pedranceira pela parte de trás.

— Bom, aqui temos de fazer alto para um reconhecimento. Suba ao topo do penhasco, Visconde, e observe o que puder.

Bastante perigoso galgar o íngreme daquelas pedras, razão pela qual Pedrinho recorria ao Visconde. Ah, o triste destino das criaturas "consertáveis"! O Visconde suspirou, arriou a maleta e lá se foi, que nem aranha, pelas pedras acima. No ponto mais alto parou. Correu os olhos em torno. Olhou para baixo. Súbito, recuou, tropeçou, perdeu o equilíbrio e veio rolando pela pedranceira abaixo como um corpo morto que cai.

— Acuda! — gritou Emília, correndo a salvá-lo.

Pedrinho também correu, e encontrou o Visconde entalado numa touça de espinheiro. Muito lhes custou arrancarem-no de lá; mas arrancaram-no, com a cartola amarrotada, uma perna ferida, um espinho espetado na ponta do nariz.

— Pobre do meu Visconde! ia repetindo Emília, enquanto sacava o espinho, endireitava-lhe a cartola, alisava-lhe as palhas do pescoço. — Que foi que o assustou tanto?

O pobre sabuguinho científico mal podia falar. Estava arquejante. Deram-lhe água e uns tapas para avivá-lo. Foi voltando a si, até que por fim falou.

— Ela!... — exclamou com os olhos arregalados.

— Ela quem, bobinho?

— A Hidra!

Ao ouvir essa palavra, Pedrinho sentiu um sorvete na espinha. Inquestionavelmente ele se achava na hora mais crítica de sua vida de aventureiro. A Hidra era o mais temeroso monstro ainda aparecido no mundo; e se desconfiasse da presença deles ali, fatalmente os devoraria com a maior facilidade. Apesar de valente, Pedrinho tremeu de medo. Sacudiu o Visconde.

— Fale! Diga o que viu. Ande...

— A Hidra!... Vi-a lá embaixo... O corpo no pântano... as sete cabeças de fora. Perto dela, muitos cadáveres humanos...

— Mas a Hidra enxergou você?

— Creio que não. Parece que está dormindo.

Uf! A informação aliviou Pedrinho. "Está de papo cheio, refletiu ele, está digerindo. Isso a deixa sonolenta."

— E que mais viu? Fale!...

— Vi o pântano, que se estende até longe. Perto da Hidra há uma entrada de gruta, com montes de ossos pelo chão. Nada mais vi. Tropecei, desmoronei...

Pedrinho pôs-se a refletir, e por fim concluiu que o melhor era treparem ao topo do penhasco e ficarem quietinhos lá em cima. Muito mais segurança no alto da pedranceira do que ali. Emília foi da mesma opinião.

— Pois toca a subir, — resolveu Pedrinho.

E subiram os três, com grandes dificuldades, até ao topo de onde o sabuguinho despencara. E chegados lá olharam para o fundão e viram a Hidra.

— Como é horrenda! — sussurrou o menino com cara de horror, em voz quase de si para si, tal era o medo de que o monstro o ouvisse. — Será que Hércules vai vencê-la?

Emília contou as cabeças.

— Duas e duas quatro, e três sete. Sete cabeças, sim. Dizem que uma delas é imortal. Para mim, é a terceira à esquerda.

A Hidra estava cochilando com seis cabeças; só uma se conservava alerta, num movimento de vaivém — vai para a esquerda, vem para a direita, mas sem nunca erguer os olhos para cima.

— Creio que acertamos, — disse Pedrinho. — Ela só olha para os lados.

E como era assim, acomodaram-se num desvão da rocha, muito encolhidinhos, à espera do grande herói exterminador de monstros. De vez em quando um deles se erguia para sondar os horizontes. Nada! Nem sinal de Hércules.

— E se ele demora dois ou três dias? Como nos arranjaremos em matéria de boia? — pensou Pedrinho.

Mas não foi assim. Minutos depois os penetrantes olhos da Emília notaram qualquer coisa lá muito longe.

— Esperem... Estou vendo... Estou vendo um grupo que se dirige para cá... Há de ser Hércules...

Emília errou. Não era o herói ainda; sim, um bando de centauros no galope.

Capítulo XIV
Dona Benta e Sócrates

A entrada de Dona Benta e Narizinho na sala de jantar de Péricles constituiu, sem dúvida nenhuma, o maior acontecimento da cidade de Atenas no ano 438 A. C. Desde a véspera que ninguém conversava outra coisa que não fosse a misteriosa aparição do "Beija-Flor das Ondas" no Pireu, ou a primeira visita que a velhinha fizera ao estratego. "É uma prodigiosa vidente", comentavam todos. "Lê o futuro como se estivesse lendo um pergaminho." A notícia correu de boca em boca, de modo que ao saberem do jantar em casa de Péricles não houve quem não disputasse um convite. Péricles, entretanto, homem de grande comedimento, só reuniu uma dúzia de íntimos. Isso determinou reunião defronte sua casa. Dezenas de pessoas ali permaneceram durante a festa, espiando disfarçadamente, para "pescar" o que podiam.

Assim que a velhinha entrou, os convidados rodearam-na como se rodeassem um ser caído da lua. Examinavam-na com a maior curiosidade, trocando entre si impressões cochichadas — sobretudo as damas que, não contentes de vê-la e ouvi-la, ainda lhe apalpavam a fazenda do vestido.

Dona Benta havia posto o seu célebre vestido de gorgorão amarelo do tempo do Imperador, que só tirava da arca nas ocasiões de grande gala. Saia rodada, com babados que desciam até ao chão. Botinas de pelica. Corpete justo na cintura, com gola de renda. Leque de cetim e varetas de madrepérola, com uma pintura a guache representando um minueto do tempo de Luís XV.

Narizinho vestia um saiote de xadrez vermelho e um gracioso bolerinho de veludo preto. Cabelos amarrados com fita cor-de-rosa. Sapatinhos de bico chato; meias de fio da Escócia; uma, pulseira de galalite e um colarzinho fantasia — tudo muito vulgar e prosaico para os modernos, mas tremendamente novo e sensacional para as damas do século de Péricles.

As perguntas de Aspásia e suas companheiras não tinham fim, sobre o gorgorão amarelo, sobre as botinas de pelica, sobre a gola de renda, sobre um velho broche de camafeu que Dona Benta herdara de sua avó Pulquéria Encerrabodes, bem como sobre as meias de Narizinho, o colar de miçanga e a pulseira de galalite. "Onde há disto?" A pulseirinha foi uma sensação, por tratar-se de substância sintética, totalmente desconhecida naqueles tempos. Cleone, uma das amigas de Aspásia, chegou a propor a troca da "maravilha" por uma estatueta de Ártemis, de dois palmos de altura, feita de ouro maciço pelo escultor Miron. Narizinho ia aceitando o negócio, mas Dona Benta achou que era "exploração indigna duma Encerrabodes trocar uma pulseira de seis mil réis por uma obra-prima dum dos maiores artistas do mundo".

— Mas explique-nos tudo, — dizia Aspásia. — Onde é sua terra? Como pôde chegar até aqui? Heródoto, que escreveu sobre tantos países, não fala de nenhum de onde a senhora possa ter vindo.

A menção do nome de Heródoto veio assanhar Dona Benta.

— Conhece-o, Senhora Aspásia?

— Como não? Lá está ele — e apontou para um homem duns quarenta e poucos anos que conversava com um moço de nariz muito feio.

Nos seus serões no sítio Dona Benta lera e relera com grande interesse uma tradução das *Histórias de Heródoto*, de modo que não tirava os olhos do grande historiador, cognominado o "Pai da História."

— Vai ter um grande nome no futuro, esse homem... — murmurou ela.

— Já tem nome hoje, — disse Aspásia. — Heródoto, que é um dos nossos melhores amigos, apareceu cá em Atenas depois de muitos anos de excursões pelo Egito, pela Líbia, Fenícia, Pérsia, Trácia, Macedônia, Cítia e nossas colônias da Ásia.

Tudo viu e — observou com grande penetração, e aqui em Atenas nos comunicou as suas notas de viagem. Péricles, encantado, aconselhou-o a dá-las a público. Isto há uns oito anos, mais ou menos. Heródoto leu suas histórias no Odéon. Foi tamanho o entusiasmo dos ouvintes, que logo depois, por proposta de Péricles, a Assembleia Ateniense votou-lhe um prêmio de 10 talentos.

Narizinho, que tudo ouvia com a maior atenção, fez a conta de cabeça. Dez talentos a 297 libras cada um, são 2.970 libras — ou sejam 297 contos de réis. "Sim, senhor!" pensou ela. "Estes gregos sabem dar valor ao talento!"

— E aquele moço de nariz feio que está a conversar com o historiador? — quis saber Dona Benta. Suponho que já o vi no Ágora, numa roda de amigos.

— Aquele? É um moço que esteve na guerra e hoje anda a ganhar fama de bom argumentador. Sócrates.

Dona Benta quase caiu no chão. Suas pernas bambearam. Sócrates! O grande Sócrates, cujo nome iria atravessar os séculos, ali diante dela, tão feio em moço como o seria na velhice...

Aspásia estranhou aquele interesse, pois Sócrates não passava dum ateniense como inúmeros outros, bom soldado nas guerras, bom conversador, bom argumentador e muito amigo de discussões, mas só. Por que razão a velhinha espantava-se tanto? Interpelou-a.

— Ah, minha senhora, — respondeu Dona Benta, — o nome do Sócrates vai ser um dos mais altos da humanidade e dos mais honrados no futuro. Quanto mais séculos se passarem, mais se falará de suas virtudes e de sua filosofia. Daqui a 2377 anos seu nome estará bem maior do que hoje...

Aspásia refranziu a testa.

— Como? Que história de 2377 anos é essa?

— Sim, falo do tempo em que vivo, lá no mundo moderno. Porque eu sou do ano 1939 da Era Cristã — uma nova era que vai começar daqui a 438 anos. Sou, portanto, de um futuro que fica a 2377 anos deste ano em que Atenas está.

Poucas mulheres antigas revelaram a inteligência, a largueza de vistas e a compreensão da segunda esposa de Péricles, mas mesmo assim as palavras de Dona Benta deixaram-na atrapalhadíssima. Sempre de testa franzida, Aspásia levou uns segundos para alcançar a significação do que a velhinha dizia.. Finalmente sorriu.

— Por Afrodite! Com que então a senhora não se contenta de ver o futuro — também vem do futuro?...

Dona Benta, que já notara o difícil de fazer os atenienses compreenderem o seu estranho caso, respondeu:

— Minha senhora, ando embaraçadíssima. Tudo quanto eu digo vos parece absurdo, fantástico, coisa de demente. Mas já que me interpela, responderei. Venho dum tempo muito longe deste, e venho dum continente que *para os gregos de hoje só* será descoberto daqui a 1930 anos pelo navegante genovês Colombo, mas que para mim já está descoberto há 447 anos...

A explicação desenhou novas rugas na testa de Aspásia e na de todos os presentes. Era absurda, incompreensível...

— Mas de que país a senhora é?

— Vovó é do Brasil, — respondeu Narizinho, — uma terra descoberta em 1500 pelo almirante português Pedro Álvares Cabral.

A resposta da menina complicou ainda mais o embrulho. Continente novo? Navegante genovês? Colombo? Pedro Álvares Cabral? Tudo nomes e expressões absolutamente sem sentido. E como as caras permanecessem as mesmas, Dona Benta resumiu:

— Coisas a virem, meus senhores, coisas a virem...

O "resumo" não melhorou o embrulho. Coisas a virem, como? Está claro que há sempre coisas a virem, já que o tempo é uma continuidade. Do mesmo modo que admitimos o passado, temos que admitir o futuro, ou o tempo a vir. Mas se eram "coisas a vir", isto é, não existentes ainda, como então a velhinha afirmava com tamanha segurança que *chegara de lá*? Como pode alguém chegar dum tempo que ainda não existe?

— Não existe para os senhores, — insistiu Dona Benta. — Para mim existe.

Sócrates, que se havia aproximado, meteu o bedelho na conversa.

— Perdão, minha senhora, — disse ele, — mas o que na *realidade* chamamos tempo é só o presente. A realidade-tempo é essa — o presente. Passado e futuro são representações do nosso espírito; porque o que passou já passou, e portanto não existe; e o que está para vir ainda não veio, e portanto igualmente não existe. A senhora não pode ter *chegado* do futuro, isto é, do que ainda não existe.

Dona Benta sentiu as pernas moles e a boca seca. Sócrates diante dela, a argumentar com ela, a humilde velhinha do Pica-pau Amarelo! Que prodígio dos prodígios! Mesmo assim atreveu-se a dizer:

— Meu senhor, logicamente tudo é assim como vossas palavras dizem, e no entanto a verdade é bem outra, porque realmente eu vivo a 2377 anos daqui no sítio do Pica-pau Amarelo — e de lá vim, recuando no tempo e no espaço.

Aquela afirmativa desnorteou o filósofo de nariz feio. Por mais hábil que fosse na técnica de argumentar, Sócrates compreendeu que era impossível discutir com quem dá respostas como aquela, *absurdamente disparatadas* — e afastou-se, a sorrir, voltando para a companhia de Heródoto. "Evidentemente, meu amigo, a velhinha está fora do juízo. Diz coisas sem o menor nexo lógico."

— Foi a primeira impressão de Péricles, — disse Heródoto, — mas Péricles já mudou de parecer. Acha que a velhinha não é nenhuma tonta, e que o caso não pode ser resolvido apenas com a lógica. Anda nisto um grande mistério, meu caro.

Sócrates deu de ombros.

— Tudo pode ser, — murmurou. — De mim confesso que nada entendo.

Péricles, que havia saído da sala para atender a um negócio, voltou acompanhado dum conviva retardatário.

— Permita-me, Senhora Encerrabodes, que lhe apresente um dos nossos grandes escultores — Policleto.

Falar a Dona Benta em Policleto era o mesmo que falar no tio Barnabé, no Elias Turco ou outro qualquer conhecidíssimo personagem do Pica-pau Amarelo. A velhinha sabia toda a história desse grande escultor grego, não só a que *vinha* desde o seu nascimento em Argos até àquele momento, como ainda a que iria dali até sua morte no ano 403 A. C. Policleto estava então com 42 anos e em pleno fulgor do seu gênio.

— Muito honrada me sinto, meu senhor, de ser apresentada ao grande artista de tantos primores, e sobretudo do *Diadumeno* e do *Cânon*...

Policleto julgou que ela o estivesse confundindo com algum outro e — respondeu a sorrir:

— Sua erudição a traiu, minha boa senhora. Entre meus trabalhos não há nenhum *Diadumeno*.

— Sei disso, — replicou Dona Benta, mas vai haver. O senhor vai esculpir um jovem efebo na atitude de atar na testa uma faixa: o *Diadumeno*. E depois de escrever um pequeno tratado sobre as proporções, esculpirá uma formosa estátua de adolescente em que as boas proporções do corpo humano serão fixadas de modo definitivo e à qual dará o nome de *Cânon*...

Aconteceu com Policleto o mesmo que com Sócrates: embatucou. A resposta da velhinha deixara-o tonto.

— Meu caro amigo, — foi ele cochichar a Péricles, — o que a "vidente" acaba de dizer parece-me o assombro dos assombros, pois de há muito que ando a parafusar na ideia de compor um tratado sobre as proporções, e de esculpir uma estátua que fixe no mármore as medidas ideais do corpo humano. Mas se tenho essa ideia, jamais a comuniquei a ninguém — e a velhinha adivinhou-a e acaba de expô-la com clareza solar. Por Apolo! A coisa é absolutamente extraordinária...

Evangelus, o mordomo, acenou da porta com qualquer coisa na mão. Péricles fez-lhe sinal que entrasse. "Um marujo do Pireu vem trazer isto", — murmurou ele, passando ao amo uma carta para Dona Benta. Péricles tomou-a e fez a entrega.

— Acaba de chegar do Pireu, minha senhora.

O rosto da velhinha iluminou-se. Letra de Rabicó! Mas os óculos estavam com a menina.

— Narizinho, meus óculos!... Que é de Narizinho?...

Narizinho desaparecera da sala.

— Anda lá dentro brincando com o Senhor Alcibíades, — declarou Evangelus. — Vou chamá-la.

— Alcibíades? — repetiu consigo Dona Benta, franzindo a testa. — Será por acaso o famoso general ateniense que encheu esta Grécia com a sua beleza, o seu gênio e as suas loucuras?

Narizinho veio dos fundos a correr, seguida dum formoso menino de doze anos.

— Meus óculos, minha filha! Rabicó mandou-me esta carta lá do "Beija-Flor". — E em voz baixa: — Quem é esse menino que apareceu com você?

— Alcibíades, vovó, o pupilo do Senhor Péricles. Esteve a mostrar-me a casa inteira, os viveiros, a piscina, os quadros. Vi pinturas lindas lá dentro — não emolduradas como as nossas, sim nas paredes.

Dona Benta não tirava os olhos de Alcibíades.

Toda a prodigiosa vida do futuro general ateniense perpassava pela sua memória, como em tela de cinema. Iria ser o mais belo homem de seu tempo — e aos doze anos já o anunciava. Dona Benta suspirou e voltou à carta, depois de colocar os óculos.

— "Que são aquelas rodas que ela põe no nariz?" — foi a pergunta que percorreu a sala — e Péricles, o único que já examinara os óculos de Dona Benta, disse num grupo: "São cristais duma pureza maravilhosa. Possuem a propriedade de aumentar as coisas vistas através — ótimos, portanto, para auxiliar a visão das pessoas de vista cansada. O nome que ela dá àquilo é 'óculos'. Aparelho realmente extraordinário."

No silêncio completo que se fez Dona Benta leu a carta, com todos os olhares convergidos para a sua pessoa. Sorriu triunfalmente e falou.

— Boas notícias, meus amigos! Antes de mais nada, porém, devo dizer que temos lá no iate um aparelho receptor das "ondas sabuguianas", irmãs das tais ondas hertzianas que percorrem o espaço e por meio das quais nós, modernos, transmitimos mensagens, cantos, músicas, etc., dum continente a outro. O nosso ilustre Visconde de Sabugosa foi o descobridor de umas ondas novas, que receberam o nome de ondas sabuguianas, por meio das quais podemos transmitir mensagens, cantos, músicas, etc., dum século a outro. Neste momento meu neto Pedrinho, a Emília e o Visconde estão mergulhados no século XV A. C., em plena Grécia Heroica, e de lá enviaram ao receptor do nosso navio uma mensagem, que o Senhor Marquês de Rabicó, lá no iate, apanhou e fixou na cartinha que acaba de vir.

A assistência estava de boca aberta, sem perceber coisa nenhuma. Aspásia sentira estranhos arrepiamentos pelo corpo. O cérebro de Sócrates parara de funcionar. Só os artistas ali presentes não se espantavam, porque para os artistas tudo no mundo é sonho.

— Meus senhores, — prosseguiu Dona Benta, — o que aqui me conta Pedrinho talvez vos vá assombrar. Diz que depois de aspirarem no iate o pó número 2 e de perderem os sentidos, foram abrir os olhos na Tessália no século XV A. C., num campo onde havia um rebanho de carneiros e um pastor. Ao longe levantava-se bela montanha azul — o Olimpo.

Aspásia sentiu uns começos de faniquito. Heródoto interrompeu a observação que fazia num grupo a propósito dos persas. Sócrates pensou nas ideias filosóficas de Anaxágoras e sentiu em seus miolos a comichão dum "Quem sabe?".

— Sim, o Olimpo; meus senhores, a morada dos deuses. E Pedrinho, Emília e o Visconde galgaram a montanha sagrada e surpreenderam os deuses em reunião, discutindo o próximo trabalho de Hércules, que vai ser o ataque à Hidra dos pântanos da Argólida. E à noite penetraram na copa do Olimpo, donde furtaram um vidrinho de néctar e um *bom pedaço* de ambrosia. Diz a carta que o néctar lembra o mel das abelhas, embora muito mais gostoso; e a ambrosia lembra o curau de milho verde, um creme que os senhores não podem imaginar o que seja, uma vez que nada sabem do milho. A aventura correu felicíssima. Desceram do Olimpo sem novidades, voltaram à cabana do pastor, remeteram-me esta comunicação e foram preparar-se para a ida à Argólida, a fim de assistirem à luta de Hércules com a hidra.

Depois de breve pausa Dona Benta prosseguiu:

— Meus senhores, leio na vossa atitude o maior desnorteamento. Nossa situação é de tal modo extravagante que chega a fazer mal aos nervos da Senhora Aspásia e outras damas...

Aspásia estava já em pleno faniquito, com Péricles a abaná-la freneticamente. Outras damas preparavam-se para fazer o mesmo.

— Sim, extravagante, absurda, incompreensível, tanto para mim quanto para todos vós. As teorias do Senhor Sócrates sobre o tempo-realidade parecem-me destruídas. Onde as separações entre presente, passado e futuro? Todas as paredes caíram. Sou do futuro; do futuro vim e para o futuro voltarei. Sois dum presente que para mim já é recuadíssimo passado. E meu neto Pedrinho está numa era que é remotíssimo passado para mim e para todos vós. E apesar de tantos séculos nos separarem, eis-nos aqui reunidos — eu ligada ao meu neto pelas ondas sabuguianas! Se os senhores se espantam de ver em Atenas uma velhinha do futuro, também eu me espanto de ver-me a conversar com seres do passado. Nada mais tenho a dizer senão que entrego este quebra-cabeça à perspicácia do Senhor Sócrates.

Dona Benta tirou os óculos e guardou a carta. O silêncio era tão profundo que todos ouviram o canto dum rouxinol ao longe. Péricles correu a mão pela testa. Estava a suar — ele que jamais suara nos campos de batalha, nem nas terríveis pelejas da assembleia ateniense...

Capítulo XV
Batatas e Sócrates

O jantar correu animadíssimo. Dona Benta reclinava-se no seu coxim, colocado entre o da dona da casa e o de Sócrates. Do outro lado da mesa, muito mais baixa que as modernas, reclinava-se Narizinho, entre Fídias à direita e Heródoto à esquerda. Uma coroa de rosas cingia a testa de todos os comensais. A conversa girou sobre vários assuntos e por fim caiu sobre a arte culinária.

— Pois é, — disse Dona Benta, — a razão da nossa viagem a estes séculos foi uma razão ao mesmo tempo sentimental e culinária: a procura de Tia Nastácia, que é nossa amiga e nossa cozinheira. E que cozinheira! Como sabe manejar o violino do "gostoso" e tirar dele mil harmonias! O mais simples guizado, um picadinho com batatas, um virado de feijão com torresmos, um vatapá, tudo, enfim que sai de suas panelas, está para o que chamamos comida, como os mármores ali dos Senhores Fídias e Policleto estão para as esculturas comuns. Perfeitas obras-primas.

— E os bolinhos, vovó? — lembrou a menina do outro lado da mesa. — Os bolinhos de Tia Nastácia já estão famosos no Brasil inteiro. Quantas cartas a senhora não recebe das crianças, pedindo a receita dos bolinhos de Tia Nastácia?

Heródoto concordou que há realmente criaturas dotadas de verdadeiro gênio em matéria culinária.

— Certa vez, na Frígia, — disse ele, — fui hospedado por uma velhinha de nome Aretusa, que me surpreendeu com um prato inesquecível — um quitute, aliás muito comum, feito de leite e toucinho, preparado em folhas de figo.[31] Com que regalo devorei o pitéu! Tive a sensação da ambrosia dos deuses. Que tempero, que arte não usou a velhinha para conseguir aquele prato!

— Talvez a arte estivesse do vosso lado, amigo Heródoto, — disse Sócrates. — A arte denominada fome costuma operar desses prodígios. Também eu, na batalha de Potideia, comi um naco de carneiro de que não me esquecerei jamais — como igualmente não me esquecerei nunca da fome com que estava...

---

31 Aristófanes se refere a este prato.

— A senhora falou em picadinho com batatas, — disse a esposa de Péricles.
— Que é batata?

— Um tubérculo, Dona Aspásia. O tubérculo duma planta da família das solanáceas, que foi o melhor presente da América aos europeus.

— Por quê? — indagou Heródoto.

— Porque, sendo um tubérculo, fica enceleirada no solo, não exigindo colheita imediata, como as coisas que dão no ar e se não forem colhidas a tempo secam ou apodrecem. Depois do descobrimento da batata, e de sua introdução na Europa, melhoraram muito as condições alimentares de certos países. A fome que periodicamente os assolava diminuiu.

— E como é a batata? quis saber Aspásia.

— A forma é irregular, mais ou menos arredondada. São uns tubérculos que se desenvolvem nas raízes da plantinha, revestidos duma película amarelada e muito ricos em fécula. Usamo-las cozidas em água, ou fritas.

— Há também a batata doce, — disse Narizinho, — e de duas qualidades, a amarela e a roxa. São maiores e bicudas...

Tudo aquilo eram tremendíssimas novidades para os gregos, que por muito tempo ficaram no assunto, a ouvir histórias de batatas fritas, batatas sautés, purês de batata, doce de batata — e até dos erros de língua que surgem na conversa e também recebem o nome de "batatas gramaticais".

O assunto provocou uma breve dissertação de Sócrates sobre a infinita possibilidade de desdobramento das coisas do mundo — até na mesa.

— Sim, — disse Dona Benta, — a mesa, que é tão simples nesta Grécia, vai variar e enriquecer-se continuamente. O homem é um animal onívoro, come de tudo — e quanto mais progride, mais inventa comidas novas. Eu considero isso um mal... Quem come de tudo, fatalmente come errado, porque a comida certa há de ser uma só — como o leite para as crianças novas, o mel para as abelhas, os fungos para as formigas saúvas.

— Fungos para as saúvas? — admirou-se Policleto, que não tinha nenhuma noção a respeito do alimento dessas formigas.

— Sim, — respondeu Narizinho, — elas não comem folhas, como quase todos julgam. Apenas picam as folhas e levam-nas para dentro do formigueiro, onde as amontoam de certo jeito que embolorem. O bolor que nasce nessas folhas é o tal fungo a que vovó se referiu. As saúvas só se alimentam desses funguinhos.

Todos se admiraram daquilo.

— Estou vendo, — observou Péricles, — que apesar da civilização a que chegamos na Grécia muita coisa nova há a vir ainda.

— Se há! — exclamou Dona Benta. — Há tanta coisa a vir para os senhores, e já vinda para nós do mundo moderno, que se eu fosse contar uma pequena parte levaria anos e anos aqui. Quanto à maneira de comer, por exemplo. Os senhores comem ao modo natural, usando as mãos. Nós, modernos, só usamos as mãos para segurar os talheres.

— Talheres?

— Sim. Chamamos talheres a uns instrumentos intermediários entre nossas mãos e os petiscos vindos à mesa. Há o garfo, que é uma haste metálica com um cabo e quatro espetinhos, ou dentes...

— Uma espécie de tridente de Netuno em miniatura, com quatro espetos, — explicou a menina. — Um instrumento espetante.

— Isso mesmo. Um tridentezinho de Netuno. A colher é esse mesmo garfo com um côncavo na ponta, em vez de dentes. Serve para levar à boca os alimentos líquidos — sopa, caldos...

— Óleo de rícino também... — lembrou a menina.

— Sim, tudo que for líquido, em suma.

— Ou pó, vovó, — lembrou de novo a menina. — Coisas secas, como a farinha, só com as colheres.

— Exatamente. A colher serve para as coisas líquidas ou em pó. E a faca os senhores sabem o que é — o instrumento cortante.

Os gregos entreolhavam-se, admirados. Dona Benta continuou:

— E muito mais coisas há ainda em nossas mesas. Pequenos suportezinhos em que apoiamos os talheres para que não sujem a toalha. Guardanapos. Galheteiras com vidrinhos de azeite, vinagre, molho inglês, etc.

— E as saleiras, vovó! A senhora esqueceu as saleiras.

— Sim, as saleiras, os paliteiros... Por falar em paliteiros: em casa de meu pai havia um de prata, representando Cupido de asinhas abertas, arco na mão e o carcaz às costas. No carcaz é que se punham os palitos, em vez de setas. Esse paliteiro era uma reminiscência da Grécia.

— Mas os melhores são os paliteiros-cegonha, — lembrou a menina.

Aspásia assanhou-se. Queria saber como eram.

— Muito simples. Há uma cegonha de bico pontudo, de pé diante de uma caixinha de palitos. Quando a gente abaixa o pescoço da cegonha, o bico fisga um palito e levanta-o no ar.

— Que interessante! — murmuram todos. — E na cozinha? — perguntou Aspásia. — Quais as novidades?

— Nem queira saber, minha senhora! — disse Dona Benta. — Uma cozinha moderna possui tanta coisa, tanta maquinazinha, tantas formas...

— A melhor é a máquina de picar carne, — disse a menina. — A gente põe a carne numa moeguinha e vira a manivela — e a carne sai por uma bica, toda picada. Para fazer linguiça, é ótimo.

Heródoto, que estava com a história do paliteiro do pai de Dona Benta na cabeça, voltou ao assunto.

— Mas então no seu tempo usam da imagem de Eros para um fim utilitarista? A irreverência é grande. Eros é um deus.

Essa observação levou a conversa para o campo filosófico.

— Sim, — disse Dona Benta, — os deuses gregos no meu tempo só exercem funções utilitárias ou decorativas. Figuram ainda na literatura como imagens poéticas, nada mais. São pitorescas reminiscências do passado.

Aquela revelação assustaria os gregos da rua, mas não assustou os presentes, dotados que eram de fino espírito filosófico. Nenhum deles ignorava que os deuses gregos haviam evoluído — e que muito naturalmente continuariam a evoluir.

— Não só evoluíram, — disse Dona Benta, — como ainda morreram. Os povos modernos só admitem um Deus único. Esta multiplicidade de deuses que noto aqui está destinada a desaparecer.

— Será possível? — exclamou Aspásia. — Zeus também?

— Sim. Zeus tem o defeito de ser humano demais, e para criaturas como nós, vindas de séculos e séculos no futuro, o que sobretudo espanta é que os gregos de hoje ainda levem a sério essas divindades saídas da imaginação do povo e remodeladas pelos poetas.

Péricles chamou Evangelus e perguntou se não havia gente na rua a escutar. Se o povo de Atenas soubesse daquele diálogo, inevitavelmente denunciaria a velhinha como incursa no crime de impiedade.

Sócrates sorria. As palavras da "vidente" eram a confirmação de suas ideias mais íntimas sobre os deuses. Só na aparência ele os aceitava. No fundo apenas admitia um ser supremo, sem nada humano. Mas evitou a discussão. Sócrates conhecia o alto valor da prudência.

Quem mais se assombrou com as palavras de Dona Benta foi Fídias. De tanto mexer com deuses, de tanto esculpir-lhes as imagens, estava na absoluta convicção da sua existência real, de modo que as ideias da "vidente" deixaram-no bastante atrapalhado. Foi a partir desse dia que a dúvida começou a entrar na alma do grande escultor.

Aquele jantar em casa de Péricles não lembrava nenhum banquete dos chamados "orientais", em que o luxo excessivo e a extravagância dos pratos são obrigatórios. Tudo muito simples e discreto. Carneiro assado — e ótimo! merecedor até da aprovação de Tia Nastácia; pão; peixe; queijos de vários tipos; frutas secas e frescas, figos, uvas; mel; leite; ótimos vinhos...

Ao terminar vieram bacias com água para a lavagem das mãos — e todos se levantaram contentes e felizes. Policleto — declarou jamais ter ouvido tanta coisa prodigiosa e Sócrates confessou que recolhera excelente material para a modificação de muitas de suas ideias.

Eram nove horas da noite — tempo de dispersar. Fídias propôs a Narizinho um passeio no dia seguinte. "Quero mostrar a esta menina todas as obras novas que ando a dirigir." Sócrates aconselhou Dona Benta a não perder a oportunidade de conhecer Sófocles.

— Está ele na cidade? — perguntou a velha.

— Sim, e não veio ao jantar por sentir-se adoentado. Procure conhecê-lo, minha senhora. Sófocles é uma compensação. Já que o destino pôs em Atenas um Crátinos e um Êupolis, dois patifes do teatro, tinha também de pôr, a título de compensação, um Sófocles. É o veneno e o contraveneno.

— Por que citou Crátinos e Êupolis e deixou Aristófanes de lado? interpelou Aspásia.

— Porque Aristófanes tem gênio, — respondeu Sócrates, e ao gênio até certas mesquinharias são perdoáveis.

Heródoto explicou a Dona Benta vários pontos das suas histórias, que ela lera no sítio e não compreendera muito bem; e ainda perguntou se a tal Tia Nastácia era egípcia. "Não, meu senhor. Deve ser originária duma região africana muito ao sul do Egito — de Angola, talvez. Os pretos levados como escravos ao Brasil vinham de terras que os gregos de hoje ainda não conhecem."

O "Pai da História" despediu-se de beiço pendurado. Aquilo de "terras que os gregos de hoje ainda não conhecem" deixara-o triste.

Policleto contou que terminara um mármore representando Hércules em luta com a hidra de Lerna e que teria muito gosto em oferecê-lo a Pedrinho, já que Pedrinho era um devoto de Hércules. Dona Benta não achou palavras para agradecer o presente.

Depois que todos saíram, Aspásia levou-as ao aposento que lhes havia destinado.

— E amanhã, — disse, — temos de cuidar de modas. Não convém que a senhora ande pela cidade com esse vestido de gor... gor... gor, o que mesmo?

— ... gorão. Gorgorão.

— Sim, de gorgorão. Dará muito na vista, provocará ajuntamentos. O sábio é nos vestirmos ao modo da terra. Por isso já mandei pôr aqui em seu quarto uma túnica minha e um peplo — e também uma tunicazinha para a pequena. Quanto ao penteado, minha camareira virá amanhã penteá-las na moda. Boa noite e bons sonhos

Quando ficaram a sós, Dona Benta sentou-se na cama.

— Que coisa absurda, minha filha! — disse correndo os olhos pelo aposento. — Nós duas aqui no século de Péricles, em casa de Péricles, a conversar com Sócrates, Heródoto, Fídias e mais personalidades que para os modernos até parecem mitos!...

Narizinho estava experimentando a tunicazinha. Vestiu-a. Olhou-se a um espelho de prata.

— Que tal, vovó, a sua neta grega?

Dona Benta contemplou-a com ternura.

— Um encanto, minha filha — só receio que nesses trajes você vire a cabeça do Alcibíades. Felizmente ele ainda está nos cueiros. Que homem perigoso vai sair dali...

O sono das duas naquela noite não foi calmo, sobretudo para Dona Benta, que não cessara de murmurar consigo mesma: "Eu, na casa de Péricles! Eu, conversando com Sócrates! Eu, ganhando estátuas de Policleto!... É demais, é demais...".

Por fim, cansada de tantas emoções, dormiu e sonhou com a sua redinha lá na varanda do sítio.

Capítulo XVI
A HIDRA DE LERNA

Enquanto a boa velhinha gozava a hospitalidade de Péricles, os três "pica-paus", lá nos fundões da Hélade, punham os olhos no horizonte. Que seria que vinha vindo? Centauros?

Era, sim, um bando de centauros, os mesmos que Hércules havia destroçado nas vésperas da sua façanha com o javali do Erimanto. O caso fora assim: indo Hércules em procura do javali, hospedou-se de passagem com o centauro Folo, filho do deus Sileno e duma ninfa dos bosques. — pediu de beber. As sedes de Hércules tinham fama. Folo apontou para um tonel de vinho que era propriedade comum de todos os centauros ali residentes — e o herói foi e bebeu.

— O tonel inteiro?

— Está claro. E vai então e aparecem os outros centauros, e vendo o tonel vazio enfurecem-se e atacam o herói a pedradas e pauladas. A reação de Hércules foi tremenda. Tonteou os dois mais avançados com os irresistíveis golpes de sua maça e perseguiu os outros a flechaços até muito longe dali, encurralando-os na Maleia.

— Que Maleia era essa?

— O lugar onde já se haviam escondido aqueles outros centauros que Teseu e os Lápitas bateram. Depois disso não houve centauro que não se pusesse em fuga sempre que Hércules aparecia.

Foi o que sucedeu naquela tarde. Hércules vinha vindo na direção do pântano para combater a hidra, e passara por uma zona de centauros. Assim que o reconheceram, os monstros fugiram no mais desapoderado galope.

Pedrinho, no alto do rochedo, contemplava a maravilhosa corrida. Eram seis formidáveis monstros, num galope lindo.

— Como correm! Veja, Emília, que arrancos dão e como sacodem no ar as cabeças. O nosso mundo moderno é bem sem graça. Imagine um casal destes prodígios lá no Pica-pau...

Emília deslumbrava-se.

— Se eu fosse Dona Benta, mudava o sítio para aqui. Lá não dá gosto. Só o tio Barnabé, Elias Turco, o Coronel Teodorico — só cobras em vez de hidras, só o Conselheiro em vez de centauros...

Mas os monstros breve desapareceram num bosque distante.

— Que pena! — exclamou Pedrinho. — Eu passaria a vida inteira vendo estes centauros em disparada pelos campos. Que maravilha das maravilhas...

O tropel chegou aos ouvidos da hidra, que se pôs muito atenta.

— Olhe! — disse Emília. — Ela acordou. Está com os quatorze olhos brilhando como estrelas e as sete línguas de fora, vibrando...

Pedrinho viu que era assim mesmo. Estava alerta o monstro, como que farejando inimigos nas redondezas.

— Parece aquele mancebo do quarto de Dona Benta, — murmurou Emília, referindo-se a um desses antigos cabides de uso nas fazendas, com jeito de candelabros.

— E veja quantos corpos pelo chão...

O monstro emergia do monte dos cadáveres de suas últimas vítimas. Pedrinho fez cara de horror. Nisto os olhos penetrantes de Emília divisaram qualquer coisa no horizonte.

— Mais centauros? — perguntou o menino.

— Não. Não é centauro agora. É um carro à toda...

Era Hércules que vinha se aproximando de carro, em companhia do seu fiel amigo Iolau. Chegou. Saltou em terra e sem a mínima vacilação avançou contra a hidra.

Que maravilhoso espetáculo! O monstro de sete cabeças estava como que eletrizado, reteso, com as sete línguas numa vibração permanente e os quatorze olhos mais vivos do que diamantes ao sol. Havia ali sete botes armados contra o agressor! Hércules, entretanto, atacou-a sem medo nenhum, como se atacasse um cordeirinho, e foi malhando naquelas cabeças com a sua invencível maça. Notou, porém, que as cabeças destruídas rebrotavam instantaneamente, de modo que por mais que as esmagasse nunca deixava de ter pela frente as mesmas eternas e horríveis sete cabeças. Além disso, os seus movimentos já estavam embaraçados pelas roscas da hidra: a cauda do monstro enleara-lhe as pernas e as ia apertando como num torno. Para agravamento da situação, surgiu da caverna um horrendo e enorme Caranguejo, que veio ferrar no calcanhar do herói as terríveis pinças. Hércules foi obrigado a largar a hidra para atender ao novo atacante. Caso simples. Com um golpe de maça esmagou-o.

— Que horror! — exclamaram os três heroizinhos lá no alto da pedra, quando um mingau verde-escuro saiu de dentro do Caranguejo moído.

Mas Hércules verificou que sozinho não conseguiria vencer a hidra — e deu um berro para Iolau.

— Venha queimar as cabeças que eu for esmagando!

Iolau correu a uma floresta que havia à esquerda e ateou-lhe fogo — e até que as chamas a devorassem e reduzissem os troncos a tições, Hércules, sempre engalfinhado com a hidra e enleado em suas roscas, teve de prosseguir no incessante esmagamento de cabeças.

— Que horror! — exclamava Pedrinho. — Ele já moeu duzentas cabeças e nada consegue. Ainda que esmague duzentas mil nada adiantará, porque renascem no mesmo instante. Estou vendo que Hércules vai perder a partida...

— E uma das cabeças é imortal, — disse Emília. — Nem que ele a mate e remate e tresmate, e quatremate, esfole-a e queime-a ou reduza-a a pó, de nada adianta porque é imortal. Também penso que o pobre Hércules desta vez se estrepa.

Era tão eletrizante a luta que por um triz Pedrinho não se despenhou da pedranceira, como o Visconde. Ele "torcia" como se também estivesse atracado ao monstro. Por fim não resistiu: começou a lançar pedrinhas com o seu bodoque novo. Uma delas atingiu um dos olhos da hidra, fazendo-a piscar.

Lá no bosque Iolau precipitava o fogaréu, ansioso por obter tições.

Um pé-de-vento mandado por Éolo veio ajudá-lo, varrendo as chamas e deixando ao seu alcance vários troncos em brasa. Iolau correu a eles, e com muito jeito conseguiu um magnífico tição. Apagou o fogo duma das extremidades, segurou-o por ali e correu a ajudar Hércules.

— Vá queimando as cabeças que eu esmagar — disse este — e bá! esmagou uma. Sem perda dum segundo, Iolau aplicou o tição em cima. O som do chiado subiu ao topo da pedranceira, e logo em seguida um terrível fedor de hidra assada. Pedrinho tapou o nariz.

— Bá! fez Hércules e esmagou a segunda cabeça — e o tição de Iolau chiou em cima. E bá! a terceira, e bá! a quarta, e bá! a quinta, e bá! A sexta, e bá! a sétima. Os três heroizinhos ouviram exatamente sete bás! e sete chiados — e sentiram sete bafos de hidra assada.

A sétima cabeça, que era imortal, caiu a certa distância, mais viva do que nunca, a língua de fora, a vibrar, com os olhos cheios do fulgor da imortalidade. Contra ela de nada valia o tição de Iolau; porque o que é imortal é também inqueimável. Hércules teve de enterrá-la num buraco bem fundo e colocar em cima um bloco de pedra que e Visconde avaliou em dez mil arrobas.

Estava, afinal, vencido o horroroso monstro de Lerna. Privada de suas sete cabeças, e com a imortal enterrada, a hidra descaiu por terra, convulsa de tremores.

— É o veneno que está agindo, — observou Emília.

O Visconde, sempre sábio, riu-se. "O veneno ofídico não mora no corpo das serpentes — disse ele, — sim numa bolsinha localizada no fundo dos dentes caninos."

— Isso é com aquelas cobras de bobagem lá do sítio, caçoou Emília. — Aqui na Grécia tudo é diferente. Esta hidra há de ter no corpo só veneno, em vez de sangue. Você vai ver.

E o Visconde viu. Viu Hércules rasgar o papo da hidra escabujante para molhar no sangue negro a ponta de suas flechas.

— Eu não disse? — exclamou Emília vitoriosa. Se Hércules molhou naquele sangue a ponta de suas flechas, claro que foi para envenená-las.

— Superstições, — murmurou baixinho o Visconde.

Finda a luta, Hércules examinou o seu próprio corpo e viu nele vários ferimentos. Também Iolau tinha uma arranhadura no braço. Estavam ambos envenenados, perdidos!...

Hércules olhou para o companheiro. E agora? Contra os monstros Ele dispunha de sua invencível maça, de suas agudíssimas flechas e da prodigiosa força dos seus músculos. Mas contra um veneno daqueles de nada valiam maças, nem flechas, nem músculos. E agora?

Hércules sentou-se numa pedra, a cismar.

Sua triste situação condoeu Emília.

— Coitado! Venceu mas vai ser vencido — se nós o não ajudarmos.

— Ajudarmos como, Emília? Que ideia! Nós, uns coitadinhos, umas pulgas modernas, a ajudarmos Hércules! Isso chega até a ser uma besteira olímpica...

— Podemos ajudá-lo perfeitamente, — insistiu Emília. — Não se lembra das palavras de Zeus ao tal mensageiro de asas nos calcanhares?

Pedrinho franziu a testa, como quem não se recorda.

— Não lembra que Zeus previu a hipótese de Hércules ser ferido e envenenar-se, e mandou pelo tal mensageiro um recado à Pítia de Delfos?...

— É verdade, é verdade! — exclamou Pedrinho. — Estou me lembrando! Mandou, sim, dizer à Pítia que caso Hércules a consultasse, respondesse que numa planta do Oriente ele encontraria o contraveneno da hidra. Isso mesmo...

— Pois é. E sendo assim, está claro que podemos ajudar Hércules, *aconselhando-o a ir consultar a Pítia.*

— Mas aconselhá-lo como, Emília? Quem de nós possui a coragem louca de falar com Hércules? Eu não vou. Tenho medo de perder a fala. Só se o Visconde... — e olhou para o Visconde, o qual deu um suspiro, com os olhinhos postos no céu.

Emília concordou.

— Isso mesmo. Vai o Visconde...

E o Visconde teve de ir! Teve de descer do alto da pedranceira para "'aconselhar" o tremendo herói. Mas o Visconde usou dum estratagema. Refletindo que se se apresentasse pura e simplesmente diante de Hércules o certo era ser esmagado pelo seu pé como sendo o filho do Caranguejo, aproximou-se de modo a não ser visto e, oculto numa fenda, murmurou com voz cavernosa:

— Ide a Delfos, ó grande Hércules! A Pítia vos indicará a planta do Oriente que anula *o veneno do monstro.*

O Visconde pronunciou essas palavras num tom verdadeiramente impressionante. Hércules ouviu-as e disse a Iolau:

— Salvos estamos, amigo! A pedranceira falou. Manda-nos correr a Delfos em consulta à Pítia. Há no Oriente uma planta que nos curará — e ergueram-se os dois e foram ao carro e partiram numa corrida louca para Delfos.

Quando o Visconde se reuniu aos companheiros, estava ainda pálido de susto, assoprando.

— Uf! Escapei de boa. Felizmente o brutamontes não me viu. Fiquei bem escondidinho num buraco da pedra. O que ele fez para o Caranguejo me assustou...

Emília deu-lhe parabéns pela esperteza.

— Isso, Visconde. Na vida é assim; temos de usar da astúcia, quando não podemos empregar a força. E agora?

— Agora, — disse Pedrinho, — vamos descer e espiar o campo da batalha.

Desceram e foram espiar o campo da batalha. Que fedor horrível! Mais de dez cadáveres jaziam lá, alguns verdes de podridão, outros recentes — e por cima o corpo morto da hidra ainda com estremecimentos na cauda. Espetáculo arrepiante. Mesmo assim Emília não desistiu de levar para o seu célebre museuzinho "uma ponta de língua de hidra." Abriu a canastra, tirou uma tesoura, e com mil cautelas, para não envenenar-se, cortou a ponta da língua duma das cabeças esmagadas.

— Olhe, Pedrinho, — disse ela. — Tem duas pontinhas.

— É bífida, — observou o Visconde. — Essas línguas de ponta dupla chamam-se bí-fi-das.

— Que quer dizer?

— Quer dizer partida em dois. É uma palavra que vem do latim bis, dois, e *findo*, eu parto, ou racho, ou fendo. Bífido: fendido em dois.

— Sim senhor, — disse Emília. — O Visconde em matéria de gramática é um verdadeiro rinoceronte.

Era alusão ao Quindim, o grande gramático do Pica-pau Amarelo.

— Muito bem — disse Pedrinho. — Fomos felizes. Presenciamos de palanque o tremendo combate de Hércules contra a hidra de Lerna, coisa que o mundo só sabe pela descrição dos livros. Ajudamos o herói a livrar-se do veneno, — mas agora? Que iremos fazer agora? Estamos completamente sem destino.

— Ótimo! — exclamou Emília. — O gostoso é ir andando ao léu para ver o que acontece. Sempre detestei programas.

Como não surgisse outra solução, adotaram essa — e os três "pica-paus" foram andando, andando, pela Grécia Antiga afora, a ver o que acontecia.

Capítulo XVII
NINFAS, NÁIADES, DRÍADES E SÁTIROS

Os três "pica-paus" foram andando, andando sem destino pela paisagem da Grécia Antiga. Paisagem que mudava de hora em hora — campinas, montanhas, florestas, bosques, rios...

Em certo ponto se detiveram. Que lindo lugar! A montanha azul lá longe, no formoso bosque à esquerda e ali ao pé um riozinho murmurejante. Emília que tinha paixão pelas águas em movimento, exclamou: "Olhe, Pedrinho, como é 'cabrita' esta água! Foge por entre as pedras como se fosse um peixe líquido; e quando não encontra passagem, pula por cima".

— Bom ponto para um descanso, — gemeu o Visconde, e arriou a canastra da Marquesa de Rabicó.

Sentaram-se os três. Pedrinho tirou dos bolsos o sortimento de azeitonas e amoras colhidas pelo caminho. "Temos de nos contentar com isto", — disse ele fazendo a distribuição.

O bosque dali avistado era desses que certos pintores põem nas telas. Um poema de verdura. Mas... que era aquilo? Uma "forma"...

— Espere!... — exclamou Pedrinho firmando a vista. — Querem ver que é uma ninfa?

Era uma ninfa. E eram depois duas ninfas, e três e quatro e todo um bando maravilhoso de ninfas. Pedrinho havia puxado Emília e o Visconde para dentro de uma pequena moita de onde podiam ver sem ser vistos. Que beleza! As ninfas não são criaturas humanas de carne e osso; são "formas". Leves como o ar, verdadeiras gazes vivas. "Oh, estou compreendendo, — disse Pedrinho; — elas são as 'almas das coisas'. Bem que vovó me falou nisso. Almas das coisas — sim — almas das pedras, dos bosques, das montanhas, das árvores, das águas..."

Aquelas ali eram as ninfas dos bosques e davam a impressão de belíssimas adolescentes envoltas em gazes de lindos tons. Não tinham peso. Seu andar: uma dança! Perfeitas criaturas de sonho.

— E não são todas iguais, — observou Emília. — Repare na da esquerda, que tem um brilho de água.

— Deve ser uma ninfa de orvalho. Parece vestida de pequeninos diamantes líquidos que não cessam de tremer. E aquela outra, lá adiante, deve ser uma ninfa de água parada. Em vez de brilhinhos, só tem reflexos de lagoa, lisos. A gente olha e percebe que é a alma dessas águas paradas cheias de rãs verdes e plantinhas que boiam. E aquela mais à esquerda há de ser também uma ninfa de água, mas de água que corre, como este riozinho. Talvez até seja a própria ninfa deste nosso riozinho aqui.

— Há de ser, — concordou Emília, — é bem parecida com ele...

— Vovó já me explicou este caso da "alma das coisas", e falou das "dríades", que são as ninfas das árvores que andam soltas; e das "hamadríades", que são ninfas sempre presas dentro das árvores; e das "orestíades", que são ninfas das montanhas, e das "náiades", que são também ninfas das águas...

Nem bem acabou de dizer e viu sair de outro ponto do bosque um bando de formas.

— Lá vêm elas! Mas que interessante! Eu sei, porque vovó contou; mas ainda que nada soubesse eu adivinhava...

— Adivinhava o quê?

— Que são dríades. Repare como dão a sensação das árvores, com todos os seus ninhos e musgos, e cipós e flores e folhas. Que maravilha, hein?

— Nem fale, Pedrinho! Eu até tenho vontade de chorar, de tanto gosto...

Ficaram os dois embevecidos no bando das ninfas, com os olhos parados, como em sonho. Só o Visconde não se impressionava. De tanto mexer com a ciência, ficou de alminha completamente endurecida para as belezas do mundo.

— E lá vem vindo uma orestíade! — exclamou Pedrinho apontando para uma ninfa diferente das outras, que se encaminhava para o bando. Diferente, sim; dava ideia de altura, de ar rarefeito, de torrentes escachoantes, de avenca nas barrocas, de caminhinhos de cabra — de tudo que há nas montanhas. Pedrinho "sentiu" que ela era uma orestíade, uma ninfa ou alma da montanha — e acertou. Era a ninfa da montanha azul que se avistava ao longe.

Súbito, apareceram, vindos de certo ponto, vários seres masculinos.

— Os Sátiros! Bem certo como vovó disse...

— Que feiuras! — murmurou Emília. — Têm pernas e pés de bode e chifrinhos na cabeça. E trazem flautas duplas e tambores. Mas aquele espeto enleado de ramagens, com uma pinha na ponta, que é aquilo?

— Aquilo é o *tirso*, — explicou Pedrinho: — Uma lança curta e leve, ou "dardo", que eles disfarçam com um festão de hera e uma pinha na ponta. O tirso é uma arma de arremesso camuflada, isto é, arma de arremessar com a força do braço, como uma flecha que a gente lançasse com a mão em vez de a lançar com o arco.

Os Sátiros vieram muito risonhos e começaram a tocar músicas das que ninguém resiste. As ninfas imediatamente se assanharam — e foi uma dança maravilhosa. Leves como eram, dançavam conforme a música, "inventadamente", mal tocando o chão com os pés. As gazes em torno de seus corpos ondeavam, como que também dançavam — "dançavam a dança do ondeio" como observou Emília.

— Isto é que é dança! — disse Pedrinho. — Aqueles moços e moças lá no mundo moderno, que suam nos salões atracados uns com os outros nas tais valsas e *foxtrotes*, deviam vir aprender com as ninfas o que é a verdadeira dança.

Mas a festa maravilhosa foi subitamente interrompida pelo aparecimento dum bando de peludos faunos. Pânico! As ninfas dispararam para os bosques. As dríades sumiram-se dentro das árvores. As náiades mergulharam nas águas. A orestíade correu para o seio da montanha.

— Que pena! — exclamou Pedrinho. — Estes brutos vieram estragar a festa — e lá vão eles a perseguir as coitadas...

Em breve a natureza ficou totalmente limpa de "formas", tão desenxabida como as paisagens modernas.

— Se é assim — disse Emília, — por que não aparecem ninfas lá nas matas do sítio?

— Já consultei vovó a respeito. Ela acha que os nossos olhos modernos é que não veem as ninfas, mas que elas tanto existem lá quanto aqui, e também dançam por lá estas mesmas danças. Só que nos são invisíveis.

— Que triste coisa ser moderno! — suspirou Emília. — Imagine se conseguíssemos ver a alma das coisas como aqui nesta Grécia! Se, por exemplo, víssemos as dríades e as hamadríades dos *flamboyants*, dos ipês, dos mulungus vermelhos! A dríade do mulungu! Que linda não será...

Emília tinha paixão pelos mulungus. Sempre que os três pés que havia no sítio de Dona Benta derrubavam as folhas e ficavam só flores vermelhas, Emília vinha saudá-los todas as manhãs, logo que pulava da cama. "Salve, mulunguzinhos cor de brasa, — dizia ela, — flor do meu coração, de vermelho mais bonito que o do 'papagaio' e o de todas as flores vermelhas daquém e dalém mar."

Bom. Estava terminada a festa das ninfas. Eles podiam sair da moita. Saíram e continuaram a andar sem destino pela maravilhosa paisagem da Grécia Antiga.

Os Sátiros vieram muito risonhos e começaram a tocar músicas das que ninguém resiste.

— Que iremos ver agora? — ia pensando Pedrinho.

O que havia para ver naqueles tempos fabulosos não tinha conta. Tudo eram assombros e encantamentos. A Hélade não passava de uma misturada de deuses, semideuses, heróis e simples mortais. E como até as coisas tinham alma, a vida grega era uma representação teatral como nunca houve outra no mundo. Só as façanhas de Hércules davam para encher um livro enorme. Pedrinho, que as sabia todas, foi contando as principais.

— Depois do caso do leão de Neméia e deste caso da hidra, — explicou Pedrinho, — o Rei Euristeu mandará Hércules fazer uma coisa ainda mais difícil: pegar a corsa de pés de bronze e chifres de ouro que mora num templo de Diana, no monte Cirineu. Não é nenhum animal feroz, como o leão de Neméia, nem monstro terrível, como a hidra de Lerna, mas um serzinho dotado da velocidade do relâmpago. Ah, que trabalhão o pobre Hércules vai ter! Persegui-la-á durante todo um ano, sempre com a veadinha a rir-se dele. Basta dizer que duma feita ela irá num só galope até o país dos hiperbóreos.

— Onde é?

— Nas regiões boreais, onde há os ursos brancos e as focas. A veadinha irá e voltará sem descansar um só momento, veja que danada! Hércules terá de recorrer à astúcia, porque contra a velocidade de nada vale a força. E vai então e esconde-se à beira dum rio que ela forçosamente terá de pular — e quando a veadinha pular o rio ele a apanhará no ar com uma rede.

— Há de ser como aquela com que você caça borboletas lá no sítio.

— Isso mesmo — e a levará viva ao Rei Euristeu, o qual ficará desapontadíssimo. Esse vai ser o terceiro trabalho de Hércules.

— E bem delicado. Sem sangue, nem aqueles golpes de maça que até arrepiam a gente. E o quarto?

— O quarto trabalho de Hércules será um pega no célebre javali que costuma descer do monte Erimanto para assolar as terras vizinhas.

— Que é assolar?

— É destruir tudo, arrasar, escangalhar — e o tal javali anda a divertir-se com a brincadeira. Indo liquidar o caso, Hércules encontrará no caminho um bando de centauros e os derrotará completamente.

— Como aperitivo — para experimentar a força...

— Depois de derrotar os centauros e ainda quente da façanha, ele lançar-se-á contra o javali — e pega daqui, pega dali, corre, cerca, avança, recua, conseguirá por fim encurralá-lo num bosque, onde o agarrará bem agarrado, e o botará às costas para o levar ao Rei Euristeu.

— E o tal Euristeu, que era uma boa bisca, desaponta e inventa um quinto trabalho...

— Exatamente. O quinto trabalho de Hércules será limpar as cavalariças do Rei Augias, que são imensas e andam com uma camada de esterco maior que as de guano das ilhas Chinchas, nas costas do Peru. Hércules chega, olha para aquilo e promete limpá-las, se o rei lhe der como prêmio um décimo dos seus animais. Certo de que o "prosa" não limpará coisa nenhuma, por ser impossível, Augias aceitará o trato. Hércules então derrubará uma das paredes das cavalariças e desviará o curso de dois rios próximos, fazendo que as águas ali penetrem e arrastem a esterqueira. Fará uma beleza de serviço, não deixando nem o cheiro do estrume; mas Augias, que é um grande patife, vai negar-lhe o prêmio e ainda por cima o expulsará de suas terras. Furioso com a, deslealdade, o herói reunirá um exército e fará com o Rei Augias o já feito com o esterco: varre-lo-á para longe.

— Toma! E o outro trabalho?

— O sexto trabalho será bonito. Existe numa cidade da Arcádia, de nome Estinfale, um pântano habitado por umas horripilantes aves de bronze que só comem gente. Arrancam do corpo as penas de bronze e lançam-nas como flechas contra os transeuntes. A dificuldade de Hércules será fazer as aves saírem do pântano. Para isso terá uma ideia: pedir a Minerva um famoso sino de bronze que Vulcano forjou e lhe deu de presente. E com esse sino se instalará na beira do pântano, e o tocará dia e noite, até que as aves, atordoadas, fujam espavoridas — e ele então as flechará uma por uma.

— Bonito! E o sétimo?

— O sétimo trabalho de Hércules será com um touro da ilha de Creta, ainda mais feroz que o javali do Erimanto.

— Que anda a *assolar* as redondezas, já sei...
— Isso mesmo. Hércules irá à ilha e falará com o Rei Minos, que é o dono de tudo, e dele obterá licença para caçar o touro — e o pegará a laço. E sabe o que vai fazer em seguida? Vai levá-lo às costas ao Rei Euristeu, sem parar uma só vez pelo caminho. E sabe o que o malvado do Euristeu vai fazer? Soltar o touro! Soltá-lo na Ática, onde a fera continuará em suas destruições até que o herói Teseu a destrua.
— E o oitavo trabalho?
— O oitavo trabalho de Hércules consistirá em dar cabo dos terríveis cavalos antropófagos do tirano Diomedes. Este sujeito os havia ensinado a comer carne humana, e os nutria com os marinheiros naufragados nas costas dos seus domínios e arremessados à praia pelas ondas. Hércules irá lá, derrotará as forças do tirano e fará que os terríveis cavalos devorem Diomedes vivo.
— E que vai fazer dos cavalos?
— Vai soltá-los num monte cheio de lobos famintos. Depois disso Euristeu mandará Hércules em busca dos ferozes bois de Gerião, um monstro composto de três corpos humanos ligados entre si pela barriga e Hércules irá e liquidará com tudo — os bois e o dono.
— E Euristeu, então...
— Manda-o realizar o décimo trabalho: obter de Hipólita, rainha das amazonas, um cinto maravilhoso muito cobiçado por Armeta, filha de Euristeu. As amazonas moram nas encostas do monte Termodonte, num reino só de mulheres. Como são guerreiras invencíveis, Hércules terá de levar companheiros, entre os quais Teseu, Peleu e Télamon. Lá chegando, tentará com Hipólita um acordo amigável, e quase o conseguirá; mas Juno, a grande inimiga de Hércules lá no Olimpo, descerá à terra disfarçada em amazona e irá cochichar com as guerreiras que o que Hércules quer é raptar Hipólita. As pobres amazonas, enganadas, montarão em seus valentíssimos corcéis e atacarão com o maior vigor os heróis, forçando-os a se defenderem. Resultado: morte de muitas amazonas e aprisionamento de Hipólita, com cinto e tudo.
— Aquela Juno bem que merecia uma boa roda de palmadas, — disse Emília.
— E o décimo primeiro trabalho?
— O décimo primeiro trabalho de Hércules vai ser a captura do pomo das Hespérides. Estas damas são as ninfas do monte Atlas onde possuem um maravilhoso jardim com as célebres árvores dos pomos de ouro. Hércules para lá se dirigirá e chegará justamente quando as Hespérides estejam sendo atacadas por um bando de facínoras do Rei do Egito. E aquilo vai ser sopa no mel. Em três tempos ele arrasa os facínoras e sem dificuldade nenhuma obtém os pomos de ouro.
— Pomo eu sei que é maçã ou laranja, — disse Emília. — E o último trabalho?
— Esse foi lindo. Euristeu mandará Hércules descer ao inferno em busca de Cérbero, o cão de três cabeças. Vai ser um trabalho dificílimo, exigido de muitos estudos e preparos. Por felicidade Palas e Hermes, que protegem o herói, oferecer-se-ão para acompanhá-lo. Hércules descerá ao inferno, e ao verem-no aparecer, as sombras dos mortos fugirão espavoridas, exceto a sombra da Górgona que Perseu matou. Hércules levará a mão à espada, para atacá-la, mas Hermes sorrirá, dizendo: "Não vês que é uma sombra?". Muitas mais coisas haverá nesse dia, entre elas a libertação do grande herói Teseu, que Hércules encontrará aprisionado, com grossas cadeias nos pulsos. Ele quebrará essas cadeias e soltará Teseu. Em seguida chegará

à mansão de Hades, o deus dos infernos, e explicará o que o traz. "Muito bem", responderá Hades. "Se queres pegar o Cérbero, pega-o, mas sem o emprego de armas." Hércules cobrir-se-á com a pele do leão de Nemeia e avançará contra o monstro de três cabeças. Terribilíssima luta vai ser, mas Cérbero, quase asfixiado, terá de ceder e acompanhar o vencedor à presença de Euristeu, com as três cabeças baixas.

— Que danadinho, o tal Hércules! — exclamou Emília.

— Sim, invencível. Nunca houve no mundo um herói mais destemeroso — e no entanto teve um fim trágico: acabará vencido por uma mulher...

— Que mulher?

— A Rainha Ônfale.

— Como? — quis saber Emília.

— Não sei, — respondeu Pedrinho, — e aqui não tenho meios de me informar. Eles aqui ainda estão no segundo trabalho de Hércules, que é o da destruição da hidra de Lerna. E nem esse caso o povo ainda sabe — só nós. A notícia ainda não se espalhou...

Capítulo XVIII
Os narizes de Atenas

A primeira noite que Dona Benta e Narizinho dormiram na casa de Péricles não foi das mais calmas. Narizinho sonhou com um milhão de coisas, e lá pela madrugada a velha perdeu o sono, de modo que antes de romper o dia já estava de pé. — Admirável tudo isto! — ia refletindo consigo a boa Dona Benta, enquanto examinava os móveis e a decoração das paredes. Vejo a preocupação da arte e do bom gosto nas menores coisinhas. Estes vasos, que lindos...

Havia ali uns vasos puramente ornamentais, merecedores de irem para os melhores museus do mundo. Um deles era esculpido num bloco de calcedônia, de modo a aproveitar as mudanças de cor das diversas camadas dessa pedra. Representava "Penélope fiando o sudário". Dona Benta pôs os óculos para ler a assinatura do artista. Leu o nome "Gaion", e em seguida estas palavras: KALOZ NAYKY, que querem dizer: "Lindo, não?".

— Que coisa interessante! Este Gaion gravou aqui a exclamação que ocorre a todos que lhe veem a obra. Sim, Gaion, isto está mais que lindo. Está uma perfeita maravilha — e se conseguisse escapar à destruição do tempo, figuraria com a maior honra no Louvre ou no Museu Britânico. Que fortuna não representaria este vaso no mundo moderno!...

O sol já se mostrava por cima da Acrópole, que era avistada duma das janelas do aposento. Dona Benta resolveu acordar a menina.

— Levante-se, dorminhoca! Já é dia velho.

Narizinho sentou-se na cama, com uns olhos maiores que a cara. "Onde estou eu?", — murmurou, tonta. Depois riu-se.

— Já me tinha esquecido desta Grécia, vovó! Tive um sonho agitadíssimo — uma luta tremenda entre o Quindim e o Conselheiro por causa duma espiga de milho. Mas... que lindo quarto, vovó! Que beleza de decorações...

— É o que eu estava pensando. Estes gregos são artistas em tudo. Repare nesta poltrona — e Dona Benta indicou uma das poltronas do quarto. Concilia o cômodo com o belo das linhas — não são como as nossas que só atendem à comodidade. O espaldar tem uma forte inclinação. Os gregos gostam muito de reclinar-se, e está me parecendo que o melhor modo de sentar é mesmo esse — meio reclinado.

— E que vasos lindos, vovó! São verdadeiras joias.

— Sim, minha filha; enquanto você dormia, eu os estudava. Primorosos, sobretudo este pequenino aqui, de calcedônia. Veja que encanto.

A menina examinou a preciosidade, e depois os demais ali existentes. Viu que em todos aparecia uma mesma figura central.

— Quem é esta mulher que aparece em todos os vasos?

— Penélope, a esposa de Ulisses, o rei da ilha de Ítaca. Este Ulisses tomou parte na guerra de Troia durante dez anos, e depois andou mais dez perdido pelos mares. Sozinha em sua casa com o menino Telêmaco, a boa Penélope teve de dar pulos para resistir às propostas de vários príncipes. "Ulisses já morreu" — diziam eles. "A senhora está viúva. Por que não se casa comigo?" Mas Penélope insistia em esperar pelo reaparecimento do esposo — daí lhe veio a ideia de tecer um sudário...

— Que é sudário?

— Um pano, um lençol em que envolviam os mortos antes de enterrá-los. Para fugir ao atropelo dos príncipes, Penélope — declarou que só pensaria em casamento depois de terminado aquele sudário, mas por mais que o tecesse o serviço não caminhava.

— Por quê?

— Porque ela desmanchava de noite o pedaço feito de dia. Vem daí uma expressão literária ainda em uso no mundo moderno, a "teia de Penélope", significando o trabalho que não tem fim.

— Obras de Santa Engrácia...

— Sim. Esta série de vasos representa o episódio de Penélope desde o começo até o fim, como o grande Homero o descreveu na *Odisseia*. Neste aqui está a rainha muito melancólica porque o esposo lá se vai para a guerra. Neste outro vemo-la às voltas com o filhinho Telêmaco. Neste surgem os importunos pretendentes — e assim por diante, até o último, que é do regresso de Ulisses. Mas que tristeza, minha filha, pensar que estes primores vão reduzir-se a cacos...

— Será possível, vovó?

— Ah, o que se perdeu da arte grega! Quase tudo. Da pintura, que era muita e ótima, nada, nada se salvou; e da escultura basta dizer que nos museus modernos não existem nem cinquenta estátuas antigas das grandes — e entre estas, só quinze gregas...

— Só quinze, vovó? — exclamou a menina, surpresa.

— Só. E da pintura, nada. Viu os lindos painéis da sala de jantar?

— Vi, sim, e também aquele ótimo retrato do Senhor Péricles.

— Foi Fídias quem o pintou. Fídias começou pintando; depois é que caiu na escultura. Seus irmãos também pintam. Os painéis da sala de jantar são de Paneno e Plistenetes, irmãos de Fídias. Péricles é muito amigo de todos eles. A Grécia produziu inúmeros pintores, entre os quais Polignoto, Pausias, Parrásio, Apeles, Cefisódoro, Zêuxis, Frilo, Evenor... E parece que na antiguidade a pintura tinha maior cotação que a escultura. O escritor romano Plínio conta em uma de suas obras que Júlio César adquiriu um quadro do pintor Timómaco por 80 talentos...

— São 23.760 libras esterlinas, ou sejam 2.376 contos de réis, calculou a menina distraidamente, sem tirar os olhos dos vasos. Aquelas belezas estavam mexendo com a sua alminha.

— Que pena haver guerras, vovó! A causa da destruição de tudo é sempre a maldita guerra.

— Sim, foram as invasões dos bárbaros do norte que destruíram o imenso tesouro da arte grega, o maior jamais reunido no mundo. A abundância de mármore havia feito da escultura e da arquitetura as artes máximas entre os gregos. Daí a infinidade de monumentos que brotaram em todos os lados, não só aqui como em todas as cidades e colônias gregas. Centenas de templos, milheiros e milheiros de estátuas de mármore e bronze saídas das mãos de gênios como Miron, Fídias, Policleto, Scopas, Lísipo, Praxíteles e inúmeros outros. Pelo que se salvou, podemos imaginar a imensidade perdida. Lembra-se dos restos da Vitória da Samotrácia, que vimos no museu do Louvre? Para mim é uma das mais belas obras-primas da antiguidade — vale tudo o que se fez depois.

— Poderemos vê-la por aqui, vovó?

— Oh, não. Essa estátua só aparecerá de hoje a 110 anos, depois da conquista da Grécia por Alexandre da Macedônia.

— E onde acham eles tanto mármore, vovó?

— A Grécia é a terra do mármore. Além do existente nas pedreiras do monte Pentélico, há uma ilha que é toda de mármore — a ilha de Paros.

— Que pena! — exclamou a menina. — Eles a esculpirem maravilhas e os bárbaros a fabricarem martelos quebradores. Se eu pudesse torcer o pescoço desses bárbaros...

— Corta o coração uma visita aos grandes museus modernos, minha filha. Quase que só fragmentos — corpos sem cabeça ou braços, cabeças sem corpos, troncos sem cabeças, sem braços e sem pernas — cacos. E em tudo a gente vê sinais de golpes de machado. O número de cabeças sem nariz é enorme. Parece que os brutos sentiam um prazer especial em destruir narizes...

— E que narizes lindos têm os gregos, vovó! Perfeições. O de Dona Aspásia é um encanto.

Alguém bateu na porta. Narizinho foi abrir.

— Sou a camareira, vim para o penteado, — disse uma gentil criatura.

— Queira entrar... A camareira entrou com vários petrechos, mas deu boa prosa antes de começar o serviço. À pergunta da menina se ela era escrava, sorriu.

— Sou e não sou. Aqui nesta casa não sou, porque meus amos não admitem escravos. Tratam-nos como amigos, como se fôssemos cidadãos.

Dona Benta observou que já havia notado isso. Os gregos, com o profundo sentimento de humanidade que os distinguia de todos os outros povos, apenas por força do hábito mantinham a escravidão nas leis e nos costumes, mas absolutamente não tratavam aos escravos como tais. E a tendência era dar-lhes os mesmos direitos dos cidadãos.

— É por isso que respondi que sou e não sou escrava. Sou, por lei; e não sou, por bondade de Aspásia e Péricles.

— Pois, minha cara, — disse Dona Benta, — você pode gabar-se de ter os mais famosos amos do mundo. Este Senhor Péricles vai entrar na história como um dos maiores homens produzidos pela humanidade — um gênio dos mais altos, pela inteligência, pela eloquência, pela sabedoria e pelo amor à arte; e sua ama, Dona Aspásia, também se imortalizará como uma das glórias do sexo feminino — apesar de muito difamada.

— Que falam mal dela, isso sei eu, — confessou a escrava. — A política em Atenas é brava. Péricles tem muitos amigos — e também muitos inimigos que não lhe perdoam um nadinha. E quando lhe querem fazer mal, procuram ferir a honra de Aspásia. Sabem que isso lhe dói porque ele a adora. Nunca vi casal mais amoroso. Vivem num idílio eterno. Ele não é capaz de entrar ou sair sem primeiro beijá-la.[32]

— E Dona Aspásia muito o merece, — disse Dona Benta. — Além da beleza que é, tem coração e tem miolo.

— O que ela tem, — observou Narizinho, — é uma perfeição de nariz como ainda não vi nenhum. Uma coisa está me parecendo, vovó...

— Que é, minha filha?

— Está me parecendo que os narizes degeneraram muito. No nosso povo moderno um nariz realmente bonito é um fenômeno de raridade. Uns são batatudos; outros, finos demais; outros, de papagaio; outros, chatos, como o de Tia Nastácia — e até o meu não é lá nenhuma perfeição.

— O seu é dos mais engraçadinhos, — murmurou Dona Benta com um sorriso de vovó amorosa. — Que tal... como é o seu nome? — perguntou à escrava.

— Aglae.

— Que tal, Aglae, o narizinho de minha neta?

Aglae achou-o mimosamente petulante.

— Mas não é perfeito, — disse a menina. — Narizes perfeitos só vim ver em Atenas. O de Dona Aspásia, então, é ótimo. Você é daqui de Atenas, Aglae?

— Não, sou de Mileto, da mesma terra de Aspásia.

— Pois meus parabéns. O seu nariz miletiano também merece grau dez.

Aglae achou muita graça quando soube que o apelido daquela menina era "Narizinho", ou "Microrhino" em grego, e disse que de fato a regra em Atenas era o nariz bem feito, embora houvesse alguns bem desajeitados.

— Como o do Senhor Sócrates, — lembrou Dona Benta. — Foi o nariz mais desajeitado que notei por aqui — e até em nosso mundo moderno se falará na feiura do nariz desse grande filósofo.

Aglae não sabia que Sócrates era filósofo, nem imaginou que fosse celebrizar-se. Por aquele tempo não passava dum moço como os havia tantos, cujo mérito maior era ser muito amigo de Aspásia.

— Bom, vamos ao cabelo, — disse Dona Benta, colocando-se à disposição da camareira.

Aglae penteou-a à moda do dia, com um corote comprido atrás e uma fita passada de certo jeito. Narizinho pôs-se a rir.

— Ah, meu Deus! A senhora está o suco dos sucos, vovó. Só quero ver agora como vai ficar depois de vestir a túnica.

Aglae desdobrou as vestes gregas que Aspásia destinara à hóspeda — um quíton e um peplo para Dona Benta e uma tunicazinha para a neta.

---
32 Observações de Plutarco. *Vida de Péricles*.

— São de Dona Aspásia estas roupas?

— Sim, são trajes que ela já não usa.

Dona Benta envergou a túnica e botou por cima o peplo, sempre ajudada pela camareira, que foi acertando as pregas e colocando os broches. "Pronto!" — disse por fim Aglae.

Narizinho rolava na cama de tanto rir.

— Eu só queria que Nastácia aparecesse agora. O espanto dela, vovó. Mas sabe que ficou uma notável matrona? Sim, senhora! Até casamento é capaz de sair. Juro que se o Senhor Heródoto a enxergar deste jeito, pede-lhe a mão. Ele tem ar de viúvo.

Dona Benta sentiu não encontrar ali um espelho moderno dos que permitem ver o corpo inteiro. Os espelhos de Atenas eram de prata polida e pequenos.

Depois de pronta a velha, Aglae vestiu Narizinho — e imponentemente as duas saíram do quarto para a refeição da manhã.

Na sala de jantar a esposa de Péricles as recebeu com amável cumprimento.

— Viva! Que Palas-Atena as conserve sempre assim, bem dispostas e felizes. O seu ar, minha senhora, é de quem brotou neste momento da cabeça de Zeus, pronto para a conquista de todas as vitórias — e o desta menina é o duma digna filha de tão alta matrona. Ótimo! Poderão passear comigo sem que ninguém perceba que são de fora.

— Quem dera! — suspirou a menina. — Há os nossos narizes, que são os menos gregos de todos os narizes...

Aspásia examinou-os com atenção.

— Sim, não lembra os narizes daqui, mas temo-los também desse tipo; temos até narizes como o do seu amigo Sócrates, que não é nada espiritual. A Cleone observou-me ontem que o nariz de Sócrates deve ter sido o pai da sua filosofia; não o deixa sair da linha, está sempre a lhe dizer "Conhece-te a ti mesmo, homem!". Mas vamos para a mesa.

A refeição matutina foi duma encantadora frugalidade. Leite, queijo, carnes frias, ovos e frutas. Péricles não tardou a aparecer.

— Salve, ilustres visitantes da minha Atenas! — disse ele ao entrar. — E meus parabéns. Vejo que já se helenizaram na perfeição.

— Quem não há de helenizar-se nesta maravilhosa Atenas presidida por dois grandes gênios? Ah, Senhor Péricles, eu nem encontro palavras para traduzir o que sinto. Que felicidade a de ver-me no mais belo instante da vida do mundo!...

— Acha isso?

— Não *acho*; não estou dando opinião minha. Sei que é assim. Período nenhum da história da humanidade será mais belo que este. Nunca a arte florescerá tanto, nunca haverá maior produção de ideias. O mundo em que vivo, ou o que chamamos "Civilização Moderna", está ainda profundamente influído pelo que os gregos deste século criaram e estão criando. Nós, modernos, nada mais fazemos senão desenvolver ideias gregas, embora na maioria coadas através dos romanos.

Péricles e Aspásia admiraram-se de que assim fosse — e ainda mais quando a velhinha lhes disse que aquele século iria figurar na História como o Século de Péricles.

— Mas haverá no meu tempo quem reclame contra isso, — observou Dona Benta.

— Quem não me ache merecedor de tamanha honra? — perguntou o estratego sorrindo.

— Não. Os reclamantes querem que, em vez de século de Péricles, se diga Século de Péricles e Aspásia.

Dona Benta jamais esqueceu o olhar de ternura comovida que os dois gênios trocaram...

— E qual o programa para hoje? — perguntou o estratego.

— Eu proporia uma visita aos monumentos, — disse a esposa de Péricles, — se não fosse a curiosidade que tenho de conhecer o "Beija-Flor das Ondas". Andam por aí a dizer prodígios dessa embarcação.

— Ótima ideia! — aprovou Dona Benta. — Há lá muitos objetos modernos que fatalmente vos irão interessar. E a manhã está boa para isso.

— Heródoto também quer ir, — disse Péricles. — A curiosidade desse homem é feminina; viaja muito, tudo examinando, tudo comparando, tudo anotando. Vou mandar preveni-lo.

— E convide também ao Senhor Sócrates, — disse Dona Benta. — Gosto daquele nariz...

Capítulo XIX
OS GREGOS VISITAM O IATE

A visita ao iate foi um sucesso. O primeiro espanto dos ilustres gregos foi o Marquês de Rabicó.

— Mas... — murmurou Aspásia ao ser recebida por aquele estranhíssimo personagem. — Não É um porquinho?...

— É e não é, minha senhora, — respondeu Dona Benta. — A vida que levamos no sítio do Pica-pau Amarelo desgarra do normal. Tudo diferente. O que os meus netos fazem, as aventuras em que se metem, nada têm que ver com a vida comum dos entes humanos. E seus companheiros de aventuras são a Emília, uma bonequinha de trapo que virou gente, o Visconde de Sabugosa, que é um sabugo científico, o Quindim, que é um rinoceronte de ótimos sentimentos e o Conselheiro, que é um burro falante.

Todos se entreolharam. Dona Benta dizia às vezes coisas de velha caduca, tão disparatadas que os gregos sorriam. Mas ao lado do que dizia estava o que ela fazia, como, por exemplo, a sua vinda do futuro naquela embarcação comandada por um porquinho, de modo que todos eram forçados a calar-se. Impossível compreenderem tamanho mistério, nele discernirem se era verdade ou fábula. Quando em certo momento Narizinho perguntou qualquer coisa a Rabicó e este respondeu na sua vozinha gorda de leitão nutrido, Aspásia levou um susto.

— Ele fala, então?

— Claro que fala, — respondeu Dona Benta. — E anda muito bem comportadinho agora. No princípio chegou a nos desanimar. Guloso em excesso, só pensava em comer.

— Foi a gula dele que estragou a festa do meu casamento com o Príncipe Escamado, — disse Narizinho. — Rabicó papou a coroinha do Príncipe...[33]

---

[33] Vide *Reinações de Narizinho*.

Sócrates franziu a testa. Que quereria aquela menina dizer com o tal "papou a coroinha do Príncipe?"...

— Eu cá não me admiro de nada, — disse Heródoto, — porque em minhas excursões ouvi contar prodígios de todos os tamanhos. Na Pérsia, por exemplo... — e começou a desfiar para Sócrates uma história da Pérsia, enquanto Dona Benta levava Aspásia a ver as coisas do seu camarote.

— Que interessante! — exclamou a grega ao entrar. — Tudo incompreensível para mim — e ia perguntando o que era isto, o que era aquilo. A cesta de costura foi o que mais lhe interessou. O agulheiro, os dedais, as tesouras, o ovo de cerzir meias, os carretéis de linha, os botões de madrepérola, os colchetes de pressão, o zipe. Dona Benta fez-lhe ver que o vestuário moderno exigia muita costura; as fazendas eram cortadas e emendadas por meio de pontos.

— E para isso usamos a agulha de aço ou a máquina de coser. Eis aqui uma agulha.

Depois de curiosamente examinar uma agulha muito fina, com aquele buraquinho na extremidade, Aspásia não resistiu: correu a mostrá-la a Péricles.

— Veja, meu amigo, que coisa maravilhosa! Neste furinho passam um fio que vem enrolado em carretéis, e cosem, isto é, emendam dois pedaços de fazenda.

Péricles examinou a agulha com a maior atenção, e passou-a aos outros. Ao experimentar lhe a ponta, Sócrates espetou o dedo.

Em seguida Dona Benta mostrou a máquina de costura na qual fez uma bainha. Assombrada com o prodígio, Aspásia — gritou para os homens que viessem admirar a engenhosidade do "assombro moderno".

— Mas é realmente espantoso, minha senhora! — disse Péricles. — Este conjunto de peças age como se possuísse inteligência. Se as mais máquinas do seu mundo futuro mostram a sagacidade desta, chego a temer pela sorte dos homens: acabarão vencidos por tais inteligências mecânicas.

— Pois fique sabendo, Senhor Péricles, que a máquina de coser é das mais simples. Há-as na verdade prodigiosas, como, por exemplo o linotipo...

Ah!, por que foi ela falar em linotipo! Teve de fazer um curso completo sobre a invenção de Gutenberg, sobre os tipos móveis e os prelos de impressão, para, só depois, conseguir dar uma pálida ideia do "tipógrafo mecânico" inventado por Mergenthaler.

— A característica do mundo moderno, — concluiu Dona Benta, — é o desenvolvimento da máquina até aos últimos limites. Tudo é feito por meio de máquinas — e cada vez mais.

— Não inventaram também máquinas de substituir gente, minha senhora?

— Como não? Temos os robôs, uns aparelhos armados de célula elétrica, que executam atos que sempre foram privilégio das criaturas humanas. Basta dizer, meu senhor, que na aviação já existe o voo cego, isto é, o voo dirigido unicamente por aparelhos; os aviões sobem, caminham centenas de quilômetros na direção desejada e descem no ponto certo sem que o piloto intervenha. Os aparelhos controladores dessas máquinas de voar executam todos os serviços.

Era difícil fazer os gregos daquele tempo compreenderem as coisas do mundo moderno, e volta e meia Dona Benta pilhava-os a sorrirem uns para os outros. Foi assim com aquela história do "voo cego".

No camarote de Pedrinho causou grande sensação um canivete que Dona Benta lhe havia dado no dia de anos — desses gorduchos, que têm lâminas de todos os formatos, e lima de unha; e tesourinha, e furador, e chave de parafuso, e saca-rolha. O instrumento passou de mão em mão, considerado um verdadeiro prodígio.

Péricles interessou-se profundamente por um exemplar das *"Reinações de Narizinho"* encontrado lá.

— É um modelo do livro moderno, — explicou Dona Benta, — feito de papel, uma substância que os gregos ainda não conhecem. Não usamos mais o papiro nem o pergaminho. Este papel é fabricado de celulose, isto é, da substância que forma o lenho das árvores. A impressão faz-se nos prelos, por meio de tipos, ou caracteres móveis, quando não por meio das linhas inteiras compostas e fundidas por aquele linotipo de que falei. A invenção do livro permitiu que as obras se divulgassem dum modo incrível. Nos países mais cultos as edições sobem a milheiros e milheiros de exemplares. Às vezes a milhões.

— Milhões, minha senhora?

— Sim, milhões! Um dos característicos desses países é que todos os seus habitantes recebem educação escolar, e portanto podem ler qualquer livro. Daí as grandes tiragens.

— E estes desenhos, como entram nos livros? — perguntou Heródoto.

— Por meio do mesmo prelo que imprime as letras. O desenho do artista é transportado para uma chapa de metal, num processo chamado zincogravura, e depois é impresso juntamente com os tipos. Temos vários processos de reproduzir desenhos com todas as cores.

— Com as cores também?

— Claro. Quer ver? — e Dona Benta remexeu os guardados de Pedrinho em procura duma tricromia. Achou uma página de revista com o retrato a cores de Shirley Temple.

— Aqui temos uma. É um retrato fotográfico reproduzido no papel pelo processo da tricromia.

— Maravilhoso! — foi a exclamação geral. — E quem é esta encantadora criança?

— Ah, é a flor do Cinema! — respondeu a menina. — Uma estrelinha maravilhosa. Oito anos de idade só e ganha, sabem quanto? Sete mil dólares por semana.

Foi uma atrapalhação para explicar o que era "estrela", o que era dólar, quanto valia um dólar comparado à moeda grega. A menor coisa que Narizinho e sua avó diziam provocava digressões explicativas sem fim — e o pior é que todos ficavam na mesma; impossível os gregos, por mais inteligentes que fossem, compreenderem de modo perfeito as coisas da vida moderna.

Na cozinha o espanto não foi menor. O fogão usado no navio, o fogareiro de álcool, as panelas de alumínio, o açúcar, tudo era novidade. Aspásia achou lindo o açúcar e provou-o delicadamente.

— Veja Péricles que maravilha! Tem a doçura do mel, mas um sabor diferente. Como se consegue isto?

Os gregos ignoravam o açúcar, só usavam o mel, de modo que Dona Benta teve de fazer um curso a respeito da cana e da beterraba, e explicar todo o processo de obtenção da maravilhosa "farinha doce". Aspásia não resistiu: levou um pacotinho para o mostrar às amigas.

— E olhe o que é a batata! — disse a menina trazendo uma da despensa. — Ontem ao jantar falou-se muito nisto.

A batatinha inglesa passou de mão em mão, cheirada, provada, comentada. E para que a demonstração fosse completa, Dona Benta mandou Narizinho preparar um prato de batatas fritas. A menina era doutora nisso, de modo que produziu em poucos minutos um prato de "batatinhas pururucas" merecedoras da assinatura de Tia Nastácia. Todos comeram com delícia.

Sócrates arregalou o olho.

— Já não será aquele naco de carneiro que comi em Potideia o único pitéu que me ficará na memória; também não me esquecerei nunca deste delicioso petisco.

Péricles e Heródoto concordaram — e lamberam os beiços.

— E se eu rebentasse umas pipocas, vovó? — propôs a menina.

— Excelente ideia, minha filha.

O preparo das pipocas foi uma festa. Aspásia parecia tão infantil quanto a Emília. Levantava a tampa da caçarola para ver os pulinhos do milho, pegava e assoprava as que caíam fora. Depois de terminado o "tiroteio", Narizinho derramou a caçarolada de pipocas numa peneira.

— Pronto, — disse. — Agora é comer.

Péricles, Sócrates, Heródoto e Aspásia rodearam a peneira e regalaram-se.

— Não sei que gosto terá a ambrosia dos deuses, mas há de aproximar-se disto, — foi a opinião de Sócrates.

— Na Líbia apresentaram-me um prato que lembra este, — disse Heródoto. — A variedade dos alimentos humanos é imensa.

Aspásia separou um punhado de pipocas. Queria também levar um pouco daquela "maravilha" para deslumbrar sua amiga Cleone.

O Marquês de Rabicó, que havia sentido o cheiro do piruá, aproximou-se. Narizinho deu-lhe o fundo da caçarola.

— Que é isso? — indagou Aspásia.

— O piruá, — explicou a menina; — isto é, os grãos de milho que não rebentam.

— Por que não rebentam?

— Enjoamento deles. Preferem ficar totalmente torrados a rebentar. Fedorências, como diz a Emília.

Depois das pipocas, Dona Benta foi mostrar-lhes a bússola.

— Aqui está a grande coisa, — disse ela. — Graças a este simples aparelhinho é que a navegação regular se tornou praticável dum continente a outro, sem perigo de extraviamento. Invenção dos chineses. Reparem que a agulha marca sempre a mesma direção, por mais que viremos a caixa.

Todos fizeram a experiência. Tomaram a caixa da bússola e viraram-na em todas as direções, sem que a agulha deixasse de marcar o mesmo rumo.

— Extraordinário! — murmurou Péricles. — Os navegantes não necessitam ficar de olhos ferrados nas estrelas, como hoje. Extraordinário...

Outra coisa que os encheu de assombro foi uma caixinha de fósforos. Quando a menina riscou um e apareceu a chama, o silêncio tornou-se geral. Prodígio! O fogo que Prometeu roubara ao Olimpo e dera aos homens, estava completamente domesticado e preso dentro daquelas cabecinhas escuras! Péricles também quis experimentar, e desajeitadamente riscou outro fósforo. Sócrates e Heródoto fizeram o mesmo. Aspásia riscou três — e guardou a caixa. Ah, como aquele milagrezinho iria tontear as suas amigas!

— Estou vendo, minha senhora, que esse tempo do futuro é a verdadeira era dos prodígios, — observou Péricles. — Tudo prodígios!...

— Realmente, o progresso do homem é um fato, — confirmou Dona Benta. — Não parará nunca, apesar das longas interrupções da barbárie. Esta maravilhosa Grécia de hoje, por exemplo, desaparecerá esmagada pela avalancha da estupidez barbaresca, — mas nem tudo ficará perdido. O pensamento de Sócrates e a arte de Fídias ressuscitarão numa fase chamada Renascimento, a qual virá depois de longos séculos de torpor. E os homens retomarão o archote de luz e prosseguirão na marcha. Infelizmente, parece que há uma coisa irredutível: a estupidez humana. Por mais que a inteligência se desenvolva, a estupidez não deixa o trono — as guerras, filhas dessa estupidez, vão sendo cada vez mais terríveis. Eu não quero desiludi-los, meus senhores, porque também não me desiludi totalmente. Mas afirmo que daqui a 2377 anos Sua Majestade a Estupidez Humana estará mais gorda e forte do que hoje...

Sócrates notou contradição nas palavras da velha.

— Não entendo, — disse ele. — A senhora afirma que o progresso humano é contínuo. Ora, se o progresso é contínuo, a estupidez não pode prosperar.

Dona Benta riu-se.

— O progresso é contínuo, sim, mas tanto nas coisas boas como nas más. Progridem as ciências, progridem as técnicas, progride o Bem, mas a Maldade também progride e também progride a Estupidez. Minha filosofia é essa.

— Nada de discussões — disse Aspásia. — São horas do almoço, e temos de aguardar a visita de Sófocles. Ele está interessadíssimo em conhecer as nossas ilustres visitantes, e aparecerá em casa depois das sete horas para levá-las à representação de *Alceste*.

Dona Benta gemeu com a célebre pontada. Sófocles! Ela a receber a visita de Sófocles, um dos maiores gênios da humanidade!...

Deixaram o iate. Uma hora depois estavam à mesa, almoçando e discutindo o teatro grego e a excelência das batatas fritas.

Capítulo XX
A Esfinge e o oráculo de Apolo

— Mas, afinal de contas — disse Pedrinho, — nossa viagem a estes séculos não foi para aventurar, sim para procurar Tia Nastácia. Temos de refletir nisso...

— De refletir, não! — contestou Emília. — Temos de indagar, de perguntar por ela a toda gente. Lá vem um homem. Vamos "bater papo" com ele.

Um homem de meia-idade caminhava na direção dos três "pica-paus". Pedrinho foi-lhe ao encontro.

— Meu senhor — disse ele, — andamos perdidos por estas terras e muito precisamos de informações — e contou quem eram e o que buscavam no mundo helênico.

O heleno parou, muito admirado da figurinha da Emília e do Visconde; por fim foi respondendo a todas as perguntas que lhe faziam.

— Pois é isso, — disse Pedrinho. — Andamos atrás de Tia Nastácia. Prometi a vovó não voltar de mãos abanando e estou atrapalhado. Quase que sei que ela está aqui, aprisionada por um dos monstros que atacaram o palácio do Príncipe Codadad. Mas onde?

O heleno declarou não ter visto preta nenhuma que se parecesse com a descrita.

— O remédio me parece uma consulta ao Oráculo de Delfos, — concluiu ele. — Por que não a fazem? Para Delfos vou indo, e justamente para consulta ao Oráculo. Vocês poderão acompanhar-me.

— Ótimo! — exclamou Pedrinho. — Mas o tal Oráculo adivinha mesmo as coisas?

— Por Zeus! Claro que adivinha, e por isso anda o santuário de Delfos sempre cheio de consultantes vindos de todas as partes do mundo. Reis e príncipes, negociantes e pastores — não há quem não recorra ao divino Oráculo. A quantidade de donativos em depósito no templo é enorme. Não existe em parte nenhuma do mundo santuário mais rico de prendas. Uns dão blocos de ouro; outros dão estátuas de mármore ou bronze. Há mais estátuas em Delfos do que em todas as cidades helênicas reunidas.

— E quem faz as adivinhações? — perguntou Emília.

— A Pítia. É em Delfos que o grande Apolo se manifesta por meio de uma fenda na montanha, donde saem uns vapores miraculosos. A mulher que respira esses vapores sente logo uma tontura, fica descabelada, de olhos enormes, a espumejar, e por fim solta as palavras de Apolo. Mas como nem sempre o que ela diz nos é inteligível, há os sacerdotes do santuário que as interpretam, isto é, explicam o significado das palavras divinas.

— Pois ai está uma coisa que só vendo, — murmurou Emília. — Duvido que a Pítia adivinhe quem é o Visconde de Sabugosa.

— Esse um? — disse o heleno apontando para o Visconde, que suava com a maleta da Emília às costas. — Esse até eu adivinho. É uma aranha...

— Não; quero que a Pítia adivinhe de que substância ele é feito, porque o Visconde é um produto do milho, coisa que não há por aqui.

— Adivinha, sim, — assegurou o heleno. — Não há segredos para o grande Apolo.

Iam os três lado a lado do heleno por um caminho sem fim, que cortava uma região pouco povoada. Em certo ponto viram uma casinha de campo onde morrera gente. Preparavam-se para o enterro.

— Vamos espiar, — disse Pedrinho. — Quero ver como é a morte neste século.

Não viram grande novidade. Tudo lembrava as cerimônias fúnebres dos modernos. Uma coisa, porém, causou-lhes espécie. Em dado momento um dos amigos do defunto abriu-lhe a boca e enfiou lá dentro um óbolo, que era a menor moedinha de cobre em circulação.

— Que perigo! — exclamou o Visconde. — O cobre produz um óxido chamado verde-paris, que é um veneno.

Todos riram-se da "emilice" do Visconde. O heleno explicou que era na boca que os defuntos levavam o dinheiro para a passagem da lagoa Estígia porque nada é veneno para os defuntos.

— Há nos infernos a Estígia, que todos os mortos têm de atravessar na barca do velho Caronte — e o preço da passagem é um óbolo. Quem não o leva, não passa.

Emília gostou muito do sistema.

Continuaram a caminhar. Uma hora depois penetraram em zona montanhosa, que o heleno explicou ser a montanha Esfíngia.

— E temos aqui de andar com muitas cautelas — disse ele, — porque a região é assolada por um monstro de grande crueldade. Aparece de improviso aos passantes e propõe-lhes enigmas. Quem não dá a solução certa é devorado.

— Não é a Esfinge? — perguntou Pedrinho.

— Sim, é esse o seu nome. A Esfinge é filha de outro monstro famoso, a Quimera de três cabeças.

— Da Quimera? Oh, conhecidíssima nossa! Já esteve lá no sítio do Pica-pau com o Senhor Belerofonte. Está velha e caduca a pobre, sem dentes e sem fogo...[34]

— Pois a Esfinge anda mais viva e feroz do que nunca. Há pouco tempo devorou o jovem Hemon, filho de Creon. Se nos aparecer pela frente, estamos perdidos.

Ah, por que foi aquele homem falar naquilo?

Parece que o monstro o ouviu e veio — e apareceu diante deles como por encanto, em plena estrada. Um monstro horrível, cabeça e busto de mulher, corpo de leão, asas de águia. Dos olhos saíam chispas ferozes.

Ao ver diante de si a Esfinge, o pobre heleno sentiu as pernas paralisadas. O terror o transfez em estátua. Pedrinho também bambeou de pernas, — mas Emília nada sentiu. Seus olhinhos examinavam a Esfinge da cabeça aos pés, para bem decorá-la.

O monstro não tardou a abrir a boca e deixar escapar um enigma, que ou eles decifravam ou...

— Que é que anda com os pés na cabeça? — perguntou à ex-boneca.

— Piolho! — respondeu prontamente Emília.

A Esfinge espantou-se da rapidez da resposta e deixou-a passar. Em seguida foi a vez de Pedrinho, que, ainda de pernas bambas, avançou.

— Qual é o homem que tem cabeça de boi, coração de carneiro e pés de porco? — perguntou o monstro.

Pedrinho era mestre em adivinhações, de modo que apesar do medo deu a solução certa:

— O carniceiro!

A Esfinge tornou a admirar-se da rapidez da resposta e deixou o menino passar. Era a vez do Visconde. O sabuguinho avançou, de maleta às costas, gemendo.

— Qual é a coisa mais pesada do mundo? — perguntou a Esfinge.

O Visconde deu um suspiro e respondeu sem nem pensar:

— É o raio desta canastrinha da Senhora Marquesa de Rabicó.

A Esfinge franziu a testa. Estava errada a resposta e portanto tinha de devorar o Visconde. Mas ao firmar a vista achou-o tão exótico, tão insignificante, tão parecido com uma aranha de cartola, que não deu confiança. Aquilo não era comida de esfinge. Seus olhos voltaram-se para o heleno, que dos quatro lhe pareceu a melhor presa. O pobre homem não podia despregar-se do chão. Suas pernas recusavam a obedecer-lhe.

— Qual é o animal que anda de quatro patas de manhã, de duas ao meio-dia, e de três à tarde? — perguntou a Esfinge.

O homem nem podia falar, quanto mais resolver enigmas. Gaguejou, sem conseguir soltar nem meia palavra.

---

[34] *O Pica-pau Amarelo.*

— Temos de ajudá-lo, — disse Emília. — Ele é bobo. O enigma da Esfinge poderá ser enigma para as gentes daqui, mas para nós é velharia coroca. Vá por trás dele, Visconde, e dê a resposta, que é: "Homem", porque o homem é que anda de quatro patas na manhã da vida, quando engatinha; e depois de duas, quando cresce; e depois anda de três, quando envelhece — as duas que tem e mais um porretinho, que é a terceira.

O Visconde foi. Colocou-se atrás do heleno e cochichou-lhe a resposta exata. Mas quem disse da boca do heleno poder falar? O Visconde então fez uma voz grossa e disse, fingindo que era o heleno:

— O animal que de manhã anda de quatro patas e ao meio-dia anda de duas e à tarde anda de três, é o Homem!

Ao ouvir aquela certíssima resposta, o monstro ficou assombrado. Já havia proposto semelhante enigma a dezenas de passantes sem que nenhum atinasse com a solução, e a todos ela devorou. Mas agora...

— Passe, e depressa antes que eu me arrependa! — urrou a desapontadíssima Esfinge para o heleno, o qual imediatamente desentanguiu as pernas e passou de corrida, com o Visconde atrás. O monstro lá permaneceu no meio do caminho, tonto, abestalhado, sem saber o que pensar. Nunca lhe acontecera aquilo — cercar quatro passantes e não conseguir comer nenhum...

— Que é que anda com os pés na cabeça? perguntou a Esfinge. — Piolho! respondeu prontamente Emília.

PARADIDÁTICOS O MINOTAURO   851

— Uf! — exclamou o heleno lá adiante, enxugando o suor da testa. — Escapei de boa. Mas como e que vocês sabem decifrar estes enigmas? Eu, nem que levasse a vida inteira pensando, não era capaz de resolver um só.

— É que nós somos "macacos de circo"! — disse Emília piscando os olhinhos. — Nunca nos apertamos. Não tive o menor medo da Esfinge pela certeza em que estava de que suas adivinhações seriam "canja" para nós.

Continuaram na viagem, e por longo tempo o heleno só falou naquilo. Que assombro! Que milagre! Como uma aranha daquelas, de cartolinha na cabeça e mala às costas, pudera acertar na decifração dum enigma que era o terror daquela zona?

— Por Apolo! Este caso é tão maravilhoso que vou erigir um templo com a estátua do prodigioso entezinho que me salvou a vida.

— Mas não se esqueça de me pôr atrás do "entezinho" a assoprar-lhe no ouvido a decifração certa, — alegou Emília, — porque o Visconde foi apenas o meu *speaker*. Por si só este coitado não fazia nada. Ia lá e saía-se com uma bobagem qualquer a respeito da minha maleta. Quando me carrega esta maleta, o Senhor Visconde não pensa em outra coisa e só fala "indiretas"...

Ao longe apareceram uns começos de cidade.

— Estamos chegando, — disse o heleno. — Lá está o santuário de Delfos.

A entrada dos "pica-paus" em Delfos causou sensação. Inúmeros peregrinos ali reunidos vieram rodeá-los, cheios da maior curiosidade. "Quem eram?" "Donde vinham?" Ao saberem do caso da Esfinge, o assombro geral cresceu. Depois Pedrinho indagou dos costumes locais e do que era necessário fazer para que a Pítia os atendesse.

— Os consulentes têm que oferecer ao santuário uma dádiva de valor. Sem isso não são recebidos.

— E está agora! — exclamou Pedrinho. — Não temos ouro, nem nada de valor para oferecer ao santuário. Como há de ser?

Emília resolveu o caso num instante.

— Nada mais simples — disse ela. — Se não temos ouro nem estátuas, temos o Visconde. Podemos oferecer o Visconde como uma das maiores curiosidades da natureza — e juro que os sacerdotes aceitam.

E como ao ouvir isso o pobre sabuguinho fizesse bico, ela completou o seu pensamento: "E depois ele foge e continuamos a nossa viagem".

E assim foi feito. Pedrinho aproximou-se do sacerdote e disse que viera consultar a Pítia, trazendo como dádiva um dos maiores prodígios do mundo — um "milhoide" que falava muito bem, sabia mil coisas e não tirava a cartolinha da cabeça. O sacerdote examinou o Visconde com grande interesse, fê-lo falar, mexer-se, mover-se dum ponto para outro — e gritou para os companheiros que viessem observar o estranho fenômeno.

— Não há dúvida que é um estafermozinho deveras curioso, — disse ele por fim. Aceitamo-lo como donativo ao santuário — e lá foi o pobre Visconde, com a maleta ao ombro, para o depósito das dádivas, conduzido pela mão por um ajudante do sacerdote.

Para consultar a Pítia, Pedrinho e Emília tiveram de esperar a vez, porque havia muita gente antes. Ficaram na grande praça onde se erguia o templo de

Apolo, de conversa com o heleno e vários outros peregrinos. A fim de matar o tempo contaram histórias do mundo moderno, fizeram mágicas apreciadíssimas, como a de produzir fogo por meio de um pau de fósforo riscado na caixinha. Os gregos ali reunidos estavam de boca aberta. Assombro maior nenhum deles tinha visto.

Chegou afinal a hora de consulta; Pedrinho e Emília foram introduzidos na câmara do Oráculo.

Lá estava a Pítia com o seu ar de louca, sentada em cima duma trípode, por baixo da qual subia da terra um vapor. Com o maior desembaraço Pedrinho disse ao que vinha.

— Queremos saber onde está uma Tia Nastácia que sumiu lá do sítio de vovó e deve ter afundado nestas terras.

— Uma mulher cor de carvão, — completou Emília, — de quase setenta anos, beiçuda, lenço de ramagens na cabeça, mestra em bolinhos.

A Pítia concentrou-se, babou, escabujou, arrepelou os cabelos e por fim disse, com os olhos parados

— *O trigo venceu a ferocidade do monstro de guampas.*

Pronto. Era só aquilo. Pedrinho e Emília retiraram-se desapontadíssimos. Não encontravam sentido nenhum nas palavras do oráculo.

— Parece que a Esfinge foi a professora desta pitonisa, — disse Emília. — Em vez de nos dar uma resposta clara, vem com um quebra-cabeças. Confesso que fiquei na mesma.

— Temos que pensar, Emília, pensar muito, mas aqui é impossível. Vamos sair do meio desta multidão.

Saíram. Foram ter a um jardim deserto onde se sentaram na relva, com as mãos na cabeça, pensando, pensando.

Súbito, Emília deu um grito. — "Heureca, Heureca!" Achei, achei!... Tia Nastácia está sã e salva nos domínios do Minotauro. É isso!...

Pedrinho não entendeu a decifração.

— Por quê?

— Tudo está claro como água, Pedrinho! "*O trigo*" quer dizer Tia Nastácia, porque ela, como cozinheira, lida muito com trigo, farinha de trigo, massa de trigo, pastéis, bolinhos, etc. E com as coisas gostosas que ela fez com a farinha de trigo "venceu" isto é, amansou a "*ferocidade do monstro de guampas*", que não pode ser outro senão o Minotauro. De todos os monstros que invadiram o palácio do Príncipe Codadad só havia um de guampas, ou chifres: o Minotauro. Logo, Tia Nastácia está sã e salva nas unhas do Minotauro. Viva!...

Pedrinho achou bastante lógica a interpretação emiliana.

— E onde mora o Minotauro?

— O heleno que nos acompanhou deve saber. Vamos procurá-lo.

Foram em procura do homem e souberam que o monstro morava na ilha de Creta.

Tinham de partir imediatamente para a ilha de Creta, mas antes era preciso acudir ao Visconde. Como arrancá-lo do santuário? Foram os dois para lá e deram várias voltas em redor. Paredes altas, sem janelas.

— A única abertura é a porta de entrada, — observou Emília. — Por ela o Visconde passou e só por ela poderá sair. Mas o Visconde é a lerdeza em pessoa. Se fosse eu, já havia escapado, porque os sacerdotes volta e meia abrem a porta para guardar mais dádivas. Fiquemos aqui por perto. Talvez o Visconde compreenda que o único meio de salvação seja aproveitar-se dum dos abrimentos da porta e fugir.

Assim fizeram. Ficaram por ali de olho na porta, espiando pela fresta cada vez que um sacerdote abria o santuário. Mas nada de o Visconde aparecer. Impaciente com a demora, Emília resolveu agir.

— Vou pregar uma peça no primeiro sacerdote que chegar — disse ela.
— Que peça
— Você vai ver.

Vinha vindo um deles, carregando uma pesada estátua de ouro. Assim que abriu a porta, Emília lançou-se lhe aos pés, como tomada de convulsões, pôs-se a gritar coisas que ninguém ali entendia. Era na língua do "p."

— *Fupujapa, vispisconpondepe! Sapaiapa apatraspás dopo sapacerperdopotepe quanpandopo epelepe vipierper sapainpindopo epe nãopão espesquepeçapa apa mapalepetipinhapa.*

O sacerdote ficou espantadíssimo daquilo; abriu a porta do templo, entrou, guardou lá a estátua, e voltou apressadamente para acudir àquela criatura. Na sua atrapalhação não percebeu que o Visconde também saíra atrás dele, sempre com a maleta às costas. Ao perceber isso, Emília fingiu que ia voltando a si.

— Que é que teve? — perguntou o sacerdote, abaixando-se para cuidar dela.
— Um ataque "pêpilético!" — disse a diabinha, assoprando-se e passando as mãos pelos olhos. — Mas já estou boa. Ah, sou muito sujeita a estas coisas, meu senhor...

Enquanto Emília entretinha o sacerdote, o Visconde, na ponta dos pés, esgueirava-se dali. Momentos depois estavam os três reunidos num lugar deserto, já prontos para a partida.

— A ilha de Creta é longe, — disse Pedrinho. — Temos de tomar uma pitada do pó de pirlimpimpim — e sacou do bolso o canudo que continha o maravilhoso pó vencedor das distâncias.

Capítulo XXI
No labirinto de Creta

Foram despertar na ilha de Creta, onde logo descobriram o labirinto. Era um palácio imenso, com mil corredores dispostos de tal maneira que quem entrava nunca mais conseguia sair — e acabava devorado pelo monstro. O Minotauro só comia carne humana.

Diante do labirinto, os três "pica-paus" pararam para refletir.

— Quem entra não sai mais e acaba no papo do monstro, — disse Pedrinho. — Mas nós sabemos o jeito de entrar e sair: é irmos desenrolando um fio de linha. Ah, se eu tivesse trazido um carretel...

— Pois eu trouxe três! — gritou Emília triunfalmente. — E dos grandes, número 50. Desça a mala, Visconde, abra-a.

A mala foi descida e aberta. Emília tirou os carretéis e deu um a Pedrinho, outro ao Visconde, ficando com o terceiro.

Entraram no Labirinto e foram desenrolando o primeiro carretel; quando a linha acabou, desenrolaram o segundo; e quando a linha do segundo acabou, começaram a desenrolar o terceiro. Eram corredores e mais corredores, construídos da maneira mais atrapalhada possível, de propósito para que quem entrasse não pudesse sair. Antes do terceiro carretel chegar ao fim, Emília "sentiu" a aproximação de qualquer coisa.

— Percebo uma cantiga no ar, — disse ela baixinho, farejando. — O monstro deve ter os seus aposentos por aqui...

Uns passos mais e pronto: lá estava o Minotauro, numa espécie de trono, a mastigar lentamente qualquer coisa que havia numa grande cesta.

— Mas como está gordo! — cochichou Emília. — Muito mais que aquele célebre cevado que Dona Benta comprou do Elias Turco. Parece que nem pode erguer-se do trono...

De fato, o monstro estava gordíssimo, quase obeso, com três papadas caídas; o seu corpanzil afundava dentro do trono. Que teria acontecido?

Mesmo assim era perigoso aproximar-se, de modo que novamente Emília recorreu ao Visconde.

— Vá lá, meu bem, chegue-se ao "gordo" e com muito cuidado peça informações sobre Tia Nastácia.

— E se ele me devorar?

— Não há perigo. Nem a Esfinge o devorou, quanto mais o Minotauro. Só as vacas devoram os sabugos.

— Mas ele é touro, e os touros também comem sabugos.

— Menos este, que é antropófago. Vá sem medo.

O Visconde arriou a maletinha e foi. Instantes depois voltava.

— E então? — perguntou Pedrinho.

— Não fala, não responde. Perguntei por Tia Nastácia e ele só me olhou com um olho parado, sempre a mastigar umas coisas que tira daquela cesta — "isto" — e mostrou o que havia na cesta.

Emília arrancou-lhe o "isto" da mão. Era um bolinho. Era um bolinho de Tia Nastácia! Imediatamente Emília o reconheceu pelo tempero. Que alegria! Aquele bolinho era a prova mais absoluta de que Tia Nastácia estava lá — e viva! Pedrinho comeu o bolinho inteiro e lamentou que o Visconde só tivesse trazido um.

— Vamos procurá-la com o resto de linha que ainda temos, — disse Emília examinando o carretel. — Há de dar.

Continuaram o avanço pelos corredores sem fim. Em certo momento o narizinho de Emília farejou o ar.

— Hum! — fez ela. Estou sentindo um cheiro que não me engana. Até parece que estou lá no sítio...

Instantes depois alcançavam uma dependência que parecia copa, e afinal deram com a cozinha. E avistaram diante dum enorme fogão, de lenço vermelho na cabeça, a tão procurada criatura! A boa preta lá estava, fritando bolinhos numa frigideira maior que um tacho. A sua direita erguia-se um montão de massa, e à esquerda jazia a peneira onde ia pondo os bolinhos já prontos.

Os três "pica-paus" entraram na ponta dos pés. Súbito, Emília gritou — Hu!

Lá estava o Minotauro, numa espécie de trono, a mastigar lentamente qualquer coisa que havia numa grande cesta.

A preta, assustada, voltou-se. Seus olhos arregalaram-se. A colher de pau caiu-lhe da mão.

— Credo! Será que estou sonhando? — e esfregou a cara.

— Não está sonhando, não! — disse Pedrinho. — Somos nós mesmos, que viemos do sítio especialmente para socorrer você. Vovó e Narizinho ficaram no século de Péricles. Apronte-se para a fuga.

A negra custou a voltar a si do espanto. Por fim voltou, e numa alegria louca, rindo e chorando, abraçou o menino, beijou a Emília e o Visconde. Logo que sossegou um pouquinho, disse, num suspiro: "Mas daqui ninguém sai; isto é uma 'corredoria' que ninguém entende".

— Nós entendemos. Acompanhe-nos, que não se perderá no labirinto.

A pobre negra, ainda com a cara escorrida de lágrimas, acompanhou-os por uma hora. O fio de linha os guiava. E sem novidade nenhuma foram ter à porta de saída. Estavam salvos!

Ao ver-se livre do labirinto, Tia Nastácia caiu sentada no chão.

— Ah, meu Deus! Nem acredito...

— Pois acredite, que é verdade. Você está salva e vai voltar para o sítio. Mas que foi que aconteceu lá naquela festa? Conte.

A boa preta assoprava-se, ainda meio fora de si. Depois disse:

— Pois eu estava assando aqueles faisões lá na cozinha do Príncipe Codadad, quando chegou a bicharia, aqueles cavalos com corpo de gente, e tantos animalões que pareciam pesadelo. Corri em procura de meu povo. "Sinhá! Narizinho! Emília! Pedrinho!" Nada. Ninguém respondeu. E foi então que tudo virou um despropósito de brigas e galopadas que não acabavam mais. O Príncipe com a Princesa nem sei que fim levaram, só sei que de repente uma coisa me agarrou pela cintura. Olhei: era um homem gigante com cabeça de touro. Meu medo foi tanto que perdi os sentidos. Quando abri os olhos, estava neste "labirinto", com ele me olhando. Nossa Senhora! O medo que senti! Ajoelhei, rezei, pedi misericórdia com todas as palavras do meu coração — e o bicho quieto, a olhar. De vez em quando punha pra fora uma língua deste tamanho e lambia os beiços. Felizmente ele estava com a barriga cheia e me deixou para o dia seguinte. Jogou eu na cozinha e saiu. Eu fiquei que nem sabia de mim nem de nada, mas fui serenando. Minhas rezas me consolaram. Vi aquele fogão e muita farinha. Tive a ideia de fazer uns bolinhos, só pra matar as saudades. Me lembrei de todos lá do sítio e disse comigo: "Vou fazer pela última vez o que eles gostavam tanto?", não pra comer, porque numa ocasião dessas o estômago da gente até some. Fiz os bolinhos só por fazer, só pra me lembrar da minha gente lá do sítio...

Os olhos de Pedrinho umedeceram-se.

— Pois é, — continuou Tia Nastácia, — eu ia frigindo os bolinhos e botando numa peneira. E dizia: "Este é pra Narizinho, este pra Emília, este é pra Pedrinho, este pro Visconde, este é pro Quindim, este é pro Conselheiro...". De repente, quem vinha entrando? O monstro! A fome apertou e ele vinha vindo, lambendo os beiços. "Minha hora chegou", pensei comigo e caí no chão de joelhos, rezando pra Nossa Senhora. Mas aconteceu um milagre. O monstro viu a peneira com os bolinhos e tirou um. Provou. Ah, que cara ele fez! Aqueles olhos de coisa-ruim brilharam. Pegou outro, e outro e outro, e comeu a peneirada inteira. Depois me apontou para o fogão num gesto que entendi que era pra fazer mais. E desde esse dia não parei um instante de fazer bolinhos. O apetite desse homem-boi não tem fim. Come sem parar. E tantas peneiradas de bolinhos comeu que foi engordando, engordando, a ponto de nem mais aparecer na cozinha. Eu é que levava as peneiradas de bolos lá pro trono dele. Acabou completamente manso. Esqueceu até a mania de comer gente.

— Bem disse a Pítia! — recordou Emília. — *"O trigo venceu a ferocidade do monstro de guampas."*

— Pois é, foi o bolinho que me salvou. Nunca pensei...

— Sim, você está salva, Nastácia, e vai voltar para o Pica-pau, e vai continuar por toda a vida a fazer bolinhos para nós. Vê como é bom saber fazer uma coisa bem feita?

A negra concordou, com um suspiro.

Pronto! Estava terminada a excursão dos três "pica-paus" pela Grécia Antiga. O que por lá ainda tinham a ver era todo um mundo, mas não havia tempo. Dona Benta os esperava no século de Péricles.

— Então Sinhá também veio? — perguntou a preta.

— Claro que veio. Viemos todas no "Beija-Flor das Ondas", que ficou ancorado no porto do Pireu.

— Onde é isso?

— É no seu nariz, — respondeu Emília. — E por falar, prepare as ventas para uma pitada de pó. Vamos regressar.

Pedrinho tirou do bolso o canudo do pó número 2, despejou-o na palma da mão e deu uma pitadinha para cada um.

— E agora, um... dois... e TRÊS!

As quatro pitadas foram absorvidas pelos quatro narizes e *fiun*!... Quando abriram os olhos estavam no tombadilho do iate, diante da boca aberta de Rabicó.

— Credo! — exclamou Tia Nastácia. — Como ele está bonitinho com esse boné de marinheiro na cabeça! Parece um almirante...

Capítulo XXII
SÓFOCLES APARECE

Depois da visita dos gregos ao "Beija-Flor das Ondas", Dona Benta e Narizinho preparam-se para receber o estratego Sófocles.

— Estratego, vovó? — perguntou a menina muito admirada. Pois esse Senhor Sófocles também é estratego, como Péricles?

— Sim, minha filha. Há dez estrategos em Atenas, e se só ouvimos falar em Péricles é porque a sua posição corresponde à dum verdadeiro ditador. Não ditador imposto pela força bruta, mas escolhido pelo povo na assembleia, reeleito anualmente e aceito por todos como o primeiro homem da república. Sófocles é um dos dez estrategos atenienses; mas sua fama não vem disso, sim de suas peças teatrais. O Futuro o considerará um dos maiores gênios da humanidade.

— Mas como virou estratego?

— Há cerca de dois anos foi representada aqui em Atenas a sua tragédia *Antígona*. O entusiasmo do povo subiu tanto que na primeira assembleia o elegeram estratego — e nessa qualidade já tem funcionado como general em algumas guerras.

— E vão hoje levar alguma peça dele?

— Não. O que está anunciado é a tragédia *Alceste*, de Eurípides, outro grande gênio ateniense. Ah, minha filha, a história do teatro grego é muito curiosa. Foram os gregos os criadores do teatro no mundo, e a coisa começou, sabe como? Com as festas, os cantos e danças rústicas em homenagem a Dionisos, ou Baco, o deus da vinha e da alegria. Vem daí a palavra "tragédia", ou "trag-oidos" em grego, isto é, "canto do bode".

— Que têm os bodes com isso?

— É que os cantadores e dançadores eram homens disfarçados em sátiros, ou "bodes", como os gregos diziam. Mas a festa foi mudando, foi-se aperfeiçoando e acabou virada no teatro como o temos aqui e também em nosso mundo moderno. O primeiro grande avanço nesta evolução da simples festa dos bodes para o verdadeiro teatro foi promovido por um homem de nome Téspis, que teve a lembrança de introduzir na cerimônia um ator, isto é, um personagem que vinha "bater papo" com o coro dos cantadores. Teatro é diálogo, e para haver diálogo torna-se preciso que haja dois lados, um que fala e outro que responde. Antes de Téspis só havia cantos, porque o coro não podia dialogar consigo mesmo.

— Mas podia monologar, — disse a menina.

— Sim, mas no monólogo não há ação, movimento — e teatro é isso: diálogo, ação, movimento. De modo que a grande coisa que é a arte teatral saiu dum ovo de Colombo: a ideia de Téspis de pôr um personagem a discutir com o coro.

— Interessante! Tudo na vida é sempre um ovo de Colombo...

— Depois da entrada em cena do primeiro ator, a coisa se tornou fácil. Como na América. Depois de Colombo descobrir a primeira ilha, todo o continente americano foi surgindo.

— E quais os grandes homens do teatro grego?

— O primeiro grande nome que aparece é o de Frínico, do qual só conhecemos o nome das tragédias, porque nenhuma escapou à destruição. Aparece depois Prátinas, cujas obras também se perderam; e por fim surge Ésquilo, um grande gênio. Escreveu 90 tragédias, das quais só 7 chegaram até nós — e ganhou 28 prêmios. Ésquilo ficou no teatro como o Senhor Péricles ficou na política: o número 1, o homem que ninguém discute. Mas um dia apareceu Sófocles e derrotou-o.

— É então Sófocles maior do que Ésquilo?

— Não, minha filha. Sófocles venceu porque era menos terrível, mais humano — e o povo de Atenas já não suportava a atroz violência dos dramas de Ésquilo. Tão terríveis eram as suas tragédias, que sempre davam desastres nas representações: crianças que morriam de susto, mulheres que desmaiavam.

— Que horror...

— Sófocles sucedeu a Ésquilo na glória. Estreou com a tragédia *Triptólemo*, que foi premiada apesar de concorrer com uma de Ésquilo. Sófocles produziu 113 peças, entre tragédias e dramas, das quais se salvaram apenas 7. Tudo mais foi devorado pelo monstro da Destruição. Veja, minha filha, quanto o mundo perdeu só no que diz respeito aos trabalhos de Ésquilo e Sófocles! Das 203 obras-primas que os dois produziram, só se salvaram 14... Eu até sinto tonturas quando me lembro deste *naufrágio da Grécia*, o pavoroso naufrágio que destruiu a maior parte das obras de gênios como Frínico, Ésquilo, Sófocles, Fídias, Scopas, Miron, Policleto, Praxíteles, Zéuxis, Ictino, e de tantos poetas, prosadores e filósofos.

— E que idade tem Sófocles hoje?

— Deve estar com 57 anos. Ê uma criatura privilegiada. Aos 16 anos foi escolhido, como o mais belo rapazote da Grécia, para corifeu do coro das crianças que cantaram o peã em louvor à grande vitória de Salamina.

— Que é corifeu e que é peã?

— Corifeu é o chefe dum coro, o puxa-fila; e peã é um hino de alegria em agradecimento a Apolo, como temos hoje no futebol os hinos de vitória que terminam sempre com um estribilho — *Ale guá* e outros. O estribilho dos peãs era "Io péan".

A boa velhinha estava nesse ponto quando Aspásia apareceu no quarto.

— Viva! — disse a esposa de Péricles. — Sófocles já veio.

Dona Benta assanhou-se, arrumou as pregas de sua túnica grega, deu uma olhadela no espelho de prata e foi receber Sófocles.

A conversa da dona do Pica-pau Amarelo com o grande trágico ateniense foi dessas coisas que na vida moderna chamamos "do outro mundo", e para reproduzi-la inteira teríamos de escrever um livro maior que este. Jamais houve duas criaturas que se entendessem melhor e mais se entusiasmassem uma com a outra. Conversaram sobre tudo, principalmente sobre o teatro grego e o moderno. Dona Benta contou-lhe o que era o teatro moderno, e discorreu sobre o cinema — último galho saído do "canto do bode".

— Sim, — disse ela, — porque foram os sátiros com os seus cantos que deram origem a tudo, e quando lá no mundo moderno eu vejo em cena o Wallace Beery ou Lionel Barrymore, ou mesmo a encantadora Shirley Temple, meu pensamento mergulha no passado e recorda os "bodes" gregos...

— A evolução do teatro é contínua, — disse Sófocles. — Hoje temos aqui Eurípedes e Aristófanes, dois autores inimigos, mas ambos dotados de gênio. Um é a sátira, é o cômico; o outro é a inquietação, a dor, o desespero. Eurípedes, que nos dá hoje o seu último drama, *Alceste*, pinta os homens como eles são; eu na minha obra pintei-os como deviam ser...[35]

Dona Benta "sentiu" um peso na alma de Sófocles; percebeu que ele já era passado — que o futuro estava com as inquietações de Eurípedes.

— E por que não o trouxe para visitar-me?

— Oh, Eurípedes é quase um misantropo. Foge de qualquer convivência humana. Não conheço criatura mais arredia.

Aspásia contou a Sófocles a visita ao "Beija-Flor" e os assombros que vira por lá.

— O mais prodigioso, — disse ela, — foi o que "eles" chamam fósforo. Quer ver? — E foi buscar a caixinha de fósforos trazida do iate. Riscou um.

— Fogo, hein? — disse ela com os olhos a faiscarem, numa alegria de criança. — Pela simples fricção destas cabecinhas escuras na lixa da caixa, irrompe a chama. Não é o prodígio dos prodígios?

Sófocles ficou de olhos parados.

— Pobre Prometeu! — murmurou depois dum silêncio. — Tanto esforço, tanta dor para dar aos homens um elemento que no futuro iria dormir em caixinhas, totalmente escravizado aos homens...

---

35 Palavras históricas.

— Vovó, são horas! — veio dizer Narizinho.

— Sim, são horas, — confirmou Aspásia olhando para a clepsidra do pátio. — Vamos.

Dona Benta correu a vestir-se à grega e lá foi com os outros. O teatro de Atenas era ao ar livre, e dava para 27.500 pessoas, segundo a afirmação de Aspásia.

— Vinte e sete mil e quinhentas? — admirou-se a menina.

— E temo-los ainda maiores. O de Éfeso comporta 56 mil espectadores.

Dona Benta ia explicando como eram os teatros modernos, com as suas representações noturnas.

— A descoberta de vários processos de iluminação, — disse ela, — permitiu que o teatro passasse a ser um divertimento noturno, e sempre em recintos cobertos.

— Aqui tudo é ao ar livre, — observou Sófocles, — é festa para o dia inteiro. Atenas toda se reúne no teatro nos dias de representação. O preço é convidativo: dois óbolos.

Narizinho, já muito entendida em moeda grega, fez o cálculo mental. A moeda corrente era a dracma, que valia um franco moderno; e o óbolo valia 16 cêntimos. Uma entrada de teatro em Atenas, portanto, custava mais ou menos uns 20 centavos em moeda do Brasil.

Chegaram. Compraram as entradas, que eram discos de osso em que vinha escrito o nome do lugar. Narizinho comprou duas entradas, uma para si, outra para o museu da Emília.

O teatro de Atenas consistia numa arquibancada enorme, cavada numa encosta de morro, perto da Acrópole. No centro ficava o altar de Dionísio e a orquestra — e lá adiante o palco. A primeira fila era reservada às autoridades e visitantes ilustres. Aspásia levou as suas hóspedas para o melhor ponto, bem central.

Antes do início da representação houve um desfile de tropas, e a imagem de Dionísio foi trazida dum templo e colocada no altar.

Oh, Dona Benta e Narizinho não se esqueceriam nunca daquele dia, ainda que vivessem mais que Matusalém. Que maravilhosa festa foi! Os modernos nem em sonhos podem imaginar o que o teatro representava para os gregos — como eles *sentiam* as peças, como se comoviam, como se integravam no pensamento dos autores. Contínuos aplausos ou outras demonstrações, e nos lances dolorosos um silêncio cheio de emoção.

O que Narizinho mais estranhou foi o uso de máscaras pelos atores, e duns coturnos altíssimos, que os fazia gigantes. E ainda acolchoavam o corpo sob as vestes, para se aumentarem de volume.

O drama de Eurípedes causou a mais profunda emoção — e não era para menos. Perfeita obra-prima.

O enredo era assim: O deus Apolo, certa vez em que andou exilado do Olimpo, empregou-se nos domínios do Rei Admeto na qualidade de pastor, e em paga dos favores recebidos jurou defender esse rei contra tudo e contra todos.

Logo depois as Parcas resolveram que era tempo de riscar o Rei Admeto do rol dos vivos. Apolo intervém. Vai ter com as Parcas para conseguir a modificação do terrível decreto. "Sim, pouparemos a vida de Admeto, se alguém o substituir", foi o mais que obteve.

Admeto era esposo de Alceste, a mais suave e encantadora das princesas. Vendo que ninguém se oferecia para morrer em lugar do rei, Alceste se apresenta. Ela daria sua vida pela do esposo amado, já que os decretos das Parcas eram irrevogáveis.

Chega o dia. Surge no palácio do Rei Admeto a horrível Morte de coração de bronze, igualmente detestada pelos mortais e pelos imortais. Apolo afasta-se quando ela entra.

Alceste diz adeus ao sol, à terra, ao palácio, às gentes — e nada mais emocionante do que as palavras que Eurípedes põe na boca da suave rainha. "Adeus, filhinhos queridos!..." murmura ela por fim.

Morre Alceste. Seu corpo está vazio de alma. As crianças choram no maior desespero — e o coro canta maravilhosos versos em louvor da infeliz rainha. Pelo anfiteatro imenso, trinta mil espectadores também choram...

Outro ato. Um tremendo herói aparece a pedir hospitalidade. É Hércules, o homem bom, o matador dos monstros, justiçador dos tiranos. Está de passagem para o reino do feroz Diomedes, que ensinara os seus cavalos a comerem carne humana. Hércules é imenso. Tudo nele é grande, inclusive a sede e a fome. Não há o que lhe chegue. Certa vez assou ao espeto dois bois e comeu-os com tal fúria que muitas brasas lá se foram para o seu estômago. Senta-se à mesa de Admeto e come o que há. Devora. Bebe todo vinho do palácio, ri um riso gigantesco, pula, salta, dança — e aquilo forma um horrível contraste com o luto da mansão, porque o corpo de Alceste ainda está para ser recolhido ao seio da terra. Todos disfarçam a tristeza. Procuram rir também, mas é riso sem alma, porque dentro de todos está a dor.

Afinal, apesar de bêbedo, Hércules percebe qualquer coisa. "Que há?" Um servidor abre-lhe os olhos, conta-lhe toda a tragédia da suave rainha. O herói jura vingança.. Sim, ele descerá ao Hades e lutará contra todos os deuses das trevas para arrancar de lá a sombra de Alceste.[36]

E Hércules vai e invade o Inferno, e luta, e vence todos os obstáculos, e volta para o palácio de Admeto conduzindo pela mão um vulto de mulher velada. Apresenta-a ao rei e pede-lhe que a guarde consigo até que ele regresse da expedição contra o dono dos cavalos antropófagos. Admeto recusa-se. Alega que jurara a Alceste nunca receber em sua casa mulher nenhuma. Hércules então levanta o véu da criatura. "Ó minha doce amada!" exclama o rei ao reconhecer o rosto pálido da esposa ressurgida. "És tu! Contra todas as esperanças voltas a quem não contava rever-te nunca mais!"

Narizinho chorou várias vezes durante a representação, e Aspásia também; só Dona Benta se manteve de olhos firmes, porque era uma filósofa. Ao terminar o espetáculo, — disse a Sófocles, que se sentara a seu lado:

— Este drama me fez compreender muita coisa, e sobretudo o que para um povo inteligente significa uma "arte geral".

Sófocles não entendeu.

— Sim, uma arte que interesse a todos da cidade, absolutamente a todos, desde gênios como Sófocles, Péricles, Aspásia e Sócrates, até modestos vendedo-

---

[36] O inferno dos gregos nada tem que ver com o inferno dos cristãos. Era um lugar muito afastado e sem sol, rodeado de quatro rios, governado pelo deus Hades, casado com a deusa Perséfone, e guardado pelo Cérbero, o cão de três cabeças. Todas as almas dos mortos iam para lá, tanto as dos bons como as dos maus.

res de figos, como aquele ali — e apontou para um vendedor de rua que se sentara perto e que "sentira" o drama de Eurípedes tão bem quanto o próprio autor. Isto, meu senhor, é o que nos falta no mundo moderno, esta absoluta identidade entre o sentimento do povo e a arte. A arte lá é uma coisa para os eleitos, para as chamadas elites; aqui é para todos sem a menor exceção — para ricos e pobres.

— Sim, — concordou Sófocles, — os cidadãos pobres, que não dispõem dos dois óbolos da entrada, recebem do *theoricon* o dinheiro necessário.

— Que é o *theoricon?* — perguntou Narizinho.

— Uma verba do tesouro público destinada a custear as festas, os sacrifícios, as embaixadas, a construção dos templos.

Eram 12 horas (ou seis horas da tarde dos modernos) quando Dona Benta e a menina se retiraram. Ao pé da liteira despediram-se de Sófocles.

— Nem queira saber, meu senhor, — disse Dona Benta, — o que este dia vai representar para mim. Ficará marcadinho em minha memória com um alfinete de ouro.

— E o meu prazer de encontrar um espírito afim, apesar da separação de 23 séculos, constitui um tema a ser desenvolvido em arte. Não se espante, pois, minha senhora, se na lista das minhas peças o futuro achar uma com este título: *O Encontro de Dois Séculos...*

Narizinho também ganhou o seu elogio

— Helenazinha do século XX, que Palas-Atena te proteja! — disse-lhe Sófocles, fazendo-lhe uma festa na ponta do nariz...

Capítulo XXIII
A Panateneia

A primeira coisa que Pedrinho fez ao chegar ao "Beija-Flor das Ondas" foi correr à dispensa em procura duma lata de sardinha. Queira variar. Andava enjoado de azeitonas e figos, de tanto que os comeu durante a "penetração" nos fundões da Hélade. E enquanto abria a lata, foi fazendo perguntas a Rabicó.

— Como vão as duas, vovó e Narizinho? Estão ainda na casa de Péricles?

— Sim. E já vieram cá em companhia duma senhora muito bonita e mais três homens. Dona Benta mostrou-lhes o navio inteiro, até a cozinha, onde houve um grande movimento de pipocas e batatas fritas.

— E vovó não disse nada? Não me deixou nenhum recado?

— Não. Esteve de prosa com aqueles gregos e a lidar com agulhas, carretéis, a máquina de coser e a bússola.

Pedrinho fez um sanduíche de sardinha e foi comê-lo no tombadilho, com os olhos no mar. Estranhou a calma do porto.

— Que fim levaria a gente do Pireu? Tudo deserto...

— Parece que hoje há festa em Atenas, — sugeriu Rabicó. — Todo mundo foi para lá.

— Em que dia estamos? Vinte e dois de julho? Hum! Já sei... É o dia da panateneia. Vá chamar a Emília.

Emília veio no seu andarzinho rebolado.

— Apronte-se, Emília, para irmos a Atenas. Hoje é o dia da maior festa grega — a panateneia. Nastácia também que se apronte.

Tia Nastácia estava na cozinha, a arrumar aquilo entre resmungos: "Gente sem vergonha. Onde já se viu uma cozinha assim, com tudo fora do lugar, panela praqui, frigideira prali, casca de batata no chão...".

— Nastácia, apronte-se! Vamos já para Atenas.

— Ah, meu Deus! A gente nem bem chega e já tem de sair correndo. Onde é essa tal Atenas?

— É onde estão vovó e Narizinho.

O rosto da preta iluminou-se. Largou da vassoura, sacou fora o avental.

— Pronto! — disse. — Vamos já para essa Atenas, e de galope. Não posso mais de saudades de Sinhá e da menina.

Pedrinho fez Rabicó entregar o comando do navio ao Visconde e desceu ao cais com Emília e a preta. Tudo deserto. Só um ou outro marinheiro alquebrado, desses que já vivem com o pé na cova. O menino foi ter com um deles.

— Que fim levou a gente daqui, meu velho? — perguntou-lhe.

— Tudo em Atenas, meu menino. As panateneias sempre deixaram o Pireu vazio. Não vai para lá também?

— Vou, sim, mas queria que o senhor me dissesse alguma coisa sobre o assunto. Que festa é essa?

O velho marinheiro falou.

— Pois é a principal festa de Atenas, em honra à nossa divina padroeira. Foi Palas-Atena quem mais nos beneficiou aqui; foi a criadora das oliveiras que nos alimentam, e a mestra que nos ensinou a atrelar o boi na charrua, e a fiar a lã, e tantas coisas mais. Em vista disso, Erectônio, filho de Anficteão, instituiu a festa anual do peplo, em que numa grande procissão toda a cidade vai levar a Atena Políada um peplo novo bordado pelas virgens atenienses.

— Que Atena Políada é essa? — quis saber Emília.

— É a grande estátua de lenho de oliveira do templo de Erecteu. Chama-se Políada porque é a Atena de todas as cidades gregas.

— Sei, — disse Pedrinho. — *Pólis* em grego quer dizer cidade. Petrópolis, Teresópolis...

— E lá está ela sentada em seu trono no alto da Acrópole, com a roca nas mãos e um emblema na cabeça. Essa estátua caiu do céu. É a mais venerada de todas e a que recebe as homenagens da procissão do peplo.

— E como é essa procissão?

— Ah, linda! Toda a vida eu assisti a essas procissões, ora tomando parte na puxada da galera, ora como simples espectador.

— Puxada da galera?...

— O peplo novo que anualmente a cidade oferece à deusa é conduzido numa galera colocada sobre rodas e puxada por marinheiros aqui do Pireu. Mas fui envelhecendo e pela primeira vez este ano falhei. Mal posso andar...

Tia Nastácia receitou-lhe gemada de ovos de pata com canela.

O velho prosseguiu:

— Linda festa! Vêm peregrinos de todas as cidades próximas, e todas as tribos mandam oferendas de bois e carneiros. A procissão percorre as principais ruas da cidade e dissolve-se depois da substituição do peplo velho pelo novo. Mas a festa continua. Há corridas de cavalos e de archotes, e há os concursos de poemas e cantos naquele Odéon que Péricles mandou construir.

— Que é a corrida de archotes?

— Ficam os moços enfileirados numa grande linha. Um da ponta acende um archote no altar de Eros e passa-o ao imediato — e o archote vai correndo de mão em mão até apagar-se. Aquele em cujas mãos o fogo se extingue, é eliminado.

— E a procissão? Como é ela?

— Linda! Começa com o desfile em marcha lenta da magistratura, dos arcontes, dos estrategos e todos os oficiais da república. Vêm depois as virgens, em suas alvas túnicas de harmoniosas pregas, conduzindo com tanta graça as páteras e os vasos sagrados. A seguir desfilam as canéforas, que são moças pertencentes às mais altas famílias de Atenas; trazem corbelhas de flores. Junto às canéforas, como se fossem suas criadas, vêm as filhas dos metecos, sustentando umbelas abertas.

Tia Nastácia não entendeu. Pedrinho teve de explicar que meteco era o nome dado aos estrangeiros residentes em Atenas. E umbela significava guarda-chuva. E corbelha equivalia a cesta.

— Enjoamento! — murmurou a preta fazendo um muxoxo. — Por que não dizem logo cesta, guarda-chuva, gringo?

O velho marujo continuou:

— As filhas dos metecos trazem consigo suas mães e pais, a conduzirem os odres de água, vinho e mel destinados às libações. Depois desfilam os guerreiros a cavalo, armados de escudos e lanças.

— Sei; já vi esses guerreiros na frisa do Parténon — disse Pedrinho. — E depois dos cavaleiros que é que vem?

— Depois dos cavaleiros desfilam os velhos de longas barbas brancas, segurando ramos de oliveira. São os *taláforos*.

— Portadores de talos, — explicou Emília ao ouvido de Tia Nastácia, piscando para Pedrinho.

— E depois dos velhos vêm as crianças — o lindo desfile das lindas crianças de Atenas. Oh, quanta beleza há nas panateneias que eu não verei nunca mais...

Outras coisas ainda disse o velho, e muitas ainda diria se não fosse a pressa de Pedrinho em correr para Atenas.

— Basta, meu veterano. Já sei o que desejava saber. Até a volta! Acabamos de chegar da Ilha de Creta e estamos ansiosos por ver vovó e Narizinho, que se acham hospedadas em casa do Senhor Péricles.

— Da ilha de Creta? — admirou-se o marujo, mas ficou sem outra informação, porque Pedrinho já se pusera em marcha. A boa preta, de longe, ainda lhe gritou: "Não se esqueça! Gemada com canela — de ovo de pata, veja lá!".

Apertaram o passo. A distância era grande, mas para tão valentes andarilhos não havia distâncias. Em menos de uma hora chegaram a Atenas. Oh, que movimento nas ruas! Gente que não acabava mais.

— Parece a Broadway, — observou Emília, lembrando-se da multidão que eles encontraram na grande Rua de Nova Iorque.[37]

Pedrinho encaminhou-se diretamente para a casa de Péricles. Bateu várias vezes. Nada de resposta.

— Não há vivalma. Foram todos à festa — e vovó também. Como faremos?

— Encontrar Dona Benta num povaréu desses é absurdo, — opinou Emília. — O remédio é irmos também assistir à procissão; depois voltaremos cá.

Como não houvesse outra coisa a fazer, Pedrinho resolveu estacionar no Ágora, por onde a procissão fatalmente passaria. "Quero ver se alcanço a *Vaca* do escultor Miron, que está sobre um pedestal de boa altura; de cima dele podemos ver a procissão melhor do que todos."

A escultura de Miron, no centro do Ágora, era famosa pela perfeição com que reproduzia uma vaca natural. Os próprios bezerros que passavam por ali confundiam-se e berravam *mé, mé*...[38]

Pedrinho teve sorte. Conseguiu alcançar a *Vaca*, e com um pouco de paciência pôde colocar-se com os outros em cima do pedestal. "Credo! — exclamou Tia Nastácia. Este bicho até faz medo à gente. Parece que vai dar uma chifrada..." Para matar o tempo de espera Pedrinho foi contando à preta o que era o Ágora — a sala-de-estar da cidade. Todos se reuniam ali para os negócios, as palestras, as mexericagens — e até para dar lições de filosofia, como Sócrates.

Em certo momento a multidão ondeou e o murmúrio cresceu.

— É hora! Lá vem a panateneia, — disse Pedrinho, espichando o pescoço.

O grupo dos magistrados, que abria o cortejo, entrou no Ágora pela brecha que se fez na multidão. Que imponentes eram! Graves, serenos, austeros. Sem demora Pedrinho reconheceu Péricles no grupo dos dez estrategos.

— É aquele, Nastácia! — disse apontando. — É aquele o rei daqui e o dono da casa onde vovó se hospedou. Marido de Dona Aspásia.

Passaram os estrategos, os arcontes e todos os mais paredros da república ateniense. Depois começaram a passar as virgens portadoras de páteras e mais vasos de uso nos sacrifícios feitos aos deuses. A pátera era uma espécie de taça grande.

— Que moças lindas!, — murmurou a preta. — E aquela ali, Pedrinho, veja como se parece com a Quinota, filha do Coronel Teodorico. Tal e qual...

— E agora vêm as canéforas, — disse Pedrinho, vendo chegar as portadoras de corbelhas muito envaidecidas sob os para-sóis sustentados pelas jovens metecas.

A boa negra devorava com os olhos a formosura daquelas adolescentes vestidas com tão graciosa singeleza. Súbito, seus olhos se arregalaram.

— Será possível? — exclamou. — Um raio me parta se aquelazinha lá não é Narizinho! É sim, juro! — e a preta, no maior assanhamento, esqueceu-se de tudo

---

37 *Geografia de Dona Benta*.
38 A propósito dessa escultura vários escritores contemporâneos fazem observações assim.

e gritou: "Narizinho, Narizinho! Olhe pra mim! Sou eu, sua Nastácia!". Mas o murmúrio da multidão im pediu que a menina a ouvisse — e Narizinho passou. Era ela mesma, de túnica ateniense, a figurar entre as canéforas...

— Que danada! — murmurou Pedrinho. — Apesar de ser meteca, achou jeito de virar canéfora. Só porque está hospedada com o Senhor Péricles. Ele é poderoso mesmo, não há dúvida...

Emília, que para ver Narizinho havia trepado ao ombro de Tia Nastácia, observou: "E o nariz dela está dando na vista. Reparem. Aqui ninguém usa nariz arrebitado".

A passagem dos cavaleiros fez Pedrinho sapatear de entusiasmo. Que belos homens e que lindos cavalos! Tais quais os da frisa do Parténon — só que não tinham o focinho tão fino. "São os cavalos da Tessália, os melhores aqui da Grécia."

Terminado o desfile dos cavaleiros, começou o dos taláforos, isto é, dos belos velhos portadores de ramos de oliveira. "Sim senhor! — disse Emília. A velharada de Atenas é de primeira ordem. Bonitões! E lá está um de óculos. Não é homem, não... É uma velha. Tal qual Dona Benta... Querem ver que é ela mesma?"

Pedrinho afirmou a vista. "É sim, a vovó! Ora que coisa..." — murmurou ele no maior dos assombros.

Tia Nastácia também reconheceu Dona Benta e não resistiu. Desceu do pedestal, como uma doida, a gritar: "Sinhá, Sinhá!" e varou a multidão a cotoveladas para ir ao encontro de sua querida ama.

— Sinhá! — gritou ao defrontá-la. — Sou eu sua negra velha, Tia Nastácia... — e lançou-se a Dona Benta, de braços abertos. Dona Benta, muito admirada do imprevisto encontro, teve de sair da linha para recebê-la — e aquilo perturbou o andamento da procissão. Os velhos pararam — e tudo atrás deles também parou. As duas metecas abraçaram-se com lágrimas nos olhos.

— Sinhá, minha Sinhá! — dizia a negra. — Eu pensei que nunca mais havia de ver minha Sinhá velha. Mas que é isso, Dona Benta? A senhora com esse balandrau branco, e esse cabelo penteado como funil? Bem bonita, sim, mas um pouco *não sei como* — e recuou dois passos para ver melhor a boa ama rejuvenescida pelos trajes gregos.

— Está bem, Tia Nastácia, — disse Dona Benta. — Não perturbe o andamento da procissão. Espere-me em casa do Senhor Péricles. Assim que a festa acabar, lá estarei. Adeus.

Dona Benta reentrou na fila dos velhos e a panateneia pôde prosseguir na marcha. Tia Nastácia voltou para o pedestal da *Vaca* de Miron.

— Ah, Pedrinho, que coisa do outro mundo! Sinhá aqui, Sinhá vestida de grega, com aquele penteado de funil. Parece até que estou sonhando...

— E que disse ela? — perguntou Emília.

— Disse pra irmos esperar na casa do tal rei. O mundo está mesmo perdido, Emília. Sinhá na casa do rei, vestida de grega, ah, meu Senhor Bom Jesus de Pirapora!...

Capítulo XXIV
Finis

Terminada a procissão, Dona Benta se recolheu à casa de Péricles, em cuja porta encontrou Pedrinho, Nastácia e Emília. Dona Benta, que voltara com Aspásia, fez a apresentação da preta.

— Está aqui a minha boa amiga extraviada nos fundões da velha Hélade. Pedrinho jurou que a traria e trouxe-a. É um danado este meu neto! E sabe quem é esta senhora, Nastácia? É Dona Aspásia, a esposa do Senhor Péricles, a mulher de mais fama no mundo antigo pela sua inteligência e bondade. Já lhe falei muito de você, dos bolinhos que você faz e de todos os petiscos em que você é mestra.

E, voltando-se para Narizinho:

— Leve Tia Nastácia pra dentro e ela que faça uns bolinhos daqueles.

A menina saiu com a preta, e Pedrinho contou atropeladamente o principal das suas aventuras pela Hélade. O assombro de Aspásia foi grande. Embora a achasse o absurdo dos absurdos, tinha de admitir a narração como verdade perfeita. E seu espanto ainda mais aumentou quando soube da subida ao Olimpo e do furto do néctar. Emília trazia no bolso o vidrinho com a amostra da bebida dos deuses. Aspásia provou-a com a ponta da língua.

— Que maravilha! Péricles vai assombrar-se quando vir isto. Ninguém aqui na Ática faz a menor ideia do que seja o néctar. Apenas imaginamo-lo. Que delícia — e provou mais um bocadinho. — E a ambrosia? Chegaram também a vê-la?

— Oh, sim! — respondeu Emília. — E comemos um bom pedaço. É tal qual curau de milho verde. Não trouxemos amostra de medo que azedasse.

Aspásia não resistiu. Provou pela terceira vez o néctar apesar da carranquinha da Emília. Naquele andar lá se ia tudo.

Péricles chegou. Aspásia correu-lhe ao encontro e, depois do beijo do costume, disse-lhe, mostrando o vidrinho:

— Veja, Péricles, o que a Emília trouxe da expedição: um pouco do néctar dos deuses, furtado do Olimpo...

O estratego sorriu incredulamente; mas quando o provou, seus olhos se arregalaram. O sabor era positivamente divino — diverso de todos os sabores conhecidos pelos mortais. E ficou estatelado, sem ter o que dizer.

Pedrinho pensou consigo: "Ah, a minha câmara aqui! Que instantâneo eu pegaria! O grande Péricles, sem fala, tonto, bobo, diante do vidrinho de néctar da Emília...".

A última noite que Dona Benta e os netos passaram em Atenas foi tão cheia de coisas que dava para um livro. A casa de Péricles encheu-se. Vieram Fídias, Ictino, Alcamene, Policleto, Sócrates, Heródoto, Sófocles, Cleone, vários estrategos e arcontes — e mais umas vinte pessoas importantes. A narração que Pedrinho fez das aventuras pela Hélade, terminadas com o salvamento de Tia Nastácia, encheu-os do maior assombro. Ficaram todos no ar, completamente tontos, completamente desnorteados — e só voltaram a si quando Tia Nastácia apareceu com os bolinhos.

— Meus senhores, — disse Dona Benta, — noto que a narração de meu neto os deixou a todos fora de si — mas estes bolinhos famosos irão sossegá-los. Provem-nos, regalem-se e voltem aos respectivos gonzos. Hoje é o meu último dia nesta Grécia maravilhosa. Parto amanhã cedinho para o Pica-pau Amarelo, e se os não convido para chegarem até lá é unicamente pela impossibilidade em que os vejo de transporem os 2377 anos que separam este momento do Tempo do momento do Tempo em que eu vivo no mundo moderno. Adeus a todos! Não tenho expressões para agradecer à Senhora Aspásia e ao Senhor Péricles a acolhida que nos dispensaram. Não sei dizer a Sócrates o prazer que me deu a troca de suas palavras divinas com as minhas pobres palavras de roceira. Não sei como agradecer a Fídias, a Heródoto e aos mais a honra de me distinguirem com uns momentos de convívio — nem sei como agradecer ao Senhor Policleto a maravilhosa escultura que ofereceu a Pedrinho...

Pedrinho, que não sabia de nada, arregalou os olhos. Dona Benta apontou para um grupo de mármore que se via a um canto.

— Ali está, Pedrinho, o maravilhoso presente que o grande Policleto oferece a você, já que você é um devoto do invencível Hércules. Ali está representada a luta do herói contra a hidra de Lerna.

Todos os olhares convergiram para a escultura, uma das mais perfeitas obras-primas da arte helênica, embora destinada a figurar, não no Louvre ou no museu Britânico, sim na sala de jantar da casinha de Dona Benta, no sítio do Pica-pau Amarelo.

Finda a falação, começaram os adeuses. Foram abraços e mais abraços, e frases cheias de aticismo. Aticismo era um gracioso, espirituoso e delicado modo de dizer próprio dos atenienses.

Depois que todos se retiraram, Aspásia disse:

— Minha senhora, por mais que me belisque, e sinta a dor dos beliscões, isto me parece um sonho. Mas, sonho ou não, só direi uma coisa: a surpresa maior da minha vida vai ser este nosso inolvidável encontro com um grupo de criaturas do século XX. Por Afrodite! Milagre maior não sei de nenhum.

Péricles apenas murmurou, ao abraçar Dona Benta:

— Que posso dizer depois das palavras de Aspásia? Adeus, minha senhora...

No dia seguinte estavam todos no sítio do Pica-pau Amarelo, radiantes de felicidade, comentando os mil e um incidentes da maravilhosa penetração na Grécia Antiga.

— Conte, meu filho, — dizia Dona Benta, — conte bem por miúdo como foi o salvamento de Tia Nastácia.

Pedrinho sentou-se na rede ao lado da boa velhinha e começou:

— O meio, vovó, era consultarmos o Oráculo de Delfos, que é o sabe-tudo da Hélade antiga. E foi então e fomos até lá e...

E Pedrinho foi desfilando a história inteira da sua maravilhosa aventura no Labirinto de Creta.

Paradidáticos

O poço do Visconde

(Geologia para as crianças)
Ilustrações de André LeBlanc

O poço do Visconde

Ao receber o jornal, Pedrinho sentou-se na varanda com os pés em cima da grade. Narizinho, que estava virando a máquina de costura de Dona Benta, disse:

— Vovó, eu acho uma grande falta de educação essa mania que Pedrinho pegou dos americanos, de sentar-se com os pés na cara da gente. Olhe o jeito dele...

Dona Benta suspendeu os óculos para a testa e olhou.

— Certos sábios afirmam, minha filha, que quando uma pessoa se senta com as extremidades niveladas, a circulação do sangue agradece, e a cabeça pensa melhor. É por esse motivo, que os homens de negócios da América costumam nivelar as extremidades, sempre que têm de resolver um assunto importante. A coisa fica mais bem resolvida — dizem eles.

— E é verdade?

— Os negócios de lá prosperam melhor que os de qualquer outro país; se o tal nivelamento dos pés com a cabeça contribui para isso, não sei. É problema para os fisiologistas resolverem.

— Que é fisiologista?

— Os fisiologistas são os sábios que estudam o funcionamento do nosso corpo. Aquele livro que estou lendo, Man the Unknown,[39] foi escrito por um grande fisiologista, Alex Carrel.

Depois que Pedrinho soube da opinião de Dona Benta, nunca mais deixou de ler sem botar os pés para cima, costume que Emília e o Visconde adotaram imediatamente — Emília por espírito de imitação e o Visconde por ordem de Emília. — "Vossa Excelência fica proibido de ler com as extremidades desniveladas" — ordenou ela. — "É por ler de pé, ou sentado, que está velhinho e ainda nem entrou para a Academia Brasileira." — E o pobre Visconde, apesar dos reumatismos, teve de continuar a leitura da sua geologia dobrado que nem um V.

Geologia? Pois o Visconde andava a estudar geologia?

Verdade, sim. O Visconde descobrira entre os livros de Dona Benta um tratado dessa ciência e pusera-se a estudá-la — a ciência que conta a história da terra, não da terra-mundo, mas da terra-terra, da terra-chão. E de tanto estudar, ficou com um permanente sorriso de superioridade nos lábios — sorriso de dó da ignorância dos outros. "Ele já entende de terra mais que tatu", dizia a boneca.

Mas, como íamos contando, naquele dia Pedrinho começou a ler o jornal à moda americana, com os pés em cima da grade. Em certo momento interrompeu a leitura para dizer em voz alta falando consigo mesmo:

— Bolas! Todos os dias os jornais falam em petróleo e nada do petróleo aparecer. Estou vendo que se nós aqui no sítio não resolvermos o problema o Brasil ficará toda a vida sem petróleo. Com um sábio da marca do Visconde para nos guiar, com as ideias da Emília e com uma força bruta como a do Quindim, é bem provável que possamos abrir no pasto um formidável poço de petróleo. Por que não? — disse e ficou pensando no assunto com os olhos nas andorinhas que desenhavam "riscos de velocidade" no céu azul. Depois chamou o geólogo e disse:

---

[39] "O homem, esse desconhecido".

— O amigo Visconde já deve estar afiadíssimo em geologia de tanto que lê esse tratado. Pode, portanto, dar parecer num problema que me preocupa. Acha que poderemos tirar petróleo aqui no sítio?

O Visconde respondeu depois de cofiar as palhinhas do pescoço:

— É possível, sim. Com base nos meus estudos estamos em terreno francamente oleífero.

— Lá vem! Lá vem o pedante com os tais termos arrevesados! Que quer dizer oleífero?

— Oleífero, quer dizer produtor de óleo. Frutífero, produtor de frutas; argentífero, produtor de prata...

— Milhífero, produtor de milho, — gritou a boneca, aparecendo e metendo o bedelho na conversa. — Em vez de tanta ciência, eu preferia que o Senhor Visconde produzisse grãozinhos de milho de pipoca. Há um mês que Tia Nastácia não rebenta nenhuma, porque o milho acabou. Se este sabugo de cartola produzisse pipocas em vez de ciência, seria muito melhor.

— Não encrenque Emília, — ralhou Pedrinho. — Estamos a tratar dum assunto muito sério: o petróleo. Que acha de abrirmos um poço de petróleo aqui no sítio?

Emília arregalou os olhos. A lembrança pareceu-lhe de primeiríssima.

— Ótimo, Pedrinho! Até parece ideia minha. E tenho um plano maravilhoso para conseguir uma perfuração bem redonda e profunda.

— Qual é?

— O tatu! Amarra-se um tatu pela cauda e pendura-se ele de cabeça para baixo, no ponto onde queremos abrir o poço. Na fúria de fugir, o tatu vai furando, furando até chegar no petróleo...

— E aí?

— Aí espirra — e a gente fica sabendo que deu no petróleo.

Pedrinho tocou Emília da varanda e continuou na discussão com o Visconde.

— Primeiro, — disse o grande sábio — temos de abrir um curso de geologia. Sem que todos saibam alguma coisa da história da terra, não podemos pensar em poço. Como já li esta Geologia inteira, proponho-me a ser o professor.

— Ótimo! — exclamou Pedrinho levantando-se. — Vou avisar o pessoal que as aulas começam hoje mesmo. Otimíssimo...

Foi assim que começou o petróleo no Brasil.

Capítulo I
O PRIMEIRO SERÃO

Pedrinho arrumou a sala como um anfiteatro de escola superior. Um tamborete em cima da mesa ficou sendo a cátedra do mestre. Na primeira fila de cadeiras sentaram-se Narizinho, Emília e ele. Na segunda, Dona Benta e Tia Nastácia. Pedrinho fez questão de que a pobre negra também se formasse em geologia.

Naquela noite, logo que todos se reuniram, Pedrinho plantou o geólogo na cátedra.

— Nivele as extremidades e comece Senhor Visconde.

O sábio assim fez; depois de apoiar os pés na geologia, erguendo-os ao nível da cartolinha, cuspiu o pigarro e começou:

— A Geologia é a história da Terra. Tudo que aconteceu desde o nascimento deste nosso Planeta se acha escrito nas rochas que o formam. A terra é uma rocha, uma bola de pedra.

Como nasceu? Temos de adivinhar, porque nenhum de nós assistiu a isso. Uns imaginam que foi dum jeito. Outros imaginam que foi de outro jeito. Vou contar como nós, sábios, imaginamos o nascimento da terra.

Em certo instante do Tempo Infinito, destacou-se do Sol um pedaço da massa de fogo que ele é e ficou regirando no espaço. A Terra, portanto, começou sendo uma bolota de fogo no espaço...

— Espécie de bomba de pistolão! — gritou Emília.

— Sim. Tal qual bomba de pistolão. Mas as bombas de pistolão descrevem uma curva e caem. A bolinha de fogo de nome Terra, em vez de cair, ficou toda a vida a regirar em torno do canudo do pistolão, que era o Sol. E foi se resfriando. Quando eu digo bola de fogo, é um modo de dizer. Era uma bola de minerais derretidos, ou pedra derretida. Dessa massa candente escapou mais tarde o espirro que formou a Lua.

— E por que motivo a Terra foi se esfriando? — perguntou Narizinho.

— Porque a tendência do calor é espalhar-se. Tudo que é quente esfria porque o calor se espalha — sai do corpo quente espalha-se pelo espaço. O calor irradia-se, como dizem os sábios. De modo que o calor da bola de minerais derretidos que chamamos Terra foi se irradiando — e até hoje está se irradiando.

— Como isso? Pois então já não está totalmente fria a Terra?

— Não. Já que esfria de fora para dentro, só está fria na crosta, ou na casca onde nós, e todos os animais e plantas, vivemos. Mas à medida que vamos afundando dentro da terra, o calor cresce.

— Como sabe disso?

— Em qualquer perfuração profunda observa-se muito bem esse fato. O termômetro, que é o instrumento de medir a temperatura, sobe de um grau a cada 25 metros de descida. Nessa marcha a dois ou três quilômetros de fundo temos a temperatura da água em ebulição; e a trinta ou quarenta quilômetros temos a temperatura em que os metais se derretem.

— Que horror! Quer dizer então que lá bem no centro da terra o calor é de nem se fazer ideia? ...

— Exatamente. Não podemos fazer ideia dele. Além desse aumento do calor com a fundura, ainda existem muitas outras provas do calor central da terra.

— Os vulcões! — gritou Emília.

— Sim, os vulcões. São aberturas por onde o fogo interno jorra. Hoje há muito poucos vulcões, uns 250; mas no começo a superfície inteira da crosta era coalhadinha de vulcões.

— Como sabe?

— Porque pela superfície inteira da terra vemos sinais de vulcões extintos — as rochas derretidas que saíram deles, as *rochas ígneas*, ou *eruptivas*, como se diz em geologia. Temos, ainda, os gêiseres, que são repuxos de água quente. Se a água sai quente, de alguma parte recebe o calor.

— Mas como nós não sentimos esse calor aqui em cima?

— Porque já há uma espessa camada de rochas quase fria, entre nós e as zonas de calor ainda forte. Essa camada constitui a crosta da Terra. Resfriou-se; as rochas derretidas que a compunham solidificaram-se — e como são más condutoras do calor, evitam que morramos assados aqui em cima.

Nos vulcões ativos podemos ter uma prova de como a coisa é. A lava que escorre desses vulcões, sai candente, derretida, em forma de pasta mole; o calor é tanto que nem olhar para aquilo de perto a gente pode. Cega os olhos. Mas logo que se afasta da cratera, a lava começa a resfriar-se, muda de cor; perde o fulgor cegante e fica vermelha, depois vermelho-escuro e por fim preta. A massa endurece por cima e esfria a ponto de podermos passear sobre ela; mas dentro o calor continua bravo.

— Muito bem, Visconde, — disse Narizinho. Chega de calor. Já estou suando. Fale das rochas.

O Visconde falou.

— Chamamos rocha a essa massa de minerais derretidos que se esfriaram e solidificaram. São compostas duma mistura de minerais simples, verdadeira salada. Existem nelas sílica, quartzo, mica, feldspato, ferro e todos os minerais que conhecemos.

A terra, portanto, aos resfriar-se, ficou uma bola com casca de pedra dura, ou de rochas ígneas, também chamadas *eruptivas* ou *plutônicas*.

— Que quer dizer ígnea? — indagou Pedrinho.

— Ígneo significa neste caso produzido pelo fogo. Essa bola de pedra dura regirava no espaço envolvida por uma camada de ar e uma imensa nuvem de vapores. Esses vapores, compostos de hidrogênio e oxigênio, formavam uma combinação de nome *água*, interessante por mil razões, entre as quais a de ser a nossa mãe — a mãe de todos os seres vivos, animais e plantas.

— Que engraçado! Nunca pensei nisso.

— Pois é. A água é a mãe da vida — e o pai é o calor. Sem água e calor não há vida possível. Mas no começo, não havia água. Só havia vapor de água, ou água em estado gasoso. O oxigênio e o hidrogênio quando se combinam ficam rebeldes ao calor excessivo. Por essa razão, em vez de permanecerem incorporados na massa candente da terra, fugiram, ficando suspensos no ar sob forma de grande nuvem a envolver a bola.

Assim, porém, que a crosta da terra entrou a resfriar-se e a consolidar-se, a água passou do estado gasoso para o estado líquido — e desceu sob forma de chuva para irrigar a crosta. A água acumulada nas partes mais baixas deu origem aos oceanos, mares e lagos. A que caiu nas partes mais altas deu origem aos rios. Ainda hoje a água sofre a ação do calor do sol e evapora-se, para cair de novo sob forma de chuva; mas daqui a milhões de anos o calor do sol não dará para evaporar a água e ela então ficará unicamente em estado líquido.

— Ou sólido — ajuntou Pedrinho.

— Perfeitamente. Quando por cima de toda a crosta da terra o calor do sol for tão pouco como já é hoje nas regiões polares, então toda a água do mundo se congelará. Os rios secarão, porque não havendo chuvas que os alimentem não pode haver rios — e os lagos e os mares se transformarão em imensas planícies de gelo.

— Que ótimo! — exclamou Emília. — Poderemos ir daqui à Europa numa volada de patins.

— Ótimo, nada! — contestou Pedrinho. — Nesse tempo estará extinta a vida na terra, como já se extinguiu nos polos. Até me arrepio de pensar nisso...

— Muito bem, — continuou o Visconde. — Estávamos já com a crosta da terra endurecida e a água formando os mares, os lagos e rios. Neste ponto começou a dar-se um fenômeno muito interessante. A água, de tanto lidar com o Calor e o Ar, fez com eles um trato. "Está muito feia a terra, assim reduzida a uma crosta de rocha dura", — disse a Água. "Precisamos combinar umas modificações que permitam o aparecimento da vida. Quero ver a terra cheia de verdura e de bichos que andem, corram e se ataquem uns aos outros."

— E urrem, e zurrem, e piem, — acrescentou Emília.

— "E para isso, que fazer?" — perguntou o Calor.

— "Aliar-nos os três e atacarmos as rochas ígneas, transformando-as em rochas sedimentárias", — respondeu a Água.

— "De que modo?" — perguntou ainda o Calor, que era bem burrinho.

— "Isso veremos na hora do trabalho. Tenho que experimentar. No momento basta que vocês jurem aliança comigo."

O Calor e o Ar aceitaram a proposta e desde então o trabalho da Água, do Calor e do Ar na transformação da crosta da terra não parou um só minuto. Para atacar as rochas ígneas os três inventaram uma picareta invisível, chamada Erosão. A Erosão ataca todas as pedras dum modo contínuo, e as vai rachando, lascando, esfarelando, até reduzi-las a pó finíssimo.

— Que negócio é esse? — perguntou Pedrinho.

— Muito simples. Para atacar uma grande massa de rocha, o calor primeiro a aquece. Vem depois a água, sob forma de chuva, e a resfria bruscamente. Como o calor *dilata* os corpos e o frio os *contrai*, começou na crosta da terra um terrível rachamento de pedras. Pedra aquecida e resfriada de brusco, racha, parte-se. As grandes massas de rochas foram sendo divididas em pedaços cada vez menores. E quando esses pedaços, por ficarem muitos pequenos, puderam resistir ao processo do rachamento, a Erosão veio com processos novos. A água, nas grandes chuvas, criava as enxurradas, as torrentes. Os blocos de pedra eram arrastados por essas torrentes, chocando-se uns nos outros, desgastando-se. Quem examina um fundo de ribeirão vê milhares de pedras de todas as cores, que de tão esfregadas entre si ficaram roliças, com todas as arestas destruídas. Também o Ar entra em cena, e sob forma de Vento ajuda a Erosão. O quebra-quebra, o esfrega-esfrega, o bate-bate e o rola-rola acabam transformando tudo em pedregulho, e depois transformando o pedregulho em areia e pó finíssimo de pedra — ou argila. E como as enxurradas correm para os ribeirões, e os ribeirões correm para os rios, e os rios correm para o mar, todas as rochas destruídas pela Erosão acabam despejadas no mar.

— Mas, se é assim, os mares já deviam estar completamente entupidos — observou Narizinho.

— E quem disse que os primeiros mares não foram todos entupidos? Os mares de hoje não estão onde estavam os mares de milhões de anos atrás. Temos mil provas disso. Os continentes modernos já foram mares. Por toda parte, até nas mais altas montanhas, vemos sinais de mar, o que quer dizer que também as montanhas já foram fundos de mar. As neves eternas do Himalaia, que é a mais alta montanha do mundo, repousam sobre camadas de calcário — e o calcário, como vocês devem saber, é uma rocha *sedimentária* formada no fundo do mar. Rocha sedimentária quer dizer rocha que se sedimentou.

— E que é sedimentar?

— Sedimentar é ser depositado no fundo da água. Se num copo você mistura areia com água e sacode, logo a areia se deposita no fundo, isto é, se sedimenta. Pois foi o que aconteceu na crosta da terra. O material das rochas ígneas, desagregado pela Erosão, era arrastado para os mares e depositava-se no fundo deles — e isso se deu em tamanhas proporções que na superfície da terra há hoje muito mais rochas sedimentárias do que ígneas. Estas foram na maior parte destruídas — ou transformadas. Só restam as que estão no fundo, livres do contato da água e do ar.

— Mas se é assim, — disse Pedrinho, — a crosta da terra devia estar toda reduzida a areia e pó — e não está.

— Não está porque a Erosão tem três inimigos que invertem a sua obra de pulverizamento.

— Quais são eles?

— A Pressão, a Cimentação e o Metamorfismo. Logo que se forma um sedimento no fundo das águas, estes três inimigos entram em cena para ligar de novo as partículas de rocha que a Erosão desagregou. Eles ligam essas partículas, cimentam-nas, soldam-nas. Surgem então as massas de rochas sedimentárias: os *conglomerados* compostos de pedregulhos ou fragmentos de rocha cimentados entre si; os *arenitos*, que não passam de grãos de areia também cimentados entre si; os *xistos*, que são pó de argila consolidado; e as chamadas *rochas orgânicas*, formadas de resíduos de conchas e ossos de peixe e também de vegetais.

— Que luta é a vida! — exclamou Narizinho. — Um faz e outro desfaz. Nada tem sossego...

O Visconde enxugou o suorzinho da testa e continuou:

— Essa briga entre a Erosão e os seus três inimigos faz que realmente as rochas não tenham sossego. A erosão as esfarela; os outros as recompõe — e será assim eternamente.

— E as tais rochas orgânicas?

— São rochas sedimentárias constituídas pelos restos mortais dos animálculos e das plantas. Quando uma floresta é soterrada, todas as árvores nela existentes se transformam numa rocha de nome *hulha, ou carvão de pedra. Nos* brejos as plantas aquáticas que morrem e afundam formam uma rocha de nome *turfa*. E nos mares, quando se sedimentam casquinhas de numerosos animálculos e esqueletos de peixe, formam-se conglomerados de rocha calcária. São essas as rochas orgânicas.

— E o tal Metamorfismo? — quis saber a menina.

— Bom. O metamorfismo dá-se quando as rochas sedimentárias são muito comprimidas pela pressão ou atacadas pelo calor. Prestem atenção: sempre que lá no fundo da terra um jato de rocha derretida sobe e intromete-se por entre as camadas de rocha sedimentária, o tremendo calor da rocha derretida derrete a rocha sedimentária com que ficou em contato — *solda* as partículas, redu-las quase a rocha ígnea outra vez. A pressão excessiva, junto com o calor, também as modifica.

E as rochas sedimentárias que sofrem esses calores e essas pressões são conhecidas pelos geólogos como rochas metamórficas.

— Que quer dizer metamórfico?

— Quer dizer que sofreu uma metamorfose. Metamorfose é a passagem dum estado para outro. Emília, por exemplo, metamorfoseou-se em gente, isto é, passou de boneca de pano a gente. As borboletas são produtos duma interessantíssima metamorfose. Começam lagartas, esses bichos cabeludos que andam por aí a se arrastarem, comendo folhas de plantas; um dia as lagartas param de comer, encolhem-se num galhinho e sofrem uma metamorfose; viram casulos. O casulo passa uma porção de tempo dormindo, e um belo dia sai dele a borboleta. Tudo são metamorfoses.

— Outra metamorfose interessante, — disse Dona Benta, — é a do pensamento lógico que temos durante o dia nessa coisa misteriosa que chamamos sonho. E como o relógio vai bater nove horas, acho que é tempo de irmos para a cama metamorfosear nossos pensamentos em sonhos. Basta por hoje, Visconde. Gostei da sua liçãozinha. Está certa. Deixe o resto para amanhã.

Todas concordaram que a lição do Visconde fora boa, exceto Tia Nastácia. A negra dormira o tempo inteiro. E quando Narizinho a censurou por causa disso, respondeu com a maior sinceridade:

— Pra que ouvir menina? Não entendo nada mesmo...

Capítulo II
SEGUNDO SERÃO

No serão seguinte reuniram-se mais cedo. A curiosidade aumentava. Pedrinho plantou novamente o geólogo em cima da mesa e cada qual se sentou na cadeira da véspera. Tia Nastácia também veio, mas nem esperou o começo. Tratou logo de tirar uma boa soneca.

Depois de cuspir o pigarrinho, o Visconde deu começo à lição.

— Vimos ontem, — disse ele, — que a terra principiou uma bola de pedra feita duma mistura de minerais. Quer dizer que por aqui só havia minerais — nada de animal ou vegetal. Mas a Água, o Ar e o Calor se ligaram para criar as primeiras vidas, todas vegetais. Fizeram surgir no mar umas coisinhas mínimas, *fabricadas de minerais, mas que já não eram minerais* — eram vegetais. Logo, o vegetal é filho do mineral; é o próprio mineral sob forma diferente. E o que caracteriza esse vegetal é aparecer sob forma *organizada*, ou com órgãos. Organizado é uma coisa que tem órgãos.

— E órgão, que é? — quis saber Narizinho.

— Órgão é um aparelho que desempenha uma função, isto é, que faz qualquer coisa. Os minerais não têm órgão; por isso são parados. Os vegetais têm. As vidinhas vegetais que surgiram foram se desenvolvendo, ficando cada vez mais complicadas e aperfeiçoadas, até darem os vegetais que temos hoje — as árvores, os capins, tudo. Se analisarmos a matéria que compõe um vegetal, veremos que é toda mineral. Por isso digo que o vegetal é filho do mineral. É o mineral com órgãos. Em certo momento da vida da terra alguns desses vegetais começaram a modificar-se lentissimamente, porque tudo na natureza é terrivelmente lento. Pressa não é com ela — não passa de invenção dos homens. Começaram a modificar-se num *sentido diferente* do resto — e foi assim que surgiram os primeiros animaizinhos. Ainda hoje existem seres minúsculos que não são bem vegetais nem bem animais.

— Que são então?

— São vegetais e animais ao mesmo tempo. Isto mostra que naqueles começos de vida na terra, houve um tempo em que o animal estava ainda meio lá meio cá, meio planta meio futuro animal. A natureza que vive experimentando coisas, depois de criar a vida vegetal resolvera experimentar uma novidade: a vida animal. O processo da natureza é o da *experiência e erro*. Experimenta, erra; experimenta, erra; súbito, experimenta e acerta — e então fixa ou conserva aquele acerto, e toca para diante com outras experiências.

— E acertou com o animal?

— Tanto acertou que aqui estamos nós, animais aperfeiçoadíssimos.

Emília cochichou ao ouvido de Narizinho: "Olha a pretensão dele! Nós, animais! Um vegetalíssimo sabugo a considerar-se animal! Tem graça...".

— O Visconde — continuou

— Por fim o animal destacou-se definitivamente do vegetal, criando órgãos novos; mas não passa dum filho direto do vegetal.

— Neto, portanto, do mineral, — acrescentou Pedrinho.

— Exatamente, neto do mineral. Se analisarmos a matéria que compõe um animal veremos que é todinha formada de minerais. Logo, o animal é a terceira forma do mineral. Mais tarde, com o desenvolvimento dos animais, surgiu neles uma coisa nova: o Pensamento.

— Bisneto do mineral! — gritou Pedrinho.

— Para mim é isso mesmo, — concordou o Visconde. — Não sei se para os outros sábios também será... Mas como eu ia dizendo, a base de tudo, inclusive da vida, é o mineral, que temos na natureza, sob forma das rochas, onde está escrito toda a história da terra. A história do homem, muito curtinha, pois não vai além de 7.000 anos, nos é contada pelos documentos ou restos humanos que resistiram à destruição do tempo — múmias de egípcios, inscrições em monumentos, as pirâmides e outras coisas assim. Mas a história da terra, contada pelas rochas, alcança milhões de anos. Apesar disso, um geólogo como eu lê tão claramente numa rocha como Pedrinho lê num livro.

— Lê que coisas?

— Lê a idade dessa rocha, lê como ela se formou, o que sofreu nas suas lutas com a erosão; lê, portanto, a história da formação da terra, do nascimento das plantas, do aparecimento dos animais, tudo.

— De que modo a rocha fala das plantas e dos animais? — quis saber Narizinho.

— As rochas são túmulos de vidas passadas. Nelas encontramos fósseis de plantas e animais que levam os geólogos a mil conclusões sobre a história da terra. Esses restos mortais revelam inúmeras formas de vida que já se extinguiram. Mostram plantas esquisitas, avós de muitas plantas de hoje. E vemos animais esquisitíssimos, também avós dos animais de hoje. E outros ainda mais esquisitos, que desapareceram sem deixar descendência. Mais tarde havemos de estudar a paleontologia, que é a ciência dos fósseis. Por enquanto só falaremos dos que se relacionarem com o petróleo. Nas escavações para petróleo os geólogos encontram restos fósseis de animálculos e de plantículas marinhas — como as diatomáceas, algas de células revestidas duma película de sílica.

— Que é sílica?

— Um mineral dos mais abundantes na natureza. Depois do oxigênio é o que aparece em maior quantidade. As areias são formadas de sílica. Mas, como ia dizendo, essas plantinhas possuem células com capa de sílica, de modo que quando morrem e desaparece o que há dentro das células, fica só a casquinha. Ao lado das diatomáceas encontram-se também muitos fósseis de *radiolários*, *foraminíferos*, ostras, etc.

— Radiolário? Foraminífero? Que é isso?

— Animálculos com esqueletinhos de sílica que também chegaram até nós em estado fóssil e fornecem aos sábios preciosa instrução sobre o estado da terra há milhões e milhões de anos. Em certos pontos essas formas de vida se acumularam em tremendas quantidades. Encontramos hoje extensões enormes atulhadas com os seus esqueletinhos. E surge a pergunta: Para onde foi a substância que enchia as casquinhas? Para onde foi o *protoplasma* de que eram formados esses pequenos seres?

— Pro-to-plas-ma, — repetiu Emília. — Explique o que é. Eu não finjo que sei as coisas.

— Protoplasma, — explicou o Visconde, — é o caldo, o mingau desses serezinhos. É a substância da vida. A vida começa sendo protoplasma. O princípio de tudo que é orgânico está no protoplasma.

— Viva o protoplasma! — gritou Emília.

— Diante desses enormes amontoados de fósseis, os sábios perguntam: "Onde está o gato?". Isto é: "Onde está o protoplasma que os enchia?". Os sábios sabem que na natureza nada se perde; uma coisa não desaparece apenas se transforma em outra. Se não está aqui, está ali. Se não está sob esta forma, está sob outra forma. Os sábios fazem essa pergunta e eles mesmos respondem, porque a função dos sábios é perguntar e responder a si próprios.

— E que respondem?

— Respondem uma porção de coisas; esse protoplasma, ou essa matéria orgânica dos animálculos, muda-se numa porção de coisas que neste momento não nos interessam — e mudam-se também no que mais nos interessa: em petróleo. Esses bichinhos eram seres marinhos e por isso se multiplicavam tanto. O grande reservatório da vida sempre foi o mar. Na terra a vida só é possível na superfície e até a poucos palmos de fundo, onde moram as minhocas. Já no mar a vida é possível até nas maiores profundidades. Mal comparando, a vida na terra é uma folha de papel; e a vida no mar é uma pilha de folhas de papel que vai desde a superfície das ondas até lá no fundo. Num pedaço de terra do tamanho desta sala, quanta vida cabe?

— Pouca, — respondeu Pedrinho. Uns animais grandes, umas plantas, uns bichinhos e os micróbios. Só.

— Exatamente. Mas num pedaço de mar do tamanho desta sala cabe um colosso de vida, porque esse pedaço de mar pode descer até 9.000 metros de fundo, como no Mar do Japão, e está cheio de vida desde cima até embaixo. Por esse motivo a fauna e a flora do mar são imensas, muitíssimo mais ricas que a fauna e a flora da terra. Os cetáceos e os peixes representam as formas graúdas de vida marinha — as baleias, os tubarões, os espadartes, os atuns, os salmões, os arenques. Mas muito mais que isso são as formas da vida miudinha, que em vez de nadar boia na imensa massa líquida. Se a flora e fauna miúda fossem juntadas num bloco, dariam uma montanha muito maior que a formada de todos os peixes. Ora, toda essa vidalhada está nascendo e morrendo sem parar — e o que morre afunda. Em virtude disso há no mar uma perpétua chuva de organismos mortos, que vão caindo e se acumulando no fundo, onde formam uma camada de lodo negro, ou um sedimento. Tudo que se deposita é um sedimento, como já mostrei.

— Bolas! — exclamou Emília. — Então o dinheiro que Dona Benta depositou no banco é um sedimento?

O Visconde coçou a cabeça. Emília atrapalhava-o com aquelas objeções de bobagem. Mas continuou, sem dar-lhe resposta:

— Esses sedimentos de animálculos e vegetais mortos cobrem o fundo dos mares, de modo que aquilo não passa dum imenso cemitério de matéria orgânica.

— Que quer dizer matéria orgânica?

— É a matéria que compõe os vegetais e os animais, isto é, as coisas dotadas de órgãos. Orgânico vem de órgão. Só têm órgãos as coisas que têm vida. A matéria que forma os minerais chama-se matéria inorgânica.

O Visconde tossiu, cuspiu e prosseguiu:

— Bem. Nas regiões marinhas próximas das terras, sobretudo nos golfos, parte desse lodo negro do fundo do mar foi recoberto, há milhões de anos, pelas areias e argilas que os rios despejam no mar. Como já vimos, a erosão desagrega as rochas e por meio dos rios as conduz para o mar. Por isso os continentes estão sempre a diminuir de volume e o fundo do mar está sempre a crescer de altura. Os sábios calculam, por exemplo, que cada ano o Mississipi arrasta para o Golfo do México 400 mil toneladas de material pulverizado extraído do continente, de modo que em cada dez mil anos o tal Golfo fica mais raso um metro. No fim de 7 milhões de anos estará completamente aterrado. Aqui no Brasil temos o Amazonas que, segundo os cálculos de Euclides da Cunha, leva para o mar 3 milhões de metros cúbicos de detritos por dia, ou sejam quase dois quilômetros cúbicos por ano. Mas esses detritos não se acumulam logo adiante do despejo do Amazonas, por causa da velocidade da correnteza na foz. São levados mar adentro até alcançarem a célebre corrente do Golfo do México, e no fundo deste Golfo se depositam, de mistura com os detritos do Mississipi.

— Quer dizer então que o Brasil também fornece aterro para o Golfo do México?

— Sim, e em boa quantidade. Manda para lá quase dois quilômetros cúbicos de terra amazônica por ano.

— Mas assim a região amazônica vai se abaixando e acabará invadida pelo mar...

— Muito possível. Essa região já foi mar, antes do enrugamento da terra que criou a Cordilheira dos Andes. Era um mar que ligava o Atlântico ao Pacífico. Hoje é um aguaçal doce, de tanto rio que há lá; e como esses rios não param de desmontar as terras, acabarão baixando-as tanto que a água do mar cobrirá novamente a bacia amazônica, formando o futuro Golfo do Amazonas. Por esse tempo o Golfo do México estará aterrado.

— Bonito! — protestou Pedrinho. — Então os Estados Unidos aumentarão de território à nossa custa, mandando para cá o golfo que há lá?

— Claro. Os dois maiores rios do mundo, o Amazonas e o Mississipi, estão empenhados nessa tarefa de aterrar o Golfo do México e abrir o Golfo Amazonense.

— Sim, senhor! — disse Narizinho. — Vejo que a água é mesmo uma danadinha. Muda tudo na terra, com a sua mania de não parar nunca. É a leva-e-traz, é a sobe-e-desce, é a saúva carregadeira.

— Realmente é assim. Os sábios sabem que há uns poucos milhões de anos o Golfo do México tinha uma extensão o dobro da de hoje. O mesmo acontece com o Golfo da Califórnia, que já foi muito maior. Está em grande parte aterrado pelo despejo dos rios — e é nessa parte aterrada que os americanos extraem maior quantidade de petróleo.

— Quer dizer que o petróleo se forma nesse lodo enterrado?

— Justamente. A matéria orgânica acumulada nos sedimentos gera o petróleo — pelo menos na opinião de muitos sábios. Mas para isso e preciso que nessa matéria orgânica haja *hidrocarbonetos*.

— Que bicho esquisito é esse?

— Hidrocarboneto é o nome que os químicos dão às combinações de hidrogênio e carbono. Esses dois corpos mostram-se muito amigos, gostam de andar juntos, de braços dados. Os átomos de um se ligam aos átomos de outro, ora nesta, ora naquela proporção — e conforme é essa proporção, surgem os hidrocarbonetos chamados *metana, butana, propana, acetileno, benzina*, etc., que são gases ou líquidos voláteis, todos eles inflamáveis.

— Que quer dizer líquido volátil?

— Quer dizer um líquido que se transforma em gás assim que é exposto ao ar. Conserva-se líquido, enquanto preso. Se o soltam, adeus! vira gás. Mas, como eu ia dizendo, para que se forme petróleo é preciso que nos tais sedimentos haja hidrocarbonetos. Nos sedimentos sem hidrocarbonetos, só de fósseis secos, tais como os sedimentos calcários, não se forma o petróleo.

— Bom, — disse Emília — estou vendo que o tal petróleo não passa de azeite de defunto. Cadáveres de foraminíferos, peixe podre, cemitérios de caramujo — até já estou ficando com o estômago enjoado...

— Por isso é que é tão fedorento, — ajuntou Narizinho.

— O Visconde falou no aterro dos golfos do México e da Califórnia, — disse Pedrinho. — E aqui no Brasil? Não teremos algum aterro assim?

— Como não? Há, por exemplo, o Pantanal de Mato Grosso, um dos maiores aterros que o mundo conhece.

— Explique isso, Visconde.

— O Pantanal de Mato Grosso e o Chaco do Paraguai e da Bolívia formam uma imensa depressão duns 700 quilômetros de comprimento. Essa região já foi um mar interno, ou mediterrâneo, como se vê das inúmeras lagoas de água salgada ainda existentes. Chamava-se o Mar de Xaraés. Também inúmeros fósseis marinhos atestam o antigo mar que secou — ou que está secando, porque as lagoas salgadas ainda são restos do mar.

— E quem aterrou esse Mar de Xaraés?

— Está claro que foi a Erosão, com a terra tirada da Cordilheira dos Andes, dum lado, e das montanhas do Brasil, de outro. Ainda hoje vemos no meio do pantanal algumas montanhas baixas, como a Serra de Maracaju e a da Bodoquena. Essas serras são *ruínas de montanhas*. Deviam ter sido altíssimas, mas foram rebaixadas pela erosão. Com as areias e argilas tiradas delas, dos Andes e das outras montanhas do Brasil, é que se aterrou o velho Mar de Xaraés.

— Deve haver muito petróleo no Pantanal, — observou Pedrinho.

— Claro que deve. Reúnem-se ali todos os requisitos para a formação do petróleo, além de que em muitos pontos há sinais evidentes de petróleo. Bem possível até que o Pantanal seja a maior região petrolífera do mundo.

— Que beleza! — exclamou Pedrinho pensativamente.

Nesse momento o relógio da parede bateu nove horas.

— Basta por hoje, Visconde, — disse Dona Benta levantando-se. — Ouvi com a maior atenção a sua geologia e acho que está certo. Mas basta. Temos de alternar ciência com sono — e chegou a hora de recolher.

Depois, voltando-se para Tia Nastácia, que cochilara o tempo inteiro:

— Que tal está achando a geologia do Visconde? — perguntou.

Tia Nastácia abriu uma enormíssima boca vermelha e respondeu bocejando:

— Ele só fala em peixe podre, Sinhá. Peixe há de ser fresquinho. Quanto mais fresco, melhor. E se vem ainda vivo, como aquele surubi que o Coronel Teodorico mandou outro dia, então ainda melhor...

Capítulo III
COMO SE FORMA O PETRÓLEO

No terceiro serão o Visconde começou sem a clássica tossidinha do costume. Emília reclamou:

— Esqueceu-se de limpar o pigarro, Visconde.

A fim de contentá-la, o grande geólogo teve de fingir um pigarro que não existia — mas para castigo principiou a aula com esta pergunta:

— Senhora Emília, explique-me o que é hidrocarboneto.

A atrapalhadeira não se atrapalhou e respondeu:

— São misturinhas de uma coisa chamada hidrogênio com outra coisa chamada carbono. Os carocinhos de um se ligam aos carocinhos de outro e formam metanas e butanas e propanas e benzinas e outras coisas gasosas ou voláteis que pegam fogo.

— Isso mesmo. Só que esses carocinhos têm o nome científico de átomos. E onde se encontram esses hidrocarbonetos, Pedrinho?

— Nos sedimentos marinhos, sobretudo rente às costas, em terras que já foram mares, ou dentro dos continentes, em terras que também já foram mares.

— Muito bem. Os tais sedimentos orgânicos, os tais cemitérios de animálculos e plantículas, geram os tais hidrocarbonetos que pegam fogo; mas isso só quando se reúnem umas tantas condições favoráveis. Esses cemitérios de matéria orgânica devem ser cobertos um pouco depressa pelos tais aterros dos rios. Têm que ficar incubados, como ovos na incubadeira, sob tais e tais condições; do contrário não saem os pintos do petróleo.

— Que condições são essas? — perguntou Pedrinho.

— Uma delas é ficarem isolados das águas. Esse isolamento livra a matéria orgânica de ser devorada por certos seres viventes, os urubuzinhos do mundo pequeno. E também a livra da fome insaciável do maior urubu que existe na Natureza, o tal Senhor Oxigênio. Este freguês tem um apetite de cabra. Come tudo quanto encontra, isto é, oxida tudo quanto encontra, como dizem os químicos. O oxigênio existe na água e no ar; por isso a matéria orgânica que cai na água, ou está exposta ao ar, estraga-se depressa, desaparece, *oxida-se* — é devorada, em suma, pelo terrível urubu.

— Ahn! — exclamou Pedrinho. Então é por esse motivo que não se forma petróleo na matéria orgânica de cima da terra. Está exposta ao ar, entregue à fúria do oxigênio...

— Isto mesmo. O oxigênio é uma espécie de guarda da natureza, com a missão de conservar as coisas num certo estado de equilíbrio. Vemos isso com o ferro. Esse metal não existe na natureza no estado livre de ferro puro. Existe sob forma de *óxido de ferro*, isto é, misturado ou combinado, com o oxigênio. Os minérios de ferro, ou as pedras de ferro, como o povo diz, não passam dessa combinação — são óxidos de ferro. Mas vai o homem e derrete a pedra e fabrica o ferro metálico de que se utiliza para fazer mil coisas — facas, arame, pregos, vergalhões, chapas, trilhos...

— Ferros de engomar, alfinetes, — ajuntou Emília.

— ... tudo enfim que é máquina, instrumento ou material de construção. Mas o Senhor Oxigênio, que não concorda com a mudança, trata logo de desfazer a obra do homem — e enferruja o ferro. Sabem o que é a ferrugem?

— É o ruge do ferro, — disse Emília.

— Ferrugem é óxido de ferro. É o oxigênio que se liga ao ferro para restabelecer o que a natureza criou e o homem alterou. Vai lentamente trabalhando nisso, sem parar nunca, e força o homem a fabricar muito ferro novo para substituir o ferro velho que volta a ser ferrugem, ou óxido.

— Que bisca o tal oxigênio! — exclamou Emília.

— Também com a matéria orgânica o oxigênio faz a mesma coisa. Oxida-a, enferruja-a, combina-se com o carbono que há nela e solta o hidrogênio. Mas quando a matéria orgânica fica enterrada, e, portanto, fora de contato com o oxigênio da água ou do ar, podem acontecer coisas diferentes — como essa de formar-se o petróleo.

— Mas se é assim, — disse Pedrinho, então o homem pode, se quiser, fabricar petróleo...

— Pode e já fabricou. Um sábio alemão, de nome Engler, provou que as graxas de origem vegetal ou animal se transformam em petróleo, quando aquecidas a uma temperatura de mais ou menos 400 graus a uma pressão de 20 a 25 atmosferas.

— Que história de pressão atmosférica é essa?

— Pressão atmosférica é o peso que o ar exerce sobre um corpo.

— O ar então tem peso?

— Claro que tem. Todos os corpos têm peso.

— Parece tão leve...

— Leve é, não há dúvida; levíssimo até, mas tem peso. Um litro de ar pesa um bocadinho mais de um grama. E como a atmosfera é a camada gasosa que vai desde o nível do mar até lá em cima onde o ar acaba, essa camada atmosférica está sempre fazendo peso sobre tudo que existe na terra, inclusive nós, gente. Uma coluna de ar de um centímetro quadrado de base pesa 1.033 gramas, ou 1 quilo e 33 gramas.

— Puxa! — exclamou Emília. — Mais de um quilo para cada centímetro quadrado, que é uma isca de espaço!... Não entendo! Se é assim, então o peso do ar sobre a cartolinha do Visconde deve ser duns dez quilos, porque a cartolinha, com as abas, terá uns dez centímetros quadrados de superfície. E com tamanho peso não achata a cartolinha?

— Porque essa pressão se exerce de todos os lados e também debaixo para cima e de dentro para fora, de modo que se anula. Mas se a gente extrair o ar que há dentro da cartolinha, fazendo o vácuo, ela se achatará imediatamente.

— Bom, Visconde. Basta de ar e pressões atmosféricas. Volte ao petróleo, — reclamou Pedrinho.

— Esta digressão...

— Que é digressão, Visconde?

— É sair do assunto principal, como nós saímos. Esta digressão, digo eu, foi para explicar por que motivo não se forma petróleo nas matérias orgânicas expostas à água ou ao ar. Para que se forme petróleo é necessário que a matéria orgânica fique isolada pelos aterros que os rios fazem com os materiais trazidos pela correnteza. No começo há mistura do aterro com a matéria orgânica; depois não se mistura mais, fica aterro puro — o qual aterro puro forma uma capa, uma camada isoladora que livra a massa de matéria orgânica do contato com a água, com o oxigênio e os outros urubuzinhos comedores de matéria orgânica. Quando isso acontece, a massa sossega e vai lentamente fabricando o petróleo.

— Interessante! — exclamou Pedrinho, e o Visconde continuou:

— As jazidas de petróleo mais importantes que o homem conhece encontram-se, como já contei, perto das costas e nos extintos mares interiores, ou mediterrâneos, como foi o nosso Mar de Xaraés. Os riquíssimos campos de petróleo de Baku, rente ao Mar Cáspio, estão nessas condições. O mesmo direi dos campos petrolíferos da Mesopotâmia, rente ao Golfo Pérsico. Aqui na América do Sul temos os campos petrolíferos de Comodoro Rivadavia, na Argentina, rente ao Golfo de S. Jorge. Esse Golfo já foi muito maior. Os aterros é que o reduziram ao tamanho atual. Na parte aterrada os argentinos abriram mais de 3.000 poços de petróleo.

— Então é fácil saber onde está o petróleo, — disse Pedrinho. — Basta determinar se uma terra é formada de aterro do mar.

— É o que os argentinos estão fazendo. Por meio de estudos geológicos e geofísicos, eles procuram determinar as terras de aterro para nelas abrirem as perfurações.

— Está tudo muito bem, Visconde — disse Pedrinho. — Mas eu queria saber como a tal matéria orgânica vira petróleo.

— Ah, — exclamou o Visconde, — isso é uma história bastante comprida. São precisos milhões de anos de paciência. A natureza é uma lesma nos seus processos, como já observei. Primeiro há a mistura dos sedimentos orgânicos com as areias que os rios trazem; depois acaba a mistura e começa o aterro puro. Esse aterro puro deve ser de materiais que permitam a formação duma camada impermeável, uma casca, uma capa que defenda o sossego da matéria orgânica aprisionada no fundo. Quando, em terra, uma vegetação fica por muito tempo recoberta e, por consequência, livre de contato com o ar, os vegetais, em vez de apodrecerem, transformam-se em turfa, ou em carvão de pedra. E quando, no mar, a matéria orgânica composta das gorduras e dos caldinhos dos animálculos do lodo marinho fica isolada do oxigênio, ela vai se convertendo numa série de matérias betuminosas.

— Que é isso?

— Matérias betuminosas são as que contêm hidrocarbonetos; o asfalto, o petróleo bruto e certos xistos são matérias betuminosas. O homem refina essas matérias para extrair os hidrocarbonetos puros empregados na indústria.

— Mas eu quero saber como se faz a passagem do tal lodo de matérias orgânicas para petróleo, — reclamou Narizinho.

— No laboratório os químicos sabem fazer essa passagem. Já contei a experiência de Engler. Calor de 400 graus e pressão de 20 a 25 atmosferas.

— Espere, Visconde. Vossa Excelência esqueceu de explicar o que é uma atmosfera. Só falou na atmosfera em geral.

O Visconde tomou fôlego e explicou:

— Em física, a palavra "atmosfera" quer dizer uma *medida de pressão*, como o metro quer dizer uma medida de comprimento. Atmosfera, neste sentido de medida, equivale ao peso de 1.033 gramas por centímetro quadrado. A pressão de 20 a 25 atmosferas usada por Engler corresponde, pois, a um peso de 20 a 25 quilos por centímetro quadrado. Mas no laboratório a formação do petróleo se faz imediatamente, com a pressa com que os homens querem todas as coisas. Na natureza, não. O petróleo leva milhares de séculos se formando — e os sábios não se entendem nesse ponto. Não sabem qual é a marcha do processo de transformação.

O Visconde passou o lencinho pelo rosto e prosseguiu:

— Muito bem. Creio que quanto à formação do petróleo basta ficarmos nisto. Meu curso não é para formar especialistas, sim para dar uma ideia geral da coisa. Temos agora de ver quais as condições que tornam esses depósitos de petróleo exploráveis. Este ponto é da maior importância para o mundo. Se o petróleo fosse inexplorável, de nada valeria para nós. É preciso não esquecer que a formação das camadas de sedimento se deu há milhões e milhões de anos, num tempo em que o globo era ainda uma fruta fresca e roliça. Depois o coitado foi murchando até ficar a passa que é hoje.

— Que história de fruta fresca e passa é essa, Visconde?

— Uma comparação para que vocês me entendam melhor.

— Comparações dessa ordem só servem para nos fazer vir água à boca, — disse Narizinho. — Passas! Quem me dera ter aqui um pacotinho daquelas sem caroço — *seedless*, que vêm da Califórnia...

— Pois uma passa é uma fruta murcha e ressecada, como aquele maracujá que Pedrinho descobriu atrás do armário, todo enrugadinho, cheio de montanhas e vales. Com a terra aconteceu o mesmo. Começou a esfriar e a murchar, e foi se encolhendo e se enchendo das rugas que hoje formam as montanhas e os vales. A Cordilheira dos Andes é uma das maiores rugas desse tipo; segue através de toda a América do Sul e continua nos Estados Unidos com o nome de Montanhas Rochosas.

— E que tem isso com o petróleo?

— Tem que no começo as camadas de sedimento depositadas no fundo dos mares eram horizontais, ou mais ou menos horizontais. Com o enrugamento, ou o murchamento da crosta da terra, essas camadas horizontais perderam a sua horizontalidade, tornando-se por assim dizer montanhosas, ou onduladas. Ainda existem no globo zonas onde a crosta está como era nos primeiros tempos. As grandes planícies dos pampas da América do Sul e das estepes da Rússia foram planícies no começo e continuaram planícies até hoje. Não enrugaram. Mas isso é raro. No geral a crosta se enrugou, formando as montanhas e os vales. Nesse enrugamento houve muita ruptura de camadas, com escorregamentos duma sobre outra, torcimentos, penetração duma camada em outra, etc. Mil acidentes aconteceram. Vou desenhar na pedra um desses pregueamentos dos mais simples, para mostrar onde se acomoda o petróleo.

O Visconde berrou para Tia Nastácia que lhe trouxesse o quadro-negro e o giz.

A preta saiu, estonteada de sono (o quadro-negro morava no quarto de Pedrinho), e voltou resmungando:

— Peixe, peixe podre, peixe seco, esqueleto de peixe... Para que serve esse lixo? Bobagem...

O quadro-negro foi arrumado de jeito que o Visconde, de pé na sua cadeirinha, pudesse desenhar uma figura assim:

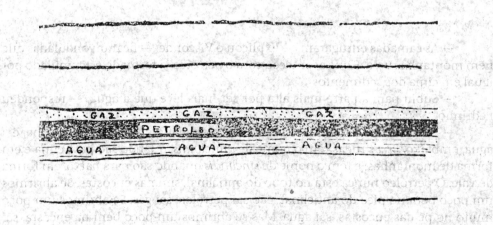

— Isto é um corte da terra no estado em que ela se achava antes do enrugamento. Temos uma camada sedimentária com o petróleo já formado. Notem que o petróleo fica em nível plano e em cima da água.

— Por que em cima? quis saber Narizinho.

— Porque na massa de lodo aprisionado pela capa do aterro havia também água — água do mar, água salgada. E como é mais leve que a água, o petróleo, à medida que se forma, vai subindo e se colocando em cima da água. E o gás que também se forma fica em cima do petróleo, porque o gás é mais leve que o petróleo. A ordem de colocação, pois, é, primeiro água, depois petróleo, depois gás.

Dona Benta piscou para Tia Nastácia, como quem diz: "Que danadinho, hein?" O Visconde continuou:

— Muito bem. Mas um petróleo que se acha disposto dessa maneira de nada serve ao homem. Não há jeito de recolhê-lo. Para que o petróleo sirva é necessário que se aglomere num certo ponto — o que se dá quando as camadas sofrem o tal enrugamento. Vamos fazer outro desenho, com estas mesmas camadas já enrugadas. Teremos isto:

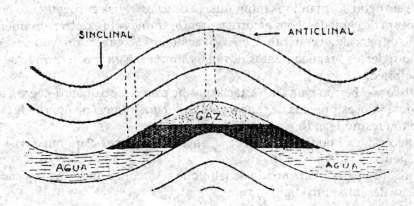

— As camadas enrugaram, — explicou o Visconde, — ficaram onduladas que nem montanha russa. E que aconteceu com o petróleo já formado e acumulado por igual em cima dos sedimentos?

— Subiu para a parte mais alta por ser mais leve que a água, — respondeu Pedrinho.

— Exatamente. O petróleo subiu e ficou entalado entre o gás, em cima, e a água, embaixo. Essas rugas têm o nome de *anticlinais*, quando são para cima e em forma de montanhas; e têm o nome de *sinclinais* quando são para baixo, em forma de vale. O petróleo nunca está no topo do anticlinal, sim nas encostas. Se abrirmos um poço bem no pico do anticlinal, não sai petróleo, sai gás. Se abrimos um poço muito no pé das encostas, sai água. Mas se abrimos um poço bem na encosta, sai petróleo.

— Então é facílimo tirar petróleo, — observou Pedrinho.

— Seria, se nós aqui de cima pudéssemos ver com os nossos olhos essas dobras lá dentro da terra. Infelizmente nossos olhos não penetram fundo assim.

— E como fazer, então?

— Por meio de observações geológicas, isto é, de estudos da terra na superfície, os homens conseguem, muitas vezes, localizar esses anticlinais. Ultimamente apareceu uma ciência nova que tem ajudado muito: a Geofísica. Graças aos processos geofísicos é possível determinar com muita precisão os anticlinais e os sinclinais, e, portanto, marcar os melhores pontos para as perfurações.

— Emília antigamente tinha uns olhinhos de ver através dos corpos opacos, — disse a menina olhando para a boneca. — Quem sabe se com esses olhinhos podemos determinar algum anticlinal de petróleo aqui no sítio de vovó?

Emília remexeu-se toda.

— Ainda não fiz a experiência, mas acho possibilíssimo. Hei de verificar esse ponto.

Tia Nastácia arregalou os olhos, murmurando:

— Credo! — e como o relógio marcasse nove horas, foi se levantando.

— Basta por hoje, — disse Dona Benta, erguendo-se também. — Continuo a aprovar a ciência do Visconde. Tudo quanto ele disse está de acordo com o que os geólogos ensinam. Ele é um sábio de verdade, mas... cama, cama, criançada!

Meia hora depois todos dormiam, sonhando com anticlinais, matérias orgânicas, hidrocarbonetos e peixinhos fósseis. Emília sonhou com uma baleia imensa, que esguichava petróleo.

Capítulo IV
Petróleo! petróleo!

No serão seguinte, antes do Visconde começar a aula, cada um contou o sonho geológico que teve. O de Emília, como sempre, foi o mais complicado. Tinha-lhe aparecido uma "baleia petrolífera", com várias torneiras pelo corpo imenso; uma que dava gasolina; outra, querosene; outra, óleo combustível; outra, óleo lubrificante...

— Pare, Emília! — gritou Narizinho quando a boneca chegou nesse ponto. — Vovó fala de 300 produtos extraídos do petróleo. Quer dizer que a sua baleia vai ter 300 torneiras pelo menos — e se você começa a encarreirar todas, o Visconde fica sem tempo de dar a lição de hoje.

— Além disso, ajuntou Pedrinho, eu desconfio muito dos sonhos da Emília. São bem arranjados demais. Essa tal baleia com torneiras petrolíferas está me cheirando a tapeação...

Emília pôs-lhe a língua, mas "guardou" a baleia, deixando que o Visconde abrisse a boca.

— Muito que bem, — começou ele. — Vimos ontem como se formam os lençóis de petróleo, e vimos que esses lençóis devem estar protegidos por uma capa impermeável que prenda os gases e o óleo. Vimos também que é preciso que os lençóis se enruguem e o petróleo se acumule na parte superior das dobras. Se a capa se rompe, o gás e o óleo escapam e perdem-se.

— Perdem-se como? — quis saber Pedrinho.

— Quando você pinga um pingo de azeite num papel, que acontece? — propôs o Visconde.

— Acontece que o azeite vai se espalhando até tomar conta do papel inteiro.
— Isso mesmo. Espalha-se, vai caminhando. O mesmo se dá com o petróleo lá do fundo, quando a capa impermeável se rompe. Vai se espalhando, vai subindo, até chegar à superfície da terra. Em muitos pontos do Brasil vemos os tais xistos e arenitos betuminosos, que não passam de materiais impregnados do petróleo que veio subindo do fundo. No Vale do Paraíba, aqui em São Paulo, no Riacho Doce, em Alagoas, em São Gabriel, no Rio Grande do Sul e em muitos outros pontos existem grandes quantidades de xistos betuminosos. Esse betume é sinal de petróleo do fundo que subiu até em cima.
— Antes de mais nada, Visconde, explique o que é xisto.
— Xisto é uma argila compacta que aparece em lâminas, ou camadinhas; e arenito já ensinei: é areia com os grãozinhos cimentados entre si, formando uma espécie de pedra meio dura.
— Nesse caso, quando há em cima da terra xisto ou arenito betuminoso não deve haver petróleo no fundo. Se o petróleo chega até em cima, então não está mais acumulado lá onde se formou.
— É e não é assim, — respondeu o Visconde. — O petróleo existente na camada subterrânea pode ter-se derramado todo ou em parte. Por uma fenda, ou racha na capa impermeável, pode subir uma parte do petróleo, ficando o resto no fundo.
— Tome fôlego, Visconde. Não temos pressa.
O Visconde encheu de ar os pulmões e continuou:
— Muito bem. Já sabemos ser indispensável que a capa do petróleo seja impermeável e inteiriça, sem fendas ou portas por onde o óleo fuja. Temos agora de saber mais uma coisa: os lençóis de petróleo não são compostos de petróleo solto, líquido; ele está sempre misturado com areia, formando uma papa. Os geólogos dizem, na sua linguagem técnica, que "a camada portadora de petróleo tem de ser de rocha porosa", isto é, composta de grãozinhos com espaços entre si. Nesses espaços é que o petróleo se acumula.
— Então nas camadas de argilas não pode haver petróleo, — observou Pedrinho.
— Não pode. Os grãozinhos de argilas cimentam-se de tal modo que não fica entre eles nenhum espaço em que o petróleo se acomode. Essas camadas de argila servem de capa, isso sim.
— Bem, — continuou o Visconde depois de uma pausa. — Estamos na capa impermeável. Com o enrugamento da terra, a capa, no alto dos anticlinais, fica muito perto da superfície do solo; e, portanto, está mais arriscada a romper-se.
— Por quê?
— Sempre por artes da Senhora Erosão. Não sua mania de corroer tudo, ele vai rebaixando o solo, afundando-o até que alcança o alto da capa impermeável e a ataca. O anticlinal é uma montanha enterrada — e a Erosão tem ódio às montanhas, como já vimos. Não admite nenhuma. Quer arrasá-las todas para deixar a terra uma planície sem fim.
— Como é democrática! — exclamou Narizinho.
— Sim a Erosão é inimiga das grandezas. O Himalaia, por exemplo, que é a montanha mais alta do mundo, já foi muito mais alta. A erosão vai raspando, vai roendo, vai destruindo essa orgulhosa montanha, até que um dia dê cabo dela.
— Que dia?
— Um dia lá no futuro, daqui a 100 ou 200 milhões de anos. Nesse dia a terra toda estará lisinha, sem nenhuma das rugas que se formaram quando houve o tal enrugamento.

— Que bom para as geografias dessa época! — exclamou Emília.
— Por quê?
— Porque com o desaparecimento das montanhas desaparece das geografias a parte mais pesada, justamente as montanhas. Que gosto estudar geografia lá para o ano 20000000037!
— Ficarão, mas é muito sem graça, — disse Narizinho. — Acho as montanhas a coisa mais linda do mundo. Os Andes! O Himalaia! O Monte Branco, na Suíça! As neves que há nas montanhas, as águias, os condores, a *edelweiss* — tudo isso desaparecerá...
— Sim, tudo desaparecerá porque a Erosão não para nunca. Rói sem cessar, para fazer aterros na água.
— Boba! — exclamou a Emília. — Desde que não pode destruir a água, o mais que consegue é que a água se mude dum ponto para outro. Quem aterra um mar não destrói a água desse mar — obriga-a a mudar-se, só.
— Isso mesmo, — concordou o Visconde. — E essas mudanças são contínuas. Tudo está mudando, sem que a gente o perceba. Os mares estão virando continentes; e os continentes, virando mares. E a incansável operária dessa eterna mudança e sempre a Senhora Erosão. No caso do petróleo, a Erosão vai roendo a crosta por cima dos anticlinais, roendo, roendo, roendo, baixando cada vez mais o nível da superfície até que toca na capa do petróleo. Começa a afinar essa capa, e por fim a rompe no ponto mais alto. O petróleo então escapa — ou aflora, como dizem os geólogos.
— Que é aflorar?
— É aparecer à flor da terra.
— Terra tem flor? — disse Emília, arregalando os olhos.
O Visconde coçou a cabeça.
— Flor, Emília, não é só esse mimo colorido e perfumado que as plantas produzem. A palavra flor também significa superfície. Quando a gente diz: *À flor da pele*, está dizendo: na superfície da pele. Aparecer à *flor da terra* quer dizer aparecer na superfície da terra. Logo, quando uma coisa aparece à flor da terra, aflora. Aflorar é isso; é aparecer na superfície. Entendeu?
Emília fez um focinhinho de lebre, sinal de que tinha entendido. O Visconde continuou:
— O petróleo aflora, escapa, escorre, põe-se em contato com o oxigênio do ar — e o oxigênio o oxida, transformando-o em asfalto. Há pelo mundo numerosos depósitos desses restos do petróleo vasado pelos anticlinais roídos pela erosão. Nesses casos, procurar petróleo ali é tolice. Se ele se derramou, como há de estar lá dentro?
— Mas pode estar perto, em outro anticlinal que ainda não fosse alcançado pela Erosão, — observou Pedrinho.
— Perfeitamente. Perto ou embaixo do anticlinal esvaziado. As camadas, ou os horizontes, ou os lençóis de petróleo aparecem muitas vezes em série, superpostos, uns em cima de outros. Se o primeiro lençol está a 800 metros, outro estará a 1.000; outro estará a 1.500 — e assim por diante. É por isso que os petroleiros de hoje cuidam muito de perfurações profundas; e em pontos onde já tiraram petróleo a 800 metros, estão agora a tirá-lo a 1.000, 1.500 e até 3.000 metros.
— Muito bem, Visconde, — disse Pedrinho. — Pelo que o senhor diz, a Erosão tirou petróleo muito antes de o homem se ocupar disso. Logo, a grande petroleira é a Erosão.

— Perfeitamente. Quem começou a lidar com o petróleo no mundo foi a Erosão; e observando o trabalho dela é que o homem resolveu fazer o mesmo. Em vez de esperar milhões de anos para que a Erosão rompa a capa impermeável dos anticlinais, o homem vai e fura nesses anticlinais — e passa a perna na Erosão. O homem antecipa-se à Erosão, mas para alcançar e soltar o petróleo faz o mesmo que ela: vai *erodindo* a terra. Uma perfuração para petróleo é uma erosão vertical, feita num espaço pequeno, num círculo de dois ou três palmos de diâmetro, em linha reta que desce da superfície até o lençol de petróleo. A Erosão natural não faz buraquinhos retos assim: rói por igual e horizontalmente toda a superfície do campo petrolífero; por esse motivo é que leva tanto tempo. Gasta milhares de anos para alcançar um anticlinal que o homem, com as suas máquinas de furar, alcança em poucas semanas de trabalho — e até em dias. Em certas zonas os petroleiros abrem um poço numa semana.

Sim, numa semana. Tudo depende das rochas formadoras da terra naquele ponto. Se são rochas moles, como as argilas e os xistos, tudo corre a galope. Mas se os perfuradores encontraram uma peste chamada diábase, rocha de extraordinária dureza, babau! Aí só à força de paciência de santo. No Poço do Araquá, furado aqui em São Paulo no Município de São Pedro, os perfuradores deram numa camada de diábase duríssima. Tão dura que a perfuração, que estava caminhando com a marcha de 7 metros por dia, passou a caminhar centímetros por dia — cinco centímetros, dez, quinze, para cada 24 horas de trabalho ininterrupto. Um horror!

— E quem foi que teve a ideia de lograr a Erosão e chegar aos depósitos de petróleo antes dela?

— Foi o Coronel Drake, nos Estados Unidos. No ano de 1859 esse coronel entendeu de abrir um poço em Titusville, no Estado da Pensilvânia — e tanto lidou que o abriu, apesar das ferramentas de que dispunha serem das mais rudimentares. Esse poço virou o pai de todos os poços abertos naquele país.

— Quantos filhos teve? — perguntou Narizinho.

— Mais de 900 mil. Já há mais de 900 mil poços de petróleo abertos nos Estados Unidos. Os americanos são umas feras. E como fazem tudo em ponto grande, tornaram-se o povo mais adiantado e rico do mundo.

— E nós, no Brasil, quantos poços abrimos?

— Que desse petróleo, nenhum. Até hoje foram abertos no território brasileiro apenas sessenta e poucos poços, na maioria rasos demais para atingirem alguma camada petrolífera.

— Que vergonha! E a Argentina?

— A Argentina já abriu mais de 4.000, quase todos produtivos. Por essa razão está hoje extraindo 16 milhões de barris de petróleo por ano.

— E os outros países da América?

— Todos estão cheios de poços de petróleo, donde tiram milhões e milhões de barris. A Venezuela conseguiu tornar-se o terceiro produtor do mundo, com mais de 140 milhões de barris por ano. O Peru extrai milhões de barris. A Colômbia extrai outros milhões. O Equador extrai outros milhões. A Bolívia, idem. Todos os vizinhos do Brasil são grandes produtores de petróleo, exceto o Uruguai e o Paraguai.

— E por que o Brasil também não produz milhões e milhões de barris? Será que não existe petróleo aqui?

— Não existem perfurações, isso sim. Petróleo o Brasil tem para abastecer o mundo inteiro durante séculos. Há sinais de petróleo por toda parte — em Alagoas, no Maranhão, em toda a costa nordestina, no Amazonas, no Pará, em São Paulo, no Paraná, em Santa Catarina, no Rio Grande, em Mato Grosso, em Goiás. A superfície de todos esses Estados está cheia dos mesmos indícios de petróleo que levaram as repúblicas vizinhas a perfurar e a tirá-lo aos milhões de barris. Os mesmíssimos sinais...

— Então por que não se perfura no Brasil?

— Porque as companhias estrangeiras que nos vendem petróleo não têm interesse nisso. E como não têm interesse nisso foram convencendo o brasileiro de que aqui, neste enorme território, não havia petróleo. E os brasileiros bobamente se deixaram convencer...

— Que araras! — exclamou Emília. — Mas não estão vendo petróleo sair em todos os países vizinhos do nosso?

— Estão, sim, mas que quer você? Quando um povo embirra em não arregalar os olhos não há quem o faça ver. As tais companhias pregaram as pálpebras dos brasileiros com alfinetes. Ninguém vê nada, nada, nada... E cada ano o Brasil gasta mais de meio milhão de contos na compra do petróleo que as companhias espertalhonas nos vendem.

— Meio milhão de contos! — exclamou Pedrinho. — Mil trezentos e tantos contos por dia! Quarenta e três contos por hora! Que doença cara é a cegueira...

— E a profundidade, Visconde! — perguntou Narizinho. — A que profundidade vão os poços abertos pelos homens?

— Varia. Há poços de 200 metros; outros de 500; outros de 800, outros de 1.000, de 1.500, de 2.000 etc. O mais profundo parece-me que é um de 3.468 metros, no Estado da Califórnia. Na Argentina há um com 2.500 metros, na Província de Mendonza. Mas ficam muito caros esses poços profundos. Os de preço comercial nunca vão a mais de 2.000 metros.

— E depois que o furo alcança o depósito de petróleo, que acontece?

— Quando o poço alcança um anticlinal intacto, isto é, com a capa impermeável perfeitamente fechadinha, encontra lá petróleo preso, submetido a pressões muito fortes, de 150, 200 ou mais atmosferas. Assim que o furo rompe a capa impermeável, essa pressão faz que o petróleo suba por ele acima e jorre. Às vezes, quando a pressão e muito forte, o petróleo esguicha com tamanha fúria que escangalha com a torre de sondagem, arremessando as ferramentas a grande distância. No México foi aberto o célebre poço de Cerro Azul, que jorrou com uma vazão de 300 mil barris por dia. O esguicho do petróleo subiu a 180 metros de altura!...

— Que maravilha! — exclamou Pedrinho. E a torre de sondagem, com certeza, foi para o inferno...

— Sim, foi tudo arremessado a dezenas de metros de distância.

— E como fizeram para domar o monstro?

— Uma trabalheira horrível. Mas quem pode com o bicho-homem? No fim de alguns dias o Cerro Azul estava domado — estava de freio na boca, isto é, com um registro, que é uma imensa torneira adaptada à boca do cano. Esse poço produziu milhões e mais milhões de barris de petróleo, permanecendo até hoje o campeão mundial.

— Ah, se nós descobríssemos um Cerro Azul aqui no sítio de vovó! — suspirou Narizinho. — Eu só queria ver a cara de assombro de Tia Nastácia...

— Quem sabe?! Tudo é possível neste mundo, — disse o Visconde. — Mas temos de perfurar. Sem perfurar não aparecem Cerros Azuis, nem Verdes, nem Amarelos. Quem quer ter petróleo, perfura. Esperar que ele apareça por si, é bobagem.

— E que se faz para prevenir que o jorro de petróleo escangalhe com tudo?

— Os petroleiros tomam todas as precauções para evitar isso, em virtude dos muitos desastres do começo. Colocam na boca do poço as tais torneiras fortíssimas, que são fechadas assim que o petróleo começa a subir. Por falta dessa precaução, certa companhia americana levou a breca.

— Como?

— Estava a abrir um poço e descuidou-se de colocar o torneirão. Subitamente o petróleo jorrou com enorme violência, varrendo com a sonda e arrancando os tubos de aço do encanamento. Não houve jeito de estancar o repuxo. O petróleo inundou tudo, formou uma lagoa em redor, invadiu os riachos próximos — uma verdadeira calamidade! As indenizações que os vizinhos exigiram da pobre companhia arrastaram-na à falência.

— Que engraçado! Uma companhia que quebra por ter tirado petróleo demais!...

— De fato foi assim. Pagou bem caro o descuido, e para evitar desastres dessa ordem os petroleiros tomam o máximo cuidado para "sossegar o leão" do petróleo quando ele começa a jorrar.

— E essa tal pressão que há lá no fundo dos depósitos de petróleo, donde vem?

— São pressões dos gases do próprio petróleo. O petróleo está ao mesmo tempo em estado líquido e em estado gasoso. Como os gases ficam muito comprimidos pela capa impermeável, eles exercem grande pressão; e assim que o furo rompe a capa, essa pressão força o petróleo a sair. Os gases são da maior importância para os petroleiros; por isso evitam que eles se escapem pelo furo; se o gás se escapa, lá se vai a pressão e o petróleo não subirá por si mesmo; terá de ser puxado por meio de bombas aspirantes. Depois de rasgado o primeiro furo na capa impermeável da jazida de petróleo, abrem-se outros perto; a capa vai ficando toda furadinha e por todos os furos sai o petróleo. Desse modo os petroleiros aumentam a produção do campo. Se um poço dá 1.000 barris por dia, abrindo outro eles obtêm 2.000; e assim por diante, até que a pressão dos gases diminua e a saída do petróleo esmoreça. O poço mais violento é sempre o primeiro; os abertos nas proximidades já encontram o leão sossegado, porque a pressão do gás diminuiu com a abertura do primeiro.

— E como os poços acabam? — quis saber Pedrinho.

— Acabam como tudo na vida — e até como as aulas, — respondeu o Visconde com os olhos no relógio. Eram quase 9 horas.

Todos se levantaram. Tia Nastácia, que dormira o tempo inteiro, ainda estava nos peixes; e certa de que o Visconde só falara de peixes fósseis, retirou-se resmungando:

— Peixe, peixe seco, peixe podre. Para que serve isso? Peixe há de ser pescado ali na horinha. Bobagem...

Capítulo V
Mais petróleo

— Onde ficamos ontem? — perguntou no serão seguinte o grande geólogo.
— Estávamos no esgotamento dos poços, — lembrou Pedrinho.
— Sim. Tudo se acaba neste mundo. Os poços de petróleo, por muito que produzam, em dado momento começam a morrer. Vão dando menos, menos, e por fim têm que ser abandonados; o óleo que sai já não compensa o trabalho de bombear. Mas o fato de os poços secarem não quer dizer que o campo petrolífero esteja extinto. Quer dizer apenas que saiu todo o petróleo que podia sair na vertical. A experiência demonstra que o petróleo vazado pelos poços corresponde de 15 a 35 por cento do que existe armazenado na jazida.

— Só? — exclamou Pedrinho. Então a maior parte fica no fundo?
— Fica. No fundo ficam de 65 a 85 por cento do petróleo existente.
— E o homem nada faz para conseguir esse petróleo?
— No começo ninguém cuidava disso. Abriam novos campos petrolíferos, depois de abandonar os velhos. Mas a Alemanha teve ideia de furar galerias como as usadas nas minas de carvão-de-pedra, para arrancar o petróleo que se recusa a sair pelos poços. Durante a Guerra Mundial a escassez do petróleo fez que os alemães recorressem a esse processo na Alsácia — e o caso foi que conseguiram extrair bastante petróleo. Também os argentinos andam querendo empregar o processo de galerias em Comodoro Rivadavia, onde os poços produzem cada vez menos. Só depois de usadas as galerias é que se pode dizer que um campo de petróleo está esgotado.

— E quanto tempo dura um poço?
— Varia muito. Cada poço tem a sua duração determinada pela quantidade de petróleo que há embaixo, pela pressão dos gases e pela quantidade extraída. Há poços que produzem durante dias apenas. Outros, durante semanas. Outros, durante meses. Outros, durante anos. Um poço que dura dez anos já é de primeira ordem, embora haja poços até de quarenta anos.

— E quanto produz um poço, em média? quis saber Pedrinho.
— Também varia muito. Uns começam produzindo apenas litros por dia; outros jorram milhares de toneladas por dia. Em 1934 os russos abriram em Lok Batan, perto de Baku, um que rompeu com mais de 20 mil toneladas por dia! Mas esses poços muito ricos são exceções. Poços que começam com 15 barris diários já recebem grau 10, e poços de 100 barris são excelentes. É só pegar num papel e fazer a conta de quanto rende um simples poço de 100 barris por dia.

— Rende 3 mil por mês ou 36 mil barris por ano, — gritou Narizinho, a campeã do cálculo mental. — E qual o preço do petróleo bruto, como sai do poço?

— Pode botar aí uns 30 cruzeiros, — respondeu o Visconde — e Narizinho imediatamente "cantou":

— Um milhão e oitenta mil cruzeiros por ano. Ótimo. Eu com um pocinho assim já virava baronesa do petróleo.

— Pois se me aparecesse um poço só de 100 barris por dia eu nem ligava — gritou Emília. — Só quero saber de poços de 10 mil para cima. Não me sujo com petrolinhos vagabundos...

Todos riram-se duma coitada que nunca soube nem como gastar o tostão novo que tinha nos seus guardados.

— E quanto petróleo se produz hoje no mundo, Visconde? — indagou Pedrinho.

— Muito. Um colosso. Só os Estados Unidos produzem um bilhão de barris por ano.

— Um bilhão? Puxa! Mil milhões! Mil pilhas de um milhão de barris cada uma! E tudo isso em consequência do tal pocinho do Coronel Drake...

— Sim. Foi desse pocinho que brotaram todas essas pilhas de milhões; como será do primeiro pocinho aberto no Brasil que vai brotar o milhão de poços que teremos um dia. Por que não? O Brasil tem o mesmo tamanho dos Estados Unidos. Se ainda está dormindo, um dia há de acordar — e então...

Emília bateu palmas.

— Viva! Viva! Vamos acordar o Brasil Rompemos aqui o primeiro poço e pronto — está acordado o Brasil. Viva! Viva!...

— O Brasil poderá suceder aos Estados Unidos na produção do petróleo, — disse o Visconde, que apesar de simples sabugo, raciocinava melhor que os milhões de rabanetes bípedes que andam por aí negando o petróleo. — Teremos o poço nº 1 aqui no sítio e o nº 2 no Riacho Doce, em Alagoas, onde os trabalhos estão muito adiantados. E a seguir teremos lá mesmo mais outros, mais dez, mais cem — quinhentos poços! E a febre do petróleo pegará no Brasil inteiro, que nem gripe, e começarão a aparecer poços por toda parte. Surgirão os de Mato Grosso, tremendos, de dezenas de milhares de barris por dia, como no México. E surgirão os poços de Goiás. E os de São Paulo. E os do Paraná. E os da Bahia. E os do Espírito Santo. E os do Rio Grande do Sul. E os de Minas... Tudo depende da abertura do primeiro.

— Coçar e tirar petróleo vai só do começar, — sentenciou Emília.

— Sim. Nos Estados Unidos o Coronel Drake abriu o primeiro poço na Pensilvânia — e os rabanetes de lá disseram que só na Pensilvânia havia petróleo. Mas como novos Drakes furaram em outros pontos, aquele país está hoje a tirar petróleo nos Estados do Texas, da Califórnia, do Arkansas, do Colorado, de Illinois, de Indiana, de Kansas, do Kentucky, de Montana, de Michigan, de Nova Iorque, do Ohio, de Oklahoma, da Virgínia e do Wyoming. E com a continuação dos trabalhos, ainda acabam descobrindo petróleo em muitos outros Estados. Tudo, por quê? Porque o Coronel Drake teve a coragem de começar.

— Eu por mim começava a nossa perfuração amanhã mesmo, — disse Pedrinho, já aflito por ver o petróleo jorrar.

— Inda é cedo, — respondeu o Visconde. — Por enquanto vocês só sabem um pedacinho do petróleo — têm que aprender muito mais.

— Que mais?

— Oh, tanta coisa... Têm de aprender que as reservas do petróleo dos Estados Unidos começam a aproximar-se do fim. O consumo é tremendo. Isso de extrair da terra um bilhão de barris por ano tem limite. Por maiores que as reservas sejam, um dia se acabam — e as reservas americanas estão se acabando. Há lá um Instituto do Petróleo que só trata de estudos petrolíferos. Esse instituto publicou há pouco tempo um cálculo, provando que as reservas americanas conhecidas não passam de 12 bilhões e 177 milhões de barris. Ora, para um país que extrai um bilhão por ano isso quer dizer petróleo para doze anos.

— Reservas "conhecidas"... — observou Pedrinho.

— Sim, haverá as desconhecidas, as que ainda serão descobertas — mas serão descobertas? Haverá ainda por lá grandes reservas ignoradas? Ninguém pode responder. O que se sabe é que as "reservas conhecidas" estão no fim — e quando se acabarem, os Estados Unidos terão de comprar petróleo fora, como hoje compram café e borracha. O Brasil, pois, deve ir se preparando para fornecer petróleo para os Estados Unidos, depois de abastecer-se a si próprio.

— Que colosso!

— Realmente. No dia em que tal acontecer e o Brasil passar de comprador a vendedor de petróleo, então deixaremos de ver essa coisa tristíssima de hoje — milhões de brasileiros descalços, analfabetos, andrajosos — na miséria. O Brasil tem todos os elementos para tornar-se um país riquíssimo — mas riquíssimo de verdade, e não, como hoje, apenas rico de "possibilidades" — ou de "garganta".

— Bravos, Visconde! — exclamou Dona Benta. — Nem parece que é um sabuguinho que está falando.

— Pudera! — gritou Emília. — Num país onde até os ministros não pensam em petróleo, ou quando falam nele é para negar, só mesmo dando a palavra a um sabugo. Viva o Senhor Visconde do Poço Fundo!

O sabugo geológico agradeceu as homenagens e continuou. Apesar de brotado de um pé de milho, ele amava a terra que produziu esse pé de milho.

— Sim, havemos de crescer e aparecer. Havemos de tirar petróleo aos milhões de barris. Havemos de exportar petróleo para todos os países, e de queimá-lo aqui em quantidades tremendas, para matar a nossa maior inimiga, que é a Distância. Abaixo a Distância! Viva o matador da Distância!

— Viva! Viva! — berraram todos.

— Visconde, — advertiu Narizinho, — petróleo é combustível e Vossa Excelência está pegando fogo. Sossegue um pouco e continue com a lição. Diga-me quantos litros de petróleo tem um barril.

O Visconde tomou fôlego, serenou o ânimo e respondeu calmamente:

— Barril é a medida de petróleo que os americanos adotaram desde o começo. Equivale a 42 galões.

— E quantos litros têm esses galos grandes? — perguntou Emília.

— Um galão tem 3 litros e 785 centímetros cúbicos. Logo, um barril tem isso multiplicado por 42 — ou sejam 159 litros. Aqui no Brasil precisamos nos acostumar desde já a medir o petróleo decimalmente — aos litros, aos metros cúbicos, como fazem os argentinos. Isso de barril e galão e tantas outras medidas populares dos países que não seguem o sistema métrico decimal, que é Emília?

— É besteira! — gritou a boneca.

Dona Benta advertiu-a.

— Emília, as professoras e os pedagogos vivem condenando esse seu modo de falar, que tanto estraga os livros do Lobato. Já por vezes tenho pedido a você que seja mais educada na linguagem.

— Dona Benta, a senhora me perdoe, mas quem torto nasce, tarde ou nunca se endireita. Nasci torta. Sou uma besteirinha da natureza — ou dessa negra beiçuda que me fez. E, portanto, ou falo como quero ou calo-me. Isso de falar como as professoras mandam, que fique para Narizinho. Pão para mim é pão; besteira é besteira — nem que venha da Inglaterra ou dos Estados Unidos. Cá comigo é ali na batata.

Dona Benta suspirou. Impossível domar aquela pequena selvagem...

— Continue, Visconde, — disse ela em tom resignado.

— O petróleo é muito novo, prosseguiu o geólogo. Não tem um século de vida, pois praticamente começou em 1859 com o poço do Coronel Drake. Quando o petróleo apareceu em cena, o grande combustível era o carvão-de-pedra. E talvez que quando o petróleo acabe tenhamos de voltar ao carvão-de-pedra, muito mais abundante na natureza. Mas a culpa do petróleo acabar depressa vai caber aos americanos. Tiram petróleo demais; gastam-no demais. Quantos milhões de anos não levou a natureza para fabricar cada bilhão de barris que eles extraem anualmente? Nem tem conta. O petróleo é filho do sol, como também o carvão-de-pedra. O sol é a fonte da vida e, portanto, a fonte da matéria orgânica que gera o petróleo. Logo, o petróleo é sol — são os raios dum sol de milhões de anos atrás que ficaram entesourados no seio da terra. Os homens, esses engenhosos bichinhos, furam o chão e desenterram os raios de sol líquido. E os reduzem a gasolina, a querosene, a óleo combustível, a óleo lubrificante, a parafina, a supergás, a quase 300 produtos diferentes. Até perfumes eles tiram do petróleo bruto. E com esses ingredientes operam-se prodígios — sobretudo em matéria de transportes. Continuamente, pelo mundo inteiro, milhões de baratinhas metálicas, chamadas automóveis, percorrem os caminhos e as ruas em todas as direções. Cada vez mais o céu se enche das gigantescas aves mecânicas, chamadas aviões. Por cima dos mares correm aos milheiros os navios tocados a petróleo. Pelo seio das águas sulcam os submarinos movidos a petróleo. Por toda parte fábricas e mais fábricas rodam sem parar, graças à força do petróleo. O petróleo transformou-se no motor do mundo.

— Por quê?

— Porque não passa de energia mecânica sob forma líquida, facilmente transportável para todos os pontos da terra. Que é uma caixa de gasolina? São milhares de calorias enlatadas. Cada litro de petróleo, quando queimado, produz 12 mil calorias — muito mais que o carvão-de-pedra, a lenha e todas as coisas de queimar. Colocado num motor, esse petróleo se transforma em energia mecânica, a serviço de todos os trabalhos do homem — para puxar carros, para mover navios ou aviões, para levantar pesos nos guindastes, para movimentar as mil máquinas das fábricas, para tudo quanto o homem faz com o fogo ou com as pequeninas explosões dos gases. Vale, portanto, muito mais que a força elétrica.

— Por quê?

— Por que a força elétrica só é utilizável nas redondezas da usina que a produz; e a força mecânica do petróleo fica presa dentro das latas e pode ser transportada para qualquer ponto do mundo — até aos polos. E lá é só abrir a lata e pronto — está ali uma forte quantidade de energia a serviço do homem. Como fazer isso com a eletricidade? De nada nos vale aqui no sítio a força elétrica do Niágara, mas, no entanto, até petróleo de Baku Dona Benta já tem consumido neste lampião da sala. O raio de ação da eletricidade é de poucos quilômetros; o raio de ação do petróleo não tem limites.

— Viva o petróleo! — berrou a Emília.

O Visconde continuou:

— O grande valor do petróleo é aliar-se ao ferro para aumento da eficiência do homem.

— Que história de eficiência é essa? — quis saber Narizinho.

— Muito simples. O homem começou sua vida na terra dispondo só duma força — a força dos seus músculos — como ainda acontece com todos os outros animais. À medida, porém, que foi aprendendo a utilizar-se de outras energias da natureza (como os músculos do cavalo e do boi, as quedas de água, a força do vento, a força do vapor, a força da eletricidade, a força do petróleo), o homem foi aumentando a sua eficiência, isto é, a sua capacidade de fazer coisas. Ajudado apenas dos seus músculos, um homem pode pouco. Para ir daqui até à venda do Elias Turco tem de dar seis mil passos, gastando nisso uma hora — se houver caminho bom. Aumentado com as quatro pernas dum cavalo, já esse mesmo homem faz o percurso em vinte minutos.

— Isso, na andadura, — disse Pedrinho. — No galope eu vou até lá em muito menos. São só três quilômetros.

— E se em vez de ter a sua eficiência aumentada pelas quatro pernas do cavalo, você a tiver aumentada pelas quatro rodas dum automóvel? — perguntou o Visconde.

— Nesse caso vou até lá em três minutos sem chispar muito.

— E se a sua eficiência for aumentada pelas asas dum avião?

— Ah, num avião eu chego até o Elias em segundos.

— Pois aí está o que é eficiência. Graças ao concurso do cavalo, do automóvel ou do avião, o homem, que a pé vai daqui até lá numa hora, passa a ir em vinte minutos, em três minutos ou em segundos. Mas note que é o petróleo o que mais aumenta a eficiência do homem, em matéria de velocidade — o petróleo conjugado ao ferro. O mundo ficou pequeno depois que o petróleo veio mover as máquinas que o homem constrói com o ferro. Por isso vivo dizendo que sem produzir ferro e tirar e queimar petróleo em grandes quantidades, como os Estados Unidos, o Brasil não ganhará impulso — não sairá do buraco da opilação econômica em que se atolou. O brasileiro está com a sua eficiência muito reduzida porque quase que só dispõe da força dos seus músculos, dos do boi e do cavalo. Por toda essa vastidão de território o meio de transporte mais comum é ainda o carro de boi e as tropas de burros. Ora, tudo na vida é transporte, logo, enquanto não aumentarmos a nossa eficiência por meio de máquinas, não resolveremos o nosso problema do transporte rápido e barato; e, pois, permaneceremos um país encarangado.

— Lá isso é verdade, — disse Pedrinho. — Para mandar à cidade o seu café o Coronel Teodorico usa o carro de boi; cada carrada só leva 40 arrobas e gasta um dia inteiro para chegar lá e outro para voltar. Com um caminhão-automóvel ele levaria 200 arrobas em duas horas de viagem...

— Isso mesmo! Eu, se pudesse, pegava num martelo e embutia na cabeça de todos os brasileiros estas palavras: *O ferro é a matéria-prima da máquina, e o petróleo é a matéria-prima da melhor energia que move a máquina. E como só a máquina aumenta a eficiência do homem, o problema do Brasil é um só: produzir ferro e petróleo para com eles ter a máquina que aumentará a eficiência do brasileiro*. Tudo mais é bobagem.

— Mas muitos acham que com uma nova revolução as coisas endireitam, — disse Narizinho. — Com uma nova forma de governo...

— Bobagem. Uma nova forma de governo, seja qual for, não passa duma nova distribuição das coisas existentes. Mas as coisas existentes são escassas demais. Nada adianta tirar o prato de feijão de A para dá-lo a B; pois B, que estava morrendo de fome, enche a barriga, mas A, que estava com a barriga cheia, começa a passar fome. Para o país é indiferente que A ou B seja o condenado a passar fome. O que o país precisa é que nem A nem B passem fome — e o meio, portanto, não é mudar de forma de governo: é aumentar a comida da gamela, de modo que A e B possam encher a barriga. É aumentar a riqueza — coisa que só conseguiremos aumentando a eficiência do homem por meio de ferro, matéria-prima da máquina, e do petróleo, matéria-prima da melhor energia que move a máquina.

— Pois vamos tirar o petróleo, Visconde! — gritou Pedrinho entusiasmadíssimo. — Pegue numa picareta e me acompanhe.

O Visconde riu-se.

— Bobinho! Como quer tirar petróleo, se ainda nem sabe como se escolhe o ponto onde abrir um poço?

— Então conte logo isso, que estou ardendo por abrir lá perto da porteira um poço de mil barris por dia.

— Mil barris!... — exclamou Emília com focinho de pouco caso — e deu uma cuspidinha de desprezo.

— Vou contar, sim, — continuou o Visconde — e esta parte é muito importante. Saber onde se deve abrir um poço é meio caminho andado para tirar petróleo. Se o poço for aberto em lugar mal escolhido, não dá coisa nenhuma — e os petroleiros ficam de cara à banda, a olharem-se uns para os outros, muito desapontados. Um poço, meu caro Pedrinho, custa grande trabalho e bom dinheiro. Saiba disso.

Pedrinho, que nunca havia pensado na parte financeira do negócio, aborreceu-se. Maçada! A pior coisa da vida é o tal negócio do dinheiro. Tudo custa dinheiro, tudo exige dinheiro — e onde o dinheiro? Dona Benta vivia a cabo curto, sem dinheiro para nada — e as demais pessoas do sítio ainda tinham menos que ela. Pedrinho só possuía dez cruzeiros no cofre. Narizinho, uma nota de cinco. Emília, apenas aquele célebre tostão novo. E o Visconde, apesar de visconde, era o fidalgo mais pobre do mundo. Nunca chegou nem a ver a cara dum vintém furado.

— Como vai ser? — perguntou Pedrinho voltando-se para Narizinho. — Como iremos abrir o nosso poço, se estamos completamente limpos de capitais?

— Isso é lá com você que é homem, — respondeu a menina. — Dinheiro é assunto masculino — arrume-se.

Pedrinho começou a pensar — e estaria até agora pensando, se Emília não resolvesse o problema com a maior facilidade.

— Ora a grande coisa! — disse ela. — Nada mais simples. Aplica-se o "faz-de-conta" e logo aparece tudo quanto precisarmos — sondas, verrumas de perfurar, tubos de encanamentos, tatus perfuradores — e até petróleo! Você bem sabe que não há o que resista ao faz-de-conta...

Pedrinho suspirou murmurando:

— É. Só assim...

E voltando-se para o Visconde:

— Pois vamos lá, senhor geólogo. Continue.

— Amanhã, — respondeu o sábio. — Lá vem vindo Tia Nastácia com as pipocas — essas inimigas das aulas...

Era verdade. Tia Nastácia vinha entrando com uma peneira de pipocas.

— Vivam as pipocas geológicas de Tia Nastácia! — berrou Emília.

— Deixe de brincadeiras com os velhos e trate de encher o papo, sua sapeca! — ralhou a negra.

Estavam da pontinha as pipocas de Tia Nastácia, de modo que todos se atiraram à peneira, concordando lá por dentro que se o Visconde era um sábio interessante, Tia Nastácia era interessantíssima quando o arrolhava com pipocas.

Capítulo VI
TRABALHOS DE CAMPO

No dia seguinte a impaciência de Pedrinho chegou ao auge. Aquilo de ficar uma parte da noite sentado, a ouvir as preleções do Visconde, não era com ele. Queria por mãos à obra, abrir logo o poço salvador da pátria.

— O coitado do Brasil cansado de esperar petróleo e este cacetíssimo Visconde a nos injetar noites e noites de ciência! Não quero mais. Chegou o momento de começarmos o poço.

— Mas, como, Pedrinho, se ainda quase nada sabemos de geologia? — objetou a menina.

— Muito bem. Vamos começar o trabalho e o Visconde nos vai ensinando. Lições ao ar livre — *fazendo*. É fazendo que o homem aprende, não é lendo, nem ouvindo discursos. Eu quero ciência aplicada...

— Ali na batata! — gritou Emília que vinha entrando. — Também penso como Pedrinho. Quero começar o poço já.

O Visconde apareceu com a geologia debaixo do braço.

— Escute senhor geólogo, — disse Pedrinho. — Basta de aulas. Fizemos greve. Queremos começar o poço já, já, está ouvindo?

O sabuguinho científico arregalou os olhos. — Homessa! Como podem pensar em perfuração antes de terem adquirido uma boa base geológica?

— Do modo mais simples. Damos começo ao trabalho e V. Excelência nos vai ensinando pelo caminho, à proporção que os problemas aparecerem.

— Isso mesmo! — berrou Emília. — Faz de conta que já sabemos a geologia inteira.

O Visconde coçou a cabeça; mas como era greve, teve de concordar.

— Pois seja, — disse ele. — Serão aulas ao ar livre. Começaremos com o estudo geológico dos terrenos do pasto.

— Ótimo! — exclamou Pedrinho — e correu a preparar-se. Voltou de perneiras e chapéu de cortiça — vestuário de engenheiro-geólogo.

— Pronto! Podemos partir.

Foram todos. Depois de passada a porteira e de correr os olhos pelo pasto da vaca Mocha, Pedrinho ficou atrapalhado. Só via capins e capões de mato. Que fazer? Quem não sabe é o mesmo que ser cego. Pedrinho geólogo, sentiu-se totalmente cego.

— E agora, Visconde? Por onde começamos?

O sabuguinho geológico tossiu e respondeu

— Antes de cuidarmos da abertura de um poço, temos de escolher o lugar mais propício. Essa escolha é tudo. Se erramos, babau! Lá se vai tudo quanto Marta fiou. Mas se acertamos, podemos contar com um belo jorro de petróleo. E para escolher o ponto adequado havemos de recorrer à ciência deste livrinho, — concluiu ele batendo uma palmada na geologia. — Aqui está tudo.

— Como se faz praticamente? — inquiriu Pedrinho.

— Assim. Pede-se a um geólogo que examine o terreno, estude as rochas aflorantes, isto é, as rochas que aparecem em certos pontos da superfície e as relacione com as que aflorem em outros pontos. Isso para ver se estamos em cima dum anticlinal.

Pedrinho olhou desanimado para a pastaria verde.

— Mas como estudar rochas com este raio do capim-gordura a esconder a terra inteira?

— Temos de procurar barrancos, margens de rios, morros com perambeiras ou boçorocas — pontos onde a terra esteja esfuracada e despida de vegetação. Só aí encontraremos rochas a descoberto.

— Pois vamos a isso, então.

A um quilômetro dali havia um morro com grande desbarrancado — a "barreira", como se dizia no sítio. O Visconde levou-os para lá. Diante da barreira, parou e sorriu.

Os meninos entreolharam-se. Não compreendiam que o Visconde encontrasse matéria para sorriso num barranco feio como todos os mais.

— Que gosto é esse, Visconde? — perguntou Emília.

— Ah, o sorriso que tenho nos lábios é um sorriso geológico — o sorriso de quem sabe, olha, vê e compreende. Este barranco é para mim um livro aberto, uma página da história da terra na qual leio mil coisas interessantíssimas.

Os meninos olharam para o barranco e de novo se entreolharam com ar de quem pergunta: "Estará o Visconde a caçoar conosco?".

— É um dos barrancos mais lindos que já vi, — continuou o sábio. — Observem atentamente estas superposições de camadas. Temos aqui uma série de camadas paralelas. Estão superpostas, isto é, uma em cima da outra, e são constituídas de rochas diferentes.

— E que tem isso?

— Tem um colosso de coisas. Tem, em primeiro lugar, que são camadas de rochas sedimentárias, produzidas por depósitos formados no fundo d'água.

— Fundo d'água? Pois o sítio de vovó já foi fundo d'água?

— Claro que sim, Pedrinho. Leio isso neste barranco. Temos cá uma camada de pedregulho, ou pedras que se foram fragmentando e rolando no fundo dos rios até ficarem sem arestas; depois se depositaram em qualquer fundo de água sem correnteza. Mas notem que estes pedregulhos já não estão soltos, como os de fundo de rio. Estão grudados uns aos outros, soldados, cimentados entre si.

— Com que cimento? — quis saber Narizinho.

— Evidentemente um cimento calcário, — respondeu o Visconde. — Os calcários dissolvem-se na água; mas a cal da água vai se depositando entre as pedrinhas até que as liga, tal qual o pedreiro liga os tijolos com o reboco. E sabem como se chama uma rocha assim, feita de pedaços de rocha cimentados entre si?

Ninguém sabia.

— Chama-se um *conglomerado*, — explicou o Visconde. E apontando para a camada que ficava em cima daquela: — E esta rocha aqui também não deixa de ser um conglomerado, apesar de ter o nome de arenito. É composta de areia com os grãozinhos igualmente soldados entre si por um cimento qualquer. Reparem que forma uma rocha um tanto quebradiça.

Pedrinho havia destacado um fragmento do arenito, que andou de mão em mão.

— É mesmo, — disse Narizinho, quando chegou sua vez de examiná-lo. Vê-se perfeitamente que é formado de grão de areia.

— Pois é outra rocha sedimentária, — explicou o Visconde — e está na ordem normal em que os sedimentos se depositam. Primeiro, os pedregulhos; depois as areias, que são mais leves; e sobre as areias as argilas, esse pó de rocha mais leve que tudo e que fica boiando na água mais tempo.

— E esta dura e preta aqui, Visconde? — perguntou a menina tentando quebrar um pedaço de rocha muito irregular que se intrometia pelas camadas.

— Oh, isso já não é rocha sedimentária — é uma rocha vulcânica. Já expliquei que as rochas vulcânicas são derrames das pedras derretidas pelo calor central, que saem pela boca dos vulcões ou se intrometem pelas rochas sedimentárias.

— São vômitos então, — disse Emília com cara de nojo, cuspindo.

— Reparem que esta rocha cinzenta e tão dura não está em forma de camada, como as outras. Não é um produto da sedimentação. O que fez foi introduzir-se a muque pelas camadas de rocha sedimentária adentro. Chama-se a isto uma intrusão.

— Uma intrusa, — disse Emília. — Estou vendo. Fez parigato com as outras e quebrou-as espirrando-as para os lados.

— Sim. Esta intrusão veio debaixo para cima, numa vertical, rompeu as camadas de sedimento, quebrou-as — o que prova que é mais moça, ou que chegou por último.

— Por quê?

— Porque só poderia fazer o que fez se encontrasse aqui as camadas sedimentárias já formadas. Nada mais lógico.

— E a rocha orgânica, Visconde? Haverá por aqui alguma? — quis saber a menina.

O Visconde correu os olhos pelo barranco.

— Não há nenhuma. Creio que no sítio só poderemos encontrar rocha orgânica no fundo daquele brejo dos guembés, que seca nos meses de seca. Há de haver lá turfa, que é uma rocha orgânica formada pela transformação de vegetais enterrados.

Depois de bem vistas e revistas as rochas do barranco, o Visconde levou-os para outro ponto, dizendo:

— Notem que as camadas, que começavam horizontais, estão agora a subir numa leve inclinação. Ora, como nasceram horizontalmente (porque toda sedimentação é horizontal), se estão subindo foi porque uma pressão debaixo para cima, ou uma compressão dos lados, as fez subir.

— Um parigato, — explicou Emília, e Narizinho quis saber que pressão fora aquela.

— Não sei, — disse o Visconde. — Talvez do tempo em que a crosta da terra começou a resfriar-se e encolher-se. Formou-se aqui uma ruga.

Caminharam um pouco mais.

— Notem, — ia dizendo o Visconde — que as camadas vão subindo sempre, e sempre paralelas. Quer dizer que quando sofreram a pressão já estavam formadas e arrumadinhas umas sobre as outras.

Caminharam mais umas dezenas de metros.

— Olhem que lindo! — exclamou o Visconde, detendo-se. — Há aqui uma belíssima *falha*.

— Que é?

— Prestem atenção. As camadas sofreram neste ponto um desastre sério. Partiram-se e o lado de lá afundou, escorregou para baixo.

— É mesmo! — gritou Pedrinho. — Ficaram desencontradas. A camada de argila desceu ao nível da camada de pedregulho... Que engraçado...

— Pois é isto que os geólogos chamam uma falha, fenômeno que tem muita importância, quando se fazem estudos para petróleo.

Nisto Narizinho, que se adiantara, gritou:

— Corra Visconde! Venha ver uma curiosidade. As camadas sofreram aqui uma tal reviravolta que até ficaram de pé

Emília foi a primeira que chegou lá.

— Chi! Que catástrofe horrível. Estão depezinhas como paus de lenha no lenheiro de Tia Nastácia.

O Visconde explicou:

— Este fenômeno é muito frequente. Nas convulsões que a crosta da terra sofreu, as camadas que vêm vindo na horizontal, ou levemente inclinadas, sofrem muitas vezes destas reviravoltas. Mais adiante é possível que de novo apareçam na mesma inclinação com que vinham vindo.

E assim foi. Cem metros adiante as camadas voltavam a ter a mesma inclinação do começo.

Terminado o estudo do barranco, o Visconde disse:

— Muito bem. Temos agora de examinar aquele corte da estrada que vai para a fazenda do Coronel Teodorico.

— Para quê?

— Para ver se as camadas de lá têm correspondência com estas. Se tiverem, poderemos tirar algumas deduções interessantes.

O tal corte da estrada ficava bem longe dali — a uns três quilômetros. O Visconde foi explicando pelo caminho:

— Se as camadas do corte corresponderem às do barranco e estiverem com a direção mudada, isto é, se se inclinarem para baixo em vez de irem subindo, isso provará que este campo já foi montanha.

— Montanha, aqui nesta planície, Visconde?

— Sim. Pode ter sido uma grande montanha que a Erosão destruiu. Lá no barranco vemos que a Erosão continua no seu trabalho de destruir o morro. Cada ano o barranco está maior, e daqui a uns séculos quem passar por aqui já não encontrará mais morro nenhum.

— As chuvas, as enxurradas levam a terra do morro para o Ribeirão do Caramingá; o Caraminguá a leva ao Rio Paraíba; e o Paraíba a leva para S. João da Barra, onde a despeja no Oceano Atlântico.

— Que desaforo! — exclamou Narizinho. — Então a terra deste morro de vovó vai parar em S. João, lá no Estado do Rio? Mas isso é uma ladroeira...

— A Erosão e os rios mudam a face da terra, transportam as rochas dum ponto para outro sem o menor respeito aos proprietários do solo. Dona Benta que perca o amor a este morro. A maior parte já foi reduzida a areia e carregada para longe; o resto irá também, não tenham disso a menor dúvida.

Chegaram ao corte da estrada. O rosto do Visconde iluminou-se.

— Exatamente o que eu esperei! — disse ele ao examinar o corte. — As camadas que estudamos no barranco têm sua continuação aqui. Cá está a camada de arenito, e a de conglomerado, e a de argila, com a única diferença da direção. No barranco as camadas subiam; aqui descem. Isto prova o que imaginei: estamos em cima dum anticlinal já em grande parte destruído pela erosão.

— Que engraçado! — exclamou Pedrinho. — Agora compreendo o riso do Visconde depois que deu para estudar Geologia. Como tudo se esclarece! Como fica interessante! Aquele barranco e este corte nunca me fizeram vir à cabeça a menor ideia. Agora já me falam, dizem coisas, contam pedaços da vida da terra. Que engraçado!...

— Pois é isso, Pedrinho. Para o geólogo, o chão, os barrancos, as buraqueiras, as perambeiras, as boçorocas, as ravinas, as margens dos rios, os cortes das estradas de ferro, tudo são páginas do livro da natureza, onde ele lê mil coisas que jamais passaram pela cabeça dos ignorantes.

— Que gostoso é saber, hein, Narizinho?

— Nem fale, Pedrinho. Cada vez tenho mais dó dos analfabetos.

— Muito bem, — disse o Visconde. — Isto aqui está provado que é um anticlinal. O barranco lá longe e este corte aqui nos permitem verificar a correspondência das camadas e sua inclinação. Mas a Erosão destruiu o alto do anticlinal; só deixou as encostas. O barranco lá e o corte aqui estão nas encostas do anticlinal destruído. Temos agora de nos dar conta de uma coisa: as camadas geológicas são como as capas das cebolas de cabeça. Há sempre uma debaixo da outra, de modo que ainda que não estejamos vendo, podemos, por um esforço de imaginação, figurar as camadas que não foram destruídas pela erosão e continuam bem arrumadinhas debaixo desta terra, até bem no fundo, onde não há mais rochas sedimentárias porque já e o cristalino.

— Que cristalino é esse?

— O cristalino é um modo de tratar as rochas ígneas que estão sempre por baixo, servindo de alicerce às camadas sedimentárias. Se fizermos aqui um buraco, iremos indo, indo sempre a furar sedimentos, até chegarmos à rocha ígnea, ou cristalina.

— Sei, — disse Pedrinho. — Até alcançarmos as rochas que ainda hoje estão como eram no começo do mundo, quando a crosta ainda não estava modificada pela erosão.

— Isso mesmo. O trabalho da erosão é superficial. O fundo ela não toca.

— Bem feito! — exclamou Emília, que já estava a implicar-se com a grande destruidora.

— Pois eu queria ver como é uma dessas rochas do fundo, que nunca foram bulidas pela erosão.

— Muito fácil, — respondeu o Visconde. — O granito, que você conhece, é uma delas. Os movimentos da crosta (os movimentos orogênicos, como dizem os sábios), trazem à superfície, em muitos pontos, bocados dessas rochas, que embora atacadas pela erosão ainda se acham em grande parte intactas. As pedreiras donde se extraem os paralelepípedos de calçar ruas são rochas ígneas lá do fundo que subiram até à superfície.

— Trazidas pelos vulcões?

— Não. As rochas que os vulcões trazem são muito diferentes do granito. O granito também esteve derretido, mas esfriou no fundo, fora do contato com o ar — por isso é diferente das rochas vulcânicas.

— Nesse caso não pode haver petróleo nessas rochas ígneas — observou Pedrinho.

— De fato não há. Petróleo só aparece nas rochas sedimentárias. Se por acaso alguém encontrar petróleo numa rocha ígnea, é que o petróleo foi para lá, não que *tenha nascido* lá. O petróleo emigra muito; *forma-se* num lugar e *muda-se* para outro.

— Obra do eterno parigato, — observou Emília.

— Isso mesmo. As pressões subterrâneas fazem que ele, que é líquido, mude de casa quando começam a comprimi-lo demais no ponto em que se formou.

— E o petróleo é encontrado assim liquidozinho como sai dos poços? — perguntou a menina.

— Não. O petróleo não existe solto, em lagoas subterrâneas, como muita gente pensa. Existe espalhado entre os vãozinhos das areias ou de outras rochas porosas. Os geólogos dizem *camadas portadoras*. Uma camada portadora tem que ser porosa, isto é, ter vãozinhos onde o petróleo se acomoda. Se a camada não é porosa, ele não encontra espaço onde alojar-se. Por isso essas camadas de argilas só ajudam o petróleo dum jeito: formando as capas impermeáveis que não o deixam fugir.

Pedrinho estava pensativo. Por fim falou

— Uma coisa anda me preocupando, Visconde, — disse ele. — Estou vendo que os tais estudos geológicos só são possíveis quando há muitos barrancos e buracões. E quando não há nada disso? Quando o terreno é todo uma planície imensa, recoberta de vegetação?

— Bom, aí o geólogo não pode ver nada e, portanto, não pode tirar conclusões. Tem de "pedir água".

— A quem?

— À Geofísica.

— Que é isso?

— Geofísica é a ciência de ver, apalpar, medir as rochas que estão lá no fundo.

— Ver, como, se estão lá no fundo?

— Ver é um modo de dizer. Em vez de ver eu devia ter dito adivinhar. A Geofísica consiste na aplicação de uns tantos princípios da Física, por meio dos quais os sábios adivinham o que não podem ver, nem apalpar. Espécie de Raio X do fundo da terra. Os Raios X nos permitem ver alguma coisa através dos corpos opacos. A Geofísica também nos permite estudar uma porção de coisas lá no fundo.

— Que coisas, por exemplo?

— Permite-nos, por exemplo, saber até que profundidade vão as camadas de rochas sedimentárias.

— E tem importância isso?

— Muita. Se em certo ponto a massa de rochas sedimentárias é muito grande, ou vai até muito fundo, está claro que poderá conter muito mais petróleo do que numa camada menos possante, ou menos espessa.

— E que mais?

— Também permite descobrirmos anticlinais e domos de sal.

— Que é isso?

— Domos de sal são grandes acúmulos de sal de cozinha que em muitos pontos se erguem e empurram as camadas sedimentárias para cima. Nas encostas desses domos de sal acumula-se quase sempre o petróleo. A Geofísica permite descobrir tais domos e determinar certinho a área que eles ocupam.

— E que mais?

— Muita coisa mais, como, por exemplo, determinar as *falhas* existentes num campo petrolífero. E determinar as intrusões de rochas ígneas. E verificar se os gases de petróleo chegam até à superfície. Muita coisa. A Geofísica é uma ciência de tal modo preciosa para os petroleiros que sem ela eles não dão um passo. Antes de começar um poço mandam fazer o estudo geológico do terreno; depois mandam fazer o estudo geofísico; só então furam. E por isso estão furando hoje com muitíssimo mais acerto do que antigamente.

— Erravam muito antigamente?

— Nem fale! Em cada cem poços abertos nos Estados Unidos, parece que só três alcançavam o petróleo. Era o mesmo que dar tiro sem pontaria, ou de olhos fechados. Está claro que às vezes matavam algum passarinho — por acaso...

— E hoje?

— Ah, hoje tudo mudou. Só dão tiro com pontaria. O número de poços que os petroleiros perdem reduziu-se enormemente. Os primeiros estudos geofísicos sérios que tivemos no Brasil foram feitos no Riacho Doce, em Alagoas. Há lá um petroleiro chamado Edson, e um governador de Estado, de nome Osman, que até merecem estátuas de ouro! Graças a eles, o Brasil começou a estudar petróleo a sério, cientificamente, com vontade de achar — e vocês vão ver que em consequência disso o primeiro poço de petróleo do Brasil vai ser em Alagoas.

— Protesto! — berrou Emília. — O nosso tem que ganhar a corrida — tem que chegar na frente.

O Visconde ia responder quando soou o berro de Tia Nastácia lá longe:

— A janta tá na mesa, cambada! Tem lambari frito...

Na voz de lambari frito, os meninos esqueceram a Geologia e botaram-se para casa, na volada. Só ficou por ali, pensativo, de mãozinha no queixo, o grande sabugo geológico.

— Hum! hum! — monologou ele depois de muito matutar. — Macacos me lambam se aqui não houver petróleo...

Capítulo VII
Depois do almoço

Comidos os lambaris do almoço, a meninada voltou correndo ao campo, interessadíssima na continuação do estudo geológico.

— Mas quais são as condições que devemos descobrir nestes terrenos para termos a certeza de que podem conter petróleo? — foi perguntando Pedrinho.

— Várias, — respondeu o Visconde. — Temos, primeiro, de verificar se são sedimentárias as rochas...

— Isso já vimos que são.

— ... e se têm possança. E se há camadas porosas, capazes de armazenar o petróleo. E se há camadas impermeáveis entalando essas camadas porosas. E se não há muita intrusão de rochas eruptivas, porque estas pestes, quando se introduzem numa camada portadora de petróleo, é para escangalhar tudo, destruir tudo com o seu calor brutal. E se há anticlinais bem formados onde o petróleo se acumule. E se há pela superfície algum sinal qualquer de petróleo, como xisto ou arenito betuminoso. E qual a idade do terreno...

— Idade do terreno? — repetiu Narizinho. — Esse ponto não foi estudado.

— Os geólogos dividem os terrenos em várias *idades* ou *períodos*. E como o petróleo quase sempre aparece em certos terrenos, tem muita importância conhecer a idade das rochas dum campo petrolífero.

— Reduza isso a troco miúdo, Visconde, que não estou entendendo muito bem, — reclamou Emília.

— Vou explicar, — assentiu o Visconde. — Bem lá no fundo há as massas de rochas eruptivas sobre que se assentam as camadas de rocha sedimentária. São rochas duras, cristalinas, que vão amolecendo até se confundirem com a massa derretida do centro. A crosta solidificada da terra é coisinha mínima comparada com o volume da terra inteira. Corresponde a menos que uma casca de laranja, para a laranja.

— Então se descascarmos a terra ela fica novamente uma bola de fogo?

— Sim. Se arrancarmos a crosta da terra, o nosso planetinha volta a ser a bola de fogo, o solzinho que já foi no tempo em que começou a regirar pelo espaço.

Os olhos de Emília brilharam. — lembrou-se da viagem ao céu e de todas as coisas prodigiosas que se deram ali no sítio e viu no descascamento da terra uma aventura nova, nunca sonhada nem pelos loucos mais varridos.

— Que estupendo, Narizinho! — exclamou ela arregalando os olhos brilhantes. — Está aqui uma aventura bem digna de nós: descascarmos a terra, como quem descasca uma laranja mexeriqueira!...

— Lá vem, lá vem! — disse a menina. — Eu já andava admirada do tempo que você passou sem abrir a torneirinha...

Emília pôs-lhe a língua e o Visconde continuou:

— Estava eu dizendo que a grossura da casca da terra é mínima. As perfurações que o homem faz para petróleo parecem-nos muito profundas porque somos uns microbinhos de duas pernas. São profundas para nós. Para a terra, correspondem a simples picadas de alfinete.

— Então um poço de 1.000 metros é uma simples picada de alfinete?

— Claro que sim. Basta fazer o cálculo. Que diâmetro tem a terra?

Narizinho, que sabia de cor, "cantou" logo:

— De polo a polo, a terra mede 12.640 quilômetros de diâmetro.

— Muito bem. Logo, um poço de 1.000 metros, ou 1 quilômetro, representa apenas 1/12.640 do diâmetro da terra. Se eu tivesse aqui o quadro-negro, desenharia a terra e esse poço, ambos na mesma escala, para vocês verem que um buraco de 1.000 metros não passa de picadinha de ponta de alfinete. E que é a própria casca da terra senão uma película? Já vimos que o calor central aumenta de um grau cada 25 metros. Isso quer dizer que a 100 quilômetros de profundidade temos a temperatura de 4.000 graus, mais que suficiente para manter todas as rochas no tal estado de fusão que nem olhar a gente pode, porque cega. Mas se procurarmos relacionar esses 100 quilômetros da casca com o diâmetro da terra, acharemos a fração 1/126, apenas...

A pouca distância dali havia uma laranjeira carregada. Pedrinho foi escolher uma das laranjas mais taludas para verificar a proporção entre a casca e o diâmetro. Fez suas medições e — disse:

— Esta laranja tem 126 milímetros de diâmetro, e a casca tem três milímetros de espessura; logo, esta casca representa para esta laranja muito mais do que a crosta da terra representa para a terra. Para a casca da laranja estar na mesma proporção da crosta da terra, devia ter só um milímetro de espessura.

— Puxa! Que "finura"! — exclamou Narizinho. — A crosta da terra então deve corresponder a uma casca de pêssego...

— Exatamente, — concordou o Visconde. — A relação entre a crosta da terra e o diâmetro da terra deve ser a mesma que entre uma película de pêssego e o diâmetro do pêssego.

Desde aquele momento Emília passou a caminhar muito ao de leve, na pontinha dos pés — de medo que seu peso-pluma rasgasse nalgum ponto a película de pêssego que chamámos crosta da terra...

— Com essas cascas todas estamos, mas é esquecendo o petróleo, — advertiu Pedrinho. — Volte ao assunto, Visconde.

O Visconde voltou.

— Sim. Estávamos falando sobre a idade das rochas. As primeiras camadas de rocha sedimentária que lá no fundo repousam sobre as rochas cristalinas, pertencem à *Era Azóica*. Azóica quer dizer sem vida. Ficam lá os terrenos *arqueanos*, ou antiquíssimos, onde nunca há petróleo, nem nenhum sinal de fósseis, já que naquele tempo ainda não existia vida.

— E em cima dos terrenos arqueanos?

— Em cima dos terrenos arqueanos vêm as camadas da *Era Paleozóica*, ou *Primária*, onde aparecem os primeiros fósseis de algas marinhas e as primeiras conchas, isso bem embaixo; mais para cima começam a aparecer outros fósseis, como os dos fetos, e grande abundância de cascas de moluscos. E ainda mais para cima surgem os fósseis dos primeiros sáurios e dos vegetais que formam as mais velhas hulhas.

— E depois?

— Depois temos a *Era Mesozóica*, ou *Secundária*, cujos terrenos se compõem de argilas, piçarras, calcários de conchas. Surgem fósseis de plantas já bastante adiantadas, como as coníferas, as cicadáceas, os grandes fetos arbóreos; e também fósseis de sapos gigantescos, sáurios enormes, plesiossauros, ictiossauros, lagartões voadores, toda essa bicharada que até parece pesadelo, quando a vemos reconstruída nas salas dos museus paleontológicos. São as camadas mais românticas da crosta da terra. A vida naquele tempo era muito mais violenta que hoje, de modo que o Mesozóico parece um verdadeiro romance de monstruosidade.

— Que pena não termos nascido nessa época! — suspirou Emília. — O mundo está hoje uma vergonha em matéria de bichos, sobretudo aqui no Brasil. Umas paquinhas, umas capivaras e umas tais onças aí pelos fundões, que a gente nunca vê. Só se salva a África, com uma bicharia ainda bem bonita — girafas, rinocerontes, hipopótamos, leões...

Mas o Visconde não concordou:

— Se vivêssemos naquela época, Emília, teríamos uma vidinha bem curta. Bastava que passasse por nós um simples mesossauro, com a sua cabeça de metro e meio de comprimento. Lambia-nos a todos como boi de carro lambe os capins da beira da estrada...

— Que prosa esta Emília! — murmurou Narizinho. — Queria ter nascido naquele tempo dos bichões absurdos, justamente ela que nem tem corpo para encher a cova do dente dum deles...

— E depois desse período truculento? — perguntou Pedrinho.

— Depois do Secundário temos a Era *Cenozóica*, ou *Terciária*, onde também aparecem muitos fósseis de animalões que já não existem, como os mastodontes, os dinotérios, os mamutes. Mas tanto a flora como a fauna desse período já começam a dar ideia das de hoje. E, finalmente, temos a *Era Quaternária*, que é a mais moderna, a nossa. Neste período os fósseis encontrados são dos mesmos animais e das mesmas plantas que conhecemos. Já não aparecem os colossais bicharocos do período anterior. Foi quando apareceu na terra o bicho homem.

Emília, que não se consolava, — murmurou suspirando: "Que azar eu ter nascido agora! Meu temperamento é secundário...".

— E qual o melhor período para petróleo? — quis saber Pedrinho.

— Ah, é o Terciário. Os melhores campos petrolíferos do mundo são em terrenos dessa época.

Até ali tudo correra muito bem, porque eram coisas que estavam nos livros. Mas quando tiveram de ver no chão se realmente existiam todas as condições favoráveis para a existência do petróleo, o sabuguinho científico começou a mostrar exigências excessivas. Pedrinho danou. Viu logo que naquele andar passariam pelo menos um ano em estudos teóricos antes de darem começo ao poço — e como era o poço o que mais interessava, convidou Narizinho e Emília para outra greve.

— Sim, — disse ele, — porque nesta toadinha do Visconde ficamos toda a vida a estudar coisas dos livros e nada de perfuração. Nosso Visconde é livresco demais. Temos que declarar greve. Topam?

— Topamos, — concordaram as duas, também já cansadas de ciência teórica.

Pedrinho voltou-se para o sábio e disse:

— Feche o livro, Visconde. Resolvemos dar começo ao poço já, já, já.

O Visconde fez cara feia.

— Mas como pode haver poço sem ciência, menino? Que bobagem é essa?

— Bobagem ou não, queremos começar o poço imediatamente. Está decidido por maioria de votos — três contra um.

— Mas se nem acabamos de fazer o estudo geológico do terreno! Depois dele ainda temos de fazer o estudo geofísico, homessa!

— Faz de conta que já estão feitos, — berrou Emília. — Faz de conta que foram feitos por uns sábios da Alemanha que mandamos vir, não acha, Pedrinho?

— Claro que sim. Os tais estudos geofísicos tanto estão feitos que tenho aqui os mapas, — disse Pedrinho fingindo abrir no chão um enorme rolo de papel de desenho. — Venham ver.

Todos se curvaram em redor do mapa de mentira.

— Aqui está tudo explicadinho, — disse ele. — Os sábios alemães marcaram neste ponto um anticlinal magnífico, sem *falha* nenhuma, entupido de petróleo lá embaixo. Temos agora de localizar o *anticlinal* do terreno. Olhem: começa na porteira do pasto e vai até lá no corte da estrada que estivemos estudando. Melhor fincarmos na terra várias estacas para que fique tudo bem marcadinho e não haja enganos depois. Se furarmos bem no alto do anticlinal, sai gás, segundo as teorias do Visconde; se furarmos nas encostas, sai petróleo; e se furarmos muito embaixo, no pé das encostas, sai água salgada. Vê como eu sei? Vamos agora estaquear o terreno.

Pedrinho sacou do facão de mato que trazia à cintura e cortou umas vinte estacas.

— Venha atrás de mim com o feixe, Narizinho, e vá me dando uma por uma.

A menina obedeceu. Sobraçou o feixe de estacas e as foi dando a Pedrinho, que as fincava em terra depois de fazer ponta com o facão. Num instante o anticlinal que os alemães haviam marcado no mapa ficou todo estaqueadinho no terreno.

— Pronto! — exclamou o "engenheiro" enxugando o suor da testa. — Essas estacas maiores marcam o topo do anticlinal, os pontos onde há gás. Aquelas ali marcam as meias encostas, boas para perfurar. Que acha Visconde, da minha marcação?

O sabugo geológico respondeu, depois de alisar as palhinhas do pescoço, que não havia nenhuma objeção a fazer.

— Então, pronto! — gritou Pedrinho. — Hurra! Hurra! O principal está feito: marcar cientificamente o lugar exato onde abrir a perfuração. O resto é canja.

Mas apesar de ser canja, Pedrinho engasgou. Não sabia o que fazer depois da marcação do ponto certo. Teve de recorrer ao Visconde.

— Vamos lá, Visconde, conte como é o resto.

O Visconde explicou que o resto era furar, sendo para isso indispensável adquirir uma boa sonda de perfuração e todas as máquinas e coisas acessórias.

— Em que consiste a sonda?

— Num complicado aparelho perfurador, com uma torre de uns trinta metros de altura e um motor a vapor ou a óleo que mova o aparelho. E oficina mecânica para consertos, etc. Antes, porém, acho que você deve providenciar a água e o combustível para a caldeira — e também as casas para acomodação das máquinas e operários.

— Água, — resolveu Pedrinho, — eu puxo num encanamento lá do Córrego do Caraminguá; e para combustível temos de tirar lenha no Capoeirão dos Tucanos. Quanto de lenha é preciso?

— Quanto mais melhor, — respondeu o Visconde. — É bom termos sempre uma boa reserva — aí uns 500 metros cúbicos. A caldeira vai consumir de vinte a trinta metros por dia.

Pedrinho deu ordem à boneca para que cuidasse da lenha. Emília aplicou o faz-de-conta, e num momento dez carros de boi começaram um vaivém contínuo do capoeirão até ali. Serviço rápido como o relâmpago.

— Pronto, Pedrinho! Empilhei lenha até demais — 523 metros cúbicos segundo a nota que meus carreiros apresentaram, — disse ela dando a Pedrinho um papel com garranchos.

— Bom. Água e lenha já temos, — disse ele. — Agora é preciso que você, Narizinho, se encarregue das casas e do barracão para as máquinas.

A menina também aplicou o faz-de-conta, de modo que num instante surgiu da terra um excelente barracão de madeira, com telhado de zinco, para as máquinas; e a cem metros dali uma série de casas para operários, muito bonitas e higiênicas, tão bonitas que Pedrinho achou demais.

— Demais, não! — protestou ela. — Quanto melhor acomodarmos nossos homens, melhor eles trabalham. Não concordo com o sistema de tratar os operários como se fossem pedras insensíveis. As casinhas têm tudo dentro — até geladeira e rádio...

— E esta casa aqui? — perguntou Pedrinho, vendo uma distanciada da vila operária.

— Pois aqui é o escritório — o seu escritório, Pedrinho, já que é você o Superintendente do campo. E aquela mais pimpona, acolá, é o bangalô do perfurador que temos de mandar vir do estrangeiro.

— Muito bem, — disse Pedrinho tomando conta do escritório. — Vou fazer o pedido das máquinas necessárias. Temos de comprá-las na América do Norte, porque no Brasil não há disso.

Abriu vários catálogos em inglês e pôs-se a folheá-los. Eram gravuras e mais gravuras de máquinas e mais máquinas, numa procissão sem fim. Um catálogo enorme, aí como um dicionário dos gordos. Pedrinho tonteou no meio de tantas máquinas e peças que ele não entendia. Teve de recorrer aos conhecimentos do Visconde.

— Estou tonto, Visconde. Há aqui uma ferramentalhada que não tem fim. Será preciso encomendar este catálogo inteiro?

O Visconde fez uma pequena preleção sobre sondas.

— Há sondas de dois tipos, — disse ele. — Umas perfuram por meio da batagem. A terra vai sendo martelada por uma enorme e pesadíssima talhadeira chamada trépano, e as pancadas vão desagregando as rochas, esfarelando-as.

— E para tirar do buraco a rocha já esfarelada? — perguntou Pedrinho.

— Há dois sistemas. Um é, depois de martelar por certo tempo, retirar do poço o trépano para, com uma caçamba própria, extrair todo o material escavado. Outro sistema é injetar água dentro do poço por meio duma bomba fortíssima. A água lá do fundo faz lama com o material escavado, lama que sobe e sai pela boca do poço. A água limpa entra com forte pressão por dentro das hastes do trépano e a lama sai por fora das hastes. Este processo é mais aperfeiçoado que o da caçamba.

— Se é o mais aperfeiçoado, quero esse. Aqui tudo há de ser a última palavra da técnica. E o outro tipo de sonda?

— O outro é o tipo rotativo, o mesmo sistema dos trados de furar madeiras grossas. Em vez de trépano que desagregue as rochas à custa de tanto martelar, há na extremidade da haste uma broca que gira sobre si mesma e vai roendo, desgastando as rochas. Este sistema tem a vantagem de andar mais depressa que o outro.

— Pois então fica adotado o sistema rotativo — resolveu Pedrinho.

— Espere Senhor Superintendente! — gritou o Visconde. — O sistema rotativo não há dúvida que é ótimo, mas depende do terreno. Em terrenos próprios dá para furar 50 ou 60 metros por dia. Mas se há camadas de certas rochas muito duras, ou certos conglomerados, ele falha — não rende nada ou rende muito menos que a batagem.

— Então que fazer aqui no sítio, se não sabemos que camadas vamos encontrar? — perguntou Pedrinho atrapalhado.

— Minha opinião, — respondeu o Visconde, — é que venha uma sonda mista, de batagem e rotação ao mesmo tempo. Quando as camadas permitirem o emprego das brocas rotativas, furaremos com elas; quando não permitirem, furaremos com os trépanos.

— Ótima solução, Visconde! — disse Pedrinho. — Encomendarei uma sonda mista, está resolvido. E que mais é necessário?

— A caldeira, o motor, os tubos...

— Que tubos?

— Os tubos de aço para revestimento da perfuração. Não é só ir furando, não, Senhor Superintendente! O furo tem que ser revestido de canos de aço.

— Que maçada! Por que isso?

— Por vários motivos — evitar desmoronamentos, fechar as águas...

— Que águas, sabugo de Deus?

— Quando a gente perfura, encontra pelo caminho lençóis subterrâneos de água doce, que se formam com a infiltração das chuvas. Essas águas têm de ser fechadas por meio dos tais tubos, senão — sabe o que acontece?

— ?

— Acontece o seguinte: logo que o furo toca num lençol de petróleo, a água, que está saindo sempre, desce e mete-se pelo lençol de petróleo adentro, e empurra o petróleo para longe dali. As águas são eternas, não param de correr por causa da infiltração das chuvas, que é constante. Mas o coitado do petróleo não tem chuva de óleo que o abasteça, de modo que cede diante da água — e vai indo, vai indo, vai se afastando do campo petrolífero... Por isso os petroleiros dizem que *a água é a maior inimiga do petróleo*.

— Bem, já sei, — disse Pedrinho. — A intubação é para fechar as águas. E que mais?

— Ferramentas miúdas e mil coisas. É indispensável uma boa oficina mecânica para reparos dos maquinismos. O melhor é você encomendar uma sonda mista completa, com capacidade aí para uns 1.500 metros. E que venham os tubos de revestimento necessários.

Pedrinho foi à máquina de escrever redigir a carta de encomenda.

— Por carta, Pedrinho? — reclamou Emília. — Leva muito tempo, rapaz! Peça logo por telegrama urgente e exija que a ferralhada esteja aqui amanhã bem cedo.

— Absurdo, Emília, não dá tempo.

— Dá sim, — insistiu ela. — Eles que se utilizem do meu poderoso "Faz-de--Conta n. 7", o maior avião de carga do mundo. Dessa maneira teremos tudo aqui amanhã antes do almoço.

Pedrinho compreendeu que realmente não havia outro jeito e redigiu o telegrama.

Restava calcular o preço da encomenda e mandar os dólares.

— Venha fazer a conta, Narizinho, você que é a matemática.

Narizinho calculou pelos preços do catálogo a importância total do pedido.

— Anda em 105.742 dólares, — disse ela mostrando a conta.

E agora? Onde o dinheiro para a remessa? Só mesmo a Emília. Pedrinho chamou Emília.

— Olhe Emilinha, encarregue-se você desta parte financeira. Dê um jeito de o dinheiro ser entregue hoje mesmo à firma McGowen & Tuttle, de Nova Iorque. Veja um bom banco para fazer a remessa.

— Banco? Não me fio em bancos, Pedrinho. Vou fazer o dinheiro chuviscar em cima da cabeça de Mister McGowen. Quer ver? E voltando-se para o céu, gritou:

— Nuvenzinhas, nuvenzonas, que cochilando passais pelo azul! Correi até à casa de Mister Mc... Mc o quê, Pedrinho?

— McGowen, — gritou o menino do fundo do escritório.

— ... de Mister McGowen e despejai-lhe na cabeça uma chuva de 105.742 pingos dolóricos — por conta da Companhia Donabentense de Petróleo — disse e foi ter com o Visconde.

— Pronto! Mister McGowen vai ficar tonto com a nossa chuvinha de ouro. As nuvens, mal me ouviram, botaram-se a galope. Já devem estar chegando.

— E agora? — perguntou Narizinho.

O Visconde estava exausto.

— Agora? — disse ele deitando-se no chão. — Agora um descansinho. Uf! Como trabalhamos hoje! ...

E limpou na manga o suorzinho da testa.

Capítulo VIII
Montagens

Durante o jantar Dona Benta perguntou a Narizinho que é que os havia conservado fora de casa o dia inteiro.

— Ah, vovó não sabe! É o poço...

— Que poço?

— O poço de petróleo que vai salvar o Brasil — o primeiro poço, com uma produção de mil barris por dia.

— Dez mil! — protestou Emília. — Não faço por menos.

— Ou isso. Já completamos os estudos geológicos e geofísicos; já estaqueamos o terreno; já construímos as casas dos operários, o barracão das máquinas, o escritório e o bangalô de Mister Kalamazoo, o perfurador que mandamos vir da América. Também já encomendamos a maquinaria toda, a sonda, os tubos de revestimento. Um dinheirão, vovó! Mais de cem mil dólares.

Dona Benta, que começara a trinchar uma galinha assada sorriu. Andava tão afeita àquelas maluquices de seus netos...

— Mas esse Mister Kalamazoo fala português?

— Não; só inglês. É americaníssimo.

— E como se entenderá com vocês? — indagou ela, pondo no prato de Narizinho um pedaço de peito.

— Com intérprete. Quindim será o intérprete. Como ele é natural do Uganda, uma possessão inglesa da África, sabe inglês na ponta da língua.

— Na ponta do chifre! — emendou Emília.

— E que nome vai ter o poço? Porque todos os poços têm nomes, ou números.

Os meninos, que ainda não haviam pensado naquilo, entreolharam-se; e Emília, a sapeca dadeira de nomes às coisas, mais uma vez impôs o seu capricho.

— Vai chamar-se o Caramingua nº 1, — improvisou ela, — em homenagem ao nosso ribeirãozinho. Os outros terão outros nomes, porque a Donabentense vai abrir pelo menos cinquenta poços naquele anticlinal.

— Que Donabentense é essa?

— O nome da companhia, vovó, — respondeu Narizinho. — Antes que pensássemos no assunto, Emília já veio com esse nome, que ficou. Companhia Donabentense de Petróleo — em homenagem à senhora...

— Muito bem, — disse Dona Benta, pondo no prato de Pedrinho uma coxa. — Vejo que Emília está começando a me adular — prova de que anda querendo qualquer coisa. Prego sem estopa você não prega, não é, Emília?

A boneca fez focinho de lebre.

Durante o jantar inteiro só se falou na perfuração. Iam extrair do poço milhares de barris de óleo, montar uma refinaria, inundar o Brasil de gasolina, querosene, óleo lubrificante, óleo combustível, supergás e dezenas de outros produtos do petróleo. Dinheiro ganhariam tanto, que a dificuldade seria saber o que fazer dele. Pedrinho só pensava numa coisa: viajar, conhecer mundo.

— Por que, vovó, como posso saber de que modo empregar meus capitais, se nada conheço do mundo? Tenho de, primeiramente, estudar o mundo para verificar o que o mundo mais precisa, não acha?

— Muito bem pensado, — concordou Dona Benta. — E você Narizinho! Que vai fazer do dinheiro?

— Meu sonho é construir hospitais, escolas, creches, bibliotecas, coisas de utilidade geral. Há tanta pobreza e desgraça na terra...

— Quer dizer que será uma rockefellerzinha. O velho Rockefeller, depois de ter ganho montões e montões de ouro, ficou sem saber o que fazer daquilo. E fundou o Instituto Rockefeller, cuja função é gastar seus milhões em coisas de benefício universal. Esse instituto beneficia todos os países, inclusive o nosso. A grandiosa Escola de Medicina de S. Paulo, lá defronte ao Cemitério do Araçá, foi presente dele. Não há país do mundo, seja a França ou a China, onde o Rei do Petróleo não despeje benefícios. E você, Visconde?

Como todos os verdadeiros sábios, o Visconde não entendia nada de dinheiro — e engasgou com a pergunta. Emília tomou a palavra.

— Vai comprar uma cartolinha nova e um remédio para o bolor, — disse ela. — E eu...

— Ah, você! — exclamou Dona Benta. — Imagino o que não será — quanta maluquice! Vamos, diga. Que vai fazer do dinheiro?

— Botá-lo a juros para ir juntando sempre mais, mais, mais...

Aquela resposta espantou a todos. Emília sempre fora uma ciganinha, mas ninguém jamais supôs que também fosse usurária.

— A que juros? — perguntou Dona Benta, por curiosidade.

— O mais alto possível — 10% ao mês, se não puder ser a 12...

— Explique-se, Emília. Não estou entendendo bem.

— Minha ideia é esta. A verdadeira vocação dos homens é escravizarem-se ao dinheiro. Assim que uma pessoa sacode no ar um pacote de notas, gritando: — "Quem quer? Quem quer?" imediatamente aparecem mil mãos estendidas, dizendo: — "Eu quero! Eu quero!" E o dono das notas distribui o dinheiro, mas prende aquelas mãos com algemas de aço — os juros. Os homens, donos dessas mãos, tornam-se escravos do dador do dinheiro; passam a viver para ele, a trabalhar para ele, a só pensar nele, porque o juro é uma coisa que cresce sempre, dia e noite, faça sol ou faça chuva, seja Domingo de Ramos ou terça-feira de carnaval. Essas criaturas ficam escravas pelo resto da vida — por gosto, por vontade própria, só porque alguém lhes mostrou dinheiro e elas não resistiram à tentação de pegá-lo. Todo mundo faz dívidas — as gentes, as empresas, os municípios, os estados, as nações, os impérios. E todo mundo anda pedindo dinheiro emprestado, isto é, estendendo as mãos para que os donos do dinheiro as algemem. E se acontece que um desses escravos pague a dívida, a tentação é de fazer outra — e faz, e escraviza-se novamente. Saudades da escravidão!... Ora, isso quer dizer que a vocação, o gosto supremo dos homens é tornarem-se escravos do dinheiro. Muito que bem: pois se é assim, quando eu ficar milionária vou dar aos homens o gosto imenso de se escravizarem ao meu dinheiro, bem algemadinho com juros de 10 ou 12% ao mês. Tia Nastácia não diz sempre que o que é de gosto regala a vida?

— Já se viu que malvada? — murmurou Dona Benta.

— Prosa dela, vovó, — disse Narizinho. — Emília, quando tiver dinheiro, o que vai fazer é associar-se ao Visconde para entupir os sertões do Brasil com feras trazidas da África. Já pilhei uma conversa dela nesse sentido. Emília confessou que seu temperamento era "feroz" e "secundário" — isto é, amigo das feras monstruosas que enchiam o mundo no Período Secundário. Como já não há disso, pretende encher o Brasil de feras africanas — leões, hipopótamos, rinocerontes, girafas, zebras, etc. Eu sei, eu sei...

O assunto continuou naquele tom até a sobremesa — um gordo mamão mandado pelo Coronel Teodorico. Comido o mamão, saíram na disparada a fim de receberem Mister Kalamazoo, que fora chamado por telegrama e vinha num dos aviões-relâmpagos da Emília.

Não tardou que o ar zumbisse e um ponto móvel aparecesse no azul.

— É ele! — gritaram todos.

E era de fato Mister Kalamazoo. O avião pousou no pasto e de dentro saiu um americano enorme, corado, de sapatões grossos, a mascar chiclete. Os meninos correram-lhe ao encontro.

— *How do you do* Mister Kalamazoo? — disse Pedrinho — e engasgou. Todo o seu inglês era aquilo. E como Narizinho ainda sabia menos e o Visconde nem um *yes*, tiveram de recorrer ao Quindim.

— Traga depressa o intérprete, Emília! — ordenou Pedrinho.

Enquanto o americano retirava do avião suas bagagens, Emília foi e veio com o rinoceronte.

O susto de Mister Kalamazoo valeu a pena, mas afinal acomodou-se e teve com Quindim uma grande prosa em inglês, da qual os meninos só pescavam, aqui e ali, um *yes* e um *no*. Depois que o americano se recolheu ao seu bangalô para descansar da viagem, Pedrinho correu a ouvir as impressões do intérprete.

— Que tal o nosso perfurador, Quindim?

O rinoceronte torceu o focinho.

— Inda não sei, — disse ele. — Conversamos longamente sobre perfurações e vários assuntos de petróleo, mas não sei...

— Que é que não sabe?

— Não sei se este homem merece confiança. Pode ser um agente dos tais trustes que não querem que o Brasil tenha petróleo; pode ser um perfurador subornado, que venha sabotar o nosso poço...

Os meninos ficaram apreensivos. Muito sério o perigo, na realidade. No negócio do petróleo dão-se traições tremendas, sabotagens, incêndios, mortes trágicas...

— Mas acha-o com cara de sabotador de poço? — insistiu Pedrinho.

— Os sabotadores não trazem nenhum S na testa, — respondeu Quindim. — Apenas estou avisando. Sinto um cheiro de sabotagem no ar...

— Como fazer, então? Nosso contrato com esse homem já está assinado...

Quindim refletiu uns instantes.

— O jeito que acho é o seguinte: eu monto guarda ao poço dia e noite. De medo do meu chifre, pode ser que ele engula qualquer sabotagem que tenha na intenção.

— Ótimo! — gritou Pedrinho. — E também fica de guarda o Visconde, que é entendidíssimo em perfurações. Se o Visconde perceber qualquer coisa, qualquer manobra suspeita, pisca para você — e você avança de chifre apontado, como fez com os detectives na caçada da onça. Entendido?

A coisa ficou arrumada assim. Mister Kalamazoo seria o perfurador, mas com quatro olhos permanentes em cima dele — os dois do rinoceronte e os dois do Visconde.

— Ótimo, ótimo, — continuou Pedrinho. — E o americano de nada desconfiará, porque a presença dum intérprete na sonda se justifica. Quanto ao Visconde, que é apenas um sabugo, ele não causa desconfiança a ninguém que não seja vaca. Só vaca desconfia de sabugo de cartolinha...

Na manhã seguinte chegaram os aviões emilianos com todas as peças da sonda. Que ferralhada infinita, Santo Deus! Peças e mais peças, tubos e mais tubos, caixas e mais caixas disto e daquilo. Parecia incrível que para abrir um buraco de dois palmos de diâmetro fosse preciso tanta coisa.

E veio também a turma de operários especialistas contratada por Mister Kalamazoo, gente de várias nacionalidades — um rumaico, dois alemães, dois argentinos. Os petroleiros só arranjam bons especialistas nos países que já têm exploração de petróleo.

Além da turma de perfuradores havia um ferreiro, dois mecânicos, um foguista e dois ajudantes, "paus para toda obra". E também um geólogo-químico para fazer análises de materiais, classificar fósseis, etc.

Começou a montagem da sonda. Foram construídos quatro alicerces para os quatro pés da torre — alicerces de tijolos bem cimentados. E a torre de ferro foi sendo articulada peça por peça, andar por andar, até o último, que era o décimo, a 33 metros de altura. Assim que a armação ficou pronta, os meninos subiram pela escadinha até o alto, para gozar o panorama.

— Que lindo é o sítio de vovó olhado daqui! — exclamou a menina. Lá está o Caraminguá fazendo voltas e mais voltas, com aquela preguiça dele. E lá está a estrada com a vendinha do Elias Turco...

— Até da fazenda do Coronel Teodorico a gente vê um pedaço, o terreiro, os chiqueiros, o pomar, o mastro de Santo Antônio — ajuntou Pedrinho.

O Visconde só via a paisagem geológica.

— Reparem como estava certa a minha teoria da erosão do Morro Pelado, com a sua barreira que não passa dos restos da encosta norte da montanha desaparecida. A erosão comeu a montanha inteira, só deixando esses pedaços. No lugar onde ela foi, temos agora o baixadão do pasto da Mocha.

Emília divertia-se em dar cuspidinhas para baixo.

— Para suicídio, — disse ela, — isto aqui ainda é melhor que a tal Rocha Tarpeia que Dona Benta contou — aquela rocha feia que existia em Roma, de cima da qual eram jogados ao precipício os traidores. A Tarpeia tinha 32 metros — menos um que esta torre. Quer dizer que minhas cuspidas duram no ar um metro mais que os criminosos romanos jogados da Tarpeia.

Narizinho trocou uma olhadela com Pedrinho. Emília os desnorteava. A propósito de tudo dizia sempre coisas imprevistas.

O Visconde explicou a razão da torre.

— Tudo isto, só para criar um ponto de apoio aqui em cima, que é esta roldana, — disse ele apontando para a grossa roldana fixada no décimo andar. — Neste ponto de apoio passa o cabo de aço que sustenta as hastes.

— E por que é a torre assim tão alta? — perguntou o menino.

— Para facilitar e apressar as manobras. As hastes, que tem cada uma 7 metros, são atarraxadas umas nas outras, formando uma só, que pode ir até 3.000 metros e mais de profundidade. Mas a broca que fica na extremidade inferior tem que ser retirada do poço depois de algumas horas de trabalho.

— Para quê.

— Para mudança. Depois dumas horas de trabalho a broca perde o corte. Tem que ser trocada.

— Que trabalheira, Santo Deus! — exclamou Pedrinho. — Pensei que era só ir furando...

— A trabalheira é grande, sim, e só nas manobras de descer e subir as hastes os perfuradores consomem várias horas cada dia, e tanto mais quanto mais o poço se aprofunda.

Depois da explicação os meninos desceram da torre e foram visitar a casa das máquinas e as oficinas. A um canto erguia-se a enorme caldeira, dando ideia dum rinoceronte de ferro. Nela queimava-se a lenha para produzir o vapor que movia todas as máquinas da sonda.

— Quantos cavalos? — perguntou Pedrinho ao foguista.

— Cem, — respondeu um operário de cara suja de carvão, que outra coisa não fazia senão botar lenha na fornalha e olhar os manômetros que marcam as pressões.

— Essa história de cavalos eu não entendo bem, — disse Narizinho. — Volta e meia ouço dizer automóvel de 50 cavalos, motor de 20 cavalos — e não vejo cavalo nenhum. Que é isso Visconde?

— É uma medida de força, como o quilo é uma medida de peso. O cavalo, ou H. P. (iniciais de *Horse Power*, Cavalo-Força, em inglês) é uma força de 75 quilogrâmetros.

— Fiquei na mesma. Não sei que é quilogrâmetro.

— Quilogrâmetro é a força capaz de erguer um peso de 1 quilo à altura de um metro, em um segundo. Só isso.

— Quer dizer então que esta caldeira de 100 cavalos é capaz de erguer um peso de 7.500 quilos à altura de um metro, em um segundo, não é isso?

— Perfeitamente.

— Então bate o Quindim, — observou Emília. — Num segundo Quindim não ergue 7.500 quilos a um metro de altura. Não tem jeito. Mas levantar do chão esse peso, isso ele levanta, aposto.

O Visconde explicou que o vapor produzido naquela caldeira era levado por um encanamento até às máquinas da sonda, sendo com a força desse vapor que tudo lá se movia.

— E por que assentaram a caldeira aqui, tão longe da sonda, cinquenta metros?

— Porque aqui se lida com fogo e num acampamento petrolífero é necessário conservar o fogo bem longe do poço. Perigo de incêndio.

A água para o abastecimento da caldeira vinha do Caraminguá, onde fora colocada uma bomba tocada por um motorzinho a óleo. Mas não vinha diretamente; primeiro enchia um grande reservatório, ou tanque, cavado na terra, a uns cem metros dali, num alto do terreno. Logo que o tanque se encheu, Emília soltou nele dois peixinhos pescados com peneira no córrego. E um sapinho verde.

Em seguida o Visconde mostrou a forja do ferreiro, onde os trépanos eram temperados e afiados.

Na oficina mecânica havia tornos de tornear ferro, máquinas de furar ferro, rebolos de esmeril e mil ferramentas miúdas, torqueses, alicates, limas, fresas, puas, martelos, serras, talhadeiras, bigornas, etc. Mister Kalamazoo dirigia o serviço em mangas de camisa e cachimbo na boca; tinha esse ar de homem que entende de tudo e tudo resolve num ápice. Todos lhe perguntavam coisas e a todos ele dava ordens muito certas. Era um perfurador de grande prática adquirida nos campos de petróleo do Oklahoma, onde abrira mais de cem poços. Infelizmente só falava inglês, de modo que apenas Quindim aproveitava as muitas coisas interessantes que ele dizia nos momentos de folga. E acabaram grandes amigos. O americano contava histórias do Oklahoma, que Quindim pagava com histórias do Uganda. Mas apesar dessa amizade o rinoceronte não deixava de mantê-lo em perpétua vigilância.

— Estes trustes mundiais de petróleo são o diabo, — dizia ele. — Fazem coisas do arco da velha. De modo que apesar da simpatia que Mister Kalamazoo me inspira, eu o trago sempre de olho — e o Visconde também. O Visconde, esse, virou uma verdadeira sarna. Não o larga um só instantinho. O que vale é que Mister Kalamazoo, como é grandalhão demais, nem enxerga o sabuguinho de cartola. Às vezes até tropeça nele...

Rapidamente tudo ficou pronto para o início dos trabalhos de perfuração. Que homens aqueles! Faziam tudo tão direitinho como os célebres anões dos contos de fadas. Só uma vez Mister Kalamazoo perdeu as estribeiras e — berrou desaforos que os meninos não entenderam por serem em inglês. Isso porque a bomba de injetar água no poço, ao ser experimentada, engasgou — e ele atribuiu o defeito à imperícia do mecânico que a havia montado.

Tiveram de desmontá-la para ver o que era, e com grande espanto descobriram um peixinho entalado na válvula. Um dos peixinhos da Emília...

— Incrível a curiosidade deste burrico! — disse a boneca. — Escapou do tanque, onde o pus, para vir pelo encanamento espiar os trabalhos da sonda. Agora está aí, morto, mortíssimo — vítima da sua curiosidade científica...

E tratou de enterrá-lo debaixo duma árvore, num tumulozinho de pedra em que havia a seguinte inscrição: *Aqui jaz o primeiro mártir do petróleo brasileiro*.

Em cima do túmulo, em vez de cruz, botou um anzol...

Capítulo IX
Começa o poço

Bem de madrugada, no dia seguinte, o foguista acendeu fogo na caldeira para que os trabalhos da perfuração do Caraminguá nº 1 pudessem começar às 8 horas, como havia determinado Mister Kalamazoo. Era um grande acontecimento, que Pedrinho resolveu festejar com uma carteira de traques mandada vir da venda do Elias Turco. Infelizmente os traques, como tudo naquela venda, eram falsificados, e só um ou outro rebentou, muito chochamente.

Dona Benta e a negra foram convidadas para assistirem à inauguração.

— Nossa Senhora! — exclamou Tia Nastácia ao ver a torre de perto. — Quanto ferro! Neste andar Seu Pedrinho muda o "semblante" do sítio, Sinhá. A coisa já está ficando que a gente não conhece mais nada. Virando uma cidadinha estrangeira, com essas casas de operários e o "bangalão" do Mister. E as caras? Tudo esquisito. Aquele ali, vermelho como um presunto. Aquele lá, de cabelo igualzinho cabelo de milho novo. Credo!...

Dona Benta deu parabéns a Mister Kalamazoo pela perfeição com que organizara o trabalho. E vendo o rinoceronte sempre de olho ferrado no americano:

— Que tanta atenção é aquela, Pedrinho Quindim não perde um só dos movimentos do Mister...

O menino cochichou ao ouvido de Dona Benta: "Ele é o nosso espião; está de guarda ao americano por causa da sabotagem...".

D. Benta sorriu.

Às oito horas um sino tocou, anunciando o começo do serviço. Os operários dirigiram-se para a sonda.

Começou a batagem. A máquina fazia um movimento de vaivém, puxando e largando o cabo de aço, que subia até à roldana de cima, dava volta e descia, tendo na ponta a haste do trépano. A cada um desses movimentos o cabo erguia o trépano a um palmo de altura e o largava; no largar o trépano caía com a força do peso sobre a rocha do chão; desse modo ia desagregando, esfarelando essa rocha.

Um verdadeiro movimento de mão de pilão que sobe e desce sem parar, fazendo *pum-pam, pum-pam, pum-pam...* O barulho de *pum* era a subida do trépano; o barulho de *pam* era a descida, com o choque na rocha. Só se ouvia esse barulho e só se via o pedaço de haste que ficava para fora do poço, a subir e a descer na extremidade do cabo.

Quando Narizinho explicou a Tia Nastácia o que era aquilo, a negra fez cara triste.

— Tenho dó das minhocas, — disse ela. — Esses malvados estão macetando as coitadinhas...

— Boba! Lá na profundidade em que o trépano está não existem minhocas — só rochas.

— Credo! — murmurou a negra, que não sabia o que era rocha.

Pedrinho contou a Dona Benta todo o trabalho da sonda. Mostrou a bomba de injeção, isto é, a bomba que está constantemente injetando água no poço, por dentro do oco das hastes.

— Lá no fundo, — disse ele, — essa água injetada forma lama com o material escavado pelo trépano, e pela pressão da água injetada a lama vai subindo até derramar-se para fora, na boca do poço. É o meio de extrair o material escavado. Do contrário a rocha moída ficava no fundo, atrapalhando o trépano, que bateria só nele, sem progredir.

— Há outro sistema de tirar o material, — ajuntou Narizinho. — Por meio da caçambagem. Depois de perfurar um certo tempo, tira-se fora o trépano e desce-se uma caçamba para recolher o material escavado. Mas o nosso processo de injeção de água é mais aperfeiçoado.

Dona Benta achou graça da sabedoria técnica da menina.

As batidas eram incessantes, *pum-pam, pum-pam, pum-pam*, numa toada tão monótona que até dava sono. A distração dos meninos ficou sendo marcar um ponto de referência na torre a fim de acompanhar a lenta descida da haste. Numa hora de *pum-pam* a haste descia aí um meio metro mais ou menos, conforme a resistência da rocha perfurada.

Depois de três ou quatro horas de trabalho Mister Kalamazoo fez um sinal. O manobrista da máquina puxou uma alavanca. Tudo parou.

— Que há? — quis saber Pedrinho.

— Há que eles vão emendar mais uma haste, — respondeu o Visconde.

— Ahn! É assim! — murmurou Dona Benta. — Estou compreendendo a razão daquela pilha de hastes ali fora.

— Pois é, vovó, — disse Pedrinho. — Temos naquela pilha as hastes necessárias para descer até 1.500 metros de profundidade. Vão sendo sucessivamente atarraxadas para formar um "sistema rígido", como diz o Visconde.

Dona Benta riu-se.

Mister Kalamazoo dividira o pessoal em três turmas, cada uma com oito horas de trabalho, de modo que o serviço fosse contínuo pelas 24 horas do dia. Mas era trabalho monótono. Um *pum-pam* de dia e de noite, só interrompido pelas paradas para colocar nova haste, ou mudar o trépano.

Quando chegou a hora de mudar o trépano, os meninos prestaram toda a atenção. Os homens suspenderam o trépano até acima da boca do poço e o desatarraxaram. Estava com o corte completamente rombudo. Foi substituído por um do mesmo calibre, bem afiado. Enquanto isso, o primeiro usado era posto numa carreta sobre trilhos e levado à oficina do ferreiro. Os meninos acompanharam a carreta, com Emília ajudando a empurrar.

Lá na oficina a carreta parou diante da forja. O ferreiro prendeu o trépano com as correntes dum moitão, ergueu-o e depositou-o dentro da forja, cobrindo-o de pedaços de coque. Fez fogo, que assoprou com um fole enorme. O coque ficou em brasa e o ferro do trépano foi avermelhando até chegar no ponto. O ferreiro manobrou de novo o moitão para tirá-lo da forja e colocá-lo sobre a bigorna, onde o foi malhando até restabelecer o corte perdido.

— Interessante como o ferro se torna maleável quando aquecido, — observou Dona Benta, que também viera assistir à operação.

Terminado o conserto, o moitão trabalhou de novo, erguendo o trépano de cima da bigorna e descendo-o num tanque com água.

— Para que isso? — indagou Narizinho.

— Para dar têmpera, — respondeu o ferreiro. — Quando se aquece o aço, ele perde a têmpera, fica ferro mole; para que novamente ganhe a sua dureza de aço, tem que ser resfriado bruscamente na água.

Enquanto o ferreiro cuidava daquele trépano, lá na sonda os operários concluíam a colocação do novo, e o serviço recomeçou, *pum-pam, pum-pam*, na monótona toada de sempre.

Dentro dum puxado coberto de zinco havia pelo chão grande número de trépanos de todos os calibres, desde os de dois palmos de diâmetro, uns monstros, até os pequenos de três polegadas.

— Por que essa diferença? — perguntou Pedrinho.

O Visconde explicou que o poço, iniciado com um diâmetro grande, iria diminuindo à medida que se aprofundasse.

— Começamos com o diâmetro de 20 polegadas, — disse ele, — e iremos tocar no petróleo com o diâmetro de 4 apenas. Isso por causa das entubações. À medida que o poço se aprofunda, tem de ser entubado cada vez que atravessa um lençol de água.

— Para fechar a água, sei, — disse Pedrinho.

— Exatamente. E cada vez que é entubado, só pode continuar com um diâmetro menor, porque então o trépano passa a trabalhar dentro do entubamento feito. Se aparece mais embaixo outro lençol de água, temos que entubar novamente, para fechar esse outro lençol de água. Para isso colocamos tubos de menor diâmetro dentro dos tubos que já estão no poço. E a perfuração prossegue com trépanos menores, para caberem dentro desses tubos de menor diâmetro — e assim por diante.

Tia Nastácia — gritou lá da varanda que o almoço estava na mesa. Todos correram para a boia, menos o Visconde. O coitadinho jurara a si próprio não largar de Mister Kalamazoo nem um segundo.

O som das pancadas do trépano chegava à casa de Dona Benta.

— Lá está o *pum-pam*, — disse ela. — Temos de ouvir esse som dia e noite até que o poço chegue ao fim.

Pedrinho, de ouvido atento, murmurou:

— Que som lindo, vovó! Som que contenta o coração...

— Sabe por quê? Porque cada golpe significa um avançozinho para o fundo, para lá onde está o petróleo e, portanto, um passo para a grande vitória. A beleza do som não está nele, está em você, Pedrinho.

Acabado o almoço, Emília foi dar farelo de pão ao peixinho que restava no tanque, e os outros correram à sonda. Sentaram-se e ficaram até à tarde, ouvindo o *pum-pam*, vendo a haste descer lentíssimamente, como ponteiro de relógio, e assistindo às manobras de colocar novas hastes e substituir o trépano.

E assim se passaram duas semanas. O poço já estava a mais de cem metros de profundidade. Certo dia mister Kalamazoo examinou, conjuntamente com o geólogo-químico, a lama saída do poço e ambos assentaram em qualquer coisa. Em seguida o americano deu uma ordem. O maquinista parou a máquina.

— Que há? — perguntou Pedrinho ao Visconde.

O Visconde respondeu, depois de uma consulta a Quindim:

— Eles vão mudar de sistema. Acham que o terreno está ótimo para ser perfurado com a rotativa.

— Bravos! — exclamou Pedrinho, que já se sentia cansado com o monótono de até ali. — Novidade! Venham novidades!

Para passar dum sistema a outro foram necessárias muitas manobras; tiraram-se umas peças e colocaram-se outras; por fim tudo ficou pronto. Pedrinho prestava toda a atenção. O que mais estranhou foi que a broca, arrumada em substituição do trépano, não era broca; não passava dum pedaço de cano de aço, aí da espessura de menos de dois centímetros, sem corte, sem dentes, sem nada.

O menino ficou intrigado. Se não tinha dentes, como é que aquilo, rodando no fundo do poço, conseguia brocar a rocha?

Tudo arrumado, a broca rotativa desceu ao fundo do poço e foi posta em movimento. Começou a girar sobre si mesma. Um silêncio. Acabara-se o *pum-pam* do trépano. A haste acima da boca do poço, girando, mostrava que a broca lá embaixo também girava. E como a haste descia mais depressa do que no sistema de trépano, Pedrinho viu que Mister Kalamazoo acertara com a mudança.

— Mas como desce? Como a broca perfura? — pensava ele consigo. Se é um simples cano de aço sem dentes, sem corte, sem nada, como podia corroer a rocha? Mistério. Não conseguindo por si mesmo resolver o enigma, apelou para o Visconde.

— É o seguinte, — explicou o sabuguinho científico: — Mister Kalamazoo, quando a broca vai começar a trabalhar, despeja no fundo do poço um punhado de aço granulado.

— Que aço granulado é esse?

— Uns carocinhos dum aço duríssimo, assim do tamanho de chumbo de caçar paca. A broca vai comprimindo esse aço granulado contra a rocha e a esfarela.

— Ahn! Isso sim! — exclamou o menino com o rosto iluminado. — Eu até já estava com dor de cabeça de tanto parafusar no assunto. Aço granulado, sim...

E foi ao depósito de materiais em procura do tal aço. Encontrou um caixão cheio. Examinou aqueles grãozinhos, apertou um nos dentes para verificar se de fato não era chumbo e com um punhado no bolso correu para mostrar a Dona Benta, pensando consigo: "Ela vai ficar ainda mais boba do que eu".

De fato Dona Benta ficou boba, não muito, porque era filósofa, mas meio boba.

— Veja só! — disse ela. — Com estas coisinhas de nada conseguem-se efeitos tão grandes. Realmente, a aparência é de chumbo de caça.

Pedrinho também mostrou o aço granulado a Tia Nastácia, na cozinha. Mas foi inútil. A negra riu-se.

— Isto é chumbo de caçador, menino. Não está vendo?

Para Tia Nastácia tudo quanto era metálico e redondinho havia de ser chumbo de caça e pronto.

O menino tentou convencê-la.

— Chumbo é mole, boba, você bem sabe disso. E estes carocinhos a gente pode martelar com toda a força que não achatam, quer ver? — e trouxe o martelo e bateu neles com tanta força que um ficou encravado na cabeça do martelo.

— Convenceu-se? — exclamou Pedrinho vitorioso.

Mas a negra, que era teimosa, veio com uma das suas.

— Isso só quer dizer que é chumbo duro, — disse ela. — Não pense que me tapeia, não. Se é de "metá" e redondinho, está claro que é chumbo — isso desde que Nosso Senhor fez o mundo. Esta negra é velha, mas não é boba, não.

Pedrinho contou o caso a Dona Benta, achando que só à força de trépano seria possível abrir aquela cabeça dura.

O químico-geólogo era um moço muito distinto, parecido com o Clark Gable. Vinha sempre jantar com Dona Benta, com a qual conversava durante horas, em inglês. Chamava-se Mr. Champignon, filho de francês e americana. Numa dessas prosas Dona Benta perguntou:

— Meu caro Mr. Champignon, o poço já está a 300 metros e nada ainda de óleo. A que profundidade supõe que poderemos encontrar qualquer coisa?

— Meus cálculos, — respondeu o químico, — são para 600 metros, isso com base nos estudos comparativos que fiz entre estes terrenos e os do Texas, onde trabalhei muito tempo. Mas o Visconde calcula em mais — calcula em 800 metros.

O fato de aquele cientista americano citar com tanta seriedade a opinião do Visconde fez Dona Benta sorrir.

— Aqui entre nós, Mr. Champignon, — disse ela em seguida: — acha que o Visconde seja realmente um sábio de verdade? Não tem qualquer dúvida sobre a ciencinha dele?

O químico-geólogo possuía a alma pura, dessas onde os sentimentos invejosos não entram. — Respondeu com o coração nas mãos:

— Acho, sim, minha senhora. Acho que o Senhor Visconde de Sabugosa do Poço Fundo (que é como a Senhorita Emília me disse que ele se chama), é na realidade um grande sábio. E isso me assombra extraordinariamente, porque, afinal de contas, não passa dum sabugo. Logo que aqui cheguei meu queixo caiu; primeiro, ao ver um sabugo vivente; depois, ao verificar que era falante; e por fim, ao reconhecer nele um sábio — mas sábio de verdade, desses que descobrem coisas e mudam as diretrizes da civilização.

— Será possível, Mr. Champignon?

— Perfeitamente, minha senhora. Já escrevi a uma sociedade científica da América sobre o estranho fenômeno. Mandei um memorial sobre o Visconde. Estou convencido, entretanto, de que ninguém me levará a sério — e não me queixo. Eu faria o mesmo. Se me falassem dum sabugo assim, eu não acreditaria. Mas vi. Estou vendo, e sou forçado a concordar com Shakespeare quando disse que há na terra e no céu mais coisas que o supõe a nossa vã filosofia. O Visconde, minha senhora, ainda há de assombrar o mundo — quando o mundo puser de lado a incredulidade e prestar atenção nele.

Dona Benta ficou pensativa. Que mistério, a Natureza! E como ainda está atrasada a ciência dos homens! O que ela observava naquele sítio também punha-a atrapalhada, com as ideias zonzas. Tudo coisas que só vendo. Contadas lá fora ninguém acreditaria. O fenômeno emiliano, por exemplo.

Emília nascera simples boneca de pano, morta, boba, muda como todas as bonecas. Mas misteriosamente se foi transformando em gentinha. Todos ainda a tratavam de boneca, por força do hábito apenas, porque na realidade Emília era gente pura, de carne. Fazia tudo que as gentes fazem — comia com ótimo apetite, bebia, pensava, tinha um coraçãozinho lá dentro, e alma e tudo. Como explicar este mistério, esta transformação duma feia boneca de pano em gente?

A mesma coisa com o Visconde, um reles sabugo que ela vira Tia Nastácia apanhar ao pé do cocho da vaca. Pois não estava agora transformado em sábio — e em sábio tão sabido que até tonteava o pobre Mr. Champignon?

Dona Benta suspirou.

— Se este meu sítio não é um sonho, — disse de si para si — é então a coisa mais espantosa que o mundo ainda viu.

E beliscou-se para ver se estava dormindo ou era sonho. Doeu. Logo, não era sonho.

Capítulo X
EM MARCHA

Aos 230 metros de profundidade a perfuração alcançou um lençol de água, ou um "horizonte aquífero", como dizia o Visconde. Assim que a água transbordou pela boca do cano-guia, Pedrinho correu a prová-la. Estavam todos ansiosos por verem surgir água salgada, sinal da formação marinha daqueles terrenos.

Não era salgada.

— Ainda é água de cima, — explicou Mr. Champignon, depois de analisá-la no pequeno laboratório montado perto da sonda. — Tem a mesma composição das águas da superfície. Mas de repente daremos em água que já não é de chuva, e sim fóssil — água retida no seio da terra há milhares e milhares de anos.

No jantar daquele dia Pedrinho repetiu a história da água fóssil, que muito interessou Dona Benta. Ao ouvir falar em água salgada, Tia Nastácia bateu palmas.

— Que bom! Se é salgada, a gente seca ela e faz sal — e fica livre das ladroeiras do Elias. Aquele centurião cobra Cr$ 1,50 por um saquinho de sal que não dá para nada, o peste...

A água que saía do poço transbordava numa vazão de 200 litros por hora. Mr. Kalamazoo, depois duma conferência com Mr. Champignon, resolveu fechá-la.

— Temos que entubar e cimentar, — disse ele.

A operação do entubamento do poço divertiu muito os meninos, por ser novidade. O poço fora perfurado até os 230 metros com um diâmetro de 35 centímetros, de modo que cabiam nele os tubos de 30 centímetros. E Mister Kalamazoo mandou que os operários trouxessem para ali 46 tubos desse diâmetro, tirados da pilha competente.

— Por que 46? — indagou Narizinho.

— Porque cada tubo tendo 5 metros, 46 tubos têm 230 metros — ou seja a profundidade do poço, — respondeu o Visconde.

Os tubos de revestimento, vindos da América, achavam-se empilhados em vários montes, conforme o calibre. Havia o monte dos de 35 centímetros de diâmetro; o monte dos de 26; o monte dos de 22; o monte dos de 18 e finalmente o monte dos de 12 centímetros.

— Em cada um desses montes, — explicou o Visconde — há 1.500 metros de tubos, exceto no primeiro, em que só há 400. Quer isso dizer que podemos realizar cinco entubações sucessivas, uma dentro da outra.

— Que desperdício! — exclamou Emília. — Se eu fosse dirigir o trabalho, faria a entubação dum modo muito mais econômico.

— Como?

— Em vez de cada vez entubar de cima para baixo, com uma entubação dentro da outra, eu entubava *em continuação*, está entendendo?

Pedrinho enrugou a testa, sinal de que não estava entendendo.

— Sim, — explicou Emília. — Fazia como nos telescópios: uma entubação mais fina continuava do ponto em que a outra parasse — e desenhou no chão a sua ideia.

— É mesmo! — exclamou Pedrinho entusiasmado. — Você fez uma grande descoberta, Emília. Vamos propor a Mister Kalamazoo o sistema emiliano.

Mas a descoberta da Emília não passava de descoberta de pólvora. Coisa velha, esse processo de entubar telescopicamente, com grande economia de tubos.

— Mas tem um grave defeito, — disse o perfurador. — Raro as águas ficam perfeitamente fechadas, e por isso esse sistema, apesar de mais econômico, nunca é usado. O outro, embora caro, garante o fechamento das águas dum modo absoluto.

Os operários trouxeram para ali os canos de 30 e deram começo à entubação. Cada tubo era agarrado pelo moitão, suspenso na vertical em cima do tubo-guia e enfiado nele até só ficar de fora um palmo. Nesse palmo de fora os "gatos" agarravam, mantendo o tubo em suspenso; e o moitão erguia um segundo tubo, que era atarraxado nele. Desse modo desceram ao fundo do poço os 46 tubos, formando de alto a baixo uma coluna contínua.

— Sim, senhor! — disse Narizinho. — Serviço bem feito. Mas o que mais admiro é o moitão. Para ele não há peso. Ergue tudo no ar com a maior facilidade. Que grande invenção!

— Realmente, — concordou o Visconde. — Esse meio inventado pelo homem de multiplicar a força torna possível os maiores prodígios. Até locomotivas gigantescas são levantadas no ar como se fossem de paina, por meio de guindastes que não passam deste mesmo moitão aperfeiçoado. Cada cano desses, sabe quanto pesa?

— Calculo em dez arrobas.

— Suba! Pesam 300 quilos — e, no entanto, esse moitãozinho os ergue no ar como se fossem paus de lenha leve.

Depois de descidos os canos, Mister Kalamazoo tratou da cimentação. Para isso fez o seguinte Primeiro deixou a coluna de canos suspensa um palmo acima do fundo do poço. Depois injetou dentro dela uma boa quantidade de cimento bem mole, que, por meio da força da bomba, foi comprimindo um tampão colocado sobre a massa de cimento. Foi comprimindo, comprimindo, até que o cimento saiu todo da coluna de tubos, deu volta e se espalhou por fora da coluna, enchendo o vão entre ela e as paredes do poço. E como era cimento de secar em contato com a água, foi secando e obturando o lençol de água.

Pronto. A água em cima parou de vazar. Estava fechada. Podiam recomeçar a perfuração. Mas Mister Kalamazoo só retomou o trabalho depois duma parada de três dias para que o cimento endurecesse completamente.

Recomeçado o trabalho da perfuração com as rotativas, Mister Kalamazoo notou que o avanço não estava rendendo nada. Caiu a uma miséria de centímetros por dia, em vez de metros.

— Temos de voltar ao trépano, — disse o americano. — Essa camada lá embaixo a rotativa não fura.

— Como ele sabe que tem de voltar aos trépanos? — indagou Pedrinho.

— Saber propriamente ele não sabe, — explicou o Visconde. — Nos poços de exploração a gente nunca sabe de nada com certeza. Imagina apenas, supõe.

— Que história de *poço de exploração* é essa?

— Poço de exploração é o primeiro que se abre numa zona. Corresponde, portanto a um pulo no escuro. O perfurador não possui dados para saber que terrenos vai atravessar que águas e quantas vai encontrar, etc. Tem que ir apalpando, experimentando. E é o que vai fazer o trépano. Como qualquer coisa está impedindo que a broca roa as rochas, ele vai experimentar o trépano — mas sem saber se dará resultado.

— E se não der?

— Terá então de recorrer a outro meio qualquer, não sei. Talvez lance mão da broca de diamantes, que é a tira-prosa das rochas muito duras. Depois de aberto o poço de exploração, tudo fica imensamente facilitado. Surgem os poços de produção — ou poços de exploração, como dizem os perfuradores na sua língua de acampamento.

— Facilitado por quê?

— Porque já sabem como é o terreno lá no fundo, quantos horizontes aquíferos há, a que profundidades, e de que rochas são formadas as camadas, etc. Sabem tudo e, portanto, adotam a sonda mais própria para o caso, e não erram, e não apalpam, e fazem o trabalho com rapidez muitíssimo maior. O primeiro poço é sempre o mais demorado e caro.

— O primeiro é o poço-osso, — disse Emília; — os demais são os poços-canja, não é isso?

O Visconde não respondeu; não gostava do modo de falar da Emília, que lhe parecia cafajéstico.

Colocado o trépano, recomeçou o *pum-pam*, do qual os meninos já andavam com saudades. De nada valeu. A coisa não ia. Mister Kalamazoo coçou a cabeça. Súbito *plaf*! um desastre. De tanto bater na misteriosa rocha, uma haste se enfraqueceu na emenda e quebrou. Lá se foi para o fundo o trépano com todo o resto da coluna de hastes...

Os dois americanos conferenciaram uns minutos sobre a situação. Só havia uma coisa a fazer: salvar as hastes e o trépano caídos no poço.

— Vamos ter pescaria, — cochichou o Visconde.

— Bravos! — exclamou Emília batendo palmas. — Pescaria é comigo — e que lindo se pescam um peixe fóssil de milhões de anos atrás!

— Peixe fóssil, nada! Vão pescar o trépano que caiu no poço, só isso.

Os meninos acompanharam com a maior curiosidade a operação da pesca do trépano. Emília assanhadíssima e sempre com esperança do peixe fóssil, não arredou pé dali. Nem almoçar foi nesse dia.

Primeiramente, Mister Kalamazoo estudou com muito cuidado a situação. Mediu as hastes que ficaram fora do poço para achar a profundidade exata em que se dera a ruptura: 189 metros.

— *All right*! rosnou ele. Quer dizer que há lá dentro 26 hastes.

— Que conta é essa? — indagou a menina.

— Muito simples, — respondeu o Visconde. Como cada haste tem 7 metros, ele dividiu 189 por 7 para saber quantas hastes ficaram dentro do poço.

— Mas então errou, porque 189 divididos por 7 dá 27 e não 26. Errou por uma.

— Essa que falta é a haste-guia e o trépano. Ele fez o desconto.

Para realizar a pescaria, o americano desceu um aparelho chamado "pescador", com garras dispostas de modo a prender solidamente a ponta da haste quebrada logo que tocasse nela. Esse aparelho foi fixado numa coluna de hastes e descido cuidadosamente. Quando ia chegando aos 189 metros, Mister Kalamazoo mandou que o manobrista movesse a máquina o mais devagar possível, e ficou com a mão apoiada na coluna descendente para, por meio das menores vibrações, perceber o momento em que o pescador tocasse na ponta da haste partida.

— Veja a atenção dele, — observou o Visconde. — Está de olhos fechados para não distrair-se com coisa nenhuma, rodeado dos operários imóveis, todos guardando o maior silêncio. Como não pode ver com os olhos da cara, Mister Kalamazoo está vendo com o tacto, à moda dos cegos. Tem que guiar-se pela vibração do metal.

E assim foi. A coluna de haste com o pescador na ponta foi descendo, descendo em marcha lentíssima, até que o americano ergueu bruscamente a mão — sinal ao manobrista para parar. A máquina parou. Mister Kalamazoo abriu os olhos. Pelo tacto sentira que o pescador tinha tocado na ponta da haste quebrada.

Restava agora manobrar delicadamente, erguendo e baixando a coluna de pesca, numa série de tentativas, até que a ponta da haste quebrada entrasse dentro das garras do pescador. Sua mão, pousada de leve, não saía da coluna descendente, para sentir o que se passasse lá embaixo. Súbito:

— *All right*! — exclamou. — Está presa.

E estava mesmo. A ponta da haste quebrada fora segura pelas garras do pescador. A operação seguinte seria torcer a coluna de pesca até que uma das hastes da coluna caída cedesse numa emenda qualquer e se desatarraxasse.

As hastes são atarrachadas umas nas outras por meio de luvas. Havia lá no fundo, portanto, 24 luvas, emendando 26 hastes. A que estivesse menos bem apertada, essa destorceria primeira.

— Mas os perfuradores ficam danados, — explicou o Visconde, quando em vez de destorcer-se uma das luvas bem debaixo, destorce-se uma de cima.

— Por quê? — indagou Pedrinho.

— Porque destorcendo uma bem debaixo eles sacam fora, duma vez, um bandão de hastes, ao passo que destorcendo em cima só sai uma ou duas hastes, obrigando-os a muito mais trabalho.

Daquela vez os operadores tiveram sorte. A luva que cedeu foi a que ligava a vigésima haste à vigésima primeira, de modo que ao suspenderem a coluna de pesca saíram duma assentada 20 hastes. Só ficaram no poço as 6 restantes.

Repetiram-se as manobras de pesca e por fim as 6 hastes finais também saíram. Restava pescar a haste-guia com o trépano na ponta, operação feita com um pescador de tipo diferente e que correu sem novidades.

Foi um alívio quando o trépano apareceu à boca do poço, com cara de cachorrinho que quebrou a panela (Emília). Uma hora apenas tinha durado a pescaria. Tempo magnífico. Há pescas dificílimas, que duram semanas, até meses. Mister Kalamazoo recolheu um pedacinho de rocha encravado numa fenda do trépano. Achando-a esquisita, levou-a a Mr. Champignon.

A opinião do químico-geólogo não se fez esperar.

— Diábase, — disse ele depois do exame. — Demos em cima duma camada de diábase.

O Visconde explicou aos meninos que a tal diábase era uma rocha eruptiva muito dura de furar, que aparece em intrusões, por entre as camadas sedimentárias.

— Uma peste de dureza, — disse ele. — Mister Kalamazoo vai suar na ponta do nariz.

E suou. Apesar dos cálculos otimistas de Mr. Champignon sobre a provável espessura da intrusão eruptiva, Mister Kalamazoo levou um mês para perfurar dez metros — e não viu sinal de fim. Estava com medo que a intrusão se prolongasse por cem ou duzentos metros, o que seria uma tremenda maçada. Felizmente a hipótese não se realizou. Aos doze metros a eruptiva chegava ao fim.

O processo usado para perfurar essa rocha foi o da coroa de diamantes, isto é, uma broca com seis diamantes encravados no aço, só com as pontinhas de fora. O diamante é o corpo mais duro que existe; corta a todos os outros e não é cortado por nenhum.

Na perfuração rotativa a rocha é roleteada, de modo que dentro do oco da broca vai ficando um cilindro tão bem calibrado como se feito ao torno.

Depois da broca perfurar aí uns dois metros, o oco da broca fica totalmente cheio por esse cilindro e é preciso arrancá-lo fora. O modo de fazer isso é interessante. Por meio da bomba de injeção o perfurador faz cair dentro da broca um punhado de pedregulho. As pedrinhas entalam-se entre o cilindro da rocha e as paredes internas do tubo da broca, amarrando o cilindro. Depois disso a máquina dá um puxão para cima. O cilindro da rocha quebra-se na base e pode ser retirado do poço.

Com muita dificuldade os meninos levaram para casa um desses cilindros de diábase, para o mostrar a Dona Benta.

— Veja que bonito, vovó! Um rolete de diábase cortado à força de diamantes.

Dona Benta muito admirou aquela rocha quase negra, de granulação finíssima, como a das lousas — e mandou que a levassem para a cozinha.

— Tia Nastácia anda reclamando um tamborete. Isso dá um tamborete de primeira ordem.

A negra assombrou-se de que lá no fundo da terra existissem pedras com aquele formato que "até parecia feito".

— Não existem não, — explicou Pedrinho. — Este cilindro foi feito — foi cortado num maciço de rocha por meio da broca de diamantes.

A negra riu-se.

— Diamantes, eu sei disso! O Mister achou essa pedra lá no fundo e agora está inventando essa história de cilindro e diamantes. Tomara ele ter um diamante para botar no anel do dedo. Pensa que sou boba?

A perfuração prosseguiu sem novidades, com rotativa, até aos 500 metros, cota em que, subitamente, irrompeu nova água à boca do poço. Mister Kalamazoo provou-a, com uma careta.

— *Salt water*! — exclamou. — Água salgada!

Era um grande acontecimento. Os meninos correram a provar e também fizeram caretas. No maior assanhamento recolheram numa lata vários litros e foram para casa a fim de assombrar Dona Benta.

— Água salgada, vovó! — gritou Pedrinho da porta. — Água fóssil. Água que esteve presa no fundo da terra alguns milhões de anos. Prove.

Dona Benta provou, com a mesma careta de Mister Kalamazoo.

— Venha ver, Nastácia!

A negra apareceu, de colher de pau na mão.

— Água salgada, veja! Do poço. Água fóssil, — atropelou Narizinho, fazendo a negra provar.

— Chi! Salmoura pura, — disse ela careteando também. — Quem seria o malvado que despejou sal no poço? Tão caro — mil e quinhentos o saquinho — e gente desperdiçada estragando sal para salgar água de peixe podre...

Custou convencê-la de que era uma salmoura natural que vertia do poço em grande quantidade. Isso a deixou radiante.

— Ora graças! A gente secando no fogo uma salmoura dessas fica sal no fundo — sal igualzinho àquele que a gente compra. Podemos secar bastante água desse poço e fazer um monte de sal para cozinhar um mês inteiro — e pelo menos nesse mês a gente não engorda a barriga daquele turco ladrão. Mil e quinhentos por um saquinho de nada, Sinhá. Onde já se viu sal pelo preço que o turco está vendendo? Vá ser ladrão na terra dele, credo!...

Pedrinho arredou as panelas do fogão e pôs ao fogo o tacho de fazer marmelada, com a salmoura fóssil dentro, e ficou ali até que toda a água se evaporasse e uma camadinha de sal aparecesse no fundo. A negra dava risadas de gosto, à lembrança da peça que iriam pregar no Elias Turco.

O jantar daquela noite (saiu muito atrasado o jantar) foi temperado com o sal pré-histórico do Caramínguá nº 1 — um sal enterrado havia milhões de anos e agora posto de novo em circulação graças à iniciativa dos meninos petroleiros.

Emília levou para a mesa um pires com uma pitada. Volta e meia punha a ponta do dedinho na língua e depois no sal — e na língua outra vez, fazendo uma careta de gosto.

— Isso é que é sal! — dizia. — Pena não terem também pescado um peixe fóssil — dos que moravam nessa água salgada no tempo em que ela foi mar. Teríamos então um quitute completo, tirado do guarda-comida subterrâneo do globo terráqueo.

— Seria perigoso, — advertiu Pedrinho.

— Por quê?

— O Visconde fala dum peixe de nome anfioxo, que na opinião dele foi um dos antepassados do homem. Sendo assim, você correria o risco de comer um seu tatatatatataravô fóssil...

— Mas eu sou boneca, — disse Emília. — Não pertenço à raça humana.

— Morda aqui! — exclamou o menino espichando o dedo. — Você é tão gente como eu. É gentíssima até. Essa história de boneca, Emília, ninguém mais engole...

Capítulo XI
PETRÓLEO, AFINAL!

Depois dos 700 metros os meninos notaram que o perfurador e o químico-geólogo vinham prestando muita atenção aos testemunhos extraídos do poço. Eles chamavam testemunhos aos tais cilindros de rocha obtidos por meio da perfuração rotativa. Num galpão armado à esquerda da sonda esses testemunhos iam sendo dispostos uns em cima dos outros, formando altas colunas, com papeletas indicativas das profundidades. Desse modo ficava perfeitamente visível a constituição do subsolo daquela zona.

Pedrinho aproveitou-se da vantagem para desenhar em várias folhas de papel-cartão emendadas o *Corte Geológico dos Terrenos de Vovó*, de acordo com as indicações de Mr. Champignon. Marcava no papel, com riscos horizontais, as camadas atravessadas, indicando a espessura de cada uma e o material de que eram compostas. Esse *Corte Geológico* foi pregado na parede da sala de jantar, em diversas secções, ocupando-a toda.

Certo dia, ao extrair um testemunho, o rosto de Mister Kalamazoo iluminou-se. Era um cilindro de arenito um tanto diverso dos anteriores na cor e também mais poroso. O americano chamou o químico-geólogo e por algum tempo conferenciaram, com muitos exames e cheiramentos do cilindro. Mr. Champignon levou um pedaço para o laboratório. Quando voltou tinha a cara risonha.

— Sim, — disse ele. — É um arenito gasífero, sinal evidente de que estamos bem perto do petróleo.

— Disseram isso em inglês, que o rinoceronte imediatamente traduziu para o Visconde e este correu a contar aos meninos.

— A broca está perfurando uma camada de arenito poroso gasífero, isto é, impregnado de gás de petróleo. Quer dizer que estamos perto dum horizonte petrolífero.

A alegria foi imensa. Houve hurras e pinotes. Pedrinho foi correndo dar a boa notícia a Dona Benta.

— Gás, vovó! Acaba de sair um arenito poroso impregnado de gás — de gás de petróleo! Ora, onde há fumo, há fogo. Logo, se temos gás de petróleo, então é que o petróleo está perto. Um não anda sem o outro.

— A que profundidade, meu filho?

— Setecentos e cinquenta metros.

— Então o nosso viscondinho vai ganhar de Mr. Champignon, pois previu o petróleo a 800 metros. É um danado...

Dada a boa notícia, Pedrinho voltou para a sonda na volada, de medo que o petróleo jorrasse na sua ausência. Mas não jorrou. A perfuração ainda prosseguiu por mais uns trinta metros sem alcançar o petróleo; mas cada novo testemunho que saía vinha com mais evidências dele. O arenito poroso já não era gasífero e sim gordurento, a ponto de sujar as mãos de quem o pegava. Destilando um pouco desse arenito, Mr. Champignon obteve um frasco dum óleo pardo-esverdeado, que classificou de excelente petróleo parafinoso — um dos melhores tipos que existem.

Depois dessa prova os dois americanos conferenciaram animadamente. Mr. Champignon era de parecer que se suspendesse o trabalho da perfuração e se esvaziasse o poço. Calculou que a coluna de água lamacenta que enchia o poço estava exercendo uma pressão de 90 atmosferas, o bastante para impedir que o petróleo viesse à tona, caso já tivessem penetrado num horizonte petrolífero dos não muito grandes. Mas Mister Kalamazoo, que com a sua longa prática de poços adivinhava as coisas, resolveu perfurar um pouco mais, e o poço no dia seguinte chegou aos 798 metros.

— Agora, sim, — disse ele, vendo a boca do cano-guia referver de borbulhas de gás ascendente. — Podemos esvaziar o poço, depois de colocado o *blowout preventer*.

Blowout preventer não passa do nome inglês do registro ou torneirão que se coloca na boca do poço para impedir que o petróleo jorre e inunde tudo. Pronuncia-se *blôâut priventer*.

Um fato daquela importância precisava ser sabido lá em cima — e Pedrinho despachou Emília na carreira com recado a Dona Benta.

Emília saiu voando.

— Dona Benta! — gritou ela ao chegar. — Já vão botar no poço o *blowout preventer* e Pedrinho quer que a senhora corra à sonda quanto antes porque "a coisa está por um fio".

Dona Benta, ignorante do que fosse *blowout preventer*, fez cara de interrogação muda. Emília explicou tratar-se do registro, do torneirão que impede que o petróleo faça asneiras.

Percebendo que se tratava de negócio sério, Dona Benta chamou Tia Nastácia e botou um xalinho ao ombro, depois de caçoar com Emília dizendo que ela, às vezes, bem precisava dum blowoutezinho quando asneirava demais. Em seguida murmurou, voltando-se para a negra:

— Será possível que estes diabinhos tirem mesmo petróleo?

— E Sinhá ainda duvida? — respondeu a preta. — Que é que não fazem? Depois que deram comigo na lua, cozinhando para S. Jorge, com aquele dragão horrendo no quintal, eu não duvido de mais nada nesta vida...

Enquanto caminhavam, uma grande agitação refervia na sonda. Por descuido no embarque das peças, na América, houve troca de caixões, e em vez de vir a caixa com as peças do *blowout preventer*, veio um com... dois aparelhos de rádio!

— Sabotagem! — gritou Pedrinho. — Juro como foi sabotagem daqueles trustes malvados. E agora, Visconde?

O Visconde não sabia o que responder. Era um caso novo, nunca discutido nos tratados de petróleo que ele andava lendo. E o pior de tudo foi que justamente naquele instante um ronco subterrâneo se fez ouvir, e logo depois as borbulhas do poço pipocavam com redobrada violência.

— Estamos perdidos! — gritou Mister Kalamazoo. — O petróleo vai sair e não temos meio de fechar o poço — e no seu desespero deu murros na cabeça e puxões nos cabelos lourríssimos.

— Que há? — perguntou Dona Benta, que vinha chegando com a preta e a Emília. — Será que Mister Kalamazoo enlouqueceu?

— É que não há *blowout preventer*! — respondeu Pedrinho muito aflito. — Sabotaram a remessa de materiais, mandando numa caixa, em vez do *blowout preventer*, dois aparelhos de rádio, imagine...

— E agora?

— Agora eles não sabem o que fazer. O gás está borbulhando com força cada vez maior. A coluna de água do poço, que pesa 90 atmosferas, está resistindo por enquanto. Mas quando não puder mais resistir ao impulso do petróleo? Aí então vai tudo pelos ares e o petróleo derrama-se por estes campos, e enche o Caraminguá e inunda tudo e a senhora leva a breca, tal qual a companhia americana que faliu por ter tirado petróleo demais...

— Nossa senhora! — exclamou Dona Benta pondo as mãos. — Que vai ser de mim, Santo Deus?

— O pior, — continuou Pedrinho, — é que Mister Kalamazoo perdeu completamente a cabeça. Olhe o desespero dele...

— A cabeça não digo, — observou Emília, — mas os cabelos vai perder todos, se continua a arrancá-los assim...

Nesse momento o estrondo subterrâneo roncou mais forte.

— Chi! — exclamou Tia Nastácia. — Trovoada no fundo da terra é coisa que nunca vi. Vai chover grosso às avessas...

A situação era verdadeiramente trágica. Mr. Champignon deixou-se cair sentado sobre um trépano, com a cabeça entre as mãos. Estava arrasado. Mister Kalamazoo andava de um lado para outro a ameaçar os céus com os punhos fechados e a dizer nomes que deviam ser feíssimos — e felizmente só Quindim entendia. Vendo os chefes naquele estado de desespero, os operários olhavam-se atônitos, sem saberem o que fazer. Dona Benta, tomada de medo, caiu sentada, com aquela sua célebre sufocação cardíaca dos momentos perigosos. E os roncos subterrâneos cada vez mais fortes... E a boca do poço cada vez mais borbulhante de gás...

No meio de tanto horror, só Emília e o Visconde conservavam-se absolutamente donos de si. Foram conferenciar com Quindim. Conferência rápida. Quindim aprovou a ideia de Emília e levantou-se do chão onde estava deitado. Pesadamente encaminhou-se para a sonda, seguido do Visconde, enquanto Emília voava ao escritório.

Ao chegar à sonda Quindim entrou e, com enorme assombro de todos, plantou-se sentado em cima do cano-guia!

Apesar do seu desespero, Mister Kalamazoo não pôde deixar de rir-se. Em toda a sua longa vida de perfurador, jamais tivera ensejo de ver um *blowout preventer* daquela marca — *blowout* paquidérmico!

— Pronto! Está tudo salvo! — gritou o Visconde. — A coluna d'água do poço faz sobre o petróleo que quer subir um peso de 90 atmosferas. Quindim pesará outras tantas atmosferas — e com todas essas atmosferas somadas juro que escoramos o petróleo até que o *blowout* chegue.

Estas últimas palavras fizeram Mister Kalamazoo arregalar os olhos.

— Até que o *blowout* chegue, Visconde? — repetiu ele. — Que história é essa?

— Sim, até que chegue da América. Emília foi ao escritório fazer a encomenda. Basta que Quindim escore o petróleo uns vinte minutos e teremos aqui o *blowout preventer*.

O americano ficou na mesma.

— Sim — continuou o Visconde. — Emília vai pedir o *blowout* com a maior urgência. Já pediu. Olhe a carinha dela...

Emília vinha voltando, muito lampeira, de mãos à cintura.

— Pronto! — exclamou ao chegar. — Pedi à fábrica que mandassem imediatamente o *blowout* esquecido e passei-lhes uma descompostura tremenda. Em quinze minutos teremos o torneirão aqui.

O absurdo era tamanho que Mister Kalamazoo sentiu ímpetos de amassar Emília com um soco.

— Temos o *blowout* aqui, como, boneca duma figa? — berrou ele.

— Figa é o seu nariz, sabe? — respondeu ela abespinhada. — Pedi o *blowout* à fábrica sim, com ordem para que o mandassem com a maior rapidez pelo "Faz-de-Conta nº 4", que é o avião mais veloz da minha empresa.

Mister Kalamazoo suspirou e foi sentar-se no trépano ao lado de Mr. Champignon. E também enterrou a cabeça entre as mãos, no maior desnorteamento da sua vida.

Minutos se passaram. Quindim, firme em cima do poço, somava o seu peso ao peso da coluna d'água e ambos iam escorando o petróleo, o qual roncava lá no fundo cada vez mais furioso por sair. Súbito, um zunido distante atraiu a atenção de todos. Um ponto negro apareceu no céu azul. Era o avião da Emília. Chegou. Pousou. O piloto fez sinal aos operários e gritou-lhes:

— Trago aqui uma grande caixa, pesadíssima. Venham retirá-la.

Os operários foram e arrastaram a caixa até à sonda. Abriram-na.

— Mais rádio? — gritou Pedrinho aproximando-se.

Não. Dessa vez a encomenda viera certa: um *blowout* preventer novinho.

Quando Mister Kalamazoo viu que era mesmo um *blowout*, seu assombro não teve limites. Ficou completamente bobo. Impossível compreender o milagre. Por fim acordou do estuporamento e correu a colocar a peça chegada. Mas era impossível atarraxá-la no cano-guia, com o rinoceronte sentado em cima — e tirar Quindim dali era soltar o petróleo. Que fazer?

— *I will take a chance*, — murmurou ele, como quem diz: — Vou arriscar. — Deu ordem aos operários para que limpassem e engraxassem a rosca do cano-guia e a do *blowout*, e depois de tudo arrumado do melhor jeito pediu a Quindim que pulasse fora. Quindim pulou e os operários, sem perda de um segundo, ergueram a pesada peça e puseram-se a atarraxá-la no cano-guia. Mas com a saída de Quindim a coluna d'agua do poço não escorou o petróleo e começou a jorrar a metros de altura, enlameando tudo.

— Hurry up! Hurry up! — era só o que sabia dizer Mister Kalamazoo. — Depressa! Depressa! — E nunca homem nenhum foi tão bem obedecido. Os operários trabalharam como relâmpagos de pernas e braços. Num instantinho o *blowout* foi atarraxado.

E não sem tempo. Assim que os homens deram a última volta na rosca tiveram de fugir dali aos pinotes, porque o petróleo ganhara grande impulso e arremessara para o ar, com enorme violência, o resto da coluna d'agua. Uma chuva de lama barreou a torre de alto a baixo, espirrando até em Dona Benta e Tia Nastácia, distantes dali. Em seguida o jorro de lama avermelhada foi substituído por um jorro negro, tão violento que arrebatou a parte superior da torre.

Todos correram para longe, numa gritaria.

— Petróleo! Petróleo!

Era o petróleo, afinal! Era o jorro de petróleo salvador do Brasil, que se levantava numa coluna magnífica até quarenta metros para o céu. Lá fazia uma curva de repuxo na direção do vento e caía sob forma de chuveiro forte. E como aconteceu que Dona Benta, Tia Nastácia e os meninos estivessem na direção do vento, foram colhidos pela chuva de óleo, ficando completamente empapados...

Emília e o Visconde avançaram, por dentro da chuva negra, até à roda do *blowout*, que torceram a fim de fechar o registro. Foram fechando-o e, à medida que o registro se fechava, o repuxo de petróleo foi diminuindo, baixando, até que cessou de todo. O Caramingá n.º 1, o primeiro poço de petróleo no Brasil, estava controlado — isto é, de freio nos dentes, humilde como um cavalo que abaixa a crista diante da força do peão!

Um hurra tremendo ecoou. Os operários batiam palmas e gritavam, saudando o maravilhoso acontecimento. Tinham sido os obreiros do Poço Número 1 — o poço que iria mudar os destinos de um país, arrancando-o da sua eterna anemia econômica para lançá-lo na larga Avenida do Progresso Sem Fim.

— Viva Mister Kalamazoo! — gritou Pedrinho.

— Viva Quindim o *blowout* de carne! — gritou Emília.

— Viva o Visconde, o grande geólogo! — gritou Narizinho.

Os operários, reunidos a pouca distância, acompanhavam as aclamações dos meninos.

— Vocês esqueceram do pobre Mr. Champignon, — lembrou Dona Benta.

— Viva Mr. Champignon! — gritou Narizinho.

O químico-geólogo, lá da porta do laboratório, agradeceu a homenagem com uma curvatura de cabeça.

— Tudo está ótimo, — disse Dona Benta. — Mas toca a voltar para casa correndo. Estamos todos que nem pavios de lampião de querosene...

Realmente assim era. Ninguém escapara ao banho de óleo negro. O pobre Visconde, então, que era sabugo e, portanto, mais absorvente que os de carne, esse ficou empapado até à medula.

— Nós ainda nos arranjamos com um bom banho, — disse Dona Benta. — Mas o Visconde, não sei. Só se Tia Nastácia o ferver um dia inteiro no tacho de fazer marmelada. Como há de ser, Nastácia?

— Deixe ele comigo que dou jeito, Sinhá, — respondeu a negra, pegando no Visconde e examinando-o. — Chi! Está que nem uma esponja. O jeito que vejo é um só: mudar o corpinho dele — botar um sabugo novo...

Em casa Nastácia pôs a ferver várias tachadas e latas de água e foi buscar seis pães de sabão na venda do turco. Nunca o pessoal do sítio se ensaboou com tanta fúria. Até cacos de telha entraram em cena. Mas o petróleo do Caramunguá nº 1 era terrível. Entranhava tão fundo que apesar das lavagens todos ficaram com um cheirinho de querosene durante três dias.

As roupas foram empilhadas num monte no quintal para uma fervura de horas. (Mas mesmo depois da fervura ficaram por muito tempo com um vago "perfumezinho" a petróleo.)

Lá na sonda os americanos, os operários e o rinoceronte fizeram o mesmo. Lançaram-se no ribeirão para uma lavagem a fundo...

Emília, no seu banheirinho, estava a esfregar-se furiosamente com um caco de telha. De repente — disse:

— O petróleo pode ser uma excelente coisa, pode ser a riqueza das nações, pode ser ouro líquido ou o que quiserem. Mas no corpo da gente é, com perdão da palavra, uma grandessíssima porcaria...

Dessa vez não houve quem não concordasse.

Capítulo XII
O ABALO DO PAÍS

A abertura do Caramunguá nº 1, com uma vasão de 500 barris por dia, começou a espalhar-se fulminantemente pelo País inteiro. Os jornais deram a notícia, com base numa comunicação mandada por Pedrinho; mas como essas notícias sensacionais são muitas vezes peta, todos se mantiveram na dúvida. Um deles publicou o comunicado de Pedrinho com este título: *Si non é vero...* Outro escreveu que quando a esmola é demais o santo desconfia.

Pedrinho danou e mandou segundo comunicado, convidando os incrédulos a virem ver. Desde que se tratava dum fato, nada mais simples do que averiguá-lo.

Que viessem ver, cheirar, provar o magnífico petróleo parafinoso do poço aberto no sítio de Dona Benta.

Esse novo comunicado de Pedrinho, que ele assinara com o seu futuro nome de gente grande, Pedro Encerrabodes de Oliveira, causou sensação, apesar da esquisitice do sobrenome Encerrabodes, que levava o povo a rir-se e pilheriar. Quem era esse tal Encerrabodes? Ninguém sabia. Só as crianças do Brasil sabiam que Pedro Encerrabodes de Oliveira não podia ser outro senão Pedrinho, o neto de Dona Benta Encerrabodes de Oliveira.

— É Pedrinho! É Pedrinho! — afirmaram as crianças de todo o país. — É o neto de Dona Benta! Ele disse que ia tirar petróleo e tirou mesmo!...

Mas as gentes grandes, marmanjões pretensiosos, riram-se das crianças, dizendo: "Há de ser então uma das muitas maluquices do tal sítio de Dona Benta, que o tal Lobato vive contando. Brincadeira".

Certo jornal do Rio de Janeiro, porém, criou coragem e mandou um seu repórter investigar o que havia. O repórter foi recebido por Dona Benta.

— Minha senhora, — disse ele, — circulam boatos de que foi aberto aqui em suas terras um poço de petróleo. Mas ninguém lá fora acredita nisso; primeiro, porque está oficialmente assentado que o Brasil não tem petróleo; segundo, porque o petróleo surgiu justamente aqui no seu sítio, que tem fama de maluco; terceiro, porque a comunicação aos jornais foi feita por um Senhor Encerrabodes que ninguém nunca viu mais gordo. Apesar disso, o meu jornal encarregou-me de chegar até aqui para ver o que há.

Dona Benta desceu os óculos para a ponta do nariz.

— Foi bom que viesse, meu senhor. Por estranha que pareça a notícia, é a verdade pura. Meus netos meteram-se a estudar geologia com o Visconde de Sabugosa e convenceram-se da existência do petróleo aqui no sítio. E como são levados da breca, arranjaram sonda, perfurador, operários especialistas e puseram-se a furar. Passaram meses nisso, até que enfim o petróleo apareceu num grande jato de 40 metros de altura, que nos deixou a todos como pintos pelados que caem no melado.

O repórter refranziu a boca num risinho de incredulidade. Evidentemente aquela velhota estava a mangar com ele, ou então era uma caduca que não sabia o que dizia. E respondeu zombeteiro:

— Pois muito bem. Se saiu petróleo em quantidade para um banho em todos da casa, eu também queria tomar meu banhozinho de petróleo. É possível?

— Acho que sim, — respondeu Dona Benta. — Mas isso não é comigo. Vou chamar meu neto para que ele satisfaça o seu desejo de banho.

E voltando-se para a cozinha:

— Nastácia, onde andam os meninos?

— Na sonda, Sinhá, — respondeu a preta. — Sinhá bem sabe que eles só aparecem por aqui quando a fome aperta.

— Chame Pedrinho, — ordenou Dona Benta.

Tia Nastácia foi à janela e deu um assobio agudo. Momentos depois o menino aparecia na varanda.

— Que há, vovó?

— Há aqui este senhor, repórter do "Correio da Manhã", que veio ver se é possível tomar um banho de petróleo. Diz que lá fora ninguém acredita na descoberta do petróleo aqui no sítio, nem sabem quem é o tal Encerrabodes que mandou a comunicação aos jornais.

Pedrinho mediu o repórter de alto a baixo.

— Pedro Encerrabodes, neto aqui de vovó, sou eu, o autor da notícia aos jornais. Quanto ao banho que o senhor deseja, basta que me siga. Vai ser prontamente banhado.

Aquele modo seguro de falar encabulou o repórter, cujo risinho de ironia ficou um tanto desmanchado; e o mais que pôde dizer foi: "Pois estou às suas ordens".

Pedrinho conduziu-o à sonda. Assim que viu aquele acampamento petrolífero, com uma torre aprumada para o céu, e máquinas de todos os lados, e oficinas e casas de operários, o repórter amarelou. Seria verdade? Um americano grandalhão estava a conversar com outro sujeito também com cara de americano. Pedrinho apresentou-lhes o repórter.

— Mister Kalamazoo, permita-me que lhe apresente aqui o repórter do "Correio da Manhã". Ele veio de longe para tomar um banho de petróleo, porque é dos tais São Tomés do ver para crer.

— *How do you do, sir?* — rosnou o americano, moendo a mão do repórter com um *shakehand* de quebrar diábase.

— E aqui temos Mr. Champignon, nosso químico-geólogo, — continuou Pedrinho, indicando o outro americano.

— *How are you?* — disse este, acabando de moer a mão do jornalista com outro *shakehand* de 20 atmosferas.

O repórter suava frio sacudindo a mão no ar. Mesmo assim arregalou os olhos quando Pedrinho fez a apresentação do Visconde de Sabugosa e do Quindim. Seu espanto foi imenso, ao dar com o rinoceronte. Quis fugir. Quis sacar do revólver para abater aquele monstro africano que o olhava com uma estranha expressão de bondade. Vendo, porém, que o paquiderme não se movia, aquietou-se, com o suor a pingar-lhe da testa em gotas graúdas.

— Pois é, — disse Pedrinho. — São estes os homens que nos abriram o poço do Caramingá nº 1, o qual está controlado por um possante *blowout preventer* e tem capacidade para 500 barris por dia.

Narizinho e Emília aproximaram-se.

— Esta aqui é minha prima, — disse o menino, — e esta outra é a celebérrima Emília de Rabicó. Nós apenas "sapeamos" o serviço do petróleo. Quem tudo dirige é ali Mister Kalamazoo, auxiliado por Mr. Champignon. No começo tivemos receio de que nos sabotassem o poço, mas hoje gosto de confessar em público que as nossas desconfianças não tinham fundamento. Ponho a minha mão no fogo pela lealdade desses dois homens e de todos os operários que eles trouxeram.

O repórter nem sabia o que dizer, de tanto que tudo ali lhe atrapalhava as ideias. Seria possível, então? Seria possível que o comunicado dos jornais representasse a verdade pura?

— Senhor Encerrabodes, — disse ele, — confesso o meu desnorteamento absoluto. Vim cá certo de não ver coisa nenhuma, pois a comunicação feita aos jornais tem todas as aparências duma engenhosa mistificação. Mas este campo petrolífero, esta sonda, estas máquinas, estes homens louros, tudo isto me faz crer que pelo menos intenção de descobrir petróleo existe aqui. Mas entre intenção de tirar petróleo e petróleo de verdade vai uma grande distância. Eu só me daria por cabalmente convencido se visse, cheirasse, provasse o petróleo supostamente produzido aqui.

— Nada mais fácil, — disse Emília. — Nós provamos tudo quanto afirmamos, embora o mundo se recuse a acreditar em certas coisas, como, por exemplo, a nossa viagem ao céu. Há de crer que muita gente ainda duvida disso, apesar de termos trazido de lá a prova — um anjinho de asa quebrada! Com o petróleo, porém, a coisa muda. É só abrirmos a torneira ali no *blowout* e pronto: está provado o petróleo.

O tom seguro daquela criaturinha, que positivamente era uma boneca falante, tonteou o repórter. Novas gotas de suor pingaram-lhe da testa. Chegou a duvidar de si, a pensar que estivesse sonhando; e disfarçadamente beliscou a perna para ver se estava mesmo acordado. Viu que estava e suspirou. Na verdade não compreendia nada de nada de tudo aquilo.

— Pois muito bem, — disse ele por fim. Mostrem-me o petróleo e estará tudo acabado.

Pedrinho cochichou qualquer coisa ao ouvido do Visconde, o qual foi conferenciar com Quindim, o qual chamou Mister Kalamazoo, trocando com ele várias palavras. *"All right"*, foi a resposta do americano com um pisco para Pedrinho.

— Muito bem, — murmurou este, compreendendo a significação da piscadela. — O senhor repórter vai sentar-se aqui por um momento, enquanto Mister Kalamazoo mexe no *blowout*. O *blowout* é o registro que fecha o poço. Abrindo esse registro, o petróleo jorra. Prepare-se, pois, para assistir a um belíssimo jorro de petróleo.

O pobre repórter, que nunca tinha visto petróleo, sentou-se no ponto indicado pelo menino, justamente num lugar de vento a favor, de modo que quando o petróleo jorrasse a chuva do repuxo viria cair bem em cima dele. Não desconfiou de nada, nem desconfiou de o deixarem ali sozinho e se passarem todos para o lado oposto.

Mister Kalamazoo dirigiu-se ao *blowout* e torceu a manivela. Imediatamente um jorro potentíssimo de petróleo negro elevou-se no ar a dezenas de metros de altura, abriu-se lá em cima em penacho e desceu sob forma de chuva grossa bem sobre o ponto onde se achava sentado o mísero repórter.

Que banho! O jornalista fugiu dali com quantas pernas tinha, mas não escapou de ficar empapado até à medula dos ossos. E quando parou a cinquenta metros de distância e olhou para trás, o que viu foi o americano fechar o torneirão, pondo fim ao tremendo repuxo de óleo negro.

Os meninos correram ao encontro do homem petrolizado.

— Então? Está convencido? — indagou Pedrinho.

O repórter nem falar podia. O petróleo entrara-lhe pela boca, ouvidos e nariz, causando-lhe um mal medonho. Cuspia, espirrava, tentava limpar a boca — mas limpar como, se as mãos, o lenço, tudo não passava dum empapamento de petróleo?

— Ele é capaz de morrer envenenado, — disse Mr. Champignon, e ordenou aos operários que o conduzissem ao ribeirão e o lavassem a fundo. O pobre repórter foi levado ao rio, despido e ensaboado por dez mãos calosas, ásperas como lixa. E como suas roupas ficassem inutilizadas e nenhum dos homens da sonda lhe quisesse ceder um terno, o remédio foi vestirem-no com uma saia e um velho casaco de Dona Benta, enquanto Tia Nastácia lhe fervia, secava e passava as roupas com que viera.

Teve de dormir no sítio, porque sua roupa só ficaria pronta na manhã seguinte — além de que a brincadeira o deixara completamente derrancado.

— Uf! — exclamava o mísero na varanda. — Fui bem castigado da minha incredulidade, mas acho que abusaram de mim. Não era necessário irem tão longe.

— Longe, meu caro? — disse Dona Benta. — Mas não foi o senhor mesmo quem me disse, aqui nesta varanda, que desejava um banho de petróleo? Pedrinho nada mais fez do que satisfazer o seu pedido.

— Sim, mas eu estava caçoando. Disse aquilo por brincadeira.

— E nós também lhe demos o banho de petróleo por brincadeira, — disse Emília. — Tudo brincadeira.

— É, mas quase me iam envenenando. Como eu não esperasse a tal chuva de petróleo, deixei-me colher por ela — e bebi, sim, bebi petróleo. Ugh! Que gosto horrível! Tenho a impressão de que nunca mais me sairá da boca...

— *Tout passe, tout casse, tout lasse*, — murmurou Dona Benta, repetindo um verso de Vítor Hugo. — Tudo passa, meu senhor. Esse gosto de petróleo em sua boca passará também. Sossegue.

Tia Nastácia deu-lhe um chá de losna bem forte e arrumou-lhe uma boa cama no quarto de Pedrinho. O repórter deitou-se cedo, não querendo nem que lhe falassem em jantar. Impossível comer qualquer coisa com aquele horrível gosto na boca.

No dia seguinte amanheceu melhor, e assim que Tia Nastácia lhe levou as roupas fervidas, lavadas e passadas, ele despiu-se da saia e do casaco de Dona Benta e envergou-as. E tratou de raspar-se dali.

— Minha senhora, — declarou ao despedir-se. — A tragédia de ontem servirá para uma coisa: fazer que o Brasil inteiro acredite no grande milagre realizado neste sítio. A descoberta do petróleo representa um fato de significação mais alta do que podemos conceber. Representa algo mais importante do que a própria independência do Brasil. No dia 7 de setembro o Brasil proclamou a sua independência política, mas só agora acaba de proclamar a sua independência econômica. Em que dia foi?

— O poço jorrou no dia 9 de agosto, — respondeu Narizinho.

— Pois o 9 de agosto vai ficar imortalizado na história do nosso País. A República Argentina considera feriado nacional o dia 19 de dezembro, data do aparecimento do petróleo em Comodoro Rivadavia. Breve teremos aqui no Brasil o 9 de agosto transformado em data nacional, ao lado do 7 de setembro. Este comemora a nossa independência política; o 9 de agosto comemorará a nossa independência econômica.

— Muito satisfeita fico de que assim seja, — disse Dona Benta. — Eu estou que não caibo em mim de contente, porque foram meus netos os heróis da grande façanha. Começaram a coisa brincando e tudo acabou a sério. Graças a eles, ao Visconde e ao Quindim, temos petróleo — o Brasil tem petróleo e, portanto, o elemento básico para tornar-se uma nação rica e poderosa. Pode escrever no seu jornal que não existe no mundo nenhuma avó mais feliz do que eu.

— Nem mais rica! — berrou Emília. — O poço está dando 500 barris por dia. A Cr$ 30,00, são 15 mil cruzeiros por dia. Qual é a avó por esses mundos a fora que tem, ali na batata, 15 mil cruzeiros por dia?

Os olhos do repórter brilharam. Quinze mil cruzeiros por dia! Quatrocentos e cinquenta mil por mês! Cinco milhões e quatrocentos mil por ano! Uma verdadeira mina. Ah, se ele pudesse tirar uma casquinha... Se aquela velha se apaixonasse por ele...

Logo depois da partida do repórter os jornais do Brasil inteiro puseram de lado as notícias de crimes americanos e das mexericagens políticas para só tratar do petróleo. *Petróleo! Petróleo! A descoberta do petróleo no Brasil! Um poço de 500 barris por dia no sítio de Dona Benta! A avó milionária! Cinco milhões e quatrocentos mil cruzeiros por ano, só do primeiro poço! O banho de petróleo! A chuva de petróleo! Um sabugo científico que é um formidável geólogo! Um rinoceronte que sabe inglês e não chifra gente! Mister Kalamazoo e Mister Champignon!*

Essas notícias sensacionais determinaram uma verdadeira romaria ao sítio. Automóveis e mais automóveis, cheios de figurões, apareciam por lá, um atrás do outro. Engenheiros, industriais, capitalistas, curiosos — não havia quem não viesse ver, cheirar, provar o petróleo de Dona Benta.

Telegramas foram enviados para a América do Norte. O Rockefeller mandou oferecer pelo sítio 5 milhões de dólares.

— Não vendo por preço nenhum, — foi a resposta de Dona Benta. — De que me adianta uma bolada de 5 milhões de dólares? No que empregar isso? Onde encontrar um sitiozinho como este, tão cheio de árvores velhas, de recordações agradáveis — e tão rico em petróleo? Não, não e não.

Na impossibilidade de adquirir o maravilhoso sítio, os especuladores trataram de segurar as terras vizinhas. A fazenda do Coronel Teodorico, um sapezinho sem valor nenhum, foi vendida por 10 milhões de cruzeiros. O Elias Turco cedeu o ponto da sua venda por 500 mil cruzeiros — e lá se foi para a Turquia, com grande contentamento de Tia Nastácia. A negra nunca lhe perdoou o desaforo de pedir Cr$ 1,50 por um saquinho de sal.

— Que vá furtar na terra dele, — foi o seu comentário quando soube da notícia.

Um sitiante de nome Chico Piramboia, caboclo opilado que mal tirava das suas terras (dez alqueires) o necessário para não morrer de fome, vendeu a propriedade por 230 mil cruzeiros — e ainda levou o capadinho de ceva e a cabra.

Organizaram-se logo companhias petrolíferas para fazer estudos nas terras em redor do sítio de Dona Benta e perfurar. A vila próxima, que era um vilarejo ordinaríssimo, com duas vendas ainda piores que a do Elias Turco, a igrejinha muito pobre, um farmacêutico caolho, dois curandeiros e um antigo coronel da guarda nacional, começou a transformar-se com rapidez vertiginosa. O preço das casas e terrenos subiu a galope. Casebres que antes do petróleo não alcançavam nem 800 cruzeiros, eram vendidos por 30, 40, 50 mil cruzeiros. Casas novas, bonitas, começaram a erguer-se nos terrenos vagos. Vinha gente de fora aos bandos — gente das companhias de petróleo e aventureiros. Surgiram casas de sorvete, um cinema, dois, três, dez bares. Depois, um cabaré com umas francesas roucas, onde às vezes rebentavam brigas medonhas.

— Isso é que não está direito, — comentou Tia Nastácia. — Nossa vila sempre foi uma coisa quietinha, sossegadinha — agora está que nem aquela fita que eu vi uma vez, cheia de homens com cintos cheios de balas, que bebem nos balcões e de repente sacam do revólver e espatifam o lampião do forro e garram a moer gente com cada soco que parece martelada. Credo! Eu até nem tenho mais coragem de chegar até lá.

Tia Nastácia em toda a sua vida, só tinha assistido a uma fita de cinema. "Os Bandoleiros do Faroeste", em que havia tanto tiro em lampião, e tantas lutas corpo-a-corpo e tantos murros de arrebentar cara, que ela nunca mais quis saber de cinemas. "Credo!" — dizia lembrando-se da fita. "Eu estava vendo a hora em que aqueles homões vinham de lá pra cima da gente nas cadeiras, de tiro e soco, não deixando um vivo. Suei frio daquela vez, mas nunca mais. Cruz, credo, canhoto..."

Capítulo XIII
GRANDES MUDANÇAS NA VILA

Com o aparecimento do petróleo, a conversa nos serões de Dona Benta tornou-se exclusivamente petrolífera. Quem falava era sempre o Visconde, sabidinho como ele só. No dia imediato ao banho do jornalista, sua dissertação foi sobre o modo de refinar o petróleo bruto.

— Porque o petróleo bruto, — disse ele, — só serve para queimar. Mas se o refinarmos, obteremos uma porção de produtos de muito valor, como a benzina, a gasolina, o querosene, o supergás, o óleo combustível, o óleo lubrificante, as parafinas, as vaselinas, o asfalto, o coque de petróleo e mais numerosos produtos de menor importância. Os petróleos brutos variam muito. Uns são bastante ricos em produtos voláteis; outros não dão produtos voláteis; outros só dão produtos voláteis, como o de Montechino, na Itália, que rende 95 por cento de gasolina e querosene.

— Noventa e cinco por cento? admirou-se Pedrinho. Então é quase todo ele gasolina e querosene...

— Exatamente. Já os petróleos americanos, embora variem dum ponto para outro, dão em média 20 por cento de gasolina, 38 por cento de querosene, 15 por cento de gás e 25 por cento de óleo combustível.

— Nesse caso, é inteirinho aproveitável, — advertiu o menino.

— Sim. O que se perde não passa de 2 por cento, uma ninharia.

— Que mina! E como se faz para refinar?

— O petróleo bruto é uma mistura de vários hidrocarbonetos diferentes, uns gasosos, como o metano que vem dissolvido nos líquidos; outros líquidos; outros sólidos, como a parafina. A refinação é o processo que separa os vários hidrocarbonetos.

— Em que consiste?

— Cada um desses hidrocarbonetos, cuja mistura forma o petróleo bruto, tem a sua temperatura própria de ebulição.

— Ebulição é fervura, não é?

— Sim. Ebulição é o ponto em que os líquidos começam a ferver e a evaporar-se. Ora, esses hidrocarbonetos do petróleo bruto fervem desde 35 até 600 graus.

— Estou começando a entender, — disse Pedrinho. — Estou na pista. Continue, Visconde.

— O petróleo bruto, — continuou o Visconde, — é aquecido em grandes caldeiras; quando a temperatura chega a 35 graus, começam a evaporar-se os hidrocarbonetos mais voláteis, os quais passam, em estado de vapor, para o reservatório onde se resfriam e se condensam, isto é, voltam ao estado líquido. Mas o calor da caldeira continua a crescer, chegando até 600 graus, e pelo caminho vão se evaporando mais este e mais aquele hidrocarboneto, conforme o grau de ebulição de cada um; evaporam-se e passam em estado de vapor para os tais reservatórios onde se resfriam. Aos 600 graus evaporam-se os mais pesados e pronto. Dali por diante é inútil aquecer. Não sai mais nada. Tudo que tem valor já se evaporou; fica apenas um resíduo que, conforme a qualidade do petróleo, pode ser o mazu (óleo combustível), ou o coque de petróleo. Nos começos da indústria o único produto que se tirava do petróleo era o querosene, empregado na iluminação e ainda hoje muito usado no mundo inteiro, inclusive entre nós. Não há casa de caboclo por esses matos que não tenha sua lamparina de querosene.

— Por sinal que é uma coisa horrível, — observou Emília. — Além de dar uma luz que nem é luz, de tão fraca e feia, ainda deita um penacho de fumo negro imundíssimo. E de respirar aquilo de noite, a caboclada fica com o nariz preto por dentro...

— Então perdiam a gasolina, a benzina e os outros produtos de tanto valor hoje? — perguntou Pedrinho.

— É verdade. Tudo isso era deitado fora. Só aproveitavam o querosene. Hoje os petroleiros choram as enormes quantidades da preciosa gasolina que antigamente era jogada fora por não ter aplicação nenhuma. Mas o motor de explosão veio mudar tudo. A gasolina passou para a frente, como o mais precioso produto do petróleo. Se correm no mundo milhões de automóveis e aviões a ela o devemos.

— Quer dizer que os petroleiros de hoje se esforçam sobretudo para obter a gasolina...

— Isso mesmo. Se pudessem, reduziriam o óleo bruto só a gasolina — e quase o conseguem.

— Como?

— Por meio do *cracking*.

Ninguém entendeu.

— *Cracking*, — explicou o Visconde — vem do verbo inglês *to crack*, partir, quebrar. E quando dizemos o *cracking* significamos um certo processo de destilar petróleo, no qual as moléculas dos hidrocarbonetos pesados *quebram-se*, dando origem a hidrocarbonetos leves.

— Explique isso por miúdo, — pediu Pedrinho.

— Foi uma das numerosas descobertas devidas ao Acaso. Num dia frigidíssimo de 1861, estava um trabalhador tomando conta duma caldeira de óleo bruto ao fogo. A destilação já ia bem adiantada, quase no fim, de modo que só saía um fiozinho de hidrocarboneto dos mais pesados. Esse operário, porém, era malandro. Ao ver-se ali sem fiscal, aproveitou o ensejo para uma fugida. Entupiu de combustível a fornalha e raspou-se. Ficou horas na pândega. Quando voltou, abriu a boca. A caldeira quentíssima, estava jorrando um produto claro, idêntico ao da destilação das matérias mais voláteis. Era gasolina outra vez...

— Que engraçado!

— Os donos da fábrica puseram-se a estudar o fenômeno. Repetindo a experiência, viram que sob a ação dum calor muito forte as moléculas dos óleos pesados se quebravam, produzindo as essências mais leves. Foi assim que começou no mundo esse importantíssimo processo do *cracking* — ou do arrebentamento das moléculas.

— Quer dizer que por esse processo pode-se transformar querosene em gasolina?

— Perfeitamente. Aqui no sítio, quando montarmos a nossa refinaria, poderemos produzir mais ou menos gasolina, conforme for do interesse da Companhia Donabentense.

— Pois vamos tratar disso sem demora, — berrou Emília. — Mister Kalamazoo disse a Quindim que está com todos os estudos e plantas da nossa refinaria já prontinhos. Além disso...

Não concluiu. Alguém batia na porta. Narizinho foi ver.

— Oh, o Coronel Teodorico! Entre, faça o favor. Vovó? Está, sim. Vou chamá-la...

O Coronel Teodorico era um homem moreno, gordo, duns sessenta anos, com uma verruga no nariz e forte chumaço de cabelos nos ouvidos.

Dona Benta apareceu.

— Como está passando a comadre? — disse ele, apertando-lhe a mão. — Desde que saiu o petróleo, eu ainda não tive um minutinho para chegar até cá. Só agora.

— É verdade então, compadre, que vendeu a sua fazenda por 10 milhões de cruzeiros?

— O povo exagera seu pouquinho, comadre. Vendi, sim, não por dez, mas por um milhão e duzentos mil cruzeiros. Foi negócio, hein?

— Foi e não foi, compadre. A fazenda, antes de sabermos que havia petróleo aqui, era uma propriedade do valor duns setenta contos, não acha?

— Verdade. Foi o preço que sempre pedi por ela — e não achei. O melhor que me chegaram foram sessenta e cinco. Agora me ofereceram um milhão de cruzeiros, e como eu fizesse cara muito esquisita (era de espanto), eles pensaram que eu estivesse achando pouco e foram chegando mais 200 mil. Eu não quis saber de histórias. Me veio uma tontura na cabeça, e foi quase sem eu querer que minha boca respondeu: "Fechado!". No dia seguinte "vinheram" passar a escritura e bateram em cima da mesa os pacotes ...

O Coronel estava orgulhosíssimo com a façanha, mas Dona Benta torceu o nariz.

— Pois, meu caro compadre, acho que fez um péssimo negócio. Sua fazenda tem a mesma formação geológica do meu sítio, sendo muitíssimo provável que também nela haja petróleo, e muito. Por que não mandou, antes de vendê-la, fazer uns estudos geológicos e geofísicos?

O Coronel coçou a cabeça, com um risinho de esperteza matuta nos lábios.

— Eu, a ser verdadeiro, comadre, nem entendo, nem acredito em nada dessas histórias. Sou homem da roça, como meu pai e meu avô, criadores de porcos e plantadores de milho. De ciência não pesco um xis — nem acredito. Minha fazenda não valia mais de setenta mil cruzeiros. Peguei por ela um milhão e duzentos mil. Que mais poderia eu querer?

— Compadre, — disse Dona Benta, — o seu mal sempre foi a falta de estudos. Se os tivesse, ou se frequentasse aqui os nossos serões para ouvir as conversas geológicas do Senhor Visconde, juro que não venderia a fazenda nem por 10 milhões. Aquilo vale ouro, compadre. A sua invernada de engorda está no eixo do nosso anticlinal.

Falar em anticlinal para um coronel da roça é o mesmo que falar do binômio de Newton para Tia Nastácia. Dona Benta chamou o Visconde.

— Explique aqui ao compadre o que é um anticlinal petrolífero e mostre como o nosso anticlinal se prolonga pelas terras dele.

O coitadinho do Visconde tudo explicou com a maior clareza possível. Mas o miolo dum criador de porcos de sessenta anos está endurecido. Não recebe mais nada. O Coronel limitou-se a rir-se do sabuguinho científico.

— Basta, — disse ele por fim. — Estou muito velho para essas coisas de ciência. Se o "anticrina" daqui entra na minha fazenda, então melhor para quem a comprou. Que se arranjem, que tirem muito petróleo e façam bom proveito. Não sou ambicioso. Esta dinheirama está até me atrapalhando a vida. Chovem em cima de mim tantos negócios ótimos que a dificuldade está na escolha.

— Cuidado com esses negócios ótimos, compadre! Sei dum sujeito que herdou 500 mil cruzeiros e os empregou em cinco negócios ótimos, cada qual melhor que o outro. O coitado ficou tão limpo que hoje é zelador dum cemitério.

— Sei disso, comadre. Já vivi bastante. Conheço o mundo. Mas o dinheiro meu ninguém me tira.

— E que vai fazer agora?

— Estou pensando em me mudar para o Rio de Janeiro...

— Olho vivo com os grandes centros, compadre! Nós, que passamos a maior parte da nossa vida nestes desertos, ficamos meio bobos. Qualquer pirata das avenidas nos embrulha. Há por lá uns tais passadores do conto-do-vigário que são umas pestes.

O Coronel Teodorico deu uma risada gostosa.

— Comadre, o espertalhão capaz de embrulhar o Coronel Teodorico Fagundes da Costa Picanço ainda não nasceu, acredite...

— Assim seja, — disse Dona Benta. — Meus votos são para que o compadre tenha um resto de vida feliz e nunca se arrependa de ter vendido as suas terras.

O Coronel conversou ainda sobre várias coisas e depois de tomar o cafezinho de Tia Nastácia e de comer meia peneira de pipocas, levantou-se.

— Pois então adeus, comadre. Lá do Rio lhe escreverei, mandando meu endereço. A senhora sempre foi a melhor das vizinhas. Não brigamos nunca — nem daquela vez em que a sua vaca Mocha entrou na minha roça de milho e fez aquele estrago. Sempre que precisar dalguma coisa lá na "Corte", é só mandar um bilhetinho.

— Muito agradecida, compadre. Também eu aqui fico ao seu inteiro dispor. Quando cansar-se da civilização e quiser uma temporada de descanso, escreva-me. Terá sempre um talher na mesa da sua velha comadre. Eu não saio. Continuo na roça.

— Roça, comadre? A senhora chama roça a isto por aqui? Foi roça! Hoje está virando cidade com uma fúria louca. A vila está que está que ninguém mais se conhece. Ontem repeti três vezes a sessão do Cine Tucano Amarelo. Aquilo é que é cinema!

— E essa transformação da vila não parará mais, — disse Dona Benta. — Sei de muitas companhias de petróleo que já se formaram, e de outras que estão se formando para pesquisar petróleo na zona. Logo teremos aqui uma cidade à moda americana, movimentadíssima, que mudará tudo — os costumes e as gentes.

— As gentes já não são as mesmas, comadre. Quando atravessei a vila para chegar até cá, só topei com duas ou três caras das de dantes. Tudo mais é estranja — uns louros, outros de cabelo de fogo. E ali na perneira, no blusão, no chapéu de cortiça, no cachimbo. O que eu quero é sumir daqui. Meu tempo, minha gente, minha vida no Tucano Amarelo acabou. Tudo por causa desse petróleo que ali o Senhor Pedrinho tirou, — concluiu o Coronel sacudindo o dedo para o menino. — Esse seu neto vai longe, comadre...

O Coronel despediu-se também dos meninos, montou a cavalo e partiu. Dona Benta ficou de olhos nele até que se sumisse na volta da estrada. Sim, o petróleo começava a mudar tudo, não havia dúvida. Os velhos conhecimentos, os velhos hábitos, as velhas tradições — tudo isso tinha de desaparecer diante da americanização que a indústria traz. E Dona Benta sentiu uma ponta de saudade do sossego antigo.

No dia seguinte tiveram a visita do Chico Piramboia, que também vendera o sítio e se preparava para "afundar no mundo". Era um caboclão dos legítimos, xucro até mais não poder.

— Dona Benta, — disse ele, — vou-me embora com os pacotes no bolso. Esta gente enlouqueceu. Não entendo mais nada de nada. Pois então não é loucura me darem 230 mil cruzeiros por aquela pinoia do meu sítio — dez alqueires de sapezal que nunca valeu nem mil cruzeiros.

— Não é loucura não, Chico. É apenas o petróleo. Quem deu 230 mil cruzeiros pelo seu sítio vai tirar dele alguns milhões. Você não pensou nisso.

— A senhora está se referindo ao tal "criosene"? Ah, então a senhora, que é uma velha de juízo, também "aquerdita" nisso? "Criosene" nada. O que deu nessa gente foi loucura, isso ninguém me tira da cabeça. Eu vou fugindo daqui com os cobres antes que eles se arrependam e me assaltem a casa pra pegar outra vez os pacotes.

— Então guarda consigo o dinheiro, Chico? Não sabe que é perigosíssimo?

— Onde eu "havera" de guardar então?

— No banco, homem de Deus! Para isso é que há bancos.

Chico Piramboia deu uma grande risada, muito parecia com a do Coronel Teodorico.

— Banco! Banco!... Tinha graça eu guardar 230 mil cruzeiros, dinheirinho novo, num banco — pros outros tomar conta dele. Ah, ah, ah!...

Um mês mais tarde Dona Benta teve notícia dos dois matutos — do compadre Teodorico e do Chico Piramboia. Este fora vítima dum assalto à mão armada em pleno dia, e como levasse todo o seu dinheiro num lenço vermelho, ficou sem o dinheiro e sem o lenço. Moeram-no a pancadas. Não fosse a sua natureza extraordinariamente rija de caboclo criado na miséria do sapezeiro e já estaria no outro mundo.

Com o Coronel Teodorico, então, aconteceu uma que até parece pilhéria. Ele nunca havia ido ao Rio de Janeiro, de modo que admirou tudo, principalmente os bondes elétricos. E tanto admirou os bondes elétricos e falou daquilo, que afinal o "dono dos bondes" apareceu, fez camaradagem com ele e acabou levando-o a um bar. Lá fez vir cerveja e contou o excelente negócio que era ter bondes que cobram 20, 30 e 40 centavos de cada pessoa que entre neles para ir daqui até ali.

— Lá isso é, — disse o Coronel. — Tenho me regalado de andar de bonde, e para me distrair vou contando as pessoas que entram e fazendo a conta dos níqueis que pingam. Que é negócio, isto é. Quanto acha que rende um bonde por dia?

O dono dos bondes provou que cada carro dava uma renda, de dez contos diários — dez contos líquidos, fora todas as despesas. Mas também disse que como fosse dono de "bondes demais" (mil e tantos), não fazia questão de vender dois ou três aos amigos — a cinquenta mil cruzeiros cada um. Melhor negócio era impossível. Se ele vendia alguns bondes, era só para servir aos amigos, e também porque andava até enjoado de tanto bonde e tanto dinheiro. Além disso, simpatizara-se muito com o Coronel, em quem via um homem inteligente, esperto, de ótimo coração e, portanto, merecedor de entrar no Rio de Janeiro com o pé direito.

O Coronel Teodorico Fagundes da Costa Picanço comoveu-se com o elogio e fechou negócio de quatro bondes a 50 mil cruzeiros cada um — total: 200 mil cruzeiros...

— Pobre do meu compadre! — suspirou Dona Benta quando soube da história. — Sua sorte foi ter comprado apenas quatro. Se adquirisse vinte e quatro bondes, estaria a estas horas tão limpo como o Chico Piramboia...

E voltando-se para Pedrinho:

— Aproveite a lição, meu filho. Quando propuserem a você um negócio "bom demais", fique de orelha em pé, perguntando lá por dentro: "Onde está o gato?". Há sempre um gato escondido em todos os negócios da China, que os piratas propõem às criaturas de boa-fé...

Capítulo XIV
Piratas do petróleo

O poço Caraminguá nº 1 determinou uma mudança completa na zona. Todas as terras mudaram de dono; e no caso de um ou outro proprietário mais cabeçudo, que teimava em não vender, a questão se resolvia por meio dum contrato para a exploração do subsolo. Os petroleiros querem o que está lá no fundo, não o que existe na superfície.

Formadas as companhias e adquiridas as terras, começaram em todas as direções os estudos geológicos e geofísicos. Os bois dos pastos, afeitos aos vaqueiros, de pé no chão e chapéu de palha na cabeça, estranhavam aquela gente esquisita, de cachimbo na boca, perneiras e capacete de explorador africano. E ainda mais o que eles faziam. Andavam com uns aparelhos que boi não sabe o que é, medindo o chão, espiando por uns canudos e dando tiros. Não tiros de espingardas, mas uns tiros surdos, esquisitíssimos e que não matavam nada.

Eram as explosões subterrâneas do *processo sísmico*, um dos processos geofísicos empregados. Eles explodem uma dinamite num buraco, e em vários pontos, longe dali, recolhem, por meio de instrumentos especiais, as ondas vibratórias causadas pela explosão. E conforme essas ondas se modificam pelo caminho, eles ficam sabendo de várias coisas lá no fundo da terra.

E ao mesmo tempo que faziam esses estudos, iam depositando enormes quantidades de materiais de perfuração em vários terrenos adquiridos. Eram torres e mais torres, caldeiras, montes de tubos de revestimento, hastes e mais hastes, enormes carretéis de cabos de aço, etc. Mas as atividades das novas companhias se acentuavam sobretudo rente às divisas do sítio de Dona Benta.

Mister Kalamazoo ficou de orelhas em pé. Andou a cavalo espiando as divisas, em companhia de Mr. Champignon, e depois de cuidadosa observação foi conversar com Dona Benta, que era a diretora da Companhia Donabentense de Petróleo. Mister Kalamazoo já falava regularmente o português.

— Minha senhora, — disse ele, — temos de tomar providências imediatas contra o banditismo petrolífero. No meu passeio de hoje, vi que os piratas se preparam para roubar uma boa parte do petróleo aqui do sítio. Temos que organizar a defesa.

Dona Benta não compreendeu. Apesar de diretora da Donabentense, a maior companhia de petróleo do Brasil, ela não entendia grande coisa do assunto. Felizmente o Consultor Técnico da companhia, o Visconde de Sabugosa, era uma verdadeira sumidade. Mas Dona Benta não queria que Mister Kalamazoo desconfiasse da sua ignorância, e por isso respondeu com grande superioridade:

— Perfeitamente, Mister Kalamazoo. Já pensei nisso e estou a organizar o nosso plano de defesa. Hoje mesmo terei o prazer de submetê-lo à sua apreciação e à de Mr. Champignon.

O americano retirou-se, admirado da proficiência técnica da boa senhora — e Dona Benta chamou o Visconde.

Veio o sabuguinho científico, mais a Emília.

— Senhor Visconde, — disse a velha, — Mister Kalamazoo acabar de sair daqui. Contou umas histórias de que não pesquei nada. Acha que devemos organizar a defesa do nosso campo petrolífero, ameaçado pelos piratas do petróleo. Que quer dizer isso, Visconde?

O sabuguinho riu-se.

— Ah, sei. Pirata do petróleo são os que abrem poços nas divisas dum campo petrolífero para roubar parte das existências desse campo. Um poço de petróleo drena, ou puxa o petróleo num raio de muitas dezenas de metros, de modo que cada poço que abrem nas divisas do sítio puxará uma boa parte do petróleo daqui do sítio.

— Hum! estou percebendo a marosca, — murmurou Dona Benta — e mandou que Emília chamasse Pedrinho.

— Meu filho, — disse ela logo que o menino apareceu, — traga-me aqui a planta do sítio.

Pedrinho trouxe um rolo de papel de desenho, que abriu diante dela, no chão. O sítio tinha divisas muito regulares, formando um paralelogramo. Depois de examinar a planta por algum tempo, o Visconde tomou a palavra.

— A presunção, — disse ele, — é de que temos petróleo em todos os trinta alqueires cá do sítio. Logo, se os piratas abrirem quatro poços, perto de cada canto das divisas, acabam roubando pelo menos um quarto do petróleo do sítio.

— E como evitar isso? — perguntou Dona Benta.

— Dum modo muito simples, — respondeu o Visconde. — Abrindo nestes quatro cantos quatro poços do lado de cá, nas nossas terras, assim — e desenhou como era.

— Desse modo a senhora *contra pirateia*, e o petróleo que eles roubarem ficará compensado pelo que a senhora rouba deles — e a senhora ainda sai ganhando, porque tira deles mais do que eles podem tirar da senhora, como se verifica do meu desenho.

— Mas se nas terras deles não houver petróleo, nem nos cantos do meu sítio?

— Nesse caso a senhora perde o latim e eles também. Mas a única forma de defesa é essa.

Dona Benta ficou a meditar uns instantes; depois chamou Pedrinho.

— Dê ordem a Mister Kalamazoo, Pedrinho, para perfurar quatro poços de defesa, um em cada canto do sítio. Já...

Ao receber a ordem, Mister Kalamazoo muito se admirou da sabedoria de Dona Benta, uma velha que jamais saíra da roça, e, no entanto, entendia até da técnica da pirataria do petróleo. E montando a cavalo foi a um dos cantos norte do sítio estudar o terreno.

Logo que chegou à divisa deu com uma turma de operários para lá da cerca, ocupados no descarregamento de caminhões com material de sondagem. Dirigia-os um engenheiro cor de fiambre, de cachimbo na boca. O americano de Dona Benta pulou a cerca e foi ter com ele.

— *Hello, John Casper!... How do you do?* — exclamou Mister Kalamazoo, com cara alegre.

O outro também o reconheceu imediatamente. Haviam trabalhado juntos num campo de petróleo do Oklahoma. Houve apertos de mão e troca de amabilidades. Depois entraram no assunto.

— Vai perfurar aqui? — perguntou Kalamazoo.

— Sim, para a Companhia Atarip de Petróleo, dona destes terrenos.

O americano de Dona Benta arreganhou os dentes num sorriso de quem sabe a significação da palavra Atarip[40] — e respondeu:

— Mas o golpe falhará, John, porque acabo de receber ordem da Companhia Donabentense para abrir, ali junto à cerca, uma perfuração de defesa.

O engenheiro John Casper empalideceu. Aquela notícia vinha estragar-lhe todos os planos. Mas como nessas lutas do petróleo é preciso mostrar muita indiferença, apenas rosnou um frio *Go ahead!* como quem diz: — Pois abra.

Mister Kalamazoo pulou de novo o aramado e marcou o local da perfuração de defesa, que seria o Caraminguá nº 2.

Em seguida montou e tocou para o outro canto norte. Encontrou lá a mesma coisa. Numerosos operários descarregavam materiais de sondagem além da cerca.

— A quem pertence isto? — indagou Mister Kalamazoo do homem de perneira que dirigia os trabalhos.

— *Mind your busines,* — foi a insolente resposta do "perneira", como quem diz: — Cuide da sua vida e não se meta.

— "Bom — pensou consigo Mister Kalamazoo — já temos por cá a luta pelo petróleo, com todos os seus mistérios e desaforos." Correu os olhos pelo material. Era da mesma fábrica do de John Casper — sinal evidente de que pertenciam à mesma empresa.

— *All right!* — exclamou então Mister Kalamazoo. — A Atarip está sem sorte, porque a Donabentense vai localizar aqui o Caraminguá nº 3...

---

40   Pirata, de trás para diante.

O "perneira" voltou o rosto bruscamente, tirando dos lábios o cachimbo.

— Número 3, hein? Há então um n.º 2?

— Não há ainda, mas vai haver, meu caro amigo. O Caraminguá nº 2 será aberto no canto norte, bem defronte do Atarip nº 1, a cargo de Mr. John Casper...

O "perneira" desapontou duma vez e, furioso da vida, deu um tremendo pontapé numa pobre touceira de barba-de-bode que viu na sua frente.

— *So long!* — murmurou Mister Kalamazoo, retirando-se e tocando para as divisas do sul. Ao chegar ao primeiro canto da divisa sul viu que a Atarip também estava lá, em plena atividade. Dirigiu-se ao outro canto: a mesma coisa — a Atarip lá estava desembarcando materiais.

— Não há remédio, — disse ele a Mr. Champignon logo que voltou ao acampamento. — A medida tomada pela Diretora da Donabentense é das mais oportunas. A Atarip já deu começo aos trabalhos de quatro poços nas divisas do nosso campo — nos cantos. Temos de agir sem demora na defesa.

A abertura dos novos Caraminguás correu muito mais fácil que a do primeiro. A constituição dos terrenos estava já conhecida de modo que Mister Kalamazoo pôde não só escolher a sonda mais adequada como ainda prever as entubações de revestimento que tinha de executar.

No primeiro poço ele fizera três entubações para o fechamento das três águas encontradas; nos novos poços, porém, só entubaria quando chegasse à última água, fechando assim, duma vez, os três horizontes aquíferos. Desse modo economizavam-se duas entubações e duas colunas de tubos, além de ser possível alcançar o horizonte petrolífero com um diâmetro maior — 22 centímetros em vez de 18.

O tipo de sonda escolhido foi o "Rotary", não mais o tipo misto usado no Caraminguá nº 1. A experiência deste poço indicou que podiam perfurar rotativamente do começo ao fim, sem necessidade de trépanos.

Encomendadas as quatro sondas novas, tudo chegou com a presteza do costume, porque os aviões comerciais da Emília estavam cada vez mais aperfeiçoados. Foi com verdadeiro assombro que os engenheiros da Atarip viram tais aviões pousarem e descarregarem todas as peças, inclusive as caldeiras pesadonas. Era um milagre que eles não podiam compreender.

O cálculo desses engenheiros, quando souberam que a Donabentense ia contra-piratear, fora que antes dum ano esta empresa não abriria os quatro poços. Ora, ficando eles assim com um ano de avanço, poderiam, na pior hipótese, roubar um ano de petróleo do sítio. E se cada poço da Atarip desse o mesmo que o Caraminguá nº 1, isto é, 500 barris por dia, os quatro poços dariam, nesse ano de avanço, 720.000 barris, dos quais a quarta parte saída dos terrenos de Dona Benta. A quarta parte de 720.000 são 180.000. A 30 cruzeiros, cinco milhões e quatrocentos mil cruzeiros! A Atarip, portanto, roubaria de Dona Benta, num ano, a gorda quantia de cinco milhões e quatrocentos mil cruzeiros.

Mas a chegada dos aviões emílianos com o novo material de sondagem da Donabentense veio estragar completamente os planos da companhia pirata.

Outra desvantagem da Atarip era não conhecer o terreno a perfurar. Bem que eles tentaram obter informes técnicos da perfuração do Caraminguá nº 1. Nada conseguiram. Os dois americanos e os operários da Donabentense souberam guardar o mais rigoroso segredo — e os meninos também.

Certo dia um agente secreto da Atarip, que andava rondando a casa de Dona Benta, pilhou Emília de jeito, sozinha na porteira da estrada, e veio com uns oferecimentos de doces (que Emília recusou) e umas perguntinhas ingenuamente manhosas dessas de plantar verde para colher maduro. Mas Emília, que tinha faro de cão perdigueiro, percebeu logo que estava diante do inimigo. E tapeou o perguntante com respostas muito direitinhas, mas erradas. O agente saiu dali contentíssimo com as preciosas informações colhidas — informações, entretanto, que só serviram para causar distúrbios e atrasos nas perfurações da Atarip. E tal foi o desastre, que o chefe dessa companhia acabou botando o agente no olho da rua, com um valente pontapé no fim da espinha.

— "Seu cachorro! Vá dar informações falsas na casa do diabo!"

Enquanto do lado da Atarip tudo eram desastres e mais desastres, atrasos e mais atrasos, os novos poços da Donabentense corriam a galope. O Caramanguá nº 1 levara oito meses para ser aberto. Já o Caramanguá nº 2 chegou aos 800 metros num mês. O Caramanguá nº 3 em menos: 27 dias. O Caramanguá nº 4, ainda em menos: em 24 dias. E o Caramanguá nº 5 realizou o milagre de perfurar-se em 12 dias apenas.

Esta maravilhosa façanha escangalhou com os projetos maliciosos da Atarip, de modo que o ladrão saiu logrado. Em vez de os piratas roubarem o petróleo de Dona Benta, foi Dona Benta quem roubou o petróleo deles. Resultado: a Atarip abriu falência.

Com os quatros Caramanguás novos a produção do sítio ficou elevada a 2.500 barris por dia — um colosso.

— E agora? Que vamos fazer de tanto petróleo?

O Visconde respondeu a essa pergunta apresentando um projeto de refinaria a ser montada, não ali, mas junto a um excelente porto de mar.

— As refinarias, — explicou ele, — devem ser montadas em pontos comercialmente estratégicos, de modo a facilitar a distribuição dos produtos. Montaremos a nossa refinaria nesse porto, levando para lá o petróleo bruto.

— Como? — perguntou Dona Benta.

— Por meio dum oleoduto — canalização ou *pipe-line*, como dizem os americanos. O melhor meio de conduzir o petróleo é esse — o mesmo usado para conduzir água para as grandes cidades. Mas um serviço de oleoduto é complicado. Temos de montar grandes reservatórios no ponto final, e pelo caminho estações de bombeamento e aquecimento.

— Para quê? — perguntou Pedrinho.

— Porque a canalização segue subindo e descendo morros, de modo que de distância em distância se tornam necessárias bombas que puxem o petróleo.

— E o aquecimento?

— No tempo frio o petróleo fica tão viscoso que não corre com facilidade dentro dos canos. Torna-se preciso aquecê-lo de espaço em espaço.

— Oh, mas uma coisa assim deve ficar num dinheirão...

— Isso fica. Na América o custo duma milha de oleoduto anda aí entre 18 a 20.000 dólares. Dá para cada metro um custo de 11 a 12 dólares.

— Duzentos e tantos cruzeiros na nossa moeda! — calculou Narizinho. — É carete...

— Mas no fim sai mais barato que tudo, — explicou o Visconde. — Na América o transporte de petróleo pelos oleodutos fica na metade do preço cobrado pelas estradas de ferro.

— E de que grossura são os canos?

— Varia. Há oleodutos de todos os diâmetros, desde 5 até 30 centímetros.

— E onde há mais oleodutos no mundo? — perguntou a menina.

— Vai ser aqui no Brasil, mas, por enquanto é nos Estados Unidos — o país "mais" em tudo. Em 1928 eles tinham 160.000 quilômetros de *pipe-lines* com capacidade para o transporte de 150 milhões de toneladas de óleo por ano. Haviam custado, sabem quanto? A ninharia de 950 milhões de dólares...

— Upa! mais de 15 bilhões de cruzeiros na nossa moeda, o dólar a 16 cruzeiros, — calculou de cabeça Narizinho. — É dinheiro...

Pedrinho assustou-se com aqueles algarismos.

— Maçada! Onde havemos de obter dinheiro para uma coisa que sai tão cara?

— Onde? Homessa! No fundo dos poços, — respondeu o Visconde. — O petróleo é ouro-líquido, não sabe? Com os 2.500 barris diários que Dona Benta possui aqui, podemos perfeitamente construir o oleoduto que eu estudei. Não tem mais de 300 quilômetros e, portanto, custará... quanto, Narizinho?

A menina calculou instantaneamente:

— A 200 cruzeiros o metro, seriam 60 milhões de cruzeiros.

— Pois é isso, — disse o Visconde. — Com a renda dos cinco Caraminguás Dona Benta paga esse oleoduto em dois anos e pico.

— E o dinheiro para a montagem da refinaria lá no porto?

— Aparece, — respondeu o Visconde. — Basta que Dona Benta anuncie ao mundo que quer construir uma refinaria e dispõe de 2.500 barris de petróleo diários, para que chovam em cima dela propostas de empréstimos a juros baratíssimos. Além disso, nós não vamos ficar só com os cinco Caraminguás. Podemos abrir mais cinco, mais dez, mais vinte — e de dentro da terra sairá todo o dinheiro preciso para essas grandes obras. O oleoduto e a refinaria que projetei não ficarão em mais de 150 milhões de cruzeiros.

O Visconde de Sabugosa nunca teve um vintém furado, mas para falar em milhões não havia outro. Jogava em cima da mesa da discussão 150 milhões de cruzeiros, com o mesmo cinismo com que Tia Nastácia jogava cinco dentes de alho dentro duma panela...

Capítulo XV
A DINHEIRAMA

Enquanto não se construíam a refinaria e a canalização, era preciso fazer qualquer coisa do petróleo — e o remédio foi vendê-lo em estado bruto às pequenas refinarias já existentes no País. Eram refinarias montadas para extrair gasolina e querosene do óleo bruto importado do estrangeiro. Assim que elas souberam que havia petróleo no sítio de Dona Benta, mandaram para lá seus representantes fazer propostas.

Quem discutiu com eles foi Narizinho, recentemente nomeada Diretora Comercial da Companhia. Dona Benta era a Diretora Geral. O Visconde, o Consultor

Técnico, Emília, a Diretora dos Transportes e Quindim, o Encarregado Geral da Defesa.

Narizinho recebeu os homens e discutiu muito bem a questão do preço, não pedindo nem de mais nem de menos.

— Vou fazer um precinho de amigo, — disse ela. Dez centavos o litro. Serve?

Os homens acharam baratíssimo, porque andavam comprando óleo importado por preço três vezes maior. Mas, ciganos como são todos os comerciantes, torceram o nariz, dizendo que era preço muito alto. O cálculo deles fora que como Dona Benta não tinha meios de se aproveitar do petróleo, vendê-lo-ia por qualquer preço e ofereceram 5 centavos.

Narizinho danou, e depois de consultar Dona Benta, respondeu-lhes da seguinte maneira:

— O preço que dei foi muito bem estudado por vovó, que não é nenhuma cigana, mas também não é boba. Os senhores, entretanto, além de bobos são uns ciganos, e para castigo das duas coisas eu só dou agora o petróleo a 12 centavos o litro. Dez centavos é o nosso preço e 2 centavos fica sendo a taxa do castigo.

Os homens riram-se.

— Nesse caso, não fazemos negócio e quero ver o que sua avó faz do petróleo.

Narizinho respondeu:

— Vovó tem sessenta e cinco anos e nunca precisou do petróleo para viver. Nem nunca aturou ninguém. É independentíssima. Se não achar quem lhe pague o petróleo pelo preço que pede, pensam que ela se amola? Ah, ah, ah! Fecha os poços para só abri-los quando estiver com o oleoduto e a refinaria montados — e os senhores ficam bigodeados. Não temos pressa nenhuma em vender o nosso petróleo. Passem muito bem.

Vendo aquela firmeza da Diretora Comercial, os ciganos coçaram a cabeça.

— Pois bem, — disseram eles. — Aceitamos o seu preço de dez centavos.

— Meu preço é 12, já disse. E amanhã será 13. Nós aqui não somos brincadeira de ninguém.

Os ciganos pararam com a ciganagem e fecharam a compra de todo o petróleo produzido pelos cinco Caramínguás à razão de 12 centavos o litro.

— Mas há de ser entregue na nossa porta, — disseram eles, querendo novamente tapear a menina.

— Estão muito enganados, — respondeu ela. — Esse preço é aqui na boca dos poços. O transporte corre por conta dos compradores.

A segurança com que ela falou meteu medo aos ciganos, os quais assinaram os contratos sem mais um pio.

O problema do transporte é sempre um tanto sério. Não havendo oleoduto que leve o petróleo aos centros de consumo, o remédio é recorrer a carro-tanques, ou a navios-tanques se a viagem tem que ser por mar.

Os compradores tiveram de arranjar caminhões-tanques que levassem o petróleo dali até à primeira estação de estrada de ferro, e tiveram ainda de fornecer à estrada de ferro vagões-tanques que levassem o petróleo até as cidades onde tinham as refinarias.

O Visconde falou dos caminhões e carros-tanques. O caminhão-tanque não passa dum reservatório de ferro sobre rodas, com capacidade para uma, duas ou três toneladas de petróleo; e o carro-tanque é um vagão comum de estrada de ferro, composto de rodas e um grande reservatório "hermeticamente fechável" em cima, com capacidade para 20 ou 30 toneladas.

— E o navio-tanque?

— É um enorme reservatório de ferro, "hermeticamente fechável" e que ocupa um navio de capacidade muito grande. Há navios-tanques que carregam 500 toneladas de petróleo e outros que carregam 5.000. Os Estados Unidos tinham, em 1927, 412 navios-tanques, com a tonelagem total de 2.372.000 toneladas.

— Que horror! E a Inglaterra, que tem fama de ter mais navios que os outros países?

— A Inglaterra, nesse ano, tinha mais navios-tanques que os Estados Unidos, mas com menor capacidade. Tinha uma frota de 479 navios-tanques, com capacidade para 2.248.000 toneladas — 124.000 menos que a tonelagem americana.

— E os outros países?

— Os outros possuem frotas muito menores. A Noruega dispunha, naquele tempo de 65 navios-tanques. A Itália de 48. A Holanda, de 64. A França, de 40. A Argentina, de 15. Mas nestes últimos anos essas frotas têm aumentado. A Argentina, por exemplo, está hoje com 54 navios-tanques.

— E para guardar o petróleo — as tulhas do petróleo — como são elas? — quis saber Narizinho.

— O mais usado são uns enormes reservatórios cilíndricos, de aço, como uma caixa redonda de pó de arroz com a tampa em forma cônica. Também se usam reservatórios de cimento armado em vez de aço, ou então reservatórios subterrâneos, ou enterrados no chão.

— E o tamanho?

— Varia muito. Há desde os de 13 metros de diâmetro até os de 50 metros de diâmetro, com altura de 4 a 10 metros. A capacidade desses reservatórios varia conforme o tamanho, podendo ir acima de 15.000 toneladas. A nossa produção aqui, sendo de 2.500 barris por dia, ou mais ou menos 400 toneladas, dá para encher um desses reservatórios grandes em pouco mais de um mês.

— E quantos carros, ou caminhões-tanques, vão ser necessários para o transporte do nosso petróleo?

— Trabalhando com caminhões-tanques de 2 toneladas, serão precisos 200. Mas como esses caminhões podem fazer cinco viagens por dia até à estação da estrada de ferro, bastam uns 40. E na estrada de ferro basta que corram 20 vagões-tanques por dia, caso possam voltar vazios no mesmo dia.

— Isso não pode, garanto! — disse Pedrinho.

— Nesse caso, com 40 vagões-tanques os ciganos se arrumam, contanto que não parem — que estejam indo e voltando constantemente.

Outro ponto em que Narizinho não transigiu foi quanto ao pagamento do petróleo. Os ciganos vieram com histórias de emitir duplicatas a 90 dias, etc., mas a menina recusou.

— Nada disso. Só vendemos o nosso petróleo ali na batata, como diz a Emília. Como os ovos do sítio de Nhá Veva. Quem quer uma dúzia de ovos, vai lá, pede-os, recebe-os e paga-os na ficha. Isso simplifica imensamente o negócio.

— Mas é praxe comercial este pagamento a prazo, — disseram os homens.

— Praxe, — respondeu Narizinho, — um costume, nada mais; e acho que neste caso será um mau costume. Não quero que no negócio novo do petróleo o País fique mal acostumado. Adoto, portanto, a praxe de Nhá Veva, com os ovos. Quem quiser que pague à vista. Quem não quiser, ou não puder, que se fomente.

Com esse sistema do pão-pão, queijo-queijo, a renda do sítio de Dona Benta ficou uma coisa colossal: 48 mil cruzeiros diários. No começo o Visconde fizera o cálculo do petróleo a 30 cruzeiros o barril. Mas Narizinho entendeu de ajudar o País e reduziu o preço a 12 centavos o litro, o que dava dezenove cruzeiros e vinte centavos por barril de 160 litros.

— Petróleo quanto mais barato mais ajuda a Pátria, — dizia ela. — Para vovó 48 mil cruzeiros por dia já são dinheirama tamanha que ela nem sabe o que fazer dela. Podia vender pelo dobro — mas para quê? Ciganagem é coisa que não entra em nosso sítio.

Com o passar dos meses o dinheiro foi se juntando de tal maneira que Dona Benta chegou a ficar apreensiva. Apesar do conselho dado ao Chico Piramboia, de depositar o dinheiro no banco, Dona Benta guardava o seu em casa.

— Como é isso, vovó? — observou Pedrinho. — Para o Chico a senhora disse uma coisa e agora faz outra? Parece a história do frade: "Faça o que eu mando e não faça o que eu faço"...

— Explica-se, meu filho, — respondeu Dona Benta. — O hábito de guardar dinheiro em banco tem sua razão de ser como garantia do dinheiro contra os assaltos e para facilidades de pagamento com cheques, etc. Mas aqui em nosso sítio tudo é diferente, como você não ignora. Medo de assalto não temos, porque a casa está sempre guardada pelo nosso tanque de carne...

— O Quindim...

— Isso mesmo. E necessidade de pagamentos com cheques, e mais coisas do comércio, nós não temos, porque não saímos daqui, não negociamos, não vivemos a vida que vivem todos os comerciantes. Por esse motivo guardo o dinheiro na arca.

E assim ficou. No fim do ano Narizinho resolveu dar um balanço. Esparramou o dinheiro pelo chão e contou. Tinham ganho um pouco mais de 17 milhões de cruzeiros. Esse pouco mais saiu para pagamento dos salários dos americanos, dos operários e das despesas da casa, de modo que nas arcas havia 17 milhões de cruzeiros certinhos.

— E agora? — murmurou Dona Benta. — Que fazer desta dinheirama?

— Construir um palácio, — propôs Narizinho, — cheio de quadros preciosos e estátuas, e um jardim de inverno, e estufas para flores raras — e tanta coisa, vovó...

— Minha filha, — disse Dona Benta, — nossa vida aqui tem sido tão feliz que meu medo é que esta riqueza nos traga desgraça. Um palácio? Mas julga você que num palácio possamos viver mais felizes do que nesta casinha gostosa? Ah, vocês não calculam como os milionários e os reis se aborrecem em seus palácios de ouro, no meio da criadagem solene, perfilada como soldados de casaca... Veja esse Eduardo VIII da Inglaterra, o mais poderoso rei do mundo, que se enjoou de palácios e criados e etiquetas a ponto de mandar tudo às favas, para ir viver com sua mulherzinha a vida livre dos homens comuns. Não. O acertado é não mudarmos o nosso viver. Se somos felizes, que mais queremos?

— Mas se não gastarmos o dinheiro, ele entupirá todas as suas canastras e acabará sem valor — ficando dinheiro recolhido.

— Sim, isso se o não gastarmos. Temos de gastá-lo, não há dúvida. O dinheiro foi feito para circular, não para apodrecer nas arcas; mas em vez de gastá-lo egoisticamente só conosco, como fazem os maus ricos, podemos gastá-los de modo a beneficiar os milhares de pobrezinhos que nunca tiraram petróleo.

— Está aí uma ideia! — exclamou Pedrinho. — E a gente diverte-se muito mais gastando o dinheiro assim do que só com a gente.

— Isso, meu filho. Você está certo. O maior prazer da vida é fazer o bem. Eu sempre quis beneficiar este nosso povo da roça, tão miserável, sem cultura nenhuma, sem assistência, largado em pleno abandono no mato, corroído de doenças tão feias e dolorosas. Se empregarmos nosso dinheiro em melhorar-lhe a sorte, não só nos divertiremos, como você diz, como ficaremos com a consciência tranquila. Meu programa é esse.

— Bravos, vovó! — exclamou Pedrinho. — E ainda podemos fazer mil coisas: estradas de verdade, por exemplo. Isso que no Brasil chamam estradas de rodagem é uma mentira. Estradas de atolagem, sim. Durante os meses de chuva, o Brasil inteiro só faz uma coisa: atola-se nas estradas, não roda. Nada roda nelas. Os carros de bois atolam até os eixos. Os automóveis atolam a ponto de precisarem de bois para arrancá-los. Os burros de tropa atolam. Tudo atola nas nossas estradas de atolagem. Podemos começar aqui pelo nosso município e depois iremos nos alastrando pelo País inteiro. Isto é, iremos construindo estradas de rodagem de verdade — pavimentadas de concreto, com um lado para ir e outro para vir — e uma faixa de grama no meio, como as da Alemanha.

— Perfeitamente. Aprovo o programa, — disse Dona Benta.

— E também poderemos criar umas boas escolas profissionais para esta caboclada bronca, — propôs Narizinho. — Eles são aproveitáveis, mas têm que ser ajudados. Por si nada fazem porque nada podem fazer.

— E também organizaremos umas casas-de-saúde bem modernas, com os melhores médicos e todas as comodidades, como os hospitais americanos que a senhora contou outro dia.

— Aprovado! — disse Dona Benta.

— E construiremos para eles casas decentes, com higiene e coisas modernas, que lhes sejam vendidas a prestações bem baixinhas. É uma vergonha para nossa terra como moram as gentes da roça — em casebres de sapé e barro, imundíssimos, sem mobília, sem nada lá dentro. Qualquer toca de bicho do mato, qualquer ninho de joão-de-barro, vale mais que um casebre de caboclo.

— Aprovado! — disse Dona Benta.

O Visconde tomou a palavra.

— E eu acho que devemos criar casas de ciências para o aproveitamento dos meninos que mostrarem vocação para os altos estudos. E mais tarde poderemos criar uma universidade como a de Harvard.

— Aprovado! Senhor Visconde. Fica desde já nos nossos planos a criação da Universidade Sabugosa, da qual o nosso viscondinho será o primeiro reitor e o professor de geologia, — disse Dona Benta.

Faltava Emília.

— E eu acho, — disse ela, — que poderemos atacar um problema em que ninguém ainda pensou a domesticação das formigas...

Todos olharam para a boneca, muito espantados.

— Sim, o homem domesticou vários animais, como o boi, o cavalo, o cachorro. Por que não há de domesticar mais um — a formiga? Dizem que o estrago que esse bichinho faz na agricultura é imenso, e até aqui o homem, na sua brutalidade, só pensou numa coisa: matar a formiga. Mas por mais que as mate elas aí estão cada vez mais numerosas. Minha ideia é abandonar essa guerra inútil e fazer um tratado de paz entre o homem e a formiga — domesticando-a, como já se fez com o cavalo, o boi e o cão.

— Como?

— Ensinando-as a só comerem as ervas daninhas que os fazendeiros arrancam com as enxadas dos trabalhadores. Desse modo elas resolveriam o problema da limpa das roças. Teriam licença de comer só as plantas daninhas, respeitando as úteis — como as laranjeiras, etc.

Todos riram-se da ideia emiliana.

— De que se riem? — exclamou Emília. — Tudo é possível no mundo, sobretudo tratando-se de formigas, uns bichinhos verdadeiramente inteligentes. Se um sábio cuidasse disso e conseguisse educar uma certa quantidade de formigas, elas iriam ser as professoras das outras e...

— Pedrinho, — disse Dona Benta, — peça a Mister Kalamazoo que mande vir da América um *blowout-preventerzinho* que sirva na Emília. Um *blowout* que feche este nosso caraminguázinho de asneiras.

Emília fez bico.

— Asneira! Asneira! Acham asneira tudo quanto eu falo — mas nos momentos de aperto quem salva a situação é sempre a asneirenta. Só uma coisa eu digo: se eu fosse refazer o mundo, ele ficava muito mais direito e interessante do que é. Os homens são todos uns sábios da Grécia, mas o mundo anda cada vez mais torto. Juro que com isso que chamam asneira eu transformava a terra num paraíso...

Dona Benta ficou pensativa. Quem sabe se Emília não tinha razão.

Capítulo XVI
O Brasil tem petróleo!

A descoberta do petróleo no sítio de Dona Benta abalou o país inteiro. Até ali ninguém cuidara de petróleo porque ninguém acreditava na existência do petróleo nesta enorme área de oito e meio milhões de quilômetros quadrados, toda ela circundada pelos poços de petróleo das repúblicas vizinhas. Mas assim que irrompeu o Caraminguá nº 1 os negadores ficaram com cara de asno, a murmurar uns para os outros: "Ora veja! E não é que tínhamos petróleo mesmo?".

E a febre começou. Em todos os Estados formaram-se empresas para pesquisar petróleo. Em Alagoas abriu-se o primeiro poço no Riacho Doce, com 600 barris por dia — e a seguir toda aquela região se encheu de poços. Vendo aquilo, os Estados vizinhos atiraram-se. Sergipe furou vários poços e por fim também acertou no petróleo. Pernambuco, idem; em menos de um ano estava com dez poços em vários pontos; o primeiro aberto pertinho de Olinda. A Bahia perfurou na zona dos camamus e encheu-se de petróleo; até na zona do Lobato, nos subúrbios da capital, abriram-se poços de excelente petróleo[41]. O Amazonas e o Pará não ficaram atrás. Em vários pontos surgiram excelentes poços de petróleo. No Maranhão o município de Codó tornou-se um centro petroleiro de muita importância.

A mesma coisa no sul e no centro. Nos estados do Espírito Santo e do Rio de Janeiro, perto de Campos, abriram-se vários poços de petróleo. Em São Paulo, idem, lá pelos lados de Piraju e S. Pedro. O Paraná entrou em cena com grande fúria, abrindo poços ótimos em várias zonas. Santa Catarina também. No Rio Grande perfuraram em Pelotas e na beira da Lagoa dos Patos, e o Rio Grande também ficou alagado de petróleo.

Nos estados centrais, a mesma coisa. O petróleo do Rio Verde, em Goiás, foi uma coisa louca. Poços potentíssimos. E em Mato Grosso, então, nem é bom falar. Surgiram nesse Estado os maiores poços da América do Sul, tão espetaculares como os do México. O Poço Xaraés nº 2, rompeu com tanta violência que arrebentou a torre, arremessando a ferralhada a cem metros de distância. Ficou a jorrar sem controle, numa coluna de 80 metros de altura, durante um mês. Por fim foi dominado. O Poço Rondon nº 1, no Rio Negro, também deu trabalho. A sua produção inicial foi de 10.000 barris por 24 horas! Até o estado de Minas se revelou rico em petróleo.

E aconteceu então um fato espantoso. O Brasil, que não tinha petróleo, que estava oficialmente proibido de ter petróleo, passou a ser o maior produtor de petróleo do mundo. Houve logo superprodução. Felizmente o petróleo não é como o café, que tem que ser colhido, dê ou não dê preço remunerador. No petróleo, quando há produção em excesso, as companhias entram em acordo e rateiam — cada uma fica autorizada a só produzir um tanto. Coisa facílima, aliás, pois basta que se dê uma voltinha na torneira dos poços para imediatamente a produção cair.

O mercado interno, que até então se abastecia com petróleo comprado no estrangeiro, passou a ser fornecido inteiramente com o petróleo nacional. A gasolina caiu de preço. Era em todas as bombas vendida a 20 centavos o litro; e o óleo combustível, a 10 centavos. Os agentes secretos dos trustes, que andavam a espalhar por toda parte que quando o Brasil tirasse petróleo a gasolina seria vendida mais cara que a água de Caxambu, ficaram desapontadíssimos. Toda gente percebeu que eles não passavam de espiões dos trustes, encarregados de espalhar a descrença no povo para que ninguém se lembrasse de pesquisar petróleo e o Brasil ficasse eternamente a comprar petróleo fora.

Em certas cidades, como Maceió, por exemplo, o povo, entusiasmado com a torrente de petróleo que brotava do Riacho Doce e com a gasolina vendida nas bombas a 20 centavos, agarrou os "caxambueiros" (como eram conhecidos esses

---

41 A primeira edição deste livro apareceu no ano de 1937, muito antes da abertura do primeiro poço de petróleo do Brasil o de Lobato, na Bahia. Os fatos, portanto, confirmaram a notável profecia do Viscondinho de Sabugosa. E a futura abertura de mais poços nos pontos aqui indicados virá provar que aquele simples sabugo científico entendia mais do petróleo brasileiro do que todos os sábios oficiais.

marotos) e os fez passear pela cidade com caraças de burro na cabeça — e no fim da passeata os jogou na lama dos mangues para serem comidos pelos sururus.

O país entrou a prosperar dum modo maravilhoso. Todo mundo compreendeu que o nosso emperramento antigo provinha da falta de circulação. Nada circulava no Brasil, porque não havia transporte e o transporte é tudo para um país de grande território. Para haver transporte é necessário que haja combustível abundante e barato ora, como poderia ter combustível abundante e barato um país que o comprava fora a peso de ouro?

O número de automóveis cresceu vertiginosamente. O de caminhões de carga, ainda mais. As fazendas adotaram os tratores de puxar os arados e aposentaram os bois e as mulas. As estradas de ferro passaram a queimar óleo combustível em vez de lenha e carvão. Os navios que ainda usavam carvão reformaram as máquinas para só consumirem óleo combustível.

O supergás, ou gás líquido, acondicionado em cilindros de ferro, invadiu até as casas da roça. Ninguém mais cozinhou com lenha: só a gás, como nas cidades grandes.

O petróleo produzido no Brasil, porém, não ficou por muito tempo limitado ao consumo interno. A primeira partida negociada foi de 4.000 toneladas do "Donabentense cru", e a partir desse dia a exportação nunca mais parou de crescer. Basta dizer que no ano de 1955 o Brasil já estava exportado 1 milhão e 200 mil toneladas. E para cada 100 mil toneladas vendidas fora ia de lambuja, amarrado de pés e mãos, um dos antigos "caxambueiros".

A transformação operada no Tucano Amarelo foi maravilhosa. Aquela vilinha de 200 anos de idade e que jamais passara de mil habitantes, cada qual mais feio, pobre e bronco, virou uma esplêndida cidade de 100 mil habitantes, com ruas pavimentadas com o asfalto produzido ali mesmo, dez cinemas, cinco hotéis de luxo, escolas magníficas e a Casa de Saúde Dona Benta, que apesar de ser absolutamente gratuita punha num chinelo as casas de saúde das capitais, que cobram 50 cruzeiros por dia, fora os extraordinários. Os doentes saíam invariavelmente curados e gordos. A Escola Técnica Narizinho tornou-se um padrão copiado pelo País inteiro. Os rapazes e as raparigas que lá se diplomavam em inúmeros ofícios, eram disputados a peso de ouro. "Aqui se aprende de verdade" era o letreiro que havia na fachada do estabelecimento — e aprendia-se mesmo.

As estradas do município, feitas por Dona Benta, atraíam turistas de longe. Duas faixas de concreto, uma para ir e outra para vir, separadas por uma cinta sem fim de grama tosadinha; de distância em distância a grama era substituída por um canteiro de flores de cinco metros de comprimento. Estrada iluminada à noite e com bombas de gasolina Donabentense de 3 em 3 quilômetros; e estações de consertos de carros, e pequenos restaurantes muito pitorescos, e "Casas de Abrigo" — uma ideia de Narizinho. Nessas casas de abrigo os viajantes se acomodavam à vontade e como queriam, sem nada pagar.

— Isto é a evolução dos antigos ranchos de tropeiros, — dizia a menina.

E era.

Dona Benta e os meninos costumavam sair em longas excursões num excelente automóvel que rebocava um *trailer* construído sob medida. Que *trailer* gostoso! Uma verdadeira casinha ambulante, com tudo que é necessário à vida. Pedrinho guiava o automóvel, com Emília e o Visconde sempre ao lado. No *trailer* ia Dona

Benta, Narizinho e Tia Nastácia, todas na frescata, e tão a cômodo como se estivessem na casinha do sítio.

A negra no começo arrenegou de tantas novidades; por fim acabou gostando.

— A gente não tem remédio senão ir na onda, — dizia ela. — E no fim gosta, porque é bom mesmo. Quando Seu Pedrinho veio com a história do tal supergás lá na cozinha, eu danei, pensando que era peta. Mas deu certo. Acabou aquela endrômina de acender fogo de lenha, e assoprar, assoprar, com os olhos ardendo. Agora basta torcer uma torneirinha e sai um ventinho que pega um fogo azul — e quente como o diabo! Que limpeza! Uma criatura até fica vadia com tantas facilidades de hoje. E a geladeira, então? É só botar as coisas ali dentro, puxar um ferrinho e fechar a porta. Gera um frio lá dentro que até parece o tal polo que Seu Pedrinho conta. A água vira vidro, de tão dura. Diz que é gelo. E a carne e o peixe não se estragam ali — podem ficar um tempão. E esta casinha em cima de rodas que anda por toda parte? Coisa boa, sim. Diverte a gente. A gente varia, vê caras e coisas novas. Estou gostando, estou gostando, sim...

Saíam a passeio, às vezes de semana, sem pressa de chegar, porque a festa não era chegar — era ir andando e parando aqui e ali, ora para pegar uma borboleta para a coleção da Emília, ora para Pedrinho tirar um instantâneo, ora para Narizinho (que aprendera a desenhar) fazer um lindo croqui em seu álbum. Quando passavam por algum rio ou lagoa, era fatal uma parada para o Visconde fazer sua fezinha à beira d'água com o anzol. Pescador como ele não havia outro. Ele e Tia Nastácia. A preta sentava-se ao lado do Visconde para ir botando minhoca no anzol.

Num desses passeios encontraram o Coronel Teodorico.

— Viva, compadre! — exclamou Dona Benta. — Que novidade a sua presença por estas bandas?

O Coronel estava avelhentado, cheio de rugas na testa, com ar de quem tinha sofrido muito.

— Pois é, comadre. Quem é vivo sempre aparece. Ouvi tanta história disto por aqui, que criei coragem e vim ver. Mas antes não viesse...

— Por quê?

— Porque tudo me confirma as suas palavras daquele dia, lembra-se? Eu fui um bobo, confesso. Vendi minha fazenda, pensando fazer um negocião, mas o que fiz foi negócio de sandeu.

— Eu bem disse...

— Disse, sim, comadre, e se eu pusesse tento nas suas palavras, tudo teria corrido muito bem. Mas eu era presunçoso, tinha confiança demais em mim e...

— E que aconteceu?

— Acabei limpo, comadre. Os piratas lá do Rio de Janeiro caíram em cima de mim como piranhas que atacam boi n'água. Primeiro foi uma compra de bondes que até tenho vergonha de contar...

— Eu sei da história, — disse Dona Benta.

O Coronel arregalou os olhos.

— Sabe? Quem lhe contou

— Li nos jornais. Os jornais do Rio insistiram muito nesse caso.

O Coronel coçou a cabeça.

— Pois então, ainda pior. Como não leio jornal, fiquei sem saber disso... Pois é, comadre, comprei aqueles quatro bondes por 200 mil cruzeiros — e levei na cabeça, porque era conto-do-vigário. Depois me aprecatei mais. Não adiantou. Os piratas sabem lidar com os bobos da roça. Houve um que me vendeu por 300 mil cruzeiros uma máquina que era a maior maravilha deste mundo. A gente botava papel em branco dum lado, e despejava umas drogas nuns canudos e virava uma manivela — e saía cada nota de 200 cruzeiros que era uma beleza. Mas verdadeiras, sim senhora! Tão verdadeiras que eu andei com duas delas de banco em banco indagando se eram falsas ou verdadeiras e todos me confirmaram: "São verdadeiras". E foi então que eu comprei a máquina maravilhosa de fazer dinheiro verdadeiro — porque o crime é fazer dinheiro falso. Fazer dinheiro verdadeiro não é crime porque o dinheiro é verdadeiro, não é assim?

— E quando recebeu a máquina e foi fazer dinheiro verdadeiro, errou na mistura das drogas e a máquina explodiu, não foi isso?

O coronel arregalou os olhos.

— Homem, comadre, a senhora até parece que tem parte com o demo: adivinha as coisas!... Como sabe duma "consequência" que eu só contei pra minha velha?

— Sei porque adivinho, está claro... — respondeu Dona Benta sorrindo.

— Pois adivinhou certo, — continuou o Coronel. — A máquina explodiu, *pluf!* e lá se foram os meus 300 mil cruzeiros. Bati o Rio de Janeiro inteirinho atrás do homem que me vendeu aquilo e nada. Nem sombra.

— Bem, — disse Dona Benta. — Temos já aqui 500 mil cruzeiros lambidos pelos piratas. E o resto?

— O resto foi comido pelo leão e por uma francesa — aquela peste!

— Que história é essa?

— Sim, andei seguindo o leão no jogo do bicho, a milhares de cruzeiros por dia, durante quase dois meses. Pois há de crer, comadre, que assim que parei de jogar o desgraçado deu com 64? E o que escapou do leão caiu no bucho da francesa, uma tal Odete, que depois descobri que nem francesa, nem Odete era. Me deixou limpo. Então vendi minha casa e vim ver isto por aqui...

— E a comadre?

— Morreu, coitada. Morreu de desgosto, depois que a máquina de fazer dinheiro arrebentou...

O coronel passou a manga do paletó nos olhos.

— E que pretende fazer agora? — perguntou Dona Benta.

— Homem, não sei. Estou assuntando. Para que presta um velho louco e bobo como eu!

— Presta para muita coisa, — disse Dona Benta. — Apareça lá no sítio a semana que vem que lhe arranjo um bom empreguinho.

— A comadre ainda mora lá mesmo!

— Sim, na mesma casinha de sempre.

— Na mesma casinha? Então, sendo tão rica, não teve coragem de fazer um palácio?

Dona Benta riu-se.

— Minha casinha, compadre, é o palácio da felicidade. Não troco nem pelo Buckingham Palace do Rei Jorge VI...

O coronel Teodorico ficou a olhá-la com espanto. Depois disse:

— Ah, comadre, se todos fossem como a senhora, se todos tivessem a sabedoria da senhora... Como me arrependo de não ter ouvido os seus conselhos!

— Pois apareça e ouça-os, que ainda é tempo.

Despediram-se. Pedrinho pôs o carro em movimento — e lá se foi o *trailer* com a boa senhora na janela, a dizer adeus de mão para o pobre compadre.

Logo adiante encontraram outro velho, este de boné na cabeça.

— Parece o Chico Piramboia, vovó, — disse a menina.

— É ele mesmo! — gritou Tia Nastácia. — Mas como está importante! De boné...

Pedrinho parou o carro e Dona Benta chamou o Piramboia.

— Então, que é isso, meu velho?

— Pois isto é a vida, Dona Benta, — respondeu o caboclo. — Depois daquele desastre que me sucedeu, estive mais de ano no hospital, e por fim fui solto na rua. Mas estava que nem aquele Jó da Bíblia — sem nada de nada, sem nenhum tostão no bolso. Os malvados me roubaram os 230 mil cruzeiros e passaram recibo com peroba no meu lombo. Os pestes!... Mas Deus é grande, Dona Benta. Fui andando e bati lá no meu antigo sítio. Quase nem reconheci. Tudo mudado, tudo bonito, tudo importante. Eles estavam desmanchando uma torre de ferro, como essas que a gente vê agora por toda parte. Eu procurei o chefe dos trabalhos e pedi serviço. Ele olhou bem para mim (era um engenheiro de perneira) e perguntou para que eu prestava. E eu então fui e respondi:

— "Sempre hei de prestar para alguma coisa, capinar chão, tratar de burro de carroça, carregar coisas na cacunda — mas já prestei para negócios muito importantes."

O "perneira" estranhou minha conversa e deu corda.

— "Sim, disse eu, já me prestei para os entendidos fazerem no meu lombo grandes negócios, como o deste sítio que vendi por 230 mil cruzeiros no contado."

O engenheiro arregalou os olhos.

— "Será verdade? Então foi o senhor o antigo dono destas terras?"

— "Eu mesmo — Chico Piramboia, pode perguntar para qualquer."

O homem riu-se dum modo esquisito. Depois disse:

— "Pois fique sabendo que nos passou a perna. Compramos estes dez alqueires por 230 mil cruzeiros na certeza de encontrar petróleo — e já abrimos dois poços sem resultado nenhum. Estamos agora desmontando a sonda para armá-la numas terras que compramos adiante. Lá, sim, o petróleo é certo. Isto aqui não vale nada. Você nos passou a perna, seu barba-rala duma figa. E agora vem rir-se de nós nas nossas ventas, não é?"

Contei para ele então o que me tinha sucedido — o assalto dos ladrões, o ano e meio que passei no hospital, a minha vida miserável. E Dona Benta há de crer que o "perneira" teve dó de mim? Até parece mentira, mas teve. Olhou bem pra minha cara e disse:

— "Bem, se é assim, então o caso muda — e posso ajudar você. Nossa companhia está construindo muitas obras lá na antiga fazenda do Coronel Teodorico, onde precisamos duma boa turma de guarda-poços. Vá lá com este cartão e procure o chefe do serviço. Para guardar o poço de noite você serve. Não há nada que fazer — é só não ferrar no sono. Dormir é de dia."

— Eu fui e me deram serviço na turma de guarda — e de tanto ficar acordado de noite e dormir de dia, quase virei coruja. Por fim me enjoei daquilo e pedi outro serviço. Eles então me puseram guarda-diurno, que é como lá dizem.

— Pois você não pode queixar-se, Piramboia, — disse Dona Benta. — Está no seu empreguinho graças ao petróleo. Quanto ganha por mês?

— Trezentos cruzeiros.

— E quanto tirava por mês quando era sitiante?

Chico Piramboia deu uma risada.

— Mecê está brincando comigo, Dona Benta! Naquele tempo eu não tirava nada. O que fazia era me endividar na venda do Elias Turco.

— Isso mesmo. E agora está com 300 por mês, graças ao petróleo. Pois lamba as unhas. Apesar de não haver petróleo no seu sítio, você pode dizer que foi um dos que tiraram petróleo. É ou não é?

— Lá isso é, — concordou o guarda-diurno.

— E que está escrito no seu boné?

Antes que ele dissesse, Narizinho respondeu:

— C. G. P. — Companhia Guaxanduba de Petróleo, a tal que está furando na fazenda do Coronel.

— Isso mesmo, — confirmou o caboclo. — Aquilo lá até parece uma cidade. Já abriram mais de cem poços — mas nenhum chega aos pés dos seus, Dona Benta. É poço de 30, 40, 50 barris por dia. O petróleo está mesmo no seu sítio, segundo todos dizem. Eles, lá no Coronel, têm que abrir um bandão de poços para dar o que dá um Caraminguá sozinho. Mas onde parece que vai rebentar poço dos macanudos é lá na vertente do Nheco. Está correndo por aí que ontem acabaram de abrir um que deu 1.500 barris no primeiro arranco.

— Fico muito satisfeita de saber disso, porque quanto mais petróleo tivermos por aqui, tanto melhor para todos, — disse Dona Benta. — Francamente, eu andava aborrecida dos meus poços serem os maiores da zona, de maneira que o que você me conta muito me alegra. Eu também tenho umas terrinhas por lá...

— Eu sei. O antigo sítio do João Maleiteiro, que a senhora comprou por 50 mil cruzeiros e todo mundo deu risada. A senhora é a mulher que enxerga mais longe que eu conheço. Inda é capaz de tirar desse sítio que custou 50 mil cruzeiros um poder de petróleo de assustar o mundo...

— E a vila, Chico?

— Vila? Cidade, isso sim! Aquilo virou uma prepotência de cidade que até dá medo. E tudo lá é petróleo. A antiga venda do Canhambora virou um armazém de seis portas, com um letreiro assim: AO TRÉPANO DE OURO. Aquele botequim do Chico Pileque, que só tinha pinga e fumo de corda, está agora um hotel de seis andares — HOTEL ROTARY MODELO. Mas o mais bonito de tudo é a ESCOLA NARIZINHO, onde a criançada entra boba e sai mais sabida que o defunto vigário Padre Pedrosa, que Deus haja.

— Pois é, — disse Dona Benta. — Mas quando abrimos lá no sítio o Caraminguá nº 1 e você foi despedir-se de mim, lembra-se do que me disse do "criosene"?

Chico Piramboia ergueu o boné e com a mesma mão coçou a cabeça.

— Lembro, sim, Dona Benta. Eu duvidei, não nego. Fui um bobo, como todos por aqui, menos a senhora. Mas hoje minha Bíblia é o "criosene". Juro em cima dele, se for preciso...

— E ainda diz "criosene", em vez de petróleo?

— Digo só por figuração, para matar saudades do tempo antigo. Mas nesse ponto já não estou bobo. Sei o que é petróleo, sei o que se faz dele, sei tanto já, que ainda acabo fazendo uma sociedade para abrir um poço num lugarzinho que eu conheço...

E como Dona Benta fizesse cara de curiosidade:

— Para a senhora eu conto — pra ninguém mais: no sitinho de Nhá Veva, aquela dos ovos. Outro dia estive lá e tirei uma linha com os olhos, por cima daquele morrinho selado; e sabe onde bateu a linha? No eixo do "anticriná" lá do seu sítio! Pra mim — ninguém me tira da cabeça: o sítio de Nhá Veva é um rabo de "anticriná"...

Dona Benta despediu-se de Chico Piramboia e ficou a rir-se.

— Veja, minha filha, — disse ela a Narizinho. — Isto é mais um dos milagres do petróleo. Esse pobre Chico, que era o caboclo mais xucro aqui na zona, já tira linha com o olho e descobre "rabos de anticlinais"...

— Outro milagre do petróleo, — disse a menina, — é a mudança de gênio de Tia Nastácia. Olhe o jeitinho dela com o Visconde. Assim que o *trailer* parou para a senhora falar com o Piramboia, correu para aquele córrego com o Visconde — foram pescar. E veja como está alegre, contente da vida e remoçada. Até parece uma negra americana do cinema, das sabidas...

Logo depois Tia Nastácia voltou com uma traíra pescada pelo Visconde. Vinha arreganhando de gosto, com o peixe no ar.

— Veja que linda, Sinhá! Isto recheadinho dá um suco...

Dona Benta olhou-a bem e perguntou:

— Nastácia, é verdade que você se sente feliz?

— Que pergunta, Sinhá, — respondeu a negra — e virou a cara para que não lhe vissem os olhos molhados ...

Capítulo XVII
A grande festa

Meses depois, na cidade do Tucano Amarelo, só se falava duma coisa: o Poço Quindim nº 1 que a Companhia Donabentense acabava de abrir no velho sítio de Nhá Veva, vendido a Dona Benta por 50 mil cruzeiros. Que poço magnífico! Aos 800 metros os perfuradores atingiram o horizonte petrolífero comum a toda a zona; mas, por sugestão do Visconde, Mister Kalamazoo não fez caso e tocou para diante.

— "Estou desconfiado que abaixo desse horizonte existe outro muito mais importante", — dissera ele — e Dona Benta deu ordem ao americano para seguir a ideia do sabuguinho. E o fato foi que a 1.200 metros a perfuração deu num acúmulo de petróleo muitíssimo mais potente. O poço jorrou com 10 mil barris e foi minguando até estabilizar-se numa produção de 7 mil barris por dia.

Era acontecimento sensacional, porque até ali os poços de maior produção tinham sido os cinco Caramimguás abertos no começo. Dos inúmeros poços das outras companhias só um, na fazenda do Coronel Teodorico, dera tanto como um Caramimguá — o Guaxanduba nº 7. Em homenagem ao velho rinoceronte, o poço de 7 mil barris teve o nome de Quindim nº 1.

Graças a ele a *Companhia Donabentense* firmou-se como a primeira entre todas, com grande gosto da população do Tucano Amarelo, porque Dona Benta e os netos só queriam petróleo para uma coisa: fazer obras públicas de benefícios para toda gente. Nas outras empresas o sistema era o antigo: encherem-se de dinheiro egoísta, razão pela qual o povo se antipatizava com elas.

Para comemorar a grande vitória, Dona Benta deu uma festa que ficou célebre. Um banquete ao ar livre, no pasto da vaca Mocha, com danças e fogos de artifício no fim.

Todos os seus amigos e conhecidos foram convidados — e o povo também. Quem quisesse comer até arrebentar, dançar até não poder mais e assombrar-se com as maravilhas pirotécnicas do famoso fogueteiro Juca das Rodinhas, era só ir chegando.

Essa festa lembrou um milagre das Mil e Uma Noites. Além da comedoria imensa, das montanhas de frutas e doces, das pipas e mais pipas de vinho, dos tonéis de garapa azeda e cajuada, dos blocos de marmelada e goiabada e dum queijo em forma de pirâmide mais alto que dois homens um em pé nos ombros do outro, cada comensal recebia um presente de valor: relógio, caneta-tinteiro, papagaio, grafonolas e até automóveis. Chico Piramboia calculou que aquela festa devia ter custado no mínimo 10 mil barris de petróleo. Mas que é 10 mil barris de petróleo para quem estava tirando dos seis poços 9.500 por dia? Era um dia e pico de produção, nada mais.

Na mesa principal sentaram-se os membros da família e as pessoas mais íntimas. A cabeceira foi ocupada por Dona Benta, com Pedrinho à direita e Narizinho à esquerda. Ao lado de Pedrinho sentou-se o Visconde, de cartolinha nova, e ao lado de Narizinho sentou-se Emília, nos trajes habituais que ela adotara desde que começou a exploração do petróleo no sítio: culote amarelo, perneirinhas, blusa cheia de bolsos e capacete de cortiça. Depois vinham Mister Kalamazoo e Mr. Champignon; e finalmente, na outra cabeceira, Tia Nastácia e Quindim.

Quem ia fazer o discurso de saudação era este último.

Quando chegaram à sobremesa, o rinoceronte levantou-se e disse:

— Minha senhora e meus senhores! Embora eu não seja o mais qualificado para falar nesta festa, estou cumprindo ordens da Emília. Ela me mandou que falasse, dizendo andar enjoada de discursos de bípedes. Não fosse isso e eu ficaria lá no meu canto, ouvindo — pois gosto muito mais de ouvir do que de falar.

— Por isso é que você não diz asneiras, Quindim! — aparteou Pedrinho.

— Será, — continuou Quindim, — mas nem sempre o calar é sábio. Seria, porventura, sábio que Dona Benta se calasse? Presto muita atenção quando ela fala e nunca percebi em suas palavras demonstração de outra coisa que não fosse a mais alta sabedoria.

Emília sussurrou para Narizinho: "Ele está adulando Dona Benta para ver se pega um lugar na Diretoria...".

— Sabedoria sim, meus amigos, — continuou Quindim, — porque Dona Benta é uma verdadeira filósofa, não digo como Sócrates, que só conheço por ouvir falar, mas como o saudoso Kalavaka, o rinoceronte mais sábio da minha tribo lá no Uganda. Eu tenho um meio prático de conhecer a verdadeira sabedoria: é medir os resultados que ela dá. A sabedoria de Dona Benta deu como resultado final a felicidade completa que todos gozamos aqui, vocês homens e nós animais — eu, a Mocha, o Burro Falante, os passarinhos aí do mato nunca perseguidos por ninguém. Eu, por exemplo, só vim encontrar a verdadeira felicidade aqui.

Minha vida no Uganda era um perpétuo desassossego. Além das lutas entre nós mesmos, dentro do bando, havia o pavor dos homens de capacete de cortiça que nos furavam o couro com balas dundum. Depois fui escravizado e andei a correr mundo num circo, exibindo meu corpanzil aos basbaques dentro duma jaula de ferro. Senti-me grandemente desgraçado nesse período de minha vida. A liberdade é o maior dos bens. Afinal fugi, corri pelas matas às tontas até dar com os costados no sítio de Dona Benta.

Emília me descobriu e tomou conta de mim. Fez-se minha aliada e minha amiga. Tia Nastácia teve muito medo do meu chifre, mas hoje está uma grande camarada. Todos se tornaram meus amigos — e minha vida sossegou. Vivo numa perfeita beatitude. Se me perguntarem onde é o céu, responderei: aqui!

E por que é assim? Por causa da sabedoria de Dona Benta, que é a aura misteriosa que tudo dirige neste abençoado pedacinho de mundo. Não tenho mãos como os demais presentes, e por isso não posso erguer a taça de cajuada que Emília botou diante de mim para eu bebê-la à saúde de Dona Benta e dos seus queridos netos — e da Emília, e do Visconde, e de Tia Nastácia, e aqui destes amigos da América. Mas trocarei essa saudação pela que usamos lá no Uganda, entre os da minha raça; um urro — *Muuuuuu*...

O urro de Quindim foi tão formidoloso que o pânico se estabeleceu nas outras mesas. Que correria! Que atropelo! Pedrinho teve de trepar em cima dum tonel e berrar com um alto-falante na boca:

— Calma, pessoal! Não foi nada! Apenas a saudação à vovó feita por Quindim, à moda do Uganda. Calma! Calma! Todos aos seus lugares!...

Os convivas foram voltando para suas mesas, muito ressabiados. Urro como aquele jamais tinham ouvido por aquelas paragens.

O discurso de Quindim recebeu palmas de todos. Para um rinoceronte, estava de primeira ordem.

— E agora, quem fala? — gritou Pedrinho.

— Eu! — berrou Emília, levantando-se de copinho em punho.

Mas a menina protestou:

— Não, senhora! Primeiro os mais velhos. Tem a palavra Mister Kalamazoo.

O americano levantou-se muito vermelho e louro.

— Só sei furar poços, — disse ele. — Para discursos não presto. E ainda que prestasse, que poderia eu dizer, mais do que disse esse prodigioso rinoceronte que acaba de falar? Sim, Dona Benta é um poço de sabedoria. O trépano do estudo e da meditação desceu até às camadas mais profundas onde se acumula a ciência da vida. Vou confessar uma coisa: quando cheguei até cá, vim pago para sabotar todos os poços que Dona Benta quisesse abrir. Mas não tive coragem. Tudo me seduziu tanto, encontrei caracteres tão nobres, que até me envergonhei da minha primitiva intenção. E transformei-me. Passei a trabalhar como o mais leal dos homens, como o resultado dos meus serviços o demonstra. Viva Dona Benta! Vivam os seus netos!...

Palmas e bravos cobriram as últimas palavras do sabotador que não teve ânimo de sabotar.

— Fale agora Mr. Champignon! — gritou Narizinho.

Mr. Champignon levantou-se, todo risonho.

— Meus amigos, — disse ele, — eu igualmente fui contratado para sabotar de parceria cá com o amigo Kalamazoo. Mas também não tive coragem. Quem poderá ter coragem de prejudicar uma senhora de tão altos espíritos, como Dona Benta; ou um menino tão empreendedor e sincero, como Pedrinho; ou um encanto de menina, como Narizinho; ou esse prodígio da Natureza, que é a Emília; ou o Senhor Visconde de Sabugosa, o mais profundo geólogo que ainda topei na vida; ou essa

Tia Nastácia, que é uma quituteira do céu; ou ali o amigo Quindim, o mais nobre dos rinocerontes? Quem? Até o pérfido Iago, se por cá aparecesse, não teria coragem de permanecer mau. A bondade humana tem isso consigo: seduz, arrasta, converte, catequiza. Eu fui um homem como os outros, com as qualidades e defeitos do comum. Mas mudei — o sítio de Dona Benta me mudou. Meu coração está limpo de maldade. O ambiente são aqui do sítio decantou minha alma...

(O Visconde explicou a Pedrinho que decantar era uma expressão usada pelos químicos para significar destilar.)

— E, portanto, nada mais tenho a fazer senão comungar com Mister Quindim e Mister Kalamazoo no hino de louvor que ergueram a Dona Benta, a boa fada que preside os destinos de todos nós!...

— Bravos! Viva Mr. Champignon! — gritaram os meninos.

Dona Benta agradeceu com um sorriso luminoso de bondade.

— Agora Tia Nastácia! — gritou Narizinho. A negra, de vestido novo, engomado, levantou-se com o maior desembaraço e disse:

— Falar bonito como os outros eu não sei. Só sei cozinhar...

— E botar minhoca no anzol do Visconde também! — aparteou Emília.

— Isso também faz parte do cozinhar, — respondeu a preta, — primeiro a gente pega o peixe, depois é que escama e frita. Sei tudo que é de cozinha, e meu gosto é quando faço um prato e vejo a criançada lamber os beiços de gosto.

— Beiço é de boi, — aparteou Emília. — Gente tem lábios...

— Essa pestinha quer me atrapalhar, mas não me atrapalha, não. Quem fez ela fui eu. De pano — mas depois o pano gerou carne e hoje está uma gente pura — só que mais atropeladeira que os outros.

— Isso não é discurso, Nastácia, — disse Narizinho. — Dei a palavra a você para fazer um discurso como o dos outros.

— Discurso não sei fazer, porque não tenho estudos. Dizer coisas bonitas sobre Dona Benta também não sei. Só sei beijar a mão dela — e correu, com os olhos rasos de lágrimas, a beijar a mão de Dona Benta.

Todos se comoveram, inclusive Quindim, que pingou uma lágrima do tamanho duma jabuticaba na bacia com capim picado que Emília pusera na sua frente.

Dona Benta abraçou a preta, dizendo:

— Sim, minha negra. Você, além de ser a minha grande amiga, é outra avó dos meus netos...

— Agora fale Pedrinho! — gritou a menina.

Pedrinho levantou-se com o garbo dum Peter Pan.

— Vovó, à sua saúde! — disse ele erguendo o copo. — Meu desejo é que a senhora pare onde está — e não morra nunca. A senhora é a maior das avós do mundo inteiro — e agora com o petróleo, é a mais rica. A senhora nos tem ensinado tudo. A senhora é tudo para nós. A senhora é a Avó Número 1! Viva vovó!

— Viva! Viva!...

— Um dia, — continuou Pedrinho, — eu hei de realizar uma ideia que tenho na cabeça: erguer um monumento a vovó. Narizinho, que é desenhista, está fazendo o esboço. É assim: Bem no alto, a estátua de vovó, de óculos, sentada na cadeirinha de pernas curtas, com um livro no colo, eu dum lado, Narizinho de outro, Emília e o Visconde aos pés. À direita, com a cabeça na altura do ombro de vovó, Tia Nastácia fritando um peixe: à esquerda, com o chifre na altura dos joelhos de vovó, Quindim deitado, com a cabeçona entre as patas. Essas figuras ficarão dispostas em grupo em cima dum grande cubo de mármore com altos relevos de três lados e esta inscrição numa placa de bronze

"A DONA BENTA E. DE OLIVEIRA,
DESCOBRIDORA DO PETRÓLEO NO BRASIL,
E AVÓ DE
PEDRINHO E NARIZINHO,
OFERECE
A PÁTRIA AGRADECIDA"

— Por que esse "E." abreviado no nome de Dona Benta? — perguntou Emília.

— Porque fica feio gravar no bronze o sobrenome por extenso. Encerrabodes é uma idiotice de sobrenome que faz toda gente dar risada. Poremos E. só — e quem ler fica pensando que é Eduarda, Edviges, Emerência, Eulália ou qualquer coisa mais decente que o Encerrabodes...

— E nos outros lados do cubo de mármore?

— Nos outros três lados do cubo de mármore vão altos relevos representando cenas aqui do sítio. Num aparecemos todos nós fugindo da chuva de petróleo do Caramínguá nº 1. Noutro, a cena do Quindim sentado em cima do cano para escorar o petróleo que queria sair. E no terceiro...

— No terceiro, eu comandando os meus aviões "Faz-de-Conta!" — berrou Emília.

— Não, senhora! — protestou Pedrinho. — A senhora já está lá em cima, aos pés de vovó. Os altos-relevos são de cenas passadas aqui. Poderá ser, por exemplo, o banho de petróleo do tal jornalista. Esse ponto resolveremos depois.

— Só isso?

— Não. Ainda há mais. Esse grande cubo de mármore assenta-se em cima da multidão dos "caxambueiros" e mais negadores e sabotadores do petróleo do Brasil. O escultor poderá representá-los sob forma dum conglomerado de cretinos e safados, uns por cima dos outros, de língua de fora e olhos pulando das órbitas, porque estarão esmagados pelo peso do bloco de mármore. Que tal meu monumento?

Todos acharam-no ótimo.

— Pois é isso! — concluiu Pedrinho. — Ergueremos esse monumento no pasto da Mocha, isto é, aqui onde estamos, para "edificação dos pósteros", como diz o Visconde. Tenho dito.

E sentou-se.

Palmas e gritaria acolheram a maravilhosa ideia de Pedrinho.

— Está um suco! — disse Emília.

— Silêncio! — gritou Narizinho. — Agora quem vai falar é Sua Excelência o Senhor Visconde de Sabugosa do Poço Fundo. Tem a palavra o Senhor Visconde...

O Visconde levantou-se, mas como era muito pequenino teve de ser plantado em cima da mesa.

— Enfie o cóccix dele na garrafa barriguda! — gritou Emília — e Pedrinho assim o fez: fincou o Visconde na boca duma garrafa de cristal bojuda.

Apesar do incômodo da posição, que o deixara de pés soltos no ar, o Visconde fez o seu discursinho.

— Meus senhores e minhas senhoras! — disse ele. — Eu quisera ter a eloquência de Cícero para colocar-me na altura dos oradores que me precederam; mas não foi a Musa da Eloquência quem presidiu ao meu nascimento.

— Foi Tia Nastácia! — gritou Emília.

— Sim, foi ela, a boa preta que mantém a paz dos estômagos dos moradores deste sítio. Sou filho de Tia Nastácia, confesso...

— Credo! — murmurou a negra, benzendo-se.

— E, no entanto, por um desses misteriosos caprichos da natureza, sou um caso de filho que nada tem de comum com a sua progenitora. Não entendo de cozinha e nem sequer como. Meu pendor sempre foi científico. A ciência me atrai dum modo incoercível. No começo dei-me à Filologia hoje dou-me à Geologia. E sabem por que mudei? Por uma razão econômica. A filologia não aumenta a riqueza dum país, ponderei eu com os meus botões.

— Com os meus carocinhos de milho! — emendou a boneca.

— Mas a Geologia aumenta. É uma ciência que conduz a resultados práticos, positivos, de grandes reflexos econômicos. Em que nos enriquece, por exemplo, saber que a palavra *ontem* vem de *à noite*? Em nada. Mas saber que em tal ou tal terreno existem condições para o acúmulo do petróleo, isso sim, enriquece. Pelo menos enriqueceu Dona Benta. Se não fosse a nossa mania geológica, não teríamos descoberto o anticlinal dos Caraminguás — e não estaríamos hoje nadando em dinheiro e fazendo a felicidade deste pobre povo, que até aqui viveu descalço, analfabeto e na maior penúria.

O Visconde bebeu um golinho d'agua e continuou:

— A Geologia, meus senhores e senhoras, é a ciência do solo e do subsolo — e é no subsolo que se acumulam as maiores riquezas dum país. O solo, que é? Apenas uma superfície. E o subsolo? O subsolo é uma cubagem, é uma massa que vai desde a superfície até o centro da terra. Vou dar um exemplo. Um alqueire de terra não passa de 24.200 metros quadrados de chão, ou de superfície. Mas um alqueire de subsolo é uma massa volumétrica que desce até o centro da terra. Hoje o homem explora comercialmente o subsolo até 3.000 metros de profundidade; temos, portanto, que um alqueire de subsolo comercialmente explorável corresponde a uma massa de 24.200 metros cúbicos multiplicados por 3.000 — ou sejam 72.600.000 metros cúbicos!

— Puxa! — exclamou Pedrinho.

— Pois bem: essa imensa massa de subsolo, que corresponde a apenas um alqueire de superfície, encerra inúmeros minerais utilíssimos ao homem, e que, portanto, constituem o que chamamos Riqueza. Os Estados Unidos são o país mais rico do mundo porque compreenderam isso e lançaram-se à exploração das reservas do subsolo. Eles extraem do subsolo, por ano, produtos no valor de 6 bilhões de dólares, ou sejam mais de 100 bilhões de cruzeiros na nossa moeda! E nós no Brasil? Que é que extraíamos do nosso subsolo, antes da abertura do Caraminguá nº 1?

— Minhocas! — berrou Emília.

— Exatamente, — concordou o Visconde. — Só extraíamos minhoca — e por isso éramos um povo tão pobre. Mas agora tudo começou a mudar. Graças ao que fizemos no sítio, a corrida ao subsolo está iniciada — e não parará mais — e fará do Brasil o grande País que ele merece ser. Tenho dito.

— Bravos! Bravos ao sabuguinho científico! — gritaram todos.

— Interessante! — observou Dona Benta. — O Visconde até num discurso de brincadeira revela-se o sábio de sempre e nos dá lições. O que ele disse é rigorosamente certo...

Capítulo XVIII
O TRIUNFO DE DONA BENTA

— Agora eu! — berrou Emília, ansiosa por botar a sua colher no banquete.

— Pois seja você, — disse Narizinho. — Tem a palavra a Senhora Emília de Rabicó...

Emília deu um salto para cima da mesa, com tal estabanamento que caiu abraçada a um peru recheado, sujando-se toda de gordura. Mas não fez caso, tal era a sua gana de falar. E não veio com os preâmbulos do costume. Foi logo ao assunto principal.

— Estou com uma ideia ótima! — disse ela. — Talvez a melhor ideia de toda a minha vida...

— Lá vem asneira! — rosnou Pedrinho.

— Uma ideia do tamanho da torre do Caramingua! — prosseguiu Emília. — Uma ideia de gênio!...

— Escorropiche logo essa ideia e não caceteie, — disse Narizinho. — Vovó já está com sono.

— Vou dizer, — continuou Emília. — Minha ideia é organizarmos um "triunfo romano" para Dona Benta. Que tal?

Todos se entreolharam; ninguém havia entendido.

— Sim, um triunfo romano — o "Triunfo de Dona Benta"! Ela e todos nós montados no Quindim, ela com um cetro na mão e nós com bandeiras, e faremos uma entrada triunfal pelo meio desse povaréu que está comendo e bebendo à tripa forra. Na frente botamos Mister Kalamazoo e Mr. Champignon na posição da Estátua da Liberdade, segurando fogos-de-bengala para iluminar o caminho. Atrás do Quindim, Tia Nastácia com um tridente, feito Netuna, para ir cutucando Quindim quando ele parar. E na rabeira, o pessoal todo da Donabentense, com archotes. E mais coisas que no momento, lembrarei. Que tal?

— Ótima a ideia, Emília! — gritaram Pedrinho e Narizinho, entusiasmados.

— Poderemos, por exemplo, — continuou Emília, — pintar na testa de Quindim estas letras famosas: S. P. Q. R.

— Que significam? — perguntou a menina.

— Não sei, mas eram usadas nos triunfos romanos. Tia Nastácia diz que querem dizer: São Pedro Quer Rapadura, mas acho que deve ser outra coisa.

— É outra coisa, sim, — disse Dona Benta. — Essas letras são as inicias do célebre dístico romano: *Senatus Populusque Romanus* — o Senado e o Povo Romano.

— Pois é isso, — gritou Emília. — O Senado é a senhora e o Povo Romano somos nós. Que tal minha lembrança?

Todos a acharam ótima, e levantaram-se da mesa em atropelo para a organização do Triunfo de Dona Benta.

Com a boa vontade dos meninos e o faz-de-conta da Emília, meia hora depois o cortejo começava a desfilar.

Na frente marchavam os dois americanos, queimando no ar fogos-de-bengala de cores vivíssimas. Dona Benta ia escarrapachada no congote de Quindim, com um cetro de cabo de espanador na mão, tendo à esquerda Narizinho, vestida de "Neta nº 1" e à direita Pedrinho vestido de "Neto nº 1" — tudo invenções da Emília. O Visconde, entrajado de geólogo, vinha de pé, com as mãos na cintura, sobre a anca do rinoceronte. Tia Nastácia vinha atrás, com o cabo de vassoura em punho para volta e meia dar um cutucão em Quindim.

E Emília?

Ah, Emília ocupou o seu lugarzinho de sempre, montada no chifre do paquiderme, cujo corpo, forrado com uma colcha de seda amarela do tempo do imperador, estava todo ornamentado de guirlandas de flores. Emília trazia na mão uma grande coroa de rosas.

Atrás de Quindim vinham todos os operários e empregados da Companhia Donabentense, com archotes acesos — archotes embebidos no petróleo cru do Caramincuá nº 1.

O "triunfo" causou tremendo efeito no povo reunido em redor das numerosíssimas mesas espalhadas pelo pasto da Mocha. Os maldizentes tiveram vontade de dizer que aquilo não passava duma caduquice de Dona Benta, mas ao se lembrarem da sua renda diária de 9.500 barris de petróleo, emudeceram; engoliram a irreverência e juntaram suas palmas e berros às aclamações delirantes dos milhares de comensais.

— Viva Dona Benta, a benfeitora do Tucano Amarelo!

— Viva! Viva!...

— Vivam os netos de Dona Benta, essas duas delícias do gênero humano!

— Vivam! Vivam!...

— Viva o Visconde de Sabugosa, o geólogo dos geólogos!

— Viva! Viva!...

— Viva a Marquesa de Rabicó!

— Viva! Viva!...

O cortejo seguiu solenemente na direção do Caramincuá nº 1, acompanhado pela multidão dos comensais em delírio. Lá, defronte da sonda, Quindim parou e Dona Benta — pediu a Mister Kalamazoo que pegasse a coroa de rosas das mãos da Emília e a colocasse na torre, com o letreiro que Pedrinho traçara em letras de ouro num quadrado de papelão.

Mister Kalamazoo assim fez. Pendurou na torre a coroa de rosas e prendeu por baixo o letreiro de Pedrinho.

SALVE! SALVE! SALVE!
DESTE ABENÇOADO POÇO — CARAMINGUÁ Nº 1,
a 9 de Agosto de 1938 saiu, num jato de petróleo,
A INDEPENDÊNCIA ECONÔMICA DO BRASIL.

Todos correram a ler.

Novas palmas, novos bravos, novos hurras acolheram aquela inscrição em letras de ouro e com um significado de ouro.

Mas Dona Benta, que não podia de sono, apenas disse:

— AMÉM...

E mandou Quindim tocar para casa. Foi dormir.

Paradidáticos

Serões de Dona Benta

(Física e Astronomia)

Capítulo I
Comichões científicas

Dona Benta havia notado uma mudança nos meninos depois da abertura do Caramingá n. 1, o primeiro poço de petróleo no Brasil[42]. Aprenderam um pingo de geologia e ficaram ansiosos por mais ciência.

— Sinto uma comichão no cérebro, — disse Pedrinho. — Quero *saber* coisas. Quero saber tudo quanto há ano mundo...

— Muito fácil, meu filho, — respondeu Dona Benta. — A ciência está nos livros. Basta que os leia.

— Não é assim, vovó, — protestou o menino. — Em geral os livros de ciência falam como se o leitor já soubesse a matéria de que tratam, de maneira que a gente lê e fica na mesma. Tentei ler uma biologia que a senhora tem na estante mas desanimei. A ciência de que gosto é a falada, a contada pela senhora, clarinha como água do pote, com explicações de tudo quanto a gente não sabe, pensa que sabe, ou sabe mal-e-mal.

— Outra coisa que não entendo, — disse Narizinho, — é esse negócio de várias ciências. Se a ciência é o estudo das coisas do mundo, ela devia ser uma só, porque o mundo é um só. Mas vejo física, geologia, química, geometria, biologia — um bandão enorme. Eu queria uma ciência só.

— Essa divisão da Ciência em várias ciências, — explicou Dona Benta, — os sábios a fizeram para comodidade nossa. Mas quando você toma um objeto qualquer, nele encontra matéria para todas as ciências. Este livro aqui, por exemplo. Para estudá-lo sob todos os aspectos temos de recorrer à física, à química, à geometria, à aritmética, à geografia, à história, à biologia, a todas as ciências, inclusive a psicologia que é a ciência do espírito porque o que nele está escrito são coisas do espírito.

— Mas que é ciência, vovó? — perguntou Narizinho. — Eu mesma falo muito em ciência mas não sei, bem, bem, bem, o que é.

— Ciência é uma coisa muito simples, minha filha. Ciência é tudo quanto sabemos.

— E como sabemos?

— Sabemos graças ao uso da nossa inteligência, que nos faz observar as coisas, ou os fenômenos, como dizem os sábios.

— Então fenômeno é o mesmo que coisa?

— Fenômeno é tudo na natureza. Aquela fumacinha lá longe, que sobe para o céu, é um fenômeno. A chuva que cai é um fenômeno. O som da minha voz é um fenômeno. Fenômeno é tudo que acontece. E foi observando os fenômenos da natureza que o homem criou as ciências.

No começo o homem era um pobre bípede que valia tanto como os quadrúpedes de hoje. Vivia como todos os animais, nu em pelo, morando só nos lugares de bom clima, onde houvesse abundância de frutas silvestres e caça. Um animal como outro qualquer. Mas a inteligência que foi nascendo nele fez que começasse

---
[42] *O Poço do Visconde*, do mesmo autor.

a observar os fenômenos da natureza e a tirar conclusões. O homem teve a ideia de plantar, e com isso criou a agricultura. Teve a ideia de inventar armas, o arco e a flecha, o machado de pedra, o tacape, e com isso aumentou a eficiência dos seus músculos. Um dia descobriu o fogo e o meio de conservá-lo sempre aceso — e disso nasceu um colosso de coisas, entre elas o preparo dos metais. Com o fogo derretia certas rochas e tirava uma coisa preciosa, diferente da pedra — o ferro, o cobre, os metais, em suma. E com esses metais obtinha machados muito melhores que os feitos de pedra.

— Sinto uma comichão no cérebro, — disse Pedrinho. — Quero saber tudo quanto há no mundo...

— Também aprendeu a domesticar certos animais, de que se servia para a alimentação ou para ajudá-lo no trabalho. E a inteligência do homem, de tanto observar os fenômenos, foi criando a ciência, que é o modo de compreender os fenômenos, de lidar com eles e produzi-los quando se quer. E o homem tanto fez que chegou ao estado em que se acha hoje — dono da terra, dominador da natureza, rei dos animais.

— Bom, estou percebendo, — disse Narizinho. — O que um aprendia, passava aos outros, não era assim?

— Exatamente. Para que haja ciência é necessário que os conhecimentos adquiridos por meio da observação se acumulem, passem de uns para outros e pelo caminho se vá juntando com os novos conhecimentos adquiridos.

Entre esses conhecimentos o maior de todos foi tirar partido de certas forças da natureza a fim de aumentar a força natural dos músculos. Isso deu ao homem eficiência, isto é, capacidade de fazer coisas. Por fim entrou a inventar instrumentos e máquinas, meios mecânicos de aumentar grandemente a força dos músculos, e hoje o homem tem máquinas poderosíssimas, como a locomotiva, o navio, os guindastes, os automóveis, os aviões, tudo. A ciência foi nascendo, e o que chamamos progresso não passa de aplicação de ciência à vida do homem.

Nesse ponto um passarinho cantou no pomar. Pedrinho pôs-se de ouvido alerta.

— Que passarinho será aquele? — murmurou, falando consigo mesmo. E saiu disparado para ver.

— Ora aí está como se forma a ciência, — disse a boa senhora. — Se o canto fosse de sabiá, Pedrinho não se incomodaria, porque já conhece o sabiá. Mas como não reconheceu o canto, ficou logo assanhado por saber — e foi correndo ao pomar. A curiosidade diante dum fenômeno que não conhecemos é a mãe da ciência.

Logo depois Pedrinho voltou.

— Era uma saíra das raras — a segunda que vejo por aqui, — disse ele — e Dona Benta continuou a desenvolver o seu tema:

— Muito bem: sua curiosidade, Pedrinho, fez que você adquirisse um conhecimento novo. Ficou sabendo que esse canto é *duma saíra rara por aqui*. Para chegar a essa conclusão, você teve de observar o fenômeno — de ir ver, porque só com o ouvido não podia identificar o passarinho. Você neste caso fez o papel do cientista que observa, descobre e fica sabendo. E nós aqui, que não fomos pessoalmente observar, aceitamos esse conhecimento que você adquiriu e também ficamos sabendo que o tal canto é duma saíra rara por aqui. Quando alguém me perguntar: "Que passarinho é esse que está cantando?" eu responderei, fiada na observação que você fez e nos comunicou: "É uma saíra rara por aqui". Se a ciência ficasse com o homem que a adquire, de bem pouco valor seria, porque desapareceria com esse homem. Mas a ciência se transmite dum homem para outro, assim vai aumentando o patrimônio de conhecimento da humanidade. Chegamos hoje a um ponto em que, para a menor coisa, recorremos a muitas ciências sem saber. A pobre Tia Nastácia, quando vai assar um frango, recorre a uma porção de ciências, embora não o perceba. Para pegar o frango, para matá-lo, para depená-lo, para limpá-lo, para recheá-lo, para assá-lo, ela emprega inúmeros conhecimentos científicos, adquiridos no passado e transmitidos de geração em geração.

Pedrinho ficou entusiasmado.

— Nesse caso, vovó, eu sou um verdadeiro sabiozinho, porque sei mil coisas práticas. Sei sem que ninguém me ensinasse...

— Engano seu, meu filho. Tudo quanto você sabe foi ensinado sem que você o percebesse. A maior parte das coisas que sabemos nos vem de ver os outros fazerem.

— Isso lá é bem verdade, — confessou o menino. — Cada coisa que eu sei veio de alguém lá de casa — sobretudo da mamãe e papai. A gente quando é criança presta atenção a tudo e imita. Mas eu não sabia que isso era ciência...

— Sim, meu filho, tudo que sabemos constitui ciência, e quando você estudar física, por exemplo, vai verificar que os livros de física apenas explicam teoricamente muita coisa que praticamente sabemos. Por que motivo na mesa, ontem, quando Emília derramou aquele copo d'agua, você gritou para Tia Nastácia: "Traga um pano"?

— Porque é com pano que se enxuga água.

— Perfeitamente. Você sabe de modo prático uma coisa que na Física se chama capilaridade. O pano é feito de algodão, cujas fibras, por causa desse fenômeno da capilaridade, absorvem, chamam para si a água. Quer dizer que você, como toda gente, quando enxuga uma água com um pano, faz uso dum princípio da física, embora não o conheça teoricamente. Até Tia Nastácia, que Emília chama poço de ignorância, sabe um monte de coisas científicas — mas só as sabe praticamente, sem conhecer as razões teóricas que estão nos livros. Querem ver?

E Dona Benta chamou a preta.

— Tia Nastácia, que é do pano com que você enxugou a mesa ontem?

— Está no varal, secando, sinhá.

— Bem. Pode ir.

A negra retirou-se com um resmungo e Dona Benta prosseguiu:

— Vê como ela sabe coisas e como aplica as ciências? Sabe que se deixasse o pano amontoado num canto, ele emboloraria. Sabe que para não estragar o pano tem que mantê-lo seco. Sabe que para secá-lo tem de estendê-lo no varal, ao sol ou ao vento. Mas faz tudo isso sem conhecer as razões teóricas do emboloramento e da evaporação — coisas que vocês também não sabem, porque ainda não abriram nenhum compêndio de física.

— Estou compreendendo, vovó, — disse Narizinho. Estudar ciência é aprender as razões das coisas que fazemos de um modo prático.

— Isso mesmo. E depois de aprendida a teoria duma ciência, não só compreendemos perfeitamente a prática, como corrigimos essa prática nos pontos em que ela se mostra defeituosa — e ainda descobrimos novas aplicações práticas. As ciências só tem valor quando nos ajudam na vida — e é para isso que existem. Mas... *Uf!* Que calor está fazendo nesta sala! Abra a janela, Pedrinho.

Capítulo II
O ar

Assim que Pedrinho abriu a janela uma lufada de ar entrou, levando uma folha de papel de cima da mesa. Dona Benta aproveitou-se do incidente para falar do ar.

— Esse vento que acaba de arejar a sala, — disse ela, — está nos indicando um caminho. Podemos começar o nosso estudo de hoje pelo ar. Quem sabe o que é o ar?

— Eu sei, — disse Emília. — É essa coisa branca que a gente respira.

— Branca, Emília? Então o ar é branco?

— Eu digo branco à toa, — respondeu Emília. — Sei que ar não tem cor. É como o vidro.

— Isso. É transparente. Mas tem cor, sim. É levemente azulado — tão levemente que só quando visto em grandes camadas o seu azul se torna perceptível. Sabemos que o ar é azul por causa do céu, que não passa da camada de ar que envolve a terra. Mas vamos ver que coisa é o ar.

— Eu sei que o ar forma a camada de atmosfera que envolve o globo, — disse Pedrinho.

— Sim. O mais certo, porém, é dizer que o ar faz parte da terra, como as rochas, as águas e o mais. Forma a parte gasosa da terra e por isso mesmo fica por cima da parte sólida, por ser mais leve — e é nessa parte gasosa que vivem os animais e plantas terrestres. Sem ar não pode haver vida. Sem ar isto por aqui seria um deserto horrível, só pedras. Vamos ver quais são as caraterísticas do ar, qual a sua composição, e que empregos o homem faz dele.

— Que altura tem a camada de ar, vovó?

— Até bem pouco tempo quase nada sabíamos sobre a altura da camada atmosférica, pois não tínhamos meios de estudá-la. Os meios vieram depois da invenção dos balões, graças aos quais podemos subir a grandes alturas. E para além das alturas a que o homem consegue subir, podemos enviar balões sem gente dentro.

— Mas isso é inútil. Se não vai ninguém dentro, que adianta?

— Muita coisa, meu filho. Podemos colocar nesses balões termômetros e outros instrumentos que nos informem do que procuramos saber. Quando esses balões chegam muito alto, rebentam — e os instrumentos registradores caem em paraquedas, trazendo-nos a informação desejada. Alguns desses balões têm subido a mais de 30 quilômetros.

— E com gente dentro, qual a maior altura? — indagou a menina.

— Em 1862 os aeronautas Coxwell e Glaisher subiram a 11 quilômetros de altura. Em 1932 Picard subiu a 16 quilômetros, e em 1935 Stevens e Andersen subiram 21 quilômetros. Para imaginarmos o que essas alturas representam temos de refletir que o edifício mais alto de S. Paulo, o Martinelli, tem apenas 70 metros; a torre Eiffel em Paris, tem 300; o Empire State Building em Nova York, tem 380.

— E as montanhas e as nuvens?

— A montanha mais alta que temos na terra é o pico do Everest, no Himalaia. Vai a 8.850 metros. E as nuvens mais altas são as chamadas *cirrus*, que boiam entre 10 e 11 quilômetros.

— Quer dizer então que o tal Stevens, mais o Andersen subiram 10 quilômetros acima da mais alta nuvem?

— Sim, 10 quilômetros — e ainda hão de ser batidos por outros aeronautas, porque esses recordes não duram muito tempo. O homem é um bichinho levado da breca. Na ascensão de Coxwell por um triz não houve desastre. Na altura de 11 quilômetros seu companheiro Glaisher caiu em estado de inconsciência e Coxwell mal pôde abrir com os dentes a válvula do gás, a fim de que o balão descesse.

— E como foram os outros tão mais alto?

— Porque prepararam uma cabina hermeticamente fechada, suspensa ao balão, com reservas de oxigênio e outras precauções. Graças a isso puderam entrar na estratosfera.

— Que bicho é esse?

— À camada atmosférica que vai até 12 quilômetros os sábios chamam TROPOSFERA; e a que vai daí para diante eles chamam ESTRATOSFERA. Nesta camada não há nuvens, nem a menor umidade. Secura completa.

— E que adiantou isso?

— Muita coisa. Os sábios ficaram sabendo tudo quanto queriam, e hoje estão empenhados no estudo da estratosfera com esperança de que a navegação aérea se faça por lá. As vantagens seriam enormes. Não somente os aviões poderiam voar com velocidades incríveis, como estariam livres dos ventos, tempestades e nevoeiros da troposfera. Até eu, que já estou no fim da vida, ainda não perdi a esperança de ir daqui à Europa em minutos, por esse maravilhoso caminho da estratosfera.

Capítulo III
Ainda o ar

A viagem de Dona Benta pela estratosfera veio assanhar os meninos. Surgiram projetos, cada qual mais louco. Por fim a professora disse:

— Chega de fantasia; vamos agora voltar ao arzinho que temos por aqui em redor de nós. O homem sempre soube, por experiência, que, quando mergulhava n'água, a água exercia pressão sobre seu corpo, tanto maior quanto mais fundo mergulhasse. Mas que o ar também exercesse pressão, isso ninguém sabia.

— E como se veio a saber? — perguntou o menino.

— Dum modo interessante. Em 1640 o duque da Toscana mandou abrir um poço na sua cidade e colocar uma bomba, mas com grande desapontamento viu que a bomba não puxava a água até em cima. O duque pediu a Galileu, um grande sábio da época, que explicasse o mistério. Galileu, então com 76 anos de idade, não pôde cuidar do assunto por sentir-se doente, e mandou que um seu discípulo, de nome Torricelli, estudasse o caso — e esse discípulo resolveu o problema, provando que a água não subia até em cima por causa da pressão exercida pelo ar.

Torricelli refletiu que tanto podia fazer a sua experiência com água como com outro líquido qualquer, e escolheu o mercúrio por ser muito pesado e fácil de lidar. Se usasse a água, teria de fazer a experiência com uma coluna d'água de 10 metros, o que era complicado. Com o mercúrio obteria o mesmo resultado com uma coluna muito menor. E sua experiência ficou célebre graças às muitas consequências que teve.

— Em que consistiu essa experiência?

— O problema era saber se o ar exerce pressão, e depois medir essa pressão. Para isso Torricelli tomou um tubo de vidro fechado numa das pontas e o encheu completamente de mercúrio, tapando com o dedo a outra extremidade para que o mercúrio não fugisse. Em seguida mergulhou esta extremidade, juntamente com o dedo que a tapava, dentro duma cuba de mercúrio — e de repente retirou o dedo.

— E que houve? — perguntou Pedrinho, ansioso.

— Houve que a coluna de mercúrio desceu um bocadinho no tubo de vidro e parou. Se o tubo não tivesse a ponta de cima fechada, o mercúrio correria todo para a cuba; mas como essa ponta estava fechada, formou-se o vácuo na pequena parte vazia. Vácuo quer dizer ausência de ar. Nesse vácuo não há pressão do ar porque não há ar. Estava explicado o mistério. O mercúrio do tubo não descia para a cuba porque a pressão do ar sobre a mercúrio da cuba igualava o peso da coluna de mercúrio dentro do tubo.

Aplicando *el cuento* ao poço do duque, Torricelli chegou à conclusão de que a água não subia até em cima porque a pressão atmosférica exercida sobre a água do poço ficava equilibrada pelo peso da coluna de água dentro do cano da bomba. E assim nasceu o barômetro.

— Barômetro então é isso?

— Sim, o barômetro é esse tubo de Torricelli, que mede a relação entre a pressão do ar atmosférico e o peso duma coluna de mercúrio, marcando o ponto em que a pressão se equilibra com o peso.

Essa experiência foi repetida por outros sábios em lugares ao nível do mar. E foi verificado que a coluna de mercúrio parava sempre a 30 polegadas de altura. Isso quer dizer que uma coluna de mercúrio de 30 polegadas pesa tanto como uma coluna de ar atmosférico do mesmo diâmetro que vai daqui em baixo até lá no fim do céu.

E assim se mediu a pressão atmosférica. Se a base da coluna for de 1 centímetro quadrado, o volume total da coluna de mercúrio será de 76 cent. cúbicos. E como o centímetro cúbico de mercúrio pesa 13,6 gramas, o peso total da coluna será de 1.033 gramas, que é o peso da *atmosfera* sobre uma superfície de 1 centímetro quadrado. Essa medida ficou se chamando atmosfera, que é a unidade das pressões. Logo... que é uma atmosfera, Pedrinho?

— É um peso-pressão de 1 quilo e 33 gramas por centímetro quadrado.

— Muito bem. E barômetro é o instrumento aperfeiçoado que saiu do tubo de Torricelli. O tubo do barômetro está marcado com uma escala, de modo que podemos ler o número em que o nível da coluna de mercúrio para. Esse número indica a pressão atmosférica. Se subirmos a um monte, o barômetro marcará lá em cima uma pressão menor, por que o peso da coluna de ar é tanto menor quanto maior for a altura.

— Mas só se mede a pressão com os barômetros?

— Não. Também se mede com um instrumento chamado *Aneroide*, em que em vez de mercúrio há uma caixa de metal hermeticamente fechada, com vácuo dentro. A maior ou menor pressão do ar sobre a tampa dessa caixinha faz que ela afunde ou suba, e esse movimento é transmitido ao ponteiro que corre sobre a escala. Os aneróides são como os relógios de bolso, e portanto muito mais cômodos de lidar do que os barômetros. Mas não têm a rigorosa precisão dos barômetros de mercúrio.

— Bem, — disse Narizinho. — Já sei que o ar tem peso. E que mais tem? De que é formado?

— Hoje sabemos tudo sobre o ar. É uma mistura de gases, composta principalmente de *azoto* (78 por cento), *oxigênio* (21 por cento) e *argon* (1 por cento). E há ainda nele outros gases em quantidades mínimas, como o *hélio*, o *neon*, o *crípton*, o *xênon* e mais outros que escapam das fábricas, minas de carvão ou petróleo, etc. Também há nele vapor ou água em estado gasoso. Uma simples mistura, o nosso ar. Esses gases não estão *combinados* entre si; estão apenas *misturados*.

O oxigênio é a parte do ar de maior importância para nós, porque dele nos utilizamos constantemente. O azoto e os outros gases não nos são nem úteis, nem inúteis — são indiferentes. Respiramos o ar para que nossos pulmões se utilizem do oxigênio.

— Mas como é o oxigênio — que cor, que gosto tem? — indagou a menina.

— É um gás, portanto não pode ser visto, nem pegado com as nossas mãos. Temos de recorrer a certos meios engenhosos para aprisioná-lo em vidros e estudá-lo. E para isso o melhor processo não é extrai-lo do ar, sim de certas substâncias que o contém em combinação com outras. Que é daquelas pastilhas de clorato de potássio que comprei para a dor de garganta do Visconde?

— Está lá dentro, — respondeu a menina.

— Vá buscá-las.

Narizinho saiu correndo e voltou com seis pastilhas de clorato de potássio. Dona Benta tomou-as e disse:

— É muito fácil extrair o oxigênio que há nestas pastilhas, mas só no laboratório. Vamos para lá.

Dona Benta havia transformado o antigo quarto de hóspedes em laboratório. Tinha lá uma porção de frascos de drogas, e tubos de vidro, e cubas, e lamparinas de álcool. Um perfeito gabinete científico de amador.

— Bom, — disse ela no laboratório. — Temos de misturar três partes destas pastilhas com uma parte de dióxido de manganês. Veja aí o vidrinho de dióxido, Pedrinho — esse acolá, na prateleira de cima.

O menino trouxe o vidro de dióxido e Dona Benta fez a mistura dentro dum tubo de vidro fechado numa das pontas e arrolhado na outra. Nessa rolha fez um buraco, onde enfiou outro tubo de vidro mais fino, em forma de S. A perna de cima do S ficava na rolha, e a perna de baixo ia sair dentro dum vidro de boca larga, emborcado numa cuba cheia d'água. Arrumadas as coisas assim, ela acendeu uma lâmpada de álcool e aqueceu o tubo com a mistura de clorato e dióxido. Imediatamente começaram a sair bolhinhas, que desciam pelo S e subiam pela água do vidro de boca larga, indo depositar-se no alto. E à medida que essas bolhinhas entravam, a àgua do vidrão ia descendo. Quando não houve mais bolhinhas, Dona Benta fechou o vidro com uma lâmina e o retirou da cuba, pondo-o sobre a mesa, na posição normal.

— Pronto, — disse ela. O dióxido de manganês e o clorato de potássio, os dois possuem oxigênio; mas neste caso é só o oxigênio do clorato que se desprende em bolhinhas. O dióxido não muda.

— Então por que botá-lo junto com o outro?

— Mistérios da natureza, meu filho. Ha um fenômeno químico muito interessante, que se chama *Catálise*, ou ação de presença. A simples presença do dióxido ao do clorato faz que o oxigênio deste se desprenda mais depressa. O dióxido só influi pela presença.

— Essa ação de presença, — disse Narizinho, — é muito comum na vida. A sua presença, por exemplo, vovó, faz que as criaturas se comportem de outra maneira — sobretudo a Emília. Assim que a senhora sai, ela vira outra...

— E você também, — protestou Emília. — Você é uma na frente de sua avó e outra longe — pensa que não sei?

Pedrinho espiava o vidro de oxigênio com a maior atenção.

— Não percebo nada, vovó, — disse ele. — O tal oxigênio é um ar à-toa, sem cor, nem cheiro. Como a senhora sabe que o que está no vidro é oxigênio e não ar?

— Pelas reações que vamos promover, — respondeu Dona Benta. — O oxigênio, por exemplo, não é combustível — mas sim alimentador do fogo. Sem ele não há fogo, ou combustão. Ponha dentro do vidro uma brasinha de fósforo para ver o que acontece.

O menino riscou um fósforo, deixou formar-se a brasa e apagou a chama. Em seguida lançou-a dentro do vidro de oxigênio. Imediatamente a brasinha virou labareda amarelada, grande.

— Experimente agora com uma ponta de arame bem aquecida.

Pedrinho aqueceu na lâmpada de álcool a ponta dum arame e a enfiou no frasco. Surgiu a mesma chama amarela, com faiscamentos.

— Está provado que o "ar" do vidro é oxigênio, porque o ar comum não faz isso. O que houve foi o que químicos chamam *oxidação*. O carbono da brasinha e a ponta do arame *oxidaram-se* pela ação do grande oxidador que é o oxigênio. Este fenômeno da oxidação é um dos mais importantes que há na natureza, como havemos de ver. Tudo se oxida na presença do oxigênio, umas coisas lentamente, outras rapidamente. Um exemplo de oxidação rápida temos na explosão da pólvora.

— Ora essa! Então a explosão da pólvora é uma oxidação? — exclamou o menino, surpreso.

— Sim, meu filho. O oxigênio que opera essa oxidação está acumulado na pólvora, do mesmo modo que está acumulado no clorato de potássio. Quando a gente põe fogo na pólvora, a oxidação do carvão que há nela se faz com enorme rapidez, produzindo gases. Esses gases necessitam de espaço muitíssimo maior que o espaço ocupado pela pólvora — e na fúria de abrir espaço expandem-se com a maior violência, causando o que chamamos explosão.

— Então a tal explosão é o gás que abre caminho?

— Exatamente. Mas no normal a oxidação é lenta. O ferro, por exemplo, está sempre se oxidando — virando ferrugem, e é para evitar isso que costumamos pintar as grades de ferro, os postes e tudo mais que é de ferro e está exposto ao ar livre. A camadinha de tinta da pintura isola do ar o ferro, e portanto isola-o do contacto com o oxigênio.

— Sim, senhora! É mesmo um danadinho o tal oxigênio, — murmurou Emília.

— O oxigênio é uma formiga que não para nunca nas suas atividades, — confirmou Dona Benta. — Terrivelmente trabalhador. E para a vida é indispensável. Não há vida sem ele, seja de animais ou plantas. No nosso organismo é a oxidação dos alimentos ingeridos que nos fornece a energia necessária à conservação da vida. Graças pois à energia que nos vem do oxigênio é que crescemos, é que o nosso coração bate, é que trabalhamos, é que pensamos. Sem ele temos a morte.

— E o azoto do ar?

— Se extrairmos o oxigênio do ar o que fica é quase que só azoto. Mas o azoto, ao contrário do seu companheiro é um gás inerte, isto é, inativo.

— Um malandro, um preguiçoso, — disse Emília.

— Quando os animais ou as plantas respiram, o azoto entra no organismo — mas entra e sai sem fazer nada, sem mudar nada.

— Então é um parasita inútil, — observou a menina.

— Ao contrário, minha filha, é utilíssimo, porque sem ele o oxigênio, na sua fúria oxidante, daria cabo de nós. O azoto sossega esse leão, diluindo-o, enfraquecendo-o, de modo que ele nos faça bem e não mal. Além disso o azoto é da maior importância na composição dos alimentos requeridos pelos animais e pelas plantas. Tudo na natureza é muito sábio, minha filha. Tudo tem sua razão de ser e está muito bem arrumadinho.

— E os outros gases do ar?

— São de quase nenhuma importância e também inertes. Por enquanto não passam de puras curiosidades científicas — mas é possível que algum dia seja descoberto que tais gases desempenham importantes papéis.

— De ação pela presença, talvez, — sugeriu o menino.

— É possível. Entre eles há o hélio, que está sendo muito usado para encher os dirigíveis — mas o hélio destinado a esse fim não vem do ar e sim de certos minerais. Também brota dos poços de água quente ou de petróleo. Mas por enquanto só existe hélio em quantidades comerciais nos Estados Unidos.

— E que mais há no ar?

— Também há vapor d'água, em grandes quantidades em cima dos oceanos, lagos, rios e florestas, e quase nenhum em cima dos desertos de areia. Quando esse vapor de água se acumula demais, formam-se as nuvens que se condensam em gotinhas e caem sob forma de chuva. Tudo na terra contém água. Nós, por exemplo, somos mais água que outra coisa. Nosso corpo contém 70 por cento de água. A vida é bastante aguada...

— Muito natural isso, — observou Pedrinho. — A vida nasceu na água e portanto tem que mostrar a sua origem. Somos aquáticos.

Dona Benta riu-se.

— Aquático, meu filho, quer dizer da água, que vive na água, como os peixes, certas aves e certas plantas. Mas se você disser que somos aquosos, não errará.

— Mas o Visconde é seco, não é aquoso, — disse Emília.

— Também há água nele, — contestou Dona Benta. — Não tanto como em nós, criaturas de carne, mas há. Uns dez por cento do Visconde devem ser água.

— Só dez por cento? — admirou-se a menina. — Por isso é que ele é tão "secarrão"...

Capítulo IV
MAIS AR AINDA

— Pois bem, — continuou Dona Benta, — o homem, que é o domesticador de tudo na natureza, também domesticou o ar. Não o utiliza apenas para a respiração, como fazem os animais e plantas. Emprega-o, qual escravo, em mil serviços.

As bombas d'água são conhecidas desde tempos antiquíssimos, mas só no século dezessete o homem descobriu que também podia bombear o ar. Foi um tal Otto von Guericke o pai da descoberta. Era prefeito de Magdeburgo, na Alemanha, e gostava de fazer experiências físicas. Um dia entrou a estudar a pressão do ar, e por fim inventou a bomba de sucção — a bomba que chupa o ar. E com ela fez diante do imperador da Alemanha uma experiência famosa, que está comemorada numa gravura antiga. Ei-la aqui. É a experiência dos hemisférios de Magdeburgo.

— Hemisfério, — disse Pedrinho, eu sei o que é: metade duma esfera.

— Isso mesmo. Otto construiu uma esfera oca de metal, que se abria em duas metades, como cuias de queijo do reino. Fechou a esfera e por um buraquinho extraiu todo o ar de dentro, com a sua bomba de sucção. Em seguida atrelou parelhas de cavalos dum lado e de outro da esfera, para que puxassem e separassem os dois hemisférios. Mas por mais que os cavalos puxassem não conseguiram abri-la. E foram pondo mais parelhas de cavalos até o número de oito, ou sejam dezesseis cavalos. Só então a esfera se abriu.

— Mas que é que soldava desse jeito os dois hemisférios? — perguntou a menina.

— A pressão do ar, — respondeu Pedrinho. — Não é isso mesmo, vovó?

— Perfeitamente, meu filho. E só quando a força dos cavalos ficou maior que a pressão atmosférica é que a bola se abriu.

— E o imperador da Alemanha com certeza também abriu a boca, — disse Emília.

— Sim, admirou-se muito, porque uma experiência daquelas constituía perfeita novidade. Venha desenhar uma bomba de sucção, Narizinho.

— Eu não sei, vovó.

— É para ficar sabendo. Eu darei as indicações.

Narizinho desenhou uma bomba, bem desenhadinha.

— Os serviços que as bombas de sucção têm prestado ao homem não têm conta, — disse Dona Benta. — E não servem apenas para extrair água dos poços. Em todos os maquinismos complicados há sempre várias bombas pelo meio, para realizar este ou aquele trabalho. Graças a elas o homem botou o ar a seu serviço, como um fiel servidor. Outra aplicação do ar temos no sifão. Quem sabe o que é sifão?

— Eu sei, — disse Pedrinho. — É aquela garrafa de água gasosa que há nas confeitarias.

— Não, meu filho. Nessas garrafas pode existir um sifão — mas a garrafa não é sifão, embora os fregueses a peçam com esse nome. Um sifão é isto — venha desenhar, Narizinho.

De acordo com as indicações de Dona Benta a menina desenhou um tubo assim, recurvado, com uma extremidade mais longa que a outra.

— Se enchermos d'água esse tubo e pusermos o braço mais curto dentro dum barril com água, quando destaparmos a boca do braço mais comprido o sifão chupará a água do barril, elevando-a no ar e depois descendo-a.

— Como isso, vovó? Por quê?

— Observe bem. A pressão do ar sobre a água dos barris (marcada com as flechinhas) é a mesma no A e no barril B. Mas a pressão que está sustentando uma coluna d'água maior no barril B do que no barril A acaba vencida, e a água passa toda do barril A para o barril B.

Constantemente estamos empregando na nossa vida diária estes princípios físicos a respeito do ar. Pedrinho, por exemplo, gosta de tomar laranjada por um canudinho — e que faz com isso? Provoca um pouco de vácuo na boca — e então a laranjada é impelida pela pressão atmosférica para dentro de sua boca.

Na indústria as aplicações da força do ar comprimido são muitas. Nas bicicletas e nos automóveis, por exemplo. Os pneumáticos são estufados com ar comprimido. E há os terríveis martelos de ar comprimido, que fazem um barulho ensurdecedor, como o de certos picapaus — *prrrrrrr*. Cada r é um pancadinha do martelo, conseguida pela ação do ar comprimido que chega até ele por meio dum tubo de borracha. São empregadíssimos para achatar rebites, nos quais dão milhares de pancadas por minuto. Também existem as talhadeiras de ar comprimido, muito usadas nos trabalhos de rua para desmontar o concreto da pavimentação. Em vez de empregar nisso os seus músculos, dando golpes e mais golpes com a picareta, como se fazia antigamente, o homem apenas guia a maquinazinha. O esforço mecânico do ar substitui o esforço do músculo humano.

— E que mais?

— Oh, há tantos empregos, meu filho! Para descascar o granito das fachadas, já muito sujo pelo tempo, usam-se máquinas de ar comprimido que projetam com bastante força um jacto contínuo de areia. O choque dos grãos de areia vai erodindo o granito. A mesma coisa para despolir vidro — fazer esses vidros foscos, sem transparência. Nas estradas de ferro é usado para apertar os freios.

— Há as sereias também, — lembrou Narizinho.

— Sim, as sereias das ambulâncias, de grito tão estridente, constituem uma aplicação do ar, mas apenas impelido. É como nos apitos e pios de inhambu com que Pedrinho tanto lida. A função do ar aqui é produzir sons. Mas em matéria de ar comprimido temos ainda os aspiradores de pó, que hoje estão substituindo as velhas vassouras. E temos as espingardas de ar comprimido, e mil coisas. Uma das aplicações mais interessantes está no caixão com que os homens trabalham no fundo das águas para construir alicerces e pilares de pontes.

— Explique como é isso, vovó. Estou curioso, — pediu o menino.

— Muito simples. Para que os pedreiros possam trabalhar no fundo dum rio é necessário afastar deles a água, e isso se consegue por meio do ar comprimido. Desce-se até o fundo do rio um grande cilindro de paredes de aço, com tampa na parte superior. Mas como o barômetro nos ensina que a pressão da água a 11 metros de profundidade é de uma atmosfera, ou sejam 7 quilos por polegada quadrada, torna-se necessário comprimir o ar dentro do cilindro até obter uma pressão igual a essa. A pressão do ar dentro do cilindro equilibra a pressão exterior da água em redor do cilindro. Se não houver essa pressão de ar dentro do cilindro a pressão exterior da água o achata.

— E se a profundidade for maior de 11 metros?

— Nesse caso a pressão da água aumenta, e tem de ser aumentada também a pressão do ar. A pressão da água cresce de 1 atmosfera para cada 11 metros que se desça. Em muitos trabalhos desse tipo os pedreiros trabalham a mais de 30 metros de profundidade, sob pressão acima de 4 atmosferas — ou sejam 60 libras por polegada quadrada.

A criatura humana não pode ficar muito tempo sob essas enormes pressões, como também não pode resistir às súbitas mudanças de pressão. Isso porque há ar no nosso corpo — nos pulmões, nos ouvidos, etc., e quando a pressão externa aumenta, esse ar do corpo é comprimido e forçado a entrar no sangue e em outros líquidos do organismo, trazendo perturbações muito sérias.

— E se a pressão externa diminui de repente?

— Se a pressão externa diminui de repente o ar que está no sangue e nos outros líquidos expande-se, formando bolhinhas que também perturbam seriamente o organismo. Uma parte do corpo muito prejudicada com isso são os tímpanos. Por isso esses cilindros de trabalhar no fundo d'água são divididos em vários compartimentos; os operários demoram um bocado em cada um deles para dar tempo a que o organismo se adapte. Essa adaptação faz que a pressão interna do ar se iguale com a pressão externa e não haja distúrbios no organismo.

— As bombas também me parecem uma aplicação do ar comprimido, — lembrou Pedrinho.

— E são, — confirmou Dona Benta, mandando Narizinho desenhar uma dessas bombas. — Este pistão *A* sobe e desce com a manobra do braço da bomba. Quando sobe, a válvula *B* fecha-se e a válvula *C* abre-se.

— Por que a válvula C abre-se quando o pistão sobe?

— Porque a pressão do ar sobre a água lá no fundo do poço força a válvula. E quando o pistão desce, a pressão dele fica maior que a pressão do ar sobre a água do poço, e portanto a válvula *C* fecha-se — ao mesmo tempo que a válvula *B* abre-se.

— Por quê?

— Porque a força do pistão que desce se torna maior que o peso da coluna de água no cano que sobe e dá saída à água.

Outra aplicação do ar comprimido temo-la no transporte por meio de tubos pneumáticos, de muito uso em certas lojas de grande movimento, para levar troco da caixa aos balcões. Consiste num tubo comprido dentro do qual se ajusta um cilindro oco. Dentro deste cilindro seguem as notas e volta o troco.

— E como se consegue isso?

— Dum modo simples: basta que uma bomba comprima o ar numa extremidade do tubo, ao mesmo tempo que outra bomba chupe o ar na outra extremidade, para que a diferença de pressão faça o cilindro correr dum extremo a outro. Já vi uma aplicação dessas num jornal de S. Paulo, "O Estado". Como a redação fosse numa rua e as oficinas em outra, os originais eram mandados da redação para as oficinas por meio dum tubo pneumático aí duns 400 metros de comprimento, e que ao sair do prédio da redação passava por baixo do pavimento das ruas.

Capítulo V
A ÁGUA

Depois do ar Dona Benta falou da água, começando com esta pergunta:
— Que é água?
Todos sabiam. Quem não sabe o que é água?
— Uma coisa que a gente bebe, — disse Emília.
— A mãe da vida, — respondeu Pedrinho, que era mais filosófico.
— A leva-e-traz, — sugeriu Narizinho, lembrando-se do trabalho da água na erosão da terra (*O Poço do Visconde*).
Dona Benta explicou:
— A água é o berço onde nascemos e o berço onde se embalam todos os organismos. Sem água não há vida possível, e pois é ela a mãe da vida, como disse Pedrinho. Também é a leva-e-traz, como disse Narizinho. E também uma coisa que a gente bebe, como disse Emília. Fora o homem, todos os seres sejam animais ou vegetais, se utilizam da água para beber apenas.
— E também tomar banho, — advertiu Emília. — Os passarinhos gostam muito de banhos.
— Sim, banho de refrescar o corpo, — concordou Dona Benta, — porque os animais se limitam a molhar-se — não se lavam à nossa moda, esfregando o corpo com sabão... ou caco de telha, como fez Emília depois do banho de petróleo. Entre todos os seres só o homem ampliou a utilização da água, escravizando-a às suas necessidades. Transforma-a em vapor, para aproveitar a energia do vapor d'água. Transforma-a em gelo. Utiliza-se das quedas d'água para produzir força mecânica e sobretudo elétrica. Não têm conta os serviços que a água presta ao homem — e felizmente possuímos água na maior abundância.
— Apesar disso, muita gente morre de sede nos desertos e nas secas, — disse Pedrinho.
— Sim, ocasionalmente, num ponto ou noutro, a água vem a faltar, mas não que haja pouca água na terra. Vocês bem sabem que três quartos da superfície do globo são recobertos de água — a água dos oceanos. E essa água dos oceanos está toda ligada entre si, formando um corpo único, de modo que o que chamamos continentes não passa de grandes ilhas — ou terras rodeadas de água de todos os lados. Temos, pois, três quartos da superfície da terra invadidos pela água, e como a água

dos mares tem a profundidade média de 4 quilômetros, é fácil imaginar o colosso de água que existe em nosso mundinho. O volume das águas oceânicas é 15 vezes o volume das terras acima do nível do mar, de modo que se todas essas terras fossem lançadas no mar, o nível dos oceanos apenas se elevaria de 200 e poucos metros.

— E se as terras abaixo do mar se nivelassem com as terras acima do mar, que aconteceria?

— É uma coisa já calculada. As águas do oceano cobririam a terra inteira, com profundidade de 2 quilômetros e meio.

— Para mim é o que vai acontecer, — disse Narizinho. — A erosão, com a sua mania de desmontar as terras altas para ir aterrando o fundo dos mares, acabará nivelando tudo que é terra — e então, adeus humanidade!...

— Isso não, — protestou Pedrinho. — O homem saberá adaptar-se à água, construindo cidades flutuantes, como os navios de hoje são hotéis flutuantes.

— Com que roupa, Pedrinho? Há navios porque há a terra, com seus ferros e madeiras e outros materiais de construção. Mas se ficar tudo água, onde o ferro e a madeira e o resto?

Pedrinho embatucou.

— Muito simples, — resolveu Emília. — Os homens podem adaptar-se à agua, virando peixes. Assim como de peixes que já fomos viramos bípedes terrestres, pode muito bem dar-se uma reviravolta contrária. E eu bem que desejava virar sardinha. Francamente, ando enjoada desta vida de bípede terrestre...

— Bom, — disse Dona Benta. — Essas hipóteses poderão suceder daqui a tantos milhões de anos que não vale a pena pensar nelas. Sejamos dos nossos tempos e estudemos a água com a repartição que ela tem hoje. Além da água dos mares há a água dos lagos e rios — e a que está sempre suspensa na camada atmosférica sob forma de vapor. E há ainda a incorporada a todos os seres vivos e a todas as coisas da terra. Para que vocês avaliem como a terra está empapada, basta dizer que a água que se evapora dum milharal de um alqueire de chão, desde que é plantado até que é colhido, vai a tanto como 15 toneladas.

— Puxa! — exclamou Pedrinho. — Quinze mil quilos! É água...

— Até nos mais secos desertos existe água, — continuou Dona Benta. — Há água nos oásis, há água sob forma de vapor na atmosfera que recobre o Saara e ainda há água nas areias de aparência mais seca. Em muitas rochas também há água e nalguns minerais, como o alúmen, há muita. Mas que é a água, afinal de contas?

— Já dissemos, vovó!

— Vocês deram uma impressão sobre a água e eu pergunto que coisa é a água do ponto de vista químico.

— Isso não sabemos porque não somos químicos, — disse a menina.

— Pois fiquem sabendo que a agua é um óxido.

— Ora bolas! — exclamou Pedrinho. — Querem ver que o intrometidíssimo oxigênio é também pai da água? Se é óxido, é uma ferrugem — mas ferrugem do que?

— Do hidrogênio, — respondeu Dona Benta. — Assim como o dióxido de carbono se forma quando uma substância contendo carbono é queimada, assim também a água se forma quando o hidrogênio é queimado. — O nome cientifico da água é, pois, óxido de hidrogênio, e a fórmula química é $H2O$. Vou fazer uma experiência interessante: extrair água do ar!

— Extrair água do ar? Isso é magia negra, vovó, — exclamou Pedrinho. — Se a senhora fizesse semelhante experiência na Idade Média, acabava nas fogueiras da Inquisição.

Dona Benta mandou vir do seu laboratoriozinho um grande frasco de hidrogênio que ela mesma havia preparado; enfiou na rolha um tubo de vidro por onde o hidrogênio pudesse escapar — e acendeu. Formou-se uma chama como de bico de gás. Sobre essa chama botou um copo, bem seco, de boca para baixo. Sabem o aconteceu? Imediatamente se formaram gotas d'agua no vidro do copo!

— Bravos, vovó! A senhora resolveu o problema da seca do Ceará, — gritou a menina. — Basta que queimem hidrogênio com um copo em cima para terem água.

— Mas sai muito cara esta água, minha filha. Note quanto hidrogênio tenho de queimar para conseguir umas gotinhas apenas. O fenômeno que se deu foi uma oxidação, porque toda combustão é oxidação. E como o produto das oxidações são os óxidos, temos nestas gotas d'água o *óxido de hidrogênio*. E sabem por que o hidrogênio tem esse nome?

— Porque gera água, — respondeu Pedrinho. — *Hidro*, água; *gênio*, gerar. Isso eu sei porque é da gramática.

— E está certo. Hidrogênio quer dizer isso — o gerador da água.

— Viva o hidrogênio! — berrou Emília. — Ele é o pai da água, e como a água é nossa mãe, ele é nosso avô. Viva o vovô Hidrogênio!

— Bem, — disse Dona Benta depois que cessou o vivório, — temos agora de estudar as propriedades da água. Uma delas é dissolver coisas, como o sal, o açúcar, etc. Outras substâncias, como as rochas, também se dissolvem na água, mas em proporção tão pequena que quase não percebemos. O maior dissolvente que existe é a água, isto é, a substância que dissolve maior número de outras substâncias. E é essa propriedade da água que permite a vida aos peixes e mais seres aquáticos.

— Como isso?

— Esses seres só podem viver se respirarem oxigênio — e respiram o oxigênio dissolvido na água. Mas há substâncias que a água não dissolve.

— Os azeites, — lembrou Pedrinho. — Não há meio da água poder com o azeite.

— Sim, a água não dissolve as matérias graxas — e no entanto há outros líquidos que as dissolvem, como, por exemplo, a benzina. A água do mar contém muitas coisas em dissolução, como o sal, o calcário e outros minerais.

— Uma coisa vivo querendo perguntar e sempre me esqueço, — disse Pedrinho. — Por que há tanto sal no mar? Donde veio esse sal?

— Da terra, meu filho, das rochas que compõem a terra. A água do mar há milhões de anos que descreve uma volta: evapora-se, forma na atmosfera as nuvens, o vento sopra as nuvens para a terra, as nuvens se desfazem em chuva e a água cai. Cai na terra e se infiltra, formando os olhos d'água, os ribeirõezinhos e por fim os rios, que de novo levam para o mar a água que dele saiu. E *da capo*, como se diz nas músicas: vem de novo outra evaporação, outras nuvens, outras infiltrações, outros rios, etc. De modo que a água não cessa de descrever um circuito: mar-nuvem-terra--mar. E de tanto lavar a terra, vai dissolvendo o sal e outros minerais que encontra pelo caminho e levando-os para o oceano.

— Quer dizer então, — lembrou Narizinho, — que o mar tende a tornar-se cada vez mais salgado?

— Perfeitamente. Mas em muito pequena escala, porque quase todo o sal que havia na terra já foi transportado para ele.

— Mas quando a água do mar se evapora não leva consigo o sal?

— Não. Só se evapora a água; o sal fica; por isso é que a água de chuva, apesar de ser água marinha, não tem o menor gosto de sal. É puríssima — é água destilada.

— E que quer dizer água destilada?

— Quer dizer água obtida diretamente da condensação do vapor d'água. A água de chuva é água destilada: a dos rios não é.

— Como não é, se provém do vapor que se condensa em nuvens?

Dona Benta ficava tonta com certas perguntas; mas respondeu que rigorosamente toda água provinha da destilação, mas que na prática tinha o nome de água destilada só a que era obtida no momento, fresquinha, sem que tivesse tempo de dissolver coisas pelo caminho. A água da chuva, por exemplo, não é considerada destilada porque na vinda das nuvens até a terra pode dissolver coisas que existem no ar.

— Então a senhora errou dizendo que a água de chuva era água destilada.

— Errei e não errei meu filho, porque destilada ela é; mas para usos práticos, de farmácia e outros, só se considera água destilada a que se obtém da condensação do vapor num vaso fechado onde não possa contaminar-se com coisa nenhuma. *Est modus in rebus*, como diz o latim.

— E que é isso?

— Acho cedo para você compreender a sabedoria desta frase latina. Voltemos à água. Temos ainda as minerais...

— Como, vovó? Pois toda água não é mineral?

— *Est modus in rebus*, meu filho. Toda água é mineral, está claro, até aquela água végeto que os farmacêuticos vendem. Mas o povo habituou-se a considerar mineral só a água em que há em dissolução certas substâncias minerais que lhe deem um gosto ou cheiro qualquer. A água pura não tem gosto, nem cheiro, nem cor.

— É um líquido incolor, inodoro e insípido, como dizem os dicionários, — lembrou Narizinho.

— Sim, a água pura. Mas as chamadas águas minerais geralmente têm gosto e até cheiro. São empregadas como remédios para uma porção de doenças, sobretudo reumatismo — como as águas sulfurosas de Caldas, em Minas; de S. Pedro, em S. Paulo; do Cipó, na Bahia.

— E que faz a água evaporar? — perguntou a menina.

— O calor, minha filha. A água evapora-se tanto mais depressa quanto maior é o calor. Onde não há calor, como nos polos, ela fica durinha, em forma de gelo. A água que ferve na chaleira é água que está com a evaporação a galope. Evapora-se toda, para ficar boiando invisível no ar, reduzida a partículas imperceptíveis. Quando o ar se resfria essas partículas começam a juntar-se umas às outras. O vapor visível, esbranquiçado, já resulta da aglomeração das partículas. E se o frio aumenta, as partículas aglomeram-se mais ainda até formarem as gotas que caem. As partículas de vapor boiam no ar por serem mais leves que ele, e as gotas formadas por essas partículas caem por serem mais pesadas. Há, portanto, dois processos opostos: *evaporação* e *condensação*.

— Já notei, vovó, — disse a menina, — que quando Tia Nastácia ferve água formam-se bolhas, que sobem. Que bolhas são essas?

— De ar, minha filha — do ar que está dissolvido na água fria e que com o calor se expande, sobe e foge dela. Mas é preciso não confundir essas bolhas de ar do começo da fervura com as bolhas que saem durante a fervura. Estas não são mais de ar, sim de vapor. A água começa a evaporar-se pela superfície; mas crescendo muito o calor, evapora-se em toda a massa simultaneamente. E essas bolhas sobem porque o vapor é mais leve que a água.

— Essa do vapor ser invisível está me causando espécie, — disse Pedrinho. — Acho o vapor visibilíssimo. Nas manhãs frias de junho gosto de levantar-me cedo para vir assoprar na varanda. Parece que sai fumaça da minha boca.

— Isso só prova que o vapor é invisível, meu filho, porque se num dia quente, como hoje, você for à varanda e assoprar, não verá coisa nenhuma, e no entanto estará saindo da sua boca a mesma quantidade de vapor que sai nas manhãs de junho. É que nessas manhãs o ar está tão frio que assim que o vapor sai já se condensa em pequeníssimas gotas — e o conjunto dessas gotículas em suspensão no ar é que dão a aparência de fumaça.

— Hum! Estou entendendo agora...

— E chega de água por hoje, vovó, — disse a menina. — Tia Nastácia está tocando a campainha — sinal dum frango assado que vai ser uma delícia. Vamos almoçar.

Capítulo VI
Mais água

Na tarde desse dia Dona Benta continuou a falar da água. Que capítulo comprido o da água, e como a boa senhora sabia coisas a respeito do tal óxido de hidrogênio! Se a deixassem, ela passaria a vida inteira a falar de água.

— Não acha, vovó, que há na água assunto para uma vida inteira de falação?

— Claro que há, minha filha. Para muitas e muitas vidas. Só o capítulo tão romântico da vida na água — dos peixes, das plantas, dos micro-organismos...

— Dos foraminíferos, — ajuntou Pedrinho, lembrando do dicionário das 12 mil espécies de foraminíferos que os americanos estão fazendo, como ele lera na véspera.

— E dos navios que andam sobre as águas, — acrescentou Emília — as fragatas antigas, os bergantins, as faluas, as galeras, os brigues dos piratas, como aquele do capitão Gancho, que o Peter Pan conta... Quanta coisa! — e Emília ficou de olho parado, pensativa, a sonhar. Que desejo tinha ela de casar-se com um pirata de olho vermelho, chapéu de dois bicos e espada nos dentes!... Por fim suspirou. Narizinho, que sabia Emília de cor e salteado, compreendeu aquele suspiro.

— Está voltando nela o antigo desejo de pirataria, que lhe deu depois que vovó contou a história de Peter Pan... Não sei donde Emília puxou esses instintos sanguinários...

— Eu sei, — disse Pedrinho. — Quando Nastácia a fez, usou uns pedaços de baeta vermelha. Hoje Emília já não é de pano — mas o vermelho da baeta ficou em seu temperamento. Daí o tal sanguinarismo.

— Deixemos de bobagens e continuemos com a nossa água, — disse Dona Benta. — Vamos falar da pressão que a água exerce. Pedrinho, que é bom mergulhador, deve saber que a pressão da água cresce quanto mais a gente afunda, não é assim?

— Já observei isso, vovó, naquele dia em que mergulhei a quatro metros de fundo. Senti um grande peso no corpo.

— Pois era a pressão da água. Essa pressão cresce uniformemente com a profundidade. Cada metro de profundidade aumenta quase 1 quilo e meio em cada polegada quadrada de superfície. A maior profundidade oceânica que conhecemos tem 11.200 metros — e nessa profundidade a pressão da água é de 7 toneladas e meia por polegada quadrada de superfície.

— Que horror, vovó! É de esmagar tudo.

— A pressão da água nos tem impedido de estudar o fundo dos mares. Os mergulhadores descem até 20 metros apenas e a 30 já se sentem mal. Houve um caso famoso, em Honolulu, capital da ilha de Hawai — um marinheiro americano desceu até 100 metros para investigar o estado dum submarino afundado. Mas isso constitui o recorde. Outro americano, William Beebe, teve a ideia de explorar as profundidades dentro duma fortíssima bola de aço, com uns furos fechados com vidros grossíssimos, servindo de olhos — a *batisfera*, como ele denominou a sua bola. Conseguiu descer até 1000 metros de fundo, fazendo observações preciosas, vendo peixes e outros bichos marinhos de que nem suspeitávamos.

— Está aí uma coisa que eu tinha vontade de possuir, vovó: uma batisfera! Deve ser uma delícia afundar mil metros no mar e ver coisas que ninguém ainda viu...

— De fato, meu filho. Até eu, que sou uma pobre velha, invejei o tal Beebe. O livro em que ele narra sua exploração batisférica é uma pura maravilha.

— E que quer dizer batisfera?

— Esfera da profundidade. *Bathos*, em grego, quer dizer fundo.

— Que pena haver essa tal pressão da água! — lamentou a menina.

— Você não diria isso, — observou Dona Benta, — se soubesse como o homem se aproveita desse fenômeno. Constitui uma grande fonte de energia mecânica, graças à qual dispomos da maior parte da energia elétrica utilizada no mundo. Quando você vir uma avenida resplandecente de focos elétricos, ou um teatro fulgurante de luzes, saiba que tudo o devemos à pressão da água. Para aproveitá-la, o homem recorre às cachoeiras, ou quedas d'água naturais, e também constrói quedas d'água artificiais.

— Como?

— Represando a água dos rios por meio de diques possantes, e neles rasgando aberturas por onde a água cai com grande força dentro das turbinas que movem os dínamos produtores de eletricidade.

— Bom, nesse caso retiro o meu ódio à pressão, porque sou muito amiga da eletricidade, — disse a menina.

Dona Benta riu-se daquela retirada do ódio... Depois disse:

— Uma propriedade interessante da água é não ser elástica, isto é, não deixar-se comprimir. Por que motivo, Pedrinho, quando você dá um pontapé numa bola de futebol ela vai longe?

— Por causa de elasticidade do ar com que essas bolas são cheias, — respondeu o menino.

— Exatamente. O ar, como todos os gases, é elástico, isto é, deixa-se comprimir; e depois que cessa a compressão volta ao estado anterior. Mas se enchermos de água a bola de futebol, ela não vai longe, nem com o maior pontapé do mundo. O que pode fazer é quebrar o pé do chutador. E não se tornará uma bola elástica porque a água não tem elasticidade. Mas o homem, bicho espertíssimo, aproveita-se dessa incompressibilidade da água, do mesmo modo que se aproveita da compressibilidade do ar e outros gases.

— Como?

— De muitos modos. Não sendo compressível, a água tem o poder de transmitir uma pressão dum ponto para outro sem perda duma isca. Se você encher uma garrafa e arrolhá-la, e der uma pancada na rolha, a força dessa pancada se transmitirá, por meio da água, a toda superfície interior da garrafa, despedaçando-a. Temos a principal aplicação desta incompressibilidade numa máquina usadíssima na indústria — a *prensa hidráulica*.

— Que é isso?

— Desenhada vocês compreenderão melhor.

E Dona Benta mandou a menina desenhar uma prensa hidráulica, assim:

— Temos aqui este braço fazendo força na alavanca que move o pistão A. Essa força é transmitida pela água ao pistão B, sem perda duma isca. Se os dois pistões forem do mesmo diâmetro, a força transmitida de A para B não sofrerá aumento ou diminuição. Mas se o pistão B for de diâmetro maior que o pistão A, a força transmitida aumenta muito.

Se o pistão B tiver o dobro do diâmetro do pistão A, a força transmitida dobra. Se tiver um diâmetro cem vezes maior, a força aumenta cem vezes.

— Oh, então a tal prensa hidráulica é uma terrível produtora de força, já que a multiplica dessa maneira! — exclamou o menino.

— Sim, e por isso mesmo de imenso valor para a indústria. Os homens têm construído prensas capazes de exercer pressão até de 10 milhões de quilos...

— Dez milhões! — exclamou Pedrinho, assombrado. — Nossa Senhora!

— Para inúmeros trabalhos da indústria essas grandes pressões se tornam necessárias — e o homem as consegue utilizando-se da incompressibilidade da água. Em coisas menores também, como na prensa dos encadernadores, nas de comprimir algodão ou espremer sementes oleaginosas; para fazer baixar ou subir certas cadeiras de dentistas ou barbeiros; para breques de automóveis e trens. Não tem conta o número de empregos da água incompressível. Mas a grande coisa que o homem obtém com a água é a energia mecânica.

— Por que a senhora diz energia mecânica e não energia só?

— Porque há formas de energia que não são mecânicas, meu filho. Você mesmo me disse ontem que o coronel Teodorico era muito enérgico com os seus camaradas. Ora, enérgico quer dizer possuidor de muita energia. Mas será mecânica essa energia do compadre?

— Não, vovó. É energia moral.

— Bom, nesse caso está respondida a sua pergunta. Mas, voltando à energia mecânica que o homem tira da água, temos, em primeiro lugar, o aproveitamento das águas que correm. E por que as águas correm, Narizinho?

— Correm para pegar o mar, que é a pátria delas, — respondeu a menina.

— Mas como correm?

— Correm por causa da força de gravidade, que as puxa sempre mais para baixo.

— Isso mesmo. A diferença de nível dos terrenos é que movimenta os rios. A água tende sempre a correr para um nível mais baixo. Se o nível em redor dela é alto, a água fica estagnada, parada, como nos lagos. Mas nos rios corre, isto é, passa constantemente dum nível mais alto para um mais baixo — e por isso os rios dão tantas voltas. Como todos os corpos, a água é constantemente atraída para o centro da terra.

Muito bem. Essas correntes naturais de água foram as primeiras que o homem aproveitou para a produção de força mecânica. Os moinhos! Que invenção antiga não é!... As rodas d'água... Isto nem preciso dizer porque todos sabem de cor. Pedrinho vive lidando no nosso moinho de fazer fubá.

— E' verdade, vovó. Gosto de ver a água descer de galope por aquela bica e bater nas conchas da roda. Pena que haja tanta barata naquele moinho. Não suporto baratas...

— As rodas começaram com as palhetas simples, planas. Depois veio o aperfeiçoamento de Pelton, o homem que primeiro construiu rodas de conchas em vez de palhetas, para melhor aproveitar os jactos da água que com grande força descem das montanhas por dentro de tubos. Na Califórnia há uma instalação notável de três grandes rodas Pelton; a água desce da altura de 700 metros, por dentro de tubos de 6 polegadas; a força produzida por cada uma dessas rodas, de 3 metros de diâmetro, sobe a 45 mil cavalos. Mas depois da roda Pelton veio coisa mais aperfeiçoada — as turbinas.

— Por que mais aperfeiçoada?

— Porque aproveita melhor a força da água. Usa-se sobretudo nos casos em que há muita água corrente mas pouca altura. A água entra por um cano que em certo ponto é interrompido por uma roda horizontal com palhetas. O eixo dessa roda transmite às máquinas movimento rotatório que a força da água imprime à roda horizontal.

As maiores turbinas do mundo encontram-se na catarata do Niágara e produzem 70 mil cavalos de força, uma das instalações lá existentes possui turbinas que dão um total de 450 mil cavalos.

— Que linda manada de cavalos! — exclamou Emília. — Mas o moinho daqui do sítio acho que não produz nem um cavalo. Quando muito, uma cabra...

— Cara de cabra tem você, — disse Narizinho levantando-se.

Tia Nastácia havia gritado lá da cozinha: — Pipocas!

Capítulo VII
AINDA A ÁGUA

No dia seguinte Dona Benta começou dizendo que ia continuar com a água, o que fez Emília observar:

— Com tanta água assim, nós vamos acabar afogados...

— Morrerão afogados, mas sabendo o que água é. Um bom consolo, não acha? — respondeu Dona Benta.

— E que mais pretende a senhora dizer da água? — perguntou a menina.

— Muita coisa. Como se obtém a água, por exemplo. Hoje as facilidades para obter água são infinitas. Basta abrir uma torneira. Mas antigamente. Ah, não era assim, não. Tinha de ser carregada na cabeça, como ainda se usa aqui na roça, ou em carrinhos. As cidades antigas possuíam poços de utilidade pública. Quem queria água ia tirá-la com caçambas. Depois apareceram as bombas. Depois as primeiras canalizações e os chafarizes públicos. E finalmente a canalização como a temos hoje, que leva água a todas as casas. Nas velhas cidades de Minas, do tempo da mineração, há chafarizes públicos que constituem verdadeiras obras d'arte. Mas seja qual for o meio de trazermos água para dentro de casa, a nossa grande fornecedora é a chuva. Parte da água que cai do céu escorre para os rios. Outra parte infiltra-se no solo e vai afundando até dar numa camada de rocha impermeável — e segue por cima dessa rocha até sair em qualquer ponto, formando os olhos d'água.

— Que ponto é esse, vovó?

— Num declive do terreno. É por isso que em certos barrancos ou encostas vemos sempre água a verter das pedras limosas, com avencas e begônias em torno, samambaias e caetés. Esses olheiros d'água dão origem aos riachos; e da reunião de vários riachos nascem os rios, por maiores que sejam. Se a camada impermeável está muito perto da superfície, formam-se os pântanos, os brejos, os atoleiros.

— E os tais poços artesianos, vovó?

— São poços abertos em zonas acidentadas onde há camadas de rochas porosas metidas entre camadas de rochas impermeáveis. A água infiltra-se na rocha porosa e fica presa. Perfurando-se o solo até alcançar essas camadas porosas ou aquíferas, a água muitas vezes jorra a grande altura, como você pode ver por este desenho.

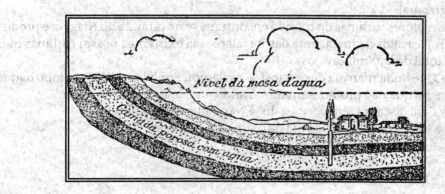

— Artesiano que quer dizer? Alguma palavra grega?

— Não. Como os primeiros poços desse tipo foram abertos numa parte da França chamada Artois, e esse Artois era *Artesium* em latim, a palavra vem deste nome latino.

É preciso notar o seguinte. Quando a água infiltrada encontra uma camada impermeável que não a deixa afundar mais, começa a acumular-se sobre essa camada até atingir um nível que tem o nome de "mesa das águas". E toda a terra, da superfície da mesa para baixo, fica empapada d'água. Se abrirmos ali um poço, a água acumula-se nele mas não jorra — não fica poço artesiano. Poço artesiano quer dizer poço que jorra. E para que jorre é preciso que se dê o que está desenhado: que haja uma *camada aquífera*, ou camada porosa embebida de água, entalada entre duas camadas impermeáveis, essas listras pretas do desenho. O nível da mesa fica lá em cima, como o desenho mostra, mas a camada impermeável superior não deixa que a água se extravase para o vale onde vemos a casinha. Muito bem: se abrirmos um poço perto da casinha, a água da camada aquífera, impelida pela pressão, jorrará até quase à altura da linha da mesa. Estão entendendo?

— Está claro como água da fonte, vovó, — disse a menina. — A senhora é um poço artesiano de clareza.

Dona Benta riu-se e continuou:

— As cidades são abastecidas com águas de riachos, colhidas às vezes muito longe e que seguem por encanamentos de largo diâmetro. Outras vezes são abastecidas com água de poços artesianos. E nos lugares pobres, com a água de poços simples, ou cacimbas, como na venda do Elias Turco.

— A cacimba do Elias, — disse Pedrinho, — tem metro e meio de diâmetro por trinta palmos de fundo. Foi aberta pelo Nhô Quim Poceiro — um negro que não faz outra coisa senão abrir poços. O preço é por palmo. Abre poço a dois mil réis o palmo.

— Não é só o Elias que usa cacimbas, — disse Dona Benta. — Muitas cidadezinhas pelo mundo afora, sobretudo no Oriente, fazem a mesma coisa. Em Jerusalém ainda há o poço de Maria, em Nazaré — um velho poço histórico. A cidade que possui o mais grandioso serviço de águas no mundo é Nova York. Começou com a água coletada do rio Croton, a 80 quilômetros de distância. Breve tornou-se insuficiente. Tiveram de construir vários outros reservatórios, entre os quais o de Catskill, a mais de 160 quilômetros de distância. Essa água é levada a um imenso depósito em Nova York, com capacidade para 3 bilhões e 600 milhões de litros. Custou a bagatela de 200 milhões de dólares, ou sejam alguns milhões de contos na nossa moeda. Graças a isso cada nova-iorquino pode consumir mais de 400 litros de água por dia.

— E como vai a água para as casas? — perguntou Narizinho.

— Um encanamento de bom diâmetro passa pelas ruas e solta ramais fininhos para cada prédio. E até no campo, ou nas fazendas, já se começa a usar a água encanada. As habitações melhores usam bombas que extraem a água dos poços e a elevam a uma caixa bem alta, donde, por força do peso, ela desce pelos canos distribuídos pela casa. Muitas vezes essas bombas são tocadas por moinhos de vento. Outras vezes são tocadas a mão ou por meio de motores de óleo ou elétricos.

O sistema mais comum é o da caixa d'água colocada em altura bastante para que o líquido se distribua pela casa inteira pela força do peso. Mas há um sistema mais moderno. Em vez da caixa lá nas alturas, existe no porão da casa um tanque de ferro perfeitamente fechado. Nesse tanque há ar. Quando a água é bombeada para dentro do tanque, o ar fica comprimido. Em certo momento fica tão comprimido que não deixa entrar mais água nenhuma e a bomba para. Bem. Desse tanque partem os canos que levam o precioso líquido a todos os pontos da casa e nesses canos a água está sempre sentindo os efeitos do ar comprimido lá no tanque, de modo que basta a gente abrir uma torneira para ela jorrar. Quando, pelo fato de ir-se esvaziando o tanque, a pressão do ar afrouxa, a bomba entra em movimento e enche-o de novo, comprimindo novamente o ar.

— E as torneiras, vovó? — perguntou Narizinho. Lido sempre com as torneiras, sem saber como são por dentro.

— A torneira do tipo mais comum, — disse Dona Benta, é um dispositivo em que a maçaneta torce um parafuso com uma rodelinha de couro curtido na extremidade. Conforme o parafuso sobe ou desce, a rodelinha deixa passar ou tranca a passagem da água, como vocês podem ver neste desenho.

E mandou a menina desenhar uma torneira rachada ao meio, para que vissem como era lá dentro.

— Eu sabia, — declarou Pedrinho, — porque vivo consertando as torneiras aqui de casa. Quando começam a pingar, é que o courinho está gasto — e basta colocar um novo. Sou mestre nisso.

— Pena que quando conserta uma torneira faça tamanho esparramo de água, — disse Dona Benta.— O prejuízo que me dá com a inundação é maior que o valor do conserto. Mas mudemos de assunto. Temos agora de ver como se obtém água limpa, boa para beber.

Água absolutamente pura, como já sabem, só a destilada, mas ficaria muito dispendioso se todas as casas tivessem de destilar a água que consomem. Só nos navios se faz assim, porque neles é preferível destilar a água do mar, conforme as necessidades, a conduzir enormes reservas que bastem para a viagem inteira. Mas felizmente nosso organismo não exige água destilada; basta que seja pura, como se encontra nos riachos ou nos olhos d'água. Certas bactérias da água não fazem dano à saúde; e se não é clara, por ter alguma lama em suspensão, com a simples filtragem fica limpa. O importante é que não esteja contaminada de excrementos de animais e outros detritos portadores de germes maus para a saúde. Quando a água vem do fundo da terra, surge já filtrada pelas areias ou camadas porosas por onde passa; mas a água dum poço pede contaminar-se com escorrências da superfície, se o poço não está bem fechado. Poços fechados com tábuas são perigosos, porque pelas frestas pinga muita coisa. Os fechados com boa tampa de concreto, esses não oferecem perigo. Têm que ser fechados em cima, na tampa e nas paredes, para que não haja infiltrações laterais.

Narizinho desenhou um tipo de mau poço e um tipo de bom poço, muito bem desenhados.

— E' muito perigosa a água colhida nas proximidades das habitações, — prosseguiu Dona Benta, por causa da drenagem de resíduos que podem conter germes de tifo, ovos de parasitas intestinais e mais coisas nocivas tanto aos homens como aos bichos domésticos. As coisas más da superfície podem descer e contaminar um lençol d'água subterrâneo.

Nas cidades com bom serviço de águas estamos garantidos, porque toda água vem de reservatórios fiscalizados, examinados constantemente para a correção dos defeitos do líquido. São vários os meios de conseguir essa correção. Há o sistema de esguichar a água para o ar, de modo que se areje e as bactérias morram em contacto com o oxigênio e o sol. Há o filtramento, que retira todas as impurezas sólidas. Há o deixá-las em repouso até que as impurezas se assentem no fundo. E há o misturar à água certas substâncias germicidas, isto é, que matam os germes. Um bom germicida muito usado é o cloro, que destrói todos os germes, apesar de misturado em pequenas doses. E assim, por toda parte, os serviços públicos corrigem as águas das cidades, para garantia da saúde dos seus habitantes. As bactérias que escapam são trucidadas em nosso organismo pelas células de defesa, as quais nos guardam muito bem, quando o número de atacantes não é excessivo.

— Vovó, a senhora ainda não falou duma das mais importantes aplicações da água — a água para banho, lavagem de roupa e mais coisas.

— Sim, minha filha. Essa aplicação da água é de fato importantíssima. Como poderíamos conservar nossos corpos asseados e nossas roupas limpinhas, se não fosse o abençoado óxido de hidrogênio? Água e sabão constituem duas perfeitas maravilhas, merecedoras de estátuas. Se o homem não fosse um bicho ingrato, em todas as cidades haveria uma estátua ao sabão e à água.

— Quem inventou o sabão, vovó?

— Não se sabe, meu filho. Um velho naturalista romano, Plínio, atribui a invenção aos gauleses, povo bárbaro que vivia nas terras da França de hoje. Era feito de sebo e cinzas de faia.

— Mas como de sebo e cinza pode sair sabão, vovó?

— Ha um versinho que diz:

> Azeite e água brigaram
> Certa vez numa vasilha.
> Vai tabefe, vem tapona,
> Soco velho ali fervia.
>
> Eis, porém, que a separá-los
> A potassa se apressou.
> Todos três se combinaram.
> O sabão daí datou.

Aí está a receita que até Tia Nastácia usa quando faz o que ela chama "sabão de cinza".

— Ela não, vovó, — protestou Narizinho. — Toda gente na roça diz assim.

— Pois é isso. Primeiro, Tia Nastácia leva uma porção de tempo juntando as cinzas que se acumulam no fogão. Depois enche um barril, aperta bem a cinza e despeja água em cima. A água atravessa a cinza e vai dissolvendo a potassa nela existente — e sai pelo fundo do barril sob forma dum caldo preto, que Tia Nastácia chama "decoada".

— Não é só ela que diz decoada, é todo mundo, vovó, — insistiu a menina.

— Pois seja. Forma o tal líquido preto, que é um caldo de potassa, e mistura-o com sebo, restos de torresmos, pedaços de couro de toucinho, qualquer coisa que contenha gordura animal; e num grande tacho ferve a mistura. Aquilo vai se dissolvendo, até que vira sabão preto muito bom. Mas sabão mole. Não pode ser cortado em barras ou quadradinhos.

— Tia Nastácia forma umas bolotas, que enleia em palhas de milho. São os pães-de-sabão.

— Para fazer o sabão duro, — continuou Dona Benta, — temos de ferver gordura animal ou vegetal (os óleos minerais não produzem sabão) com uma decoada de hidróxido de sódio. Forma-se u'a massa de sabão que endurece em moldes ou pode ser cortada em pedaços firmes, do tamanho que a gente quer. Para fazer sabonetes coloridos e cheirosos, ajunta-se a substância colorante e o perfume antes que a massa endureça.

— E que acontece na lavagem do corpo ou da roupa?

— A pele do nosso corpo é úmida e oleosa, de modo que o pó do ar vai aderindo e formando o que chamamos sujeira. Parte dessa sujeira passa para as roupas de baixo e também as suja. Na lavagem a água dissolve alguma coisa da sujeira, destaca as partículas sólidas do pó que ficaram na pele ou na roupa; só não mexe com o sujo gordurento. Mas se juntarmos sabão à água, essa sujeira gordurenta é também dissolvida e lavada. Graças pois às habilidades da água e do sabão é que temos uma pele limpinha e uma roupa que dá gosto ver — como as mãos da Emília e o vestidinho dela...

E Emília estava com as mãos e vestido sujos, de modo que corou com a observação de Dona Benta e respondeu, queimadinha:

— A culpa é da senhora mesma, que leva a vida toda a falar em água e não dá tempo da gente tomar banho...

— Bom, Emília, a desculpa foi boa — mas daqui a pouco vou fazer uma pausa para você ensaboar-se, não é assim?

— Então pare já, — disse a ex-boneca.

— Ainda não. Tenho de dizer alguma coisa sobre duas qualidades de água: a potável e a salobra.

— Agua potável não é água do pote? — perguntou Emília.

Dona Benta riu-se.

— Para os potes só vai água potável, mas água potável não quer dizer água de pote, visto como podemos encher um pote com água salobra. Água potável é a que se pode beber, a mais pura, a que mais se aproxima da água das chuvas e portanto não contém minerais dissolvidos. Depois que forma os rios, a água já está com muitos minerais em dissolução, tomados das rochas por entre as quais passou. Mas esses minerais ainda não tornam a agua impotável. O que a torna impotável é a dissolução de qualquer substância que contenha cálcio ou magnésio. O sabão se dissolve facilmente na agua potável, mas não se dissolve na água que contém cálcio ou magnésio — por isso essas águas não se prestam para a lavagem da roupa. Mas servem para beber.

— E não há meio da gente corrigir isso? — perguntou Pedrinho.

— Há, sim. Com uma simples fervura algumas dessas águas ficam boas. Outras exigem a mistura de certas substâncias que se unam ao cálcio e ao magnésio, retirando-os da água. A soda que chamamos lixívia é uma das melhores substâncias para isso. As águas do mar não servem para a lavagem por causa dos muitos sais de magnésio que contêm.

Outra aplicação muito importante da água temo-la no serviço de esgotos das cidades. Os resíduos do corpo humano produzem-se diariamente e têm que ser levados para longe. Os homens então constroem os tais esgotos — um sistema de encanamentos como o da água, mas que em vez de trazer água limpa, leva de todas as casas a água suja, com os resíduos que nela se misturam.

As casas da roça o meio de dispor desses resíduos, de modo que não causem mal, está nas fossas sanitárias — umas cacimbas bem fechadas, onde a podriqueira fica fermentando, isto é, vai sendo comida por certas bactérias, até que tudo fique reduzido a um líquido inofensivo. Nas cidades do mar, o mingau dos esgotos é lançado à agua, o mais longe possível das praias. A massa é dissolvida pelas águas e atacada pelos pequenos organismos. Nas cidades sem mar perto o problema se torna mais difícil. Constroem-se então grandes reservatórios, onde se faz o tratamento da podriqueira até que fique inofensiva e possa ser lançada num rio. Em outras cidades ha aparelhamento para separar a parte sólida da parte líquida; a parte sólida fica em tanques, entregue ao trabalho microscópico das bactérias, e a parte líquida é esguichada para o ar, afim de que os raios de sol e o oxigênio matem a bicharia miúda. Esse líquido é depois filtrado através de grandes camadas de areias ou coque bem moído, e ainda entregue ao trabalho das bactérias. Só então entra nos rios.

— Que trabalheira! — exclamou Narizinho. — E só de pensar nisso já estou com o estômago enjoado...

— Eu o que admiro é a coragem das tais bactérias, — disse Emília. — Que paladar estragado.

— Podem ter mau paladar, — disse Dona Benta, — mas possuem o grande mérito de serem inofensivas. Delas não vem mal para o mundo, só bem...

— Era o caso então de também erigir-se uma estatuazinha a tais bactérias, — disse Pedrinho. — Se pensarmos no caso com lealdade, nos convenceremos de que esses animaizinhos são mais úteis ao homem do que tantos que enchem os versos dos poetas, como as borboletas, as libelinhas, os beija-flores. No entanto, poeta algum tem coragem de botar num soneto uma bactéria de esgoto.

— O homem é um animal ingrato, meu filho. Jamais agradece aos seus verdadeiros benfeitores, — concluiu Dona Benta.

Capítulo VIII
A MATÉRIA

— Água ainda hoje, vovó? — perguntou no dia seguinte a menina, logo que Dona Benta se sentou na sua cadeira de pernas serradas.

— Não. Embora ainda haja muito a dizer sobre a água, outros assuntos nos estão chamando. E Pedrinho?

— Está com Emília no jardim, tentando mover aquela pedra redonda lá da porteira. Aí vêm eles. Com certeza desistiram.

Pedrinho e Emília apareceram.

— Puxa! — exclamou o menino ao entrar. — Nunca pensei que aquela pedra pesasse tanto. Eu e Emília pusemos toda a nossa força e a diaba nem gemeu...

Dona Benta aproveitou-se do tema.

— É por isso que o homem recorreu às forças da natureza e acabou escravizando-as. Viu que só com os seus músculos podia muito pouco. Essa pedra que resistiu à força dos músculos do meu neto e da Emília, mover-se-á facilmente por meio duma alavanca. Mas antes de chegarmos à alavanca, temos de ver o que é a matéria.

— Matéria é tudo que existe, — adiantou Narizinho.

— Talvez você tenha razão, minha filha, mas por enquanto a ciência o que diz é que matéria é o que ocupa lugar no espaço e tem peso...

— Se tem! — murmurou Pedrinho, ainda corado do esforço.

— ... e ar também é matéria, porque ocupa lugar no espaço e tem peso. Mas há duas grandes divisões da matéria — divisões que os sábios fizeram para comodidade de estudo: *matéria orgânica* e *matéria inorgânica*. A orgânica inclui todos os seres vivos e o que sai deles — e os restos deles depois que morrem. Vocês, por exemplo, os ovos, uma flor, aquele gato morto que vimos ontem na estrada — tudo isso é matéria orgânica, é sempre composta de carbono, oxigênio e hidrogênio, com mistura de outras substâncias em menores proporções. E a matéria inorgânica inclui tudo que não é orgânico — que não tem ou não teve vida. O oxigênio, o hidrogênio, o carbono, a água, o ar, a pedra que desafiou Pedrinho, os metais — tudo isso é matéria inorgânica.

— Mas a matéria orgânica é feita da matéria inorgânica, — observou Pedrinho, — porque o carbono, o oxigênio e o hidrogênio, que são as bases da matéria orgânica, como a senhora disse, pertencem ao grupo das coisas inorgânicas.

— Perfeitamente. Mas só quando esses elementos se combinam de certo modo e recebem esse mistério chamado vida, é que se tornam orgânicos. O estado geral da matéria é o inorgânico. O estado orgânico é uma fase passageira. No dia em que extinguir-se a vida em nosso globo, acaba-se a matéria orgânica — fica só a inorgânica.

— Bom, isso já sei, vovó, — disse Pedrinho. — Na Geologia tratamos desse ponto. Como também sei que a matéria se apresenta em três estados, conforme o calor a que está submetida: sólido, líquido e gasoso.

— Perfeitamente. A pedra que desafiou você está em estado sólido porque a temperatura que temos aqui é de 30 graus. Se a temperatura subir a 3 mil graus, ela passa ao estado líquido. E se a temperatura continuar a crescer, passa ao estado gasoso. E vice-versa: esse gás de pedra volta a ser líquido, se a temperatura baixar; e por fim volta a ser sólido, se baixar ainda mais. Nosso planeta já foi uma bola gasosa; com o resfriamento é que ficou no estado em que o temos hoje: uma mistura de sólidos, líquidos e gases. Isto você sabe. Mas não que os químicos dividem a matéria em *ácidos*, *bases* e *sais*...

— Que história é essa, vovó?

— Esta história quer dizer que toda matéria é um ácido, ou uma base, ou um sal. A matéria ácida é facilmente reconhecível pelo gosto que chamamos ácido, como o do caldo de limão ou o do vinagre. Toda matéria ácida tem a propriedade de tornar azul o papel de tornassol.

— Que papel azul é esse, vovó? O tal papel carbono?

— Não. Certos líquens produzem uma substância colorante, vermelha, que tem a propriedade de mudar de cor pela ação dos ácidos. O papel de tornassol é um papel comum tingido com esse colorante.

— Que líquens?

— Certos líquens do Mediterrâneo, da Noruega, das Canárias, etc. Muito bem. Já sabemos como verificar se a matéria é ácida. Vamos ver como se conhece a matéria básica. Essa não tem gosto ácido e nunca faz o papel de tornassol ficar azul. A potassa é uma base, ou uma matéria básica. O sódio, a amônia, idem.

— E os sais?

— Os sais são o produto da combinação dum ácido com uma base. Quando misturamos matéria básica com matéria ácida, o resultado é *água e mais um sal*. Se, por exemplo, misturamos soda, que é uma base, com ácido hidroclórico, teremos água e sal de cozinha.

— E de que cor os sais deixam o tornassol?

— Da mesma cor. Não têm nenhum efeito sobre ele. Mas a matéria, — continuou Dona Benta, — talvez seja uma coisa só, que se apresenta sob diversos aspectos, conforme as condições. Os sábios de hoje estudam muito isso, sem terem chegado a nenhuma conclusão definitiva — e os sábios da antiguidade também se preocuparam com o assunto. Por longo tempo ficou estabelecido que todas as substâncias que compõem o mundo se reduziam a quatro elementos: água, ar, terra e fogo. E os sábios do Tibet ainda em nossos dias aceitam essa divisão, com um aumentozinho: água, ar, terra, fogo e "espaço etéreo".

— E hoje como é?

— Hoje a ciência admite, em vez de quatro elementos, 92. São os chamados *corpos simples*, isto é, as substâncias que não podem ser desdobradas em outras. O oxigênio, o ferro, o ouro, o carbono, o mercúrio, o chumbo, etc., são corpos simples — e são esses 92 corpos simples que entram na composição de todas as substâncias existentes.

— E amanhã, como será, vovó?

— Não sei, meu filho. A ciência não para de estudar e de remendar o que chamamos Verdade Científica. Antigamente a verdade era a existência de quatro elementos. A verdade de hoje é a existência de 92. A verdade do futuro talvez seja a existência dum elemento só. Mas como não vivemos no passado nem no futuro, e sim no presente, só nos interessa a verdadezinha de hoje — embora a admitamos *cum grano salis*, como dizem os filósofos.

— Com um grão de sal, vovó? Que história é essa de verdade salgada?

— Quando a gente acredita numa coisa, mas não acredita "bem, bem, bem", como diz a Emília, é que estamos botando na nossa crença um grãozinho de sal.

— Mas que sal, vovó? De cozinha?

— Não, meu filho. Um grãozinho do sal da dúvida. Um dia, quando você chegar à minha idade, saberá o que é o sal da dúvida. Um dia... depois de ler Anatole France e outros mestres salgadores das verdades humanas. Na sua idade, Pedrinho, somos só açúcar, sal nenhum. Somos o gostoso açúcar da credulidade. Mas continuemos com a nossa lição. A ciência atual manda crer que a matéria é composta de pequenas partículas denominadas *Moléculas*; e que as moléculas são compostas de partículas ainda menores, denominadas *Átomos*. Certas moléculas só têm um átomo; outras possuem dois ou mais. Os sábios modernos vão mais longe: dividem os átomos em partículas ainda menores, chamadas *Elétrons* e *Prótons*. Mas veremos isso depois.

— O átomo é visível, vovó?

— Não, meu filho. E invisibilíssimo, e no entanto os sábios brincam com eles como se fossem bolas de tênis. Chegam a promover bombardeamentos de átomos, uma coisa interessantíssima que havemos de estudar mais tarde. Agora temos de ver como os átomos se comportam nas substâncias que não são simples.

— Se não são simples, são compostas...

— Isso mesmo. Substâncias compostas são as formadas dos elementos simples misturados dum certo modo. E se misturarmos substâncias compostas com elementos surgem novas substâncias compostas. A variedade é infinita. Há moléculas formadas de dois elementos simples, com dois átomos apenas; e também há moléculas formadas de centenas de átomos. Vou desenhar o modo esquemático por meio do qual os químicos representam as moléculas do oxigênio, que é um corpo simples; da água, que é um corpo composto; e duma mistura de oxigênio e água.

E desenhou isto:

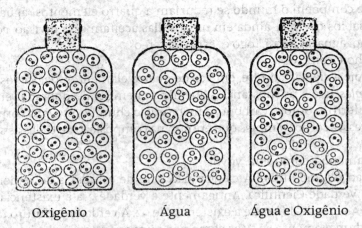

Oxigênio   Água   Água e Oxigênio

— Uma substância é uma coisa ou outra conforme a posição dos átomos dentro das moléculas.

— Mas se misturarmos uma substância com outra, os átomos imediatamente se acomodam dentro das moléculas para formar uma substância diferente? — quis saber Pedrinho.

— Não. Na química temos duas coisas: **Mistura** e **Combinação**. A mistura dá-se quando as substâncias misturadas não formam uma **substância diferente**. No meu terceiro desenho há uma mistura de água e oxigênio: dessa mistura não resultou nenhuma substância diferente: ficou o que era, água e oxigênio, apenas misturados. O ar é uma mistura. Mas a **combinação** não é mistura — é a formação duma substância diferente. Se juntarmos o oxigênio e o ferro, teremos uma substância diferente, que é o óxido de ferro.

O estado sólido ocorre quando as moléculas estão muito ligadinhas entre si; o estado líquido, quando estão **um pouco** espaçadas; e o estado gasoso, quando estão **muito** espaçadas, como vocês podem ver neste desenho em que figuro água, gelo e vapor — os três estados da água.

— A senhora disse que o átomo é invisível. E a molécula?

— Também invisível. São necessários milheiros de moléculas para formar um pontinho visível ao microscópio. E o mais interessante é que as moléculas estão sempre em movimento, girando com velocidades incríveis. As mais rápidas são as do hidrogênio, que alcançam a velocidade de 1.600 metros por segundo.

— Puxa! Mais rápidas que qualquer avião...

— E como os sábios sabem disso? — perguntou Narizinho.

— O invisível é estudado por métodos indiretos, que não dependem da nossa vista — métodos maravilhosos de engenhosidade. Graças a esses métodos os sábios determinam o tamanho das moléculas, o seu peso e a velocidade com que se movem.

— Que feras, vovó!...

— Para dar uma ideia do tamanho das moléculas, um sábio calculou que se as moléculas contidas numa polegada cúbica de ar crescessem até o tamanho dum grão de areia, dariam para encher um rego de um metro de fundo por 1.600 metros de largura, que fosse daqui do sítio até 4.500 quilômetros em linha reta.

— Sim, senhora! — exclamou Emília. — É por isso que estou me interessando pela ciência. Perto dela as fantasias das *Mil e Uma Noites* ficam café pequenininho...

— E as moléculas variam para cada corpo, — continuou Dona Benta. — As do ferro são duma forma: as do ouro são de outra, etc. Mas dentro de um mesmo corpo são sempre iguaizinhas. As moléculas do ouro do Klondike são iguaizinhas às moléculas do ouro do Coxipó, em Mato Grosso. E é essa diferença das moléculas nos corpos que faz que eles sejam diferentes uns dos outros — diferenças reveladas na cor, na dureza, na flexibilidade, no peso, etc.

— E há alguma mudança nas moléculas quando o corpo passa dum estado para outro, como água que fica gelo ou vapor?

— Não. Tanto na água, como no gelo ou no vapor as moléculas se conservam iguaizinhas — só varia o espaço que há entre elas. O mais interessante é que o simples arranjo das moléculas num corpo faz que esse corpo seja uma coisa ou outra. As moléculas do carbono, por exemplo. Arranjadas dum certo modo, produzem o carvão comum; arranjadas de outro modo, produzem o açúcar; e arranjadas ainda de outro modo, produzem... o diamante!

— Nossa Senhora! — exclamou Narizinho. — Mas então a química é uma ciência de deixar uma criatura louca varrida. Carvão e diamante a mesma coisa! Ora dá-se...

— Pois é, minha filha. A ciência serve para nos revelar a maravilha que é a natureza. E hoje ainda sabemos muito pouco. Imagine quando soubermos tudo, tudo... Quando soubermos nos menores detalhes como é a prodigiosa engrenagem das coisas. Mas até lá o cérebro humano tem que tropicar muito — tem de desenvolver-se, adquirir novas faculdades. Com o poder atual do nosso cérebro chegamos até um certo ponto e paramos. Ergue-se diante dele uma escuridão — uma parede preta, que o filósofo inglês Spencer batizou de *Incognoscível*.

— Que quer dizer?

— Quer dizer o que não se pode conhecer.

— E como o tal Spencer sabia disso?

— Também acho que ele errou, minha filha. Devia dizer o *Incognoscido*, isto é, o que no momento ainda não podemos conhecer. Mas quem pode adivinhar o futuro? Quem pode dizer o que será o nosso cérebro daqui a milhões de anos, quando cada homem tiver uma cabeça tão grande que perto deles Rui Barbosa pareça um microcéfalo? Microcéfalo quer dizer cabeça pequenininha.

— Os homens do futuro terão de andar carregados em carrinhos, ou berços de rodas, como os nenês de hoje, por causa do peso da cabeça, sugeriu Emília. Já imaginei isso.

— Bem. Mas até lá contentemo-nos com as nossas atuais cabecinhas, que já descobriram muita coisa e estão constantemente a descobrir outras. Apesar de microcéfalos como ainda somos, sabemos, por exemplo, que no mundo existe uma irmã da matéria, a *Energia*, a qual produz as contínuas mudanças que vemos em redor de nós.

Essas mudanças são de dois tipos, umas físicas e outras químicas. Se a matéria só muda de *estado* ou de *forma*, a mudança é física. Quando a água muda em gelo, quando Tia Nastácia descasca uma mandioca, há mudança no estado da água e na forma da mandioca; são mudanças físicas que não alteram nem a água, nem a mandioca.

— E a mudança química altera, — afirmou Pedrinho. — Já compreendi.

— Se compreendeu, dê um exemplo, — disse Dona Benta — e o menino respondeu sem vacilar:

— Separando o oxigênio e o hidrogênio da água, temos uma mudança química, do mesmo modo que depois de Tia Nastácia cozinhar a mandioca temos uma mudança química, porque a mandioca cozida é uma coisa diferente de mandioca crua.

Todos se espantaram da esperteza de Pedrinho. Dona Benta fez cara de aprovação, murmurando: "Exatamente".

— Como, sem saber, Pedrinho, você acertou desse jeito? — perguntou Narizinho.

— Cérebro, minha cara, — respondeu o menino. — A coisa lá por dentro funciona sem que a gente saiba como — tal qual nas charadas. Um dá a pontinha do fio e o miolo da gente acha logo o novelo.

— Cabeçudo! — murmurou Emília com o pensamento nos homens do futuro, metidos em carrinhos de vime.

— Nas soluções, — continuou Dona Benta, — temos bons exemplos de mudanças físicas. A água de açúcar, por exemplo, é uma solução de açúcar com água, — mas as moléculas do açúcar ficam apenas misturadas às moléculas de água, sem que haja nenhuma combinação química. Se evaporarmos a água, o açúcar aparecerá de novo.

A química é uma ciência das mais interessantes e úteis ao homem. Todos os dias os químicos estão obtendo coisas novas, graças aos processos químicos de Síntese e Análise.

— Que processos são esses?

— Quando uma substância é estudada com o fim de sabermos de que elementos simples se compõe, há a análise. Assim, o químico analisa um pedaço de rocha para descobrir de que metais é formada. Na síntese dá-se o contrário: o químico reúne elementos simples para formar com eles uma substância composta. A química sintética, isto é, a que usa a síntese, tem conseguido as maiores maravilhas modernas. Cria coisas. A gasolina, por exemplo, só era obtida por meio de destilação do petróleo cru, como sai da terra. Pois bem, a química sintética já descobriu meios de produzir gasolina por meio duma combinação de carbono, hidrogênio e oxigênio; toma esses três corpos simples, dá um certo jeito e os reduz a gasolina igual à produzida pela destilação do petróleo.

— Mas desse modo a química vai acabar resolvendo todos os problemas da vida, — disse Pedrinho. — Logo que os sábios conheçam perfeitamente o jogo das moléculas dos tais corpos simples, são bem capazes de fazer tudo quanto queiram.

— Até gente, — gritou Emília, — porque nós no fundo, que somos? Uma combinação de oxigênio, hidrogênio, carbono, etc. Ora, é só conhecer a receita da combinação desses elementos e pronto! Temos gente fabricada em casa, ou nos tais laboratórios, sob medida, assim e assim igualzinha com a encomenda...

— Pode ser, Emília, — disse Dona Benta. — Mas até aqui a química sintética só tem feito coisas mortas. Não me consta que haja produzido vida sintética.

— Isto agora, neste século de cabecinhas ainda muito pequenas. Estou falando dos tempos futuros — do tempo dos cabeçudos...

Capítulo IX
Mais matéria

No outro dia Dona Benta abordou um assunto importante para os filósofos: se a matéria pode ser criada ou destruída.

— Estamos num ponto muito sério do estudo da matéria — se pode ser criada ou destruída. Um grande sábio, do tempo da famosa Revolução Francesa, — disse uma coisa que parece bem certa: *Nada se cria, nada se destrói na Natureza*.

— Quem foi ele, vovó?

— Lavoisier.

— O que morreu na guilhotina? Bolas! Se morreu na guilhotina ele foi destruído.

— Não há destruição da matéria no que morre, meu filho. Há mudança de estado apenas. Depois que um corpo perde a vida, a sua matéria orgânica transforma-se em inorgânica. A matéria não desaparece. Naquele dia de Santo Antônio em que o compadre mandou um caixão de fogos e vocês passaram a noite a queimá-los... para onde foram os fogos?

— Viraram fumaça e cinzas, — disse Pedrinho.

— Isso mesmo. Mudaram de forma. Transformaram-se em gases e cinzas. Mas se você pudesse juntar toda essa fumaça, todos esses gases e todas as cinzas, obteria um peso exatamente igual ao peso dos fogos antes de serem queimados. Não houve, portanto, destruição da matéria, e sim transformação — mudanças químicas. A balança prova que Lavoisier tem razão no seu "nada se cria e nada se destrói" — porque na realidade tudo apenas se transforma.

— Bem, vovó, — disse Pedrinho, — a senhora já falou duma porção de propriedades da matéria. Mas deve haver uma propriedade-mãe, a mais importante de todas, a mais geral. Qual é ela?

— Talvez seja a *Inércia*, meu filho.

— Inércia? — repetiu Pedrinho. — Inércia é preguiça, é não fazer nada...

— Sim, é isso, mais ou menos. Inércia é a propriedade que tem a matéria de fazer corpo mole, de só andar quando a empurram, de não se mexer quando nada mexe com ela. É, em suma, a preguiça de tomar iniciativa por conta própria — e essa propriedade é comum a todas as substâncias materiais. Quando a gente corre num auto e o *chauffer* breca de súbito, que acontece aos passageiros?

— Afocinham! Dão com a cabeça no espaldar do assento da frente...

— E por que acontece isso?

— Por causa do impulso com que vão...

— Por causa da inércia da matéria de que são compostos os passageiros. Como o automóvel estava se movendo com certa velocidade e parou de repente, a inércia fez que os passageiros continuassem com a velocidade em que iam e dessem com as cabeças no espaldar. E por que motivo um automóvel começa a rodar tão vagarosamente no instante da partida e só depois de alguns metros ganha velocidade? Também por causa da inércia da matéria. A força que o motor faz para puxá-lo é a mesma, é até maior no começo; mas como matéria do automóvel estava parada, a inércia faz que resista ao puxão do motor. E depois que o carro está em velocidade, a mesma inércia faz que a matéria do automóvel resista aos freios que querem diminuir-lhe a marcha. A matéria é uma peteca nas mãos da energia. Vai para lá, vem para cá, sobe, desce — mas sempre resistindo a todas as mudanças. Se está parada, não quer mover-se; se está em movimento, não quer parar... A derrapagem dum automóvel, quando freado de brusco, é devida à inércia da matéria. A parte da frente fica amarrada pela ação dos freios e a parte de trás tenta continuar com o movimento em que ia. Daí a derrapagem.

— Interessante!... E quais as outras propriedades da matéria? — perguntou Pedrinho.

— Outra propriedade é ser atraída para o centro da terra. Como é o nome dessa atração, Narizinho?

— Gravidade, vovó. Isso eu sei desde que nasci...

— Mas não sabe o que é essa gravidade, — disse Dona Benta — nem você, nem ninguém. Gravidade constitui fenômeno de que os sábios conhecem as leis, mas ignoram o que seja. Sabemos que todos os corpos caem para o centro da terra — e caem com tanto mais força quanto maior é o peso.

Emília bateu na testa, como Arquimedes, gritando:

— Eureka! Eureka, Dona Benta! Achei! Descobri a razão dos astros girarem eternamente uns em redor dos outros.

— Qual é, Emília?

— A inércia, a tal preguiça de mudar. Receberam o impulso, e pronto! Ficaram toda a vida a girar — e como não aparece nada que os detenha, ficarão toda a vida girando, girando...

— Continue, vovó. Deixe de lado os eurekas emilianos. Quais as outras propriedades da matéria? — perguntou Pedrinho.

— Outra propriedade da matéria é a Densidade, ou o peso dum certo volume. Na prática, a densidade é o número de gramas que pesa um centímetro cúbico duma substância. Vou pintar uma série de centímetros cúbicos de diversas substâncias, com os respectivos pesos — isto é, com a densidade de cada um. Notem que o volume é sempre o mesmo, mas as densidades variam.

Na química usa-se como sinônimo de densidade a expressão *Gravidade Específica*, para designar o peso — a certa substância comparado com o peso dum volume igual de água. A gravidade específica do gelo, por exemplo, é 0,92; quer dizer que um bloco de gelo de qualquer tamanho pesa menos que um volume de água do mesmo tamanho.

— Menos quanto?

— Menos 8 centigramas em cada centímetro cúbico. Como vocês sabem, um centímetro cúbico de água pesa justamente um grama. Por isso é que o gelo boia na água, ainda quando aparece sob forma de montanhas enormes, como os icebergs. A densidade e a gravidade específica de todas as substâncias são iguais.

Num submarino temos uma boa ilustração da densidade e da gravidade específica. Ele flutua sobre a água quando a sua densidade e a sua gravidade específica são menores que a densidade e a gravidade da água. Para que mergulhe é necessário que receba mais peso (que entre lastro de água em seus reservatórios), até que a gravidade específica fique um pouquinho maior que a densidade da água.

— E as outras propriedades da matéria?

— Temos a *Coesão* e a *Adesão*. As moléculas possuem a tendência de se juntarem, de ficarem unidinhas — ou *coesas*. Isso por efeito da coesão, uma das propriedades da matéria. As moléculas do ferro são muito agarradinhas umas às outras, e por isso é o ferro tão duro. Mas o calor faz que a coesão diminua. No vapor d'água, por exemplo, o calor faz que as moléculas se separem, percam a coesão.

E quando as moléculas duma substância aderem às moléculas de outra substância, temos a *Adesão*. Por que motivo a água molha? Por causa da adesão. Se mergulharmos o dedo n'água e o retirarmos, ele vem molhado, isto é, com as moléculas d'água *aderidas* às moléculas da nossa pele.

— Essa coesão, vovó, — disse Pedrinho, — está me cheirando a uma espécie de força de gravidade que todos os corpos possuem. Cada coisa bem pode ser um mundinho que imite os mundos grandes. Que tal a minha ideia?

— Não é má, meu filho, e eu iria discuti-la com você, se não fosse a necessidade de dizer alguma coisa sobre a *energia*, essa força que move a matéria.

— Eu já sei o que é energia, — disse Narizinho: — é o chicote que faz a matéria mexer-se.

— Na verdade é isso, — concordou Dona Benta. — Nos começos o homem só dispunha duma fonte de energia: os seus músculos. Era muito pouco. Se ficasse assim não progrediria, como os animais não progridem.

— Eu vi isso ontem, com aquela pedra da porteira, — disse Pedrinho. — Só com os meus músculos não consegui nem sequer movê-la do lugar. Mas hoje fui lá com uma alavanca e num instante tirei-lhe a prosa: botei-a longe dali...

— Ela e o sapo, acrescentou Emília.

— Que sapo? — perguntou Narizinho.

— O sapão rajado que estava debaixo da pedra.

— Pois foi assim nos começos, — continuou Dona Benta. — Vendo que só com o muque ele não saía do estado de selvageria, de bicho do mato como os outros, o homem, movido pela inteligência que começava a crescer, pôs-se a procurar novas fontes de energia, e sua primeira ideia foi utilizar-se dos músculos de outros homens e de certos animais. Nasceu assim a escravidão humana e a domesticação do cavalo, do boi, do camelo, etc. Depois o homem aprendeu a aproveitar-se da força das águas correntes, do vento e da energia que vem do fogo; e por fim alcançou o estado atual, em que chega a abrir na terra furos de dois, três quilômetros, para arrancar esse líquido de nome petróleo que é a mais rica de todas as fontes de energia. Vapor d'água, eletricidade e petróleo: eis as grandes fontes de energia que o homem descobriu.

Certos corpos, como uma bola de futebol que apanha um chute, carregam consigo a energia que recebem e podem comunicar movimento a outros corpos em que batam. No bilhar vemos isso. A bola que recebe movimento do taco bate nas outras e também as move. Essa qualidade de energia chama-se *Energia Dinâmica*. As bolas movimentam-se com a energia transmitida pela primeira, batem nas tabelas, mudam de direção e por fim param, quando a energia que o taco lhes transmitiu se acaba. O vento possui energia dinâmica porque se move e também move coisas, como asas de moinho, folhas secas, pó.

— E às vezes casas, — lembrou Pedrinho. — Estive lendo a história do último furacão do golfo do México. Várias aldeias foram varridas... E o outro tipo de energia, vovó?

— O outro é a Energia Estática, ou Energia Potencial. O petróleo, o carvão, a lenha, o gás de cozinha, as comidas, etc., contêm energia em estado potencial, isto é, que só aparece quando se realizam certas condições: quando o petróleo, o carvão ou a lenha são queimados dentro das máquinas ou quando os alimentos são ingeridos e digeridos. A energia deles é de natureza química, não física, como a do vento e das quedas d'água.

Mas há também energia potencial física. Suponha uma pedra no alto duma montanha. No momento em que perder o equilíbrio e rolar morro abaixo, essa pedra desenvolverá grande quantidade de energia. Um elástico de estilingue bem esticado também possui energia potencial física, porque assim que é largado contrai-se e produz a força que arremessa a pedrinha. Nos relógios há a "corda", que é uma fita de aço enrolada: o enrolamento desse aço cria energia potencial, porque a fita tende a desenrolar-se, e de fato se desenrola, movendo todas as rodas do relógio. O ar comprimido possui energia potencial, porque está sempre fazendo força para "descomprimir-se".

— E a principal fonte de energia? — perguntou Pedrinho.

— O sol, meu filho. Do sol vem toda a energia do mundo, parte direta, parte indiretamente. A energia dos rios, dos mares, do carvão, do petróleo, das quedas d'água, tudo vem do sol. O petróleo formou-se de organismos que o calor do sol criou há milhões de anos e ficaram em depósito no fundo dos mares. O carvão de pedra: árvores que graças ao sol cresceram em tempos remotíssimos e ficaram enterradas. Carvão e petróleo constituem formas indiretas de energia solar. As diretas estamos vendo a todo instante. O sol é um gigantesco foco de energia que está constantemente a irradiar-se em todas as direções. A parte insignificantíssima que se transmite ao nosso globo basta para movimentá-lo e enchê-lo de vida. Os ventos e as correntes marinhas são causados pela energia do sol, que aquece de modo desigual o ar, a terra e a água, fazendo que o ar e a água se mudem dum ponto para outro. A energia dos rios vem do sol, porque é ele que forma os rios, evaporando as águas do mar e fazendo que caiam em forma de chuva. O sol, finalmente, é o pai de todas as plantas; e como são as plantas que fornecem alimento a todos os animais, é ele, sol, que move todos os animais — porque alimento é energia.

— E a Lua? — perguntou Narizinho.

— A Lua também, apesar da sua palidez, é uma fonte de energia para a terra. As marés produzem-se pela força de atração lunar. A água do mar incha, sobe — e desse deslocamento nasce muita energia. Se o homem conseguisse aproveitar economicamente a força das marés, podia só com uma pequena parte dessa energia realizar todos os trabalhos do mundo.

Com a energia acontece a mesma coisa que com a matéria: não pode ser criada, nem destruída. Esta verdade científica tem o nome de *Princípio da Conservação da Energia*. A energia transforma-se, nada mais. No caso das carabinas, por exemplo. Antes de dar o tiro, a carabina está armada com um cartucho atochado de pólvora: nessa pólvora há muita energia potencial acumulada. Mas o homem puxa o gatilho e detona o cartucho. Que acontece? A energia potencial da pólvora transforma-se em energia dinâmica, e esta energia dinâmica produz outras energias, como o calor, a luz, o som, além da força que faz a bala percorrer o espaço com grande velocidade.

Em certas usinas elétricas queima-se o carvão ou a lenha (energia potencial) para produzir vapor (energia calorífica), o qual move um dínamo que produz eletricidade (energia elétrica), a qual eletricidade acende as lâmpadas, esquenta os ferros de passar roupa, move os ventiladores, põe em ação os aparelhos de rádio, etc.

Mas apesar do muito que já foi feito na captação da energia os sábios não param de estudar novas fontes e novos usos, bem como jeitos de aumentar a eficiência da energia que empregamos. Isso de tirar do fundo da terra um caldo preto, de nome petróleo, e com esse petróleo conseguir fazer o que os aviadores andam fazendo no espaço, é para mim uma das maiores maravilhas do engenho humano.

— Pena que o homem seja tão cruel e injusto, vovó, — disse Narizinho, — porque bastante inteligente ele é...

— Não creio que o homem seja inteligente em alto grau, minha filha. O que acontece é surgirem na grande massa humana alguns homens realmente dotados de inteligência. Na maioria, porém, o homem é extraordinariamente estúpido. Os maus, sempre dominados pelo ódio ou pela cobiça, empregam as invenções filhas da inteligência para matar, aniquilar, roubar, saquear. Os países da culta Europa ainda hoje fazem "guerras de conquista" contra os povos mais fracos, para roubá-los, empregando para isso todas as novas invenções, inclusive a de Santos Dumont. E na guerra da Espanha vimos metade da população odiar a outra metade, com horríveis matanças de lado a lado, bombardeios de cidades, destruição de tudo, em nome duns ideais profundamente ridículos, de que os filósofos (isto é, os homens inteligentes) sorriem com piedade. O triste no rebanho humano, minha filha, é a força dos maus sentimentos e a generalização da estupidez. Os homens verdadeiramente inteligentes são pouquíssimos — e os verdadeiramente bons, ainda em menor número...

— Bom, vovó, — disse Pedrinho, — pare com as filosofias tristes e volte ao assunto. Que mais tem a dizer sobre a energia?

— Poderei dizer do modo como a energia trabalha. Quando você empurra um carrinho, ou para um carrinho que está em movimento, você está realizando um trabalho. No sentido científico só há trabalho quando alguma coisa move outra, ou faz que essa outra coisa pare de mover-se. Naquele dia em que você tentou mover a pedra da porteira, não houve nenhuma produção de trabalho porque a pedra não se moveu. Você produziu a força, gastou energia, mas não houve trabalho.

Na produção do trabalho há sempre uma coisa chamada *Fricção*, ou atrito. Num eixo que gira dentro de mancais, há sempre fricção, por mais bem torneados que sejam o eixo e os mancais. E a fricção produz dois efeitos: transformar em calor parte da energia empregada no trabalho e *desgastar* as superfícies que se friccionam. Para diminuir esses maus efeitos é que pomos óleo nos mancais, realizando o que se chama *lubrificação*. O óleo espalha-se numa camadinha muito fina sobre as duas superfícies que se friccionam, e desse modo diminui os efeitos da fricção. Mesmo assim não há mancal que não esquente, nem que não se desgaste.

— Por isso é que pegou fogo naquele automóvel outro dia. O *chauffeur*, muito bêbedo, esqueceu-se de botar óleo.

— Sim. Os mancais não lubrificados esquentam a ponto de pegar fogo. Chegam até a fundir-se.

— Mas por que motivo o óleo diminui a fricção? — quis saber Narizinho.

— Porque fica espalhado entre as duas superfícies e não deixa que elas se toquem. Mas o que mais diminuiu no mundo a fricção foi o invento da roda. Antes de haver rodas as coisas tinham de ser arrastadas — e no arrastamento a fricção é medonha. Mas se a coisa roda, a fricção fica muito reduzida, concentrando-se nos eixos e no ponto de contacto das rodas com o chão.

— Mas que peste é a tal fricção, vovó! — disse a menina. — O mundo seria muito mais fácil se ela não existisse.

— Engano, minha filha. Tudo tem o seu lado bom e o seu lado mau. A fricção nos causa muitos aborrecimentos, mas também nos presta muitos serviços. Se não fosse a fricção nós não poderíamos caminhar — a fricção da sola dos nossos sapatos contra o chão é que nos permite dar passos. Se não houvesse fricção, os pregos não ficariam nos lugares em que os carpinteiros os fincam — e os assoalhos e tetos se desconjuntariam. Se não houvesse fricção os automóveis não poderiam ter breques — e imagine quantos desastres!

— Bom, nesse caso, viva e morra a Fricção! — gritou Emília.

— Nas máquinas modernas está muito em uso o mancal de bolinhas de aço — e sabem por que? Porque reduz muito a fricção. Se você medir a superfície de fricção dum mancal antigo e a dum mancal de bolinhas do mesmo calibre, verá que a superfície de atrito diminui muito neste.

Dona Benta mandou desenhar um mancal de bolinhas para melhor esclarecimento do assunto.

— Bem, temos agora de observar mais uma coisa. Quando você ergue uma cadeira, Pedrinho, a força que gasta para isso é igual ao peso da cadeira. Se a cadeira pesa cinco quilos, você tem de empregar uma força de cinco quilos. Se você empurra um carrinho, exerce uma força às vezes bem menor que o peso do carrinho — e outras vezes bem maior.

— Como? Não estou entendendo...

— Se o carrinho está aqui na sala, onde o assoalho é liso, a fricção das rodas torna-se mínima e você move o carrinho com uma força muito menor que o peso dele. Mas se o carrinho está atolado na lama ou enterrado na areia...

— Ahn, compreendo! Nestes casos a fricção se torna maior. Por isso é que um automóvel atolado só sai à força de bois, e no entanto numa estrada lisa com uma ombrada eu faço um Ford parado mover-se.

— Outra coisa, — continuou Dona Benta: — a quantidade de trabalho que você realiza para levar no carrinho um saco de arroz daqui ao Elias Turco é a mesma, tanto faça a viagem em meia hora como num dia.

— Disso já andava eu desconfiado, — disse Pedrinho.

— Outra coisa ainda, — prosseguiu Dona Benta: — a quantidade de trabalho é maior para pôr o carrinho em movimento do que para mantê-lo em movimento.

— Já observei isso. O arranco é o que custa — por causa da tal preguiça da matéria, a inércia.

— Também na nossa vida é assim, — concluiu Dona Benta. — Muito mais energia moral necessita um homem para fugir a um vício, como o do fumo, do que para conservar-se não-fumante...

Capítulo X
AS MÁQUINAS

Na lição seguinte Dona Benta começou dizendo:

— Vou falar das máquinas, essas maravilhas de engenho que o homem foi inventando e está inventando todos os dias — e às quais as criaturas estúpidas atribuem a crise por que está passando o mundo. Como se a máquina fosse um ser vivo em competição com o homem na terra!...

— E que é a máquina, vovó?

— A máquina é o próprio homem, com seus braços, suas pernas e todos os seus sentidos, *aumentado* de eficiência por meio de truques que a inteligência inventou. Só isso. Quando leio arengas contra a máquina, lembro-me duma sova de pau que Narizinho deu numa cadeira certo dia. Como caísse da cadeira, enfureceu-se e foi buscar a vassoura para surrá-la. Atribuir males à máquina é surrar cadeira. A máquina obedece ao homem, só faz o que ele manda. Se de um avião de guerra cai uma bomba aqui em cima de nós e nos mata, que culpa tem disso o avião? Criminoso é o piloto que lançou a bomba.

Nos tempos antigos o homem ainda não havia domado a natureza — o ar, a água, o fogo e todas as fontes de energia, de modo que tudo era feito à força de músculos. Mas foi aprendendo, e por fim criou a máquina, que é o meio de substituir a força dos músculos pelas forças naturais. Uma coisa, entretanto, vocês não sabem: que até hoje o homem só inventou seis máquinas.

Os meninos deram uma gargalhada.

— Seis, vovó? A senhora está sonhando, — exclamou Pedrinho. — Eu que sou uma criança, posso citar mais de cem, mais de duzentas máquinas diversas!

— Nesse caso está você em condições de assombrar o mundo com essa revelação, porque os sábios, por mais que estudem, só conhecem seis máquinas simples.

— Como isso? — indagou Pedrinho, atrapalhado.

— Sim, meu filho. Só temos seis máquinas simples, como só temos dez algarismos: e assim como fazemos todas as contas da aritmética com dez algarismos apenas, assim também construímos toda sorte de maquinário por meio da combinação das seis máquinas simples. Essas seis máquinas são os verdadeiros algarismos mecânicos, e podiam ser chamadas máquinas-algarismos.

— Não estou entendendo nada, vovó...

— Vou explicar. As seis máquinas simples que o homem inventou são: 1) a *Alavanca*; 2) a *Polia*; 3) o *Eixo*; 4) o *Plano Inclinado*, 5) a *Cunha*, e 6) o *Parafuso*. Todos os maquinismos existentes no mundo não passam de variantes, ou combinações, destas seis máquinas-algarismos.

— Que interessante! — exclamou o menino. — Está aí uma coisa que jamais me passou pela cabeça...

— Vamos, pois, estudar esses seis algarismos da maquinaria moderna. Temos em primeiro lugar a alavanca, mais antiga, a número 1 da série, pois foi a primeira máquina que o homem inventou e usou. Um pedaço de pau é uma alavanca, se for usado como alavanca, se for usado como lenha, é combustível; se for usado para dar sovas, é porrete. As coisas são isto ou aquilo, conforme o uso que fazemos delas. Um pedaço de pau usado como alavanca torna-se máquina — a máquina número 1.

— E como se usa um pedaço de pau como alavanca? — perguntou Narizinho.

— Eu sei! — gritou Pedrinho. — Para remover a pedra da porteira fiz uso dum cabo de vassoura.

— Você poderá saber praticamente, Pedrinho, mas vovó sabe cientificamente. Como é, vovó?

— A alavanca é uma barra de ferro, ou do que seja — rígida. Tem que ser rígida. Uma barra de chumbo não dá alavanca porque não é rígida — dobra-se facilmente. É portanto uma barra rígida que se apoia num ponto fixo, chamado *Fulcro*. Esse fulcro tem de estar entre a *Força* e a *Resistência*, que são os nomes dados às duas extremidades da barra — e o poder da alavanca é tanto maior quanto mais perto da resistência estiver o fulcro.

Dona Benta mandou buscar um cabo de vassoura e fez várias demonstrações do poder da alavanca, conforme o fulcro está mais ou menos afastado das extremidades. Depois fez Narizinho desenhar e disse:

— Este é o princípio teórico da alavanca, e o desenho mostra o caso mais simples. As alavancas, porém, podem tomar inúmeras formas, contanto que sejam respeitadas as suas leis, isto é, o seu modo de atuar. O martelo, por exemplo, não serve só para bater — é também alavanca de arrancar pregos, uma alavanca recurva, que funciona quando há fulcro, força e resistência.

— A resistência é o prego, — disse Pedrinho. — A força é o muque da gente. E o fulcro é o ponto onde a curva do martelo se apoia.

— Isso mesmo. Uma vara de pescar também é uma alavanca...

— Já sei, — gritou Narizinho. — O peixe é a resistência, os nossos braços são a força — e o fulcro é...

A menina engasgou.

— Pense bem, — disse Dona Benta.

Narizinho pensou e respondeu:

— Já sei! Quando a gente pesca, a mão que segura a ponta da vara é a força, e a mão que segura a vara mais para cima é o fulcro, não é isso?

— Exatamente, — confirmou a professora. — Quando a força é maior que a resistência, esta cede...

— ... e o peixe sai da água, — completou Emília.

— Mas se a força é menor que a resistência...

— ... o pescador faz *tchibum!* e é levado pelo peixe. Foi o que me aconteceu naquele tempo em que eu era boneca e Narizinho me pôs de vara na mão, pescando no riacho[43].

— E a Polia? — perguntou Pedrinho.

— A polia, — explicou Dona Benta, — é outra coisa velhíssima, já conhecida dos gregos no tempo de Arquimedes. Este grande sábio espantou um rei e toda a sua corte, movendo navios por meio duma combinação de polias.

— Mas que é ela?

— Uma roda escavada, ou com um reguinho em redor, no qual corre uma corda, assim — e Dona Benta mandou Narizinho desenhar uma polia simples, e depois uma polia articulada com outra.

— Notem que há uma polia fixa, a de cima, e uma polia móvel, a de baixo. A ponta da corda está presa à trave em cima; desce; dá volta no reguinho da polia móvel; sobe; dá volta na polia fixa e desce de novo, indo ter às mãos de quem puxa. Quando a corda é puxada, as polias mudam a direção do movimento, de modo que o peso sobe. Neste caso há uma multiplicação de força e uma diminuição de velocidade. Temos de puxar dois metros de corda para subir de um metro o peso. Isso quer dizer que a polia sacrifica a velocidade do movimento para que a força aumente.

Os enormes guindastes que levantam pesos de muitas toneladas, até locomotivas, não passam duma aplicação de polias. Graças a eles o homem opera verdadeiros milagres de força. Na Índia usa-se muito o elefante como animal de trabalho, e é frequente, nos portos, verem-se os enormes animalões erguidos por guindastes, para serem embarcados nos navios.

— E o Eixo, vovó?

— O eixo vocês sabem o que é — uma simples barra, em geral bem reta e roliça. Tem um milhão de aplicações, sendo a principal no centro duma roda. O movimento da roda passa para o eixo e o eixo o leva para adiante. Serve, pois, para transmitir força dum ponto a outro. Se em vez de roda é cruzado por outra barra, fica sendo uma manivela. Um T é uma manivela, em que a barra horizontal, quando movida, transmite o movimento ao eixo vertical. Os trincos das portas são aplicações do eixo. Não há máquina um bocadinho complicada que não esteja cheia de eixos. Os rebolos de amolar, a máquina de picar carne de Tia Nastácia, aquele molinete de tirar água do poço. O eixo é um colosso, meus filhos.

— Até a Terra tem eixo, — lembrou Narizinho. — Um eixão que passa pelos polos.

— Sim, — confirmou Dona Benta, — mas é um eixo ideal.

— De mentira, então? — gritou Emília. — Bolas! Se é de mentira, não existe.

— Um eixo faz-de-conta, Emília. O faz-de-conta não é invenção sua. A ciência também explica muita coisa, tomando como ponto de partida um faz-de-conta. Bem. Já passamos em revista todas as máquinas simples e já sabemos que todas as mais máquinas não passam de combinações engenhosas destas máquinas simples. Vamos agora ver quem sabe: numa tesoura, que máquinas há?

— Duas alavancas combinadas! — respondeu Pedrinho *incontinenti*.

— Isso mesmo.

— E o Plano Inclinado, vovó? — quis saber a menina.

— O plano inclinado deve ser invenção ainda mais antiga que a polia; talvez

---

[43] *Reinações de Narizinho.*

viesse logo depois da alavanca, que evidentemente foi a primeira. Supõem os sábios que foi graças a ele que os egípcios ergueram os enormes blocos de pedra com que construíram as pirâmides. O homem observou que empurrar um peso por um plano inclinado acima exigia menos força do que erguer esse peso — e essa máquina tão simples nasceu. As estradas nas montanhas são um plano inclinado e por isso dão tantas voltas. É o meio de diminuir a força necessária para o transporte de coisas pesadas. Quanto mais suave for a inclinação do plano, menos força exige — embora mais longo fique o trabalho.

— E a Cunha?

— A cunha não passa dum plano inclinado móvel. Quando você quer rachar um tronco de árvore, começa metendo nele uma cunha e malhando em cima. Cada pancada faz a cunha penetrar um pouco mais, forçando a madeira de ambos os lados, de modo a rachá-la. Há uma transmissão e uma multiplicação da força. O tronco é a resistência. A cunha é o meio de aplicar a força contra a resistência.

— E o Parafuso?

— É também um plano inclinado em espiral; e do mesmo modo que o plano inclinado simples, sacrifica a velocidade em proveito da força. Quanto mais suave for a inclinação da rosca, menos força é exigida para levantar um peso — e mais vagarosamente esse peso é levantado.

— O macaco dos automóveis, — lembrou Pedrinho.

— Sim, o macaco dos automóveis é uma aplicação do parafuso. Com pequena força exercida na alavanca um homem qualquer ergue o grande peso dum carro.

— Estou notando, vovó, que todas essas máquinas significam a mesma coisa: manhas para aumentar a força do homem.

— E está pensando certo, Pedrinho. Por isso já disse que a máquina é o meio de aumentar a eficiência do músculo humano. Um homem que com seus músculos só ergue um peso de 100 quilos, por meio da máquina ergue pesos de centenas de toneladas. Todo o progresso material do mundo vem disto — deste aumento da força muscular do homem por meio da máquina.

Estas seis máquinas simples apresentam-se sob mil formas, mas estão sempre obedecendo aos mesmos princípios. E muitas vezes uma mesma máquina faz o seu trabalho e ainda o de outra. Quando damos uma machadada na madeira, o ferro do machado funciona como cunha; e para o retirarmos da madeira, usamos o cabo como alavanca. O formão dos carpinteiros, que é, Pedrinho?

— Uma cunha e uma alavanca.

— E a enxó?

— A mesma coisa.

— E a verruma?

— Um plano inclinado parafusesco, — gritou Emília.

— E um prego?

— Uma cunha.

— Como é cunha, se não é plano inclinado? — objetou Dona Benta.

— É plano inclinado na ponta, sim, senhora; o resto do prego o que faz é acompanhar a cunhazinha da ponta.

— Isso mesmo. E uma escada em espiral?

— É um plano inclinado, dos legítimos, combinado com o parafuso.

— E a hélice dos aviões?

— Parafusíssimo! — gritou Emília.

— Muito bem. Todas as mais máquinas que existem no mundo, por maiores, mais delicadas ou mais complicadas que sejam, não passam de combinações das seis máquinas simples — ou alfabéticas. Por meio da combinação destas seis letras o homem escreve todas as palavras mecânicas do dicionário industrial. Se vocês visitarem uma fábrica de tecidos verão que aquela infinidade de maquinaria se reduz sempre às nossas seis máquinas simples, engenhosamente combinadas para a realização duma grande soma de trabalhos diferentes — fiar as fibras do algodão, enrolar os fios em novelos, tecê-los, cortá-los, estampá-los, enrolá-los em peças, etc. Tudo palavras compostas com as seis letras mecânicas.

Bem. Isto já está explicado. Agora direi que todas as máquinas têm por fim *transformar uma energia qualquer em Energia Mecânica*, isto é, em energia trabalhadeira, ou produtora de trabalho. E também *transportar* essa energia dum ponto para outro. Os motores elétricos *transformam* a energia elétrica em energia mecânica e a *transportam* para onde há um trabalho a fazer. As máquinas a vapor transformam a energia potencial do carvão ou da lenha em energia mecânica e a transportam para os pontos onde há trabalho a realizar. Outras máquinas transformam a energia do ar, das águas correntes, do calor do sol, etc., em energia mecânica; são as rodas hidráulicas, os moinhos de vento, as bombas, etc.

Outro ponto interessante é que as máquinas, quaisquer que elas sejam, só fazem quatro coisas.

— Quatro só, vovó? — admirou-se Pedrinho. — Quero ver isso...

— Quatro, sim. 1) Vencem a resistência do peso, sacrificando a velocidade em proveito da força. 2) Fazem um certo trabalho com maior rapidez do que sem elas. 3) Mudam a direção da força. 4) Executam o trabalho com maior perfeição e uniformidade do que manualmente.

A minha máquina de costura, por exemplo, faz os pontinhos com a maior precisão. Que mão humana poderia competir com ela? E também faz esses pontos com extraordinária rapidez. E também me permite mudar a direção da força no rumo que eu quero.

— Mas não luta contra a resistência do peso, — disse Pedrinho.

— Sim, a minha máquina de costura não faz isso, mas os guindastes fazem — os guindastes, os moitões (combinação de polias), as grandes escavadeiras mecânicas que você já viu em S. Paulo. Fora dessas quatro coisas as máquinas nada mais fazem.

— E é o que nos salva, vovó, — observou Narizinho. — Imagine se as máquinas pensassem e um belo dia resolvessem tomar conta do mundo, agindo por conta própria, em vez de agir como o homem quer. Ah, seria o fim do homem na terra...

— É verdade! — exclamou Emília com carinha de quem descobriu a pólvora. — E o presidente da república seria a senhora Alavanca. E os ministros: dona Polia, o senhor Parafuso, sua excelência o Plano Inclinado, o doutor Eixo, Miss Cunha...

— Lá vem a louca! — exclamou a menina. — Emília é uma verdadeira máquina de desandar. Quando a imaginaçãozinha dela pega fogo, desanda para os abismos da loucura...

Pedrinho quedara-se pensativo. Por fim falou.

— Está me cheirando uma coisa vovó: que só existe de fato uma máquina — a alavanca. Tudo mais me parece modificações da alavanca. Quando crescer hei de estudar a questão e talvez escreva um livro provando que Máquina quer dizer Alavanca...

— Pois escreva esse livro e então discutiremos o ponto. Agora temos de atender à campainha de Tia Nastácia, que nos está chamando para o café.

Emília — disse:

— Está ali uma qualidade de máquina bem importante: a máquina de fazer comida. Sem ela, que seria de nós?...

Capítulo XI
A ENERGIA DO CALOR

Depois do café Dona Benta ainda falou das engrenagens, mandando a menina desenhar um conjunto assim:

E explicou:

— Temos aqui a roda dentada *A*, transmitindo movimento à rodinha *B* por meio duma corrente sem fim. Essa rodinha *B*, como é menor que a roda *A*, multiplica-lhe o movimento, pois dá várias voltas enquanto a roda *A* só dá uma. Multiplica esse movimento e o transmite ao eixo. Nesse eixo vemos o parafuso *C*, o qual transmite o movimento à roda *D*, mas em outra direção. No mesmo eixo vemos logo adiante a rodinha dentada *E*, que move a roda maior *F*. E por fim temos a roda dentada *G*. transmitindo movimento à roda *H*. Notem como o movimento pode ser aumentado ou diminuído à vontade, e também como pode ser mudada a sua direção.

Pedrinho ficou extasiado diante do desenho.

— Que bichinho engenhoso é o homem, vovó! Estas engrenagens me parecem um verdadeiro poema. Que valem *Os Lusíadas* perto disto?

— Você diz assim por que tem alma de engenheiro, Pedrinho. Se tivesse alma de poeta preferiria *Os Lusíadas*, embora compreendendo a beleza destas engrenagens.

— É que *Os Lusíadas* só movem a imaginação da gente, vovó, e estas engrenagens movem o mundo. Que beleza! — e Pedrinho continuou no êxtase.

Dona Benta começou a falar da fonte de energia mais importante que há no mundo: o calor.

— Até o século dezenove, — disse ela, — os sábios consideravam o calor como um fluido. Os corpos ficavam quentes quando esse fluido os penetrava; e esfriavam quando o fluido os abandonava. Era o *Calórico*. E como não havia alteração do peso quando um corpo se aquecia ou se resfriava, os nossos avós consideravam o calor um fluido — porque os fluidos não têm peso, não são matéria.

Mas em 1799 um sábio inglês de nome David Humphry notou que dois pedaços de gelo esfregados entre si produziam calor suficiente para derretê-los, de modo que essa transformação da energia mecânica (o esfregamento) em calor provava que o calor era apenas uma forma da energia, e não fluido nenhum. E lá se foi para o cemitério o tal Calórico...

— E eu sei donde vem o calor, vovó, — disse Narizinho. — Vem do sol!

— Exatamente. O sol é a grande fonte de calor que temos na terra. Mas há outras. Certas combinações químicas também produzem calor. A oxidação, por exemplo. Tudo que se oxida produz calor. Um pau de lenha no fogão queima-se depressa, isto é, oxida-se depressa, e produz um calor intenso. Se esse mesmo pau de lenha for deixado ao ar livre, apodrecerá, isto é, se oxidará lentamente — também produzindo calor. E a quantidade de calor que um pau de lenha produz no fogão é exatamente igual à quantidade de calor que ele produziria se levasse anos a apodrecer.

A oxidação, portanto é o que nos fornece maior quantidade de calor depois do sol. Essa oxidação se chama também *Combustão* — o ato duma coisa queimar-se.

— Quer dizer que a pobre Tia Nastácia está sempre produzindo oxidação lá na cozinha sem ter a menor ideia disso! — murmurou a menina.

— Exatamente. Outra fonte de calor temos na fricção. E outra, na compressão. E outra, na eletricidade. Já notou, Pedrinho, que quando você enche o pneumático da sua bicicleta a válvula esquenta? É efeito da compressão do ar.

— Já notei, sim, vovó, mas nunca supus que a causa fosse essa.

— Pois bem: muitos sábios acham que grande parte do calor que ainda há no centro da terra vem da tremenda compressão a que esse centro está submetido. E assim como a compressão produz calor, a descompressão produz frio.

— Já notei isso, vovó, — disse Pedrinho. — Quando esvazio o pneumático da minha bicicleta, o ar de dentro sai mais fresco que o de fora.

— É que o ar estava comprimido, e com a abertura da válvula ele começa a descomprimir-se, isto é, a expandir-se. E nessa expansão ele perde calor, tornando-se mais frio. Agora, outro ponto: por que motivo um pano molhado é mais frio que um pano seco?

Ninguém soube responder.

— É porque no pano molhado a água está em evaporação, e a evaporação também produz frio. E por que a evaporação produz frio?

Ninguém respondeu.

— Porque a evaporação, bem como a compressão, tem a propriedade de consumir o calor das proximidades. A energia do calor se transforma assim em outra forma energia.

— Uma coisa eu sei do calor, vovó, — disse a menina: — é que ele muda a forma dos corpos. A minha boneca de cara de cera ficou uma pasta escorrida quando a esqueci ao sol...

— Isso já vimos, — disse Dona Benta. — O calor é que determina o estado dos corpos — sólido, líquido ou gasoso. Agora temos de notar que cada corpo possui o seu ponto fixo de mudar de estado. A água fica sólida na temperatura de zero, e ferve na temperatura de 100 graus — ferve e vira vapor — torna-se gasosa. O chumbo fica líquido na temperatura de 880 graus, e vira vapor na temperatura de 1.800 graus. Todos os corpos têm o seu ponto fixo de mudar de estado, como já expliquei.

— E que é temperatura, vovó?

— Temperatura é a medida do calor dum corpo. Dizer, como já ouvi, "A temperatura hoje está muito quente", é asneira. Pode-se dizer que a temperatura está agradável ou desagradável — mas dizer que está fria ou quente, é asneira. E para medir a temperatura há os termômetros.

— Eu sei o que é! — gritou Emília. — Um vidrinho com a listinha prateada dentro.

— Nada disso. O termômetro é um tubo de vidro com uma colunazinha de mercúrio dentro — mercúrio álcool. Foi inventado por Galileu, que o fez dum modo muito simples. Tomou um tubo de vidro com uma bola na ponta; encheu essa bola de ar e mergulhou o tubo num frasco d'água, tendo o cuidado de aquecer um bocadinho a bola para que o ar se expandisse e ao resfriar se encolhesse e chupasse um pouco da água para dentro do tubo. Pronto! Estava inventado o termômetro, um instrumento preciosíssimo para o homem.

— E como funcionava?

— Quando um calor qualquer aquecia a bola, o ar de dentro expandia-se e empurrava a coluna de água para baixo; quando a bola perdia calor, o ar contraía-se e a coluna d'água elevava-se no tubo. Depois foi só marcar no tubo uma escala com os graus.

— Mas hoje os termômetros não são mais de água, — observou Pedrinho.

— Sim, a invenção de Galileu aperfeiçoou-se. Em vez de água os sábios empregam o mercúrio e o álcool, por um motivo muito importante: só se congelam em temperaturas baixíssimas, ao passo que a água se congela quando a temperatura cai a zero.

— E como foi feita a escala dos termômetros?

— Dum modo muito simples. A temperatura da água fervendo, que é sempre a mesma, serviu para marcar um ponto — o ponto 100, ou o grau 100. E a temperatura em que a água vira gelo, serviu para marcar o grau zero. Depois, foi só dividir a distância entre os dois pontos em cem partes, cada uma correspondendo a um grau.

— E a tal história dos graus abaixo do zero, que naquela viagem do capitão Amundsen ao polo?

— A marcação da escala continua abaixo do zero, mas seguida do sinal —, que é sinal negativo. Quando você ler que a temperatura de tal ou tal coisa é de — 10°, por exemplo, isso quer dizer que é de 10 graus abaixo de zero.

— Mas no livro de Amundsen a marcação era diferente, vovó. A temperatura do gelo correspondia ao grau 32.

— Sim, há dois tipos de termômetros muito vulgarizados — o termômetro *Centígrado*, em que o ponto do gelo é zero, e o ponto da fervura é 100°; e o termômetro *Fahrenheit*, em que o ponto do gelo é 32°, e o ponto da fervura é 212°.

— E como a gente faz a conversão dum termômetro para outro?

— Há um cálculo para isso: o mais fácil, porém, é Narizinho desenhar os dois termômetros um ao lado do outro, de modo que as escalas fiquem paralelas. Lançando um olhar às duas escalas veremos imediatamente a que grau de um corresponde o grau de outro. Vamos, Narizinho.

E a menina desenhou os dois termômetros, assim:

— Bom, — disse Dona Benta, — basta de termômetros. Vamos agora ver como se mede a energia do calor. O termômetro mede o grau do calor. A energia do calor é medida pelo número de *Calorias*.

— Que é isso?

— Caloria é a quantidade de calor necessária para fazer a temperatura dum grama de água subir de um grau. Se por exemplo, tomarmos um grama de água na temperatura de 30 graus, para que essa temperatura suba a 35 graus teremos necessidade de 5 calorias.

A água resiste ao calor mais que todos os outros corpos de modo que são necessárias mais calorias para aumentar de um grau a temperatura da água do que para aumentar de um grau a temperatura de qualquer outro corpo. Uma caloria, por exemplo, só aumenta de um grau um grama de água; mas essa mesma caloria aumentará de 5 graus um grama de vidro; aumentará de 9 graus um grama de ferro; e aumentará de 30 graus um grama de ouro ou chumbo.

Temos agora o inverso. Quando um grama de água desce de um grau em sua temperatura, perde 1 caloria. Um grama de ouro que se resfria de 2 graus, perde 60 calorias. E uma tonelada de ferro que se resfria de 10 graus, quantas calorias perde, Narizinho?

A perguntada fez a conta de cabeça.

— Uma tonelada tem 1000 quilos, e como cada quilo tem 1000 gramas, a tonelada inteira tem 1000x1000, ou sejam 1 milhão de gramas. Ora, como cada grama de ferro perde 9 calorias, 1 milhão de gramas perdem 9 milhões de calorias para cada grau que a temperatura abaixe. E se na sua pergunta o ferro se resfriou de 10 graus, temos de multiplicar 10 por 9 milhões — o que dá 90 milhões.

— Ótimo! — exclamou Dona Benta, entusiasmada com a aritmética da menina. — Certíssimo...

Narizinho olhou para os outros com ar de vitória.

— Grande coisa! — exclamou Pedrinho. — Se vovó me perguntasse, eu também responderia certinho. Nunca vi conta mais canja...

— Não acho graça nenhuma nessas ciumeiras, — disse Dona Benta, levantando-se para receber o correio.

Capítulo XII
O FOGO

O correio trouxe os jornais da véspera. Vinha uma notícia horrível, o desabamento e incêndio duma escola, com morte de centenas de crianças. O horror causado pela catástrofe foi tamanho que ninguém quis saber de mais ciência. Passaram o resto da tarde comentando o trágico destino das pobres crianças e o infinito desespero dos pais. No dia seguinte, porém, a palestra científica retomada. Tema: o fogo.

— Que pena, vovó, — disse Narizinho, — que o tal fogo seja tão feroz! Aquele incêndio de ontem não me sai da cabeça. Quase não pude dormir esta noite. Como é malvado o fogo!

— E no entanto, minha filha, a ele devemos benefícios sem conta. Toda a nossa civilização procede do fogo.

Mas a menina, que não se conformava, veio com argumentos.

— Bolas para a civilização! Os passarinhos, as borboletas, as flores vivem uma vida mais linda que a nossa, sem civilização nenhuma — sem fogo nenhum. Mas nós, com a tal civilização, passamos os maiores horrores, justamente por causa do fogo. Incêndios todos os dias, nas cidades, nas florestas, no mar. A pobre Madrid anda às voltas com incêndios que não param mais — e naquela fita que estão passando no cinema, a "Cidade do Pecado", aparece o grande incêndio que destruiu a cidade de S. Francisco da Califórnia.

— O bom é ser peixe, — disse Emília. — Porque no mar nunca houve nem sequer princípio de incêndio. No dicionário dos peixes a palavra fogo não existe. Daquela vez que o príncipe Escamado esteve aqui perguntei-lhe se gostava de fogo — e o bobinho abriu a boca, com cara de quem não entendeu nem um pingo.

— Mas quando caem nas panelas de Tia Nastácia os peixes ficam sabendo o que é fogo, — disse Pedrinho.

— Não ficam, — protestou Narizinho, — porque Tia Nastácia não põe peixe vivo nas panelas. Emília tem razão. Se a escola que incendiou fosse no fundo do mar, eu queria ver o tal fogo fazer o que fez...

— Bom, — interveio Dona Benta, — de nada adianta xingarmos o fogo. Preferível estudarmo-lo e aprendermos os meios de nos defender de sua fúria. No começo o homem não conhecia o fogo, isto é, não lidava com o fogo, porque conhecer conhecia...

— Como?

— Os raios incendiavam de quando em quando as florestas, e portanto é natural que o homem soubesse o que era o fogo. Mas um dia aprendeu o meio de produzi-lo e de tê-lo a seu serviço — primeiramente para aquecer-se, ou "aquentar fogo", como se diz aqui na roça; depois, para cozer os alimentos; depois, para derreter os metais... E tanto se impressionou com o fogo que o erigiu em deus. Muitos povos antigos eram adoradores do fogo, como o da Pérsia — onde até hoje é assim.

— Deus! — exclamou a menina. — Eles deviam considerar o fogo como um diabo, uma peste...

— Eu já sei o que é o fogo, cientificamente falando, — disse Pedrinho. — É o resultado da combustão, ou da oxidação, de modo que o malvado não é ele e sim o tal senhor oxigênio, com a sua mania de andar oxidando tudo quanto encontra.

— Sim, não há fogo sem oxigênio, — concordou Dona Benta. — Quando você faz uma fogueira no dia de Santo Antônio, deixa sempre espaço entre as toras de lenha para que o ar possa circular, levando oxigênio que alimenta o fogo. Se abafar a fogueira, não deixando que o ar entre, a lenha não queima.

O fogo só aparece quando uma substância entra em contacto com o oxigênio e a temperatura se eleva até o ponto de combustão. Todos os corpos têm o seu ponto de combustão, e só queimam quando esse ponto é atingido. Por isso, quando você faz uma fogueira começa pondo fogo num pedacinho de papel, que tem sobre si um pouco de palha e depois cavacos, ou pauzinhos cada vez mais grossos, até chegar às achas de lenha. É fácil fazer o pedacinho de papel chegar ao seu ponto de combustão; ele acende-se e faz a palha chegar ao ponto de combustão; a palha acende-se e faz os cavacos chegarem ao ponto de combustão; — e assim a coisa vai até que toda a fogueira vire um fogaréu. Mas para que haja fogo é necessário que os materiais contenham carbono e hidrogênio. Na presença do carbono e do hidrogênio o nosso amigo oxigênio regala-se e faz a festa do fogo.

— Malvado! — exclamou Narizinho.

— O interessante, — continuou Dona Benta, — é um dos produtos do fogo ser a água. Na combustão, o oxigênio queima o hidrogênio – oxida-o — produzindo água.

— Mas como nunca vi isso nas minhas fogueiras? — indagou Pedrinho.

— Porque a água evapora-se à medida que se vai produzindo, e sobe com a fumaça.

— E que é a fumaça?

— A fumaça é o ar quente que sobe, carregando consigo partículas de carbono que não queimaram, e também minúsculos fragmentos de cinza. Nas chaminés essas partículas de carbono se acumulam formando a fuligem, ou picumã que, às vezes, quando se junta demais, pega fogo e até incendeia a casa.

— Um meio de evitar esses desastres seria fazer as casas incombustíveis, — disse Pedrinho.

— Sim, é o meio. As substâncias incombustíveis são as que resistem ao oxigênio, ou só se oxidam muito lentamente — ou então as já oxidadas.

— A água, sendo um óxido, — disse Emília, — é um material incombustível. Eu, se fosse dona do mundo, mandava construir só casas de água.

— Como, louca, se a água é líquida?

— Líquida ou sólida, como a gente quer. Lá na terra dos esquimaus as cabanas são de gelo — e por isso nunca houve incêndio. Bastava imitarmos os esquimaus para ficarmos eternamente livres dos fogaréus de S. Francisco...

— E aquela história, vovó, dos índios produzirem fogo com a fricção de dois paus?

— Sim, foi o meio mais prático que eles descobriram de fazer fogo. Também inventaram o isqueiro de sílex, uma pedra que, batida de raspão com uma barrinha de ferro, dá faísca — e lá vai a faísca acender uma isca. Tudo isso ficou numa grande rabada depois que o inglês John Walker inventou o fósforo, em 1827. Sabem o que é fósforo?

— Sei riscar fósforos, — disse Narizinho.

— É um pauzinho embebido em parafina e com uma cabeça feita duma mistura de fósforo e dióxido de manganês, ou clorato de potássio, tudo ligado com um grude qualquer. Quando essa cabeça é friccionada numa superfície áspera, o calor da fricção leva a mistura fosfórica ao seu ponto de combustão — e pronto: temos fogo. O calor que se desprende derrete a parafina e a incendeia; e este incendiozinho por sua vez incendeia o pauzinho. Esse sistema de fósforos é pouco usado hoje depois que surgiram os chamados "fósforos de segurança".

— Qual a diferença?

— Nestes a cabecinha só acende quando friccionada na lixa da caixa; se a esfregarmos em qualquer outra superfície rugosa, ela gasta-se sem que pegue fogo.

— Por quê?

— Porque a mistura é feita de modo diferente. Metade das substâncias da cabeça do fósforo antigo vai para a lixa das caixinhas, de modo que só quando riscada nessa lixa é que a mistura se completa. Fizeram assim por causa dos muitos incêndios que o fósforo antigo causava. Um que caísse no chão e fosse pisado por uma sola áspera, já se acendia.

— Chega de fogo, — disse Narizinho, desejosa de mudar de assunto.

— Temos ainda umas coisas a considerar, — respondeu Dona Benta. — Não falei dos combustíveis mais usados no mundo de hoje e isso é ponto importante. O combustível mais espalhado ainda é a lenha, sobretudo nas regiões atrasadas e no campo. Nos países em que existe o carvão de pedra, este passa na frente da lenha. E agora, nos países ricos em petróleo — nesse petróleo que está se tornando o rei dos combustíveis. E há razão para isso, visto como o petróleo dá mais calor que tudo mais.

Nas cidades grandes emprega-se muito o gás do carvão de pedra, o qual é canalizado para dentro das casas da mesma forma que a água. Esse gás é gerado em grandes instalações chamadas gasômetros — nome bastante errado, pois gasômetro significa qualquer coisa que mede o gás. Mas o povo começou a dizer assim e ficou.

— Eu conheço pelo cheiro rua que tem gasômetro, — disse Pedrinho. — Um cheiro danado de piche — mas gostoso. Eu, pelo menos, gosto.

— E nesses gasômetros o gás é guardado em grandes reservatórios cilíndricos, cujas bases estão dentro d'água. À medida que o gás o vai enchendo, o cilindro se eleva, forçado pela pressão do gás.

— E uns tais apagadores de fogo que existem nos teatros e fábricas? — perguntou Pedrinho.

— São aparelhos para atacar os incêndios no começo, antes que cheguem os bombeiros com suas mangueiras d'água – porque a água é o grande inimigo do fogo. Molhando as coisas, a água isola-as do oxigênio do ar e o fogo para.

Esses aparelhinhos são extintores de fogo por meio de produtos químicos. Vou descrever um dos mais usados. Venha desenhar, Narizinho.

A menina desenhou um desses extintores que vivem pendurados nas paredes dos teatros e fábricas, mas desenhou-o aberto ao meio para mostrar o que existe dentro.

— Este tipo de extintor, — disse Dona Benta, — emprega o dióxido de carbono. Traz em baixo um pegador. No momento de ser usado, temos de agarrá-lo pelo pegador, como se fosse uma marmita, e virá-lo de boca para baixo. Dentro há soda misturada com água; e há ainda, perto da boca, um vidro de ácido sulfúrico, fechado de jeito que ao virar o extintor de boca para baixo a rolha salta e o ácido se derrama na solução de soda. Imediatamente se dá a reação química que forma o dióxido de carbono — e a pressão desse gás faz que ele esguiche com grande força. — A ação do dióxido, e da água que sai junto, é formar um verdadeiro cobertor sobre o fogo, que o isola do oxigênio do ar — e o fogo morre.

Mas chega de fogo por hoje. Amanhã trataremos de outras coisas ainda relacionadas com o calor — como se transporta a energia do calor dum ponto para outro, etc. Podem ir brincar.

— Eu vou mas é tomar um banho frio, — disse Narizinho. — Tanto a senhora falou em fogo que estou suando...

Capítulo XIII
COMO O CALOR VAI DUM PONTO PARA OUTRO

No dia seguinte a temperatura caiu muito, e como Pedrinho aparecesse todo encolhido Dona Benta começou perguntando:

— Qual a razão de estar você com as mãos no bolso, Pedrinho?

— Por causa do frio, vovó.

— Ou, melhor, para que o calor que você sente nas mãos não se perca. E sabe por que o calor se perde? Porque irradia. É interessante esse fenômeno da irradiação. O calor segue sempre em linha reta, e no vácuo caminha com a velocidade espantosa de 297 mil quilômetros por segundo.

— Que fúria! E para que tanta pressa? — disse Narizinho.

— A matéria é inerte mas a energia parece que não é. Além disso, o calor é apressado por natureza. Vem de longe. Vem de tão longe que só correndo com espantosa rapidez poderia chegar até nós. Vem do sol. Todo calor que temos na terra vem do grande foco de calor chamado sol. Mas o que nos vale é que ele vem e vai. Se o calor que nos vem do sol ficasse acumulado na terra, morreríamos assados. O calor que o sol nos manda de dia, perde-se de noite no espaço. E perde-se por meio da irradiação.

O calor do sol atravessa os milhões e milhões de léguas que nos separam desse astro — milhões e milhões de léguas de vácuo, e vem aquecer a superfície da terra. Mas aquece-a desigualmente, porque certas substâncias, como o ar e o vidro, são menos aquecíveis que outras. O vidro deixa-se atravessar pelo calor quase que sem aquecer-se, e o ar também. As superfícies ásperas, como a das pedras, absorvem muito bem esse calor irradiante. As superfícies polidas absorvem-no pouco e refletem-no quase todo, isto é, mudam a direção do calor. Os objetos escuros absorvem muito mais o calor do que as coisas brancas ou claras.

— Por isso nas cidades quentes, como Santos e Rio de Janeiro, todo mundo anda vestido de branco, que nem pombinhos, — observou Emília.

— E de que modo o calor caminha nos corpos? — quis saber Pedrinho.

— Por *condução*, como dizem os sábios. Quando você põe a ponta duma barra de ferro no fogo, o calor sobe pela barra inteira. Como? Por condução.

— Explique melhor essa condução, porque não estou entendendo.

— A explicação dos sábios é a seguinte: a ponta do ferro se aquece no fogo porque as moléculas entram em grande movimento de vibração, já que o calor as expande. Ora, essas moléculas, que foram aquecidas e começaram a vibrar intensamente, batem nas moléculas vizinhas e também as fazem vibrar — e a coisa vai indo, de molécula em molécula, até chegar à ponta da barra que estamos segurando. Quer dizer que na condução a energia do calor caminha de molécula em molécula.

Daí vem a divisão dos corpos em *bom condutores e maus condutores do calor*. Em geral, quanto mais compacto é um corpo, isto é, quanto mais juntas tem as moléculas, melhor conduz o calor. Por isso os sólidos são melhores condutores do calor que os líquidos — e os gases são péssimos condutores. Nos líquidos e nos gases as moléculas estão menos juntas do que nos sólidos.

Mas os corpos sólidos variam na condução do calor, e entre eles o melhor condutor conhecido é a prata.

— Por isso aquele seu bule de prata tem o cabo de madeira, — lembrou Narizinho.

— Exatamente. Se o cabo também fosse de prata, queimaríamos a mão ao pegá-lo, quando Tia Nastácia o põe na mesa com chá quente. Há uma coisa produzida pelo calor que vocês nem sequer imaginam: o vento.

— O vento, vovó? Que relação pode haver entre o vento e o calor?

— A mesma relação que há de pai para filho, Pedrinho. Basta notar que sem calor não haveria vento.

— Como? Explique-me esse mistério.

— Um dos modos do calor caminhar é em *correntes de convecção*, como dizem os sábios. Quando o ar ou a água são aquecidos, expandem-se, tornam-se menos densos, ou de menor peso. E nesses casos o ar ou a água são impelidos para cima, do mesmo medo que uma bolha formada no fundo de uma água sobe — a bolha sobe por ser menos densa que a água que a rodeia. Esse subir do ar quente é a convecção — a causa de todos os ventos; como o subir da água aquecida é a causa de todas as correntes marinhas.

— Que interessante! — exclamou Pedrinho. — O calor produzindo o vento...

— Sim. Os ventos são correntes de convecção. Note você que sendo a superfície da terra muito irregular, os raios de sol a aquecem mais nuns pontos do que noutros. Uns pontos possuem mais coisas lisas e se aquecem menos. Outros possuem mais matérias boas condutoras de calor, e se aquecem mais intensamente. E como esses pontos estão cobertos pelo ar, o ar se aquece mais nuns pontos do que noutros, conforme o calor que recebe do chão. Ora, aquecendo-se, o ar expande-se, torna-se menos denso, mais rarefeito — e o ar vizinho dele, que não se aqueceu e pois está mais denso, corre a ocupar o espaço aberto pelo ar expandido. Eis explicado o vento, que mais não é senão esse ar que corre dum ponto para outro.

— Estou entendendo. Acho muito curioso, e bem contrário a tudo quanto pensei, — disse Pedrinho.

— E é muito bom que seja assim. Sem essa contínua movimentação teríamos ar estagnado, como temos águas estagnadas, com grave dano para nossa vida. A ventilação das casas obedece aos mesmos princípios. O ar já estragado, empoeirado e aquecido dentro dos cômodos, expande-se e abre espaço para a entrada do ar puro e fresco. Se num quarto de dormir as janelas forem entreabertas, formar-se-á uma corrente de entrada e saída de ar. O ar aquecido sai pelas aberturas de cima e o fresco ar de fora entra pelas aberturas de baixo.

— Lugar que pede muita ventilação é a cozinha, por causa dos cem cheiros das comidas e da fumaça, — observou a menina.

— As cozinhas com boas chaminés no fogão conseguem bom arejamento, minha filha. A chaminé não serve apenas para deitar fora a fumaça e os gases da combustão. Seu principal papel é outro — é manter uma corrente de ventilação. Mas essa corrente só começa a funcionar depois que o ar de dentro da chaminé se aquece. Antes disso é aquela lengalenga para acender fogo, e aquela fumaceira que arde nos olhos da gente. Súbito, a coisa começa a melhorar, a fumaça desaparece e o fogo fica uma beleza de vivacidade. É que o ar da chaminé já se aqueceu e formou a corrente contínua.

— E por que motivo as fábricas possuem chaminés de tamanha altura, vovó? — indagou Pedrinho.

— Para aumentar a diferença de pressão entre a coluna de ar quente de dentro e o ar frio de fora. Ficam assim com uma "tiragem" muito forte, e portanto habilitadas a alimentar um fogo fortíssimo.

— Tiragem? — repetiu Pedrinho.

— É como o vulgo chama essa força de chupamento das chaminés.

— Até Tia Nastácia sabe disso, — acrescentou Narizinho. — Ainda ontem a ouvi dizer: "A 'tirage' desta chaminé não está boa".

— Bem, — continuou Dona Benta, — estes movimentos do ar são devidos ao que os sábios chamam convecção, que é um dos meios do calor mudar-se dum ponto para outro. O outro meio qual é, Pedrinho?

— A condução, — respondeu o menino — a passagem do calor duma molécula para a molécula vizinha.

— Sim. Sempre que um corpo é tocado por outro, o mais quente conduz calor para o mais frio. Quando pomos um bloco de gelo dentro duma geladeira atochada de legumes, ovos, carne, etc., como é que o gelo resfria essas coisas, Pedrinho?

— Sei que resfria, mas não sei dar a explicação científica, vovó. Fale.

— Assim: o gelo começa tomando o calor do ar que está em contacto com ele. Esse ar, tornando-se mais frio, contrai-se e portanto fica mais pesado que o resto do ar da geladeira. E porque ficou mais pesado, afundando, impele para cima o ar mais quente. Esse ar mais quente vai ficar em contacto com o gelo e se resfria, e afunda também — e assim sucessivamente até que o interior da geladeira fique na temperatura do gelo. Mas enquanto isso o gelo vai se derretendo, porque o calor do ar e das coisas guardadas na geladeira é absorvido por ele, e eleva a sua temperatura.

— E o tal gelo seco, vovó, que a senhora falou outro dia? — quis saber Narizinho.

— Ah, é dióxido de carbono, um produto industrial muito novo. Surgiu como o rival do gelo comum. O tal dióxido de carbono é um gás já nosso conhecido, que surge da combustão. Esse gás é recolhido e transformado em líquido. Acontece, porém, que o dióxido de carbono líquido tem a propriedade de evaporar-se com tamanha rapidez que se congela.

— Quer dizer que se engasga, — observou Emília. — Na fúria de evaporar-se a galope, vira gelo e não se evapora.

— Evapora-se, sim, — disse Dona Benta, — mas sem passar pelo estado líquido. Evapora-se lentamente, passando do estado sólido para o gasoso. O gelo seco vira gás diretamente — o que nos parece muito curioso, por estarmos acostumados ao gelo que derrete.

— Então é melhor que o gelo de água, vovó.

— Para certos fins. Basta dizer que o gelo seco é 141 graus mais frio que o gelo d'água, de modo que um quilo de gelo seco tem tanto poder refrigerante como quinze quilos de gelo d'água. Para uso nos vagões frigoríficos das estradas de ferro, nada melhor.

— Que engraçado, vovó! A senhora começou a falar no fogo e sem querer foi parar no gelo, que é o contrário do fogo, — observou a menina.

— É que unicamente na linguagem vulgar temos isso de frio e calor. Cientificamente só há calor. Frio não passa de ausência de calor, diminuição de calor — e portanto o frio está no capítulo do calor.

— Quer dizer que o gelo a gente obtém roubando o calor da água — *ausentando* o calor da água, — disse Pedrinho.

— Perfeitamente.

— Está aí uma coisa que eu desejava saber: o modo de fabricar o gelo, — murmurou a menina.

— Então venha desenhar o que eu vou dizer. E Narizinho desenhou uma figura assim:

— Temos aqui, — disse Dona Benta, — o esquema do aparelho de produzir gelo. Entra na dança o gás de amônia, que, comprimido pelo pistão, se aquece com a compressão e é forçado a circular pela serpentina do tanque da direita. A água desse tanque absorve o calor da amônia, a qual, tornando-se fria, condensa-se, vira líquido, e pela válvula passa para o tanque da esquerda, que está cheio de água de sal. A amônia líquida, entrando na serpentina desse tanque, evapora-se rapidamente e fica muita fria. Esse frio absorve o calor que existe na água de sal, fazendo que a temperatura dessa água desça abaixo de zero — e a água das vasilhas colocadas nesse tanque se congela.

— E a amônia?

— Volta para a caixa do pistão para ser de novo comprimida — e *da capo*.

— Interessante, vovó! — exclamou o menino. — Parece um círculo vicioso — aquele vai, vem e vai outra vez que a senhora nos explicou outro dia...

— Mas nas sorveteiras o frio é produzido de outro modo, não, vovó? — quis saber a menina.

— Nas sorveteiras como a nossa a coisa corre assim. Gelo moído e sal grosso vão para dentro do barrilete, bem apertados contra o cilindro que contém o líquido a "sorvetear". Só por si o gelo moído não conseguiria fazer o sorvete; mas o sal se dissolve na superfície dos pedaços de gelo e faz que eles se derretam rapidamente, formando uma solução de água de sal. A água de sal, porém, não se congela a zero, e sim a 20 graus abaixo de zero, de modo que a água de sal formada no barrilete fica muito mais fria que o gelo, que é zero.

— E por que fica mais fria? — perguntou Pedrinho.

— Porque para a água do gelo dissolver o sal, e para o sal apressar o derretimento do gelo, houve consumo de quanto calor havia por ali.

— E desaparecendo o calor surge a ausência do calor que chamamos frio, já sei, — completou Pedrinho. — E as geladeiras, tão usadas hoje, vovó?

— Narizinho vai desenhar uma, que mostre o mecanismo interno. O frio é obtido pelo mesmo processo da compressão do gás. Uma vista d'olhos fará compreender o processo.

Prestando bastante atenção Pedrinho percebeu que o jogo era o mesmo da máquina de fazer gelo, embora com disposições diferentes.

— Essa propriedade de certas soluções se congelarem em ponto muito mais baixo que a água, tem aplicação no radiador dos automóveis — não aqui entre nós, terra quente, mas nos países de invernos rigorosos, onde a temperatura cai a muitos graus abaixo de zero. Se os *chauffeurs* puserem nos radiadores água simples em vez duma dessas soluções, o desastre é certo: a água se congela dentro dos tubos e arrebenta-os.

— Por que os arrebenta?

— Porque quando a água se congela, cresce de volume, incha — e não há tubo que resista a esse inchaço de gelo.

— Uma coisa que vivo querendo saber, vovó, é como funcionam as tais garrafas térmicas, de conservar leite ou café bem quente, — disse a menina. — Não entendo aquilo.

— Muito simples. São garrafas penduradas no vácuo...

— Fiquei na mesma...

— Então desenhe uma dessas garrafas, aberta ao meio, para vermos como é a barrigada.

Narizinho desenhou isto:

— Como vocês estão vendo, trata-se duma garrafa dentro de outra. A interior não toca na exterior, e no espaço que fica entre ambas faz-se o vácuo. Ora, enchendo a garrafa interna com um líquido quente, o calor desse líquido pouco se irradia, porque está isolado pela camada de vácuo — só se irradia através da rolha em cima, mas lentissimamente. E desse modo o líquido conserva o seu calor por muito tempo. Calor ou frio. Se pusermos na garrafa interna água gelada, por exemplo, essa água conserva-se gelada por muito tempo, visto que o calor da garrafa externa não pode passar para a garrafa interna, sempre por causa do vácuo. Só entra um calorzinho pela rolha.

— Interessante...

— Nos automóveis há necessidade de muita atenção a estes problemas do calor; do contrário os motores se esquentariam de pegar fogo. A combustão de gasolina está sempre produzindo calor e mais calor — calor que tem de ser levado das paredes dos cilindros para a água do tanque.

Quando essa água esquenta, passa a circular pelos tubos do radiador de modo que o calor seja absorvido pelo ar que bate no carro em movimento, ou que é projetado pelo ventilador. Desse modo o calor produzido pela queima da gasolina é lançado fora pelos três processos de marcha do calor radiação, convecção e condução.

— E as roupas, vovó? Por que umas esquentam o corpo e outras refrescam? — perguntou Narizinho.

— Engano, minha filha. Isso de roupas quentes e roupas frias não passa de ilusão nossa. O que se dá é o seguinte: conforme sejam tecidas desta ou daquela substância, lã, algodão, linho, seda ou "rayon", as roupas impedem, ora mais, ora menos, que o calor do nosso corpo se perca no ar.

— E donde vem o calor do nosso corpo?

— Da oxidação dos alimentos, já expliquei. Os alimentos são os combustíveis orgânicos. Dentro do nosso corpo opera-se uma contínua combustão, por meio do oxigênio respirado com o ar.

— Quer dizer que não passamos duns fogões ambulantes, — observou Emília.

— É verdade. Somos uns fogões bípedes. Estamos sempre de fogos acesos. Quem morre esfria, porque cessa lá dentro a combustão. Somos também umas chaleiras de evaporar água. Está calculado que suamos e expiramos dois litros de água por dia.

— Expiramos?...

— Sim, expirar é o oposto de aspirar. A respiração se divide em dois tempos: um em que *aspiramos* o ar e outro em que o *expiramos*, isto é, o botamos para fora.

As roupas isolam-nos do ar, não totalmente, mas um pouco, e desse modo diminuem a convecção do nosso corpo, isto é, a saída do calor por convecção. A roupa também diminui a perda do calor por irradiação. Se vivêssemos nus, como os índios, perderíamos pouco calor por condução, porque estaríamos em contacto direto com o ar — e o ar, como vocês sabem, é mau condutor do calor. Mas andamos vestidos, e nossas roupas variam quanto à condutibilidade do calor, conforme feitas deste ou daquele material. A lã é má condutora do calor e por isso nos parece quente. O linho é bom condutor, e por isso nos parece frio.

A cor das roupas também influi. O branco e o verde são melhores no verão do que o preto, o vermelho e o laranja, porque refletem a maior parte do calor irradiante do sol.

— E essa história de casas quentes e frias? É certo?

— As casas dependem do material de que são construídas. As de pedra ou tijolos, materiais maus condutores do calor, conservam a frescura no tempo quente e o calor no tempo frio. Já uma casa coberta de folhas de zinco é quentíssima no verão e frigidíssima no inverno, pela razão contrária: serem as folhas de zinco boas condutoras do calor. Fazem o calor entrar ou sair muito depressa.

— E que mais? — perguntou Narizinho.

— Mais nada por hoje, — respondeu Dona Benta. — Emília ficou tão cansadinha de ouvir estas histórias de calor que até dormiu...

Emília, realmente, estava ferrada no sono.

Capítulo XIV
Ventos e tempestades

O tempo havia piorado. A temperatura caíra muito e um vento dos mais desagradáveis começara a soprar. Logo que se reuniram no dia seguinte, Emília disse.

— Não gosto de vento...

— Se não gosta de vento, — observou Narizinho, — como quer ser mulher de pirata? Os piratas moram em brigues de vela, que só andam à força de vento.

— Isso outrora, — objetou Emília. — O meu brigue há de ser moderníssimo, movido a petróleo. Quero ser uma pirata do século...

— Esse vento está dando um bom tema para a lição de hoje, não acha, vovó? — disse Pedrinho.

— Pois conversemos do vento e das tempestades, que é um assunto romântico. A causa dos ventos já expliquei. Vamos ver quem sabe...

— O calor, — respondeu Pedrinho. — A tal convecção...

— Sim. Já vimos que o sol aquece muito pouco o ar, quando seus raios o atravessam. Mas o ar se aquece pelo contacto com as superfícies quentes da terra. Que forma de aquecimento é esta, Narizinho?

— Condução, está claro. A tal passagem do calor duma molécula para outra.

— Exato. E também por convecção — as correntes que se formam nas terras aquecidas e vão dum ponto para outro. É, portanto, a desigualdade do aquecimento da superfície da terra que forma os ventos. As causas dessa desigualdade são muitas. 1) Certas rochas (rochas vocês já viram o que é, quando estudamos geologia: tudo que forma o chão) absorvem mais calor que outras, não só por serem feitas disto ou daquilo, como por terem a superfície rugosa ou lisa. Por esse motivo, num dia de sol a praia dum lago se mostra mais quente que a água do lago? Por quê?

— Porque a praia é mais rugosa que a superfície do lago, — respondeu Pedrinho.

— Exato. E também porque a água custa mais a absorver o calor do que qualquer outra substância. E também porque a superfície espelhante do lago reflete mais o calor irradiante do sol do que a superfície fosca da praia.

— Refletir quer dizer fazer voltar, não é? — perguntou a menina.

— Sim. Quando uma bola de borracha dá no chão e volta, está sendo refletida.

— E quando a gente reflete? — perguntou Emília.

Dona Benta riu-se.

— Nesse caso, Emília, o verbo refletir tem outro sentido — significa pensar, meditar. Estou falando em refletir no sentido físico. Bem. Outra causa da desigualdade do aquecimento está na inclinação dos objetos. Se os raios de sol caem a prumo sobre uma superfície, aquecem-na mais rapidamente do que se caíssem de raspão.

— Ahn! — exclamou Pedrinho. — Por isso são tão frios os grotões. O vulgo chama a face dos morros onde bate pouco sol, "face noruega" — porque são frias como a Noruega...

— Isso mesmo. Outra causa da desigualdade está na altitude. No alto duma montanha a gente sofre muito mais do calor do sol do que no sopé, ainda que esse alto seja coberto de neve.

— Por que isso?

— A razão é que no alto da montanha o ar está mais rarefeito, e portanto há menos ar para absorver o calor irradiante do sol. Mas assim que o sol desaparece, esse alto se resfria muito mais depressa do que o sopé. Sabe por quê? Porque o ar no sopé, sendo mais denso, funciona como um abafo, impedindo que o calor retido na superfície escape; e lá em cima a camada de ar, em vez de abafo espesso, não passa de um filó ralinho...

Bem. Essa desigualdade de aquecimento da superfície da terra produz diferenças na pressão do ar — e as brisas e os ventos surgem como natural consequência. Se a diferença de pressão é pequena, temos as brisas. Se é grande, temos os ventos. E estes ventos podem ser locais ou regionais, isto é, curtinhos ou longos, nascidos e morridos numa pequena área, ou em toda uma grande região.

— Já notei isso, vovó, — disse Pedrinho. — Ventos que nascem de súbito e morrem logo adiante. Ventos que formam redemoinhos.

— Os redemoinhos são formados pelos sacis que corrupiam como pião, — disse Emília.

Dona Benta contestou:

— Essa explicação, Emília, é popular — não científica. Saci só existe em cabeça de negro velho. É sempre a convecção que produz tais ventos, com ou sem redemoinho — mas sempre sem saci dentro. E tais ventos podem ser uma coisa de nada, como as brisas, ou uma coisa horrorosa, como os ciclones.

— Fale dos ciclones, vovó, — pediu Narizinho. — Não tenho a menor ideia desses monstros.

E Dona Benta falou.

— Quando num navio em alto mar o barômetro começa a cair, os oficiais já sabem que a tormenta se aproxima. Diz-se que o barômetro cai, se a coluna de mercúrio desce, indicando abaixamento súbito da pressão atmosférica. Isso quer dizer ciclone na certa. Que é ciclone? Um redemoinho em ponto grande, de seis a oito quilômetros de diâmetro e que tanto se move sobre o mar como sobre a terra.

Uns caminham vagarosos, outros são rapidíssimos, chegando até a mais de 1.500 quilômetros por dia.

A ventania dum ciclone nem sempre é furiosa; mas em certos casos torna-se infernal. Os homens têm observado ciclones cujo vento alcança a velocidade de 160 quilômetros por hora! Muitas casas e árvores não resistem a uma força dessas — daí tantos desastres. Há zonas no mundo bastante sujeitas a esse fenômeno, como a zona das Antilhas e do golfo do México. Volta e meia os jornais dão notícia de um ciclone que arrasou Miami, ou esta ou aquela outra cidade.

— Aqui no Brasil parece que não temos ciclones, — disse Narizinho.

— Felizmente. Nesse ponto a natureza nos favoreceu. Nossas maiores ventanias são nada perto dos ciclones das Antilhas. Mas os ciclones são sempre acompanhados de anticiclones, durante os quais a pressão barométrica sobe. Formam-se correntes de ar que se precipitam para o centro dos ciclones, e sobem, como na tiragem das chaminés. E fica então uma salada horrível de correntes entrecruzadas.

E sobrevém logo a chuva. Essas correntes de ar que sobem com tamanha fúria vão carregadas de vapor d'água, o qual, chegando em cima, resfria-se, condensa-se em gotas e cai...

— É o tal *tornado*, vovó? É o mesmo ciclone?

— Não. O tornado é uma tempestade terrivelmente destruidora. A explicação dos sábios é esta: quando o ar junto à superfície da terra se torna muito aquecido e a corrente de convecção demora a pôr-se em movimento, o tabuleiro de ar aquecido permanece uns instantes parado debaixo duma camada normal de ar frio. Por fim a pressão do ar aquecido rompe em certo ponto a camada de ar frio e a corrente formada se lança com grande ímpeto por aquele buraco acima, do mesmo modo que a água duma banheira se precipita para o buraco de saída quando retiramos o tapume. Forma-se um parafuso, um redemoinho, tanto mais violento quanto mais reduzido de área. E o tal parafuso caminha como se fosse o redemoinhozinho de água da banheira virado para cima. Os desastres que acontecem podem ser dos mais graves.

— Conte a história dum desses desastres, — pediu Pedrinho.

— Em 1925, no mês de março, dia 18...

— Dia do meu aniversário! — exclamou a menina. — O dia em que completei dois anos...

— Sim. Nesse dia ocorreu um terrível tornado na América do Norte. A coisa começou no estado do Arkansas, lá pelo meio dia, e foi morrer no centro do estado de Indiana, matando quatro mil pessoas e causando tremendos prejuízos materiais. Casas foram arrancadas dos seus alicerces e grandes madeiras levadas a mais de trinta quilômetros de distância...

— Que horror, vovó!...

— Um grande horror na verdade, minha filha. Quatro mil mortos...

— Imagine-se quantos pobres animais, galinhas, gansos, cavalos, bois e porcos também não foram destruídos. É pena que nessas estatísticas os homens só se lembrem de si e não contem também os animais mortos...

— Bem. Basta de ciclones e tornados. Falemos agora das ondas de calor ou frio, como essas que a Argentina às vezes nos manda. Isso se dá no verão, quando em regiões mais quentes do sul o ar superaquecido forma torrente que caminha em rumo norte. Surge a onda de calor, que em certas ocasiões dura dias. Por fim essa corrente é substituída por uma de ar frio das alturas — e temos uma onda fria.

— E o furacão, vovó?

— Oh, o furacão é uma das mais terríveis tempestades dos trópicos, aqui na América. Começam nas Antilhas e usualmente varrem a costa do Atlântico, chegando até a Flórida. A extrema violência do vento causa enormes estragos na costa, sobretudo nos navios e pequenas embarcações. Em 1900 um desses furacões vindos das Antilhas atravessou o golfo do México e veio varrer a cidade de Galveston, matando muita gente e destruindo muitas casas.

— E o tufão?

— É o nome dado aos furacões do oceano Pacífico. Calamidades irmãs, apenas de nomes diferentes.

O vento lá fora cessara, sobrevindo uma garoa fina. Dona Benta mandou que Narizinho fosse buscar um xale.

— E vista o seu suéter, minha filha. Está muito frio e úmido.

Depois que o xale veio, o assunto mudou dos furacões para a umidade, em consequência da pergunta de Pedrinho.

— Que é umidade, vovó?

Dona Benta explicou:

— Já sabemos que o ar é mais ou menos úmido porque sempre contém vapor d'água em suspensão. Esse vapor sai de tudo que há na terra — dos rios, do solo, das folhas das árvores, porque tudo que existe sobre a terra contém água. Mas o ar só pode conter uma certa quantidade de calor, e quando fica saturado...

— Que quer dizer saturado? — indagou a menina.

— Saturado quer dizer cheio até não aguentar mais.

— Ahn! Por isso o coronel Teodorico disse, naquela noite, que estava saturado dos roubos do Elias Turco. Compreendo...

— Pois é. O ar tem o seu ponto de saturação, e se continua a receber mais vapor, chega ao que se chama "ponto de orvalho". Começa então a devolver o vapor que recebeu demais — e temos o orvalho, a bruma, a garoa, o nevoeiro, o ruço dos Campos do Jordão, a chuva, a geada ou a neve.

— O orvalho é coisa muito romântica, — observou a menina. — Os poetas não passam sem ele...

— De fato, minha filha, é um fenômeno mimoso, realmente poético. Quando de manhã bem cedo vou ao jardim e vejo os milhares de diamantezinhos que o orvalho deposita nas teias de aranha, nunca deixo de parar e sorrir. É um espetáculo que me faz bem — que me enche a alma de poesia...

— O ar suporta tanto mais vapor quanto mais quente está, e se se resfriar até zero, ficará seco.

— Por isso o inverno é mais sadio que o verão, — disse Pedrinho.

— Concordo. Quem passou um verão em Santos, ou no Rio de Janeiro, sabe disso. A pele do nosso corpo é normalmente refrescada pela evaporação do suor. Nossa saúde o exige. Do contrário sentimo-nos mal — e até a morte pode sobrevir. Mas num recinto fechado, em que o ar não circule, o ambiente fica excessivamente úmido — mais úmido do que o convém ao nosso organismo. E como as roupas embaraçam a circulação do ar em redor do nosso corpo, fica ele envolvido numa camada de ar úmido que atrapalha a evaporação do suor, impedindo a pele de refrescar-se. Mas se ventilarmos o recinto, essa camada de ar úmido é removida e a evaporação do suor passará a fazer-se normalmente. Hoje está se desenvolvendo muito o uso do "ar condicionado", isto é, o uso do ar preparado de acordo com as nossas necessidades.

— Como fazem?

— Antes de ser injetado numa sala, num teatro, num vagão de estrada de ferro, etc., o ar é dosado na temperatura e no grau de umidade requeridos. No futuro, quando os homens deixarem de empregar todos os recursos da civilização nessa estupidez chamada guerra, e os voltarem para a melhoria do nosso viver na terra, todas as casas receberão ar condicionado, como hoje recebem água, gás e eletricidade.

— Mais uma conta a pagar, vovó — a conta do ar, — lembrou Narizinho.

— E que todos pagarão com o maior gosto. Ter em casa ar puro e fresco, no pontinho que nos convém, vale tanto como ter água na torneira ou eletricidade nos fios. Nós aqui da roça não prestamos atenção a esse problema do ar, porque não existe problema de ar na roça. Temo-lo do mais puro e na maior abundância. Mas os moradores das grandes cidades sofrem muito com o mau ar, de modo que para eles o condicionamento seria a maravilha das maravilhas.

— Mas nunca haverá dinheiro para isso, vovó, — disse Narizinho. — Inda agora os jornais contam que a Inglaterra vai gastar 1.500 milhões de libras em balas, cruzadores, aviões de lançar bombas e mais coisas de matar. Esses milhões de libras equivalem a 120 milhões de contos, dinheiro que daria para condicionar o ar de todas as cidades do mundo...

— Mas o mundo é assim, minha filha e que havemos de fazer? O homem nasceu torto e acabou-se. Voltando ao nosso assunto, tenho de frisar mais dois pontos: a *condensação* e a *precipitação* do vapor. Já sabemos que a condensação acontece sempre que o ar se resfria a uma temperatura abaixo do ponto de orvalho. Se essa condensação se dá muito acima da terra, temos a formação das nuvens. Se se dá junto à superfície, temos a precipitação, que é depósito da água sobre a superfície. O orvalho é uma precipitação.

— Fale das nuvens, vovó, porque eu não as compreendo bem, — pediu Pedrinho.

— As nuvens são compostas de minúsculas gotinhas d'água, ou de minúsculas partículas de gelo, conforme a temperatura. E tomam várias formas...

— Isso é verdade, — disse Emília. — Já vi nuvens com forma de camelo, de castelo, de gigantes, de bruxas...

Dona Benta riu-se.

— As formas de que falei não são essas, Emília — são as que os sábios classificam de *Estratos*, *Nimbos*, *Cúmulos* e *Cirros*, formas que dependem da temperatura e dos movimentos do ar.

— E os nevoeiros?

— Não passam de nuvens à flor da terra. Se um nevoeiro se eleva no ar, vira nuvem.

— Estrato quer dizer camada, — disse Pedrinho. — Mas essas nuvens de nome estratos formam-se em camadas?

— Sim. Formam-se em camadas horizontais e justamente por isso receberam o nome de estratos.

Os nimbos não têm forma certa. São nuvens amontoadas, sombrias, espessas, com beiras rasgadas pelos ventos. Anunciam chuva e se acumulam a mais ou menos 800 metros de alto.

Os cúmulos são as nuvens mais bonitas; parecem rolos de montanhas de neve, e pairam desde 700 até 6 mil metros de altura. Na parte inferior parecem nivelados e na parte superior lembram os altos das montanhas.

Temos por fim os cirros, pairantes a oito milhas e mais de altura, picadinhos, acarneirados. São compostos de massas de neve solta.

— Que lindo! — exclamou Emília. — Quem me dera boiar neles nos dias de calor! Adoro a neve...

— Já se viu que pernóstica? — disse Narizinho. — Neve! Onde Emília viu neve?

— Nunca vi neve, mas adoro-a. Que tem uma coisa com outra? Dona Benta já disse que temos duas qualidades de olhos: os da cara e os da imaginação. Já vi muita neve com os olhos da imaginação.

— Mas Emília conhece a geada, que dá um pouco a ideia da neve, — disse Dona Benta. — Temos tido aqui no sítio umas geadas bem lindas.

— Qual a diferença entre a neve e a geada? — perguntou Pedrinho.

— A neve cai em pequenos frocos, como pedacinhos soltos de algodão, e a geada forma-se na superfície da terra. Geada não passa de gotinhas de orvalho que se congelam.

— E a chuva de pedra?

— As pedrinhas de gelo que caem formam-se nas nuvens muito altas. O vapor condensa-se em gotas e essas gotas se congelam e caem. E sabem que há chuvas que não molham a terra?

— Chuva que não molha? Mas se não molha não pode ser chuva, vovó...

— Pois fique sabendo que pode. Muitas vezes uma nuvem muito alta se condensa em gotas e as gotas caem. É uma chuva perfeita, que cai. Que cai mas não chega até nós. A meio caminho atravessa camadas de ar quente e evapora-se de novo. É ou não é chuva que não molha?

Lá fora a garoa continuava. Emília espiou pela janela e disse:

— Mude de assunto, Dona Benta. Basta termos de aturar esta chuvinha o dia inteiro. Eu, por mim, dispenso mais chuva aqui dentro – e foi brincar com o Visconde.

Os outros também estavam cansados de tanta chuva, de modo que Dona Benta teve de pingar o pingo final na lição daquele dia.

Capítulo XV
Tempo e clima

Mas o dia seguinte também amanheceu chuvoso. Todos já andavam com saudades do sol. Pedrinho foi à varanda observar o tempo, voltando com cara desanimada.

— Vai ser a mesma coisa de ontem, vovó, — disse ele. — O clima desta zona está mudando para pior.

— Por que diz isso, Pedrinho? Então só porque estamos com três dias de mau tempo acha você que o clima está mudando? Não sabe que as conclusões sobre mudanças de clima tomam por base observações feitas durante períodos de cem anos?

— Cem anos? Tenho então de esperar cem anos para saber se o clima daqui é o mesmo ou mudou?

— Claro, meu filho. O *tempo* muda constantemente, de hora em hora, de dia a dia, de mês em mês — mas toda uma vida não basta para sabermos se um *clima* está mudando ou não.

E por causa dessa conversa, o tema da lição daquele dia foi o tempo e o clima.

— O clima, — disse Dona Benta, — depende de muitos fatores. Depende dos ventos constantes, das correntes aéreas, da natureza dum território, da altitude e da proximidade de grandes aguadas, como mar, rio ou lago. Se não fossem esses fatores os climas seriam uniformes.

— Por que seriam uniformes? — indagou Pedrinho.

— Vou explicar. Você sabe que as regiões em redor dos polos são muito frias, porque a terra recebe mais calor na zona equatorial do que nas zonas polares.

— Sei. No equador o sol cai a prumo, e nos polos passa de raspão.

— Isso. Mas se a zona do equador é sempre mais aquecida, o que deve acontecer é o seguinte: o ar frio das regiões polares tende sempre a correr sob forma de vento, para a zona do equador, a fim de ocupar o espaço abandonado pelo ar aquecido, o qual, como você sabe, se expande e sobe. E teríamos, então, por cima, uma eterna corrente de ar aquecido, na direção do equador aos polos; e por baixo, uma corrente de ar frio na direção dos polos ao equador. Desse modo o equador se refrescaria e as regiões polares se aqueceriam.

— E não é assim?

— A tendência natural é essa. Mas tanto a corrente aquecida que procura tomar o caminho do polo, como a corrente fria que procura tomar o caminho do equador, encontram tais embaraços pelo caminho que não conseguem realizar a tendência. Essas correntes são perturbadas, desviadas, anuladas pelo caminho por outras correntes locais, formadas aqui e ali em consequência da desigualdade da superfície da terra. São essas condições locais que respondem pelas mudanças de tempo e impedem que a terra possua o clima que teria se fosse perfeitamente lisa, como bola de bilhar.

Também o movimento de rotação da terra influi nessas correntes aéreas, ou ventos. Se a terra não possuísse o movimento de rotação em torno do seu eixo, os ventos seguiriam sempre o rumo norte e sul. Mas nossa bolinha gira sobre si mesma, de modo que há ventos de várias direções. E muitos deles são constantes, isto é, sopram sempre na mesma direção. Estes ventos exercem muita influência sobre o clima.

— Os ventos constantes não são os tais alísios?

— Sim. E esses ventos alísios são célebres pela influência que tiveram na civilização humana.

— Como?

— A antiga navegação a vela dependia do vento, e graças aos alísios é que pôde desenvolver-se e permitir os grandes descobrimentos de terras novas, como a América. Hoje, com a navegação a vapor, os ventos perderam a importância; mas antes de Robert Fulton eles falavam grosso. Esses ventos alísios sopram com a velocidade de 16 a 48 quilômetros por hora — são ótimos, portanto, para os navios de vela.

Na faixa do equador há uma parada nos ventos, conhecida como calmaria. Em vez de seguirem horizontalmente, as correntes de ar sobem na vertical; e como os navios de vela não navegavam para cima, isso os atrapalhava grandemente.

— Sei, — disse Emília. — E foi justamente por causa das tais calmarias que o almirante Cabral descobriu o Brasil. Ele ia buscar pimenta nas Índias, e querendo evitar a zona perigosa afastou-se demais do caminho — e em vez de dar na pimenta deu nos índios do Brasil.

— Pois é. Nessa faixa equatorial os ventos sopram para cima. É uma zona de calor intenso, muito úmida e sujeita a tempestades rápidas e súbitas rajadas de vento — fenômenos locais de pouca duração, mas perigosos. Os navios ficavam muitas vezes retidos durante semanas; daí o horror que a palavra calmaria inspirava aos marinheiros.

— E as brisas, vovó?

— As brisas são ventinhos fracos e sempre locais. Há dois tipos de brisas: as que vêm do mar para a terra e as que vão da terra para o mar. Essas brisas têm muita importância para o clima e formam-se do mesmo modo que os outros ventos: pelas correntes de convecção. Num dia calmoso o solo, as pedras, as casas, todas as coisas da terra se esquentam mais depressa do que as águas do mar ou lago vizinho. Resultado: o ar da terra se expande e sobe, e o ar mais frio das águas vem ocupar o lugar dele. Estabelece-se assim uma corrente contínua da terra para as águas, de noite, e das águas para a terra, de dia. Ora isso influi no clima, refrescando a terra durante o dia e aquecendo-a durante a noite.

Em muitas cidades do Brasil, situadas à beira-mar, unicamente essas brisas tornam a vida suportável. Sem elas ninguém aguentaria o calor. Nas regiões montanhosas certas condições locais dão origem a brisas dessa natureza — constantes, de cá para lá, de dia, e de lá para cá, de noite.

— Isso quer dizer que a proximidade das águas é coisa de muita importância para o clima, — disse Pedrinho.

— Certo que é, meu filho. As grandes aguadas atuam como reguladores do calor e, portanto, criam climas excelentes. E a influência desses ventinhos não fica limitada à costa — estende-se a muitos quilômetros das praias.

— Bom; compreendo agora porque são tão procuradas as praias. Por causa do jogo das brisas.

— É verdade. Estive uma vez em Maceió, em pleno mês de dezembro. Apesar do calor que fazia, não senti calor. A brisa que vinha do Atlântico chegava a tornar agradável o calor. Numa praia que existe perto, de nome Riacho Doce, passei dez dias incomparáveis. O sol era tirano; mas na sombra das varandas, ou das árvores, não senti nenhum calor — tal a suavidade do abano das brisas.

— E no vale do Mississipi, vovó, por que acontecem aquelas terríveis inundações? — perguntou Narizinho, que havia acompanhado pelos jornais a última inundação desse grande rio, horrivelmente trágica.

— Nos estados do alto Mississipi o clima não é bom. A temperatura vai de muitos graus abaixo de zero, nos dias mais frios, até 38 acima de zero, nos dias mais quentes do verão. Às vezes passam-se muitas semanas sem chover, e depois caem chuvas incessantes por mais de um mês. Ora, em ano em que isto acontece a água é tanta que tudo inunda, como você leu nos últimos jornais. Muitas regiões do mundo sofrem da violência de tais extremos — e, portanto, são regiões de mau clima.

— O que admiro, — disse Pedrinho, — é como os animais e as plantas suportam esses excessos de calor e frio, como sobrevivem durante as terríveis secas, os terríveis invernos, as terríveis chuvaradas...

— Eles lá se arrumam. Sabem adaptar-se. Grande número de animais dos mais simples, bem como as plantas, vive parte da vida em casulos e sementes, e nesse estado suportam os longos períodos de frio em que tudo se congela. Os casulos e as sementes também se congelam, sem que isso extinga o fio de vida existente neles — e quando o frio passa, ressurgem. Outros, como os pássaros e certas borboletas, emigram — mudam-se para zonas de bom clima, onde permanecem até que o frio de suas terras desapareça. As andorinhas são professoras na arte de emigrar.

— Isso sei eu, porque é aqui em nosso telhado que elas se reúnem assim que o inverno dá os primeiros sinais. Reúnem-se todas as que moram nas redondezas e de repente, *prrrrr*! Lá desaparecem no espaço, para só tornarem em setembro.

— Pois é. Cada espécie de animal ou vegetal descobre o meio de resistir à fúria do frio ou do calor excessivos. Até o homem foge, em certas ocasiões. Nas grandes secas do Nordeste a população do interior abandona tudo e marcha para a costa.

— São os "retirantes", — observou Narizinho, que havia lido uma obra de Rodolfo Teófilo sobre as secas do Ceará.

— Mas com os homens essa migração vira tragédia, — disse Dona Benta, — pois perdem todo o gado, todas as plantações, ficando reduzidos à mais extrema pobreza. Já as andorinhas emigram alegres e retornam felizes, sem que nada lhes aconteça.

— Fazem como os ricos, — disse Emília. — Saem a veranear...

— As plantas, coitadinhas, não têm asas, de modo que resolvem os problemas de duas maneiras: ou evitando as zonas perigosas, ou adaptando-se a elas. Quando estudarmos botânica veremos com que engenho as plantas se adaptam. Normalmente necessitam muita água — muita chuva, e no entanto chegam a viver em zonas quase sem chuvas, como são os desertos. Os cactos, por exemplo, defendem-se da escassez da água armazenando-a em seu corpo, e protegendo esse corpo com uma camadinha de pele vidrenta, que impede a água de evaporar-se.

— Pelo que vejo, vovó, a sabedoria da vida é a gente morar nas zonas de bom clima, — disse Pedrinho.

— É, sim, meu filho, mas nem todos podem morar onde querem, e se pudessem teríamos uma grande crise: toda a população da terra acorreria para certos pontos de bom clima, ficando lá pior do que sardinha em lata. Não podendo ser assim o homem adapta-se ao lugar em que nasceu, e desse modo consegue viver na Groenlândia, que é só gelo, ou na Abissínia, que é quase fogo. Mas apesar disso, o homem só se desenvolve bem nos bons climas.

— Isso já notei. Os grandes povos são os que ocupam as terras de bom clima.

— E é natural. Como pode o homem progredir na zona dos trópicos, se tem de lutar constantemente contra as chuvas abundantíssimas, a umidade excessiva, a violência da vegetação que essa umidade determina, a quantidade sem fim de bicharia miúda — e ele, coitado, a suar, a suar, a suar?... Nos climas excessivamente frios os males são o contrário. Nada, ou quase nada, de vegetação ou fauna — e aquele frio eterno, torturante. O homem desanima e foge. Nem lenha consegue com abundância — justamente onde a lenha se faz tão necessária como fonte de calor. Mas nas zonas temperadas a vida se torna um encanto. Tudo é moderado — as chuvas, a temperatura, a vida vegetal e animal. Só facilidades. Por esse motivo o trabalho do homem rende muito mais, e ele prospera e goza de boa saúde.

— E a altitude? Também influi na vida do homem?

— Sim. Os agrupamentos de homens que vivem em altitudes muito elevadas ou em altitudes muito baixas prosperam menos que os que vivem nas altitudes médias. Há um ditado latino que diz: *In medio virtus*. A virtude está no meio — e é tão certo para as coisas da nossa vida moral como para os climas. Nada de extremos. No meio está o bom.

— Como nas melancias, — observou Emília. — O melhor é o meio, o "anjo da melancia"...

Houve uma discussão sobre o tal "anjo" das melancias, que é a parte central e a mais gostosa. Emília achou que se chamava anjo justamente por isso, por ser a melhor. Mas Dona Benta não aprovou a ideia.

— Quero crer que esse "anjo" das melancias não passa de corrupção de "âmago" das melancias. Como a palavra âmago é erudita, isto é, só conhecida entre as pessoas muito cultas, alguma Tia Nastácia ouviu na mesa o patrão chamar o miolo da melancia de "âmago" e foi lá na cozinha dizer que o nome daquilo era "anjo". E o nome espalhou-se entre os ignorantes das redondezas e hoje até vocês falam no "anjo" da melancia...

Emília aceitou a lição, mas continuou a dizer anjo, porque "o tal âmago fica muito sem graça e pedante. Entre um âmago e um anjo eu pego no anjo..."

Capítulo XVI
NA IMENSIDÃO DO ESPAÇO

No dia seguinte não houve lição. Vieram visitas. Primeiro, o Chico Piramboia, um caboclo das vizinhanças, muito manhoso. Queria por força que Dona Benta barganhasse a vaca mocha por uma égua lazarenta que ele tinha. Amolou duas horas, tomou café, cuspiu no chão — e afinal lá se foi sem a vaca.

Mais tarde apareceu o compadre Teodorico, para a clássica visita que fazia à comadre cada quinzena. Também amolou, amolou, tomou café com bolinhos e lá se foi na mesma, depois do jantar.

Felizmente o tempo havia levantado, e tiveram uma noite tão linda que Dona Benta saiu com os meninos para ver as estrelas. E a conversa recaiu sobre a astronomia.

— Se os grandes conquistadores ou os insolentes ditadores de hoje, — começou a boa senhora, — tivessem tempo de contemplar e meditar este céu estrelado, fatalmente abaixariam a crista do orgulho e se recolheriam às suas respectivas insignificâncias. Se a terra é um pontinho microscópico neste infinito espaço que nos rodeia — que somos nós? Que é um ditador? Muito menos que um micróbio imperceptível. E que é o sol, essa imensa estrela que boia no espaço rodeada dos planetas, seus filhos? Um micróbio do espaço infinito. Porque infinito quer dizer o que não tem fim...

Os meninos ficaram pensativos.

— Por mais que eu reflita, vovó, — disse Pedrinho, — não consigo, nem de longe, compreender uma coisa sem fim. Por maior que seja o espaço, parece que há de acabar num ponto.

— E que fica para diante? — objetou Dona Benta. — Quando uma coisa acaba, começa outra. Que coisa poderá começar depois do espaço acabar?

— Não sei. Não entendo. Se começo a pensar nisso, esbarro em dois "não--entendimentos": não entendo o espaço infinito e também não entendo o espaço com um fim, — disse Pedrinho. — Fico bobo...

— E bobos também ficam os maiores sábios que refletem sobre o assunto. Por esse motivo os homens sempre olharam o céu com espanto e medo. No começo não entendiam coisa nenhuma, e tiveram a impressão de que as estrelas existiam para regalo dos nossos olhos — e que a terra era chata e fixa.

— Na opinião dos indianos a terra é aguentada em cima dum elefante, — lembrou Pedrinho.

— Todos os povos antigos tinham a ideia da chateza e fixidez da terra, — prosseguiu Dona Benta. — Mas lá entre os gregos, o povo mais inteligente que ainda apareceu sobre a terra, um sábio de nome Aristarco apresentou uma ideia nova: a terra e os planetas não eram parados — giravam em redor do sol. Toda gente se levantou contra ele, porque semelhante ideia contrariava o ensinado pela religião grega. Mas a religião é que estava errada, não Aristarco. Certos fenômenos do céu, como não fossem compreendidos, amedrontavam os homens. Mais de meio século antes de Cristo houve uma batalha entre medos e lídios, durante a qual ocorreu um eclipse total do sol; o pavor foi tamanho que os soldados interromperam a luta para fazer as pazes.

— Ora, graças! — exclamou Narizinho. — Pelo menos esse eclipse salvou a vida de muita gente.

— Mais tarde, quando os turcos invadiram a Europa, surgiu no céu um cometa. Os cristãos, apavorados, puseram-se a rezar: "Livrai-nos, Senhor, dos turcos e do cometa". Finalmente apareceu aquele famoso sábio do barômetro: Galileu. Era um verdadeiro gênio, um grande inventor. Foi quem teve a ideia do primeiro telescópio. Construiu-o e com ele deu um grande passo no estudo dos corpos celestes. Observou as montanhas da Lua e foi o primeiro a ver os quatro satélites do planeta Júpiter. Também confirmou a ideia de Aristarco, da terra e mais planetas girarem em redor do sol. Foi tido como louco e obrigado pelos padres a renegar essas ideias sob pena de ser assado vivo. Hoje Galileu está na lista de ouro dos grandes gênios da humanidade. O seu telescópio virou um assombro. Foi se aperfeiçoando cada vez mais, e permitindo que cada vez mais o homem desvendasse os segredos do céu.

— Está aí uma coisa que eu sempre quis, — disse Pedrinho: — espiar o céu pelo telescópio. Se ficar rico, hei de ter o meu telescópio.

— O lindo seria se espiássemos o céu pelo telescópio que os americanos estão construindo para o observatório de Palomar, perto de San Diego, uma cidade da

Califórnia. O maior do mundo. Há seis anos que lidam nisso, trabalhando sem parar — e o custo está calculado em seis milhões de dólares...

— Mais de cem mil contos em nossa moeda! — exclamou Narizinho, de olhos arregalados. — Por isso gosto dos americanos. Só eles têm a coragem dessas coisas loucas. Se fosse na Europa, todo esse dinheiro iria para novos canhões ou aviões de bombardeio...

— Talvez no fim deste ano de 1937 esse telescópio fique pronto, — continuou Dona Benta. — Tenho aqui num livro a fotografia da matéria prima da principal das suas peças: um disco de cristal de 200 polegadas de diâmetro. Em metros, quanto é isto, Narizinho?

A menina fez o cálculo de cabeça.

— Cada polegada tendo 2,75 centímetros, as 200 polegadas correspondem a 5 metros e meio. Maior que o mastro de Santo Antônio que Pedrinho ergueu o ano passado.

— Para formar esse disco o cristal, — prosseguiu Dona Benta, — teve de ser fundido e despejado num molde; mas só para resfriar levou anos. Havia o perigo de fender-se com o resfriamento rápido, de modo que o puseram numa câmara aquecida, cuja temperatura, durante meses e meses, fosse descendo gradualmente.

— Que pena Galileu estar morto! — exclamou Pedrinho. — Imaginem o seu prazer se visse a que ponto chegou o pobre telescópio que ele construiu...

— O prazer maior de Galileu seria outro, — disse Dona Benta: — ver sua opinião sobre o movimento da terra aceita por todo mundo — ele que quase foi assado vivo por dizer que a terra girava... Mas como o céu sempre interessou profundamente ao homem, desde cedo começou a ser estudado. Surgiram os astrólogos — os homens que entendem dos astros; e, como fossem criaturas mais espertas que as outras, logo reduziram a nova ciência a negócio. Tornaram-se importantes e poderosos. Os próprios reis tinham medo dos astrólogos, por causa das previsões que faziam, de nariz para o ar e olhos nas estrelas. Até hoje existem astrólogos, porque a raça dos espertos só desaparecerá quando desaparecer o último tolo. Esses falsos sábios pretendiam, e ainda pretendem, conhecer o passado, o presente e o futuro por meio da observação dos astros. Entre os astrólogos, porém, havia espíritos sérios, que não se utilizavam da astrologia para engazopar os ingênuos. Esses, sim, estudavam o céu, tratando de acumular fatos que permitissem conclusões. E tanto fizeram que deram origem a uma ciência nova — ciência de verdade — chamada astronomia.

— Quer dizer que a astronomia é filha de astrologia?

— Sim, como a Eulália, tão ajuizada e séria, é filha do Chico Piramboia, aquele espertalhão que tentou me impingir uma égua lazarenta e cega dum olho. Os começos da astronomia estão no velho Egito, na velha Babilônia, entre os caldeus e outros povos da antiguidade. Muitos séculos antes de Cristo já eles tinham ideias certas sobre os planetas Mercúrio, Vênus, Marte, Júpiter e Saturno, como também já haviam batizado as constelações mais importantes. Mas os sábios da Grécia foram os primeiros a dar forma científica a esses conhecimentos. Os gregos eram eminentemente poéticos, de modo que reduziam todos os fenômenos da natureza a mitos lindos. As constelações não escaparam à "mistificação". Existem no céu duas estrelas de primeira grandeza, chamadas Betelgeuse e Rigel, que fazem parte da constelação da Grande Ursa, lá perto da estrela Polar. Os gregos as explicavam por meio de um mito. Júpiter, o deus dos deuses, e também um grande pândego, apaixonara-se por Calisto, uma bela ninfa. Mas Júpiter era marido de Juno, deusa ciumenta como qualquer mulher de hoje — e Juno deliberou dar cabo de Calisto. Percebendo as más intenções da esposa e querendo defender Calisto, Júpiter transformou-a em ursa.

— Ah, — exclamou Emília, — então o negócio de virar uma coisa noutra, que as fadas tanto gostam, é invenção velha — de Júpiter...

— Sim, Júpiter virou Calisto em ursa; mas Juno veio a saber e encarregou Diana, a caçadora, de matá-la em uma de suas caçadas. Vai Júpiter e descobre a combinação (porque os deuses eram danados para adivinhar o pensamento uns dos outros) e virou a ursa em estrela. Nasceu assim a Grande Ursa.

— E a pequena Ursa?

— Um filhinho de Calisto, de nome Arcas, ficou sendo a Pequena Ursa, ao lado de sua mãe. Mas Juno percebeu a tramoia e, furiosíssima, foi ter com Oceanus, o rei dos mares, ao qual pediu que nunca deixasse as duas Ursas "deitarem-se" no oceano, como fazem as outras estrelas que não ficam no rumo do polo. Por esse motivo ficaram as duas coitadinhas perpetuamente grudadas no céu, sem poderem nunca regalar-se com os banhos de mar que refrescam suas companheiras.

— Então os gregos, tão inteligentes, acreditavam que as estrelas se deitam no mar?

— Poeticamente era assim. Como a terra está sempre girando, as estrelas dão a impressão de desaparecerem no oceano para reaparecerem na noite seguinte — como quem todas as noites vai para a cama. Juno condenou as Ursas a não repousarem nunca...

— Interessante o mito, vovó. Um dia precisamos estudar a tal mitologia grega. Pelo que sei dela, é das mais lindas que os poetas inventaram.

— Os mitos não foram inventados pelos poetas e sim pelo povo; os poetas apenas lhes deram forma literária. Os gregos batizaram as principais estrelas e constelações. Por isso há tantas trazendo nomes de deuses e heróis gregos. Mas os gregos não podiam ir longe no estudo do céu por falta de instrumentos. O telescópio só foi inventado há uns 300 anos, e o espetroscópio é dos nossos dias.

— Que é espetroscópio? — quis saber a menina.

— Canudo de espiar os espetros ou fantasmas, — disse Emília; mas Dona Benta corrigiu:

— Trata-se dum instrumento maravilhoso, que havemos de estudar no capítulo da Ótica — a parte da Física que trata das coisas da visão.

— Mas dê uma ideia rápida, vovó.

— Bom. O espetroscópio se baseia no prisma, que é um pedaço de cristal triangular que tem a propriedade de decompor a luz. A luz comum, ou branca, é *composta* de raios de todas as cores do arco íris: o prisma a *decompõe* nessas cores. A luz entra branca por uma face do prisma e sai por outra face transformada em luz vermelha, laranja, amarela, verde, azul, índigo e roxa.

— Isso já sei, — disse Pedrinho.

— Bem. Qualquer corpo incandescente olhado através do espetroscópio mostra uma faixa de cores na ordem que eu mencionei, o vermelho puxando fila e o roxo no fim. Mas se um gás incandescente for olhado através do espetroscópio, mostra, em vez da faixa colorida, uma ou mais linhas coloridas — e essas linhas não variam para um dado gás. De modo que os químicos têm nesse instrumento um meio de conhecer que substância há num corpo qualquer. Basta que aqueçam esse corpo até reduzi-lo a estado gasoso e examinem o gás através do espetroscópio. Pelas linhas coloridas que aparecem eles dizem que substâncias há no gás.

— Os químicos? Mas o tal espetroscópio não é instrumento dos astrônomos? — objetou Pedrinho.

— De ambos. Os astrônomos o utilizam para examinar a luz que vem dos astros, e por meio das linhas coloridas que se formam conseguem saber de que elementos esses corpos celestes são formados. Também pelo exame das linhas podem saber se os astros estão se aproximando da terra ou se afastando — e ainda com que rapidez estão caminhando.

— Que maravilha, vovó! — exclamou o menino. — Parece incrível que com um instrumento tão simples o homem possa descobrir coisas tão importantes. Saber de que elementos é formada uma estrela! É de dar tontura na gente...

— Realmente, meu filho. Com esse instrumentozinho os astrônomos calculam o peso dos astros e determinam muitas outras coisas. Foram, portanto, essas duas invenções, o telescópio e o espetroscópio, que permitiram o tremendo avanço da astronomia.

— Prodigioso! — murmurou Pedrinho, com os olhos no céu. — Mas por mais que eu olhe e reolhe, vovó, não compreendo o espaço. Sinto uma tontura...

Dona Benta ia falando.

— A ideia que os sábios fazem do espaço é a de um vácuo sem fim, onde regiram os corpos celestes. Sua imensidão não pode ser compreendida pela nossa fraca inteligência, meu filho. Se um automóvel a 140 quilômetros por hora partisse do Sol na direção de Mercúrio, que é o planeta mais próximo, levaria 70 anos para chegar. E levaria 7 mil anos para chegar ao planeta Plutão, que é o mais afastado do Sol.

— Pensei que o mais afastado fosse Netuno, — disse Narizinho. — Esse Plutão não é meu conhecido.

— É um planetinha ainda menor que a Terra e perdido a uma distância imensa de nós. Está a 6 bilhões e 400 milhões de quilômetros de nós...

— Nossa Senhora! — exclamou a menina. — Fico tonta com esse negócio de bilhões de quilômetros. Daqui até à fazenda do seu compadre são só quatro quilômetros e a gente cansa quando vai a pé — imagine andar a pé daqui até Plutão!...

— Pois bem, minha filha: apesar dessas distâncias imensíssimas, o Sol, com os planetas e todo o espaço que eles circunscrevem nos seus giros, não passam de pontinhos na parte do espaço que os astrônomos já conseguiram explorar com o telescópio. Sim, porque além desse espaço que o telescópio alcança, há ainda um infinito de espaço em todas as direções.

— Que horror, vovó! Não sei como os astrônomos não acabam loucos. Eu, se fosse dedicar-me a essa ciência, dava com os costados no hospício do Juqueri...

— Pois o que acontece é justamente o contrário. A profissão em que há menos loucos é a dos astrônomos. A contínua contemplação do espaço infinito faz que eles olhem com imensa superioridade para as coisinhas mínimas a que os homens comuns dão tanta importância — como o dinheiro, o amor e outras preocupações de micróbios. Mas as distâncias entre os astros são realmente tamanhas que houve necessidade de criar medidas novas. As nossas léguas e quilômetros não passam de medidas microbianas. Daí a criação do metro dos céus: o Ano-Luz.

— Já sei, — disse Pedrinho. — Na *Geografia*[44] a senhora tocou nesse ponto. A luz caminha com a velocidade de 297.600 quilômetros por segundo; e, portanto, caminha 9.256.550.400.000 por ano. Um ano-luz corresponde a quase dez trilhões de quilômetros!

— Isso mesmo. Pois bem: se aplicarmos essa medida para calcular certas distâncias do céu, veremos que da Terra à estrela Alfa, da constelação do Centauro (que é a mais próxima do Sol); a distância é de 4 anos-luz. A distância entre a Terra e a estrela Polar é de 286 anos-luz. E o telescópio nos mostra estrelas à distância de 100 mil anos-luz de nós! tão longe que nem sabemos se elas ainda existem...

— Como isso, se vemos a luz?

— Sim, vemos a sua luz; mas como a luz dessas remotas estrelas leva 100 mil anos-luz para chegar até nós, podemos ainda estar vendo a luz de muitas que já desapareceram há milhares de anos...

Os meninos ficaram pensativos.

Dona Benta continuou:

— A astronomia nos mostra que as estrelas, ou sóis, variam de tamanho. Algumas têm o tamanho dos nossos planetas; outras são imensamente maiores que o Sol. A Betelgeuse, da constelação de Orion, é 27 milhões de vezes maior que o Sol — e a Antares ainda é maior.

— E o Sol, quantas vezes é maior que a Terra?

— Mais de um milhão de vezes.

— Quer dizer então que a tal Betelgeuse é 27 trilhões de vezes maior que a Terra? — calculou Narizinho.

— No mínimo, — respondeu Dona Benta. — Mas essas imensas estrelas não passam de bolas gasosas incandescentes. Antares, por exemplo, é uma bola de gás tão rarefeito que derrota o melhor vácuo que os físicos produzem nos laboratórios.

— Como isso, vovó? — indagou Pedrinho. — O vácuo dos físicos não é então completo?

— Não. Por mais que os físicos trabalhem, não conseguem produzir o vácuo absoluto. Resta sempre um bocadinho de ar extremamente rarefeito em todos os vácuos que o homem produz. Antares é composta dum gás um milhão de vezes menos denso que a água. Já o Sol é uma vez e meia mais denso do que a água. Outros astros existem tão densos que uma polegada cúbica de sua substância pesa tanto como uma tonelada de água.

— Que horror! Então não há guindaste aqui na terra capaz de erguer um tijolo feito de tal substância... — disse Pedrinho.

— Sim. Os nossos vagões de estrada de ferro se achatariam, esmagados, se puséssemos dentro deles tal tijolo, — completou Dona Benta.

A noite continuava límpida, sem uma só nuvem no céu, nem a menor bruma na terra. O ar, parado. A temperatura, deliciosa.

---

[44] *Geografia de Dona Benta.*

O tremendo peso daquele tijolo fez que guardassem silêncio por alguns instantes. Por fim Dona Benta o rompeu.

— Que injustiça, Pedrinho, cometeu você anteontem, dizendo que este nosso clima está mudando para pior. É lá possível imaginar noite mais linda e temperatura mais agradável?

— Realmente, vovó, — concordou a menina. — Se eu fosse encarregada de escolher uma temperatura fixa, que não variasse nunca, escolheria a desta noite. Está tão agradável que me parece pecado ir para a cama...

Emília olhava para o céu.

— Lá está a Via Látea, — disse ela apontando, sem medo nenhum de criar verrugas. — Lá estivemos brincando de fazer estrelinhas e cometas com a massa de astros que aquilo é! Lá eu...

— Pare com os *mitos*, — murmurou Narizinho. — Nós agora só queremos ciência. Explique o que é a Via Látea, vovó.

Dona Benta apontou para certo ponto do céu.

— É aquilo esbranquiçado que vemos lá em cima. Os sábios chamam a essas massas esbranquiçadas, *Galáxias*, e as consideram enormes acumulações de estrelas no espaço. Com o telescópio verificam isso, pois distinguem várias centenas de milhões de estrelas na nossa Via Látea. Talvez o novo telescópio de Palomar nos esclareça muito a respeito. Mas no céu existem inúmeras galáxias como essa. As estrelas que as compõem nos parecem próximas uma das outras, embora estejam separadas por bilhões de quilômetros.

— Como a distância ilude! — exclamou a menina. — Daqui da Terra, as que formam a Via Látea parecem juntinhas...

— Há um tipo de galáxias que os astrônomos chamam *Nebulas*, — disse Dona Benta. — Existem às centenas de milhões pelo espaço — algumas contendo bilhões de sóis...

— Mas se é assim, vovó, a nossa Terra é mesmo uma isca de dar pena. E se a Terra é uma isca, meu Deus, que seremos nós? Átomos de perninhas...

— ... e Antares de presunção, — completou Dona Benta. — Mas tudo é relativo, minha filha. Suponha um átomo dentro duma molécula. Para ele a molécula é um espaço infinito.

— Não precisa chegar ao átomo, vovó, — disse Pedrinho. — Para um pulgão de roseira, a roseira é uma árvore gigantesca. Há pulgões de meio milímetro de comprimento. Para um bichinho desses, uma roseira de dois metros de altura, como a que abriu a primeira rosa vermelha ontem, corresponde a um jequitibá com quatro mil vezes a altura dum homem — coisa que não existe.

— Na terra do pássaro Roca deve haver árvores desse tamanho, — lembrou Emília — senão, onde havia ele de sentar-se e fazer ninho?

Houve uma pausa. Todos estavam de nariz para o ar, com a imaginação distante dali. Por fim Dona Benta falou.

— Uma coisa grande nós temos, meus filhos: a imaginação. Se a nossa inteligência é limitada e de todos os lados dá de encontro a barreiras, temos o consolo de montar no cavalo da imaginação e galopar pelo infinito...

E puseram-se todos a galopar pelo infinito no cavalo da imaginação.

Capítulo XVII
O NOSSO SISTEMA SOLAR

Quando se cansaram do galope, Dona Benta retomou o fio da lição.

— O conjunto do Sol e dos planetas, — disse ela, — constitui um *sistema*: o Sistema Solar. O Sol, com toda a sua majestade de pai e rei, ocupa o centro do sistema e governa os planetas, seus filhos. Governa-os, aquece-os e ilumina-os.

— E não terá netos o sol, vovó?

— Como não? Os satélites, isto é, os astrozinhos, como a Lua, que se formaram dos planetas, são netos do Sol. Todos esses astros giram em redor dele. O Sol os atrai, isto é, os puxa para si. Não fosse isso, e a inércia da matéria faria que os planetas caminhassem em linha reta. Giram, pois, em redor do Sol, descrevendo *órbitas*. Órbita é um círculo sempre o mesmo. Cada planeta, ou satélite, tem sua órbita, o seu círculo sempre o mesmo.

— E a órbita ocular, vovó? — perguntou a menina.

— Chamamos órbita ocular o buraco redondo onde se acomoda o globo dos olhos — mas isso por analogia. A órbita verdadeira é a que os astros descrevem uns em redor dos outros. Amanhã, de dia, você e Pedrinho poderão fazer uma experiência bem interessante com uma laranja.

— A melhor experiência que se pode fazer com uma laranja é comê-la pelo meu sistema, — disse Emília: — tirando a pelinha dos gomos. Não gosto do sistema de cuia que Narizinho usa...

— Mas essa experiência, Emília, é gastronômica — e eu quero que Pedrinho faça uma experiência astronômica.

— Diferença só dum g, — disse Emília.

— E por isso mesmo tão grande. O g é o puxa-fila da palavra "grande", — retornou Dona Benta. E continuou, para Pedrinho:

— Você vai pegar uma laranja e atravessá-la de um prego. O prego será o eixo; e a laranja, um astro. Depois tomará aqueles dois metros de elástico de estilingue que comprou escondido de mim e eu "interceptei" e guardei na gaveta do etagere, e o amarrará na laranja — e a fará girar em redor da sua cabeça. Sua cabeça, Pedrinho, ficará sendo o Sol; o fio elástico, a força de atração do Sol; a laranja, a Terra ou outro qualquer planeta — e o círculo que ela descreve será a órbita. Faça isso amanhã para vermos.

— Não vale a pena, vovó. A coisa é clara demais. Narizinho que faça para convencer a Emília, que está com cara de "ver para crer".

E estava mesmo. Emília vivia dizendo: "Comigo é ali na batata da demonstração. Sou como S. Tomé".

Dona Benta continuou:

— Se durante o movimento o fio elástico romper-se, a laranja deixará de descrever a órbita e seguirá em linha reta. Isso mostra que é a força de atração do Sol (o elástico solar) o que mantém os planetas em suas órbitas.

— Mas então esse Sol deve ter uma força terrível, — disse Narizinho.

— Sim, tem a força de atração proporcional ao seu volume, — respondeu Dona Benta. — O Sol é uma estrela amarela, porque há também estrelas azuis e vermelhas. Está situado a 148 milhões de quilômetros de nós, ou sejam quase 400 vezes a distância entre a Terra e a Lua. Também gira sobre si mesmo, como a Terra, e tem na superfície a temperatura de 10 mil graus — calor que nem imaginar podemos.

— Se é assim na superfície, imagine-se no centro! — exclamou Pedrinho.

— Sim, o calor do centro será muitíssimo maior, e talvez explique as tremendas explosões que daqui percebemos sob forma de "manchas solares". O telescópio nos permite vê-las muito bem. São manchas escuras, às vezes de milhares de quilômetros de diâmetro.

— Que horror, uma explosão de milhares de quilômetros de diâmetro! Nem imaginá-la eu posso, — disse a menina.

— Talvez sejam imensos tornados produzidos pelas erupções do calor central. Duram dias e até meses. O telescópio também nos permite perceber outros distúrbios do Sol, como as massas de matéria incandescente que se projetam da sua superfície com a velocidade de centenas de quilômetros por minuto — massas muitas vezes maiores que a Terra. Também vemos massas que ao se projetarem se destacam, subindo a centenas de milhares de quilômetros da superfície.

— Que horror, vovó! — exclamou a menina. Estou ficando com medo do tal Sol. Que monstro...

— E a energia que ele está constantemente soltando no espaço? A energia calorífera que a Terra recebe e nos parece tanta, não passa de meio bilionésimo da que o Sol emite sem parar.

— Espantoso, vovó! — exclamou Pedrinho. — Então só com essa isca de calor a Terra vive, com todos os seus animais e plantas, e rios, e chuvas, mares e ventos?

— Sim, meu filho. A Terra vive com meio bilionésimo da energia que o Sol põe fora, do mesmo modo que um micróbio vive com um bilionésimo de qualquer coisinha tão pequena que nem enxergamos...

— E de que é feito o Sol?

— O espetroscópio nos permite identificar muitos dos elementos do Sol, que são os mesmos da Terra, das estrelas e das nebulosas. Sessenta desses elementos já foram identificados — o hidrogênio, o oxigênio...

— Logo vi! — exclamou Narizinho. — Logo vi que esse diabo andava também por lá...

— ... o hélio, o carbono, o azoto, o ferro, etc. Mas tudo em estado de gás. O estado sólido é desconhecido no Sol.

— Interessante... E os planetas?

— São nove. Amanhã havemos de escrever a lista deles, com o diâmetro de cada um e o tempo que gastam para dar um giro em redor do Sol.

— Mas quais são?

— Júpiter, o maior; e depois, em ordem decrescente, Saturno, Netuno, Urano, a Terra, Vênus, Marte, Plutão e Mercúrio — que é o caçulinha do bando. Os planetas são facilmente distinguíveis das estrelas, não só por causa da luz mais firme como também por mudarem de posição no céu. Os mais próximos de nós são sólidos, mas os grandes parecem gasosos. Um corpo perde tanto mais rapidamente o calor quanto menor é sua massa. Por isso os planetas pequenos se resfriaram e os grandes ainda não. Caminham todos na direção oeste para este e no mesmo plano. E quase todos possuem satélites, ou luas.

— Serão mesmo só nove, vovó?

— Não sabemos ao certo. Alguns astrônomos acham que talvez haja outros além de Plutão, mas a tamanha distância que ainda não puderam ser descobertos.

— Pois eu aposto que o telescópio de Palomar vai descobrir, no mínimo, três planetas novos. Quem fecha? — gritou Emília.

Ninguém fechou a aposta.

— O meio de fazermos uma ideia clara do tamanho dos planetas e do Sol, — continuou Dona Benta, é representá-los na mesma escala. O Sol, por exemplo, seria figurado por uma bola de metro e meio de diâmetro. A 66 metros de distância colocaríamos um grãozinho de ervilha, representando Mercúrio. A 126 metros poríamos uma jabuticaba das miúdas, representando Vênus.

— Como, Dona Benta? veio Emília. A jabuticaba é preta e Vênus era loura. Uma negra não pode representar uma branca. Em vez da jabuticaba, eu punha uma bolinha de naftalina...

— Pois seja, concordou Dona Benta. A 166 metros poríamos outra jabuticaba do mesmo tamanho, representando a Terra. E a 266 metros poríamos outro grão de ervilha, representando Marte.

— Eu punha um grão de chumbo "paula-sousa", porque o tal Marte é o deus da guerra, — disse Emília.

— E a 800 metros, — continuou Dona Benta, — poríamos uma bola de futebol, das menores, representando Júpiter. E a 1.600 metros poríamos outra bola de futebol, um pouquinho menor, representando Saturno.

— Com uma aba de chapéu palheta em redor dele, — disse Emília, recordando-se dos tais anéis de Saturno.

— E a 3.200 metros, — prosseguiu Dona Benta, — poríamos uma laranja lima, representando Urano. E a 4.800 metros poríamos outra laranja lima, um pouco mais graúda, representando Netuno. E a 6.400 metros, finalmente, poríamos outro grão de ervilha, representando Plutão.

— Impossível fazer isso, — disse Pedrinho. — Imagine botar um grão de ervilha a mais de uma légua daqui!...

— Mas abstratamente podemos realizar essa experiência amanhã, colocando o Sol aqui em casa e as ervilhas e laranjas em pontos nossos conhecidos. A laranja de Urano iria ficar na venda do Elias Turco; e o grão de ervilha de Plutão, lá na vila...

— E Vênus, vovó? — perguntou Pedrinho. — Não sei porque, mas tenho tanta simpatia por esse planeta como tenho simpatia pelo Plutão.

— Vênus é um planeta irmão gêmeo do nosso, pois regulam no tamanho e em atmosfera — só que a de Vênus é mais carregada de nuvens. Uma das particularidades desse planeta é girar muito lentamente em redor de si mesmo. A volta que a Terra dá num dia, Vênus a dá em meses; por esse motivo o lado onde bate sol é terrivelmente quente, e o outro lado é terrivelmente frio.

— Se é assim tão irmã da Terra, então Vênus pode ser habitável, — disse Narizinho.

— E o calor terrível do lado que bate o sol? — objetou Pedrinho.

— Eu resolveria o problema com muita facilidade, — disse Emília. — Colocava os habitantes de Vênus na zona entre o calor e o frio — e eles que fossem caminhando á medida que o planeta girasse sobre si mesmo — já que Vênus gira com tamanha preguiça. Em vez de casas grudadas no chão, eu os punha morando em *trailers*, como essas casinhas ambulantes tão em moda hoje nos Estados Unidos...

— Outra caraterística de Vênus, — continuou Dona Benta rindo-se, — é ser, para nós, o astro mais brilhante do céu depois do Sol. Vulgarmente é conhecida como Vésper, a estrela da manhã.

— E a Terra, vovó?

— Da Terra não preciso falar, pois que moramos na sua superfície e a conhecemos bem. Mas temos Marte, que é um planeta muito curioso para nós. Faz o giro sobre si mesmo em 24 horas e 37 minutos e tem a superfície bastante chata. Seus oceanos, se os há, devem ser rasos e pequenos. Com o telescópio distinguimos em Marte manchas esverdeadas que parecem vegetação, e manchas brancas nos polos — talvez gelos, pois aumentam no inverno e diminuem no verão. Também possui atmosfera, menos densa que a nossa e em menor camada: a temperatura deve, pois, mudar com muita rapidez. Assim, a temperatura em certo ponto do equador marciano é de 25 graus ao meio dia e de 75 abaixo de zero à noite — 100 graus de diferença! Marte é bem mais fresco do que a Terra, porque está mais longe do Sol e recebe menos calor.

— E os famosos canais de Marte, vovó? — perguntou Narizinho.

— Ah, isso é uma das boas pilhérias da ciência. Faz lembrar aquela frase da Bíblia: "É mais fácil um camelo passar pelo fundo duma agulha do que um rico entrar no céu". A ideia do camelo passar por fundo de agulha nos choca — parece absurda. Mas isso não está na Bíblia original, sim nas traduções. A tradução latina da Bíblia falava em "camillus", que quer dizer calabre, corda grossa; mas vai um tradutor e traduz camillus como sendo camelo.

— Que camelório! — exclamou Emília.

— Mas a coisa ficou. O mundo achou mais engraçado o camelo passando pelo fundo da agulha do que a corda grossa — e não corrigiu o erro. A mesma coisa sucedeu com os canais de Marte. Os primeiros telescópios haviam permitido que os astrônomos observassem em Marte certas manchas, que ficaram sendo os mares de Marte. Um dia, porém, um astrônomo italiano foi mais longe e descobriu umas listas, ou betas, ligando essas manchas — e para denominá-las empregou a palavra *canali*, que em inglês deveria ser traduzida por *channels*, escavação natural, leito de rio. O tradutor inglês, porém, traduziu *canali* como canais, obra de engenheiros — e os canais de Marte surgiram para o mundo. O erro foi emendado — mas quem disse do mundo aceitar a correção? Era tão interessante que Marte tivesse canais que a coisa ficou.

— Mas são ou não são canais?

— Impossível sabermos — por enquanto. Uns astrônomos acham que sim; outros supõem que sejam pântanos alimentados pelos ventos chuvosos que vêm das regiões polares. Certeza não há nenhuma.

— Mas vai haver, — disse Emília. — O grande telescópio de Palomar tirará a dúvida.

Emília lidava com o futuro telescópio de Palomar como se fosse coisa sua.

— E os tais marcianos, vovó? — perguntou a menina. — Existirão mesmo?

— Pode ser que existam. Os sábios não provam nem uma, nem outra coisa. Também os que admitem a existência dos marcianos não podem provar que eles sejam como nós, ou totalmente diversos.

— São diversos, — resolveu Emília. — Garanto.

— E nos outros planetas? Também há canais? — perguntou Narizinho.

— Em Júpiter, por exemplo, não há, porque não pode haver — nem há tão pouco jupiterianos. Júpiter é bem grande. Se amassássemos todos os outros planetas numa grande bola, essa bola ainda ficaria menor que ele. E é apressadíssimo, pois gira sobre si mesmo em dez horas — a galope! Mas para dar a volta em redor do Sol leva vinte anos. Também tem atmosfera, e bastante nebulosa — mas uma atmosfera de nuvens que não parecem de vapor d'água, como a nossa. Os sábios supõem que seja de amônia congelada em cristaizinhos. O deus Júpiter dos gregos foi pai duma filharada de semideuses e o planeta Júpiter seguiu o mesmo caminho. Basta dizer que possui nove Satélites, seus filhos. O de nome Ganimedes é maior que o planeta Mercúrio.

— E o Saturno dos anéis? — perguntou Emília. — Nós já estivemos lá, no tempo da "*Viagem ao Céu*", brincando de escorregar naquela aba de palheta. Mas quando a gente está muito perto duma coisa não a vê no conjunto. Conte a história de Saturno, Dona Benta.

— O deus Saturno devorava os filhos, mas o planeta Saturno não fez o mesmo, pois giram em redor dele nove satélites, seus filhos. É um pouco menor que Júpiter e roda sobre si mesmo também em dez horas. Mas a grande coisa de Saturno são os anéis, uma notabilíssima curiosidade dos céus. Para os astrônomos nada há mais belo. Babam-se de gosto sempre que apontam o telescópio para Saturno.

— E que são os tais anéis?

— Há hipóteses. Visto ao telescópio esse planeta mostra três lindos anéis sucessivos, um em cima do outro, com milhares de quilômetros de diâmetro por 80 de espessura. São compostos de pequeninos satélites. Outra curiosidade de Saturno é que um dos seus grandes satélites, o de nome Febos, gira em sentido contrário aos demais.

— Que regalo para os astrônomos de lá! — exclamou Emília. — Os daqui só têm uma luazinha magra e nem sequer um anelzinho. Se eu fosse escolher um planeta para morar, não queria saber de outro. Por temperamento, sou saturnina...

— Sabe o que quer dizer saturnino, Emília? — perguntou Dona Benta. — Quer dizer triste, pesadão como o chumbo.

— Por quê?

— Porque na velha química saturno significava chumbo...

— E Urano, vovó? — quis saber Narizinho.

— Urano apareceu no ano de 1781, descoberto pelo astrônomo Herschel. Está longíssimo, de modo que pouco sabemos a seu respeito. Tem quatro luas.

— E Netuno?

— O planeta Netuno nasceu (para nós) dum modo interessantíssimo. Depois da descoberta de Urano os astrônomos ficaram desapontados, porque ele se desviava da órbita, como se houvesse por lá algum astro a atrai-lo. Mas não havia astro nenhum — e como era? As coisas da ciência têm que ser como as da escrituração mercantil: certíssimas. Se as somas finais mostram alguma diferença, os guarda-livros coçam a cabeça e têm de refazer todas as somas. Ora, aquele desvio da órbita de Urano era como um erro na escrita dos astrônomos. E dois deles, Leverrier em França e Adams na Inglaterra, entregaram-se ao estudo do fenômeno.

— Então um desvio de órbita é também um fenômeno? — indagou a menina.

— Certo, minha filha. Tudo que acontece na natureza é fenômeno. Pois bem: os dois sábios puseram-se a estudar o fenômeno, e no mesmo ano, 1846, os dois, um na Inglaterra e outro na França, sem se conhecerem, chegaram à mesma conclusão.

— Qual foi?

— Que devia existir em tal e tal ponto outro planeta que atraía Urano e lhe causava o desvio da órbita. Mas como nenhum telescópio verificasse a existência do tal planeta, a coisa ficou assim. Mais tarde, porém, os telescópios se aperfeiçoaram e os astrônomos descobriram o misterioso planeta, exatamente no ponto marcado pelos dois sábios. Esse planeta foi batizado com o nome do deus grego das águas, Netuno.

— De fato, vovó, a proeza Leverrier e Adams foi da gente tirar o chapéu. Esta cá me fica, — comentou Pedrinho.

— Então fiquemos também por aqui, pois já é tarde. Basta de noite bonita. Vamos dormir. Amanhã conversaremos sobre o resto.

E recolheram-se.

Capítulo XVIII
Mais coisas do céu

No dia seguinte Emília contou que sonhara que um grão de ervilha viera em sua procura, como se fosse um cavalinho. Ela montou nesse cavalinho redondo para um passeio pelo céu; mas em vez de ir parar no céu, foi ter à venda do Elias Turco, onde o Chico Piramboia, já muito bêbedo, comeu-lhe a ervilha, pensando que fosse um amendoim.

Podia ser verdade o sonho de Emília, mas ninguém lhe deu crédito; estava muito bem arranjado.

O dia se passou nas brincadeiras do costume, e à noite saíram a passeio para "fazer astronomia ao ar livre", como disse Pedrinho.

Dona Benta começou dizendo que os astrônomos sempre se impressionaram com o grande espaço sem planetas que há entre as órbitas de Marte e Júpiter, achando que por ali devia haver mais alguma coisa. O problema interessou muito ao astrônomo italiano Piazzi o qual tanto fez que descobriu por lá um planeta de 641 quilômetros de diâmetro — a distância entre o Rio de Janeiro e Belo Horizonte. Deu-lhe o nome de Ceres, a deusa romana da agricultura. Mas como fosse pequeno demais para merecer a classificação de planeta, ficou sendo um *asteroide*. Depois disso os astrônomos descobriram na mesma faixa mais de mil asteroides, a maioria de menos de 40 quilômetros de diâmetro. Mas todos a funcionarem como os planetas no giro em redor do Sol.

— Aposto que houve lá um planeta que se despedaçou, dando origem aos tais asteroides, — disse Pedrinho. — Mas estou notando, uma coisa vovó: a senhora falou *de* todos, menos do pobre Plutão...

— É verdade. Esqueci-me do rei dos infernos. Pois a descoberta desse planeta foi outra vitória da ciência, igual à de Leverrier e Adams. Um notável astrônomo francês, Camilo Flammarion, autor dumas obras interessantíssimas que ainda havemos de ler, predisse em 1863 que para além de Netuno devia haver outro planeta.

— Em que se baseou? Algum desvio de órbita?

— Sim. A órbita de Urano parecia sofrer a influência de outro planeta distante. Pois a profecia de Flammarion deu certo. Em 1930 o astrônomo americano Slipher fez uma comunicação aos sábios, dizendo que vira tal planeta numa fotografia tirada por um jovem astrônomo de nome Tombough — e foi assim que surgiu para o mundo da ciência o afastadíssimo Plutão. Como está muito longe, a volta que dá em redor do Sol não leva um ano, como a da nossa Terra, mas 250 anos.

— Que horror, vovó! Uma criatura plutônica pode ficar velha sem conhecer outra estação além da em que nasceu... — disse Narizinho.

O céu estava tão polvilhado de estrelas como na véspera, e sua calma beleza fazia que de vez em quando um longo silêncio viesse interromper as explicações de Dona Benta. Depois da história de Plutão sobreveio uma dessas pausas, mais longa que as outras, mais cheia de enlevo e concentração. Súbito, uma lista luminosa riscou o céu.

— Olhem! Uma estrela caindo!... — gritaram todos.

O risco de luz desceu em direção diagonal e sumiu-se. Dona Benta explicou:

— Um meteoro, ou estrela cadente, como diz o povo — embora não se trate de estrela. Os meteoros não passam de pequeninos fragmentos de astros mortos, atraídos pela Terra. Não têm luz própria, mas quando penetram na camada atmosférica tornam-se incandescentes e portanto luminosos.

— Por que motivo o ar os torna incandescentes? — perguntou Pedrinho.

— Eles caem com grande velocidade — de 12 a 70 quilômetros por segundo, e ao penetrarem na camada atmosférica, vindos do vácuo, chocam-se de encontro ao ar, aquecendo-se. Todo choque produz calor. Também a fricção contra as moléculas do ar ajuda a torná-los incandescentes — e por fim se evaporam, desfeitos em poeira. Os sábios calculam que mais de dez milhões destes meteoros, pesando em média menos de 30 gramas, queimam-se cada dia na atmosfera — e lentamente caem reduzidos a pó. O homem é um animal supersticioso; tem medo de tudo que não entende ou só acontece de raro em raro. Por isso se assusta com estes meteoros e com os cometas, atribuindo o seu aparecimento a razões misteriosas. Ainda hoje, entre os maometanos, há a crença de que os meteoros são pedras de fogo que os anjos bons lançam contra os anjos maus, para espantá-los do céu... Às vezes os meteoros aparecem em grande quantidade, como verdadeira chuva de fogo. Em 1792 ocorreu uma destas chuvas maravilhosas, que durou horas. Imagine-se o pavor dos ignorantes ou supersticiosos!

— E como explicam tais chuvas?

— A hipótese dos sábios é que tais fragmentos de matéria soltos no espaço vêm de cometas que se esfarelaram. Houve um cometa, chamado Biela, cujo esfarelamento os astrônomos puderam testemunhar. Era um cometa que descrevia o círculo da sua órbita de 78 em 78 meses, de modo que em cada seis anos e meio podíamos vê-lo passar. Mas da penúltima vez que passou, em 1846, surgiu com a cabeça rachada, e 78 meses depois reapareceu com a rachadura da cabeça ainda mais aberta. Depois disso não voltou mais. O ano de 1872 era época dele passar; não passou; em vez do Biela o que veio foi uma prodigiosa chuva de meteoros. Os sábios concluíram que o pobre Biela havia se esfarelado — e seu farelo continuava seguindo o curso de sua órbita.

— Que tamanho tinham esses farelos?

— Alguns fragmentos eram tão grandes que nos apareceram como bolas de fogo do tamanho da Lua.

— Nossa Senhora! — exclamou Narizinho. — Imagine-se o pânico do pessoal ignorante. Chuva de luas...

— E os cometas, vovó? — indagou Pedrinho.

— É o mais maravilhoso fenômeno dos céus, meu filho: astros com caudas longuíssimas, que andam soltos pela imensidão. O telescópio já permitiu aos astrônomos registrarem mais de mil.

— Mais de mil? Então há tantos assim?

— Se há! O espaço anda cheio desses judeus errantes. Os cometas não descrevem órbitas circulares como as dos planetas — descrevem parábolas.

— Que é parábola, vovó? Aquilo da Bíblia — a parábola do filho pródigo, do dinheiro da viúva e outras?

— No sentido literário, parábola é uma historinha curta com uma lição na ponta, mas no sentido geométrico trata-se de coisa diferente. Para a geometria, parábola é uma linha cujos pontos estão a igual distância duma reta fixa e de um ponto fixo — que é o *foco* da parábola. Assim:

A linha AB é a linha reta fixa. C é o ponto fixo. A linha curva é a parábola. Notem que qualquer ponto que tomarmos nessa curva está à mesma distância do ponto C e da reta fixa AB.

Os meninos mediram as distâncias e se convenceram.

— E a velocidade dos cometas varia, — continuou Dona Benta; — cresce à proporção que se aproxima do Sol e vai declinando à medida que se afastam. Quando se aproximam do Sol, a velocidade fica tamanha que eles escorrem — isto é, soltam aquela enorme cauda de fogo que os torna tão interessantes. Depois, quando se afastam e a velocidade diminui, a cauda vai encolhendo até desaparecer.

— Que pena não serem todos visíveis a olho nu! — exclamou Pedrinho. — Que maravilha o céu, se todas as noites tivéssemos cometas para ver...

— Em 1910 pudemos apreciar um belíssimo: o cometa de Halley, que se torna visível para nós de 76 em 76 anos. Eu estava ali na varanda quando ele apareceu, lá dos lados do Elias Turco. O tempo conservou-se ótimo, de maneira que pude regalar-me de ver cometa. Faz 27 anos...

E Dona Benta ficou pensativa, recordando. Depois — disse: — Halley encheu de pavor a gente inculta. Houve pânico em muitas cidades. "Fim do mundo! Fim do mundo!" Apesar de ser um velho conhecido nosso, que nos procura de 76 em 76 anos, a humanidade é tão estúpida que se espanta cada vez que ele aparece.

— O ano de 1986 é tempo do cometa de Halley voltar, calculou Narizinho; e como tenho 12 anos, estarei por essa época com a sua idade, vovó — e hei de ver o cometa que a senhora viu, talvez da mesma varanda da nossa casinha...

— Faço votos para que assim seja, minha filha. Eu é que não o verei mais. Em 1986 meu corpo estará reduzido a pó num cemitério, mas vocês provavelmente estarão vivos. Quem sabe se nessa época a minha Narizinho não estará exatamente aqui neste ponto, explicando astronomia aos seus netos, e falando de cometas, com o dedo apontado para o que eu vi há 27 anos?

Depois dum longo silêncio Dona Benta disse algo dos meteoritos.

— São pedras que o espaço nos manda, da mesma natureza dos asteroides de que já falei, às vezes bem grandes, pesando toneladas. No vestíbulo do Museu de História Natural de Nova York há um de 37 toneladas — o maior e mais pesado que se conhece. No museu Nacional do Rio de Janeiro temos o célebre Bendengó, pesando 5.360 quilos e achado na Bahia, perto de Canudos. Os sábios calculam que pelo menos um milheiro dessas pedras cai anualmente sobre nosso planetinha.

— Grandes assim como o de Nova York?

— Não. A maioria é muito menor — aí de quilos apenas.

— São pedras que os diabos jogam para espantar os anjos da terra, — observou Emília, que até então estivera caladinha.

Ninguém achou graça.

— E a Lua, vovó? — perguntou Narizinho, com os olhos na Lua que começava a aparecer. Gosto da Lua. Parece-me tão suave...

— Uma pasmada é que ela é, — disse Emília. — Sem anéis, como Saturno; sem cauda, como os cometas; sem canais, como Marte; sem terríveis explosões, como o Sol. Para mim a Lua não passa duma perfeita cataplasma...

— É que você não tem alma poética, Emília, — disse Dona Benta. — A Lua sempre foi o astro dos namorados e dos poetas. O luar entra em todos os namoros e poemas. No dia em que no coraçãozinho de Emília brotar o amor, nesse dia ela suspirará e compreenderá a beleza romântica da Lua — ficando com remorso de tê-la xingado de cataplasma... A Lua é o astro mais próximo da Terra e por isso o que mais interessa ao homem. Notem como vivemos às voltas com a Lua. Falamos nela constantemente. Para deitar ovos, esperamos certa Lua. Para derrubar madeira, escolhemos o tempo de acordo com a Lua. Quando queremos criticar uma pessoa distraída, dizemos que "mora no mundo da Lua". Ela já faz parte da Terra e me dá a impressão duma filha que se mudou da casa de sua mãe para um lugar perto, de onde podem conversar da janela...

— Bem pensado, é assim mesmo, vovó, concordou a menina. Vivemos em perfeita intimidade com a Lua...

— E o tamanho dela, vovó? — perguntou Pedrinho.

— Três mil e duzentos quilômetros de diâmetro — a distância que vai de S. Paulo à ilha Marajó, ida e volta. Seu volume equivale à sexta parte do da Terra; e seu peso, à oitava parte.

— E a distância da Terra à Lua?

— Cerca de 400 mil quilômetros — coisa de nada, em comparação com as distancias astronômicas. Está tão perto que mesmo a olho nu vemos a sombra de suas montanhas. Ao telescópio aparece-nos com muitos detalhes; podemos distinguir perfeitamente as crateras dos antigos vulcões — algumas bem maiores que todas as crateras que há por aqui. A que recebeu o nome do astrônomo Copérnico tem 90 quilômetros de largura e quase 5 de profundidade.

— E as manchas que vemos? Serão realmente montanhas?

— Sim. São cadeias de montanhas, como as nossas, algumas com picos ainda mais altos que o Everest. Entre essas montanhas há planícies extensas, com uma ou outra cratera, que erradamente foram tidas como os mares da Lua. Os sábios levantaram o mapa da Lua com muitos detalhes e batizaram todas as montanhas, crateras, e planícies. Infelizmente a Lua não é habitada, nem tem vegetação.

— Por que não é habitada?

— Porque não possui atmosfera, nem água. Por não ter atmosfera a temperatura varia enormemente durante o dia, havendo diferenças de 400 graus F., do meio-dia para a tarde. Também por esse motivo as noites da Lua, que são de duas semanas, esfriam horrivelmente; a temperatura desce ao zero absoluto. Sendo menor que a Terra, a Lua possui força de atração menor, de modo que lá tudo se torna seis vezes mais leve que aqui. Pedrinho pesa 3 arrobas; na Lua não pesará mais de meia...

— Vimos isso na nossa viagem ao céu, — recordou Emília com saudade. — Para correr e saltar é uma delícia...

— Realmente. Quem aqui na Terra dá um pulo de dois metros, com a mesma força dá um de doze metros na Lua. Infelizmente a Lua não tem ar, e por isso nunca terá a honra de receber turistas daqui.

— Isso, não, vovó, — objetou Pedrinho. — Podemos levar ar líquido para as nossas necessidades de ar gasoso lá. Tenho esperança de que ainda em meus dias o homem invente meios de excursão à Lua. Todos os romances de Júlio Verne já estão realizados, deixaram de ser fantasia; por que o seu livro "Da Terra à Lua" também não há de realizar-se?

— Tudo pode ser, meu filho, tudo pode ser...

— E essa história de fases da Lua, vovó? — quis saber a menina.

— A Lua não tem luz própria, como o Sol, — disse Dona Benta; — apenas reflete a luz do Sol. Quando está entre a Terra e o Sol, a parte iluminada nós não a vemos; mas assim que começa a afastar-se do Sol, começa a aparecer para nós um pedacinho da parte iluminada, que vai crescendo, crescendo...

— Ahn! Lua crescente quer dizer que a parte iluminada vai crescendo...

— Isso. Vai crescendo; cada noite nós a vemos maior, até que vira Lua Cheia, isto é, o momento em que vemos a sua face totalmente iluminada. Depois começa o reverso, e uma semana depois só vemos meia face iluminada.

— É o Quarto Minguante.

— Sim. Vai minguando a parte iluminada até que desaparece de todo, e temos...

— A Lua Nova.

— Isso. E *da capo*. Principia a aparecer uma partezinha iluminada em forma de crescente, e essa parte iluminada vai crescendo até chegar ao...

— Quarto Crescente, e assim por diante, — concluiu Pedrinho que era muito entendido no assunto. — São as chamadas "fases da Lua", vovó. Isso eu sei desde que nasci. Temos uma fase cada semana, porque o giro da Lua é de 21 dias, ou três semanas.

— Muito bem. E podemos fazer uma experiência que torna isso muito claro. Basta que você tome a sua bola de futebol e se coloque diante do lampião. Sua cabeça ficará sendo a Terra; a bola ficará sendo a Lua; e o lampião, o Sol. Feito isso você dará uma volta completa, sempre a segurar a bola na altura do nariz. As fases da Lua ficarão perfeitamente demonstradas nessa experiência.

Foram fazer a experiência na sala de jantar e tudo deu certinho.

Depois Dona Benta falou dos eclipses.

— O eclipse dá-se quando a Lua esconde o Sol ou a Terra esconde a Lua, conforme a posição em que se acham entre si. Se a Lua esconde o Sol, temos o Sol eclipsado, isto é, escondido, tapado; e se é a Terra que esconde a Lua temos um eclipse da Lua. Repita a experiência da bola, Pedrinho, para vermos o eclipse.

Pedrinho tomou a bola e ergueu-a à altura do nariz, defronte do lampião. A sombra da bola caiu sobre seu rosto.

— Veja, — disse Dona Benta. A bola (Lua) está entre o lampião (Sol) e a cara de Pedrinho (Terra), de modo que a cara de Pedrinho está na sombra, ou está eclipsada, sem receber luz direta do lampião. Que espécie de eclipse é esse?

— É eclipse do lampião, — disse Emília.

— E que é o lampião?

— O Sol, — respondeu Narizinho. — A experiência está mostrando como se dá o eclipse, ou o escondimento, para nós aqui da Terra.

— Bem. Agora Pedrinho vai dar meia volta...

Pedrinho deu meia volta, ficando com a cabeça entre a bola e o lampião.

— Que espécie de eclipse se formou? inquiriu Dona Benta.

— O eclipse da bola, — berrou Emília. — A cabeça de Pedrinho não deixa que a luz do lampião bata na bola.

— Pois é isso. Mas apesar de tratar-se duma coisa tão à toa e compreensível, vocês não imaginam como os eclipses têm assustado o homem. Até hoje na Índia a gente supersticiosa diz que o eclipse se dá quando o dragão Rahu engole o Sol... Mas entre os efeitos da Lua sobre a Terra há um muito importante, que me esqueci de mencionar: as marés. Quem sabe o que é maré?

— Eu! — gritou Pedrinho. — É um levantamento, uma inchação do mar, que acontece todos os dias.

— Isso mesmo. Todos os dias, durante seis horas, o mar cresce e avança terra a dentro, cobrindo toda a areia das praias. Depois leva outras seis horas a baixar. Quando o mar cresce, temos a maré alta, e quando se afasta temos a maré baixa.

— E como se explica isso?

— A hipótese mais aceita é que as marés são causadas pela força de atração da Lua e do Sol sobre a Terra. Quando a Lua e o Sol estão do mesmo lado, como na Lua Nova, a força de atração da Lua e do Sol se somam — e essa soma puxa a Terra. Mas puxa com pouca força, que não dá para influir em toda a massa da terra, e sim apenas na parte líquida, nos mares, os quais incham com o puxão. E temos uma forte maré. Mas a Terra gira ao mesmo tempo que a Lua gira em redor dela, de modo que a maré vai mudando de lugar até fazer a volta completa. Cada ponto do mar tem sua maré alta e sua maré baixa de 12 horas e 26 minutos em 12 horas e 26 minutos. Durante a Lua Cheia e a Lua Nova a força de atração do Sol e da Lua estão na mesma linha, de modo que as marés são mais fortes. As marés têm grande importância na navegação, por causa da entrada e saída dos navios nos portos. Também influem na boca dos rios e canais; as invasões da água do mar, com as areias que trazem, obrigam o homem a um constante trabalho de dragagem, isto é, de remoção dessa areia. Influem ainda na indústria das ostras e mariscos, os quais só podem ser apanhados na maré baixa. E há uma velha ideia entre os engenheiros: aproveitar a força das marés. Nos Estados Unidos está sendo estudada uma construção muito engenhosa, como se vê desta gravura.

E Dona Benta mostrou aos meninos um desenho assim:

Capítulo XIX
COMO A TERRA SE FORMOU

No dia seguinte Dona Benta falou da formação do nosso sistema solar.

— Neste assunto, meus filhos, só temos hipóteses, — disse ela; — a certeza é impossível. Das hipóteses apresentadas pelos sábios a mais aceita hoje é a *planetesimal*. De acordo com essa hipótese, todos os corpos do nosso sistema solar, isto é, o Sol, os planetas, os satélites, os asteroides, os meteoros e meteoritos, sobre os quais já conversamos, faziam parte dum enorme astro — uma estrela. Essa estrela andava rodando pelo espaço infinito, como fazem todas as estrelas, até que um dia se aproximou demasiadamente de outra, também enorme, e sofreu a influência da sua atração. Tão violenta foi essa atração, que se produziram em nossa estrela imensas marés, as quais, combinadas com explosões também provocadas pela atração da outra estrela, fizeram que grandes massas fossem arrancadas de seu corpo e lançadas no espaço. Disso resultou uma nebula, como aquelas de que já falei, porém muito menor. No meio ficou um grande núcleo composto do resto da estrela, e em redor, em meio de nuvens de gases, ficaram os pedaços menores da estrela. Mas a estrela distante que causou aquele distúrbio afastou-se, diminuindo assim a sua força de atração. A força de atração predominante ficou sendo a do grande núcleo da nossa estrela, em redor do qual os seus fragmentos começaram a regirar, e essa rotação impediu que os pedaços fossem incorporar-se ao grande núcleo que os atraía.

— Quando você, Pedrinho, amarra um barbante numa laranja e a faz descrever círculos no ar, que acontece?

— Acontece que ela gira, — respondeu o menino, sem compreender o alcance da pergunta.

— Está claro que gira. Mas que acontece? Que sente na mão que segura o barbante?

— Sinto um puxão. A laranja quer fugir do círculo — e se eu largo do fio, foge mesmo, seguindo em linha reta.

— Quer dizer que só há rotação enquanto você a tem segura pelo fio. Pois bem: a força de atração do núcleo da estrela era esse fio que força a laranja a rodar, era o barbante que amarrava todos os fragmentos, impedindo-os de caminharem em linha reta. Na rotação desenvolve-se uma força chamada *centrífuga*, que faz o corpo afastar-se do centro. Essa força centrifuga é a causadora da laranja seguir em linha reta quando você solta o barbante. E o barbante, puxando a laranja, é a força *centrípeta* que chamamos atração. Centrípeto quer dizer que puxa para o centro.

Desse modo aqueles fragmentos não pararam mais de regirar em torno do núcleo, em consequência do equilíbrio dessas duas forças: a centrífuga, que os afastava do núcleo, e a centrípeta, que os puxava para ele. Com o tempo os pedaços maiores foram absorvendo os menores, como hoje a Terra absorve milhões de fragmentos ainda perdidos pelo espaço — os meteoros e meteoritos. E ficaram unicamente os planetas atuais, todos regirando em torno do grande núcleo da estrela diminuída — ou o Sol.

— A hipótese é boa, — disse Pedrinho, — porque por mais que a gente pense não encontra explicação mais razoável.

— Pois esta hipótese, meu filho, veio atrapalhar muita coisa que a ciência tinha como certa. A ciência caminha assim, pulando de hipótese em hipótese. Quando surge uma hipótese mais bem fundamentada que a anterior, vai para o trono e a velha vai para o lixo.

— Que hipótese foi banida pela tal hipótese planetesimal? — indagou Pedrinho.

— Uma delas foi a do fogo central da Terra, com a crosta sólida por cima. Essa hipótese ainda está muito espalhada, mas aos poucos vai sendo roída pela nova.

— Então tudo aquilo que o Visconde nos ensinou na Geologia está errado?

— Não digo que esteja errado, meu filho; só digo que aquela hipótese está sendo atacada e roída pela hipótese nova. Por esta hipótese nova o centro da terra não é formado de matéria em fusão — é sólido.

— Então não vale a pena estudar, vovó, — disse Narizinho, aborrecida. — A gente custa a aprender uma coisa, e quando aprende e fica na certeza de que está com a verdade, vem uma peste de hipótese nova a atrapalhar tudo. E toca a aprender de novo...

— A verdade, minha filha, é uma coisa mais lisa que peixe. Quando julgamos tê-la segura, ela nos escapa nos escorrega das mãos. Verdade é o que nos parece certo — e se depois de estarmos convencidos duma certeza vem uma hipótese que nos parece mais certa, somos obrigados a deixar que o peixe nos escorregue das mãos para pegar outro.

— Que razões apresentam os "planetesimais" contra a hipótese velha, tão espalhada e tão cômoda? — perguntou Pedrinho.

— Várias. Se a terra fosse líquida no centro, dizem eles, os terremotos não se transmitiriam dum lado para outro, como acontece. Também afirmam que se a Terra tivesse o centro líquido, já teria parado de girar há muito tempo.

— Por quê?

Em vez de responder Dona Benta gritou para Tia Nastácia que trouxesse dois ovos, um fresco e outro cozido. Minutos depois, quando os ovos apareceram, mandou que Pedrinho os fizesse regirar sobre si mesmos, como se fossem piões. Pedrinho foi para a mesa e viu que o ovo duro regirava perfeitamente, mas o ovo fresco dava umas voltas e parava.

— Que coisa esquisita, vovó! Um ovo obedece ao meu impulso e gira uma porção de tempo. O outro resiste — não há meio... Será porque está quente?

— Não, meu filho. Isso acontece porque um é sólido por dentro e outro é líquido. Essa experiência mostra que se a Terra tivesse o centro líquido não giraria sobre si mesma...

Pedrinho abriu a boca e Dona Benta continuou.

— A nova hipótese diz que durante o tempo em que a nebula formada pelo derrame da estrela se fixou na forma dos planetas atuais, um dos pedaços passou a ser a nossa Terra — mas muito menor que hoje. A Terra foi crescendo à custa dos meteoritos que constantemente caíam sobre ela, como ainda hoje acontece, embora em menor quantidade. Naquele tempo a superfície da Terra não passava de massa porosa, solta. O que nela caía, espetava-se, como pedrinhas que você joga de encontro a uma bola mole de barro.

— Engraçado! A Terra foi crescendo à custa de pelotadas...

— Sim. E no começo era pequena demais para ter a atmosfera que tem hoje. Mas com o crescimento operado por meio da constante queda de meteoritos, também cresceu a sua força de atração — e ela pôde aumentar a sua camada atmosférica até tê-la do tamanho atual. Essa atmosfera continha muito vapor d'água, o qual se foi condensando e caindo em chuvas. Parte da água evaporava-se de novo e parte corria em torrentes para as depressões, dando origem aos mares. Mas começos de mares apenas. A maior quantidade da água ainda se conservava suspensa na atmosfera, em estado de vapor. Com o resfriamento esse vapor da atmosfera foi diminuindo e a água dos mares aumentando.

— Sim, senhora! Está bem aceitavelzinha a hipótese, — murmurou o menino. — Vou adotá-la.

— Com o aumento da massa da Terra, — continuou Dona Benta, — surgiram três grandes processos modificadores da superfície, que os sábios chamam: *vulcanismo*, *gradação* e *diastrofismo*.

— Lá vem! Lá vêm eles com os tais termos! — exclamou Narizinho. — Vulcanismo e gradação parece que entendo — mas o tal di-as-tro-fismo está me desafiando. Que palavra feia!

— O vulcanismo, — explicou Dona Benta, — é isto: No começo o interior da Terra não estava como está hoje. Como a massa do planeta fosse crescendo, a sua gravidade foi aumentando, e o puxão que essa gravidade em aumento dava no material também aumentava a pressão. Essa pressão produzia muito calor, mas era grande demais para permitir que as rochas aquecidas se liquefizessem, de modo que a superfície permanecia relativamente inalterada. Mas quando rupturas, ou escorregamentos, ocorriam num ponto a pressão se aliviava em outros pontos, e a diminuição de pressão permitia que algum material super aquecido se derretesse. Tal material derretido era forçado para cima por duas causas: a expansão da matéria e a força de atração da Lua.

— Que tem a Lua a ver com isso?

— Já vimos que a força de atração da Lua mexe com as massas líquidas. Lembre-se das marés, Pedrinho. De modo que havia a expansão e a Lua para puxarem até à superfície o material derretido. A expansão da matéria você sabe que a torna menos densa, mais leve — e o que é leve tende a subir.

— E subia por onde?

— Pelas fendas abertas. Subia e chegava à superfície sob forma de violentos jactos ou calmos derrames de lava. Surgiram então os vulcões. Vulcanismo é isso.

Graças a ele, grandes massas de lavas eram expelidas pelas crateras. Muita lava, porém, não tinha força para chegar até em cima, por endurecer pelo caminho. Por isso encontramos no seio dos montes as tais *introsões* de rocha eruptiva que o Visconde mostrou[45]. Outro efeito do vulcanismo está no aumento dos gases da atmosfera.

— Bem. Vulcanismo está sabido. E a gradação?

— O processo da gradação é o que estudamos na geologia com o nome de erosão. Depois que a Terra adquiriu atmosfera, as partes mais altas começaram a ser *desgastadas* — esse desgaste é a tal gradação.

O processo da gradação não passa da erosão e do transporte do material erodido de um ponto para outro, pela ação carregadora das águas, dos ventos e das geleiras. Os materiais mais solúveis eram levados para os oceanos, e o resto ficava pelo caminho. Desse modo a gradação foi desfazendo os montes e abrindo os vales, trabalho que ainda hoje podemos observar. Grandes mudanças se operaram na superfície da Terra — e continuam a operar-se.

A Serra da Mantiqueira, por exemplo. Quem vai de S. Paulo ao Rio corta o imenso vale do Paraíba, hoje coberto de lindos arrozais, e vê lá longe a muralha azul das montanhas. Essa cadeia de montanhas é a mãe: o vale é o filho. Quando a Mantiqueira surgiu devia ser altíssima, porque toda a terra que forma o grande aterro do atual vale do Paraíba saiu dessa cadeia de montanhas. A primitiva Mantiqueira foi se desgastando pela erosão, foi minguando em altura e corpo, à proporção que o vale ia se formando pelo aterro. Hoje nos parece uma grande cadeia de montanhas, mas na realidade não passa de fração do que foi.

— E um dia estará igualada ao vale, — disse Pedrinho.

— A tendência é essa, porque a gradação jamais interrompe o seu trabalho. Graças a ela formam-se as camadas sedimentárias dos aterros, à custa das pobres montanhas. O Everest ainda conta prosa hoje com os seus quase 9.000 metros; mas um dia terá zero metros.

— E o diastrofismo?

— O processo que tem esse horrível nome explica o "torturamento" dos materiais da superfície por efeito dos puxões da gravidade. Três causas provocam o diastrofismo: 1) a desigual distribuição dos meteoros e meteoritos que foram caindo; 2) o deslocamento dos materiais pelo vulcanismo; 3) o deslocamento dos materiais pela gradação. Essas três causas desequilibravam a superfície da Terra, mas o diastrofismo restabelecia o equilíbrio, elevando-a nuns pontos e baixando-a em outros. Ele opera por meio da gravidade, puxando para o fundo os materiais mais pesados e erguendo os mais leves. Como os materiais do fundo dos mares são um pouco mais densos que os da terra, o diastrofismo levanta os continentes e afunda os mares, contrariando a obra da gradação.

— Estou compreendendo o tal diastrofismo, vovó. É simplesmente o nome feio com que os sábios xingam a *deformação* da superfície.

— Exatamente. O diastrofismo deforma, muda a forma. Espremeu os continentes, enrugou-os e fez surgirem as montanhas, as quais não passam de pregas.

---

[45] *O Poço do Visconde.*

Durante essas espremeduras as rochas muitas vezes se rompem e deslizam umas sobre as outras, causando terremotos. Por isso os vulcões e terremotos são tão comuns nas cadeias de montanhas que beiram os continentes.

Por vezes o enrugamento ergueu acima do mar grandes camadas de rochas sedimentárias — e por isso vemos fósseis de peixes até em altas montanhas. Outras vezes essas camadas foram erguidas e baixadas sucessivamente, com intervalos de milhões de anos — como os fósseis encontrados nos mostram. Bom. Resuma o que eu disse, Pedrinho.

Pedrinho tossiu o pigarro e começou:

— A superfície da terra veio mudando sempre, desde o começo. Primeiro, foi afundando à medida que caíam coisas do céu — os tais meteoritos. Mas as maiores mudanças vieram depois, causadas pelo vulcanismo, pela gradação e pelo tal diastrofismo, que não passa da ação da gravidade na sua fúria de equilibrar as rochas desequilibradas na superfície.

— Muito bem. Como você está vendo, a gradação e o diastrofismo produzem efeitos opostos. A primeira nivela; o segundo desnivela. Calculam os sábios que o Mississipi lança no golfo do México mais de 40 mil toneladas de aterro por hora. Todos os mais rios da América fazem o mesmo, de modo que o nível dos Estados Unidos baixa de um centímetro cada 150 anos.

— Quer dizer que se o diastrofismo não atrapalhasse a gradação, ela carregaria para o mar toda a terra dos continentes que estão acima do nível do mar...

— Isso mesmo. Mas o diastrofismo enruga, empola o fundo dos mares tanto quanto a superfície dos continentes. Atrapalha tudo. Ergue aqui, levanta lá... às vezes a gradação trabalha sossegada por muitíssimos tempos, mas de repente o diastrofismo surge furioso e faz mudanças tremendas. Vinga-se. Um exemplo: cerca de um quarto da superfície da terra está hoje fora d'água; mas já houve tempo em que a gradação trabalhou em paz durante milhares de anos, conseguindo que só um oitavo da terra ficasse acima da água.

— Compreendo, — gritou Emília. — A gradação quer cobrir de água todas as terras e o diastrofismo não deixa. Viva o diastrofismo!

— Hoje os sábios imaginam que o diastrofismo está operando mais mudanças do que a gradação, de modo que há mais terra crescendo do que sendo levada para o mar.

Da erosão não falo porque o Visconde já tratou do assunto na geologia; mas notei que ele só se referiu à erosão causada pelas águas.

— E há mais erodidores? — perguntou a menina.

— Sim, muitos, embora mais fracos. Há as plantas. Árvores, como a figueira brava do tio Barnabé, que nascem na fenda das pedras e acabam rachando-as, praticam a erosão. A gravidade também produz erosão, porque está sempre puxando as coisas para baixo, fazendo-as cair. O que cai quebra-se, facilitando o trabalho dos outros processos.

— Na pedra do Barnabé, — lembrou Pedrinho, a figueira começou a erosão rachando a pedra, e a gravidade continuou-a fazendo que metade da pedra caísse sobre a estrada e se partisse em três, fora o farelo.

— Exatamente. E temos os animais, sobretudo o homem, que também erodem — deslocam as pedras daqui para ali, quebram-nas, moem-nas, furam o chão, etc. E temos os agentes químicos, como o oxigênio, que é um danado para combinar-se com as rochas e desagregá-las. E temos ainda a ação química das plantas que produzem dióxido de carbono e mais substâncias. O dióxido também ataca as rochas.

— Coitadas! — exclamou Emília. — Tudo se junta contra as pobres rochas, apesar de viverem quietinhas no seu canto, sem fazer mal a ninguém. São umas verdadeiras mártires...

E Emília suspirou.

Capítulo XX
O SOLO

— Mas fique sabendo, Emília, — observou Dona Benta, — que se não fosse a erosão não haveria nem plantas nem animais terrestres — isto aqui por cima seria um pedregal sem fim.

— Como?

— Muito claro. Para haver animais é preciso haver plantas, porque os animais não passam de simples parasitas das plantas. Mas para haver plantas foi necessário que as rochas se esbrugassem e permitissem a formação disso que chamamos *solo*.

— Está aí uma coisa em que nunca pensei, — disse Pedrinho — na formação do solo. Como é?

— É muito interessante a formação do solo, ou isso que chamamos "terra" e onde as plantas nascem. Para bem explicar o fenômeno proponho um passeio à Pedra Redonda.

Pedra Redonda era o nome duma pedreira que havia no sítio, lá dos lados do Morro Velho. Esse morro sofrera um grande desbarrancamento, e como dentro existisse muita pedra, as chuvas foram levando a terra moída e deixando as pedras de fora. Havia uma duns três metros de altura, a tal Pedra Redonda, e várias outras em redor, mas igualmente sem quinas, irregularmente arredondadas.

Chegados à pedreira, Dona Benta continuou:

— Suba, à Pedra Redonda, Pedrinho, e veja o que há em cima.

O menino subiu e examinou a superfície.

— Não há nada, vovó; isto aqui até parece a careca do doutor Ximenes.

— Examine melhor, meu filho. Tenho certeza de que há líquens nessa pedra.

— Isso há, vovó. A pedra toda está incrustada de manchas cinzentas, ou líquens, como a senhora diz.

— Pois aí está o começo do solo em que as plantas crescem, — disse Dona Benta. — A coisa começa assim. Esses líquens agarram-se às pedras e formam uma camadinha orgânica. Vão nascendo e morrendo, e quando morrem deixam ali seus restinhos mortais — essa massa preta que há debaixo dos líquens. Depois aparecem os primeiros musguinhos.

— O veludo das pedras, como diz Emília.

— Sim. Aparece esse musgo de veludo e muitos outros, tudo misturado. São plantinhas que agem quimicamente e vão dissolvendo partículas da rocha e aumentando o solo preto que os líquens começaram a formar. Assim que essa camadinha aumenta, surgem plantas mais desenvolvidas, como as pequenas samambaias, os fetos das pedras. E vêm as avencas. E vêm as begônias. E a camada de solo vai aumentando e vão vindo plantas cada vez maiores. Um dia um passarinho deposita ali a semente duma figueira brava — e uma enorme figueira brava cresce, envolvendo a pedra em que nasceu, e as vizinhas, nos terríveis abraços das suas raízes. Se há nas pedras algumas rachas, essas raízes penetram por elas, e, como vão engrossando, vão fazendo pressão até que separam em duas ou mais partes a pedra rachada.

— A figueira grande, lá perto da casa do Barnabé, fez isso, — informou Pedrinho; — rachou ao meio uma pedra enormíssima que ficava acima do barranco. Barnabé lembra-se da noite em que metade da pedra desabou sobre a estrada, fazendo um barulho surdo, que o assustou. O caminho teve de ser desviado para outro ponto.

— Pois essa figueira, — explicou Dona Benta, — começou pequenininha como estou explicando. Houve primeiro uma camada de líquen, que preparou um solinho para o musgo. O musgo cresceu e preparou uma camadinha mais grossa de solo para as samambaias e o mais — e também para que a semente de figueira trazida por um passarinho pudesse germinar e crescer. E durante anos aquela figueira continuou a crescer, a emitir raizinhas que pareciam fios, enquanto longe do chão. Alcançado o chão, esses fios engrossaram e a figueira se desenvolveu na grande árvore que hoje é — e ficou tão forte que partiu ao meio a poderosa pedra.

— Mas que paciência, vovó, não é preciso para um trabalho desses! — observou a menina.

— A força dos vegetais, minha filha, é a paciência. Eles não têm pressa. Levam anos e anos para conseguir uma coisinha de nada — mas conseguem tudo quanto querem. A paciência vence os maiores obstáculos.

— Estou vendo, — disse Emília. — Figueira mole em pedra dura tanto dá que até fura.

— Não furou, boba, rachou só, — corrigiu Narizinho.

— Pois bem: o solo vai se formando assim, graças à paciência das plantinhas elementares, os líquens, os musgos, as samambainhas e outras extremamente modestas — e os resíduos das que morrem formam os primeiros depósitos de húmus. Também aparecem bichinhos que vêm morar ali, e o esterquinho deles aumenta a camada de húmus. Enquanto isso, a contínua desagregação das rochas vai misturando nesse húmus partículas da pedra — grãozinhos de areia, e essa mistura forma o solo. Quando nele começam a crescer árvores, os resíduos dessas árvores, folhas mortas, galhos secos, etc., aumentam com maior rapidez a formação do húmus — e cresce a camada de solo.

— O interessante, vovó, é que à medida que se vai formando o solo, as plantinhas que começaram o trabalho são expulsas dali. Isso mostra que a ingratidão não é própria dos homens, mas sim coisa da natureza.

— A gratidão é um sentimento moral e a natureza é amoral, isto é, ignora completamente o que seja moral. Os líquens e musgos realizam a sua missão e desaparecem afogados pela força das plantas maiores, que lhes tomam o lugar.

— Vão pregar em outra freguesia...

— Sim, mudam-se, por intermédio dos ventos carregadores das sementes. Vão em busca de novas pedras sem nenhuma vegetação em cima. O destino deles é começar o trabalho da formação do solo, para que as plantas mais fortes possam desenvolver-se.

Mas como veem, o solo é composto de matéria orgânica (resíduos das plantinhas e dos animais que vivem e morrem ali) e também de matéria inorgânica — as areias e mais partículas da rocha desagregada. Variam de composição, portanto. Nuns predominam tais e tais elementos de rochas, e noutros predominam elementos diferentes, daí os solos arenosos e os solos argilosos, por exemplo. Os em que predomina a matéria orgânica, são soltos e leves. Nos lugares pantanosos o depósito de matéria orgânica, formado por sucessivas gerações de plantinhas, chega a formar camadas de muitos metros de espessura — e servem de combustível. É a turfa.

— E a erosão não carrega esse tal solo? — quis saber Pedrinho.

— Sim. Se ele permanece no lugar em que se formou, chama-se solo residual. Mas se pelas chuvas é levado para outros pontos, forma o chamado solo de aluvião, ou aluvial. Naquela baixada perto do chiqueiro temos um exemplo bem claro. Há uma camada de solo preto de meio metro; logo abaixo começa a terra vermelha. É uma camada de solo que veio de outros pontos e foi sendo depositada ali pelas chuvas.

— E as plantas só nascem onde há solo?

— Sim. Elas exigem matéria orgânica, e só os solos a contém. Daí o falar-se tanto em terras boas e más, ou cansadas. A terra boa é a terra fértil, isto é, de solo profundo e bem rico de matéria orgânica. Em solo assim todas as plantas crescem maravilhosamente — como aquele milharal que plantei no Barro Branco. A terra má é a de solo de pouca espessura, ou pobre de matéria orgânica.

— E a terra cansada?

— É o solo que já foi rico de matéria orgânica, mas de tanto ser plantado empobreceu. Tem que ser adubado, isto é, temos de restituir-lhe a matéria orgânica e outros elementos que as plantas tiraram.

— Como tiraram? — objetou Pedrinho. — Não são elas as formadoras do solo, as fornecedoras da matéria orgânica?

— Sim, quando a coisa corre naturalmente; mas "agriculturalmente" tudo muda. Ao modo natural uma planta nasce e morre no mesmo ponto, de maneira que os seus resíduos ficam ali e se incorporam ao solo. Mas na agricultura o homem *colhe* — isto é, retira a planta inteira ou parte dela. Retira o capim, retira a alfafa, retira a cana, retira os pés de feijão, retira parte dos pés de milho (as espigas), retira os grãos de café, retira as hastes do arroz. De maneira que toda a matéria orgânica do que foi retirado, em vez de incorporar-se ao solo, tem outro destino — e o solo fica no logro — fica diminuído das substâncias que emprestou à planta, certo de que ela lhe restituiria com juros, mas que o homem tirou dali.

— Que ladrão! — exclamou Emília.

Dona Benta riu-se.

— Mas há ladrões conscienciosos, Emília: os lavradores que todos os anos adubam suas terras. E porque são conscienciosos, prosperam mais que os sem consciência — os que tiram e não põem.

— Chico Piramboia é assim, — disse Pedrinho. — Nunca estercou um palmo de terra — e por isso aquilo lá é só samambaia e sapé, e ele anda descalço, fedendo pinga e a querer impingir nos outros a égua lazarenta...

— Já o Manel da Ilha, — disse Dona Benta, — nunca deixa de usar adubos. Apesar de ignorantão, sabe conduzir muito bem a sua fazenda.

— E anda de botas com esporas de prata, — acrescentou Emília, — e tem a besta ruana, linda, e aquele cavalo pampa tão gordo, e fuma cigarros da cidade e só bebe cerveja.

— Isso prova, Emília, que o adubo não somente prospera as plantas como também o homem que as cultiva. As botas do Manel, suas esporas reluzentes, a besta ruana, o pampa e a cerveja que ele bebe, tudo vêm daquela esterqueira construída perto do curral grande...

Capítulo XXI
RIQUEZAS DO SUBSOLO

Naquele dia a lição acabou no solo; no dia seguinte começou pelo subsolo, que é a parte que fica em baixo do solo.

— No começo, — disse Dona Benta, — os homens só viviam e só se utilizavam das coisas produzidas pelo solo, ou que estão no solo — e ainda hoje é assim na maior parte do mundo, e também aqui na nossa terra. Mas com a ciência que se desenvolveu nos países mais adiantados o homem começou a sondar as entranhas da terra e a extrair de lá muita coisa preciosa. Vamos ver quem sabe: qual a coisa mais preciosa que o homem extrai do subsolo?

— Ouro, — disse Narizinho.

— Energia, — emendou Dona Benta. — A coisa mais preciosa, isto é, de mais valor que o homem extrai da terra, não é o ouro, sim a energia potencial que reside no carvão de pedra e no petróleo. Qual o valor do ouro, anualmente extraído do fundo da terra? Meio bilhão de dólares. E o valor do carvão e do petróleo? Trinta ou quarenta vezes isso.

— Que diferença! — exclamou o menino, admirado.

— Sim, a diferença é enorme. O valor maior é *a* energia. Em seguida vêm os metais, como o ferro, o cobre, o chumbo, o estanho, a prata, o ouro, etc. E ainda outras substâncias de muita aplicação na indústria. Mas a grande coisa é a energia potencial que a indústria transforma em energia mecânica.

Mas se a energia potencial do carvão e do petróleo são as mais valiosas, não quer dizer que sejam as únicas. Do fundo da terra brota espontaneamente muita energia sob outras formas, infelizmente inúteis para o homem. A energia dos vulcões, por exemplo. Se pudéssemos aproveitar, armazenar a energia dum vulcão em atividade, teríamos forças para consumir durante séculos. Outra fonte de energia são os *gêiseres*, ou fontes naturais de água quente.

— Mas podem os gêiseres ser aproveitados? — indagou Pedrinho.

— Podem, não há dúvida, mas só localmente e em pequena escala, por que não há muitos gêiseres no mundo. Já o carvão de pedra e o petróleo existem quase que por toda parte.

— É verdade que o carvão não passa de madeira?

— Sim. Os grandes depósitos de carvão de pedra que o homem tem descoberto em tantos países já foram enormes florestas em lugares pantanosos, vivinhas e verdinhas. As árvores iam nascendo, crescendo e morrendo. Os troncos atolavam-se no pântano, formando camadas de restos mortais. Um dia esse pântano sofreu mudança: foi abaixado por efeito daquele diastrofismo sobre que já falei. A erosão, essa infatigável fazedora de aterros, o cobriu de espessas camadas de areia ou argila. Mas vem de novo o diastrofismo e ergue toda aquela massa de camadas — e na superfície forma-se novamente solo e crescem novamente florestas. Mas de repente...

— Já sei, — disse Pedrinho: — de repente o tal diastrofismo abaixa outra vez a terra e a erosão cobre outra vez de areia a nova floresta.

— Exatamente. Isso explica o encontro de várias camadas de carvão superpostas, separadas entre si pelas camadas de aterro.

— Mas como as florestas enterradas se transformam em carvão?

— Diversos fatores trabalharam nisso: a pressão do aterro, certas bactérias, o calor desenvolvido pelo peso do aterro.

— E a espessura das camadas? quis saber Narizinho.

— Varia muito. Na França e na Índia foram descobertas camadas com sessenta e tantos metros de espessura!... Quando a pressão é muito grande, esse mesmo carbono do carvão de pedra vira diamante.

— Que coisa esquisita! — exclamou a menina. — Um, tão preto e feio — o outro, maravilhosamente lindo, e filhos do mesmo pai...

— Filhos, não, — contestou Dona Benta. — O carvão é carbono e o diamante também. Constituem um mesmo corpo sob formas diferentes. Mas o carvão é encontrado em todos os continentes. Na América do Norte existe em imensas quantidades, e na Inglaterra também — sendo por isso que a Inglaterra e os Estados Unidos ganharam tão grande distância sobre outros povos. Povo que não tem, ou não explora, carvão ou petróleo é povo sem indústria e pobre.

— E nós? Temos carvão?

— Temos, sim, no Sul, no Paraná, em Santa Catarina, no Rio Grande e em outros pontos, mas fracamente explorado ainda. É possível que tenhamos ótimo carvão em jazidas ainda não descobertas. As que estão descobertas e trabalhadas parece que o não produzem de primeira qualidade; por isso ainda importamos bastante carvão dos Estados Unidos e da Inglaterra.

As reservas de carvão existentes no mundo vão se acabando, visto que o consumo é enorme. E o pior não é ser enorme o consumo; é a pequena parte da energia que o homem aproveita.

— Como? Por quê?

— Há as perdas. Um terço de cada tonelada de carvão se perde ao ser minerado e no transporte; e quando é queimado, só um terço da energia desenvolvida produz trabalho útil; de modo que de cada 1.000 quilos de carvão só é *utilmente* aproveitada a energia duns 300 quilos.

— E por que o homem não corrige isso?

— Está corrigindo. A perda já foi muito maior — mas o problema não é tão simples como parece. Já no petróleo o aproveitamento da energia é maior. Mas não falo dele porque cansamos de lidar com petróleo n' *O Poço do Visconde*.

— E o tal gás natural, vovó?

— É outra excelente fonte de energia. O gás natural aparece com frequência nas regiões de petróleo, e serve como fonte de calor e luz. Os mesmos usos do gás obtido com a destilação da hulha.

Bem. Até aqui só falamos dos produtos do subsolo que dão energia. Mas temos outros produtos valiosíssimos — os minérios e metais.

— Isso já aprendemos na Geologia, — disse Pedrinho. — As rochas se compõem duma mistura de vários minerais.

— Exatamente. O granito, por exemplo, compõem-se de quartzo, feldspato e mica, em mistura que os deixa perfeitamente visíveis. A uma rocha que contém um ou mais metais damos o nome de minério, do qual um dos característicos é haver quase sempre a combinação dum metal com o oxigênio ou o enxofre. De todos os metais, qual o mais precioso? Quem sabe?

— O ouro, — disse Narizinho.

— Parece mas não é. O metal precioso por excelência é o ferro, embora no mercado um quilo de ouro alcance preço muitíssimo maior que uma tonelada de ferro. O ferro é o mais precioso porque é o mais *útil*, o mais abundante e a matéria fundamental da civilização.

— Por quê?

— Porque o ferro é a substância com que o homem constrói suas máquinas, e é da máquina que vem o progresso, a riqueza, a civilização. Mas o ferro raramente é encontrado puro, e mesmo depois de produzido nos altos fornos ainda não fica perfeitamente puro: está sempre combinado com um pouco de carbono.

— E depois do ferro?

— Depois do ferro o mais útil dos materiais é o cobre, ou pelo menos o mais largamente empregado, sobretudo nas instalações elétricas. A eletricidade é conduzida de um ponto para outro por meio de fios de cobre. Outra grande aplicação do cobre é para rebites de navios e vasilhame.

— Aqui em casa temos aqueles tachão de cobre em que Tia Nastácia faz goiabada. Mas as alças são de outro metal, mais amarelado.

— Latão, ou seja uma liga de cobre e zinco. O bronze, tão empregado para as estátuas, é também uma liga de cobre e estanho. As vasilhas de cobre tiveram muito uso antigamente; hoje estão sendo abandonadas.

— Por quê?

— Por causa do azinhavre, ou óxido de cobre, que é venenoso. O vinagre e o caldo das frutas ácidas também se combinam com ele, produzindo substâncias nocivas. Panelas e o mais de cozinha é tudo agora feito de ferro, simples ou esmaltado, e de alumínio.

— Por falar em alumínio, que metal é esse?

— O alumínio não existe na natureza no estado em que o homem o emprega. Tem de ser extraído da argila ou de certas rochas. A sua maior vantagem está na leveza.

— E o ouro? — perguntou Narizinho.

— Ah, o ouro é o mais belo de todos os metais, com a sua linda cor amarela. Tem a vantagem de não oxidar-se e também de ser extremamente maleável. Com ele fazem-se as folhas mais finas que existem no mundo, e fios que batem a teia das aranhas. Um metal curiosíssimo é o mercúrio — o único que na temperatura comum se conserva líquido. Só se solidifica a 39 graus abaixo de zero. Às vezes é encontrado puro; outras vezes, combinado com o enxofre. Sua densidade é tão alta que todos os outros metais, inclusive o chumbo, flutuam nele. Tem muito emprego nos laboratórios. Os barômetros e termômetros são feitos com mercúrio, e os espelhos têm a face interna revestida duma camadinha de mercúrio e estanho.

— É o tal aço dos espelhos, — lembrou Pedrinho.

— E na arte dentária serve para a obturação dos dentes, numa mistura com prata e estanho. Outro metal curiosíssimo é o rádio, cuja propriedade principal consiste em emitir luz, calor e vários tipos de raios. Quando o rádio se decompõe, surgem dois elementos que nada se assemelham entre si, nem com ele: hélio e chumbo. Como foi descoberto há pouco tempo, ainda está em estudos. É caríssimo, porque para obter um grama de rádio há necessidade de trabalhar 500 toneladas de minério.

— Que horror, vovó! Então quanto custa um grama de rádio?

— Nada menos de 70 mil dólares — ou 70 milhões de dólares o quilo.

— Setenta milhões? — exclamou Narizinho, assombrada. — Um milhão de contos na nossa moeda? Ah, isso é uma loucura, vovó...

— Por causa desse preço elevadíssimo, o comércio do rádio não se faz às toneladas, como o do ferro, nem aos gramas, como o do ouro — mas aos miligramas. É atualmente a coisa mais rara e preciosa que há no mundo.

O rádio e o ouro, e outros de menor importância, são *minerais metálicos*. Há ainda os *não-metálicos*, como por exemplo, o giz. O giz é um calcário formado de casquinhas de animálculos marinhos extremamente pequenos. A cal é outro calcário que obtemos queimando a pedra calcária; tem enorme emprego na construção de casas, para reboco ou caiação. A argila é uma combinação de alumínio, sílica, oxigênio, e água. Usadíssima para tijolos, manilhas, telhas, potes e panelas. A argila muito pura e sem ferro dá a porcelana. Um mineral interessante é o amianto, ou asbestos. Apresenta-se fibroso, como madeira apodrecida de pinheiro. As fibras dobram-se sem se quebrar e têm brilho. A principal propriedade do amianto é não ser afetado pelo fogo. Não derrete nunca. Daí a sua aplicação na defesa contra o fogo; tecidos para roupas de bombeiros, cortinas de teatro que separem o palco da plateia, tintas incombustíveis (em que ele entra em pó), etc. Quem tiver qualquer coisa a defender do fogo, embrulhe-a em amianto. Temos depois os cristais, cuja família é enorme. O cristal de rocha, de que há muito no Brasil, encontra grande aplicação na indústria da ótica. As lentes dos microscópios, dos telescópios e das câmaras fotográficas fazem-se com ele. Estas são as principais substâncias que o homem extrai do subsolo, para mil empregos na indústria. Como vocês veem, há muita coisa de valor enterrada, por isso os povos que prestam atenção ao subsolo, e de lá arrancam esses minerais, enriquecem. Cada ano os Estados Unidos extraem do seu subsolo riquezas no valor de 100 milhões de contos. Infelizmente cá no Brasil ainda não nos voltamos para o subsolo — apesar de o termos na mesma proporção que os americanos, já que o território dos dois países mais ou menos se equivalem.

— Por que é assim, vovó?

— Por vários motivos, meu filho. Lerdeza e ignorância do povo, falta de iniciativa bem orientada, ausência de técnica moderna, escassez de capitais — uma porção de coisas. Bom. Sobre a divisão das rochas em ígneas, sedimentárias e metamórficas não falo porque vocês sabem de cor, de tanto que mexeram com a geologia do Visconde. Dos fósseis também já sabem alguma coisa. Mas podemos dizer algo das pedras de construção. O homem sempre usou a pedra para construir moradias — e antes de construí-las já morava em casas de pedra.

— Como pôde ser isso?

— Morava em cavernas. Como naquele tempo não possuíssem o ferro com que hoje quebramos, ou perfuramos, as pedras, tinham de contentar-se com as cavernas naturais. Mas a idade do ferro chegou e o homem pôde dominar a pedra — cortá-la em blocos regulares. Os romanos, os gregos e os egípcios foram grandes consumidores de pedra lavrada, que é como se diz. E desde então o homem nunca mais deixou de utilizar-se da pedra para os trabalhos de construção. A mais linda coisa que com ela fizeram foram as maravilhosas catedrais da idade média. Hoje está em voga a pedra artificial, que principia líquida e endurece na obra. O cimento simples e o concreto (cimento misturado com pedregulho ou pedra britada) estão sendo cada vez mais empregados. Mas nem toda pedra serve para construções. Muitas se deixam esmagar pelo peso. As mais usadas são o granito, a ardósia, a areia e o calcário, sobretudo os mármores. A areia é menos dura que os calcários, e mais facilmente destrutível pela erosão, mas o seu emprego é enorme. Impossível fazer a conta da quantidade de areia que o homem gasta por ano. Além do mais, abundantíssima e baratíssima. Custa o trabalho de a recolher do fundo dos rios, ou de onde se ache. O granito resiste mais que qualquer outra pedra e se apresenta de várias cores. Hoje está sendo muito usado o granito polido, que possui um lindo brilho. O cimento é um pó feito por meio da calcinação da pedra calcária. Quando o misturamos com água, endurece como qualquer pedra natural. O vidro! Está aqui uma substância que o homem não dispensa. Os empregos do vidro são variadíssimos. Óculos, vidraças, garrafas, tubos... se eu fosse enumerar todas as aplicações levava meia hora. Até casas inteirinhas de vidro já começaram a aparecer. Mas só modernamente sua aplicação se espalhou. Nos tempos antigos o vidro constituía uma preciosidade.

— E como se obtém o vidro?

— Derretendo a areia comum misturada com certas substâncias que contenham cálcio ou sódio, chumbo ou alumínio. Do emprego desta ou daquela substância depende o tipo de vidro que sai. No derretimento forma-se uma massa espessa, como a de pastel, e nesse estado pastoso o homem faz do vidro o que deseja: garrafas, grandes lâminas de que recortam os vidros para janelas e quadros. E até maravilhosos objetos de arte são feitos de vidro, como vocês poderão apreciar nas vitrinas das joalherias. O defeito do vidro é quebrar com facilidade; mas a indústria está fazendo grandes progressos na sua fabricação, de modo que muito breve teremos vidro flexível e inquebrável.

— Vidro inquebrável já há nos automóveis, — disse Pedrinho.

— Não. Esse chamado vidro inquebrável é tão quebrável como o comum. Poderemos chamar-lhe "vidro de segurança", porque é feito de modo que ao quebrar-

-se não espirra fragmentos em todas as direções, escangalhando com a cara dos automobilistas.

— Como é feito, então?

— De três lâminas superpostas, duas de vidro comum e a do centro de celuloide. Por meio do calor e de forte pressão as três lâminas se ligam firmemente. Quando esse vidro se quebra, os pedaços não espirram, ficam colados ao celuloide. Vem daí a segurança. Bom, já falei das principais coisas que o homem retira do subsolo, por meio de escavações, minas em forma de galerias ou simples furos. Está claro que uma jazida mineral tem tanto maior valor quanto mais próxima está da superfície — por causa da economia da extração — isso porém não impede que o homem desça a boas profundidades, sobretudo para petróleo. Há poços com mais de três mil metros de profundidade. Na mineração do ouro a companhia inglesa que explora os veios de Morro Velho, no estado de Minas, já tem galerias a 2.200 metros de fundo. E com esses materiais o homem vai construindo a civilização. A base é o ferro e a energia que move as máquinas construídas de ferro. Se suprimirmos essas duas coisas, acaba-se o progresso e temos de voltar à vida do índio — com tangas, arcos e tacapes, vivendo da pesca e da caça, como os que habitavam nessas terras antes da chegada dos portugueses.

— E como hoje há muito pouco que caçar no mato, o remédio era cairmos na antropofagia, como os tupinambás que o Hans Staden descreve em seu livro, — disse Emília.

Dessa vez os meninos concordaram com ela.

Capítulo XXII
Metade do caminho

No outro dia Dona Benta recebeu carta de dona Antonica, sua filha, dizendo que as aulas de Pedrinho iam começar e que o mandasse imediatamente.

— Que pena! — suspirou Pedrinho, quando Dona Benta lhe trouxe a notícia. — Anda mamãe muito iludida, pensando que aprendo muita coisa na escola. Puro engano. Tudo quanto sei me foi ensinado por vovó, durante as férias que passo aqui. Só vovó sabe ensinar. Não caceteia, não diz coisas que não entendo. Apesar disso, tenho cada ano, de passar oito meses na escola. Aqui só passo quatro...

— E os serões de vovó ainda estão longe do fim, — disse Narizinho. — Só no capítulo eletricidade ela pretende nos ensinar um mundo de coisas.

— Eletricidade, acústica, ótica, biologia... — acrescentou o menino. — A ciência é longa e a vida só tem quatro meses cada ano — as férias que passo aqui. Os oito meses de cidade são divididos assim: metade ruminando as últimas férias e outra metade arregalando os olhos para as férias próximas. Ah, Narizinho, você que mora permanentemente com vovó aqui não imagina como este sítio é gostoso...

Enquanto Pedrinho arrumava as malas, chegou o coronel Teodorico. Como os dois meninos andassem entregues aos preparativos e Dona Benta estivesse ocupada, quem o recebeu foi Emília.

— Dona Benta já vem, coronel; está acabando uma carta para a mãe de Pedrinho. O *infeliz* vai para a cidade hoje, sabe?

O coronel não sabia; ficou sabendo, e enquanto esperava a sua comadre, deu uma prosinha com Emília. Era um fazendeiro ignorantão, mas um tanto presunçoso porque "tinha tido" dinheiro — e dos que não acreditam em ciência. Quando Emília lhe contou a história dos "serões científicos", o bobão deu uma risada irônica, e disse:

— Eu ouço falar nessa tal história de ciência, mas o que sei é que os sábios são uns pulhas, uns sem-vintém, ao passo que homens como eu, criados no trabalho e na ignorância, vivem gordos e fartos, com dinheiro no banco. A falar verdade, dona Emilinha, não acredito muito nessa tal de ciência.

Emília, que já era um verdadeiro caraminguazinho[46] de ciência, ofendeu-se com a bobagem e disse:

— *Parece* que não acredita, coronel, mas acredita tanto quanto nós. Quando o senhor deseja mandar fazer um serviço qualquer, que camarada escolhe; um que *sabe* fazer o serviço ou um que *não sabe*?

— Está claro que escolho um que sabe; do contrário vem asneira e levo na cabeça.

— Logo, o senhor acredita na ciência desse camarada. Saber é ter ciência na cabeça.

— Bom, se a senhora considera isso ciência, então tudo muda. Quando falo de ciência não me refiro ao que a gente sabe, e sim a essas coisas que os livros dizem — essas lorotas.

— Dê um exemplo de lorota, — pediu Emília.

O coronel ficou atrapalhado, porque como não lia livro nenhum ignorava as "lorotas" que vêm nos livros. E engasgou.

— Vamos, — insistiu Emília. — Cite uma lorota de livro...

O coronel pensou, pensou e por fim disse:

— Por exemplo, esse negócio da terra ser redonda.

Emília teve dó dele. Tamanho homem e tão burro...

— Se não é redonda, coronel, que forma tem? — perguntou a diabinha.

— A terra é montanhosa, não está vendo? — respondeu o camelão. — A gente segue daqui até o Rio de Janeiro e que vai vendo? Várzeas e montanhas, mais montanhas do que várzeas — redondeza não se vê nenhuma.

Os argumentos da burrice são tão disparatados que até tonteiam uma pessoa instruída. Emília quis argumentar com o coronel, mas não viu caminho. Por onde entrar dentro de semelhante quarto escuro? E ainda estava pensando numa resposta que o coronel entendesse, quando Dona Benta apareceu.

— Desculpe, compadre, a demora, — disse ela. — Eu estava acabando uma carta à minha filha Tonica. Pedrinho volta para a cidade hoje. Escola...

— Já sei. Mas a comadre me perdoe se me meto na vida dos outros. Acho que andam ensinando demais a esse menino. Inda agora eu estava a discutir essa história de ciência com a senhora Emilinha e contei-lhe que apesar de nunca ter aberto um livro me arranjei muito bem na vida e fiquei rico.

Dona Benta lembrou-se do caso do "conto do bonde"; sorriu e disse:

---

46 N'*O Poço do Visconde* aparece o Caraminguá nº 1 o primeiro poço de petróleo do Brasil, aberto no sítio.

— Nesta vida, compadre, a gente às vezes enriquece sem saber como nem porque — mas quando perde tudo quanto ganhou, é sempre por uma razão: ignorância. Eu procuro ilustrar o espírito de Pedrinho, não para que ele ganhe dinheiro, já que isso só depende de sorte, mas para que o não perca, se acaso ganhar. Para que não compre bondes...

O coronel avermelhou. Sempre que faziam alusões ao célebre caso dos quatro bondes por ele comprados no Rio de Janeiro, o coronel ficava cor de pimenta.[47] E desconversou.

— Mudemos de assunto, comadre. Cheguei aqui para lhe propor um negócio. A senhora colheu milho demais este ano e quero ver se me cede uns cinquenta alqueires...

Pobre coronel! Depois de ter ficado bastante bem com a venda de suas terras, mudara-se para o Rio de Janeiro e caíra nas unhas dos piratas, voltando quase limpo. Estava agora recomeçando a vida num sítio comprado por ali, tão ruinzinho que nem milho dava. A sorte o fizera enriquecer — a ignorância o reduzira a nada — e no entanto ainda tinha dúvidas sobre o valor do saber...

Dona Benta desenvolveu o tema.

— A riqueza que quero para meus netos, compadre, é uma que eles possam guardar onde ninguém a furte: na cabeça. Porque a riqueza em bens e dinheiro me lembra dinheiros de sacristão, que cantando vêm e cantando vão. Onde está a grande fortuna dos Sarmentos? O velho ao morrer deixou bens avaliados em mais de dois mil contos — e os filhos andam hoje por aí vivendo de expedientes. A riqueza material é areia do deserto: ora se acumula aqui, ora ali, conforme sopram os ventos. Mas quem tem a riqueza no miolo, ah, esse está garantido contra todos os azares da vida.

O coronel coçou a cabeça, atrapalhado. E disse:

— Com a senhora ninguém pode, comadre. Tem respostas para tudo, e das que atrapalham. Parece que é assim mesmo... Meu pai não me deu luzes; só me deu terras — a fazenda que vendi por mais de mil contos. Afinal, lá se foi a fazenda, lá se foram os contos e estou aqui numa situação bem pouco melhor que a do Chico Piramboia. É... Quem tem razão é a senhora, comadre...

E depois dum suspiro:

— Mas me cede ou não me cede o milho? Tenho uma leitoada bonita para engordar este ano.

— Vou fazer coisa melhor, compadre. Cedo o milho e ainda o ensino a criar porcos. Garanto que o resultado vai ser o dobro do habitual. A zootécnica tem feito progressos maravilhosos, e tenho cá excelentes obras a respeito. Que peso alcançam os porcos que o compadre engorda?

— Homem, para dizer a verdade, aí, uns pelos outros, coisa de dez arrobas.

— Em quanto tempo?

— Ano e meio p'ra dois.

— Pois os homens que sabem criar porcos cientificamente conseguem num ano capados de 30 arrobas.

O coronel deu pulo da cadeira.

— A senhora está mangando comigo, comadre! Trinta arrobas! Isso é boi, não é porco...

---

47 *O Poço do Visconde.*

— Nada mais fácil do que tirar a dúvida — e Dona Benta levou o coronel ao chiqueiro científico em que ultimamente ela andava engordando porcos da raça Poland China. Ao ver aquilo o homem derrubou o queixo, de espanto. Nunca em sua vida imaginou que porco ficasse daquele tamanho e engordasse daquela maneira.

— Estou tonto com o que os meus olhos estão vendo, comadre! — exclamou ele. — Porco assim até parece arte do diabo. Diga-me: como consegue isso?

— Aplicando a ciência, nada mais. O compadre só consegue porcos de 10 arrobas porque se guia pela rotina — só faz o que os outros fizeram, sem nenhuma atenção aos progressos realizados no mundo pela zootécnica, que é a técnica, a ciência de lidar com os animais. Faça o que a zootécnica manda e obterá os mesmos resultados que eu.

O assombro do coronel não tinha limites.

— Mas será mesmo, comadre, que a tal de ciência seja isso que a senhora diz? — perguntou ele, ainda com uns restos de dúvida.

— Não está vendo? Quer resposta melhor que o meu chiqueiro?

O coronel continuava de boca aberta, com todas as suas convicções abaladas.

Nisto Pedrinho apareceu. Vinha despedir-se.

— Já estou pronto, vovó, — disse ele. — Tem carta para mamãe?

— Sim, meu filho — e também uma novidade para você: aqui o compadre está começando a acreditar na ciência. Mas quem o convenceu não fui eu, nem a Emília — foram estes porcos...

E mudando de assunto:

— Pois muito bem. Vá, brinque bastante e estude direitinho. Nas férias de junho, corra para aqui. Continuaremos os nossos serões. Resta-nos estudar a eletricidade, o rádio, a televisão, a luz, o som, um pouco de biologia, de botânica, de anatomia. Quero que vocês fiquem com uma base geral de conhecimentos.

Os olhos do coronel arregalavam-se mais e mais, e sua boca estava tão aberta que Emília teve vontade de jogar lá dentro uma espiga de milho.

Dona Benta concluiu, pondo a mão sobre a cabeça de Pedrinho:

— Desse modo você estará livre de duas coisas: comprar bondes e engordar porcos que só pesem 10 arrobas, como aconteceu e acontece aqui ao meu velho compadre Teodorico. Vá com Deus, meu filho...

E Emília, plantada diante do coronel, sorria vitoriosa com o triunfo da ciência sobre a ignorância.

Copyright © 2023 by Global Editora

1ª Edição, Editora Nova Aguilar, São Paulo 2023

Jefferson L. Alves – diretor editorial
Jiro Takahashi – editor executivo
Gustavo Henrique Tuna – gerente editorial
Flávio Samuel – gerente de produção
Jefferson Campos – assistente de produção
Homem de Melo & Troia Design – capa e projeto gráfico
Ana Dobón e Danilo David – editoração eletrônica
Márcia Benjamim, Luiz Maria Veiga e Fernanda Lubatchewsky Ishibe – revisão
Ana Lima Cecilio e Ana Lucia de Oliveira Brandão – curadoria e organização dos textos

Agradecimentos a Antonio Carlos D'Angelo, da Biblioteca Infantojuvenil Monteiro Lobato, pelo apoio com os exemplares da edição original da *Obra completa* de Monteiro Lobato (São Paulo: Brasiliense, 1947/1948).

Agradecimentos à diretora Marta Nosé Ferreira, da Biblioteca Infantojuvenil Monteiro Lobato, pela cessão das imagens das pranchas da exposição "Emília: a boneca de Lobato", realizada em 2008. As pranchas dos primeiros ilustradores das obras de Monteiro Lobato compõem o caderno iconográfico do volume 1 desta edição.

Agradecimentos à equipe do Cedae (Centro de Documentação Cultural Alexandre Eulálio), do Instituto dos Estudos da Linguagem da Unicamp (Universidade de Campinas), pela cessão das fotos utilizadas no caderno iconográfico do volume 3 desta edição.

Dados Internacionais de Catalogação na Publicação (CIP)
(Câmara Brasileira do Livro, SP, Brasil)

Lobato, Monteiro, 1882-1948
Monteiro Lobato : obra completa, v. 2 : livros infantis. – 1. ed. – São Paulo : Editora Nova Aguilar, 2023.

ISBN 978-65-89645-36-8

1. Literatura infantojuvenil 2. Lobato, Monteiro 1882-1948 I. Título.

22-129180   CDD-B869

Índices para catálogo sistemático:
1. Literatura infantil   028.5
2. Literatura infantojuvenil   028.5

Cibele Maria Dias - Bibliotecária - CRB-8/9427

Obra atualizada conforme o
NOVO ACORDO ORTOGRÁFICO DA LÍNGUA PORTUGUESA

Editora Nova Aguilar
Rua Pirapitingui, 111 — Liberdade
CEP 01508-020 — São Paulo — SP
Tel.: (11) 3277-7999
e-mail: novaaguilar@novaaguilar.com.br

Direitos reservados.
Colabore com a produção científica e cultural.
Proibida a reprodução total ou parcial desta obra sem a autorização do editor.

Impresso na Índia

Nº de Catálogo: **10041**